Edition préparée
sous la direction de Marie-Catherine Vacher

DANS LA MAIN DU DIABLE

DU MÊME AUTEUR

L'HOMME DE BLAYE, Flammarion, 1984.
VOIE NON CLASSÉE, Flammarion, 1985.
L'INSOMNIAQUE, Flammarion, 1987 ; Babel n° 440.
LE MONARQUE ÉGARÉ, Flammarion, 1989 ; Seuil, 1996.
CHAMBRE NOIRE, Flammarion, 1990.
ADEN, Seuil, 1992.
PHOTOS DE FAMILLES, Seuil, 1994.
MERLE, Seuil, 1996.
DANS LA PENTE DU TOIT, Seuil, 1998.
L'AMOUR DE LOIN, Actes Sud, 1998.
ISTVAN ARRIVE PAR LE TRAIN DU SOIR, Seuil, 1999.
LES MAL FAMÉES, Actes Sud, 2000 ; Babel n° 557.
NOUS NOUS CONNAISSONS DÉJÀ, Actes Sud, 2003 ; Babel n° 741.
LA ROTONDE, Actes Sud, 2004.
UNE FAIM DE LOUP. LECTURE DU "PETIT CHAPERON ROUGE", Actes Sud, 2004.

© ACTES SUD, 2006
ISBN 2-7427-6051-2

Photographie de couverture :
Guitty à Biarritz, 1905, photographie J. H. Lartigue,
© ministère de la Culture – France / AAJHL

Anne-Marie Garat

DANS LA MAIN
DU DIABLE

roman

ACTES SUD

O tête trop lourde front en feu yeux tristes
O pourpres avenirs comme des améthystes
Trajectoires de vie que mon cœur va suivant
Comme un obus lancé qui traverse le vent

GUILLAUME APOLLINAIRE,
Poèmes à Lou.

I

Qui de nous se souvient d'avoir aperçu, ce jour-là, deux femmes solitaires dans une allée du Luxembourg, indifférentes à la menace d'averse, immobiles parmi les statues ? Un passant attardé eût pu s'intriguer de leurs étranges silhouettes arrêtées près d'un banc, l'une claire et mince penchée vers l'autre, vêtue de sombre, qu'enveloppaient en tourbillon les premières feuilles mortes de cette fin d'été, mais chacun fuyait vers un abri, laissant le jardin désert. Là-bas, sous les arbres, une bande de pigeons dérangés par la bourrasque passa soudain de la guérite des marionnettes au toit du kiosque à musique. Un instant distraite de sa conversation, la jeune fille les regarda se rengorger frileusement dans leurs plumes, puis revint à sa compagne avec un soupir.

— Tante Agota ! Qu'allez-vous imaginer ? Vous expulser !... On y mettrait moins de façons, je vous assure.

Tout en maintenant son chapeau que malmenait le vent, elle s'efforçait à la patience, mais la vieille femme gémissait, avec l'obstination des vieilles gens.

— Ah ! Tu es jeune, et insouciante... Tu ignores ce qu'est une vie d'émigrée... Je n'en parle guère, mais songe que, pas un matin, depuis plus de trente ans, je ne me suis réveillée sans redouter qu'on me renvoie là-bas, à Budapest... Et voilà qu'on me réclame ces documents de famille, la preuve de mon identité, des attestations... Cette lettre est pleine de menaces.

— De menaces ?... Ce sont de banales formules administratives.

— Justement, de ces tournures anodines dont ils ont le secret, sournoises, malveillantes. L'Autriche-Hongrie est ennemie. Ses ressortissants sont suspects, partout poursuivis... Ces gens auront trouvé quelque raison de tracasserie, pour me persécuter. Je suis malade d'y penser.

— S'il ne s'agissait que de cela…, murmura la jeune fille, agacée par ces plaintes.

Elle perdait ses yeux au loin sous les arbres, comme si elle y voyait venir un fantôme familier, dont elle aurait voulu épargner la vue à la vieille femme. Pourtant, entre les massifs dégouttant de la dernière pluie, le jardin n'offrait que la perspective vide de ses allées et le grand bassin d'eaux grises, éteint comme un œil mort.

— Quoi d'autre, selon toi ?

— Cette convocation a peut-être un objet plus grave…

— Plus grave ! Que sais-tu, Gabrielle ? Que m'as-tu caché ?

— Je ne vous cache rien ! Seulement, j'ai le pressentiment… Je crois qu'il s'agit d'Endre.

— Endre !

Au cri d'effroi succéda un silence. Gabrielle s'était redressée, décidée à ne plus taire ses pensées.

— On ne nous a pas tout dit, alors, vous le savez bien…

Et comme la vieille femme secouait la tête, éperdue, elle raisonna, les lèvres pâles, avec la volubilité du chagrin trop longtemps contenu.

— Nous n'espérions plus rien, c'est vrai… Pourtant, quand vous avez reçu cette lettre, ma première idée a été qu'on avait pu retrouver sa trace. Qu'un courrier égaré serait enfin arrivé… Peut-être la nouvelle de son retour prochain ! Ah ma tante, pardonnez-moi ! Vous n'imaginez rien que votre expulsion, et moi je prie de tout mon cœur pour qu'il s'agisse de lui… Si ce commandant veut vous recevoir en personne, c'est peut-être que nous avons été enfin entendues, qu'une véritable enquête a eu lieu ? Peut-être, cette fois, apprendrons-nous enfin quelque chose ?

— Tu n'as donc pas renoncé ! s'écria la vieille femme avec colère. Ah ! Pourquoi m'accables-tu, quand je ne veux que la paix, et l'oubli …

— Allons, à présent. Il est bientôt l'heure du rendez-vous.

Mais Agota, recroquevillée, refusait toujours de bouger.

— Que de temps perdu, après son départ, avant d'admettre que son silence était un mauvais signe… Et quand nous avons enfin cherché à savoir, nous n'avons rencontré qu'ignorance, mauvaise volonté, mensonges. On nous a éconduites, comme si nous n'étions pas, moi sa mère, toi sa cousine, les deux seuls êtres au monde qui pensaient encore à lui, espéraient encore son retour. Où est-il à présent ? Plus personne ne se souvient de de compassion et d'agacement mêlés pour ces atermoiements. Brusquement, la vieille femme s'arrêta encore.

— Parleras-tu pour moi ?

Comme Gabrielle restait interdite, elle supplia :

— Jamais je ne saurai trouver les mots. Toi, ils t'écouteront. Parle à ma place, s'il te plaît.

Gabrielle hésita, mais le pauvre visage de sa tante, devenu enfantin à force d'indécision et d'effroi, eut raison de son impatience. Agota s'en remettait à elle en cette circonstance, comme en tant d'autres, à son courage, à sa résolution, ignorant combien elle-même appréhendait cet endroit solennel et hostile. Elle promit.

Elles finirent par trouver, au bout d'un long couloir dont le tapis assourdissait leurs pas, la porte indiquée, que gardait un huissier, à qui Gabrielle remit le carton. Il disparut, les priant d'attendre, revint aussitôt, réclama les papiers exigés, disparut de nouveau. Dans ce silence oppressant, elles se taisaient. Au loin, l'averse finissait, les grondements s'éloignaient. Bientôt elles seraient reçues, mais plus l'instant approchait, plus Gabrielle se sentait gagnée par une sorte de torpeur. Un bourdonnement emplissait sa tête, brouillant toute pensée, tout raisonnement. Dans une sorte d'anesthésie, elle voyait à ses pieds les motifs rouges du tapis s'associer en hiéroglyphes agressifs, dont l'écriture énigmatique changeait sans cesse de forme, et tandis qu'elle cherchait absurdement à les déchiffrer, une étreinte glacée serrait ses tempes. Soudain, la porte s'ouvrit.

— Le commandant Feltin va vous recevoir, chuinta l'huissier, s'inclinant avec déférence.

Elle ne vit d'abord que les immenses tableaux de camps militaires et de batailles navales aux ciels ténébreux, emplis de tumulte et de canons ; les portraits de généraux, d'amiraux en grande tenue, d'allure menaçante et funeste. Un jeune ordonnance les dirigea cérémonieusement vers l'imposant bureau qui trônait au fond, derrière lequel un militaire, assis à contre-jour de la haute fenêtre, semblait profondément plongé dans ses dossiers. A leur approche, il leva la tête, l'œil perdu à travers elles vers les terribles canonnades navales, ou vers autre chose de plus lointain, puis il se leva avec effort. En même temps que lui, se leva, à un petit bureau adjacent, un jeune homme, à qui ses cheveux plaqués et ses lunettes cerclées donnaient plus d'âge qu'il n'avait, et qui se tint comme au garde-à-vous, bien qu'il fût en civil ; un secrétaire sans doute. Celui-là les regardait, sinon avec amitié, du moins d'un air plus affable, peut-être ému de ce couple de la vieille dame et de la jeune fille, et Gabrielle se raccrocha à son

lui, et lui aussi nous a oubliées. Que ne l'as-tu empêché de partir, alors !

— Mille fois, vous m'avez fait ce reproche injuste. A quoi bon y revenir ? Venez, tante Agota, sinon nous serons en retard.

Maintenant, elle avait hâte de mettre fin à cette station inutile dans le jardin, à cette vaine discussion, pressant du geste la vieille femme à quitter le banc humide où elle avait voulu s'arrêter, tout à l'heure, en dépit du vent et de la menace de pluie, au prétexte de sa fatigue, en réalité pour différer le rendez-vous. A force de lire et relire la convocation lapidaire, son angoisse avait grandi, la ramenant à sa seule hantise d'une expatriation imminente. Pas une seule fois, elle n'avait songé à l'éventualité que Gabrielle venait de suggérer, dont la logique la frappait à présent de stupeur, dépassant ses pires craintes nocturnes. Oui, cette tête brûlée, ce fils opiniâtre et insoumis pouvait bien être devenu de ces hommes dangereux, de ces aventuriers qui trahissent leur pays d'accueil et desservent ses intérêts. Au point de devenir des ennemis, des apatrides que les Etats pourchassent et condamnent à l'exil, eux et toute leur famille, alors tout le malheur, une fois de plus, retomberait sur elle...

Pour lui, elle n'avait eu que faiblesse, indulgence sans bornes, voilà où était sa faute. De tout temps, il échappait à sa loi : préférait, enfant, la pension à sa famille, choisissait une voie qui l'éloignait toujours davantage, une école de chimie à Bruxelles, puis Anvers, et Londres... Une fois ingénieur, loin de se fixer comme elle l'espérait, il avait multiplié les missions qui le spécialisaient dans sa discipline, apprenant les langues avec une insolente facilité, nouant partout des relations dont elle ignorait la nature, sans qu'elle osât poser de questions lorsqu'il revenait soudain, sans prévenir, pour disparaître de nouveau... Dans leur appartement près du Jardin des plantes, l'atmosphère était toujours à l'attente, de ses lettres, de ses nouvelles, de ses brefs retours. A Gabrielle, il réservait alors rires, conciliabules, et facéties, dont il était prodigue, par goût de la parade, ou de la provocation, et Agota riait de la voir si engouée de lui, le fils oublieux et ingrat ! Ah comme elle riait et se contentait de les voir ensemble, près d'elle, persuadée que la petite fille lui ramenait, plus sûrement que le devoir filial, ce fils dans le culte de qui elle l'entretenait, avec tant d'aveuglement... Comme s'il fût le bon ange, vraiment ! Quand Endre avait-il cessé de voir sa jeune cousine pour une enfant, quand le jeu dangereux avait-il commencé ? Lorsque Agota admit enfin ce qui crevait ses yeux, Gabrielle avait seize ans, le mal était fait : elle vouait à Endre un amour absolu, idéalisé à proportion de son absence chronique, des rêves absurdes dont il comblait sa solitude d'enfant. Cela s'était passé sous son toit, et elle n'avait rien deviné, ni empêché... De cela, Agota était coupable, absolument. Ah ce jour, où il lui avait fallu se rendre à l'évidence ! Dans le petit salon, Gabrielle jouait une pièce légère de Liszt qu'elle aimait. De sa chambre voisine, où elle brodait un de ses innombrables motifs floraux, Agota l'avait soudain entendue s'interrompre et poursuivre la mélodie *a capella*, chantant qu'elle suivrait Endre au bout du monde, qu'il serait son amour pour toujours ! *Pour toujours, toujours !* Plaquant un accord, en conclusion de l'aveu triomphant, elle s'était tue. Dans le silence, sa voix juvénile continuait de se propager en point d'orgue, et rien ne s'était pourtant écroulé. Le soleil continuait d'entrer, paisible, à travers les rideaux, de dorer les meubles et la soie de la courtepointe. Agota avait laissé passer un long temps, l'aiguille en l'air, sans bouger, osant à peine respirer, puis avait repris sa couture, les mains tremblantes.

Plus tard, ayant retrouvé un peu ses esprits, elle avait longé le corridor, jeté un œil prudent. Accoudée au balcon, Gabrielle contemplait les arbres du Jardin des plantes, encore dépouillés par l'hiver, la rue ensoleillée, dont montait la rumeur. Elle fredonnait, dans son insouciante gaieté. Bouleversée par cette scène, Agota, s'était enfuie dans la cuisine. Elle y avait retrouvé Renée, qui plumait un poulet sur ses genoux. Le duvet voletait autour de son tablier et tombait lentement à ses pieds, dans un ralenti étrange. Renée avait été la nourrice de Gabrielle ; elle ne l'avait jamais quittée. Depuis si longtemps elle partageait leur vie, leurs malheurs et leurs soucis, que se réfugier près d'elle était un soulagement, comme de se trouver sous la protection de sa propre mère. A son entrée précipitée, Renée avait levé le nez, reposé ses mains sur les ailes du poulet et, se penchant en avant, avait chuchoté :

— Vous avez donc entendu ce que j'ai entendu ?

— Entendu quoi ? balbutiait Agota, plus morte que vive.

— Bon... Si vous n'avez rien entendu, moi non plus.

— Que fallait-il entendre, enfin ?

— Il me semble que Gabrielle est contente, puisqu'elle chante, disait Renée, reprenant farouchement son ouvrage, baissant le front, la bouche pincée.

— Mon Dieu, qu'allons-nous devenir ? avait gémi Agota, tombant sur une chaise.

— Mais rien, puisque nous n'avons rien entendu, rien vu. Comme d'habitude, avait osé commenter Renée.

Et, d'un grand geste de protestation, elle avait fait voler dans la cuisine toutes les plumes de la volaille.

Agota marchait au bras de Gabrielle, serrée contre la jeune fille dont la détermination galvanisait son faible courage. Elle se taisait maintenant, résignée à se rendre au rendez-vous. Malgré la brève éclaircie qui avait ensoleillé le jardin, au moment où elles le quittaient, d'autres nuages d'encre venaient déjà, et comme les deux femmes atteignaient le bâtiment du ministère de la Guerre, boulevard Saint-Germain, l'orage d'été éclata.

Dès la salle des pas perdus, elles furent prises dans un embarras de gens affairés, civils et militaires, qui circulaient en tous sens, et tandis que la jeune fille partait chercher un renseignement, Agota resta seule, bousculée par les visiteurs, intimidée par les hauts plafonds à caisson et les énormes suspensions de cuivre. Des éclats de voix attirèrent son attention. Une femme d'âge, entourée de quatre petits enfants tout en deuil avec le bonne, occupait le passage. Un jeune soldat aux joues roug tentait de refouler tout ce monde, alors que la femme, un p forte, empaquetée dans sa cape d'été aux plis amples résistait agitant sa tête, faisant osciller les longues plumes de son c peau dans le courant d'air, menaçant d'aller jusqu'à l'Etat-M jusqu'au ministre s'il le fallait, pour qu'on sût, enfin, la situa de ces enfants, qu'elle désignait théâtralement, eux eff ouvrant des yeux immenses, se réfugiant en grappe autour petite bonne, honteuse de l'esclandre. Le jeune soldat, déb ayant appelé du renfort, la situation devint confuse, mais s'oubliait à ce spectacle, fascinée. Pour tant d'autorité, o tel scandale, cette femme devait avoir un rang, des appuis... audace pour faire entendre son droit, en imposer à to militaires ! A cela s'ajoutaient le battement de l'averse d'or les pavés, les grondements du tonnerre, dehors, comm ciel fût à l'unisson. Lorsque Gabrielle revint vers elle, te laissez-passer, elle trouva sa tante toute pâle.

— Qu'avez-vous ? Vous sentez-vous mal ?

— Gabrielle, ne restons pas ici, rentrons chez nous

— Mais on vous attend ! Voyez, j'ai le laissez-pa votre rendez-vous.

— Vas-y seule, Gabrielle. Je t'attendrai ici.

— Enfin, ma tante, c'est vous, qui êtes convoquée. vous a tourné la tête. Allons.

Avec énergie, elle empoigna le bras d'Agota et l'e elle, jetant un coup d'œil inquiet sur son visage fr regard comme s'il pût être celui d'un éventuel allié, tandis que le militaire faisait le tour de son bureau d'un pas claudicant. Aux insignes accrochés à sa veste sanglée, à sa manche, elles supposèrent qu'il s'agissait du commandant Feltin, et il mit tant de solennité à son salut, au geste dont il leur désignait les fauteuils, à son retour silencieux derrière la table, que toute sa personne intimait silence et respect. Il feuilletait les papiers d'Agota, vétilleux, suivant les lignes du doigt, comme s'il les déchiffrait pour la première fois.

— Vous déclarez bien être Mme Agota Kertész, née à Budapest en 1860, rentière, résidant au 25 rue Buffon, à Paris, depuis… Depuis l'année 1880, finit-il par demander.

Agota acquiesçait, tétanisée. L'homme attendait une réponse, sans impatience, et comme le silence durait, selon sa promesse, Gabrielle intervint.

— Elle le déclare. Je suis sa nièce, Gabrielle Demachy. J'accompagne ma tante.

L'homme considéra Gabrielle, opinant d'un air ennuyé.

— Soit. Madame, nos services vous ont contactée pour une affaire extrêmement délicate. Il nous fallait l'assurance de votre identité. Excusez ces formalités contraignantes, mais, en la circonstance, elles étaient nécessaires.

Il soupira profondément, tapota le bord de son bureau de ses doigts délicats.

— Vous êtes également la mère du dénommé Endre, Peter Luckácz, né à Paris, en 1880, de Sándor Peter Adam, comte Luckácz. Vous avez interrogé nos services à son sujet en, voyons… En octobre 1911, n'est-ce pas ?

Agota se tourna vers Gabrielle, d'un mouvement de panique. Elle-même, bien qu'elle eût su d'emblée qu'il s'agirait d'Endre, avait pâli affreusement, mais elle gardait son maintien, droite dans le fauteuil, sans ciller.

— Nous avons le triste devoir de vous annoncer son décès. Agréez nos condoléances.

Un silence énorme suivit. La lumière avait vieilli. Les deux femmes statufiées faisaient face au militaire, aussi rigide que les portraits des murs. Même le secrétaire semblait s'être figé derrière son bureau, tel un mannequin de cire. Au moment où le commandant replongeait dans ses dossiers, commençant un discours préparé, sans doute, Gabrielle se leva brusquement tel un ressort, fit deux pas pour s'enfuir, tomba de tout son long, prise d'un étourdissement.

La scène qui s'ensuivit fut assez confuse. Le secrétaire s'était précipité ; agenouillé, il soulevait la jeune fille, qui du reste revenait déjà à elle, tandis que, le commandant ayant sonné, diverses personnes entraient et sortaient, chuchotant, empressées, portant un verre d'eau, tandis qu'Agota, clouée à son siège, suivait les allées et venues comme si rien de cela ne la concernait. Le malaise de Gabrielle ne dura pas. Elle vit d'abord, penché au-dessus d'elle, le visage de cet inconnu qui interrogeait anxieusement le sien, ému de son émotion, et qui n'avait que des gestes maladroits pour secours. Aussitôt elle se rappela où elle était, ce qu'elle venait d'apprendre, et une chaleur intense enflamma ses joues. Elle se releva aussitôt, se dégagea des bras du secrétaire qui reculait lui-même, balbutiant quelques mots inaudibles. Et très vite, le commandant ayant congédié tous ces gens d'un geste, la salle fut à nouveau vidée.

Avec une mine contrite, il s'assura poliment de l'état de Gabrielle, lui tendit lui-même le verre d'eau, qu'elle but, pour gagner du temps, pour retrouver une contenance. D'ailleurs, comme il arrive parfois dans les grandes commotions, elle se sentait envahie du calme insolite dont l'esprit s'arme contre la souffrance, pour la neutraliser, un temps. Elle reprit sa place, le commandant, le secrétaire reprirent la leur, et tout rentra dans l'ordre, comme si cette parenthèse brutale, l'affolement des quelques secondes n'avaient été qu'un réveil inutile au milieu du cauchemar. Mais Agota restait dans l'hébétude. Ce à quoi elle assistait semblait échapper à son entendement, tandis qu'à ses côtés Gabrielle interrogeait déjà le commandant, d'une voix blanche.

— Cette terrible nouvelle nous bouleverse, ma tante et moi. Cependant, vous le comprenez, nous attendons quelques explications.

L'homme se racla la gorge, eut un geste conciliant.

— Bien sûr, bien sûr. Cette personne n'appartient à aucun corps de notre armée. Je veux dire : son décès ne concerne pas notre ministère. Toutefois…

— Toutefois, coupa-t-elle, c'est ici qu'on nous a adressées, lors de nos dernières démarches. C'est ici qu'elles ont échoué. Ici que nous sommes convoquées, deux ans après avoir reçu une fin de non-recevoir. Où Endre Luckácz est-il mort ? Quand, de quelle manière ?

— Nous savons peu de chose. C'est assez compliqué, semble-t-il…

Jetant un bref coup d'œil au secrétaire qui restait, la plume en l'air, figé dans l'expectative, il le désigna, de sa maigre main aux ongles soignés.

— M. Terrier répondra de son mieux à toutes vos questions, tout à l'heure.

— Non, dit Gabrielle, contenant son indignation. Vous allez le faire vous-même, tout de suite.

Surpris par ce ton, l'homme eut une moue, mais la circonstance, l'éclat qu'il paraissait redouter le décidèrent à composer.

— Je ne suis pas en mesure de vous satisfaire, mademoiselle. Mais, par égard pour votre peine, je veux bien éclairer la raison pour laquelle nous sommes chargés de cette triste mission. Il y a trois mois de cela, un de nos navires, faisant escale à Rangoon...

— Rangoon?

— C'est un port de Birmanie. Le consulat de France a confié, au capitaine de ce bâtiment, une malle, et le certificat de décès ci-joint, établi au nom de votre parent. Le tout transmis par les autorités anglaises du protectorat, responsable des affaires dans ce pays. Le capitaine nous a remis ce colis, dès son arrivée au Havre, selon la procédure des Affaires étrangères, sous contrôle militaire. Le délai du voyage au long cours, que des tempêtes ont retardé, explique notre retard à vous prévenir.

Gabrielle tendit la main. A contrecœur, le commandant fit glisser vers elle le document qu'il avait machinalement saisi en parlant. Rédigé en langue anglaise, le papier aux pliures jaunies semblait avoir été maintes fois consulté. Gabrielle, se penchant sur le bureau, vit seulement la date qu'il portait, avant qu'il ne le retire prestement de sa vue.

— Décembre 1908... C'est bien la date indiquée? Mais ce délai est invraisemblable!

Un peu de rose était monté aux joues du militaire, dont le regard hésitait, cherchant un secours vers le secrétaire, impassible. Pas tellement invraisemblable, protestait-il... Parfois des ressortissants, engagés dans des pays lointains pour leurs affaires, disparaissaient ou décédaient sans que personne songeât à en transmettre l'avis. Mission délicate, embarrassante, il fallait bien le dire... Bien souvent, les autorités locales s'abstenaient, soit par négligence, soit par ignorance de la procédure, et des familles à joindre, plus ou moins dispersées... D'ailleurs, comment s'assurer, de si loin, de l'identité exacte d'une personne? Les colonies étaient nombreuses, et certaines soumises à des administrations défaillantes, trop mal équipées pour s'occuper de ces choses privées. Surtout lorsqu'il s'agissait de civils, qui ne relevaient pas directement des services français, leur étaient même inconnus. Enfin, elles devaient comprendre, il était désolé de ces pénibles circonstances, mais il ne pouvait leur en dire plus. Sa mission était seulement de les informer... Tout le temps qu'il parlait, Gabrielle se sentait gagnée par une rage froide. De ce pays, la Birmanie, des relations internationales, des règlements et des us, elle ignorait tout. Cependant ces propos évasifs étaient une insulte jetée à leur détresse. Chaque question lui en découvrait d'autres, soulevant de nouvelles contradictions. Impuissante à poser enfin la bonne, celle qui débusquerait la contrevérité, elle entrevoyait pourtant des raisons obscures, une volonté de les éconduire encore, de se débarrasser d'elles par de bonnes paroles, pour couvrir incompétence ou fautes...

— Comment justifiez-vous, alors, que là-bas, quelqu'un s'avise soudain de confier ces objets à un bâtiment pour leur rapatriement en France...

— Je ne justifie rien, trancha le commandant, agacé. Comme vous, je constate. La malle a pu rester tout ce temps oubliée dans un entrepôt commercial, le grenier d'une administration, que sais-je ? Cela arrive. Un employé l'aura découverte, lors d'un rangement, d'un classement... On peut tout imaginer...

— Imaginer ! Mais il s'agit de la réalité ! Que dit le capitaine du bateau ? Il doit avoir quelque information, lui qui a été en contact avec ces gens, ces gens du port...

— Des Anglais, mademoiselle. La Birmanie est sous protectorat britannique. Nos rapports ne sont pas faciles, comme vous le savez...

— Non, je ne sais rien. Je veux comprendre.

— Sans doute. Cependant j'en suis navré : je n'ai plus rien à vous dire.

Il se levait pour mettre fin à l'entretien, faisant signe au secrétaire de raccompagner les visiteuses. Soudain, la voix d'Agota s'éleva, claire, intrépide :

— Cela ne se passera pas comme ça. Nous irons jusqu'à l'Etat-Major, jusqu'au ministre, s'il le faut !

Le commandant esquissa un sourire suffisant, ne daigna pas répondre. Gabrielle, désolée de la sortie incongrue de sa tante, l'apaisa d'un geste, la fit se rasseoir.

— Vous ne pouvez nous congédier ainsi. Mme Kertész vient d'apprendre la mort de son fils, moi celle de mon cousin, des années après son décès. Réalisez-vous l'énormité dont il s'agit ? Pourquoi nous communiquer cette nouvelle, dont rien n'assure qu'elle soit exacte, vous l'admettez vous-même ?

— Nous ne pouvons, en effet, écarter l'hypothèse d'une malheureuse erreur sur la personne, je vous le concède. Nous aimerions nous tromper. Mais, hélas, elle n'a que trop de chances d'être exacte. Nous ferons porter chez vous cette malle, dans les plus brefs délais. Vous-mêmes vérifierez qu'il s'agit des biens de votre parent. A présent, je ne peux vous retenir davantage. Terrier, raccompagnez ces dames.

L'entretien était terminé, cette fois. A moins de provoquer un scandale, elles ne pouvaient insister davantage. D'ailleurs, le commandant, après s'être incliné avec raideur, quittait la pièce de son pas instable, et le secrétaire, embarrassé, les escortait jusqu'à la porte que l'huissier ouvrait devant eux. Cependant, au lieu de les abandonner là, après une hésitation, Terrier passa obligeamment le seuil avec elles, comme pour compenser la rigueur militaire du protocole. Ils s'éloignèrent un peu dans le couloir désert et il les arrêta près d'une banquette, où il fit asseoir Agota, plein d'égards. Gabrielle, encore bouleversée par la fin abrupte de cet entretien, était reconnaissante au jeune homme de sa prévenance. Elle sentait Agota sous le choc, redoutait la réaction violente qui pouvait suivre son abattement. Le jeune secrétaire, d'un geste gauche, invita Gabrielle à l'écart.

— Rien ne m'autorise, mademoiselle, à me mêler de tout cela, chuchota-t-il. Cependant je vois votre peine, et votre courage. Je suis désolé que cela se soit passé ainsi. Croyez à toute ma sympathie...

— Vous êtes bien aimable, dit Gabrielle avec effort, déjà importunée de tant de sollicitude.

— Ne désespérez pas trouver réponse à vos questions. Peut-être, sait-on jamais, ajouta-t-il, sur le ton de la confidence, d'autres informations viendront-elles apaiser votre légitime désir d'en savoir davantage...

Gabrielle eut un geste d'impatience. Il fallait maintenant quitter au plus vite cet endroit, se débarrasser de cet importun subalterne, qui voulait seulement se donner de l'importance, malgré ses airs de sincère affliction, et dont l'empressement lui était à présent insupportable. Qu'avait-elle à faire des condoléances d'un inconnu ?

— Je ne vois pas comment. Mais je vous remercie, monsieur. Peut-on faire appeler une voiture, s'il vous plaît ?

— Je m'en charge. Suivez-moi, dit-il sans insister davantage.

Il descendit avec elles, leur procura rapidement un taxi, et les y fit monter lui-même. Il tombait une nouvelle averse, dont les bourrasques emportaient leurs robes. Sous la pluie, se laissant tremper, il retint encore la portière.

— Je m'occuperai moi-même de vous faire livrer cette malle, dès demain. Au revoir, mesdames.

— Adieu, monsieur, dit Gabrielle, sans un regard.

Le taxi eut du mal à s'extraire du boulevard Saint-Germain, de l'inextricable embarras de voitures et de charrettes que provoquait l'orage, des tramways immobilisés barrant la chaussée, dont le pavé était jonché de feuilles encore vertes, arrachées par le vent. Et même en longeant la Seine, vers le pont d'Austerlitz, on progressa lentement, comme si leur retour était une procession funèbre. Agota gardait le silence, observant l'eau battant les vitres, les passants fuyant sous leurs parapluies. Gabrielle elle-même se taisait. Elle ne sentait plus rien de sa grande commotion, ni de son exaspération devant les réponses dilatoires de ce militaire, insensible et pleutre, qui s'était débarrassé de la sale corvée, derrière le rempart de son magnifique bureau. Qui tendait à Agota ce papier, l'acte de décès, comme on donne une quittance de loyer... Mort ! Endre est mort. Qu'est-ce que cela veut dire, mort ? Ce mot n'ensevelit rien, n'achève rien. Il sidère et désespère, sans vaincre le vivant qui se dresse encore. Parce que tout le temps qu'elles font les suppositions les plus extravagantes, tandis qu'elles courent en tous sens, harcèlent les administrations, il est vivant ! Tout à l'heure, dans le jardin, il venait sur l'allée, vivant. Pas une seule fois l'une ou l'autre n'a évoqué l'hypothèse de sa mort. Même si celle-ci les effleure, l'idée en est si terrible, que jamais elles ne l'expriment. Pourtant, c'est aussi évident que cela : Endre n'écrivait pas parce qu'il n'était plus de ce monde. Parce qu'il gisait quelque part, très loin, à l'autre bout de la terre, dans un pays hostile, inconnu... Enseveli dans quelque cimetière, sous un tumulus anonyme, au fond d'une jungle, ou perdu dans les eaux d'un fleuve, enlisé dans les vases d'un marécage, ou écrasé sous la chute d'un temple, ou alors... Mais Gabrielle s'épuisait à concevoir l'inconcevable. Endre n'était plus, et cela ne prenait aucune forme imaginable. Ni mort, ni noyé, ni étendu dans un tombeau. Seulement disparu. Volatilisé. Absenté du monde sans raison, dans aucune circonstance dont le récit tromperait la douleur. Aucune tombe à se représenter pour ancrer en un lieu, sous une lumière, en un paysage, la place de sa mort et, même en imagination, s'y rendre, en cultiver l'image. Dire qu'elle s'était laissé persuader par Agota, par Renée, et même par Dora, de son abandon, de son oubli, cédant à leur raisonnement, selon lequel Endre s'était éloigné d'elles en aventurier inconséquent, par lâcheté, par méchanceté !

Soudain, elle s'aperçut que les larmes inondaient son visage, ses joues et son menton. Que n'avait-elle pleuré quand il le fallait ! Ce n'était rien, cette eau tombée des yeux. Une irritation lacrymale stérile. Elle avait autre chose à faire que de se pâmer sur les tapis, et pâlir, et se tordre les mains. Mort, Endre n'est pas mort. Il réclame, il appelle, elle entend sa voix, il crie ! Il fallait retrouver Endre, se réconcilier avec sa mémoire. Remonter le temps perdu, le temps gaspillé en chimères, et restaurer son image ancienne, trahie par le souvenir dénaturé, l'infidélité du souvenir où elle avait glissé, inconstante, et déloyale. De cela, elle rendait sa tante responsable, mais, au fond de son cœur, elle savait bien qu'elle-même avait failli. Et lui revenait l'élan qui l'avait jetée vers lui, en ce soir d'automne, la foi promise, arrachée à lui par ses pressants serments d'enfant. Elle l'avait vaincu, convaincu de son amour, lui qui ne croyait en rien, qui fuyait tout lien féminin, avec tant d'aversion. Qui répugnait tant à l'approcher, à la tenir dans ses bras, maintenant qu'elle avait seize ans. Elle lui jetait sa jeunesse à la tête, par défi, orgueil et folie. J'ai seize ans et je n'aimerai jamais que toi. Je t'attendrai ! Elle éclata en sanglots. La main paisible d'Agota se posa sur son épaule :

— Ne pleure pas tant, ma petite fille. Il n'est plus temps. Les morts préfèrent la paix.

Avec stupeur, Gabrielle considéra le profil de sa tante, détourné vers la vitre.

— Il n'est plus des nôtres, depuis si longtemps… S'il l'a jamais été… Me croiras-tu, Gabrielle ? Je suis soulagée. Oui, soulagée de le savoir mort. Mieux que d'apprendre quelque méfait, quelque exaction que, tant de nuits, j'ai passé à redouter de sa part. Cette nouvelle est préférable, si horrible soit-elle. D'une certaine façon, il était déjà mort pour moi, sans que je le sache. Maintenant, je le sais. Voilà tout.

Le visage d'Agota était parfaitement serein, attestant la sincérité de son cruel aveu. Peut-être, d'avoir si souvent rencontré la mort, avait-elle atteint ce détachement des vieilles gens, pour qui chaque coup du sort affaiblit les ressorts de l'existence, pour qui l'épreuve des douleurs est un luxe qu'elles ne peuvent plus s'offrir, par égoïsme, par indifférence, ou par prudence et résignation, pour durer encore… Gabrielle la crut. Elle sécha ses larmes. Désormais, elle était seule à garder Endre au fond de son cœur, son amour perdu. A le défendre, de toutes ses forces, contre l'oubli, la trahison, contre le doute et les pensées infamantes. Lui, dont elle seule avait connu l'âme tourmentée, la générosité, l'insatiable faim de vivre et de conquérir, serait le guide de sa vie, sa raison et sa loi. Ce sentiment renforçait sa détermination de s'affranchir enfin de la tutelle d'Agota. Le temps était venu. Oui, peut-être ce jour fatal, ce sombre jour d'orage et de douleur, était-il moins une fin qu'un commencement…

Renée accueillit la nouvelle dans les cris et les larmes, hoquetant dans son tablier, courant le long des couloirs où la poursuivait Gabrielle, tentant de la calmer, de la raisonner. Elle qui avait autrefois laissé son enfant à la garde de sa sœur, en Auvergne, pour être sa nourrice ; qui rendait visite une fois l'an à son propre fils, comme à un lointain parent de province, s'était furieusement attachée à Gabrielle, et à Endre ensuite, et elle semblait, ce soir-là, la seule à éprouver une vraie douleur de mère. Si bien qu'Agota et Gabrielle durent la consoler, la réconforter, comme si elle avait été plus blessée, plus désespérée qu'elles deux. Gabrielle finit par préparer un thé, qu'elles prirent ensemble, sanglots retenus dans le silence du petit salon dont Endre avait définitivement tiré la porte, un jour d'avril. Là, elles avaient continué de vivre, avaient attendu, espéré, s'étaient menti les unes aux autres, et à présent, manquant de mots pour dire chacune ce qui agitait son cœur, si différemment, elles communiaient dans cette veillée funèbre.

Dans ce même salon, Agota se revoyait entrer pour la première fois, quelque trente ans plus tôt. Trente ans ! Etait-elle une autre, aujourd'hui, ou la même que cette jeune étrangère désemparée, effrayée de tout, pourtant exilée volontaire dans cette ville, où l'avait accueillie d'abord une vieille tante religieuse, un peu simple, et sourde, qui ne lui avait été d'aucun secours, sinon, tout en l'accablant de ses reproches, de lui léguer son maigre héritage à sa mort ? Quel enfant jouait à l'instant sous la table, en fredonnant une comptine, Endre, ou Gabrielle ? Qui accrochait de ses doigts malhabiles les angelots de porcelaine au petit arbre de Noël en bois peint, ramené de là-bas ? Etaient-ils déjà ensemble à comploter, étouffant leurs rires au fond du couloir, ou silencieux, lisant dans une chambre les livres de poésie hongroise et allemande, qu'ils aimaient tant ? Qui entrait, le bébé dans ses bras, posait sur le lit la toute petite orpheline empaquetée de dentelles ? Etait-ce Renée, cette vieille femme qui lui faisait face à présent, abîmée dans son chagrin ? Et cette jeune fille aux lourds cheveux torsadés, si mince et grande, si forte qu'elle lui faisait peur, telle une ennemie... Oh, non ! Elle ne pouvait être, Gabrielle, l'inconnue qui lui dictait tout à l'heure sa conduite, qui la menait si fermement dans les couloirs du ministère, qui savait à sa place les mots et les gestes d'autorité... Elle était encore la petite fille adorable, frondeuse, rieuse, elle était encore le nourrisson ravissant qui avait enchanté sa vie. Où donc était passé tout ce temps des bonheurs, et qu'enfermaient les murs, à présent ? Il ne restait là que les traces du malheur ; chaque meuble, chaque photo et bibelot était le fragment, l'épave et le témoin vivant, grandeur nature, si petit fût-il, d'une vérité implacable, d'une histoire dont elle seule lisait tardivement les épisodes, lui faisait voir quelles erreurs, quels errements l'acculaient à l'échec, à la faute, sans expiation ni pardon. Etait-elle donc si mauvaise que tout, dans sa vie, tournât au malheur ?

Elle avait pourtant connu une enfance choyée dans la belle maison des Kertész, famille aisée de propriétaires terriens, cultivés et artistes, une maison pleine de livres, de rires et de musique, mais que la déraison longtemps cachée du père, enragé des tables de jeu, avait brusquement précipitée dans la débâcle. En un été, toute la famille entraînée dans l'avalanche, l'internement de sa mère dans une maison d'aliénés, la dispersion de ses sœurs en province, chez des oncles et cousins lointains, la fuite de son jeune frère, la ruine immédiate, les terres vendues, les biens dispersés. C'était aussi l'été de son premier amour... De sa rencontre à la parade avec le jeune comte Sándor Luckácz, le beau lieutenant retrouvé en cachette des siens. Mais le bel été si court achevait la merveilleuse envolée d'un printemps de fêtes, abîmait l'enchantement des premières étreintes, la bonté du désir, cet amour romantique aux folles promesses, aux serments fiévreux. Sous les tilleuls embaumés d'un parc, le long d'une rivière au crépuscule, Sándor l'avait aimée d'une passion mêlée de tourments et de mélancolie, habité par une révolte dont elle ne comprenait pas l'objet mais dont elle partageait les élans, et leur liaison s'exaltait de son secret. Sans doute, à sa manière, l'aimait-il sincèrement, mais sa noble famille avait refusé la mésalliance, et il la laissait, lui dont elle avait eu ce fils, seule et loin de tous, sans même de colère ou de rancune envers lui, qui ne la choisissait pas contre les siens, qui renonçait à vivre avec elle jusqu'au bout leur beau roman d'amour. Pour qui elle quittait, dans l'orage et les pleurs, dans la honte, sa famille dispersée et sa maison d'enfance, parents et amis, pour vivre désormais à Paris, seule, sa condition d'émigrée. Sans vrai souci matériel, cependant, les Luckácz, bons princes et dispendieux, lui assurant à vie une rente décente. Avec pour condition son silence, et sa promesse de ne jamais revoir Sándor. Ce qu'elle avait accepté, devant quoi elle s'était inclinée.

Sa prime jeunesse s'était enchantée du prestige lointain de Paris, de sa culture ; elle s'était vite adaptée à son exil, sachant bien le français, qu'on parlait dans toutes les familles aisées de Budapest. Au début, ses sœurs lui donnaient des nouvelles de là-bas, puis les lettres s'étaient espacées. Agota n'avait appris qu'avec retard la disparition de sa mère, puis celle de son père. Quant à Sándor, sa dernière nouvelle avait été la lettre d'un notaire, impersonnelle et lapidaire, où seule la signature était de sa main, par laquelle il reconnaissait Endre comme son fils, et lui donnait le droit de porter son nom. Elle avait donc vécu seule, réprouvée, loin des siens, se sachant sacrifiée par son amant à l'honneur, à la fatalité du devoir et des convenances, à la vie militaire qui l'accaparait, appelé sur des terrains d'exercice lointains, où il perdait la vie, pour finir, d'une invraisemblable chute de cheval, lui, un cavalier hors pair. Mort dont elle avait pensé qu'elle était une manière de quitter laconiquement la vie, de la quitter, elle, et de congédier toute sa noble famille avec l'élégance et la cruauté des départs inexpliqués, des suicides sans légendes. De cette pensée, elle se consolait un peu quand, certains soirs où l'étouffaient la nostalgie, les regrets et la peine, elle sortait de leur boîte, pour les contempler et les baigner de ses larmes, les photos de là-bas, les lettres et les papiers précieux, la reconnaissance de paternité, tout le pauvre viatique qui lui restait de son amour et de sa jeunesse perdus.

Sa solitude, son inexpérience et sa passion exclusive devaient livrer Endre à ses démons. Elle n'avait su les reconnaître, quand ils s'étaient manifestés : ceux de Sándor, son goût du secret, ses révoltes muettes et sa mélancolie, exacerbés chez son fils par le sentiment de son origine reniée, le soupçon porté sur son nom, qu'aucun père ne portait avec lui, même après que lui fut révélée l'existence réelle de son père, en même temps que son décès. Elle l'avait pourtant élevé de son mieux, dans l'indépendance, la franchise d'esprit, la pensée audacieuse des philosophes et la sensibilité romantique qui avaient formé sa jeunesse, dans la foi et la fierté de ses talents. Mais elle y avait mis trop d'orgueil, sans doute, attachée à faire de lui, par revanche, l'homme libre qu'il était devenu, ensuite, si vite, si tôt. Oui, elle payait tout cela, et tout cela était inscrit dans ces murs. La faute ancienne de son amour de jeune fille, sa fidélité au vœu de tenir jusqu'au bout le pari de sa propre liberté, comme son attachement excessif à l'enfant bien-aimé, l'unique enfant qui lui restait de tout ce passé saccagé.

Tout cela revenait à présent. Le théâtre du petit appartement, cette accumulation d'objets dont chacun racontait sans fin son histoire, emplissait Agota d'effroi. Fallait-il, en cette fin de journée d'été, traversée d'orage et de pluie, que tombe encore la sanction, qu'elles se retrouvent, elles trois, à veiller ce mort mal mort, cet absent qu'elle maudissait dans son cœur, recevoir la nouvelle de sa fin misérable, lui qu'elle avait de si longtemps renié, tenu loin d'elle et de ses pensées, à l'autre bout du monde où il s'était volontairement exilé. Ce soir, les pleurs de Gabrielle, le chagrin de Renée disaient son emprise maléfique, de quel pouvoir il régnait encore sur elles, ici, entre ces murs.

C'était là, dans ce même petit salon encombré de meubles et de bibelots que, cinq ans auparavant, au printemps 1908, Endre avait annoncé son départ imminent pour l'Orient. Jusque-là, ses voyages se limitaient à l'Europe, un éloignement dont elles se consolaient en consultant cartes et livres des pays où il disait être, d'où provenaient ses rares courriers. Cette fois, c'était une mission lointaine, et sans doute pour un long temps. Agota le revoyait debout, à cette place sous la lampe, tournant en jeu son départ, le lui annonçant avec son insolence et sa désinvolture coutumières. Il prétendait ignorer tout encore de son premier lieu d'établissement, promettait, d'en écrire, le plus vite possible... Elle avait eu beau objecter que ces endroits du monde étaient pleins de dangers, de fièvres tropicales, de bêtes et de gens inconnus, Endre éludait, contenant son irritation. Sa décision était prise, il n'était plus temps d'y revenir, si jamais sa mère s'était imaginé peser sur ses choix, d'une manière ou d'une autre. Elle pensa même qu'il avait conçu ce projet contre elle, pour la défier une fois de plus. Mais Gabrielle surtout la désespéra. Quand celle-ci aurait pu user de tout son pouvoir pour le dissuader, elle affichait le détachement. Son silence, plein de tristesse indulgente, exaspérait Agota, qui la pressait de plaider dans son sens. Mais Gabrielle lui tournait le dos, jouait à son piano des heures entières, comme si elle se moquait de ce départ. Si tu l'aimais un peu, l'exhorta-t-elle une fois, dans sa colère, tu l'empêcherais de partir ! Gabrielle avait suspendu ses mains sur le clavier quelques secondes, avant de pivoter lentement sur le tabouret, puis plantant dans son regard le sien, d'une voix mesurée qui fit peur à sa tante, elle avait répondu :
— C'est justement parce que je l'aime qu'il peut partir, tante Agota...
Elle qui, quelques semaines plus tôt, proclamait joyeusement son amour *pour toujours*, dans toute la maison ! Si elle acceptait si bien ce voyage, qui l'emportait pour longtemps, et si loin d'elles, c'est qu'elle en était déjà prévenue, son alliée, et sa confidente. Son ennemie, à elle. Elle chassa cette pensée mauvaise. Seules sa jeunesse, son ignorance du monde et des malheurs de la vie inspiraient à la jeune fille un tel consentement.

Et pour ne pas lui représenter ce que leur réservaient les jours à venir, les chagrins de l'attente qu'elle connaissait si bien, pour ne pas réveiller Gabrielle de son rêve, elle se fit violence. Elle tut son inquiétude, se résigna.

Vint le jour tant redouté. On avait mis la table ordinaire, pour complaire à Endre, hostile à toute cérémonie de séparation. Ce jour d'avril, un tendre soleil tombé sur la nappe se réverbérait dans la pièce, amoindrissant les formes comme sur les photographies qui s'effacent déjà, dont s'amenuisent les silhouettes fantomatiques de ceux qui ne sont plus. Pourtant, le repas avait été enjoué, par la volonté d'Endre, plein d'attentions et de douceur charmeuse. Malgré l'interdiction, il y avait du champagne, que Renée vint prendre avec eux, et des cerises, un luxe, pour lequel Agota avait traversé Paris. Endre but gaiement, à son voyage, à son retour. Puis il se leva. Son bagage l'attendait, gare Saint-Lazare, d'où il rejoignait Le Havre, où il prendrait son bateau. Il ne voulait personne pour l'accompagner sur aucun quai. La porte se referma sur lui. Lui disparu, elles s'affairèrent, comme si de rien n'était, à ranger les restes du repas, la vaisselle, s'agitant beaucoup pour combler son absence, si subite qu'elle était irréelle. Ensuite de quoi, pour s'épargner les unes aux autres le spectacle de leur peine, chacune se réfugia dans sa chambre, jusqu'au soir. Endre les avait quittées comme s'il allait revenir le lendemain. Elles ne le revirent, ni n'eurent plus aucune nouvelle de lui.

Le lendemain, conformément à la promesse de Terrier, un coursier livra la malle annoncée. En fait de malle, il s'agissait d'une mauvaise caisse de bois, sanglée d'une attache de cuir noirci et rongé, encrée d'indications moitié effacées, avec des vignettes décollées aux noms de compagnies ou d'escales, illisibles. Elles tirèrent la caisse dans le salon et s'empressèrent de l'ouvrir, éperdues d'anxiété et de chagrin à l'idée d'y reconnaître les habits ou les accessoires vestimentaires que portait Endre le jour de son départ, dont pourtant elles n'avaient aucun souvenir précis, comme si, de la caisse, il allait surgir debout, fantôme vivant, en son costume d'alors... Elles n'eurent aucun mal à faire sauter les vieilles vis, mal assujetties au couvercle. Gabrielle eut aussitôt à l'esprit que cette caisse avait été ouverte, visitée et refermée récemment, pour que les fermetures se libèrent aussi facilement. Elle n'en dit rien. Non plus, ensuite, du désordre des effets, qu'elles sortirent un à un, sans oser s'avouer leur dégoût, leur répugnance à toucher ces habits d'homme froissés et fanés, bons à jeter. Car il s'agissait de quelques vestes et gilets de drap verdi, dont l'odeur fétide et douceâtre de moisissure disait le long séjour dans l'humidité ; de chemises, de pantalons en grosse toile élimée, de linge jauni et taché, déchiré ou troué, aux auréoles douteuses. Et encore une veste de caoutchouc décolorée, une paire de bottes de cuir, en ruine, et une de sandales en corde, le tout à moitié pourri. Si pauvre, si misérable vestiaire ! Comment concevoir qu'il eût un jour habillé Endre, toujours élégant et raffiné dans ses choix...

Au fond de la caisse, elles trouvèrent une boîte de carton avachi, déballèrent son contenu sur la table. Quel crève-cœur que cet inventaire... Des objets divers, accessoires anonymes : un miroir de poche piqueté, un nécessaire à ongles dans un étui de cuir boursouflé, de vieux lacets de cuir, et quelques tampons ou cales de feutre. Une petite infirmerie de voyage, dont les fioles brunies, orangées, violacées, étaient vides, évaporées. Puis deux carnets aux pages délavées, vierges. Et un compas, des ciseaux, un assortiment de six couteaux de toutes tailles, du canif au couteau de chasse, aux lames rongées de rouille. Une trousse contenait l'extrait de quelque Bible anglaise ; le mode d'emploi, en allemand, d'un fusil de chasse au gros gibier. Des munitions de poudre, crevées ; un bizarre engin ressemblant à une fronde d'enfant. Ce qui avait dû être un paquet de cigarettes, dont le tabac tombait en poussière. C'était tout, la caisse était vide. Effarées, accablées, elles contemplaient le tas de vestiges étrangers, ces répugnants effets et objets sans identité, qui leur était donné pour être les restes d'Endre, son bagage, ou sa malle, selon le mot du commandant Feltin. Avait-il eu connaissance du contenu de cette caisse pour leur assurer, et avec quelle certitude, quelle impudence, qu'elles y trouveraient la preuve de l'identité de leur fils, de leur cousin ?

Que faire de tout cela, qui ne leur rappelait rien, ne faisait naître qu'un sentiment de répulsion, et de peur. Une odeur méphitique, écœurante, avait envahi le salon. Elles durent aérer, laisser entrer l'air du dehors, encore frais en ce lendemain de pluies. Le beau temps d'été revenait, après l'intempérie ; les arbres du Jardin des plantes semblaient revigorés, reverdis par les pluies récentes, et un courant d'air salubre balaya d'abord l'odeur, mais celle-ci revint, insidieuse, infecte. Il fallait se débarrasser de ce fatras de nippes, d'objets sordides. Au dernier instant, comme elles s'apprêtaient à tout remballer et descendre dans la cour pour la poubelle, Gabrielle eut un remords, navrée à l'idée de jeter ainsi ces linges qu'il avait pu porter. Elle reprit chaque vêtement, un par un, le soulevant délicatement devant elle. Ils étaient de la taille, de la stature d'Endre, ils pouvaient l'être... Ce geste convoquait son corps vivant, le souvenir de son corps, mais se dressa soudain devant elle un cadavre, un pitoyable spectre déguisé de ces oripeaux, et ce fut si déchirant qu'elle tomba en sanglots. Furieuse, Agota s'empara du tas de hardes et le jeta dans la caisse.

— Finissons-en ! S'il portait ces loques, c'est qu'il le méritait. Pas de quoi en pleurer !

Passant outre ces mots blessants, ravalant ses larmes, Gabrielle revisita la caisse. Elle cherchait encore une étiquette d'origine, une marque de fabrique, examinait les boutons de corne, semblablement anonymes. Elle fit aussi les poches, méthodiquement, honteuse de la bassesse qu'il y a à fouiller, réprimant sa nausée, chaque fois que sa main s'enfonçait dans le mol et humide repli des étoffes. C'est ainsi qu'elle trouva les lunettes. D'un fond de poche, elle ramena au jour un mince étui d'argent terni, l'ouvrit ; si fébrilement que la charnière céda. A l'intérieur, une paire de demi-verres à fine monture. Les lunettes d'Endre ! Du moins, pour le souvenir qu'elles en avaient, si c'était un souvenir et non un effet d'autosuggestion, cela pouvait ressembler à celles qu'il portait, avant de partir... Ne s'était-il pas plaint que sa légère myopie s'aggravait, à cause de son travail, disait-il... Les lunettes passèrent de main en main. Elles palpaient ce fragile objet aux verres ternis, aux branches poisseuses, comme s'il s'agissait d'un fétiche sacré. Dans l'étui, était gravé le nom du fabricant, mais il leur fallut d'abord savonner, frotter dans l'évier l'argent noirci, avant de voir paraître la raison d'un opticien de la rue Réaumur. Endre avait porté ces lunettes devant elles, elles n'en doutaient plus. Il les portait *là-bas*. Parmi cet innommable fatras, elles étaient le seul objet tangible qui les reliait à lui. A son visage. A ses yeux, à son regard. Bouleversée, Gabrielle tenait les lunettes dans sa paume tremblante, craignant de les briser. Elle les aurait baisées, tant elles lui rendaient présent l'aimé. Il avait donc fallu que tout cela revînt de si loin pour que la seule petite paire de lunettes leur parlât de lui...

Mais passée l'émotion de leur découverte, le reste donnait un vertige. Car, dès lors, il fallait reconsidérer le tas sordide, admettre qu'Endre en avait bien été le propriétaire, au même titre que des lunettes. Quelle silhouette affligeante se dressait alors, fantôme chancelant habitant cette veste, cette culotte, et ces sandales de misère... Quel dénuement avait-il pu connaître, quel retournement de fortune, pour tomber à cette indigence, lui qui avait un état assuré d'ingénieur, des revenus confortables, un train de vie aisé, et qui était parti en pleine possession de ses capacités, de sa force et de sa compétence, avec la certitude de sa promotion professionnelle ? Quelle aventure avait pu le dépouiller à ce point, l'en faire mourir, peut-être ? Elles décidèrent, cette fois d'un commun accord, de tout jeter. Ce rebut sentait la pourriture, la mort ; il n'avait plus rien à leur apprendre. Il aurait fallu être fou pour conserver pieusement ces affreuses reliques. Les lunettes suffisaient à leur certitude. Aussitôt, Renée et Gabrielle descendirent l'infâme caisse dans la cour, où la ramasserait la voirie.

Seule dans sa chambre, Gabrielle défit ses cheveux. Une fois, Endre avait fait ce geste, une fois unique, et elle y pensait chaque soir, en les brossant devant le miroir. Il y avait perdu sa bouche, et baisé sa nuque de petits baisers frissonnants, ses oreilles, qu'il disait coquillages où enfouir son amour… Non, elle ne pleurerait, ne s'évanouirait plus. Dans le miroir, à la lumière de la lampe, elle voyait son front bombé, ses pommettes un peu hautes. Celles de sa mère, sur la photo où elle souriait, petite fille. Mais elle n'était pas cette enfant, son visage, ses yeux avaient vieilli. Elle se regarda, droit dans le bleu si clair, y cherchant une réponse, n'apprit rien. Que le bouleversement, l'effroi de ces derniers jours. L'épreuve basse de la mort. Une telle mutilation, une telle blessure, en guérit-on ? De sa beauté, que vantait tant Endre, qu'Agota flattait comme une victoire personnelle, elle ne voyait que la tristesse des traits, le pli à la commissure. Ses cheveux répandus sur ses épaules faisaient une couronne royale, mousseuse et tendre. Elle les tordit rudement, pensa qu'un coup de ciseaux la soulagerait de leur poids, de leur encombrement sensuel et désolant. Elle passa ses doigts sur ses joues, en toucha ses lèvres, qui y déposèrent sans qu'elle y pense un baiser étrange, un baiser d'adieu. Elle se détourna de son image dans le miroir.

Sur la table de chevet, les lunettes brillaient. Les verres, la monture avaient retrouvé leur éclat ; l'étui son argent soyeux, ses fines rayures décoratives. Elles lui revenaient de si loin ; elles lui appartenaient. C'était miracle de penser qu'un objet anodin, auquel on ne prête aucune attention dans la vie ordinaire, puisse un jour se charger de tant d'amour, restituer une présence avec tant de douloureuse, d'intense précision. Toutes ces années où elle le cherchait, elle avait cru Endre vivant, tandis qu'il était mort : quelle différence, à présent ? Elle continuerait de croire en lui, vivant. Penserait à lui, vivant. Le chercherait dans les replis et les méandres de la vie, parce qu'en effet il serait là. Appelé vivant et tenu debout par le pouvoir de sa mémoire. Puisque, mort, il avait pu être aussi présent, quelle absence l'arracherait à elle, maintenant ? Elle avait été sa femme. Ni sa cousine, ni sa sœur. Une vraie femme, avec lui. Ce n'était pas un si bon souvenir ; elle avait eu peur tout le temps. De ne pas savoir, de ne pas combler son attente, dont elle ignorait la nature. Peur de ce qu'elle concédait d'elle-même, qui était tout ce qu'elle pouvait donner au monde, elle le croyait alors, et cela n'avait été qu'un accouplement, un spasme si bref, et décevant. Elle avait craint de s'amoindrir à ses yeux, qu'en comparaison des femmes qu'il avait pu connaître, elle lui parût fade, et si novice qu'il serait déçu d'elle. Et il fut bon, pourtant, délicat, presque maladroit, comme effrayé de son désir. Pour finir tremblant dans ses bras d'une longue angoisse, dont elle avait dû le consoler, elle qui n'avait eu ni plaisir, ni peine, seulement un peu peur. Pourtant, de cette seule fois, où il avait brossé ses cheveux, et baisé ses pieds, ses oreilles et sa nuque, elle se souvenait, comme du seul moment de sa vie où elle avait donné quelque chose d'elle-même. Donné son corps, c'était si peu. Cela n'assouvit pas. Qui le comprendrait ? Donné sa foi, ouvert une promesse. A elle, mais, elle en avait la certitude, à lui aussi. Quelle que fût son expérience sensuelle, dont elle ignorait tout, cela avait été une première fois. Unique, et neuve. Pour l'un et l'autre, un baptême. Il avait emporté cela avec lui ; ils le savaient ensemble.

L'éclairage de la rue projeté au plafond cernait la haute forme de l'armoire à chapeau de gendarme, la commode et le miroir, les rideaux flottant au léger courant d'air de la fenêtre entrouverte. Sur ce lit étroit, ils s'étaient aimés, les murs s'en souvenaient. La chambre avait été autrefois celle d'Endre. Les murs se souvenaient-ils aussi de l'enfant qu'il avait été, avant qu'elle ne prît sa place ? Jamais elle ne l'avait imaginé enfant. Elle venait au monde, et il était déjà là, un homme. Avant elle, il n'existait pas. Quelles études faisait-il, qui voyait-il, aimait, recherchait, de quoi était faite sa vraie vie, avant elle, hors d'elle ? Ingénieur ? Elle avait répété le mot, sans savoir ce qu'il désignait, en quoi consistaient son travail, ses recherches, pour tant voyager. Avec cette insouciance des enfants à qui il suffit que les êtres paraissent pour exister, elle n'avait posé aucune question sur sa vie, sur ses absences et ses retours, ses missions, dont elle ignorait tout. Où était la Birmanie, dont elle n'avait jamais entendu parler, et d'où provenait l'horrible caisse ? Il fallait interroger une carte, en apprendre l'histoire. Puisque les Anglais dirigeaient ce pays, Endre travaillait-il pour eux ? Le fil lui semblait si mince, la tâche tellement immense, qu'elle en avait le vertige… Car maintenant les questions informulées, qui s'étaient bousculées dans son esprit en écoutant le commandant, se chassant les unes les autres, trop nombreuses et d'ordre différent, se représentaient à elle. Par exemple, ce capitaine de marine militaire, qui avait rapporté la caisse, comment le retrouver, l'interroger ? Il avait forcément appris quelque chose des autorités portuaires, fût-ce un détail. Personne n'avait songé à le lui demander. Etait-il déjà reparti, pour d'autres voyages ? Alors, elle partirait elle-même, embarquerait vers cette destination lointaine de Rangoon, afin d'enquêter là-bas. Mieux que quiconque elle saurait questionner les gens, obtenir les renseignements dont ils ignoraient l'importance… Mais c'était un rêve vain, de ces entreprises impossibles aux jeunes filles. Au lieu d'imaginer et de rêver, mieux valait s'en tenir aux choses possibles, raisonnables et concrètes. Réfléchir posément. Par exemple, à revoir ce M. Terrier. Ce secrétaire, qui les avait prises en pitié, si obligeamment accompagnées, et qu'elle avait sottement rabroué, quand il proposait ses services. Par lui, peut-être pouvait-on accéder au dossier, dont le commandant tapotait les feuilles, sur son bureau, et qu'il retirait si prestement ? Elle concevait des plans : la nuit, tout est possible. Des stratégies rocambolesques, une escalade des murs, une effraction. Elle s'introduisait dans cette forteresse, elle volait le dossier dans le grand bureau solennel, plein de batailles navales et de militaires rébarbatifs… Elle balaya ces idées absurdes. Le plus simple était de revoir ce jeune homme serviable, sans en parler à Agota, évidemment… Il pouvait être amadoué, soudoyé… Le guetter, dehors ? Le faire demander ? Mais comment le convaincre de distraire des documents ? Il ne serait pas forcément prêt à en payer le risque de sa place… D'ailleurs, sa politesse était de pure forme, elle se montait la tête… Cet employé avait déjà oublié leur visite. Certes, il avait tenu sa promesse de livrer rapidement la malle. Mais il s'agissait d'une diligence administrative, qui ne prouvait en rien une quelconque bonne volonté…

Ces pensées l'agitaient, empêchaient son sommeil. Sans bruit, elle se releva, alla pieds nus à la cuisine, boire un verre d'eau. C'était bien l'endroit de la maison où elle se sentait le plus en sécurité. Enfant, elle y courait à tous moments se réfugier dans l'odeur des ragoûts et des soupes, se blottir contre Renée, dans ses bonnes jupes chaudes qui sentaient le lait, la pomme ou la lavande, l'essence de térébenthine, l'alcool de menthe dont elle soignait ses bobos. Les jupes de Renée étaient le réservoir infini des senteurs d'enfance, des maternités miraculeuses. Bien mieux qu'Agota, sa nourrice offrait le giron des tendresses, de tout temps la mie bourrue qui berce et rudoie, mouche, régale et console. Gabrielle n'avait pas eu de mère. Sur les photos, la jeune inconnue qui l'avait mise au monde était une enfant, et elle ne vieillissait pas. Elle ressemblait davantage à une petite sœur, perdue autrefois. Elle ressemblait surtout à l'héroïne du conte où les méchantes fées jettent des sorts, qu'une étourdie un peu désordre et toujours en retard rattrape, par enchantement… Voilà qu'un beau matin, Milena, rayonnant de sa grâce et de ses dons, débarquait à Paris, adressée à un grand maître de musique. Après les chagrins de l'exil, elle illuminait l'appartement de la rue Buffon de sa gaieté et de sa jeunesse, promise à la gloire, déjà fêtée, attendue partout en Europe ! Puis elle rencontrait un jeune homme pauvre, très beau, très charmant, facteur de pianos recherché. Alors, malgré l'avis de sa sœur aînée, qui s'y opposait, elle l'épousait, lui qui n'avait ni biens, ni famille. Ils auraient dû se méfier, mais non : ils passaient outre et, un temps, la vie leur donnait raison. Car ils étaient généreux de leur providence et de leurs succès, attirant à eux la sympathie, l'estime et l'admiration, par cette contagion des gens heureux et bons qui abat les résistances et les jalousies, tire les cœurs à soi… Et puis ils étaient morts. Tout soudain, par une nuit de neige, dans le terrible déraillement du Paris-Berlin, ils mouraient. Alors Agota prenait l'enfant chez elle, avec sa nourrice, et elle l'adoptait.

Mais le sort s'acharnait : de n'avoir empêché Milena, ni prévenu sa mort, Agota sombrait dans la démence, comme sa propre mère dans la débâcle familiale, punie une fois de plus d'une faute très ancienne, enfouie dans l'oubli, qu'il lui fallait encore et encore payer… Gabrielle trouvait cet épisode intéressant, mais exagéré. Enfin, qui prévoit les congères sur les voies, la tempête de neige, un accident pareil ? Quelle Cassandre en avertit, s'oppose au destin ? Dans les contes, personne ne prévient personne, ou bien en vain : il faut que l'histoire aille à son but ! Alors l'enfant, par ses faibles moyens, mettait fin au sortilège : elle tombait malade, gravement malade. Elle refusait de se nourrir, de dormir, de marcher et de parler, comme elle avait commencé de le faire. Elle dépérissait, de manière si grave qu'Agota se réveillait du mauvais songe. Gabrielle ne se souvenait de rien, elle avait à peine un an. Elle ne se souvenait de rien, mais avait appris la légende, et cette histoire l'enchantait. Toute son enfance, elle l'avait réclamée à Renée, à Agota, qui la lui répétaient à l'envi : comment, minuscule orpheline, sa résurrection les vengeait du malheur. C'était si ravissant d'entendre la revanche de la vie, la lumière entrant de nouveau à flots dans la maison, les berceuses, les câlins des nuits entières, son sommeil veillé par les deux femmes éplorées du mauvais sort, et elle qui, de son berceau, leur faisait l'offrande de son enfance ! Alors ils pouvaient bien être morts, les beaux jeunes gens, ensevelis sous leur tas de neige, et puis dans leur cimetière, puisqu'elle était la reine de cette merveilleuse histoire...

Elle n'avait entrevu que tard la réalité, cette vérité cruelle qui sous-tend les contes... Compris qu'en l'adoptant Agota accomplissait l'acte impie de justifier sa vie en sauvant la sienne, et qu'une fois de plus dressée contre l'adversité, puisant au fond de son être l'énergie des recommencements, elle était trop occupée à cette tâche pour être une vraie mère. La vraie était Renée, l'humble servante au grand cœur, qui soignait, torchait et nourrissait, caressait, aimait, qui la mettait au monde une deuxième fois, la tirant des limbes, disputant à la mort sa proie. Elle à qui la foi, chevillée au corps, à l'âme, inspirait les stratagèmes dérisoires, les ruses séculaires qui nient la douleur, pour transmettre à l'enfançon éperdu de souffrance et d'abandon la promesse de temps meilleurs, le droit et le désir de son existence, ce don d'amour sans contrepartie. Et Gabrielle naissait à elle-même dans cette corbeille amoureuse, trop heureuse pour s'étonner du cadeau du jeune prince penché sur elle, qui, venant aux vacances, trouvait la demeure transformée en jardin d'enfants, sa mère rajeunie. Déjà indifférente à ses succès, sans doute, à ses projets, tout entière vouée à la petite rivale adorable. Ou bien lui-même était déjà appelé à des horizons plus larges que l'espace confiné de la rue Buffon, d'autant plus affranchi que Gabrielle occupait les pensées d'Agota, détournant de lui l'encombrante sollicitude maternelle... Si loin que remontait son souvenir, Gabrielle le voyait surgir par magie, le prestige et la grâce d'un ange soudain présent dans les murs, fraternel et protecteur, de qui elle était l'élue. Et le clan d'artistes exilés, de poètes et de musiciens fantasques qui avaient connu ses parents et fréquentaient la maison, inquiets de la petite Gabrielle et de son avenir, lui faisaient une cour d'amour si plaisante ! On lui avait tant répété, alors, qu'elle était le divin enfant, que leur adoration à tous allait de soi, vraiment. Elle pouvait bien être cette petite fille enjouée, puisque son humeur dynamique et résolue, l'harmonie de ses talents et de sa beauté étaient la miraculeuse revanche prise, une fois de plus, sur le diktat du malheur. Comme tout cela lui paraissait maintenant amer et désenchanté... Les merveilles grimacent et révèlent leur farce. Reine d'aucun conte, seulement voleuse d'amour, et si seule, si malheureuse, ce soir... Qui était-elle, rendue à cette solitude, avec pour bagage les reliques fabuleuses de son histoire d'enfance ? Si elle n'en faisait rien d'autre que pleurer sur elle, que s'apitoyer, elle était bien la dernière des ingrates. Si elle ne tirait plus d'orgueil et de force de tant d'amour, elle méritait bien d'être, à minuit, dans cette cuisine déserte, comme une vieille savate abandonnée !

Par la fenêtre donnant sur la cour, on voyait seulement, entre les hauts murs, un chiffon de ciel azur sombre, piqué d'une mauvaise étoile, petite et toute blanche, dont le clignotement lui serra le cœur. Endre avait-il contemplé le ciel nocturne, et cette étoile si loin, en pensant à elle, une seule fois ? Même s'il était sous d'autres cieux, d'autres constellations, il avait pu s'adresser à l'une d'elles, lui confier le vœu muet de son cœur, dont elle devait écouter l'avertissement, à présent. A lui elle devait se garder, pour lui ne conserver, au fond d'elle-même, que la détermination de sa fidélité, la volonté sans faille d'obtenir justice, de faire le jour sur tant d'obscurité. La petite étoile n'était pas un nostalgique rappel de son amour perdu, mais le signe de sa constance. Elle revint, glissant le long des murs silencieux vers sa chambre, fortifiée par cette pensée sentimentale, qui valait bien tous les contes de fées.

II

A quelques jours de là, Gabrielle trouva Agota dans le petit salon, en train de rédiger quelques lettres de faire-part. Ayant à se rendre chez Dora pour sa leçon, et quelques courses à faire, elle s'apprêtait à sortir, chapeautée et gantée, en toilette d'été, puisque le beau temps était revenu. Ni l'une ni l'autre, pour des raisons différentes, qu'elles évitaient de formuler, ne prendrait le deuil d'Endre. En Hongrie, Agota n'écrirait à personne. Depuis longtemps, tout contact était perdu avec les deux sœurs qui lui restaient, avec ses oncles. Quant à la famille de Sándor, jamais elle ne s'était manifestée, une fois réglé avec la banque le versement automatique de sa rente... Peu de gens au monde avaient eu souci d'Endre. Bientôt leurs rares amis, qui ne l'avaient guère connu, l'oublieraient aussi. Ce courrier bordé de noir serait donc la seule cérémonie par laquelle il allait disparaître, puisque aucune autre n'était envisageable. Ni pierre tombale, ni urne funéraire sur laquelle se recueillir. Plus tard, par convenance plus que par conviction, Agota ferait dire une messe. Ils seraient bien peu nombreux à s'y rendre...

Gabrielle posa un rapide baiser sur la tempe de sa tante, et, pressée, saisit son cartable à musique. Elle se retrouva avec soulagement dans l'escalier de l'immeuble. Elle avait plaisir à fuir la maison. Passé le grand bouleversement qui avait suivi la nouvelle, une fois jetée la malle, la vie avait repris, allégée de toute attente, sans espoir désormais. Mais Gabrielle ne supportait pas, justement, cette résignation, la quiétude mélancolique où s'installaient sa tante et Renée. Elle brûlait trop du besoin d'en découdre. Sur le seuil, l'air vif fouetta son visage, elle sourit au soleil revenu, à la clarté joyeuse et fraîche du jour et s'engagea dans la rue, sans se retourner.

L'eût-elle fait, qu'elle n'eût peut-être même pas remarqué l'homme qui, discrètement embusqué dans une porte cochère, s'était mis à la suivre aussitôt. La rue Buffon était peu passante, mais elle atteignit vite le carrefour du boulevard de l'Hôpital, où la foule et la circulation des voitures étaient plus denses et bruyantes. Au lieu d'attendre l'omnibus qui tardait, profitant du beau temps, Gabrielle décida de se rendre à pied chez Dora, rue des Saints-Pères, en prenant par la rue des Ecoles, jusqu'au boulevard Saint-Germain.

Dora Gombrowicz, la jeune pianiste polonaise de talent qui l'enseignait depuis ses douze ans, était devenue sa plus grande, sa seule et véritable amie. Elle qui fuyait les camaraderies mièvres de l'école, la compagnie des filles de son âge dont l'éducation libérale de sa tante l'avait écartée, avait trouvé en Dora la sœur d'élection et, en secret, le modèle de ses pensées. Dora était si drôle, si peu conformiste, et par-dessus tout libre, de son langage, de ses mœurs, de son art. Une femme indépendante. Elle gagnait sa vie ! De temps en temps, elles allaient au concert ensemble, ou au théâtre. Et même au cinéma, dans ces salles mal famées où elles entraînaient Renée, voir de méchants mélodrames en feuilletons, des drames policiers, des films d'aventures. Les personnages d'orphelines persécutées, les criminels ténébreux, les séries de Nick Carter ou de Zigomar, les amusaient énormément. Et puis, de temps en temps, invitées par les anciens amis de Milena, qui jamais n'oubliaient le prétexte d'une fête, elles allaient dans des maisons bizarres de Montparnasse, manger le goulasch. On y buvait beaucoup ; on chantait et jouait de la musique, jusque tard dans la nuit. Agota, si solitaire, se joignait parfois à elles, attirée par ce groupe un peu bohème et plein de vie, qui consolait la nostalgie de ses origines. Une musicienne amie de Dora, qu'on disait promise au Grand Prix de Rome, y venait aussi et c'était si gai, si excitant, les audaces formelles, les discussions passionnées, les manifestes artistiques improvisés… Un de ces soirs, un jeune photographe avait séduit Gabrielle. Il venait de Roumanie, parlait à peine le français et restait dans son coin, à fumer beaucoup, avec arrogance. Lorsque Agota l'avait surprise, assise sur ses genoux et goûtant de son cigare, elle s'était alarmée de cette vie artiste, de cette dissipation. Mais la jeune fille ne s'étourdissait pas. Elle découvrait les formes abstraites, bien plus étonnantes que celles des symbolistes ou des impressionnistes exposées par les Salons ; elle entendait la musique nouvelle de Hahn, et Satie, et Debussy, lisait les poèmes de Toulet et d'Apollinaire. Elle jouissait du privilège d'être admise avec Dora à ces cercles étroits, de vibrer avec elle d'une ferveur néophyte pour les créations de l'art moderne. Plus obscurément, elle préparait le retour d'Endre parce que, lorsqu'il reviendrait, il la retrouverait émancipée, instruite et savante de toutes ces choses étranges et belles, dont son amie lui ouvrait la voie,

Remontant la rue des Ecoles, Gabrielle marchait d'un bon pas, et sa silhouette mince, élégante et hardie, ne pouvait passer inaperçue. Il était facile de la prendre en filature. Cependant, l'homme ne semblait pas précisément la filer, il ne semblait pas non plus inquiet de la perdre, comme s'il savait d'avance où elle traverserait, quelle rue elle prendrait bientôt, et que seul lui suffisait le repère lointain de sa tête, portée haut, de son profil intrépide dans la foule nonchalante. Pourtant, comme elle arrivait au carrefour du boulevard Saint-Michel, l'homme sembla soudain renoncer à la suivre. Brusquement, il bifurqua vers la Seine, tandis qu'elle continuait vers l'église Saint-Germain-des-Prés dont le clocher, dans les arbres dorés par la fin de l'été, se dessinait non loin. Elle faisait face au soleil, goûtant sa caresse tiédie, et comme elle était un peu en avance, ayant marché vite, elle traîna un peu, distraite par l'étalage des vitrines, la pensée d'Endre étreignant son cœur. Tout à l'heure, elle apprendrait à Dora la funeste nouvelle, et elle retardait cet instant, redoutant l'émotion qu'elle sentait monter.

Comme elle arrivait au coin de la place, un peu étourdie par l'animation du quartier, de l'épaule, elle heurta un passant, lui-même distrait sans doute, assez rudement pour que, dans le choc, elle perdît son cartable, dont les feuilles de musique s'éparpillèrent sur le trottoir. L'homme recula, s'excusant, se précipita pour ramasser le cartable, tellement désolé qu'il ne la regardait même pas. Quel ne fut pas l'étonnement de Gabrielle, lorsqu'il se releva, de reconnaître Terrier. Elle l'eût reconnu plus tôt si, moins emportée par sa marche et ses pensées, elle s'était retournée plus souvent depuis qu'elle avait quitté la rue Buffon. Elle rougit vivement car, ces jours précédents, elle avait beaucoup pensé à lui, échafaudant des fictions dont il était tantôt la victime, tantôt le complice, à son corps défendant.

— Je suis navré, mademoiselle, balbutiait-il, troublé lui aussi, remontant du doigt ses lunettes.

— Sans doute, monsieur, ne vous souvenez-vous pas de moi ?...

Elle était très jolie et touchante dans son embarras, émue par cette collision urbaine qui le mettait sur ses pas, quand elle ne savait quoi inventer pour renouer une relation, et aussitôt pleine d'appréhension à l'idée qu'elle ne saurait mettre cette chance à profit.

— Comment vous oublier ?... protestait-il, et gauche, il se tut, lui tendit son cartable à musique, qu'elle serra contre elle comme un rempart.

— Vous êtes donc bien M. Terrier...

— Michel Terrier. Et vous, Mlle Demachy, sourit-il, aimablement.

Mais aussitôt redevenu grave, il s'enquit de sa santé, et de celle de sa tante, s'excusant de n'avoir rien pu faire de plus, ce jour-là, pour soulager leur peine, alléguant la rigueur de la discipline militaire, s'efforçant de disculper son supérieur hiérarchique, qui n'était pas particulièrement réputé pour sa charité... Tandis qu'il parlait, ayant repris son sang-froid, elle observait son visage. La jeunesse apparente de ses traits, avec ses lunettes rondes d'écolier, était démentie par quelques fines rides au coin des yeux et un pli dur creusé à son front. Il semblait compenser sa timidité par le geste de repousser du doigt ses lunettes à tout instant, avec une maladresse déconcertante. Son propos affable retenait Gabrielle, qui l'écoutait attentivement, la tête un peu penchée. S'il était sincère, quelle consolation, quel espoir pouvaient lui venir de cette rencontre fortuite ! Jamais elle n'aurait osé la rêver si simple et si directe.

— Mais ne restons pas là... Faisons quelques pas, voulez-vous ? proposa-t-il soudain.

Ils s'éloignèrent du carrefour, vers le square de l'église. Gabrielle avait quelques minutes d'avance sur son rendez-vous, et elle ne pouvait résister, encore éberluée par cette bousculade providentielle, décidée à la tourner à son profit, et d'abord à rattraper sa froideur de l'autre jour.

— Je vous remercie de nous avoir fait livrer si vite cette malle, comme vous l'aviez promis. C'était très aimable à vous...

— Y avez-vous trouvé au moins ce que vous espériez ?

— Si peu de choses, et si tristes...

— Cependant, insista-t-il, j'espère qu'elles vous sont une consolation...

— Elles ne nous consolent pas. C'est une telle épreuve d'apprendre qu'on attendait en vain le retour de quelqu'un qui... Endre était mon fiancé, dit-elle brusquement, la voix enrouée par l'aveu soudain monté à ses lèvres.

— Ah, s'écria-t-il, quelle peine pour vous, l'autre jour ! Et de recevoir ces effets...

— Qu'il ait pu les porter m'est inconcevable... Mais ce qui me consolerait vraiment, monsieur, serait de connaître les circonstances de sa mort, enchaîna-t-elle, brusquement.

Alors, déversant son chagrin, elle raconta en phrases brèves les années d'attente, d'espoir, leurs vaines recherches de femmes sans appui ni relation, l'invraisemblable retard avec lequel leur parvenait enfin cette nouvelle de son décès. Elle décrivait la résignation de sa tante, et son désir à elle d'en apprendre davantage, de venger Endre…

— Le venger !… Mais de quoi ?… murmura Terrier, soudain très intrigué.

Non, corrigeait Gabrielle, il ne s'agissait pas de vengeance. Seulement de faire justice à sa mort inexpliquée. Seulement d'apporter un peu de clarté, pour trouver la paix, pour lui être fidèle, par-delà la mort… Tandis qu'ils marchaient sous les arbres du square à tout petits pas, il se tournait vers elle, l'écoutait avec attention, comme subjugué par son air raisonnable, attendri par ce visage aux traits fins et sérieux, sa tristesse pleine de dignité. Il s'intéressait donc à son histoire !

— Ainsi, disait-elle, emportée par sa confiance, il me faut absolument rencontrer ce capitaine qui a recueilli la malle et l'a transmise à vos services. Il a pu apprendre quelque chose, qui lui semble sans importance, à quoi il ne pense pas, et qui sera peut-être une précieuse indication…

— Mais qu'espérez-vous donc découvrir ? Que faisait votre cousin dans ce pays lointain ? Est-il indiscret de vous le demander ?

— Oh ! Pas du tout… Il était ingénieur chimiste. Il est parti pour une mission d'études, dont nous ignorons tout. Cependant, il a bien dû nouer quelques relations, dans ce pays. Des correspondants de son entreprise, qui travaillaient avec lui. Peut-être a-t-il eu des amis ? Enfin, il y a sûrement là-bas des gens qui pourraient nous renseigner sur les derniers temps de sa vie… Je vous importune, avec mon chagrin. Votre sympathie me touche beaucoup, mais à quoi bon vous dire tout cela ?

Ils étaient parvenus au fond du square et durent retourner. Ils revenaient en silence vers la sortie, longeant l'allée d'arbres dont l'ombre clairsemée tachetait leurs visages de pastilles de soleil. Autour d'eux, quelques enfants couraient, veillés de loin par une bonne. L'un d'eux heurta Terrier, et celui-ci le redressa d'une main qu'elle trouva amicale. Ils poursuivaient leur lente remontée, au bout de laquelle ils se quitteraient poliment, et ce serait fini. Le cœur serré, Gabrielle ralentissait son pas. Il se taisait, le front assombri.

— Pourtant, finit-il par dire, peut-être puis-je quand même quelque chose pour vous ?

— Oh monsieur ! Est-ce possible ? s'écria-t-elle, éperdue.

— C'est-à-dire… Je ne veux pas vous donner un vain espoir. Il n'est pas si difficile de chercher un renseignement dans nos services. Je peux tenter de suivre votre idée. Par exemple m'inquiéter de ce capitaine... Peut être cette piste ne mène-t-elle à rien...

Gabrielle resta muette tant cette offre inespérée exauçait ses vœux. Un instant l'effleura l'idée qu'il s'avançait un peu trop, et pour des raisons suspectes, autres que la sympathie née de ses confidences. Sous sa complaisance, elle soupçonna l'envie de séduire, d'engager à peu de frais une relation avec elle... Et quand cela serait, pensa-t-elle, très vite, ce serait à mon avantage...

— Vous ne me devez rien... protesta-t-elle faiblement.

— Je ne vous dois rien, en effet.

Il retenait un sourire, qui lui sembla étrange, mais il enchaînait :

— Cependant je serai heureux de vous rendre ce service, s'il est en mon pouvoir. Cela ne me coûtera guère.

Ils atteignaient la grille du jardin, leur brève promenade ne pouvait durer davantage, et le malaise de Gabrielle augmentait, à cause de l'espoir insensé qu'elle mettait en cet inconnu, à cause de l'équivoque de leur échange.

— Je vois, remarqua-t-il incidemment, que vous portez des partitions. Vous êtes donc musicienne ?

— Un peu, éluda-t-elle, serrant de nouveau le cartable contre elle, se désespérant de prendre congé sans autre assurance que sa vague promesse.

— Je dois vous quitter à présent, dit-il brusquement.

— Mais si vous apprenez quelque chose, comment le saurai-je ? Ma tante doit ignorer tout de notre rencontre, ajouta-t-elle très vite, la gorge nouée, confuse de suggérer elle-même un rendez-vous.

— Eh bien, convenons de nous retrouver ici ? Même jour, même heure, la semaine prochaine ?...

Il désignait, de l'autre côté de la rue, un salon de thé élégant, dont les rideaux clairs voilaient les fenêtres. Elle accepta, très vite, d'un signe de tête, étourdie du tour que prenaient les choses, les yeux éblouis de soleil. Il s'inclina gauchement, s'éloigna aussitôt d'un pas rapide. Comme elle le regardait se perdre dans la foule, elle pensa qu'elle ne l'avait même pas remercié. Puis elle réalisa son inconséquence. Elle s'était livrée étourdiment à un inconnu qui connaissait son adresse, presque tout de sa vie ; elle n'avait rien appris de lui. Ni ce qu'il faisait exactement au ministère, ni ses intentions. Elle s'était jetée à sa tête avec une légèreté puérile. Sa proposition n'était qu'un stratagème pour la revoir, pour lui faire la cour, évidemment... Tout en marchant vers la rue des Saints-Pères, vite, car cette fois elle était en retard, elle se rasséréna quand même. Quel risque courait-elle à le revoir, sinon de constater qu'il l'aurait abusée d'une ruse vulgaire. Elle se promit d'être ponctuelle au rendez-vous, mais de s'armer de fermeté et de froideur pour décourager la moindre de ses assiduités. Pourtant son cœur battait plus vite, tant de la course que de l'excitation de cette rencontre. Comme les choses arrivent soudainement, quand vous n'attendez plus rien. Comme est clément le hasard de l'existence, parfois.

L'appartement de Dora était au dernier étage d'un immeuble ancien, sans grand lustre, au fond d'une cour pavée, gardée par une concierge sévère. Ses cachets de concertiste et ses leçons ne lui permettaient guère un train de vie luxueux, pourtant Gabrielle aimait l'atmosphère féminine de ce petit espace empli d'objets rares, aux fenêtres dominant les toits, d'où l'on voyait, au loin, les tours de Notre-Dame. Ici, tout appartenait à Dora, avait été choisi par elle ; chaque chose portait la marque de son indépendance, de sa liberté. C'était exactement ce dont rêvait Gabrielle : d'un endroit à soi, loin des souvenirs, du passé d'Agota, loin de sa propre enfance. Dora l'attendait en haut du palier, un peu inquiète de son retard. Essoufflée d'avoir monté quatre à quatre les étages, Gabrielle se jeta dans ses bras et mit à l'embrasser un peu trop de fougue, encore sous le coup de sa rencontre.

— Je suis venue à pied, s'excusa-t-elle. Je suis partie trop tard, j'ai mis plus de temps que je ne croyais...

Elle improvisait ce demi-mensonge parce que, elle le savait déjà, elle ne dirait rien à Dora de Michel Terrier. La surprise de cette collision au soleil d'été était encore trop grande, trop inouïe, pour la confier à quiconque ; même à l'amie qui partageait tous ses secrets. Elle voulait d'abord prendre le temps d'y penser seule, d'apprivoiser la chose neuve. Il fallait réfléchir à ces minutes rapides au bord d'un trottoir, à ces quelques pas dans un jardin de la ville ; à celui qui, sous son dehors banal, pouvait se révéler son ange gardien, celui des Annonciations, par qui vous vient la bonne nouvelle. De gaieté, elle renouvelait ses effusions, baisait par jeu les mains de Dora. Que lui prenait-il d'être si joyeuse quand elle venait annoncer à son amie la mort d'Endre ? Elle avait donc pu oublier son chagrin au soleil de septembre, au point de heurter étourdiment un passant, et dans le plaisir de la rencontre ne plus penser qu'aux lendemains... Elle en restait interdite, au bord des larmes.

— Tu as l'air bouleversée, remarqua Dora, fronçant son joli sourcil. Dirait-on pas que tu as rencontré le diable en personne ?

41

Elle refermait la porte, prenait son chapeau et ses gants, s'empressait pour la recevoir, si coquette dans sa robe framboise à petits plis, parfumée, froufroutante, que Gabrielle perdait pied. Alors, pour couper court aux questions, d'un trait, elle rapporta les événements de ces derniers jours, la convocation de sa tante au ministère de la Guerre, la nouvelle terrible, la livraison de la malle. Elle parlait dans la confusion, noyant sous sa fougue l'exaltation et le désarroi qui se disputaient en elle. Consternée, Dora l'écoutait. Elle l'entraînait, l'installait sur le sofa, lui tenant les mains, et elle l'enlaçait, la serrait contre elle d'une étreinte amoureuse, qui était la chose la plus douce du monde.

— Oh Dora ! Cette affreuse caisse ne contenait que des hardes ignobles, des saletés qui défigurent son souvenir. Quelle laideur, quelle misère… Je ne sais comment j'ai trouvé, avant de tout jeter, au fond d'une poche, vois : cette paire de lunettes… Le seul objet de lui reconnaissable !

Perplexe, la jeune femme considérait les bésicles que lui tendait Gabrielle, sans oser toucher ce viatique dérisoire, qui semblait de si grand prix aux yeux de son amie.

— Pauvre chérie, ma douce, quel malheur ! Mon Dieu, quelle horrible nouvelle…

Dans l'émotion, son accent polonais perçait davantage, sa voix s'enrouait. Pourtant, Dora n'avait jamais rencontré ce cousin fabuleux, dont l'entretenait Gabrielle mais, avant même les confidences, elle avait deviné son amour de si jeune fille, presque une enfant encore, pour cet homme fait, dont l'inconséquence l'indignait. Elle n'avait qu'antipathie pour cet Endre, un suborneur, un abuseur de première, selon elle. Sans mâcher ses mots, elle avait tenté de mettre Gabrielle en garde contre les illusions du premier amour, tant de fois tenté de lui ouvrir les yeux, en vain. Aussi son départ lui avait-il paru la meilleure des choses : bon débarras, et bon voyage ! Mais les choses avaient tourné autrement. Au lieu de l'atténuer, comme elle l'escomptait, l'éloignement, l'absence avaient exacerbé cet engouement, et Dora rageait, témoin de ces aberrations, sans pouvoir y mettre fin. Elle avait vu se muer en idée fixe l'espoir du retour, de plus en plus improbable au fil du temps. Elle écoutait, opinait, maugréait en sourdine ou raillait selon son humeur, rongeant son frein, se mordant la langue pour épargner ses quatre vérités à Gabrielle, l'amie chérie qu'elle voyait courir en tous sens, entreprendre des démarches absurdes, et revenir toujours lui raconter ses déconvenues. Au point qu'elle avait pu souhaiter ce retour. Elle était allée jusqu'à faire brûler un cierge à Saint-Germain, oui, et former le vœu ardent qu'il débarque enfin et lui découvre quel malotru, quel sinistre individu il était, en réalité.

Après son départ, la vie avait continué, presque indolore parce que, selon son avertissement, il ne fallait pas attendre de nouvelles de sitôt, et Gabrielle semblait en avoir pris son parti ; le temps avait passé. Ainsi, la perte d'un être, son manque physique n'est-il souvent ressenti qu'avec retard. Longtemps les gestes peuvent s'exercer dans le vide, les pensées s'adresser au silence, avant de rencontrer la réalité de l'absence. Alors le défaut du disparu emplit cet espace vacant, il s'incarne de nouveau, soudain présent, matériel, obsédant. Gabrielle s'était accusée plus tard à Dora de son insouciance, de s'être oubliée dans l'attente, comme dans les sommeils légers où l'on se laisse glisser paresseusement, les après-midi d'été, sans voir monter l'orage, et dont on se réveille dans le cauchemar de la réalité, pleine d'éclairs et de tonnerre. Dors donc sur tes deux oreilles, protestait Dora, fâchée, et oublie les éclairs.

Au début, Agota et Gabrielle avaient trompé l'impatience qui les jetait sur le palier, à l'insu l'une de l'autre, croyaient-elles, dans l'espoir que la gardienne monterait plus tôt le courrier, quand Renée ne les avait pas précédées à la loge. Il leur avait fallu du temps encore pour s'avouer que le silence avait trop duré. Pour réaliser que des mois avaient passé. Alors plus un jour sans retourner hypothèses et conjectures, dont Gabrielle abreuvait Dora, lui rapportant des nouvelles du Siam, du Tonkin ou de Madagascar, de qui sait où, glanées dans les journaux. Car elle ne savait où fixer son imagination de courriers retardés, de transmissions maritimes égarées, et l'abandon de l'aimé n'ose se nommer, comme si c'était une ingratitude, coupable, et dangereuse, une manière de le trahir. Aussi Gabrielle trouvait-elle toujours d'excellentes raisons au silence d'Endre, se berçait de contes, inventait de chimériques circonstances, qui empêchaient une correspondance. Dora la raisonnait de son mieux, mais c'était peine perdue. Et Renée grondait aussi :

— Il se moque donc bien de nous, pour nous oublier de la sorte !

— Il pense à nous, bien sûr ! disait Gabrielle, avec un sourire serein. Mais cela ne l'oblige pas à nous écrire, tant qu'il n'a pas assuré sa situation, là-bas.

— Quelle situation ? ripostait Agota. Et que sais-tu, toi, de sa situation, et de ce là-bas ?

La première, elle avait osé retourner son ressentiment en colère, laissant libre cours à son amertume. Car lui revenaient le délaissement de Sándor, sa désertion et sa trahison, alors acceptée sans révolte, dont elle reconnaissait maintenant l'injustice et la cruauté, semblables à celles que leur infligeait Endre... Ainsi, il avait pu vider sa coupe de champagne, goûter en gourmet quelques cerises d'hiver, et les planter là, avec cette désinvolture, cet égoïsme et cette méchanceté qui étaient sa vraie nature. A ce moment-là, elle avait commencé de reprocher à Gabrielle de n'avoir rien fait, quand elle seule aurait pu infléchir sa décision. Contre quoi Gabrielle soutenait qu'elle respectait son choix, et son silence. Elle savait qu'il reviendrait. Un de ces matins, un télégramme du Havre, ou de Marseille, leur apprendrait l'arrivée de son bateau. Il frapperait à la porte, il serait soudain sur le seuil, comme tant d'autres fois. Et tu seras bien marrie de voir la tête qu'il a, ton bel oiseau des mers, moquait Dora, gentiment, par prudence.

Lorsqu'elles s'étaient décidées à admettre que rien ne viendrait, désormais, presque deux ans avaient passé. Les contes ne tenaient plus. Dora n'osait plus demander de nouvelles, ni plaisanter l'amoureux disparu. Gabrielle avait dix-huit ans, elle n'était plus une enfant. Brusquement, elle prit l'initiative de chercher à savoir où était son cousin, avec une détermination qui, loin de contenter sa tante, justifia sa rancune au contraire, parce que, ayant d'abord fouillé les tiroirs, elles firent vite le constat du peu qu'il leur avait laissé. Du linge d'autrefois, des livres, des cahiers d'écolier, quelques objets, comme une pipe, qu'il avait eue, à une époque, d'anciennes lettres d'ici ou là, piètres reliques... Même pas un diplôme, un contrat, rien de tangible. Tu vois bien qu'il est comme les papillons, disait Dora.
   — A-t-il seulement existé, grommelait Renée, pour s'évaporer en fumée ?
   La dernière chose qu'elles savaient de lui était son port de départ. Aux Compagnies des messageries du Havre, les registres étaient tenus avec rigueur, mais deux ans avaient passé. Il fallut des mois pour avoir confirmation que ce passager français, d'origine hongroise, avait en effet embarqué sur un vapeur battant pavillon grec, à destination d'Aden, de Tananarive et de Sumatra. Un commanditaire avait réglé le prix du passage : une société belge de colorants industriels. Gabrielle prit les files d'attente au ministère du Commerce, où devait être enregistrée la raison sociale de cette société, une sorte d'agence coordonnant diverses exploitations nationales et étrangères, mais celle-ci avait disparu, en faillite... Son siège, rue de Naples, était devenu la succursale d'une banque suisse, et devant l'immeuble, dont de

ridicules cariatides soutenaient péniblement le fronton, Gabrielle avait eu un moment de découragement terrible. Le fil si ténu qui la reliait encore à Endre venait de se rompre.

Pourtant elle ne renonça pas, obtint de vérifier, à la chambre de commerce, au ministère de l'Industrie, les registres d'archives de cette agence, espérant retrouver trace d'un bordereau de paiement, d'un billet engagé, d'un ordre de mission au nom d'Endre Luckácz. Enfermée dans un petit bureau poussiéreux, elle consulta en vain les livres de compte qu'on lui confiait, les rapports d'activité, achats et ventes, auxquels elle ne comprenait rien, les mouvements de fonds commerciaux vers des extracteurs, exploitants ou sous-traitants de minerais divers, industriels de colorants et de colle, ou encore de goudrons. Elle en avait la tête tournée, mais revint pourtant avec constance, au point qu'un employé, intrigué de la voir s'acharner, finit par s'intéresser à elle, lui promit d'enquêter lui-même, avec tant de sollicitude qu'elle s'en remit à lui. Mais comme rien ne venait, Gabrielle et Agota se présentèrent, quelques semaines plus tard, au même bureau, pour apprendre que l'employé zélé avait disparu du service. Gabrielle ignorait son nom, sa fonction exacte. A personne il n'avait transmis leur requête ou sa prétendue recherche… Comme elles insistaient, ulcérées et désespérées, un directeur du service accepta de les recevoir, prit note. Deux mois plus tard encore, il les convoquait, leur conseillait de s'adresser désormais au ministère de la Guerre, cette agence ayant surtout géré des missions de recherche et d'exploitation militaires, dont faisaient partie les dossiers transmis au moment de sa liquidation. Au ministère intéressé, les renvoyant de bureau en bureau, de nouveaux responsables chaque fois prenaient note, promettaient vaguement. Dix-huit mois de plus avaient passé… Ayant épuisé la patience, et l'espoir, se heurtant à l'incompétence, l'indifférence ou la suffisance d'interlocuteurs interchangeables, sans relation ni appui, elles avaient fini par renoncer, s'épargnant l'une à l'autre l'aveu de leurs illusions perdues, de leurs vains efforts.

Dora avait suivi pas à pas ce long périple, maudissant l'obstination de Gabrielle qu'aucun obstacle n'arrêtait, son opiniâtreté, qu'elle admirait tant chez elle, lorsqu'elle l'appliquait à son travail de musicienne. Surtout, elle ne décolérait pas du temps perdu, de cette passion dévorante de l'attente, de ce culte pour un absent, qui lui était devenu un ennemi personnel, un rival, d'autant plus détesté qu'insaisissable. Courir après une ombre, étreindre un fantôme, et rêver sa vie, quand la jeunesse, la fête des sens et de l'esprit sont des réalités si aimables ! Elle aurait battu Gabrielle, l'aurait secouée comme prunier, si elle n'avait craint de perdre son amitié, sa confiance candide, et sa tendresse. Alors cette nouvelle de la mort était terrible, navrante, désolante, et tout ce qu'on voulait, mais tout en câlinant sa belle amie, tout en essuyant ses larmes, elle se félicitait du dénouement, point d'orgue et point final. Gabrielle hoquetait encore dans ses bras, endolorie et toute pâle de la grande émotion de son récit.

— Attends, reste là, dit-elle soudain, prise d'une inspiration. Ne bouge pas...

Elle se mit au piano, improvisa une variation de *La Jeune Fille et la Mort*. D'abord légèrement, d'une touche incertaine, comme si la mélodie se cherchait, venant de très loin par respirations lentes, appels et soupirs, trouver la place qu'elle cherchait dans le cœur de Gabrielle, puis son jeu s'affirma, la déclamation douloureuse, et le frémissement de vivre. Gabrielle connaissait trop cette pièce pour en être surprise. Elle en anticipait les harmoniques sensibles, et les pathétiques accords funèbres. Mais le jeu de son amie était un discours nouveau, une interprétation si expressive et singulière, à elle destinée, dont elle lui faisait le cadeau pour n'avoir pas à se servir des mots, une manière de lui parler en musicienne de son amitié, de lui offrir la beauté, en consolation. Lorsqu'elle donna les dernières notes, elles laissèrent le silence retomber, encore empli d'échos, pareils à une voix humaine. Les larmes n'avaient plus leur place, ni les gémissements, seulement la tristesse partagée de deux amies.

Ensuite, Dora prépara un thé russe, qu'elles prirent près de la fenêtre. Le paysage de toitures en zinc aux variations infinies de gris miroitait sous le soleil déclinant, et les cheminées baroques à clochetons hérissaient de leurs silhouettes la mer grise des toits de la ville.

— Maintenant, disait fermement Dora, mordant à belles dents dans sa madeleine, il faut tourner la page, Gabrielle. Laisse Endre en paix. Pense à toi, chérie. On ne vit pas avec les morts. Sinon, ils nous ensevelissent avec eux, font de nous un des leurs. Ils nous dévorent de leur regard, leur voix couvre la nôtre. Il faut les tenir à distance, pour se sauver d'eux...

Elle parlait en connaissance de cause, ayant eu longtemps le culte d'un père terrible et dominateur, qui s'était opposé à sa vocation, qu'elle avait bravé jusqu'à le fuir, fuir la Pologne, et ne s'était pas consolée de cette rupture, de sa mort lointaine, sans qu'ait jamais eu lieu la réconciliation.

— Au moins, tu ne portes pas le deuil ! Voilà une idée raisonnable. Et ne va pas écouter ta tante, qui te peindra le monde en noir. Elle a fait sa vie. Toi, tu l'as devant toi.

— Détrompe-toi : tante Agota a moins de chagrin que moi. Oh Dora, c'est terrible à dire ! Elle prétend qu'elle est même soulagée de cette nouvelle... Moi, je remuerais ciel et terre, pour savoir ce qui s'est passé là-bas... Il n'est pas mort, comprends-tu ? Tant que je ne saurai pas où et comment il a pu perdre la vie, il me semble que son âme ne trouvera pas la paix.

— Insensée que tu es ! Vas-tu vouer ta vie à cet individu qui n'a fait que passer pour plaire, toujours parti, toujours absent, d'autant plus charmant qu'absent ? Tu ne l'as pas vu depuis cinq ans, ce héros de tes rêves. En réalité, je suis sûre qu'il était égoïste, ronchon, un affreux réactionnaire.

Elle mettait à sa charge assez de légèreté pour ne pas blesser Gabrielle, mais pas mécontente, au fond, de laisser aller sa langue, enfin. Réactionnaire était son grand mot, dont elles riaient ensemble. Dora trouvait tous les hommes réactionnaires, fière de vivre seule, sans homme pour la contraindre, pour jalouser son art ou lui imposer ses idées. Un seul trouvait grâce à ses yeux : Francis Carroll, son agent artistique. A mots couverts, elle laissait entendre qu'il était un inverti, de ces hommes bizarres, mais absolument délicieux avec les femmes, qui ne les accablent pas de leurs assiduités, les seuls fréquentables. D'ordinaire, son hostilité au genre masculin amusait Gabrielle, qui n'était pas loin de partager ses vues ; sauf en ce qui concernait Endre, intouchable. Pourtant son portrait vindicatif lui arracha un sourire.

— Si tu l'avais connu, Dora, tu n'en parlerais pas ainsi... En réalité, tu as toujours été jalouse de lui.

— Parfaitement jalouse, et tant pis pour moi. Tu sais quelle idée me vient ? Je pars dans quelques jours en tournée avec Francis : deux semaines en Belgique et en Hollande. Viens avec nous. Partons ensemble !

— Oh quelle bonne idée ! s'écria Gabrielle, aussitôt retenue dans son élan.

Impossible de quitter Paris. Impossible de renoncer au rendez-vous avec Terrier, la semaine suivante. Pour rien au monde...

— Je ne peux laisser ma tante. Elle a besoin de moi en ce moment, balbutia-t-elle, rembrunie.

— Libère-toi de ce dragon, Gabrielle ! Elle te fera prendre le voile, quelque jour !

Gabrielle secoua la tête, navrée de décevoir son amie, de l'occasion perdue de ce voyage, de ne pouvoir dire la vraie raison de son refus, et du sentiment de trahir l'amie généreuse, mais Dora entourait ses épaules, lui connaissant cet air buté et absent des mauvais jours.

— Eh bien, rejoins-nous plus tard, à Bruxelles, dans une semaine…

— Dans une semaine… Alors, peut-être ?…

Gabrielle quitta la jeune femme, ayant pris l'adresse de ses hôtels et le calendrier de ses concerts, et l'horaire des trains. Mais elle ne viendrait pas, Dora ne se faisait guère d'illusions : elle connaissait trop le caractère résolu de son amie, sa ténacité, et aussi l'emprise redoutable de sa tante, la dette ancienne de l'orpheline à sa mère adoptive, cette vieille dame abusive, autoritaire et gémissante, qui l'avait accueillie et élevée avec tant de dévouement, et avait su, aussi, fermer les yeux, avec tant de constance… Dora ne la portait pas dans son cœur, mais si elle savait la vraie cause de mon refus, pensait Gabrielle, dévalant l'escalier, quelle serait son indignation ! Elle suspecterait tout de suite ce Terrier de toutes les vilenies, condamnerait sa fatuité et ses mauvaises intentions. Raison précise de lui taire l'épisode de la rencontre, du moins pour l'instant ; et le rendez-vous ! Dora trouverait mille arguments pour l'empêcher, et y parviendrait, sans doute… Bien plus tard, Gabrielle y songerait : si elle s'était confiée ce jour-là à Dora, si elle était partie avec elle pour ce voyage dans les villes du Nord, sa vie tout entière en eût été changée… Mais le destin se joue d'un mot ou d'un silence, le choix se fait dans une part obscure où la nécessité n'a pas encore de nom, de visage, et cependant décide à notre place.

Avant de rentrer, Gabrielle s'arrêta dans une librairie, rue Soufflot. Elle savait agir en fraude, contre les recommandations de Dora, contre le ressentiment d'Agota, contre toutes leurs bonnes et mauvaises raisons. Mais elle brûlait d'approcher en imagination ce pays inconnu où Endre avait vécu, où il était mort. La Birmanie n'avait aucun attrait réel, son exotisme l'effrayait plutôt. C'était pourtant la seule manière d'être avec lui en pensée, de donner un peu de réalité à sa mémoire. De répondre à son pâle sourire, ce douloureux sourire des disparus qu'on porte en soi, et qui réclame le recueillement. Elle était seule à le voir encore, à l'aimer, seule parmi tous ceux qui ne voulaient que l'oubli. Le libraire mit de la bonne volonté, fouilla un bon moment sur des rayons poussiéreux, mais ne trouva qu'un vieux guide d'occasion, dont elle le remercia avec effusion, à sa grande stupéfaction, et qu'elle emporta comme une voleuse. Et tout en marchant dans la rue qu'assombrissait le soir, elle pensait que non, elle n'était pas tout à fait seule. Un homme, quelque part dans la ville nocturne, avait décidé de l'aider. Michel Terrier n'avait rien promis, mais il était son allié. Dans la mesure de ses moyens, il œuvrait pour elle. Prise d'une légère ébriété, elle savourait ce bonheur secret que de longtemps elle n'avait plus connu.

Sous la lampe, Agota et Gabrielle dînaient en silence, chacune plongée dans ses pensées, inattentives au service de Renée, qui malmenait les couverts, cognait le couvercle de la soupière, manière de dire son mécontentement et son inquiétude.

— De si jolies côtelettes, cela a-t-il du bon sens d'y rechigner ? J'enlève ma compote, puisqu'elle ne plaît pas non plus, et je m'en vais faire conversation à ma vaisselle.

Naguère, Renée posait son tablier et s'asseyait sans façon, à la fin du dîner, pour boire avec elles une tasse de tilleul, ou un verre de la liqueur de noix, qu'elle fabriquait selon une recette de son pays. Elle restait deviser des choses du jour, donnant son opinion, tranchant parfois les décisions avec son autorité bourrue. Cette table à trois avait été si heureuse, dans la complicité, l'intimité familière des soirées passées à raconter, et débattre, car Agota avait le goût de la conversation, l'esprit vif et même caustique, et Gabrielle la relançait par ses réparties et ses questions. Elle aimait surtout entendre sa tante évoquer les artistes, les écrivains qui fréquentaient la maison de ses parents, à Budapest, les grands poèmes lyriques, les récits romantiques de sa jeunesse, hongrois et allemands, auxquels elle opposait ses lectures, ses découvertes récentes de Huysmans, Hugo ou Zola, dont le réalisme choquait sa tante, qu'elle provoquait à plaisir. Quand elles s'étaient suffisamment lancé à la tête leurs idées contraires, elles se quittaient fâchées pour la nuit, contentes de leurs joutes. De politique, il était parfois question. Alors Agota baissait soudain la voix, comme si quelque oreille pouvait l'entendre tenir des positions trop osées pour une étrangère. Comme elle achetait parfois *Le Temps*, *Le Journal*, et les laissait librement traîner dans la maison, Gabrielle était informée des événements anciens, des dérives boulangistes, de l'affaire Dreyfus et des Ligues, des grèves ou des débats à la Chambre. Il y avait même un exemplaire du *Capital*, laissé par Endre, qu'Agota tenait caché. Gabrielle l'avait quand même ouvert, par curiosité pour son aura subversive, mais sa lecture rébarbative l'avait découragée.

Dans ces discussions du soir, davantage qu'à elle, sans doute Agota s'adressait-elle à un interlocuteur absent, à son fils, ou bien à Sándor, son amour disparu, ou bien à tous ceux, nombreux, de la lointaine famille très libérale, dans laquelle elle avait grandi, qu'elle convoquait à la table, ses oncles et cousins, la fratrie dispersée, deux ou trois générations de fantômes familiers. Elle répandait alors le vrac des photos sur la nappe, à la fin du repas, et surgissaient sous les yeux de Gabrielle, comme autant de personnages de fiction, les visiteurs du soir, ses ancêtres inconnus aux profils perdus. C'étaient des photos jaunies de jardins et de cours, de rues et de parcs à la campagne, un monde dont la lumière voilée fabriquait les souvenirs qu'elle n'avait pas. Un portrait de sa mère enfant, surtout, la fascinait, petite fille accoudée à la margelle d'un puits, avec ses pommettes hautes, et ses coques sur les oreilles. Elle avait la taille menue, sa robe bouffait autour d'elle en gros plis sous le tablier brodé. Agota parlait, comme de trésors perdus, des costumes traditionnels de sa jeunesse, que la bourgeoisie perpétuait les jours de fête, des bijoux, des parures familiales, et des grandes chambres, des poêles de faïence et des tableaux, des instruments de musique, des carreaux de Delft de la cuisine, des bonnes qui vivaient dans sa maison… Elle évoquait, par bribes, les soulèvements politiques, les guerres… Ses descriptions minutieuses et décousues ressuscitaient le charme ancien et les drames d'un monde lointain dont l'enfant s'enchantait comme d'un roman aux épisodes rompus, une légende dorée pleine de sortilèges. Du père de Gabrielle, Agota ne détenait que de rares photos et disait ignorer tout de ce jeune homme pauvre. Ce pan de famille paternelle laissé au silence contrastait avec la richesse des récits de Hongrie. Parfois, Gabrielle interrogeait l'image de ce jeune père, sa figure pleine d'intelligence et de bonté, rayonnante de son bonheur d'alors, face généreuse au front bombé, au regard pénétrant, rêvant vaguement à l'énigme qu'il représentait ; sans pour autant s'en chagriner, car de ses parents, dont elle visitait la tombe une fois l'an, au Père-Lachaise, elle avait un culte serein, sans trouble ni souffrance. Ils ne lui manquaient pas, elle n'avait aucun souvenir d'eux. Sa vie commençait ici, entre Agota et Renée, avec Endre. Eux n'étaient que des fantômes parmi les autres, répandus sur la table du soir, tous ceux-là qui dormaient paisiblement sous la dalle de pierre des cimetières…

Une semaine à peine avait passé, et Gabrielle observait le rapide changement de sa tante, le travail de sape de la mort. Malgré ses dénégations, Agota en avait reçu un choc profond, qui semblait avoir brisé en elle son énergie foncière. Depuis, elle avait des absences, se taisait, ou ressassait sans fin les questions domestiques de leur petit univers. Ses démêlés d'hier avec la couturière, qui tardait à coudre quelque vêtement d'hiver ; sa contrariété chez la fruitière qui, aux bonnes poires, en avait mêlé sournoisement une un peu blette. Ou bien c'était du temps qu'elle se plaignait, de l'humidité du jardin, cette après-midi, car elle s'obligeait à une promenade quotidienne, par principe, mais tout lui devenait excessif, le bruit, le vent, la chaleur comme la fraîcheur. Gabrielle s'efforçait à l'enjouement, déviait ces sujets trop ennuyeux, puis elle se laissait gagner par le silence, vagabondait en pensée. Elle tournait en tous sens sa rencontre avec Terrier et sa discussion avec Dora, qui s'absentait de Paris, juste au moment où elle avait le plus besoin d'elle pour affronter ces circonstances nouvelles. Ses jambes fourmillaient, elle serait sortie dans la ville, pour marcher, marcher le long des rues, si ne l'avaient retenue le visage affligé de sa tante, la mine contristée de Renée.

Depuis qu'elle avait obtenu le brevet supérieur, elle ne rêvait que de les quitter, de vivre seule. Par l'entremise de Dora, qui refusait des élèves, il lui était arrivé de donner quelques leçons de piano, ce dont Agota avait pris ombrage. N'avait-elle pas tout ce qu'elle désirait, qu'avait-elle besoin de gagner sa vie ? Seules les jeunes filles nécessiteuses cherchaient un travail... Ses études achevées, Gabrielle restait sans perspective, dans une société qui tenait les femmes dans la dépendance, familiale et conjugale. Depuis un certain temps, en cachette, elle lisait les petites annonces dans les journaux de sa tante. Un emploi de professeur d'harmonie et de déclamation, au Conservatoire national de musique ; un autre, dans une école pratique de commerce et d'industrie pour jeunes filles... Son diplôme suffisait-il pour y prétendre ? Elle avait pensé s'inscrire à l'école du Louvre, ou entrer au Conservatoire, ou devenir institutrice, n'importe quoi, pour fuir l'appartement confiné de la rue Buffon. Elle attendait une occasion propice pour prendre une décision, qu'elle différait, en contenant son impatience. Parler hongrois, avoir quelques rudiments d'allemand, à quoi cela sert-il ? A quoi donc était-elle bonne, et jusqu'à quand demeurerait-elle ici prisonnière, sous leur tutelle ? Agota considérait-elle qu'elle devait rester indéfiniment près d'elle ?... Espérait-elle la donner à un mari providentiel ? A cette idée, la colère la submergeait. Dora avait fait une disciple, sans doute, par son exemple. Et Agota elle-même avait fait des choix hors du commun, assumé sa solitude de femme et d'émigrée...

La nouvelle de la mort d'Endre avait précipité cette crise, son envie de fuir l'appartement de la rue Buffon, son enfance, son passé. A présent que la longue, la vaine attente, l'espoir qu'il reparaîtrait sur le seuil et l'emporterait avec lui avaient pris fin, la réalité crue s'éclairait, dépouillée de ses ombres mensongères, comme si elle se réveillait très tard d'une torpeur maladive. Maintenant, la perte réelle révélait ce vide insolite d'un monde sans lui, et si tout le temps qu'elle le croyait vivant elle l'avait placé dans un éloignement abstrait, aux confins d'espaces inimaginables, l'annonce de sa mort l'avait rappelé ici. Depuis huit jours, il était là, revenu dans les murs. Brusquement, il se tenait debout à l'angle de la porte. Si elle se retournait, il était au bout du couloir, dans la demi-pénombre du portemanteau, et dans le petit salon dès qu'elle y entrait, il y avait sa silhouette, matérielle et brumeuse à la fois. Ni un rêve, ni une convocation imaginaire ; de brèves hallucinations, intenses et lucides. Alors elle croyait si distinctement le voir, et qu'il la voyait, qu'elle portait peureusement les doigts à ses paupières. Si elle cillait, il disparaissait. Ces mirages et ces éclipses l'effrayaient. Aussi que sur les photos encadrées, accrochées partout dans l'appartement, il prenne cet air d'un autre, qu'elle ne connaissait pas. Elle évitait la fixité de ses yeux qui la bouleversaient de leur reproche. Suis-je si perdu que tu ne me reconnais pas ? semblaient-ils lui dire… En réalité, elle l'avait perdu au moment même où il franchissait le seuil, où la porte se refermait sur lui. En réalité, elle le savait, dès cet instant. Durant toutes ces années, elle se mentait, au fond instruite du pacte sans avenir qu'ils avaient fait ensemble, et maintenant il était revenu, il demandait son dû.

Ce soir, pour la première fois, elle en voulait à sa tante de la confusion sentimentale où celle-ci l'avait laissée, qu'elle avait peut-être voulue, elle qui faisait de son fils le centre exclusif de ses pensées, l'objet de désirs et de ressentiments qui étaient son histoire à elle, et pas celle de la petite fille adoptée. Gabrielle savait trop quels malheurs avait traversés Agota, mais excusaient-ils son aveuglement, et savait-elle quel amour elle avait conçu pour Endre, au point qu'à présent mort il pouvait revenir la hanter, de quel désir triste, insatisfait, se rappeler à elle, seule à le voir encore vivant dans ces murs… Pour se séparer de lui, pour consoler sa peine et lui donner le grand sommeil apaisé de sa mort, il fallait qu'elle se batte, seule, qu'elle répare seule l'injustice de sa mort. La tâche semblait si démesurée pour ses forces, qu'elle gémissait de rage. Car elle n'était rien, rien qu'une fille. Entre les murs de sa chambre, elle étouffait soudain. Elle arrachait rageusement ses habits, ses jupons, ses jarretières, ces oripeaux et ces fanfreluches de peignes, de rubans. Il fallait couper ces cheveux, tailler là-dedans et défigurer la fille en elle, s'habiller en garçon, partir n'importe où, mener sa vie librement, comme un homme... Elle aurait tant voulu être un homme ! Elle finit par sangloter, d'impuissance et de détresse. Si elle n'avait heurté miraculeusement son sauveur, au coin d'une rue, s'il n'avait ouvert la brèche lumineuse vers ce moment du rendez-vous promis, que serait-elle devenue ?

Au moment où Gabrielle, dans l'obscurité de sa petite chambre, rue Buffon, s'exhorte à l'action, et maudit sa condition de femme, Dora dîne avec Francis Carroll à la table bruyante d'une brasserie de Bruxelles, sous la lumière en fête des plafonniers modern style. Les miroirs multiplient son image d'élégante en robe du soir, très décolletée, très en beauté. Elle est partout, un vertige de ses doubles qu'elle voit de face, de dos, de profil, sa petite tête couronnée de plumes soyeuses et frémissantes, sa nuque nue et ses épaules parfaites, reine de cette soirée qui réunit autour d'elle quelques amateurs distingués, et des critiques bedonnants, qui aiment la bière rousse et le vin de Moselle. Francis porte un toast à ses succès de concertiste, la couve de son regard pétillant, très en beauté lui aussi, la joue si discrètement fardée qu'elle semble naturellement enflammée par la fièvre du repas, moules et fritures, chevreuil rôti et bombe glacée, montée d'un buisson de cerises rubicondes, que croquerait Dora, de sa dent aiguë. A cet instant, elle ne pense pas à Gabrielle : elle incline son cou charmant vers sa voisine, une belle femme aux cernes bleus, aux grandes mains d'albâtre qui donnent le frisson.

A la même heure, sur le quai de la gare d'Auvers-sur-Oise, le seul voyageur à attendre le train de Paris, Michel Terrier fait les cent pas. Il entre et sort des cônes de clarté blafarde tombée des lampes ; par intermittence si parfaitement disparu dans l'obscurité, que le quai semble désert. Il patiente, mais ses pensées électriques, qui concernent Gabrielle à cet instant, ajustent sa personne à des figures dissidentes, en un calcul géométrique, une gymnastique mentale qui donneraient à Dora bien d'autres raisons de frissonner. Il mâche un caramel mou dont l'élasticité sensuelle agace ses dents, comme autrefois, enfant. Il rentre d'un rendez-vous amoureux, d'une nature un peu particulière, auquel il se rend de loin en loin avec constance, et dont il sort chaque fois dans cet état paradoxal, les nerfs irrités, l'esprit aiguisé, et le corps engourdi, les membres rompus, comme d'un pugilat. Or, tout le jour, il a beaucoup dormi, ou sommeillé, contemplé et même dévoré du regard celle qu'il est venu voir, mais n'a battu personne, du moins en réalité. Ses poignets fourmillent d'impatience. C'est qu'il a un rendez-vous d'une autre sorte, tout à l'heure, avec une fille, une de ces bonnes en maison bourgeoise, qu'il veut supprimer, comme le pion d'un échiquier, pièce secondaire qui gêne son jeu. Si ces filles s'achètent à moindre prix, il penche pour une méthode encore moins onéreuse, et plus divertissante.

Sa station sur le quai d'Auvers-sur-Oise n'a rien à voir, apparemment, avec celle de la femme maigre, en uniforme de l'Armée du Salut qui, à la même heure, chante au bord d'un trottoir de la porte Saint-Martin, agitant sa clochette en compagnie de cinq autres soldats de Dieu, en sueur sous leur bavolet réglementaire. Elle tend la sébile aux passants, mendie pour les pauvres, aussi pauvre, humble et anonyme qu'eux, sans doute, mais dans sa face émaciée, son regard très noir a l'agilité et la fièvre des bêtes des bois à la nuit tombée, traquées, apeurées d'une branche cassée, d'un craquement de feuille. Elle jette des coups d'œil aigus dans la foule anodine de la rue, à l'homme en veston, adossé au mur, qui lit depuis trop longtemps un journal du soir ; à celui qui s'est mis à taper machinalement du talon au rythme de leur cantique ; à celle qui s'attarde devant la vitrine du bijoutier.

Rien à voir non plus avec la station d'un commissaire Louvain, divisionnaire à la préfecture de Police de Paris, qui n'a plus l'âge, peste-t-il, ni le grade, de planquer contre cette palissade louche, au coin de la rue de Lappe. Ses agents sont en embuscade depuis le matin, alors il est venu à la nuit tombée, par acquit de conscience, par discipline et, disons-le, par gourmandise, voir en amateur éclairé comment il en va dans le quartier, quand ses hommes tendent une souricière intéressante. C'est qu'il a la nostalgie du terrain dans son bureau sous les toits, et les apaches sont gens susceptibles, rapides et coriaces ; ils jouent du couteau comme d'autres de l'harmonica, et lui connaît bien la musique. Mais le temps passe, et le commissaire a des impatiences dans les mollets, qu'il a sanglés de bottes en beau cuir, craquant comme taffetas. Très roman à deux sous, très enfer et damnation, songe-t-il, en considérant le décor de terrain vague, l'éclairage sinistre des réverbères, et le pavé luisant de la rue où fuit un chat furtif.

C'est à peu de chose près cette scène de mélodrame que tourne, vers Boulogne, dans les studios de la société Grand Lux, un jeune pionnier du cinématographe, la joue aussi empourprée que celle de Francis, qu'il ignore, qu'il ne rencontrera sans doute jamais ; et pour d'autres raisons sa face est rubiconde comme les cerises, dont il raffole. Le décor de palissade, de réverbères et de pavés luisants est en carton-pâte, et il pleut à verse parce qu'un machiniste, grimpé à son échelle, vide son arrosoir sur Arsène Lupin, une fiction très élégante en plastron empesé, loup et cape de soie noire. C'est son acteur qui met Daniel Galay en nage, en fureur : rien à tirer de ces comédiens grandiloquents venus des théâtres du boulevard, qui ne savent que rouler des yeux et grimacer. Il veut un gentleman subtil, réaliste et naturel, au plus près de la vie, la vraie vie romanesque, et pas un guignol d'opérette. Alors il tourne la manivelle, crie des ordres, des menaces, il jure, nom de Dieu, qu'on ne fera pas une deuxième prise parce qu'il en a plein le dos de ce travail bâclé : si vous croyez que ça se passe comme ça, dans la réalité ! Dans la réalité, le commissaire a tourné les talons, maintenant que la bande est serrée, garrottée, menottée. Il quitte le théâtre du crime, nonchalant, fatigué ; il frise sa moustache, taillée aux petits ciseaux, il soupire.

A la Chaussée-d'Antin, seule dans sa chambre à l'étage de son grand hôtel particulier, la vieille dame soupire aussi, les reins calés dans ses coussins brodés, parce que la nuit sera longue de son insomnie, qui commence. Elle a beau être femme forte, chevalier d'industrie, chef de famille et de sa fortune, puissante, intraitable, elle donnerait cher pour un peu de sommeil. La nuit est longue et silencieuse, sauf le bruit lointain du boulevard ; propice aux calculs, aux spéculations financières et domestiques, mais la volonté ne plie pas toujours les réalités à votre convenance. Les réalités sont rebelles, irrésolues, capricieuses ; l'argent n'achète rien de ce qu'on veut vraiment. On peut voir, dans l'obscurité de la chambre, près du halo bleu d'une veilleuse, la face pâle de la femme aux yeux grands ouverts, qui suit au plafond le jeu mouvant, nébuleux, des ombres chinoises projetées par la rue, lanterne magique de son insomnie…

A vol d'oiseau, mais les oiseaux vont vite, surtout la nuit, on se déplace assez loin d'ici, pour voir, sous le couvert d'un arbre centenaire, un hêtre, dirait-on, une jeune Pauline recevoir son premier baiser d'amour. C'est une scène secrète, impudique, n'approchons pas. Très bouleversant, quinze ans au dernier printemps, que de ployer au bras du garçon qui la caresse et l'étreint follement ; il veut d'elle beaucoup, ou rien, on ne sait ce qu'il veut, qu'elle attend. Ni si le clair de lune, que tamise au-dessus de leur tête le feuillage bruissant d'oiseaux de nuit, est celui d'un décor de cinéma ou celui d'un ciel naturel, s'ils chavirent de leur vérité sensuelle ou de leurs illusions sentimentales. Maintenant, elle fuit, elle court le long du muret du jardin, sur le chemin nocturne, vers la grande demeure, non loin, dont la dame insomniaque est la propriétaire, où brille une fenêtre ouverte sur la cour, l'écurie, les communs. C'est encore l'été, on laisse entrer les papillons de nuit qui se cognent à la lampe. Dans la cuisine, les domestiques sont encore attablés, ils ressassent à la veillée beaucoup de choses qu'ils savent sur les gens de cette maison, leurs maîtres ; et d'autres ils les taisent, parce que ce qui est bon à penser n'est pas toujours bon à dire, et que servir vous enseigne des silences. Pauline, avant la porte, reprend son souffle. Elle lisse sa robe, frotte sa bouche rouge. Comme elle entre, décidément, elle croise le vieux palefrenier qui part à l'écurie, où est sa chambre, au-dessus des chevaux qui renâclent dans l'ombre. Près de son lit, il garde une sacoche, confiée à lui de longtemps, dont il ne sait ni d'où elle vient, ni ce qu'elle contient. A sa lucarne, qui donne sur le verger et les poiriers odorants, il se penche, et regarde la nuit.

Vers la même nuit se penche cet autre vieil homme, le savant perclus de rhumatismes qui, de sa fenêtre de Montmartre, domine les toits de la ville, le vaste chantier minéral des immeubles et des monuments, piqueté de lumières, l'orgueilleuse cité des hommes, dont il ne sait s'il faut désespérer ou croire en ses promesses. Suzanne a emporté ses potions, ses cachets ; elle a baisé son front, et tiré sa porte. Jules Bauer va dormir ici, parmi ses livres et ses dossiers, les liasses de correspondances et d'articles scientifiques qu'il reçoit encore, de toute l'Europe, malgré sa retraite et sa maladie. Le rapport est encore ouvert sur son bureau, que Pierre lui a porté ce soir, le plus brillant de ses disciples, et comme son fils ; l'état de ses recherches de grand pastorien, ignoré du public. Un état des lieux, état de guerre. Microbes, bacilles invisibles à l'œil nu, à l'image des foules humaines, animés de la même vindicte de mort, auto-immuns et proliférants, cette intelligence de l'infiniment petit aussi monstrueuse et fascinante que le pullulement des étoiles, ce soir. Car il faut de temps en temps regarder les étoiles, y songer, croire en leur existence, en leur permanence céleste, et même si elles ne nous parviennent qu'éteintes de longtemps, accueillir la mémoire d'espace et de temps dont elles donnent l'image ; et même si c'est une vue de l'esprit, un mirage, prendre pour réalité leur présence imaginaire.

Ce que ne sait pas encore la toute petite fille endormie dans sa chambre luxueuse de la Chaussée-d'Antin. Personne ne lui a encore enseigné le pouvoir des étoiles, ni celui des gestes d'amour. Elle a écouté le bruit lointain du boulevard, comme sa grand-mère insomniaque, quelque part dans la grande maison ; elle a un peu pleuré. Non de peur, ou de solitude, parce qu'elle a peur, elle est seule, tout le temps. Elle a pleuré parce qu'elle ne veut pas. Ne veut rien, ne sait rien vouloir, que rien. Et les larmes l'endorment, pour finir. Normalement, elle est à la garde de cette bonne, qui l'a laissée ce soir, qui rentre en catimini, ses chaussures à la main. Qui pleure, elle aussi, mais pour des raisons différentes. Elle vient d'un rendez-vous nocturne avec un homme très persuasif, très effrayant, qui a obtenu d'elle ce qu'il veut, qu'il veut d'une volonté d'acier, ou de loup. D'animal des bois que rien n'inquiète, ni une branche cassée, ni un craquement de branche ; il n'est pas une proie, il chasse.

Ici ou là, à des échelles de grandeur et des distances variables, dans ce temps rapide et lent de la nuit qui a envahi la ville et la campagne, ces silhouettes indécises et tant d'autres s'agitent, vont et viennent, dorment ou veillent, spéculent et espèrent, ou font semblant, elles aiment, haïssent, maudissent et adorent des objets redoutables, ravissants ou funestes, mues par la passion, les tourments, la rage de posséder, de donner, l'orgueil, la convoitise, habitées de secrets terribles et de désirs illuminants, entourées des fantômes que leur mémoire incarne. Elles sont vivantes et réelles, autant que la réalité des rêves, des romans, et s'il est un lien entre elles, si leurs trajectoires se croisent déjà, s'aimantent, telle l'attraction fatale des corpuscules vibrionnant sous le microscope, ou des astres lointains scintillant au ciel de cette nuit, elles ne le savent encore, emportées pour l'instant chacune sur les voies énigmatiques de sa destinée, alors qu'est-ce que leur rencontre ? L'accident ébloui des collisions, ou la lente, lente approche, que réserve le hasard, ou la nécessité des histoires ?... Gabrielle peut dormir à présent, sur ses deux oreilles, comme le lui a tant de fois conseillé Dora. Elle dort.

III

Depuis plus d'un quart d'heure, Gabrielle feignait de contempler la vitrine d'un orfèvre, tout en surveillant l'autre côté de la place, dans le reflet. De son poste, elle contrôlait très bien la chaussée, le parvis de l'église Saint-Germain-des Prés, et le petit square attenant. Et la façade du salon de thé. Une ou deux fois, elle avait cru reconnaître la silhouette de Michel Terrier en un passant qui approchait, et son cœur avait pris le galop. S'il ne venait pas, s'il avait renoncé, oublié ? Ni sa tante, ni Renée n'aurait admis ce rendez-vous, il eût choqué leur idée du quant-à-soi et de la décence. Ecervelée. Effrontée, gourgandine, voilà ce qu'aurait dit Renée. Dora aurait dit : bécasse, oie blanche. Ce n'était pas tant de les tromper qui la troublait, plutôt le tour romanesque, un peu équivoque, que prenait cette relation. Quel émoi à venir là, à guetter la silhouette du jeune homme ! Il fallait, calculait-elle, ne rien en montrer, surtout. Pas d'enthousiasme déplacé, ni de froideur excessive. Se montrer plus habile, plus fine mouche qu'elles ne le croyaient toutes. Elles verraient bien, alors, de quoi elle était capable, comment elle faisait boire les chevaux dans son chapeau ! Mais malgré ses beaux discours et sa belle résolution, ses jambes étaient de flanelle, et elle avait au creux de l'estomac un tiraillement très désagréable. Pourtant la vitrine du bijoutier lui renvoyait une image flatteuse, mince et nette, pleine d'énergie et de grâce. Cette vision la rassura, elle rajusta sa voilette sous son menton et, déterminée, traversa la chaussée.

A son entrée, Terrier plia rapidement son journal, se leva gauchement. Il l'avait donc attendue… L'atmosphère était feutrée, la discrétion de mise : personne ne se tourna à son entrée. Il n'y avait là, d'ailleurs, que vieilles dames solitaires et messieurs discutant à voix basse ; et une mère, avec sa fille, celle-ci son portrait en adolescente ingrate, boudant sa tasse de chocolat fumant. Terrier s'inclina brièvement, lui offrit la place qui tournait le dos à la salle, délicatesse et savoir-vivre. Il avait un air avenant, avec sa tête de bel homme raisonnable, une réserve de bon aloi. En imagination les choses paraissent compliquées et contrariantes, la réalité est simple comme le bonjour.

— Vous êtes très ponctuelle...

— En fait, j'étais un peu en avance, avoua-t-elle avec franchise.

— Moi de même, sourit-il brièvement. Un thé ? Ou bien un chocolat ? Très bon, le chocolat...

Sa voix un peu métallique, qu'il voilait en parlant bas, la surprit cette fois. Cette voix, déjà entendue au ministère, l'intriguait. De toute évidence, il faisait effort pour en atténuer l'accent d'autorité, habitué qu'il était, sans doute, à l'exercer dans des rapports hiérarchiques. S'il tentait de la lui rendre agréable, louable intention, bon point pour lui, et soyons sur nos gardes, pensa-t-elle. La demoiselle en tablier à volants attendait, et quand ils eurent choisi un thé, elle s'éclipsa, glissant en danseuse sur le parquet. Alors seulement Gabrielle releva sa voilette, ôta lentement ses gants, les mains un peu tremblantes.

— J'ai beaucoup pensé à vous, cette semaine, dit-il enfin, l'examinant d'un regard insistant.

— Moi aussi. J'ai beaucoup espéré de vos recherches... Je vous en remercie.

— N'espérez pas de grandes nouvelles. J'ai fait ce que j'ai pu. Et attendez de savoir, pour me remercier, c'est plus prudent.

Ce ton un peu abrupt la déconcerta. Ils se turent un instant, intimidés, ou circonspects, mais le retour de la demoiselle fit diversion, qui installait devant eux tasses et petits pots, assiette de macarons givrés, et il attendit patiemment la fin de son petit ménage, qu'elle s'éloigne, pour se pencher vers Gabrielle.

— Connaissez-vous le Dr Pierre Galay ?

Il évalua une seconde son effet, enchaîna :

— Non, bien sûr. Il est peu connu du grand public. C'est un spécialiste des maladies infectieuses, une figure marquante de la Science. Il ne consulte pas en ville, ne s'occupe que de cas rares et problématiques. Il n'est pas très répandu, vous ne le trouverez pas dans les chroniques mondaines, si vous voyez ce que je veux dire. Du genre misanthrope. Il officie à l'hôpital de la Salpêtrière et à l'Institut Pasteur. Il est de la famille Bertin-Galay.

— Je ne comprends pas.

— Les biscuits Bertin-Galay. Boudoirs, petits-beurre et madeleines.

— Vous vous moquez, murmura-t-elle, au bord du dépit.

— Pas du tout. Ce Galay est tout ce que j'ai trouvé.

La demoiselle revenait, très concentrée sur sa chorégraphie, portant plateau et théière qu'elle disposait sur la table à gestes de souris. Terrier la congédia d'un geste agacé.

— Vous avez tort de croire que je plaisante, mademoiselle Demachy, reprit-il, gravement. Je prends au sérieux votre affaire. Plus que vous ne le pensez.

— Alors parlons sérieusement. Expliquez-moi ce dont il s'agit, dit-elle un peu sèche, gagnée par ce ton de persiflage.

Il remonta ses lunettes sur son nez, soupira.

— C'est pourtant ce nom célèbre des biscuitiers, qui m'a alerté, croyez-le ou non. J'ai commencé par le plus simple. Je suis d'abord revenu consulter le maigre dossier que vous avez vu l'autre jour, sur le bureau du commandant Feltin. Il ne contient pas grand-chose, mais je l'ai relu avec attention. Vous aviez raison. Le capitaine du bateau, dont vous vous inquiétiez, a laissé une indication : la malle aurait été déposée auprès des services portuaires, et non à notre consulat, comme il aurait été réglementaire. Le nom d'un Dr Galay figurait sur la malle, lors du chargement. Ce papier a disparu, sans doute arraché dans les transbordements. Le capitaine a eu scrupule de signaler ce fait, à son arrivée. Deux lignes annotées sur le coin de son rapport de service. Vous aviez raison : notre capitaine est de ces gens vétilleux qui enchantent les archivistes. Cependant, cette note ni ce nom ne m'auraient retenu si je n'avais eu à classer, il y a quelque temps, le dossier d'une ancienne affaire, où il était question d'un Dr Galay. Un médecin, chargé d'une mission en Orient, qui a donné naguère quelque souci au ministère des Colonies. Celui-là même dont je vous parlais. J'ai fait la relation d'identité entre les deux personnes. Il serait vraiment trop fort que deux Français du même nom, médecins tous deux, aient officié à Rangoon à la même date… Je fais l'hypothèse qu'il s'agit de la même personne. Ainsi, si je ne me trompe, celui qui a déposé les derniers effets d'Endre Luckácz, qui a donc eu affaire à lui au moment de sa mort, sinon à lui, à un proche ; bref, la dernière personne à savoir peut-être quelque chose de lui n'est pas au bout du monde, mais ici, à Paris, à quelques pas de chez vous. Et maintenant, suis-je sérieux, Gabrielle Demachy ?

Gabrielle avait suivi l'exposé sans ciller. La voix sourde mais assurée développait le scénario incroyable sans laisser un temps de répit, sans chercher le suspens ou l'effet oratoire. Il avait tout dit d'un seul trait et maintenant se taisait. Incrédule, elle hésitait encore devant cet exposé trop lumineux. Quelque part il y avait un défaut. Un rapprochement hâtif, une supposition hardie, une erreur d'interprétation. Le capitaine, le reçu, le docteur, la malle… dans aucune de ses folles élucubrations, elle n'aurait osé ajuster de telles coïncidences.

— Vous me livrez le nom du dernier témoin de la vie d'Endre, rien moins, murmura-t-elle. Et vous ne m'annoncez pas de grande nouvelle, disiez-vous ? Comment êtes-vous si sûr de cette histoire ?

— Je ne suis sûr de rien, protesta-t-il. Je rapproche quelques faits. Un document, une date, un nom. Il y a forte probabilité, mais pas de certitude. C'est pourquoi je reste prudent. Ce dont je vous avais prévenue, je crois, conclut-il froidement.

— Je ne voulais pas vous offenser…

— Je ne suis pas offensé. Je m'attendais à votre réaction. A vrai dire, je la préfère à trop d'enthousiasme, car cette découverte, si elle s'avère exacte, ce que je crois, ne nous avance pas à grand-chose.

— Je dois rencontrer cet homme au plus vite. Il aura bien un moment à me consacrer, même s'il est très occupé, et misanthrope, dites-vous ? S'il le faut, je forcerai sa porte. Il répondra bien à mes questions, n'est-ce pas ? Mon Dieu, s'il est celui que vous pensez, alors quel espoir vous me donnez !

Terrier écoutait Gabrielle. Comme elle était jeune, et touchante… Inexpérimentée… Pourtant intrépide, déterminée. Suffirait-elle à la tâche ? Certes, elle était intelligente, plus qu'il n'aurait cru. Certainement capable de calcul, selon l'occasion sachant maîtriser ses sentiments, ou jouer de sa séduction, mieux qu'une femme faite. Quoique assez impulsive, imprévisible. Et sa joue avait un velouté tentant, sa bouche, son menton… Cette jeune personne lui faisait battre les veines, dangereusement.

— A mon avis, opposa-t-il sévèrement, ce serait d'une grande légèreté. On ne se livre pas aux gens sans tenir quelque information. Je veux dire qu'il faut à cette affaire quelque prudence. Je ne vous ai pas tout dit encore, ajouta-t-il plus doucement, pour corriger sa sortie.

Mais Gabrielle, piquée par ce ton suffisant, s'était redressée.

— En effet, vous m'en avez trop dit. Ou pas assez. Par exemple : quelle sorte de soucis a créés ce monsieur au ministère des Colonies ? Dont vous vous occupez également ? Peut-être avez-vous aussi quelques entrées dans d'autres ministères ? Peut-être traitez-vous beaucoup d'affaires de gens disparus. Peut-être vérifiez-vous le contenu des malles, avant de les faire livrer ? Ai-je vraiment raison de me fier à vous, monsieur Terrier ?

Pris au dépourvu par l'attaque, il se donna le temps de goûter un macaron, d'essuyer ces lèvres poudrées de sucre au linge de dentelle, puis, un peu contraint, songeur :

— La malle a donc été ouverte, selon vous ? D'où le tenez-vous ?

— Les vis ont cédé sans effort. Rouillées depuis longtemps, elles auraient dû résister. Et vous, d'où tenez-vous que la caisse contenait les *derniers effets* d'Endre ?

— Convenons qu'elle a été ouverte, admit-il, après un temps de réflexion. Il est d'usage de s'assurer des colis d'origine inconnue sur un navire au long cours... Quant à son contenu, il m'a semblé de bon sens de le supposer... Je n'ai pas beaucoup d'imagination, au contraire de vous, mademoiselle. Pourquoi aurais-je ouvert cette malle, grand Dieu ?

Cette protestation avait un tel accent de sincérité, qu'elle eut honte de ses soupçons, perdit pied.

— Allons, qu'allez-vous chercher ? J'ai été touché par votre peine, et celle de votre tante. L'occasion s'est présentée à moi de vous aider, peut-être. C'est aussi simple. Désolé de vous décevoir, mademoiselle Demachy, mais mes fonctions sont des plus modestes. Elles m'ont seulement permis, vous le voyez, d'ouvrir un dossier, de recouper quelques informations... Je voulais juste vous mettre en garde contre trop de précipitation... Ce que je sais de ce Dr Galay n'est pas très engageant. Si j'ai eu à connaître un dossier le concernant, c'est qu'il était en mission pour le ministère des Colonies, en 1908, et qu'il a eu quelques démêlés avec l'armée à son retour, en des circonstances un peu... délicates. Certes, sa réputation est des plus assises, mais...

Il restait amène, plein de pondération, attaché à la convaincre, à l'aider. La lumière blonde qui filtrait à travers les rideaux atténuait la rudesse de ses traits. Elle le trouva presque charmant, comme dans le square, l'autre jour.

— Il m'est difficile d'en dire davantage, reprit-il. Ce sont des choses confidentielles et le devoir m'oblige à la réserve, comprenez-moi.

— Je comprends, dit-elle doucement. Je vous jure de garder pour moi ce que vous me direz.

Il sourit, un peu moqueur.

— Si vous le jurez...

— Je vois quel risque vous prenez en vous ouvrant à moi de tout cela. Je vois votre bonté. Comment irais-je vous desservir...

— Il ne s'agit pas de moi, mais de vous. Je vous conjure d'être prudente, Gabrielle, il y va peut-être de votre sécurité. Cet homme est dangereux. C'est un aventurier, peu recommandable malgré les apparences de respectabilité bourgeoise. Ecoutez, voici ce que je sais. Médecin en mission, il a profité de son état pour mener ses recherches en Asie. Sans doute ont-elles servi la science. Mais il a trahi son engagement, les intérêts de notre pays. Pendant des semaines, il a disparu, désertant son poste, dans les régions les plus obscures de Birmanie. On le soupçonne de trafics illicites. Et quand il a reparu, c'était pour se comporter scandaleusement, compromis... comment dire... Dans une affaire de femme. Enfin, une aventure peu reluisante. Et comme il n'y avait aucune preuve contre lui – ces contrées sont lointaines –, il s'en est tiré avec un blâme de l'armée, à son retour en France. Cela s'est passé à huis clos, devant un tribunal restreint, il avait des appuis. Bref. Cette histoire est ancienne, elle ne peut plus être portée sur la place publique, c'est une affaire classée. J'aurais préféré ne pas en faire état. Mais vous sembliez tellement prête à vous jeter à sa tête, ce que je redoutais en vous donnant son nom. Car nul doute qu'à surgir devant lui, à lui rappeler cette époque en lui posant des questions directes sur un épisode obscur de son séjour là-bas, sur des relations peut-être criminelles, vous vous heurterez à son silence, voire à son hostilité ou, pire, vous vous attirerez des représailles. Ces questions, essentielles pour vous, lui seront une menace. Il occupe aujourd'hui une position respectable. Maintenant professeur, il est estimé de ses pairs et soutenu par la communauté scientifique. Il appartient à une famille connue, avec de puissants intérêts, des protections politiques. Les grands biscuitiers Bertin-Galay, madeleines et petits-beurre... Vous ne ferez pas le poids, Gabrielle. Si vous l'attaquez frontalement, au mieux il vous éconduira, et vous aurez définitivement perdu toute chance d'apprendre quoi que ce soit, d'avancer sur cette piste. Qui s'avère bien fragile, n'est-ce pas ?

Gabrielle observait un silence, ébranlée par ces révélations. Le ton grave de ces paroles, les sombres perspectives de cette confidence, qu'il lui faisait en tout abandon, dans un libre pacte d'amitié, affolaient ses pensées. Comment aurait-elle imaginé d'aussi ténébreuses circonstances ? Qu'elle était puérile – bécasse, oie blanche, dirait Dora – de s'imaginer si simplement les choses, et comme il était avisé, fort de son expérience de la vie... Quel allié elle avait trouvé en lui ! Elle tendit sa main, pardessus la table, qu'il prit vivement dans les siennes, d'une pression ferme et bonne, rassurante, consolante, qui acheva de la bouleverser. Qu'avait-elle fait pour mériter l'appui de cet homme, sinon paraître. Sinon s'évanouir comme une dinde sur le tapis du commandant Feltin ? Et elle n'avait trouvé pour réponse que de le rabrouer tout à l'heure, de lui lancer à la tête ses soupçons...

— Quel bonheur de vous avoir rencontré, murmura-t-elle. Vous êtes mon ami, n'est-ce pas ?

— Je le suis donc un peu ?

Il souriait, revenu à sa gaucherie ordinaire, remontant ses lunettes d'un doigt.

— Que ferez-vous à présent ? s'inquiéta-t-il. Je crains que ma découverte ne mène pas à grand-chose...

— Je ne sais... Tout cela est beaucoup à la fois... Il faut que je réfléchisse... Cet homme, à quoi ressemble-t-il ? Le connaissez-vous ?

— Absolument pas. Quelle raison aurais-je de le connaître ?

— Je veux dire : savez-vous d'autres choses sur lui, sur sa vie ?

— Il est veuf, il me semble... Sa famille descend de petits minotiers du Nivernais, enrichis en 1870 par la fourniture de biscuits à soldats. C'est célèbre dans l'armée : leurs paquetages étaient une trouvaille géniale. Ils ont fait fortune, depuis. Ce sont de gros industriels... Que dire de plus ?...

Distraitement, elle grignotait un macaron, les yeux dans le vague.

— Comment m'y prendre pour l'approcher ?... Puisque cela seul l'intéresse, il me faudrait une maladie rare, quelque chose de grave...

— A moins de la fièvre jaune ou du choléra, vous n'avez aucune chance... Je crains, dit-il, revenant à un ton sérieux, vous avoir donné de faux espoirs. Je m'étais engagé à chercher, je l'ai fait. Ai-je vraiment eu raison ? J'en doute... Ce que vous brûlez tant d'apprendre ne vous apportera peut-être que souffrances inutiles, angoisses supplémentaires. N'est-il pas préférable de garder intact votre souvenir, de renoncer à en savoir davantage ?

— J'entends vos arguments, monsieur Terrier. Mais je saurai ce qu'il est advenu d'Endre Luckácz, je le lui dois. Cet homme ne me fait pas peur, ajouta-t-elle après un silence. Il me rendra des comptes. Un jour ou l'autre, d'une manière ou d'une autre.

— Vous avez du courage, mais la vie est cruelle, parfois. Promettez-moi, avant toute initiative, de m'en informer. Convenons-en, par amitié.

— Je vous le dois bien.

— Alors, joignez-moi à ce numéro, si le besoin s'en présente, et il tendait un petit bristol. Peut-être nous reverrons-nous un jour, mademoiselle Demachy. Peut-être la vie vous sera-t-elle plus clémente...

A nouveau, il lui prenait la main, et cette fois c'était une sorte de pacte paisible, d'engagement très doux. Déjà ils se levaient, déjà ils étaient sur le seuil, où ils restèrent un peu, le visage baigné par la tiédeur du soleil couchant. Puis il s'éloigna, sans se retourner, se perdit dans la foule.

Ah, si Dora avait été là, comme elle aurait couru chez elle, dans l'instant, lui raconter cette entrevue, son bonheur, son espoir ! Mais Dora était loin, pour huit jours encore. A un moment pareil, cette absence malencontreuse valait pour trahison. Gabrielle en eut un ressentiment, oubliant qu'elle-même s'était tue prudemment, et avait refusé de la suivre dans son voyage. D'ailleurs elle se reprit, se souvenant du serment de ne rien dire à personne. Personne, absolument. Comme allaient lui peser le secret, l'inaction... Quel portrait Michel Terrier avait-il fait de cet individu !... Mais que risquait-elle, demain, d'aller à l'hôpital de la Salpêtrière, de se faire indiquer le service de ce Dr Galay, de l'attendre discrètement ? Au moins connaître sa figure ! A l'idée de se trouver en sa présence, d'entrevoir seulement son visage, elle eut un long frisson de crainte, comme s'il était le diable, vraiment. Elle sourit de son enfantillage, eut une pensée attendrie pour Michel, son ami. Michel ? Pour la première fois son prénom plutôt que son nom surgissait dans son esprit, et son bruit à la bouche était très agréable.

Elle marchait d'un pas pressé qui épousait le mouvement de son imagination, car, en dépit des avertissements, elle bâtissait son projet. Oh, elle serait prudente, très prudente. Elle ne prendrait aucun risque. Elle trouverait le moyen le plus sage, le plus rusé, pour approcher cet homme sans qu'il s'en doute, pour se renseigner sur lui, sans éveiller son attention. Connaître ses horaires, ses habitudes. Peut-être même le suivrait-elle dans ses déplacements, découvrirait-elle ainsi des informations utiles sur sa vie privée, ses fréquentations ? Ensuite elle aviserait. Michel avait raison : quelqu'un qui a mal agi n'aime pas voir surgir devant lui le fantôme de son passé, il cherche à se défendre. Surtout s'il a du pouvoir, des protections. Pourtant, une contradiction la troublait. S'il n'y a pas erreur sur la personne, pensait-elle, si cet homme a lui-même déposé au port la malle d'Endre, peut-il être son ennemi ? A un ennemi, on ne rend pas ce genre de service. On n'accomplit pas ce pieux devoir de remettre en mains sûres ses derniers biens. Pauvres biens, misérables dépouilles. Ce docteur a disparu durant des mois dans une contrée inhospitalière, clandestin, déserteur. Est-ce là qu'il rencontre

Endre ? Là qu'ils deviennent complices de ces actions indignes ? Qui entraîne l'autre à la trahison, à ce trafic illicite, dont a parlé Michel ?... Trafic de quoi ? Endre, tombé dans quelle infamie, emporterait l'honnête savant, respectable fils d'industriels, dans sa douteuse aventure ? Cela ressemblait si peu à Endre... Comme lui ressemblait si peu le contenu de la malle, ces hardes de miséreux... A ce souvenir, Gabrielle sentait les larmes picoter ses yeux. Allons, pas d'attendrissement, s'interdit-elle. Dans l'élan de sa marche, elle se sentait légère, enhardie, résolue à affronter les obstacles futurs de même qu'elle traversait, avec la détermination d'une pionnière invulnérable, la ville et son agitation du soir. Un tramway la frôla dangereusement, lui barra un instant le passage, puis libéra soudain l'espace, la longue perspective de la rue. Elle voulut y voir un signe, s'engagea en courant vers le trottoir opposé, comme si hâter son allure était se jeter déjà dans l'action.

En rentrant, elle trouva Agota seule, dans l'obscurité, pâle et fiévreuse. Elle avait eu un malaise, au retour de sa promenade quotidienne. Renée, aux cent coups, était sortie aussitôt chercher leur médecin. Pleine de remords de l'avoir ainsi délaissée, pour courir à son rendez-vous, Gabrielle alluma la lampe, prépara en hâte une tisane, s'installa auprès de sa tante tandis que celle-ci buvait à petites gorgées, respirant avec difficulté. Affaissée dans son fauteuil, elle semblait encore plus menue et fragile. Gabrielle prit ses mains, qui brûlaient.

— C'est ce vent humide, dans les allées, expliquait-elle d'une petite voix qu'elle voulait vaillante. Je n'avais pas pris mon châle de laine...

Après examen, le médecin se montra pourtant rassurant. Il supposait un simple refroidissement, ordonna la chambre et des inhalations, des sinapismes de camphre. Le gros homme connaissait Agota et Renée de longue date ; il avait soigné Gabrielle enfant et avait pour elles trois une affection paternelle. Il prit la jeune fille à part dans l'antichambre et lui expliqua à mi-voix que, peut-être un contrecoup des événements récents, le cœur de sa tante était fatigué, qu'il fallait qu'elle se ménage. Renée, qui passait de la chambre à la cuisine, avait entendu ces derniers mots.

— Il y a bien longtemps, lança-t-elle, qu'elle malmène son cœur. A mon avis, il faudra une autre médecine que du camphre...

— Chut, Renée ! gronda Gabrielle, inquiète et contrariée de cette sortie intempestive.

Pour toute réponse, Renée s'enferma dans sa cuisine. Dès que le médecin fut parti, Gabrielle l'y rejoignit. A l'énergie qu'elle mettait à peler ses carottes, Gabrielle comprit qu'elle était dans une de ses colères noires. Elle saisit un couteau et se mit elle aussi à préparer les légumes.

— Allons, ma Ninette, murmura-t-elle au bout d'un moment, ne sois pas si fâchée.

Ce petit nom familier, inventé par Gabrielle dans son enfance, avait pour don de faire fondre Renée, d'effacer toutes les contrariétés, mais cette fois-ci, il fut sans effet.

— Ne sois pas désagréable, ajouta fermement la jeune fille. Nous avons assez de soucis.

— Je ne suis pas désagréable. Je vois seulement comment tourne le monde.

— Comment tourne-t-il, selon toi ? Je ne comprends pas.

— Moi, je me comprends.

— Il y a que le chagrin nous mine, toutes les trois. Que tu prends plus que ta part de nos malheurs. Nous sortirons bien de là, Ninette. Je fais des efforts pour cela.

— C'est ce que je veux dire, ronchonna la vieille nourrice. Crois-tu que je ne vois pas que tu es toujours dehors, que tu t'échappes d'ici, à la moindre occasion, et que le monde tourne d'une autre façon, depuis quelque temps ?

— Tu veux dire : depuis que nous savons qu'Endre ne reviendra plus jamais... compléta Gabrielle, les larmes aux yeux.

Renée eut un soupir exaspéré et tourna le dos pour mettre de l'eau à chauffer, mais elle reniflait, s'essuyait le visage à son tablier.

— Que me reproches-tu ? demanda doucement Gabrielle.

La vieille femme se retourna brusquement, les joues rouges, le front barré d'une ride nouvelle.

— Mais je ne te reproche rien ! Crois-tu que je sois trop vieille bourrique ? Tu es jeune, tu es pleine de vie et d'allant. Je me demande, certains jours, comment tu supportes encore de vivre enfermée ici, avec nous deux, sans voir personne, sans amis, sans relations de ton âge. A part ta pianiste, qui te noie la tête de musique. Mais la musique ne te contente pas. Je vois que tu deviens enragée de notre vie. Endre ne reviendra pas, c'est fini.

A ces mots, Gabrielle cacha son visage dans ses mains, étouffant ses sanglots.

— Pleure donc, pleure ! Moi, je ne suis pas fâchée de cette nouvelle. Même si elle nous crève le cœur. Parce que ce n'était pas une vie pour une jeunesse, d'attendre sans fin ! Veux-tu le fond de ma pensée : c'est Agota qui t'a mis cette maladie dans la tête. Non, le camphre ne la guérira pas de son malheur, ni rien du tout, ni personne, et surtout pas toi. Il va falloir que tu nous quittes, un de ces jours. Pour être un peu heureuse, enfin. Sans nous. Voilà ce que je pense. Cela me donne du chagrin, mais je serai bien contente si cela arrive, crois-moi. Ah ! j'en avais trop sur le cœur !

D'un bond, Gabrielle fut debout, elle enlaçait déjà la vieille femme, l'entourait de ses bras, enfouissait son nez dans son cou, comme autrefois petite enfant, suffoquant d'émotion.

— Oh, ma Ninette !

Elle ne pouvait en dire davantage, mais pour Renée son silence valait toutes les paroles. Gabrielle était confondue par la perspicacité de la vieille femme, par son bon sens et son grand cœur qui la perçaient à jour, émue et honteuse de la découvrir, sous ses dehors obtus et grognons, si bonne, si compréhensive, prête à tous les sacrifices, avec pour seul souci son bonheur, quand elle oubliait si souvent à quel point elle avait veillé sa petite enfance, comme une mère.

— Bon, c'est dit, grommela-t-elle, repoussant Gabrielle, et se mouchant fortement. Maintenant, que vas-tu faire ?

— Que veux-tu que je fasse ? demanda Gabrielle, désemparée par la question, la même que lui posait Michel Terrier.

Renée examina la jeune fille avec tristesse. Elle connaissait si bien son visage chéri, ses grands yeux clairs, sa bouche, autrefois rieuse. Mais elle avait tant poussé, comme une plante qui cherche la lumière, avec ses trop lourds cheveux nattés sur la nuque, ombrant son front, avec ses longues mains nerveuses, sa taille étroite, et ses seins émouvants de jeune fille. Plus rien en elle de l'enfance, de la toute petite qui lui appartenait, qu'elle avait nourrie, et choyée. Dans cette cuisine, il y avait tant de souvenirs, de goûters et de confidences, de fâcheries... Friande de feuilletons, Renée lisait les romans de Paul Féval ou de Georges Ohnet, qu'elle prêtait à Gabrielle avec des airs de conspiratrice. Surtout *Marie-Claire*, l'histoire de la bergère orpheline devenue couturière, qui lui semblait une sœur. Elle avait longtemps acheté *Le Matin*, pour découper chaque jour les épisodes de *Pardaillan* qu'elle cousait à la main et reliait avec un carton au titre calligraphié, et durant des heures, elles discutaient avec passion le destin des personnages, chuchotant et riant... Ce soir, il lui semblait voir une étrangère, une femme, avec ses désirs, ses secrets, sa volonté propres. Seul son amour lui permettait de lire les signes de la métamorphose profonde qui l'arrachait à elle, au passé, devant laquelle elle s'inclinait, avec pourtant l'inquiétude des mauvais coups de la vie, dont elle avait tant l'expérience. Elle tendit sa main rugueuse, qui sentait la carotte, la cire, la lavande, et du dos de sa main, elle caressa la joue de Gabrielle.

— Autrefois, tu avais une fossette, là... Tu l'as perdue... reprocha-t-elle tendrement. Tu trouveras une solution, va, puisque tu la cherches !

La confiance naïve de Renée enflammait Gabrielle ; avec elle, tout paraissait si simple.

— Et quoi qu'il arrive, tu m'aideras, toi !

— As-tu besoin d'une vieille chèvre comme moi pour t'aider ?

— Tu m'aimes, chuchota Gabrielle, et elle posa un long baiser dans sa paume.

— Ça suffit comme ça, trancha brusquement Renée, retournant à sa cuisine. Va donc voir comment elle se porte à présent, et descends avant la nuit, acheter ses médicaments.

Gabrielle obéit, comme autrefois, quand Renée la repoussait soudain de ses jupes au milieu d'un câlin, par pudeur, colère de s'être oubliée. Dans l'obscurité du couloir, elle sourit, essuya son visage, remit de l'ordre dans sa coiffure, avant d'entrer dans la chambre de sa tante. Mais celle-ci somnolait dans ses coussins et n'entendit pas qu'elle ressortait, sur la pointe des pieds.

La semaine qui suivit fut tellement occupée que Gabrielle en oublia ses projets, la visite qu'elle s'était promis de faire, à la Salpêtrière. En fait, Agota alla aussitôt beaucoup mieux. Mais, profitant de sa maladie, elle se montra tyrannique, prétextant que Renée s'y prenait mal et que seule Gabrielle lui convenait pour ses soins, réclamant qu'elle lui fît la lecture des poèmes de Petöfi et d'Endre Ady, lui reprochant d'écorcher la langue hongroise, comme une ignorante ; réclamant des boissons chaudes, ou froides, son châle, sa bouillotte, sa broderie. Avec une patience angélique, pour se faire pardonner la négligence qu'elle se reprochait à son égard, Gabrielle passa par tous ses caprices, sous le regard courroucé et réprobateur de Renée, qui attendait de se trouver seule avec elle dans la cuisine, au repas du soir, pour la mettre en garde et l'abreuver de conseils. Elle ne pouvait se laisser ainsi prendre en otage et martyriser : ne voyait-elle pas comment sa tante abusait d'elle, au prétexte d'un rhume ?

— Ma pauvre tante, lui opposait Gabrielle en souriant, je lui dois bien ça... De qui a-t-elle abusé dans sa vie ? Et puis, tu vois, j'apprends avec elle le métier de garde-malade. Cela peut m'être utile, plus tard, pour gagner ma vie.

— Gagner ta vie ! Qu'as-tu besoin de gagner ta vie !

— Si je dois vous quitter, un jour, comment penses-tu que je m'en sortirai ?

Renée, abasourdie, ouvrait de si grands yeux, que Gabrielle éclata de rire devant sa mimique.

— Enfin, Renée ! Remets-toi ! Je n'ai rien dit de si scandaleux !

Sans mot dire, Renée quitta la table. Elle s'affaira à ses casseroles, jetant de temps en temps en coin un œil noir sur la jeune fille qui, des dents, prenait à la grappe, un à un, des grains de raisin, et les croquait paisiblement, attendant la fin de la crise. Visiblement, un sujet agitait Renée, qui sondait d'obscures questions. Soudain elle parut se résoudre, revint s'asseoir.

— Cela ne me regarde pas, conclut-elle, très en colère, en conclusion d'un discours à part soi.

— Non, sans doute, dit Gabrielle, prudemment conciliante.

— Qu'en sais-tu ?

Interdite, Gabrielle hésita, marchant sur des œufs.

— Je sais que te choque mon idée de gagner ma vie.

— Exactement. Je suis choquée.

— N'en parlons plus.

— Parlons-en, mon cœur. Cela ne me regarde pas, mais tant pis pour moi. Il y a des choses dans cette maison qui me restent en travers : la semaine dernière, le notaire est venu ici. Il a demandé à te voir : tu étais sortie. Il a dit qu'à présent qu'on disposait d'un acte de décès en bonne et due forme, la succession d'Endre était ouverte. Et qu'elle était à ton nom. Voilà ce que je sais, moi. Naturellement, je croyais que ta tante t'en aurait parlé. Je vois que non. Cela ne me regarde pas, mais quand même : c'est trop fort.

C'était au tour de Gabrielle d'ouvrir d'immenses yeux, chavirée par cette révélation.

— Mais enfin, balbutia-t-elle, comment sais-tu cela ?...

— Figure-toi que j'écoute aux portes. Ce n'est pas poli, mais c'est assez utile, que je sache.

— Renée, si ce que tu as entendu est vrai, comment ma tante peut-elle me taire...

— Elle le peut, le fait est. Elle ne dit rien, parce qu'elle voit bien, elle aussi, que tu es comme une lionne en cage. Elle a peur que tu partes, parce que tu as l'âge, de peu, mais tu l'as, d'hériter sans sa tutelle. Cet argent est à toi. Ah, je n'en pouvais plus, de tenir ma langue. Tu me fais trop peur, aussi, avec ton histoire de garde-malade... Ne va pas me dénoncer à elle, au moins, d'écouter à sa porte !

— Te dénoncer !

Gabrielle entendait à peine, en proie au vertige. Un testament ! Endre pensait-il donc à sa mort ? A elle, avant son départ, il destinait ses biens… Ultime geste ! Quel que fût cet héritage, il lui disait qu'il l'aimait, au point de prévoir, de vouloir pour elle, d'accomplir cet acte réfléchi, délibéré du legs… Elle se leva brusquement. Alors, elle était libre, en effet. Libre de quitter cette maison, de vivre à sa guise ! Cet argent tombait du ciel… Il tombait des mains d'un mort bien-aimé pour donner une direction à sa vie, le droit de disposer d'elle-même, tel un cadeau d'outre-tombe. A la mort seule elle le devait, à un fantôme au visage perdu… Cela lui serrait le cœur, affreusement. A cela s'ajoutait la stupeur de découvrir que sa tante, par quel aveuglement, quel égoïsme, pouvait la tenir dans l'ignorance… Pour différer, pour empêcher, la retenir, prisonnière de ces murs… Pourtant, bien loin de s'indigner, elle laissait place à sa mansuétude pour la vieille femme, réduite à ce calcul pitoyable.

— Pauvre tante Agota… murmura-t-elle, malgré elle.

— Pauvre tante ! s'écria Renée, outrée. Elle te mangerait toute crue, tu en serais contente !

— C'est sa façon de m'être attachée…

— Gabrielle, Gabrielle ma mignonne, mon agneau, laisse un peu pousser tes dents ! Ou alors je quitte cette maison : je ne veux pas en voir davantage ! Allez donc au diable, vous deux ! Tout cela ne me regarde pas, à la fin ! J'aurais mieux fait de me taire.

— Pas du tout, Ninette ! Au moins toi, tu gardes la raison. Que ferais-je sans toi ?…

— Ce que tu vas faire, sans moi, c'est filer tout droit chez le notaire, et lui demander des explications.

— Crois-tu ? Je ne sais que penser… Laisse-moi le temps de réfléchir.

— Eh bien, réfléchis, réfléchis, mais prends garde à toi.

Gabrielle ne trouvait pas le sommeil, ivre d'imaginer sa bonne fortune. Soudain ses impatiences, ses désirs bridés trouvaient le champ libre ! Car, d'une manière ou d'une autre, Agota devrait se résoudre à parler. Un jour prochain, il faudrait aller chez ce notaire. D'ici là, Gabrielle serait patiente, et compréhensive, parce que, ensuite, plus d'obstacles : elle serait maîtresse de sa vie ! Mais ce legs venait de la mort… Quel prix affreux, quelle triste, triste dette, quelle navrante ironie qu'Endre exauce ainsi son vœu… Soudain, elle sentait sur les siennes les mains d'Endre, lui livrant le don qu'il lui destinait, elles se posaient sur sa peau, glissaient le long de ses bras, de ses épaules à sa gorge. Humides et froides, horriblement froides. Elle sentait sur ses hanches la caresse gluante d'un cadavre décharné, noirci et bleu de putréfactions immondes, la prendre en une étreinte d'amour. Elle poussa un cri, se réveilla en sursaut. Hagarde, elle bondit de son lit, se retrouva, glacée et tremblante, au milieu de la chambre. Elle s'était donc endormie ! Bien réveillée, à présent, elle restait pourtant terrifiée par son cauchemar. Cette métamorphose hideuse d'Endre la hérissait de dégoût. Son rêve disait la vérité. Etre aimée d'un spectre ! Ce que Renée avait surpris, mieux eût valu ne jamais le savoir. Elle ne voulait rien de ce don, de ce legs funèbre qui défigurait son amour. Elle ne prendrait pas le cadeau plein de poison, qui avait soulevé son cœur d'un mauvais espoir. Quitte à être garde-malade, demoiselle des Postes ou de magasin, n'importe quoi, elle trouverait seule le moyen de sa liberté. De cela, envers elle-même, elle prit l'engagement solennel. Dans l'obscurité de la chambre, son visage livide lui fit peur, au fond du miroir.

Le lendemain, elle se leva, la mine chiffonnée par sa mauvaise nuit. De la voir ainsi défaite, toute pâle, feignant la vaillance pour préparer le plateau d'Agota, Renée fut prise d'une rage froide, qui était sa manière ordinaire de manifester son inquiétude. Elle empoigna son cabas et déclara vertement qu'elle partait au marché prendre l'air, et qu'il fallait du saignant, à midi, pour requinquer tout ce monde malade.

Si bien que Gabrielle se trouva seule lorsque la concierge monta le courrier, et un télégramme à son nom, déposé par un coursier, qu'elle ouvrit aussitôt. Il s'agissait de Michel Terrier, aucun doute. Ces initiales étaient transparentes. Plus tard, elle repensa au concours de circonstances qui l'avait favorisée : tenu Agota alitée, et Renée dehors. La missive fût-elle tombée entre les mains de l'une ou l'autre, comment s'en fût-elle tirée ? Quoique signé d'initiales – pour cette raison même –, le télégramme les eût intriguées. Car si elles n'allaient pas jusqu'à ouvrir ses courriers privés, les deux femmes ne s'enquéraient pas moins sans vergogne de sa correspondance... Ce que Gabrielle supportait de moins en moins. Deux lignes lapidaires. *Se présenter en personne, au ministère de la Guerre, ce jour, à midi.* Le cœur battant, elle s'enferma dans sa chambre. Quelle urgence dictait un tel procédé, ce style comminatoire ? Ils avaient pourtant fait le pacte que sa tante ignorerait tout de leur rencontre, de leur relation, et de son projet d'élucider la fin d'Endre. La colère, la peur rétrospective se partageaient en elle. Certes, raisonnait-elle, le message laconique pouvait passer pour une quelconque démarche administrative, et les initiales pour celles d'un employé anonyme. Celles-ci n'avaient de sens que pour elle. Finalement, ce procédé pour la joindre était bien le seul possible, en cas d'urgence. Ce qui semblait être le cas. Ou bien jouait-il de ce prétexte pour la revoir, sûr qu'elle accourrait au moindre appel ? Restait pourtant l'impondérable, que ce courrier tombât entre les mains d'Agota... Qui l'aurait aussi bien subtilisé, et détruit, par sa folie de persécution. De même qu'elle dissimulait la visite du notaire, par un calcul aberrant. Gabrielle chassa ces pensées. Le concours de circonstances lui était favorable. Elle serait au rendez-vous.

— Voilà ce que j'ai trouvé dans *Le Matin*... Je ne sais par quel incroyable hasard je suis tombé là-dessus. Jamais je n'épluche ce genre de rubrique en lisant mon journal. Cela m'a sauté aux yeux. Il me fallait vous joindre au plus vite, n'est-ce pas ? Qu'en pensez-vous ?

Michel Terrier et Gabrielle étaient debout dans une petite pièce sombre au plancher poussiéreux, une antichambre désaffectée, sans doute, avec pour seul meuble des bancs de bois scellés au mur, et aux fenêtres des grilles, d'où tombait une lumière grise, loin du grand jour de midi. Gabrielle tenait à la main le journal en question. Elle prenait connaissance de l'avis, imprimé à la page des petites annonces. Le nom des Bertin-Galay figurait en gras. Une offre d'emploi. Une agence de personnel de maison recherchait une institutrice, pour un enfant de la famille. Expérience et recommandations exigées... Terrier avait l'air ravi, excité de sa trouvaille, tellement que Gabrielle n'osait poser de question, protester. Elle était abasourdie de découvrir la cause disproportionnée de ce télégramme mystérieux, pour lequel il avait pris tant de risques. Loin de partager l'enthousiasme du jeune homme, elle le considérait avec crainte... Sa passion de l'aider prenait des formes insensées. Elle laissa retomber la feuille, découragée.

— J'ai aussitôt pensé à vous, à votre idée de vous introduire auprès du Dr Galay sous un prétexte quelconque. En voilà un magnifique, non ?

— C'était donc cela !

Elle avait mis trop de dépit dans sa voix, trahissant sa déception. Il marquait une telle surprise qu'elle se sentait paralysée par son examen. Il semblait à toute vitesse réviser son jugement sur elle et eut pour finir un petit bruit de lèvres agacé, désappointé lui aussi.

— Seulement cela, en effet... Vous ne voyez donc pas l'opportunité de cette annonce ?

— Si je comprends bien, vous me conseillez de me présenter pour cet emploi. Mais c'est impossible ! Je ne suis pas institutrice. Je n'ai pas d'expérience. Ni de recommandation.

— Une lettre, cela se fabrique, rétorqua-t-il vivement, gêné aussitôt, comme d'un aveu, de cette suggestion qui lui échappait. Je veux dire : on trouve toujours quelqu'un pour vous faire une recommandation de complaisance.

— Mais je n'ai aucun titre...

— Quel besoin d'un titre ! Vos études, vos talents de musicienne...

— Il s'agit d'enseignement.

— Ah qu'importe ! Ne saurez-vous berner une employée d'agence ?

— Cela me semble extravagant. Et tellement incertain...

— Je vous croyais déterminée, prête à tout ! Vous avez là une chance unique de vous introduire, non dans la vie professionnelle, mais dans la famille même de cet homme. Dans l'intimité de sa vie privée, auprès des siens. Un lieu d'observation inespéré, où vous pourrez apprendre plus que vous ne le croyez, connaître par quelque parent les circonstances de son voyage. Enfin je ne sais, l'approcher, le circonvenir... Le jeu en vaut la chandelle, il me semble ! Si vous étiez vraiment résolue, comme vous m'en aviez persuadé, vous comprendriez que cette annonce dépasse miraculeusement tout ce que vous pouviez imaginer ou tenter d'autre. Mais je vois que je me suis trompé. J'ai dû rêver...

— Qui est cet enfant ? Quel âge a-t-il ?

— Comment voulez-vous que je le sache ? Et qu'importe, puisque, d'avance, vous renoncez.

Il avait repris la feuille, sèchement. Gabrielle eut un soupir excédé. A son ton véhément, presque méprisant, elle comprenait qu'elle perdait tout crédit. Ses objections, raisonnables à ses yeux, la déconsidéraient aux siens. Tant de frilosité, de pusillanimité, quand elle avait protesté avec fougue de son audace et de sa volonté... Pourtant, devant sa conviction, ses arguments énergiques, elle sentait faiblir son jugement. Il avait jusque-là montré tant de discernement et de justesse pour apprécier les situations, et la conseiller...

— Ah, s'écria-t-elle, bouleversée, laissez-moi réfléchir un instant.

Elle s'écarta un peu, lui tourna le dos, pour se ressaisir. Le jour gris et faible filtré par les vitres sales rendait alentour les choses laides et tristes, donnait à leur entrevue une allure de déroute. Elle-même se sentait amoindrie, comme éclaboussée par cette lumière sinistre. C'était donc à cela qu'aboutissaient les ferveurs et les espoirs, la belle complicité de leurs rencontres passées ?

— Je suis désolé, chère Gabrielle, de m'être fourvoyé, et de vous avoir dérangée pour rien, dit-il froidement. Je ne peux m'attarder davantage. Je suis en service, comprenez-moi.

— Attendez !

Elle s'élança vers lui, reprit de ses mains la feuille du *Matin*, relut l'annonce avec attention. Sans rien apprendre de plus. Mais les mots imprimés s'inscrivaient désormais différemment sous ses yeux. Elle comprenait enfin l'emballement de Terrier, devant ce hasard des circonstances. Une chance à saisir. Elle releva son visage vers celui du jeune homme, soudain très proche. Derrière l'éclat de ses lunettes, elle chercha son regard. A cet instant, il était interrogatif, tendu et grave, vacillant au bord de l'abandon et pourtant plein d'une sombre menace. Son souffle sur son front, la tension palpable de son attente la firent frissonner. Ils étaient si près l'un de l'autre que quelqu'un, entrant dans la pièce, eût cru surprendre un aveu amoureux. Ses hésitations furent soudain balayées.

— Vous avez raison, chuchota-t-elle.

— Je suis sûr que j'ai raison, chuchota-t-il de même. Tout cela ne me semble pas bien aventureux.

— L'aventure serait que je sois engagée.

— Si vous vous présentez dans cet esprit, vous le serez.

— C'est que j'ai tout d'une excellente institutrice.

— Bien sûr, sourit-il. Et vous serez un agent secret merveilleux.

— Vous n'imaginez pas à quel point. Vous serez étonné.

A ce défi téméraire, le sourire de Terrier s'éteignit, et elle surprit au fond de son regard une lueur féroce, un vacillement d'ironie ou d'intense curiosité, comme s'il la sondait, la défiait à un jeu cruel dont elle ignorait les règles, mais déjà le sourire revenait, effaçait le signe fugitif. Il fit quelques pas, épousseta une poussière imaginaire sur sa manche.

— Eh bien, reprit-il plus gravement, je fais le vœu que vous réussissiez. Que vous trouviez réponse à vos questions. Mais faites vite : vous aurez des concurrentes à ce poste ! Pour moi, je m'efface. Mon rôle est terminé, je crois. Peut-être me direz-vous un jour comment tout cela a fini ? Si vous vous souvenez encore de moi...

— Oh ! Ne soyez pas méchant ! Je vous le promets. Je suis une bien piètre élève... J'apprends lentement, mais j'ai tellement besoin de votre amitié. Je n'oublierai pas tout ce que vous avez fait pour moi. Comme je vous remercie, Michel.

Avec une légère ironie, il s'inclina, pour un bref salut, et sortit rapidement, la laissant seule dans la petite pièce triste, où elle s'attarda, relisant l'annonce laconique. Il fallait l'esprit inventif et entreprenant de Michel pour avoir compris aussitôt ce qu'on pouvait en tirer. Elle approcha de la fenêtre dont les barreaux de fer quadrillaient l'espace d'une minuscule cour, déserte, fermée de murs aveugles, et elle eut un frisson à la vue de cet endroit carcéral plein de menaces. Pourtant la présence de Terrier hantait encore ces murs, pressante, exigeante. Elle aurait voulu mieux percer les motifs qui l'inspiraient. Sa force de persuasion l'étonnait, son ascendant grandissant sur elle, dont elle ne comprenait pas la vraie nature. Quelle impatience à la convaincre, comme s'il y mettait un point d'honneur. Etait-il à ce point séduit, pour ne penser qu'à l'aider, à la servir ? Ou bien son tempérament romanesque avait-il trouvé dans son histoire une occasion de s'exercer, d'imaginer, d'inventer à travers elle des intrigues qui faisaient défaut à sa vie morne d'employé ? Il semblait pourtant si impérieux, presque inquiétant par moments. Et cependant plein d'élans généreux qui lui faisaient fondre le cœur de reconnaissance.

A nouveau elle relut la feuille, déchira l'adresse de l'agence. Dès demain, elle s'y rendrait. Comment se présenterait-elle ? Comment rendre crédible sa candidature ? Elle s'imagina avec des lunettes, un chignon sévère, sourit de ce déguisement. Il s'agissait bien de déguiser désormais, de feindre *pour de vrai*. Simuler n'était pas pour lui déplaire, cela la troublait, excitait en elle l'envie d'en découdre. Masquée, approcher cet homme, surprendre ce qu'il gardait secret. Une désertion, un procès au retour du voyage, ce parfum de scandale, cela laisse des traces dans une famille... Le jeu en valait la chandelle, selon l'expression de Michel. L'aventure valait au moins d'être tentée. Fallait-il être sotte pour laisser passer une occasion pareille ? Elle ne se représenterait sûrement jamais ! Hier encore, elle rêvait de gagner sa vie, tournait dans sa cage sans entrevoir une issue. Voilà qu'aujourd'hui elle s'apprêtait à se porter candidate à cette offre d'emploi, qui en valait bien une autre, après tout. Et si elle n'était pas engagée, peut-être cette agence aurait-elle d'autres propositions, qu'elle n'imaginait même pas ? Soudain elle se sentit étrangement sereine et résolue. Après un dernier regard à la petite cour désolée, elle quitta les lieux.

IV

La salle d'attente, où l'avait fait entrer le gardien, démentait
l'opulence annoncée des usines Bertin-Galay. Aux abords,
c'étaient de beaux murs en brique rouge, et une solennelle grille
de ferronnerie ancienne. Ici, une grande pièce sombre au parquet ciré, meublée de quelques sièges usagés et d'une haute
armoire administrative à casiers. Aucun bibelot, rien aux murs,
qu'une grosse horloge, au-dessus de la porte vitrée, par où elle
entrevoyait, de biais, la loge et le pavé, sous le porche. Deux
fenêtres à grilles donnaient sur le quai d'Austerlitz, où passaient
les voitures, les fourgons et les tramways, en un va-et-vient
incessant dont le roulement lui parvenait, assourdi par les
rideaux de reps vert, très quelconques. Le quartier industriel de
la gare était hostile ; cette salle sévère achevait de l'intimider. Le
gardien revêche et guindé, informé de sa venue, l'avait aussitôt
conduite là et priée d'attendre ; il viendrait la prendre. Pensant
d'abord qu'on la recevrait rapidement, elle resta debout, près de
la fenêtre.

Le matin même, elle s'était présentée à l'agence, dont les
bureaux se trouvaient dans le quartier de la Trinité, et où l'avait
reçue la directrice, une dame hautaine, à la robe monacale que
seule égayait une montre en or. Gabrielle avait patienté parmi une
douzaine d'hommes et de femmes de tous âges candidats à des
emplois de maison, bonnes et valets de chambre, dont l'allure,
les visages et les manières, conformes à la classe qu'ils servaient,
confirmaient le rang dont l'agence se vantait. D'ailleurs, des
réclames placardées aux murs garantissaient à la meilleure
société l'excellence de son personnel. Sous le vernis de correction bourgeoise, la hiérarchie des fonctions domestiques se
déclinait subtilement, de la cuisinière au majordome, chacun
portant sur soi les signes distinctifs de sa spécialité. Mais aux
minauderies des unes, à l'arrogance sournoise des autres,

Gabrielle avait pressenti dans quel théâtre de faux-semblant évoluaient ces acteurs, d'une place à l'autre apprenant le métier, vite rompus à la comédie et au simulacre. Ils échangeaient leurs expériences d'un ton condescendant ; d'une remarque canaille, d'une allusion, comparaient leur condition, avec cette assurance des initiés, pleins de mépris envers les maîtres, qu'ils singeaient, ou envers eux-mêmes, pour leur emprunt servile aux modèles. Gabrielle s'était composé une attitude, la plus neutre possible, évitant la conversation que certaines tentèrent d'engager, redoutant de trahir son inexpérience et d'être leur risée.

Finalement, la dame janséniste l'avait reçue, et tout s'était joué en une minute, sans qu'elle eût à dire un mot. D'un œil aigu, celle-ci avait jaugé, de la tête aux pieds, sa tenue, son allure, sa santé, sans doute. Après cette inspection rapide mais implacable, elle avait pris note de son identité, sans rien exiger de plus, griffonné, sur une fiche à en-tête de la maison, l'heure et le lieu du rendez-vous avec la personne, le soir même, et apposé sa signature, le cachet de l'agence. Gabrielle s'était retrouvée sur le trottoir, étourdie de cette entrevue éclair. Les autres candidates avaient-elles subi aussi vite le même examen éliminatoire ? Elle s'était bien gardée de poser une seule question, de réclamer des précisions, trop heureuse de s'en sortir à si bon compte. Même si l'épreuve véritable n'était que différée, elle se sentait ragaillardie d'avoir passé si aisément le premier obstacle.

De même, l'avait déconcertée, la veille au soir, la facilité avec laquelle elle avait convaincu Agota. Peut-être affaiblie par sa maladie, ou déjà préparée à cette idée, comme Renée en avait l'intuition, elle n'avait pas paru étonnée d'entendre Gabrielle lui déclarer, d'une voix qu'elle voulait ferme, sa décision de se présenter à un emploi d'institutrice, pour quelque temps. Le temps d'étourdir sa peine, en trouvant une occupation utile et prenante. Elle avait aussi plaidé son besoin de s'affranchir de son enfance, de soulager de sa charge sa tante bien-aimée, à qui pesaient les années. Elle le jurait : elle agirait avec discernement, ne choisirait pas n'importe quelle position. Cette expérience allait l'aguerrir, elle avait besoin d'affronter les réalités de la vie. Sa tante opinait : elle comprenait, en tout elle était d'accord. Gabrielle continuait de plaider, tandis que, dans le dos d'Agota, Renée multipliait les mimiques exaspérées : ne voyait-elle pas qu'elle déployait son éloquence en vain, qu'elle en faisait trop, puisque la partie était gagnée ? Agota accepta même sans réticence sa dernière requête : sous sa dictée, elle rédigea une belle lettre de recommandation, selon laquelle Gabrielle avait été, avec compétence et dévouement, sa dame de compagnie durant deux ans. Gabrielle n'osa pas y faire ajouter d'autres considérations. Sa jeunesse ne supposait pas une très longue expérience, mieux valait s'en tenir aux généralités. Agota signa de son nom, Kertész, différent de celui de Gabrielle. Il l'était aussi de celui d'Endre. Aucun rapprochement de parenté. Et comme, dans la cuisine, Gabrielle se réjouissait de son succès et de la complaisance de sa tante, Renée maugréa :

— Tu te crois très habile, mais ne vois-tu pas que tu la soulages d'un poids ? Elle n'aura pas à t'apprendre que tu es riche, voilà pourquoi elle signe si vite.

— Riche ! Renée, qu'imagines-tu ? D'ailleurs, que m'importe. Je ne veux rien savoir de cet héritage. En tout cas, si elle me le dissimule, tu vois bien que ce n'est pas pour me garder près d'elle, comme tu le prétends...

— J'aurais préféré ça... Quelle raison a-t-elle, alors ? Réfléchis, tête de moineau !

Gabrielle ne voulut pas approfondir davantage la remarque de Renée sur les motifs secrets de sa tante. Outre qu'il lui déplaisait d'envisager une bassesse d'Agota, elle était tellement soulagée du tour que prenaient les choses qu'elle aurait voulu voir sa vieille nourrice partager avec elle son enthousiasme, sans arrière-pensée. Mais Renée restait chagrine, inquiète, et c'est elle qu'il fallut rassurer, convaincre, pour finir. De qui vinrent les objections les plus pertinentes, qui embarrassaient Gabrielle. Que savait-elle de cette famille dans laquelle elle allait tomber ? Et comment s'en sortirait-elle, avec si peu d'expérience de la vie, elle dont les dents n'avaient pas poussé ? Elle se ferait dévorer. Ces gens abuseraient d'elle, et les enfants de bourgeois sont de petits tyrans.

— Si tout va mal, je sais où me réfugier : dans tes jupes, ma Ninette. Toi qui es très avisée, tu m'aideras de tes conseils, chaque soir. Et puis, rien n'est fait. Attendons de voir !

À présent, Gabrielle repensait à la légèreté de cette scène. Dans la cuisine de la rue Buffon, tout était tracé d'avance. Il avait suffi de paraître enjouée et très décidée pour gagner à sa cause les deux êtres qui l'aimaient. De même, le matin, l'examen éclair avait été déconcertant de facilité. Mais dans quelques instants, il allait lui falloir affronter la *personne*, dont elle n'avait osé demander l'identité à son interlocutrice de l'agence. Et son impréparation, sa présomption lui paraissaient soudain. Rendue au pied du mur, elle perdait sa superbe. Aurait-elle assez d'aplomb pour jouer jusqu'au bout la comédie qu'elle s'était répétée en venant ? Le long du chemin, elle s'était fait les demandes et les réponses. Mais se tirerait-elle si bien des embûches de la réalité ?

Elle attendait depuis plus d'une demi-heure, debout. Personne n'était venu s'inquiéter d'elle. De temps en temps, un fourgon s'engageait sous le porche, roulait vers les bâtiments de la fabrique, une enfilade de cours obscures qu'elle avait entrevue en arrivant, une profondeur encombrée de caisses et de matériel, où s'agitaient des employés en grands tabliers gris. Il en venait une rumeur, qu'elle distinguait maintenant de celle de la rue, le grondement d'une machine chauffée tournant à plein régime, proclamant la richesse, la puissance de l'argent, des affaires. L'attente à laquelle on la contraignait annonçait sa condition, aussi s'efforçait-elle au calme, à la patience, s'interdisant de bouger, et même de s'asseoir, stoïque, par une sorte de défi. Si elle entrait au service de ces grands bourgeois, elle ne jouirait d'aucune considération, pas plus que les ouvriers de la fabrique, la foule anonyme qui travaillait derrière les murs ; pas plus que les domestiques dont elle avait vu un échantillon, à l'agence … Ce rendez-vous retardé, sans quiconque pour s'en excuser, était assez explicite. D'ailleurs il ne s'agissait pas d'un rendez-vous, corrigeait-elle en pensée. Elle se présentait pour solliciter un emploi. Elle, que des employés de ministères avaient éconduite, pendant des années, avait eu l'occasion de constater combien l'exercice d'un pouvoir, si faible soit-il, rend les gens arrogants, implacables. Aussi s'infligeait-elle de rester debout, en quelque sorte pour s'endurcir et se préparer au combat, mettre à l'épreuve sa détermination. Puisqu'il fallait attendre, elle attendrait, tout le temps qu'il faudrait.

Au même moment, à l'étage du bâtiment, juste au-dessus de la tête de Gabrielle, s'achevait le conseil d'administration de l'entreprise Bertin-Galay. Comme chaque fois, le responsable financier, Gillon, un petit homme replet à la barbe d'un noir d'encre, qu'il teignait, étranglé par son col et sanglé dans sa veste de drap rayé, exposait les comptes de sa voix nasillarde, en un fastidieux énoncé, dont l'assemblée attendait la fin en somnolant. Au haut de la grande table cirée, Mathilde Bertin-Galay présidait la réunion. C'était une femme encore belle que l'âge avait épaissie, dont le buste droit se calait avec autorité dans le fauteuil directorial. Sa robe de soie prune, tendue sur sa gorge et ses puissantes épaules, luisait comme une armure et le casque blanc de ses cheveux tirés en bandeaux impeccables, à l'ancienne mode, achevait de lui donner un air de majesté impériale.

Sa large face portait à l'instant le masque de la responsabilité et du souci. Elle semblait profondément attentive aux chiffres ânonnés par le comptable, et sa bouche avait un pli sévère creusant ses lourdes et larges joues tombantes. Mais, tout en écoutant, elle laissait passer son regard, aigu et clair comme l'eau de roche, sur les membres du conseil, dont l'indifférence manifeste lui inspirait plus de mépris que de mécontentement.

Aujourd'hui, trois de ses quatre enfants étaient présents, et deux actionnaires, parents ou amis de la famille, entrés de longue date dans la société. A cette réunion trimestrielle, ils ne se rendaient pas toujours, mais cette fois elle avait exigé leur présence, ayant besoin du quorum pour les décisions à prendre car, en l'absence d'Henri de Galay, sur ses épaules reposait toute l'entreprise, qu'elle menait d'une main de fer. Familièrement appelée Mme Mathilde par tous, jusqu'aux ouvriers, elle imposait le respect et la crainte, perpétuant la rigueur cassante de son père. Elle les tenait tous sous son regard, consciente de leur ennui poli, de la contrainte qui les avait conduits là et soumis à sa volonté, quand même contrariée de l'absence de Pierre, qui manquerait encore une fois, empêché par un voyage d'études à Genève. Gillon avait enfin achevé son inventaire, il reclassait ses papiers avec une méticulosité de bon élève.

— Merci, conclut sèchement Mme Mathilde, tapotant le bord de la table pour réveiller l'assistance.

Les uns et les autres s'ébrouaient de leur somnolence ; le vieux Gaston Delhomme émit un raclement de gorge sonore. Il était secrétaire de la séance, par complaisance, n'ayant aucune compétence en matière de chiffres. Sa vieille amitié d'enfance avec Henri avait fait de lui un actionnaire heureux, il n'en demandait pas plus. Quant à Vergeau, un parent éloigné, il n'était là que parce que sa mère, veuve, s'était jadis laissé convaincre de placer ses biens dans l'affaire de son cousin Bertin, dont la fortune débutait ; aujourd'hui encore, il vivait de cette rente héritée, manne providentielle, sans jamais demander aucun compte.

— Je pense que vous avez tous interprété nos chiffres.

Le silence revint, suspendu à son intervention.

— Je me félicite que nous soyons au complet, ou presque. J'ai besoin de votre avis.

— Nous nous rangerons au vôtre, le meilleur, comme d'habitude.

Mme Mathilde eut une courte hésitation. Le persiflage venait de son cadet, Daniel, dont la trentaine de bel homme brun, l'élégance raffinée et bohème la flattaient secrètement, mais dont elle redoutait les impertinences, toujours ajustées. Lui seul avait pourtant hérité de son sens des affaires, se lançant, en dépit des mises en garde maternelles, dans l'industrie nouvelle du cinématographe, un métier de saltimbanque, où il réussissait, apparemment, comme producteur de films, que jamais de sa vie elle n'irait voir, un divertissement d'ignares, bon pour amuser les bonnes, le peuple et la canaille.

— Je le souhaite. Puisque vous êtes tous là, faisons un peu le point.

Et elle se lança, rappelant les débuts, la petite entreprise provinciale de son père, fils de modestes minotiers nivernais, enrichi par la guerre de 1870, dont l'inventivité pionnière avait lancé le commerce de la biscuiterie militaire : le compressage des céréales en petites briques, l'emballage de papier gras, imperméable aux intempéries ; un biscuit assez dur pour ne pas s'écraser dans le paquetage, soluble dans n'importe quel liquide, qui assurait au soldat sa pitance élémentaire. Une contribution sans pareille à l'intendance des armées, qui peinait, dans la guerre de mouvement, à approvisionner les hommes, cause de démoralisation des troupes et de rébellion : devenu l'ami de l'Etat-Major, Bertin avait été décoré par un général pour son invention. Cent fois, ils avaient entendu l'histoire des origines héroïques. Et aussi celle de l'apport, par son mariage avec Henri de Galay, d'un capital considérable, venu au bon moment pour donner à l'affaire une dimension industrielle. De cette époque, datait l'installation sur les quais parisiens, la fondation des usines et la diversification avaient suivi, la gamme des produits de qualité imposée sur le nouveau marché, les gains, sous son impulsion, réinvestis immédiatement, au lieu de fructifier en intérêts, ce que réclamaient leurs chers amis actionnaires ; et les agrandissements successifs, l'acquisition d'un parc de nouveaux fourgons automobiles Renault, autant d'innovations qui avaient placé la marque au premier rang, face à la biscuiterie nantaise. Mais, comme ils venaient de l'entendre aujourd'hui, l'exposé de l'exercice de cette année montrait que les bénéfices stagnaient. L'ambition de Mme Mathilde était de dynamiser l'entreprise en s'inspirant de l'exemple américain : par l'offensive publicitaire et le système de distribution sous contrat, on pouvait relancer l'expansion commerciale, et gagner de nouveaux marchés.

— Il nous faut élargir notre assise. D'une part diversifier la gamme de nos produits, d'autre part lancer une nouvelle campagne de réclame, plus offensive. Il nous faut donc de nouveaux commanditaires, ouvrir le capital à des actionnaires associés, sans acheter nous-mêmes. Pas de faste protecteur et coûteux.

Des contrats à terme, après étude précise et une prise d'intérêt concertée, qui conduiront à redéfinir notre capital. Assurer toute la chaîne : intéresser nos fournisseurs à la source, les céréaliers. Développer l'équipe des représentants pour développer la distribution, irriguer tout le réseau d'épiceries de province, jusque dans les plus lointains villages. Que la marque Bertin-Galay soit partout, du goûter des bonnes maisons, aux tréteaux de fêtes paysannes. Un emballage, un lettrage modernisés, des cartons de couleurs gaies... Rien n'est du détail. La concurrence se fait maintenant sur la place publique, sur les murs de la rue, sur les tables domestiques. Sur notre lancée actuelle, reprit-elle après un silence, nous pouvons encore nous contenter d'une petite marge bénéficiaire. Nos frais généraux, comme vous l'avez entendu, s'élèvent au chiffre énorme de douze pour cent, le gain étant de vingt-deux, c'est donc un bénéfice serré de dix, mais s'il est réinvesti et soutenu d'un nouvel apport de capital, cela finira par décupler. Nous devons nous engager dans cette voie d'avenir. Vous m'avez suivie n'est-ce pas ?

Comme elle s'y attendait, seul Daniel avait compris son calcul. Blanche et Sophie étaient l'une comme l'autre dépassées par le raisonnement de leur mère, mais vaincues d'avance par ses décisions péremptoires et son sens du pouvoir. De longtemps, elles s'en remettaient à elle, accoutumées à la voir, en place de leur père, toujours absent, grand voyageur esthète et aventureux, prendre en main les destinées de l'usine familiale. Les deux vieux ne voyaient qu'une chose, c'est qu'encore cette année leurs intérêts stagneraient, ou régresseraient, comme à chaque invention de Mme Mathilde. Gillon seul prenait une mine contrite et soucieuse, conscient du coup risqué que proposait la directrice des usines Bertin-Galay. D'avance, il prévoyait les opérations et les tractations délicates, les comptes à équilibrer, les nuits d'insomnie qui l'attendaient. Mais il n'avait pas voix au chapitre. Il ne se faisait guère d'illusion : Mme Mathilde emporterait la décision. Comme six ans auparavant, quand il débutait dans la maison et qu'elle avait poussé à constituer le premier parc automobile. Malgré son effroi et ses angoisses, il reconnaissait qu'elle avait eu raison, alors. Elle venait de se débarrasser de son prédécesseur, incapable de comprendre ses idées et de suivre le mouvement. Il attendit, secrètement séduit par cette femme énergique, intuitive et combative. L'ardeur de sa démonstration avait fait monter aux larges joues pâles de Mme Mathilde un peu de rose, ses yeux clairs s'étaient enflammés d'une gaieté féroce. Plus que l'appât du gain, qu'elle réinvestissait périlleusement, c'était le goût du jeu, de la conquête, qui la tenait. Passée des gourmandises et des passions mièvres de son sexe, à celles des mécanismes du commerce moderne, elle manifestait un plaisir d'homme brutal et dominateur, un désir viril à relancer la donne. Un instant, il vit sa jeunesse, sa terrible séduction de fauve féminin, blessée par quelle frustration secrète, s'engageant dans ce jeu d'argent et de pouvoir.

— Y a-t-il une remarque, une question, avant que nous ne passions au vote ?

Sans attendre, elle se tournait déjà vers Gaston, le secrétaire de la séance, pour les formalités d'usage, quand une voix juvénile s'éleva, de l'autre côté de la table.

— Notre père est-il informé de vos projets ?

L'objection venait de Sophie, jusqu'ici silencieuse, qui posait la question, à l'étourdie. La dernière-née avait encore, malgré ses vingt-cinq ans, et quoique déjà trois fois mère, les joues enfantines, une grâce un peu molle et sage. Sa docilité coutumière ne laissait guère présager cette sortie.

— Votre père est fort loin, et il s'en remet à moi. Nous l'informerons en décembre, à son retour. J'ai son pouvoir.

La réplique cinglante de sa mère suffit à faire s'affaisser Sophie dans son fauteuil, étonnée elle-même de sa témérité d'un instant. A la droite de Mme Mathilde, Blanche, sa fille aînée, feignait l'intérêt. Fût-ce par conformisme, elle, au moins, faisait un effort. Epouse d'un ingénieur dont la famille s'était enrichie dans l'industrie métallurgique, elle était le portrait de sa mère, ressemblance qu'elle cultivait avec soin, jusqu'aux bandeaux démodés qu'elle s'infligeait, mais elle n'en était qu'une réplique appliquée et raide, et quelque chose s'effondrait déjà en elle, dans la quarantaine, rongée qu'elle était par les frasques de son fils unique, Didier, un garçon de dix-huit ans, qu'elle adorait. Son mari, Edmond Fleurier, ami des frères Renault, avait pris des parts dans le capital industriel après l'accident mortel de Marcel, dans la course du Paris-Madrid, et s'occupait avec Louis de développer les brevets. Membre actif de l'Automobile-Club et passionné de courses, il passait son temps aux usines de Billancourt, en pleine expansion, et laissait péricliter son couple, ayant de longue date renoncé à s'interposer entre Blanche et son fils. Il avait pourtant la faveur de sa belle-mère, à qui il avait fourni son parc automobile tout neuf, dans les meilleures conditions, et offert, en cadeau d'entreprise, un des premiers coupés Renault Landolet. Blanche savait que les avantages de ce contrat passaient, aux yeux de Mme Mathilde, bien avant les soucis personnels de sa fille, aussi celle-ci maintenait-elle les apparences avec hauteur, s'efforçait-elle à composer avec l'indifférence et la distance de son mari, comme avec les frivolités de son fils, s'épuisant, dans sa rigidité, à mettre ses pas dans ceux de sa mère, à lui complaire en tout. Elle acquiesçait, à l'instant, jetant un regard réprobateur et suffisant vers sa sœur.

— Notre père sera d'accord, Sophie. Ne te fais aucun souci, et notre cher Charles ne trouvera rien à redire à notre décision.

Par ironie, elle rappelait la soumission en tout de Sophie à son mari, notaire de campagne, jouisseur et âpre au gain, qui lui faisait un enfant par an et dilapidait sa dot.

— Fleurier non plus, j'imagine ? lança Daniel, avec une gaieté railleuse à l'intention de Blanche.

Son cœur allait vers Sophie, la petite sœur rabrouée, dont la question lui semblait pertinente, mais inutile. Il avait horreur de ces tensions familiales brusquement étalées, dont la virulence blessait son constant besoin de légèreté, de bonheur et de plaisir mais, cette fois, Blanche était allée trop loin. Celle-ci encaissa le coup, en silence, détournant son regard vers l'horloge. D'ailleurs, Daniel battait en retraite, lui-même soucieux de fuir au plus vite. Déjà, Mme Mathilde, pressée elle aussi d'en finir, faisait passer au vote.

On alluma les lampes, parce que la nuit tombait, et Gillon s'exécuta. Mme Mathilde vota trois fois, pour Henri, et pour Pierre, son aîné lui ayant donné pouvoir. En son for intérieur, elle savait bien par quel abus réglementaire elle venait d'obtenir quitus afin d'avoir les coudées franches. L'affaire et ses risques la regardaient seule, maintenant. Une joie amère l'emplissait. De ces formalités harassantes, malgré tout accomplies selon ses vœux. De ses enfants, dont l'indifférence ou l'incompétence la laissait libre, mais menaçait l'avenir de l'entreprise. Sur elle reposait toute la responsabilité. Qu'adviendrait-il de cette magnifique mécanique d'argent et de pouvoir quand elle ne serait plus là ?... Et même bien avant, si elle n'avait plus la force, plus assez de clairvoyance pour la diriger seule, qui prendrait la suite ? Pas un seul d'entre eux. Ses filles, évidemment, n'étaient pas de taille. Ni Daniel, entièrement pris par sa maison de production, ni Pierre, enfoui dans ses recherches scientifiques, fuyant farouchement le sujet, encore absent aujourd'hui, ne s'occuperaient de rien. D'aucun elle n'attendait secours.

Et si Henri, rentrant définitivement, s'avisait de reprendre sa place ? Depuis tant d'années, en réalité dès les débuts de leur mariage, il lui avait abandonné le terrain d'action, négligeant, par mépris d'esthète, par détachement aristocratique, de se mêler de cette entreprise qui venait de sa famille à elle. Alliance d'une fille de petits-bourgeois parvenus et d'un héritier fortuné, leur couple avait failli réussir. Au moins avait-il réuni leurs deux noms, sculptés au fronton de l'usine, et sur les boîtes de biscuits qui inondaient la France ; elle en souriait avec amertume. Mais, fils d'une vieille famille de propriétaires terriens, au vague titre nobiliaire d'ancien régime, assez avisée pour placer autrefois ses biens dans le lucratif commerce oriental, Henri n'en avait gardé que le goût pour la culture désintéressée, les collections d'art, les estampes et les laques, que l'orientalisme avait mises récemment à la mode. Le goût du voyage aussi, des expéditions lointaines et durables, sous prétexte de visiter les anciens comptoirs de sa famille. En réalité, luxueuse oisiveté nomade qui l'éloignait depuis longtemps du foyer, de son couple et de sa tribu d'enfants, qu'il avait négligés avec une aimable désinvolture. A elle seule était restée la charge de tout. De la maison comme de l'éducation des enfants, de la gestion de sa "fabrique", comme il disait, goguenard, et du maintien des apparences bourgeoises, à la face du monde, des relations à entretenir, des appuis et des puissances alliées, si nécessaires quand surgissait l'adversité. Certains soirs, comme maintenant, peut-être en contrepartie de sa victoire, elle se sentait vieille, amère et lasse. Elle mesurait sa solitude et la vanité de sa vie en les voyant tous se disperser, chacun absorbé par ses futiles préoccupations de l'instant.

Déjà, Daniel posait en fuyant un baiser sur son front, promettant vaguement une prochaine visite, un de ces dimanches, à la campagne. Sophie, revenue à son insouciance infantile, se laissait pincer l'oreille par le vieux cousin, attendri de sa jeunesse, et de qui elle était la préférée, qui la gâtait pour la consoler de sa vie confinée dans la grande maison du notaire de Genilly. Il la grondait en douceur de la trouver bien pâle, cette fois, la mine défaite et les yeux bordés de cernes.

— Que ne viens-tu t'amuser un peu à Paris, mignonne ? Je t'offrirai des oublies...

Quant à Blanche, retirée au coin d'une fenêtre, elle attendait impatiemment d'être seule avec sa mère, que tous se soient retirés. Une fois de plus, elle l'entretiendrait de son souci de Didier. Celui-ci était passé en coup de vent, juste avant le conseil, pour mendier à sa grand-mère un prêt, que sa mère tentait de lui refuser, une obscure dette de jeu, une imprudence d'enfant. Celle-ci l'avait éconduit, et vertement chapitré. Mais elle savait que Blanche demanderait conseil, plaiderait, pour avoir l'autorisation de lui céder ensuite quelque liquidité, qu'elle prélèverait sur ses actions. Mme Mathilde remercia en aparté Gillon, qui la félicitait et voulait prendre des ordres, dès ce soir, mais elle se sentait lasse et aspirait à les voir tous partis maintenant.

— Demain, nous verrons cela demain... Rangez les papiers sur mon bureau, et reposez-vous ce soir, mon bon.

C'est qu'il venait de lui revenir, soudain, qu'elle devait encore recevoir une énième candidate à son annonce, et qu'elle avait presque une heure de retard sur son rendez-vous. Cette personne attendait en bas, mais peut-être était-elle partie, découragée d'attendre ? Mme Mathilde se leva, s'arrachant avec peine du fauteuil où elle s'était engourdie, pendant la longue séance. Et comme Blanche se précipitait vers elle, d'un geste elle prévint le discours, les lamentations.

— Agis comme bon te semble, Blanche. Tu connais mon opinion.

— Mais, si je refuse, il fera quelque pire sottise.

— Il la fera. Et alors ?

— Je ne me le pardonnerai pas.

— Tu vois bien que tu as déjà pris ta décision.

— Vous êtes bien dure avec moi.

— Toi, tu ne l'es pas assez avec lui. Mais cela suffit. Laisse-moi, maintenant. J'ai encore à faire.

Blanche obéit, rajusta son manteau. Ses mains tremblaient. Elle redoutait d'affronter la nuit, le retour à son domicile luxueux du boulevard Malesherbes, d'y retrouver Didier, dont les larmes, les cris ou les menaces auraient raison d'elle, une fois de plus. A son tour, elle prit congé de sa mère, qui ne lui concéda pas un baiser, lui tapota seulement le bras, en guise d'encouragement, d'un air absent.

Enfin seule, la vieille femme soupira. Après un dernier regard, elle quitta la grande salle déserte bleuie par la lueur des lampes au gaz, dont le chuintement montait dans le silence, et passa dans son bureau, vérifia que Gillon avait bien classé les registres et avança sur le palier d'où partait le vaste escalier de bois ciré. En se tenant fermement à la rampe ouvragée, elle se pencha un peu. Il faudrait, un de ces jours, installer enfin l'électricité, dans cette vieille partie du bâtiment. Recouvrir ces marches dangereuses d'un tapis. Et puis moderniser le bureau de Gillon, qui le méritait bien. Repeindre la salle du conseil ; et renouveler les machines à écrire du secrétariat. D'ailleurs, il le fallait pour la clientèle, les banquiers qu'on recevait. L'image de la maison en serait meilleure, et meilleur le moral des troupes.

Tout en faisant ces projets, sans cesse différés, accoudée à la rampe, elle oubliait sa lassitude de tout à l'heure. Cette fois-ci, la candidate qui l'attendait accepterait-elle ses conditions ? Une semaine plus tôt, la dernière fille embauchée l'avait lâchée, renonçant subitement à sa place, du soir au matin, au prétexte d'une obscure affaire de famille. Elle avait donné son congé, sans même exiger ses gages. C'était pourtant une bonne recrue, propre, expérimentée, qui donnait toute satisfaction depuis trois mois. Il avait à nouveau fallu se remettre en quête de quelqu'un pour la remplacer. Ce n'était pas chose facile de trouver une personne de confiance, d'autant qu'elle s'était mis dans l'idée d'envoyer Millie à la campagne, au Mesnil... Les rares candidates s'étaient toutes désistées, à la description de ce qu'on attendait d'elles. Elle en avait assez, à présent, de cette corvée dont elle s'était chargée. Si cela échouait encore une fois, Pierre se débrouillerait lui-même pour recruter quelqu'un. Mais elle avait cédé à son penchant pour lui, contrariée de le voir s'abîmer dans le travail, enseveli sous ses paperasses, ses expériences et ses dossiers de laboratoire, à rédiger articles et communications pour des sociétés savantes obscures. Soucieuse, surtout, de sa vie monacale, sans repos, qu'elle jugeait une fuite en avant inquiétante. Et fâchée qu'il s'occupât si peu de sa fille, cette enfant chétive, passée de nourrices en bonnes d'enfants innombrables, dont la santé fragile était un tourment depuis sa naissance difficile, à qui il fallait à présent, elle l'avait décidé à la place de son fils, une vie régulière et saine, au grand air, entourée de soins vigilants et compétents. Non qu'elle portât à cette enfant une affection particulière ; elle n'avait guère d'attrait pour les petits, et celle-ci lui était, pour ainsi dire, une étrangère. Mais son sens de l'ordre familial et des convenances lui dictait de prendre en main l'encadrement de sa petite-fille, par trop délaissée. D'en haut, elle jeta un coup d'œil vers la salle d'attente, entrevit une mince silhouette sous la lampe blême du plafonnier. Elle fit signe au portier qui la guettait de monter la rejoindre sur le palier.

— Elle est donc encore là ? chuchota-t-elle.

— Elle attend, debout depuis une heure. Madame la reçoitelle ?

— Tout de suite. Porte-moi un café fort.

Elle battit en retraite et laissa la porte ouverte. Dans le bureau directorial de son père, le fondateur Raoul Bertin, dont le portrait tutélaire surplombant les meubles lourds, ornés de cuivre, veillait sur elle de son regard sévère et bon, elle était chez elle, dans toute sa puissance et son autorité. Cependant, par un scrupule, elle dissimula son mouvement d'orgueil et accueillit la visiteuse qui entrait d'un signe aimable de la tête. Dès le premier coup d'œil, elle la jugea trop menue, trop jeune, pâlichonne.

— Je vous ai fait attendre, j'en suis désolée, maugréa-t-elle, plus contrariée d'avoir à s'excuser que de son gros retard. Vous venez pour l'annonce... Mais quel âge avez-vous donc ? Asseyez-vous.

— Vingt-trois ans, mentit Gabrielle, qui entamait juste sa vingt-deuxième année. Je ne les parais pas, ajouta-t-elle. Mais je suis résistante.

— Assez pour rester toute une heure debout...

— Ce n'est pas une épreuve. J'en ai l'habitude.

— Asseyez-vous donc.

Cet abord abrupt décontenançait un peu la vieille femme, habituée à des manières plus sucrées. La jeune fille était vêtue d'une mince robe de drap noir à jabot de dentelle, et d'un petit chapeau planté crânement sur ses tresses épaisses. Là-dessous son visage semblait plus étroit, et dans l'ombre des cheveux, son regard très attentif, sérieux et très clair, soutenait le sien, calmement. Gabrielle ôtait lentement ses gants et finit par s'asseoir, posa ses mains jointes sur ses genoux.

— Je ne suis pas institutrice, comme le spécifie l'annonce, déclara-t-elle d'emblée, d'une voix ferme. J'ai été gouvernante, et garde-malade d'une vieille dame, pendant deux ans. Je suis patiente, et endurante. J'ai le brevet supérieur. Je n'ai pas de famille à ma charge. Si cela ne convient pas, je préfère ne pas vous faire perdre davantage de temps.

Mme Mathilde, intriguée par le ton direct de cette jeune personne, se cala bien droite au fond du fauteuil, reprit son masque impérial un peu empâté, les paupières mi-tombées sur ses yeux vigilants. Elle eut un long soupir.

— Ni moi le vôtre non plus. Je doute que notre offre vous intéresse, mademoiselle. En réalité, nous avons mis "institutrice" dans l'annonce, selon le conseil de cette dame avisée de l'agence, pour éliminer les candidatures de femmes de chambre. Il s'agit, en fait, de garder une enfant de quatre ans, un peu difficile. Ce n'est pas tellement de leçons, dont elle a besoin. Il lui faut davantage une gouvernante qu'une enseignante. Mais pour quelle raison abandonnez-vous votre charge auprès de cette personne ?

— Ce n'est pas moi qui l'abandonne. Une parente à elle vient vivre désormais en sa compagnie. Elle n'a plus besoin de moi. Je cherche un nouvel emploi. Cette annonce m'a tentée. A cause de l'enfant. Cela me changerait de la vieillesse, ai-je pensé.

Mme Mathilde considérait Gabrielle en silence. Elle sentait à nouveau la fatigue l'envahir. Son café fort tardait à venir, il fouettait son énergie et elle en prenait à toute heure, malgré les remontrances de Pierre. Maintenant, elle aurait voulu en finir vite, éconduire cette jeune fille sans avoir à exposer de nouveau toutes ces choses ennuyeuses, qu'elle verrait, au fur et à mesure, déclencher sur son visage l'hésitation, la déconvenue, le refus. Mais il lui fallait, pour la dernière fois, aller jusqu'au bout ; ensuite, elle s'en laverait les mains. Cependant, malgré sa fatigue, elle observait avec plaisir et curiosité le visage attachant de son interlocutrice, séduite par son air à la fois déterminé et digne, sa simplicité et sa correction, le bon goût de sa mise. Jolie, et fine, de l'éducation. Des mains soignées. Pianiste, indiquait la fiche. Instruite. Entraînée à la patience envers les malades, à leurs caprices. Capable de rester debout une heure durant, par endurance. Par défi.

— Etes-vous tout à fait libre, mademoiselle… ?

— Gabrielle Demachy. Je suis libre, répéta Gabrielle.

A ce moment, le gardien entra enfin avec un plateau, un bol de café fumant, auquel Mme Mathilde réchauffa ses mains. Elle aimait ce bol rose de grosse faïence, un cadeau ancien à elle, petite fille, de son père. Par miracle, il avait accompagné sa vie jusque-là sans être abîmé, et plus le temps passait, plus il devenait précieux à ses yeux, comme le signe de sa permanence, de sa filiation et de sa légitimité. Elle reprit, raffermie par ce contact rassurant et par l'odeur du café noir qui montait agréablement à ses narines :

— Vraiment je doute que cela vous convienne, mais voici ce dont il s'agit. Un de mes fils, veuf, a cette enfant, dont il n'a pas le temps de s'occuper. Elle a jusqu'ici été confiée, hélas, à des filles négligentes, qui l'ont abêtie. Elle est de santé fragile. En attendant qu'elle ait l'âge de la pension, j'ai décidé qu'elle serait désormais élevée à la campagne, dans notre propriété du Mesnil, à vingt kilomètres de Paris. Il lui faut une compagnie éclairée, de l'éducation et de la fermeté. Est prévue la charge quotidienne de ses soins, et de son instruction, très élémentaire, jusqu'au soir. Pour la nuit, elle aura une bonne. Nous logeons et blanchissons. Un jour de congé par semaine, mais nous préférons que ce soit quatre jours chaque fin de mois.

Elle énonçait laconiquement les contraintes qui avaient rebuté les quelques candidates jusque-là. A cause du libellé de l'annonce, elles venaient avec l'idée de donner quelques heures de leçons par jour. Aucune n'était prête à s'exiler à la campagne, recluse loin de la ville, des semaines entières. Malgré son attente, Mathilde ne lut rien sur le visage, ni déconvenue, ni contrariété.

— Bien, dit la jeune femme, à sa grande surprise. Quel est le salaire ?

— Nous offrons deux cent vingt francs pour le premier mois, à l'essai. Ensuite nous verrons.

Elle avait monté l'offre de vingt francs au dernier moment, dans l'espoir soudain d'emporter l'affaire. Elle n'y croyait plus.

— Avez-vous bien compris nos conditions ? Notre campagne est à une heure de train de la gare Saint-Lazare, à deux kilomètres du bourg du Mesnil. Quatre jours de congé par mois.

La jeune fille hochait la tête, en signe d'assentiment. Une crainte prenait maintenant la vieille femme, troublée par la complaisance inattendue de cette candidate et par l'arrangement sur le point de se conclure. Elle soupçonna quelque raison obscure à cet exil volontaire, alarmée de se décider trop vite. Que fuyait cette jeune femme pour accepter sans sourciller de s'ensevelir au fond d'une demeure isolée ? Etait-elle aux abois, pressée par quelque mauvaise affaire ?

— Vous n'avez donc rien qui vous retienne en ville ? Aucun parent... ou une personne ? Vous savez, nous sommes très exigeants quant à la tenue. Pas de dissipation, n'est-ce pas ?

Gabrielle sourit faiblement.

— Je suis seule. Mon fiancé est mort, ajouta-t-elle, par une inspiration subite.

Un peu de chaleur avait envahi ses joues, elle battit des paupières.

— Ah, dit sobrement Mme Mathilde devant son trouble. Une... maladie ? s'enquit-elle sans ménagement, soucieuse de s'assurer de tout, car on voyait assez de ces filles apportant dans les maisons comme il faut des contagions dangereuses, et elle n'était pas femme à épargner la susceptibilité des gens qu'elle payait.

— Un accident, laissa tomber Gabrielle, décidée à n'en pas dire davantage.

Mme Mathilde en resta à cette réponse lapidaire. Le deuil expliquait donc la triste petite robe noire, l'air chagrin, la pâleur. Ce deuil précoce lui convenait plutôt. Il lestait cette jeunesse d'une expérience salutaire, pour le moment aucun homme ne l'attendrait : de ce côté-là on serait tranquille. Cela expliquait aussi qu'elle envisageât si facilement une retraite dans ce coin perdu. Très bien, elle y guérirait son cœur dolent. Comme Gabrielle posait sur le bureau sa lettre de recommandation, elle la prit, y jeta un coup d'œil distrait, trop satisfaite de mener cette affaire à son avantage. Elle nota seulement le nom slave de la personne qui signait d'un beau paraphe et la glissa dans son tiroir. Cela valait-il donc pour acceptation ?

— Nous sommes donc convenues de cet accord, pour un mois, conclut Mme Mathilde. Reconductible, si vous nous agréez.

— Un mois, dit Gabrielle. Quand verrai-je l'enfant ?

L'enfant ? Mme Mathilde l'avait presque oubliée, dans la tension de son entretien. D'ailleurs elle l'oubliait souvent, au milieu de l'agitation industrieuse de sa vie, la laissant aux mains des domestiques dans la grande demeure du quartier d'Antin, où la petite avait sa chambre, reléguée loin des appartements. Quand Pierre passait, on la faisait descendre, mais cette petite fille chétive et maussade, qui mangeait peu et pleurait souvent, les embarrassait. Très vite, elle faisait signe qu'on l'emporte. Cela allait changer. Maintenant, Millie partirait vivre au Mesnil, aux soins d'une dame de compagnie fort correcte, assez jeune pour s'intéresser à elle, assez endurante pour supporter sa charge tout le jour, assez cultivée pour lui donner un minimum d'instruction. Du moins, essayer de lui inculquer quelques rudiments. Cette enfant semblait avoir la tête faible. Mme Mathilde expédia les dernières dispositions : en réalité, elle s'appelle Camille, précisait-elle, mais son diminutif convient à tout le monde, elle a eu quatre ans au printemps dernier. Gabrielle la verrait au Mesnil, où elle la conduirait elle-même, à la fin de la semaine. D'ailleurs il eût été bon que Gabrielle y fût dès ce jour-là, la veille si possible. C'était possible. Dans trois jours, donc. Et elle donna encore quelques indications sur les trains, la consigne qu'on viendrait la chercher à la gare, sur la chambre dont elle disposerait, et que voulait-elle savoir de plus ? Rien.

Au moment où l'entrevue prenait fin retentit brusquement la sirène de la sortie des usines, jaillie de l'enfilade de cours, des entrepôts dont, dans quelques minutes, allaient surgir les ouvriers, leur foule passerait sous le porche en un piétinement de troupeau. Ce hurlement arrêta la jeune femme sur le seuil du bureau, saisie par sa puissance. Mme Mathilde en profita pour inspecter une dernière fois son visage aux traits fins, à peine émus un instant, son port altier et serein, nota qu'elle portait un pendentif de perle, un bijou ancien, fort délicat… Elle avait une bonne impression générale de cette personne, elle se fiait à son intuition, rarement trompée par les apparences. A Pierre, elle rendrait compte dès son retour, car il ne manquerait pas de passer Chaussée-d'Antin, selon son habitude. Mais il s'en remettrait à elle, comme du reste, de même que tous les autres.

Quand elle fut seule, elle se frotta les mains, s'autorisa même à chantonner quelques notes, brièvement. C'était donc, enfin, une affaire réglée, quel soulagement ! Dès le lendemain, elle allait pouvoir se mettre sérieusement au travail, libre de ce souci. Demain, l'attendait son plan de bataille, avec Gillon, il lui fallait avoir la tête claire. Dehors, le défilé sombre commençait, et ce grondement de voix, d'appels, de galoches traînées l'emplissait d'un sentiment satisfait de puissance.

Gabrielle se trouva prise dans l'encombrement de la sortie des usines, environnée aussitôt d'une multitude de silhouettes d'hommes et de femmes en fichu, que l'éclairage nocturne du quai laissait à peine distinguer. Elle allait parmi eux, emportée par leur mouvement, étourdie du bruit, des voix sonores et des corps brutaux dont émanait une étrange odeur de poudre sucrée, de vanille ou de citron mêlée à celle de la sueur, de la saleté. Ils accompagnaient sa marche, elle faisait partie d'eux, elle était des leurs. Employée des Bertin-Galay. Elle avait donc gagné son pari. Elle en était éberluée. Non que cela eût été facile. Elle sortait rompue de l'épreuve, de sa longue station debout sous la lampe sinistre, de l'échange pour lequel elle avait dû se concentrer, appliquer toute son énergie à se garder des impairs, dans un effort épuisant de vigilance, l'esprit en éveil, anticipant les pièges, conservant par-dessus tout son calme. Comme elle s'était bien tirée de tous les faux pas ! Si Michel Terrier avait assisté à cet examen de passage, comme il aurait été fier d'elle, de ses talents. Toutes ses défiances se seraient envolées à la voir aussi maîtresse d'elle-même dans sa négociation, aussi stratège, face à l'adversaire.

Car cette femme, nul doute, était redoutable. Autoritaire et sagace, exercée au pouvoir, pénétrante, inflexible. Il faudrait compter avec elle. Même si elle cherchait à se décharger du souci de sa petite-fille, elle serait terriblement présente, fauve défendant son bien. Gabrielle jouait trop gros pour sous-estimer sa capacité de nuisance. Mais en pensée, elle était déjà plus loin. Déjà elle faisait sa malle, avec ses robes, ses livres. Ce soir, rue Buffon, ce serait un des derniers repas rituels pris avec Agota et Renée. Elle se promettait qu'il serait gai. Demain, Dora serait de retour, elle lui rendrait visite pour lui annoncer la nouvelle de son départ, se jurant de n'en dire plus qu'il ne fallait à son amie. Elle se contenterait de vanter cet emploi, comme une première étape de son émancipation. Ses cours allaient lui manquer, et leur amitié complice, sa présence chaleureuse. Son piano aussi. Un mois. A l'essai. Peut-être n'en faudrait-il pas davantage ? Que lui réservaient ces semaines décisives ? A elle d'agir, de saisir les opportunités, de forcer l'occasion, de tirer au mieux parti de cette chance inouïe. Oh, comme elle allait être habile et discrète, ingénieuse. Bien plus rouée que tous les employés de maison qui paradaient à l'agence ! Un merveilleux agent secret, avait dit Terrier. Elle s'amusa de ce mot curieux qu'il avait employé, de son côté aventureux et bizarre.

Soudain, elle fut près du pont d'Austerlitz, dominant les berges. La Seine coulait, noire et visqueuse. Un train de péniches remontait le courant, en crachant une fumée noire sur le noir de la nuit, et les petites lumières clignotantes des cabines faisaient des signaux d'adieu, glissant vers leur lent voyage dans toute cette obscurité. Une tristesse serra sa poitrine, la mélancolie de cette nuit sur le fleuve, le passage de l'eau, et du temps, la permanence et le changement à la fois. Son cœur était lourd, lourd d'amour et de peine, mais elle se battait, fidèle à ce qu'Endre avait aimé d'elle, avant de mourir, si loin, si seul. Il faudrait bien que ce Pierre Galay lui rende des comptes, d'une manière ou d'une autre… Elle se pencha par-dessus le parapet, et ferma très fort les yeux comme dans son enfance, au-dessus de l'eau fuyante renouvela vers Endre le vœu fervent de son âme.

Au moment où Mme Mathilde, dans son bureau, se félicite de son recrutement inespéré, où Gabrielle marche dans la rue, fière de son succès, se tient une réunion en petit comité, dans une salle au dernier étage de l'Ecole militaire, presque désert à cette heure. Gabrielle serait bien en peine de reconnaître le Michel Terrier qu'elle invoque en sortant des usines Bertin-Galay. Celui-ci ne ressemble guère au jeune homme cher à son cœur, un peu contraint et si empressé, qui remonte ses lunettes sur son nez avec tant de touchante gaucherie. Elle aurait de la peine à admettre qu'il s'agit du même homme car, depuis plus d'une heure, celui-ci discourt avec rigueur devant une dizaine de jeunes officiers installés autour de lui à une table de travail, encombrée de dossiers, de plans et de cartes. Terrier, le seul d'entre eux en civil, parle d'autorité, sûr de son ascendant sur son auditoire, tous attentifs et concentrés à l'écoute de leur instructeur. Il a été question de rapports très techniques, un voyage d'études de trois mois, d'Alger au Dahomey par Tombouctou, des expériences de télégraphie sans fil pour établir les liaisons, conduites par un officier et deux caporaux radiotélégraphistes, une petite escorte expérimentale ; et aussi d'une expédition plus conséquente où, sous le contrôle de l'administrateur colonial de la section Sud-Cameroun, une brigade spéciale d'ingénieurs civils et de militaires, d'infanterie et d'artillerie, accompagnée de dessinateurs et de photographes, vient d'effectuer le relevé de la frontière franco-allemande du Congo. Au cours de l'exercice, ont été utilisés les tout nouveaux appareils géodésiques et les observations astronomiques assurant scientifiquement le contrôle du territoire. Les officiers géographes du grand quartier général y portent le plus grand intérêt, dans le cadre des recherches sur la détermination des coordonnées de positions ennemies, de pièces ou d'objectifs, à repérer par les calculs physiques, dont les chiffres et schémas occupent tout le tableau noir. L'attitude des jeunes gradés semble peu réglementaire. La fumée de leurs cigares empeste l'atmosphère confinée de la petite salle, et quelques cols d'uniformes sont déboutonnés, mais ce relâchement n'est que la contrepartie de leur gravité studieuse. Une oreille avertie identifierait un cours de doctrine militaire, mais les références et les allusions concrètes sont si rares que l'ensemble du discours produit une impression de géométrie abstraite, de principes stratégiques dont les règles sont réduites à leur expression purement théorique. L'exposé dure depuis plus d'une heure, et cependant aucun ne relâche sa vigilance. De temps en temps, l'un d'eux se lève pour faire quelques pas, sans lâcher Terrier des yeux, rallume un cigare et revient s'asseoir à sa place, griffonner quelques notes. Mais l'exposé s'achève, l'instructeur conclut, de la même voix métallique et tranchante.

— Messieurs, nous aborderons les questions de balistique et la photographie aérienne, par aéroplane et par ballon, à la prochaine séance. Y a-t-il des questions ?

Une seule, provoquant une brève mise au point technique, et Terrier lève la séance. Le groupe s'attarde encore un peu, dans une atmosphère de connivence virile, puis les jeunes officiers quittent la petite salle et se dispersent dans les couloirs déserts de l'étage.

Une fois seul, Terrier efface méticuleusement le tableau noir, ouvre largement la fenêtre, et s'accoude un instant, aspirant longuement l'air encore tiède de la nuit. Par-dessus les toits, on entrevoit la lueur de l'éclairage nocturne, et peut-être les reflets lointains de la Seine sous les ponts. Dans le silence, une rumeur vague monte de la ville, succédant au brouhaha de la fin de la séance. Terrier porte le même habit sobre qu'il avait la veille pour recevoir Gabrielle. Rien de son aspect n'est changé, mais toute sa personne semble étrangement métamorphosée. Non pas vraiment un autre, ni le même tout à fait, un être d'une nature différente, d'une identité nouvelle, comme si dans la forteresse du corps, sous l'emballage de chair et de peau, sous la façade du visage aux traits nets, s'animait une créature distincte.

A l'instant, seul, sans témoin, il ne déguise pas. Il n'a à jouer un personnage pour personne, un rôle quelconque, à adopter aucun masque. Il est, tel qu'en lui-même, un animal sauvage, dangereusement policé. Abandonné dans son accoudement nonchalant, il semble à l'affût. Sa posture révèle la tension nerveuse du corps, la force physique sous la finesse du jarret, la cambrure martiale de la taille. Une puissance étonnante des épaules reposées, de la nuque légèrement ployée. Au repos, il émane de lui une menace sourde, dont on se demande comment, en certaines circonstances, elle peut magiquement s'effacer, se résoudre en suavité de subalterne, en gestuelle de garçon maladroit. Mais ce n'est pas seulement cela. La fatigue de la journée, peut-être, le long discours qui a mobilisé son énergie dépouillent à présent son visage. Alors les traits se remodèlent, imperceptiblement. Dans l'inertie songeuse de la face, tournée vers la nuit comme d'un veilleur, la distribution des lignes et des masses sculpte un chiffre nouveau du visage d'ombre. Cet homme a-t-il jamais été enfant, adolescent insouciant et rieur ? Rien n'en reste, il surgit entier d'un moule guerrier, sans âge. Une matière minérale et souple à la fois, extrêmement plastique dans l'immobilité, prête à prendre toutes les formes, toutes les apparences. La paupière fluide, aussitôt plombée sur la fixité du regard ; la commissure molle de la lèvre en un instant aiguisée ; la narine sensuelle soudain cruellement pincée. Rien ne bouge de sa face, mais à tout instant elle mue dans l'ombre. Nul doute que Gabrielle, surprenant ainsi sa face nocturne, frissonnerait d'effroi, tant il semble à cet instant une machine d'intelligence froide et de ruse. Un magnifique instrument de guerre, raffiné, précieux, subtilement réglé. Un carnassier mathématicien.

Soudain, on frappe à la porte. C'est un soldat du rang, qui vient pour le ménage, armé d'un seau et d'un balai. A son entrée, Terrier s'arrache avec effort à sa contemplation de la nuit, puis il fait volte-face. Alors, en pleine lumière, son visage recompose de nouveau le masque anodin d'un militaire du rang. Scrupuleusement, il rassemble ses dossiers, tout ce qui traîne encore sur la table, papiers froissés compris, et, tel un fantôme, sort, laissant l'autre vider les cendriers, balayer la poussière sur le plancher nu.

V

Depuis un long moment, Gabrielle guettait la venue de Mme Mathilde, le front contre la vitre de sa chambre. Comme convenu, elle était arrivée au Mesnil la veille de ce jour où l'enfant y serait conduite, et cette volonté de la vieille dame, anticipant son installation, s'était révélée judicieuse : sans doute prévoyait-elle qu'il fallait à la nouvelle venue le temps de se familiariser avec les lieux, d'en expérimenter vraiment l'isolement, qui avait rebuté tant de candidates, et de s'assurer qu'une fois sur place, sa recrue y mesurerait mieux son engagement d'y vivre loin de tout… En effet, il fallait admettre que Le Mesnil constituait bien un exil volontaire. Après une heure de lent voyage le long de la Seine, à travers la plaine de Nanterre, puis quittant les berges pour une campagne de prairies en collines molles, elle avait débarqué sur le quai d'une gare provinciale, à fronton métallique orné d'une marquise, devant laquelle la bourgade du Mesnil regroupait, sous les arcades de sa place pavée, quelques cafés et commerces, déjà éclairés à cette heure du soir, qui résumaient toute l'animation urbaine. Dès que passé les dernières ruelles, l'agglomération se dispersait en villas, encloses de jardinets, d'où filtrait de-ci de-là la lueur d'une lampe, mais au-delà commençait aussitôt la campagne, un paysage quadrillé de champs et de bosquets qu'envahissait la nuit et que de longs souffles de vent traversaient dans un remuement sombre.

La jeune fille frissonnait, grimpée sur le banc du cabriolet, à côté de l'homme qui était venu l'attendre à la gare. Passant sans transition de la tiédeur du train à cette atmosphère humide et environnée de formes végétales inconnues, sous la clarté blafarde du crépuscule où s'étiraient de minces nuages roses, intimidée par le silence de son compagnon, elle avait éprouvé le premier sentiment d'éloignement depuis son départ. Enfoui jusqu'aux oreilles dans son manteau ciré, celui-ci semblait moins conduire le cheval que se fier à l'instinct qui ramenait celui-ci à l'écurie, laissant flotter les rênes sur son col, plongé dans sa rêverie, ou sa bouderie. Sans chercher son visage, ni son regard, elle s'était seulement attachée à observer que ses mains, posées sur ses genoux dans un abandon vigilant, étaient belles, osseuses et charnelles, des mains bienveillantes, robustes et précises, sans brutalité ni impatience pour la bête, qui lui avaient inspiré une sorte de sympathie pour son conducteur, en dépit de sa grossiè- reté patente. Il s'était montré si peu loquace qu'elle avait dû lui faire répéter son nom, grommelé en guise de bienvenue. Tandis qu'il hissait sa malle dans le cabriolet, il s'était présenté comme Victor, le régisseur du domaine, sans qu'elle osât lui faire préci- ser s'il s'agissait d'un nom ou d'un prénom. Soit son silence obs- tiné, soit l'inconfort frileux du banc qui cahotait rudement, ignorant où se trouvait exactement le domaine, elle avait trouvé long le chemin qui y conduisait ; en réalité seulement à quelque deux kilomètres à l'écart du bourg, disparu derrière la colline obscure. Si bien qu'à longer soudain un mur d'enceinte et, une fois franchie la grille du portail, à deviner, derrière les sombres frondaisons d'un parc, les lumières de la demeure, elle avait eu la gorge nouée d'une émotion confuse.

C'était donc ici le but de son voyage. Et non seulement du voyage, finalement plus court qu'elle ne croyait, mais le but de son entreprise, et lui était revenu, comme d'une amnésie, le mo- tif pour lequel elle se trouvait, en ce soir de septembre, en com- pagnie d'un inconnu, juchée sur cette voiture qui remontait maintenant une allée de gravier et débouchait devant la façade d'une grande maison en pierre, aux encadrements de portes et de fenêtres de brique rouge, en partie couverte de chèvrefeuille, avec deux étages sous son toit d'ardoise, dont une tourelle des- sinait la silhouette en ombre chinoise contre le ciel pâle. Sur le perron, venait de sortir une femme haute et droite, tenant avec fermeté une lanterne à hauteur de son visage. Dans sa robe à plastron plissé, et portant à la ceinture un gros trousseau de clés, elle avait belle allure, avec son visage frais, son regard droit et calme. Tout en elle respirait la respectabilité et la mesure, jusque dans son élocution un peu compassée. Tandis que l'homme disparaissait à l'intérieur avec sa malle, montant le per- ron vers elle, Gabrielle vit que d'un seul coup d'œil plein d'as- surance celle-ci l'inspectait de la tête aux pieds, évaluait son aspect et son air, puis lui souhaitait la bienvenue avec une amé- nité mesurée, une sorte de condescendance, peut-être de soula- gement, pensa Gabrielle, enhardie par l'épreuve, redressant sa taille et son maintien, estimant d'intuition l'importance de ce premier contact. Elle était Mme Victor, la gouvernante, précisa la femme, aussi Gabrielle déclina-t-elle son nom, prenant la main que l'autre lui tendait, une poignée franche et brève, dont celle-ci l'entraîna dans la maison.

De ce premier instant sur le seuil, Gabrielle gardait le souvenir d'une commotion, le trouble intense de pénétrer en territoire ennemi. Ce qu'elle avait entrevu, dès le hall d'entrée, d'où partait, dans la demi-pénombre, la large volée d'un escalier en bois ouvragé, les consoles fleuries de roses rustiques et les tapis orientaux recouvrant les planchers, l'élégance feutrée de tout ce décor semblaient annoncer la fortune assise de ses propriétaires, mais elle n'avait pu s'empêcher d'y voir, comme autant de menaces, les signes de ce pouvoir de classe, dont Terrier l'avait prévenue qu'il était le plus grand obstacle, la protection sociale de cette famille, dont l'un des membres avait joui au point de devenir intouchable. Pourtant, cette première impression s'était effacée, quand avait surgi du fond du hall une petite jeune fille rieuse et délurée, que Mme Victor lui avait présentée comme sa petite-fille, Pauline, et qu'elle avait chargée de la conduire dans sa chambre, avant qu'elle ne redescende prendre le repas du soir avec la maisonnée, si mademoiselle n'y voyait pas d'objection.

Gabrielle avait suivi la gamine, sentant sur ses reins, tout le temps qu'elle montait, le long regard de la femme posé sur elle. Passé un large palier qui distribuait les deux ailes de la demeure, elle avait remonté avec elle un sombre corridor jusqu'au logement qu'on lui attribuait, et que Pauline appelait pompeusement son "appartement". En réalité, une simple chambre et un cabinet de toilette attenant. Mais dans les représentations qu'elle s'était faites durant son voyage, elle n'avait pas osé en imaginer une semblable, persuadée qu'il lui reviendrait la loge sous les toits, décrite dans les romans de Zola que tante Agota critiquait avec tant de virulence, et dont Renée l'avait menacée, puisqu'elle avait choisi d'entrer en condition, comme une pauvresse. Au souvenir de cette prédiction vengeresse, Gabrielle avait souri en découvrant la pièce coquette, tendue de toile de Jouy bleue et volantée de rideaux de mousseline, le haut lit à courtepointe brodée de coton blanc. Il y avait aussi un bureau de noyer, avec une écritoire, et un Voltaire un peu râpé, mais très confortable. Le petit oratoire d'angle lui fit penser qu'il s'agissait de l'ancienne chambre d'une jeune fille de la maison. Quant au cabinet, ce n'était pas la moindre de ses surprises, il comprenait l'équipement moderne d'un lavabo à eau chaude et froide et une baignoire.

D'ailleurs, tandis qu'elle défaisait sa malle, Pauline s'était attardée à lui exposer les agréments de la maison qui, par la volonté de Mme Mathilde, disposait, depuis l'hiver précédent, d'un chauffage central, à la place des vieux calorifères, et de l'eau courante, et du téléphone, et des commodités. La petite, appuyée à la porte de la chambre, vantait ces dispendieux aménagements, comme s'il s'était agi de sa propriété, décrivant avec un orgueil naïf le palace qu'était devenue la demeure froide et malcommode d'autrefois, où l'on puisait encore au puits pour monter l'eau dans les étages. L'hiver, l'eau gelait dans les brocs, précisait-elle, avec une moue de dédain, et on se lavait dans des tubs.

— Alors qu'à présent, on n'allume de feu dans les cheminées que pour le plaisir de Madame, quand elle décide de passer quelques jours ici. Même les domestiques jouissent de tout ce confort et des avantages, insistait-elle. Même les institutrices, comme vous. Combien avez-vous de belles robes ? demanda-t-elle, dans la même inspiration.

Cette réflexion lui était venue en voyant Gabrielle accrocher son vestiaire aux cintres de l'armoire, car ici on exigeait de la tenue, disait-elle en faisant bouffer sa jupe sous le tablier de linon empesé, et en tapotant les tresses de sa coiffure, surtout quand il vient du joli monde dans notre campagne.

— Nous avons une tenue exemplaire, avait rétorqué Gabrielle, sans perdre son sérieux devant les insolences de la gamine.

Celle-ci virevoltait dans la pièce comme un oiseau, s'extasiait à présent devant le nécessaire de toilette de Gabrielle, qu'elle installait elle-même sur la tablette de marbre.

— Quelle mignonne brosse d'ivoire ! Et ce flacon de parfum, est-ce que je peux sentir ?

— Mais quel âge as-tu donc, Pauline ?

— Seize ans en juin, déclara-t-elle crânement.

Dès le soir, Gabrielle avait su le léger mensonge de la bouche de sa grand-mère, exaspérée par les mines de la petite qui lissait ses sourcils à tout instant du doigt humecté de salive. Quinze ans en juin, et paresseuse comme dix chattes, se plaignait-elle en houspillant Pauline, qui tardait à dresser la table, sous l'imposante suspension de cuivre. Cette pièce carrelée de rouge, avec ses chaudrons de cuivre brillants et la grosse cuisinière de fonte avait une propreté flamande. Derrière le petit vitrage des fenêtres, on apercevait, de l'autre côté d'une cour, les communs et les écuries, une rangée de bâtiments bas, au-delà desquels descendait une prairie envahie par la nuit. Le père Victor était en train d'aiguiser des couteaux, et avait à peine levé le sourcil à son entrée, toujours bourru, enfermé dans son mutisme. Quant à la cuisinière, une grande femme maigre, du nom de Mauranne, elle tourna le dos et salua à peine la nouvelle venue d'un coup de menton, affectant de tourner ses plats, assistée de sa sœur qui semblait un peu simple et s'affairait avec elle. Interprétant son grognement de réprobation, Mme Victor opposa vertement que, en attendant les ordres de Mme Mathilde, il était plus pratique de servir mademoiselle à la cuisine avec eux tous, puisque celle-ci y consentait.

Le ton péremptoire sur lequel elle avait dicté cette décision excluait toute objection ; il était clair qu'en l'absence des maîtres, c'était elle qui commandait. Y compris au palefrenier, apparu au dernier moment, qui dut déchausser ses bottes sur le seuil, parce que les carreaux avaient été lavés dans l'après-midi, décréta-t-elle, sans hausser la voix. L'homme présentait une terrible blessure à la face, sa mâchoire à demi enfoncée déchirant sa bouche en un rictus figé qui le défigurait, lui donnant une expression hagarde. Il prit place à table sans rien dire, hochant la tête pour un énigmatique assentiment, jetant juste un long regard en dessous à la jeune fille qui, plantée au milieu de la cuisine, ne savait quelle attitude tenir, quelque peu désemparée par cette propension générale à grommeler, grogner ou se taire, plutôt qu'à articuler. Seule la gouvernante et son étourdie de petite-fille semblaient en mesure de mener une conversation cohérente. Elle ne sut s'il fallait voir là un quant-à-soi tenant au commerce ordinaire de ces gens, ou une attitude à elle réservée, en cette circonstance. Elle affecta d'ignorer cet accueil, et prit, comme Mme Victor le lui proposait, la place en haut de la table.

Cette position n'était pas la plus confortable ; elle y était la mire de tous les regards, mais de là, elle-même pouvait contrôler la tablée et se familiariser avec les visages de ceux qui allaient être désormais ses compagnons, dont elle se disait qu'il fallait, sinon s'en faire des alliés, du moins ne pas susciter leur hostilité. Aussi se prêta-t-elle de bonne grâce à ces dispositions, attentive aux gestes et aux paroles convenus, sans marquer de familiarité ni de distance, gardant une simplicité de bon aloi, et comme personne ne l'interrogeait sur son nouvel état, ni sur les détails de sa fonction, ni sur l'enfant dont elle allait s'occuper, elle en déduisit que Mme Mathilde avait transmis les informations nécessaires et que tous étaient au courant. Seule Pauline jetait vers elle des regards allumés de curiosité, amusant la table de ses réparties, jusqu'à ce que son grand-père, qui mangeait en silence, lui donnât une tape d'avertissement sur la nuque. La cuisinière et sa sœur, au nom curieux de Sassette, servirent la soupe à la longue table de l'office où ils avaient pris place, et Gabrielle vit que ces deux-là communiquaient sans mots, par signes furtifs, accordant tacitement leurs déplacements. A plusieurs reprises, l'aînée avait tranché son pain ou versé à boire à l'autre, comme s'il elle était une enfant. Elle en avait la taille, un peu nabote, replète et douce, des gestes lents et le regard mouillé, pleine d'une grâce dont Mauranne était singulièrement dépourvue, toutes deux d'âge indéfinissable, dissemblables et pourtant pareilles dans leur étrangeté. Le palefrenier, un homme sans âge et taciturne, ayant quitté les lieux dès la dernière bouchée, Mme Victor apprit à Gabrielle que Meyer avait été soldat, et que c'était pour avoir reçu d'un cheval un mauvais coup de sabot, autrefois, qu'il avait cet air de vieux fou, mais n'y prenez pas garde, il n'y a pas meilleur homme que Meyer, ajouta-t-elle.

— Nous avons trois chevaux, pépiait Pauline, Pomme, Ridelle et Loyal. Meyer couche avec eux, il a sa chambre au-dessus de l'écurie, il les aime beaucoup. On ne les garde que pour lui, parce que ici personne ne monte plus guère. Sauf M. Pierre, et M. Daniel, quand il vient avec ses amies, de belles actrices de cinéma. Vous êtes déjà allée au cinéma ?

Le père Victor envoya une deuxième tape à l'étourdie, celle-là plus sévère, car Pauline plongea son nez dans son bol de crème et ne dit plus mot.

— Nos maîtres ne viennent plus que de temps en temps chez nous ; ils sont occupés à leurs affaires, condescendit à préciser Mme Victor. Cela vous explique que nous restions si peu à garder le domaine et à l'entretenir. Autrefois, il y avait beaucoup de monde, ici. Mais maintenant que Mlle Millie arrive, et que vous vous installez parmi nous, il y aura davantage de vie, n'est-ce pas ? Demain, je vous ferai visiter la maison.

Gabrielle eut du mal à trouver le sommeil. Comme dans toute maison inconnue, la première nuit est agitée de sensations nouvelles, les sens en alarme détectent dans l'obscurité des formes étrangères qui n'ont pas encore leur identité, ou bien qui se substituent à d'autres, familières ; mais privées de leur voisinage et troublant les repères de l'espace, elles semblent à une autre échelle, sans proportion avec la réalité présente, ainsi elle crut plusieurs fois que le petit bureau au bout de son lit était celui de sa chambre, dans l'appartement du Jardin des plantes, mais rien n'y restait de ses livres, de ses cahiers et surtout des photos, comme s'ils avaient été balayés dans un grand désordre nocturne, et elle se réveillait avec un sentiment de dépossession affolée, avant de reconnaître la chambre où elle était. Le halo de la veilleuse découpait un pan de papier peint dont les scènes bucoliques la troublaient, comme le reflet du miroir dans l'obscurité, et le bouillonnement des rideaux de mousseline. Alors, elle tendait l'oreille aux bruits inconnus que porte la nuit dans le vaste espace des demeures inquiétants, leurs couloirs et leurs étages, alarmée d'un grincement, d'un craquement lointains, ou du vent dans des branches proches, le frisson du chèvrefeuille derrière le mur.

Pendant ces insomnies, tandis que la chambre reprenait son apparence paisible et accueillante, la pensée oppressante lui revenait de ses craintes récentes tandis que se mettait en place l'audacieux projet, selon lequel elle s'introduisait par effraction, à l'insu de tous, dans l'intimité d'une famille étrangère. A ces gens inconnus, elle devait donner le change pour approcher tant soit peu la seule personne qui, peut-être, savait quelque chose d'Endre. Mais par quel moyen ! Quelle folie que ce plan, irréalisable à première vue. Et pourtant d'une déroutante simplicité. Car tous les obstacles semblaient s'aplanir, l'un après l'autre, depuis que Michel Terrier était apparu dans sa vie, depuis qu'il l'aidait de ses conseils, avait découvert cette annonce providentielle et l'avait persuadée de tenter l'aventure. En moins d'une semaine, les étapes s'étaient enchaînées avec une facilité déconcertante. Etait-elle donc si rouée, ou si chanceuse, que la réalité se pliait, avec cette complaisance suspecte, à ce qui n'était d'abord qu'une vue de l'esprit, une construction du rêve. Et maintenant, elle était là. Mais que faisait-elle dans cette chambre du Mesnil, assise au bord de ce lit, les pieds nus sur ce tapis persan, bien réel, dans cette nuit réelle qu'il lui fallait apprivoiser avec toute sa raison, et sa détermination ? Elle se leva, marcha à la fenêtre et appuya son front brûlant à la vitre froide pour se réveiller tout à fait.

C'est alors qu'elle découvrit la vue. La lune baignait d'une clarté bleutée le paysage du parc, ses frondaisons épaisses pleines de nuit, l'étincelant gravier et le tracé pâle du chemin sous les cèdres. Au loin, il y avait l'arrondi d'une colline frangé d'une broderie végétale délicate, se courbant sous le ciel étoilé, et cette beauté nocturne soudain l'apaisa. Elle ignorait tout de ce qu'il adviendrait ici. Seule sa détermination la conduirait, si elle ne faiblissait pas, si elle ne perdait pas de vue ce qui l'avait inspirée. D'une certaine manière, elle avait déjà gagné. Elle avait engagé une partie de son existence, qui réalisait ses vœux anciens. Quitter tante Agota, quitter son enfance. Ces lieux désertés depuis si longtemps par Endre, où il était de nouveau installé en spectre effrayant, dans ses oripeaux de misère. Elle en était partie, pour occuper ce poste d'institutrice. Elle allait s'occuper d'une enfant, précisément de Millie, la fille du Dr Galay. Nul doute qu'à un moment ou un autre, à cause de cela, elle rencontrerait celui-ci. Et s'il était exclu à présent qu'elle se présentât à lui pour ce qu'elle était réellement, qu'elle dévoilât son identité et par quel stratagème elle l'avait approché, et pour quelle raison, elle ne douta pas qu'elle trouverait, le moment venu, le moyen d'obtenir de lui, ou de qui que ce soit dans cette maison, une indication, une piste quelconque. Mais plus elle s'enhardissait dans cette pensée, plus s'effritaient son assurance, son courage ; plus l'entreprise lui paraissait de nouveau sous son jour réel, insensée et vouée à l'échec. Alors elle sentit contre elle l'ombre tendre et réconfortante de Michel, son regard enveloppant et sa fermeté amicale, tout ce qu'il avait montré de soins et d'ingéniosité pour elle depuis qu'il s'était précipité pour la relever, quand elle s'était effondrée, dans le bureau du commandant Feltin. Sa présence était troublante dans l'obscurité de la chambre. Il lui semblait sentir sa chaleur, son souffle proches, mais elle ne résista pas à son évocation, l'invoquant avec ferveur et gratitude. En lui elle puisait force et détermination. A lui, elle démontrerait qu'il n'avait pas en vain déployé tous ses efforts.

Le soir venait, assombrissant le ciel, mais, dans l'attente de Millie et de sa grand-mère, Gabrielle ne se lassait pas de contempler la vue large de la propriété qu'encadrait sa fenêtre, et qui avait été un ravissement, ce matin, quand elle l'avait vraiment découverte à son réveil, après sa première nuit au Mesnil. De là, on voyait un angle de la façade foisonnant de chèvrefeuille jusqu'au bord du toit d'ardoise, les hautes frondaisons des cèdres proches, dont l'écran bleu laissait par endroits entrevoir le mur d'enceinte, déclinant avec la prairie que la fin de l'été jaunissait, et, au-delà, le dernier tournant de la route descendant vers le bourg, invisible derrière la colline. A l'aplomb, en se penchant, on dominait aussi le toit de l'orangerie aux arcades vitrées, bordée de glycines et de rosiers, et la place dégagée devant la maison. La voiture parut enfin sur la route, au loin. Sous l'éclairage crépusculaire, et le vent intermittent qui secouait les arbres dans leur profondeur, cette arrivée prenait une obscure atmosphère d'alarme, réveillant ses craintes. Là-bas, le chauffeur refermait la grille du parc, puis s'engageait à petite vitesse sous les tilleuls de l'allée, et elle s'apprêtait à descendre quand le soleil bas traversa soudain une échancrure des nuages, électrisa la campagne d'un bref éclair, alors le paysage brilla d'un artifice étrange, une lueur de soufre balayant le faîte des cèdres, les hauts massifs de buis, et jusqu'au gravier qui phosphora dans l'ombre de la maison ; puis l'arc solaire mourut et le grand jardin retomba dans la demi-pénombre du soir. Cet éclairage théâtral sitôt éteint qu'allumé qui transfigurait douloureusement l'apparence des choses lui serra le cœur de mélancolie.

Au bas de l'escalier, elle retrouva Mme Victor avec Pauline, surgissant en hâte de l'office, et Sassette, qui se tenait déjà au garde-à-vous sous une plante, avec son air habituel d'effarement, affublée pour la circonstance d'un tablier blanc qu'elle froissait consciencieusement. Mme Mathilde entrait déjà en coup de vent, entravée par l'enfant accrochée peureusement à sa robe, une minuscule personne dans un étonnant manteau de fourrure, inadapté à la saison, et dont Gabrielle entrevit le pâle visage chiffonné sous son capuchon, tel un animal traqué. Poussée en avant sans ménagement, la petite fut immédiatement tiraillée par Pauline et Sassette, qui s'étaient emparées d'elle pour lui enlever sa fourrure, à quoi elle résistait en pleurnichant, mais d'un geste impérieux, Mme Mathilde congédia les trois, les expédiant dans la chambre de la petite pour sa toilette, tandis qu'elle entraînait Gabrielle et Mme Victor à sa suite dans le premier salon. Celle-ci referma la porte, tandis que la vieille femme se défaisait de son chapeau et de sa capeline. Un feu flambait dans la cheminée, malgré le grand beau temps revenu.

— Ouf ! soupira-t-elle en se laissant tomber dans un fauteuil. Quelle épreuve ! Cette enfant me tue. Elle a pleuré la moitié du voyage. Pourquoi avez-vous allumé la cheminée ? Il a fait un soleil d'été à Paris, tout le monde était au Bois. Enfin, c'est une attention de votre part, ce feu me contente. Ma bonne Victor, comment allez-vous ? Comment les choses sont-elles, ici ? Et vous, mademoiselle, comment êtes-vous installée ? Vous lui avez donné la chambre bleue, n'est-ce pas ? C'est bien. Celle de Millie est en face de la vôtre. Au moins, vous ne l'égarerez pas dans les couloirs. Cette enfant n'a aucun sens commun, on la perd sans arrêt, je vous préviens. Meyer a-t-il commencé de brûler les feuilles au jardin, qu'on sente jusqu'ici sa cendre ? Dites-lui d'attendre que je sois repartie : je ne veux pas de ces odeurs autour de la maison. Et surtout pas de courants d'air, pas de courants d'air ! A-t-on préparé mon lit, avec mes coussins ? Mon mal aux reins me reprend ; c'est cette automobile, quel inconfort, quel embarras que ces machines ! Nous dînerons dans la petite salle à manger ; et servez dans une heure : je veux me coucher tôt. Auparavant, je veux voir quelque trois choses avec vous deux, pour n'en parler plus ensuite. Je veux pouvoir me reposer, sans souci ni contrariété...

A ce feu roulant de questions qui n'attendaient pas de réponses, Mme Victor semblait habituée. Elle attendait la fin de la tirade avec placidité, et Gabrielle calqua son attitude sur la sienne, se tenant prudemment debout, près du seuil. Sous l'éclairage des lampes, Mme Mathilde lui parut moins imposante que le jour où celle-ci l'avait reçue dans son bureau directorial de l'usine, laissant transparaître, sous sa volubilité et son agitation, une réelle lassitude. Sa robe de faille bronze tendue sur sa corpulente personne semblait une armure corsetée pour des batailles publiques, mais dans ce décor intime, et s'abandonnant dans le fauteuil, elle prenait un aspect moins redoutable, même si de son regard vif et sévère, tout en s'adressant à l'une et à l'autre, elle inspectait jusqu'aux recoins de la pièce, comme si rien ne devait lui échapper de son territoire.

— Approchez, ordonna-t-elle brusquement à Gabrielle. Mettez-vous là, et vous ici. Avez-vous instruit Mlle Demachy de la situation, ou bien dois-je le faire ?

— J'attendais vos ordres, madame.

— Mes ordres sont que tout soit clair pour Mlle Demachy. Elle est ici pour un mois, à l'essai, selon notre convention, mais j'espère durablement. Autant qu'elle soit prévenue. Qu'on me porte un café bien chaud. Mon bol est dans la mallette, comme d'habitude.

— Mauranne s'en occupe, elle vient bientôt.

— Merci, Victor. Sans vous, on ne sait pas mener les choses.

Tapotant des doigts la tablette à côté d'elle, la vieille femme observa un instant de silence, puis prenant son inspiration, elle se lança, comme si elle récitait une leçon.

— Voici la situation. Mon fils a eu cette enfant d'une épouse que nous avons peu connue. Je veux dire : elle n'a pas vécu longtemps parmi nous, elle est morte de ses couches. De ce grand malheur, nous avons été très affectés. Pierre surtout, évidemment. De surcroît, l'enfant, née avant terme, était malingre et sans grand espoir de survivre. Mais enfin, elle est avec nous, de santé fragile et marquée par ce deuil ; pensons-nous, de manière maladive. D'autant qu'elle n'a pas de parenté maternelle. Famille étrangère, dispersée semble-t-il. Bref, elle fait défaut. Nous entourons tous Millie, mais sachez que moi-même et mes enfants avons nos affaires. Pierre, comme son frère, et ses sœurs, chargées de famille, ne peuvent consacrer tout leur temps à cette petite, dont j'ai la charge, depuis sa naissance. Comme je vous l'ai dit, elle a jusqu'ici été confiée à des bonnes, je le regrette, pas toujours à la hauteur de notre attente. Nous vous avons donc recrutée pour prendre désormais en main l'éducation de Millie. Tâche ingrate, difficile, je ne vous l'ai pas caché. Mais nous n'avons d'exigence que de ce dont elle est en mesure de tirer profit : des soins vigilants, de l'exercice au grand air, une instruction rudimentaire, mais solide. Enfin, vous verrez ce que vous pouvez en tirer. Quant à moi, je délègue à Mme Victor la tenue de la maison, c'est avec elle que vous réglerez les petites conditions matérielles. A moi, vous ne référerez que pour les questions importantes. Nous voulons être tranquilles au sujet de Millie, comprenez-vous ?

— Je comprends.

— Mon fils y tient. Avez-vous des questions ? Importantes, je veux dire.

— Importantes ?... Pour l'instant, je ne sais lesquelles le sont, ou non... Par exemple : puis-je disposer de la bibliothèque pour la salle d'étude ? Puis-je utiliser le piano qui est dans le petit salon ? Je crois qu'il n'est pas accordé. Et je voudrais commander des couleurs ou des...

— Tout cela est sans importance, coupa Mme Mathilde. Prenez vos dispositions, Victor arrangera ces choses avec vous.

— Alors, puisque tout va bien, il est temps que je fasse la connaissance de Millie.

Joignant le geste à la parole, Gabrielle se leva sans attendre une permission, et sortit d'un seul mouvement. Sur le seuil, elle s'effaça pour laisser passer Mauranne qui portait le fameux café de Madame. Sur le plateau, elle eut le temps de reconnaître le bol de faïence grossière qu'elle avait déjà vu le soir de son entretien. Maniaque de surcroît, persifla-t-elle pour elle-même, derrière la porte, encore sous le coup de sa colère pour le discours de Mme Mathilde. Si celle-ci voulait lui signifier à quel point cette petite les encombrait tous, et pouvait aller au diable, elle ne s'y serait pas prise autrement. Du moins, il était clair qu'elle avait carte blanche pour occuper ses jours à sa manière, faire du piano ou courir les bois si cela lui chantait, laisser dormir Millie ou l'accabler de leçons, personne n'y trouverait à redire.

Tout en montant lentement l'escalier, elle se calmait, vaguement confuse de sa sortie. Mais il n'était peut-être pas inutile qu'elle ait eu l'occasion de marquer sa différence d'avec la domesticité locale, qui avait l'air de filer doux, même en l'absence du tyran. Après tout, ils ont eu assez de mal à trouver quelqu'un comme moi, qui accepte de s'ensevelir ici, et de se charger de leur fardeau, se disait-elle méchamment ; ils y regarderaient à deux fois avant de la congédier, vu la situation... Cette manière de retracer la *situation* la laissait pantoise. L'autre jour, Mme Mathilde avait mesuré ses mots. Elle venait d'exprimer sa pensée sans masque. Nul besoin d'être grand clerc pour entendre son mépris pour cette épouse étrangère, vite expédiée à la tombe, et pour sa fille malingre ; ces pièces rapportées entachaient sérieusement le tableau de famille. Si le fils tient tant à être tranquille, c'est qu'il a eu du souci de cette *situation*. En ramenant de son voyage l'épouse sans parenté, mésalliance, outrage au cercle de famille..., il a dû provoquer un petit scandale dans les murs. Gabrielle réprima un sourire à cette supposition qui mettait à mal la scène du salon, la démonstration théâtrale de la vieille femme, et toutes ses protestations d'autorité magistrale. Je veux, je veux, je veux. Nous verrons bien ce que nous voulons, conclut Gabrielle, avec une petite gaieté sarcastique.

Dépouillée de son volumineux manteau, la petite semblait encore plus minuscule au milieu de la chambre, à présent en chemise et tremblante, sinon de froid de fatigue, ou de détresse, tant les deux filles se souciaient peu d'elle, occupées à défaire ses malles et à distribuer son vestiaire dans les armoires et les commodes. Certes, si elle manquait d'attentions, Millie ne manquait pas d'habits, d'accessoires et de joujoux, de fanfreluches et de bibelots, étalés dans un indescriptible désordre par l'étourdie et la nigaude, plus affairées à en faire l'inventaire qu'à les ranger vraiment. Transie, la petite attendait en reniflant, résignée à n'être qu'un objet parmi les autres, perdue au milieu du grand déballage. Elle se tourna vers Gabrielle à son entrée, et celle-ci fut saisie du regard absent qu'elle portait lentement sur elle, dont la paupière lourde, comme endormie, semblait couver une très vieille science de l'usure et du temps, au-delà de toute tristesse enfantine. Sans un mot, Gabrielle attrapa au hasard une robe sur le lit, prit l'enfant par la main et l'entraîna avec elle, d'autorité.

— Rangez bien, vous autres, dit-elle gentiment aux deux filles, médusées, en tirant la porte.

Elle traversa le corridor, et referma sa chambre, où veillait la lampe. Millie s'était laissé enlever, d'une docilité totale. Sans jeter un regard autour d'elle, elle se laissa également envelopper de son châle par Gabrielle, agenouillée devant elle.

— Nous reviendrons voir leur rangement, tout à l'heure. Si nous ne sommes pas contentes, nous changerons à notre convenance. Qu'en penses-tu ? As-tu encore froid ?

La petite continuait de trembler. Elle prit ses mains et les frotta doucement dans les siennes, rapprochant son visage du sien.

— Nous sommes chez nous, ici, dans ma chambre. Sais-tu qui je suis ?

Millie soutenait son regard du sien, laissant tomber ses paupières, voilant ses prunelles entre ses cils par une sorte de résistance muette.

— Je suis Gabrielle. Je ne suis pas une nouvelle bonne, mais ton institutrice. C'est-à-dire que tu vas peut-être commencer à devenir grande. Si tu veux.

— Je ne veux pas, articula la petite sans ciller.

— Moi non plus, soupira Gabrielle, je ne voulais pas. Et d'ailleurs, personne ne veut vraiment. Mais c'est comme ça, on grandit malgré soi.

Elle se redressa et poussa l'enfant vers la fenêtre.

— Regarde comme il fait nuit, maintenant. Vois-tu la lune ? Et les étoiles ? Il y a beaucoup d'étoiles, ce soir. Cela signifie qu'il fera beau, demain. J'aime beaucoup la vue de cette fenêtre.

Elle posa ses mains sur la nuque frêle de l'enfant, enveloppa ses épaules.

— Regarde, Millie, vois-tu cette étoile, bien plus grosse que les autres ? Il suffit de la regarder, parfois, pour ne pas se sentir seul. Je t'ai attendue en la regardant. Je ne savais pas que tu étais si petite.

— Je ne veux pas, dit encore l'enfant, tournant sa face vers la nuit.

— Moi non plus, soupira encore Gabrielle. Mais c'est comme ça…

VI

Le lendemain tint la promesse de la nuit. Dès le matin, un soleil généreux traversant les hautes fenêtres illuminait la maison assoupie, ses vastes espaces et son silence de demeure dépeuplée qui avait pu, autrefois, résonner de rires et de cris. De toutes les pièces de la grande demeure, dont elle avait fait sommairement le tour, la veille, sous la conduite de Mme Victor, Gabrielle avait déjà repéré celles dont elle pourrait s'accommoder. Au bout de l'enfilade des deux grands salons luxueux du rez-de-chaussée, un plus petit se trouvait relégué, donnant de plain-pied sur l'arrière de la maison, un jardin d'hiver désaffecté entre des haies de buis, où ne subsistaient que quelques orangers squelettiques. Il y avait là un piano droit, dont elle avait aussitôt essayé le clavier, pour constater qu'il était de longtemps à l'abandon. Elle avait aussi découvert, à la suite des chambres nombreuses de l'étage, dans l'aile sud de la maison, un grand cabinet désaffecté, autrefois bibliothèque, dont les rayonnages devaient être très anciens, au vu de leur menuiserie délabrée. Nombre de volumes aux reliures de cuir y dormaient sans espérer de visiteurs, pour ce qu'elle en avait entrevu des tranches et des titres, des ouvrages d'histoire, de sciences ou de théologie. Mais, outre deux fauteuils bas, il y avait une belle table de lecture et la haute fenêtre plongeait sur le paysage arrière de la prairie et les bois montant vers une colline, tout l'espace du ciel occupé par le feuillage d'un grand hêtre. La poussière recouvrait tout d'une grisaille, attestant que cet endroit n'était de longtemps plus visité par personne, et d'emblée, Gabrielle avait pensé s'y installer pour en faire une salle d'étude, loin des bruits et des voisinages domestiques.

Sitôt levée, Gabrielle descendit à la cuisine pour entendre avec la gouvernante les aménagements qu'elle souhaitait. Mme Victor finissait son café et ses tartines, tout en dressant sa liste de commandes de la semaine, et tandis qu'elles s'entretenaient, Mauranne entra avec un bidon de lait frais. Elle arrivait des Armand ; ramenait aussi un lapin égorgé du matin, qu'elle jeta brutalement sur la table, avec le bouquet de laurier qu'elle avait cueilli au passage dans le potager. Gabrielle considéra sans broncher la chair rosâtre et les gros yeux bleus exorbités, cette nudité sanglante de la bête écorchée que la servante avait laissée près de sa tasse. Si celle-ci la mettait à l'épreuve de si bon matin elle ne sut, non plus si Mauranne était contente ou non du nouveau train de la maison. Elle gardait le même visage inexpressif en versant le lait dans une jatte et, pour faire bonne contenance, Gabrielle s'absorba un instant dans le spectacle du jet jaune et crémeux encore tiède, qui coulait du bidon.

— Nous n'avons plus que deux vaches, davantage pour l'agrément que pour le rapport, expliquait Mme Victor, comme pour s'excuser des manières abruptes de Mauranne. Au moins, Millie boira du bon lait. Elle a besoin de profiter, avec sa mine de papier mâché.

La compagnie de cette femme d'âge mûr, mesurée et placide, n'était pas désagréable, en dépit de son air impérial ; en tout cas la seule d'un peu de bon sens, parmi tous ces gens absurdes, pensait Gabrielle, assez débilitée, observant son visage aux larges joues fraîches. Tourmentée par ses maux de reins, Mme Mathilde prenait son petit-déjeuner au lit, lui apprit-elle. Quant à la petite, elle avait eu une nuit agitée de cauchemars ; on la laissait dormir à présent. Venant à son sujet principal, Gabrielle prit son air le plus qualifié pour demander qu'on cherchât un accordeur pour le piano ; qu'on trouvât une table et une chaise basses pour Millie, à installer dans la bibliothèque. Dont il serait bon qu'on fît aussi un peu le ménage, par la même occasion. Elle dressa ensuite une liste de petites fournitures qu'elle imaginait utiles, sans laisser paraître qu'elle ignorait à quelle activité elle les destinait vraiment, ni qu'elle s'improvisait pédagogue, en toute ignorance. Comme, de bonne grâce, Mme Victor notait ses remarques, au lieu de lui en savoir gré, Gabrielle ressentit soudain une colère pour ces dérisoires dispositions matérielles, un emplâtre sur une jambe de bois. Tout le monde semblait d'accord ici pour feindre. Feindre que l'arrivée de l'institutrice inaugurait une ère nouvelle, que Millie bénéficiait d'un traitement de faveur, que les soins des uns et des autres concouraient à son bonheur. En réalité, Gabrielle n'avait aucune expérience, n'avait jamais rythmé sa vie sur celle d'un enfant, n'avait aucune science à transmettre. Personne n'en avait cure, il suffisait qu'elle fît semblant convenablement, et tout le monde avec elle, pour singer des mesures de bonne pédagogie. Mme Mathilde exigeait de prendre les repas en sa compagnie, pour le temps de son bref séjour, afin, disait-elle, d'acclimater la petite à son institutrice. On dévouait Sassette pour veiller à ses nuits et à sa toilette. On époussetait la bibliothèque. On ressuscitait le piano. On commandait des boîtes de couleurs et des crayons. Ainsi, tout était pour le mieux dans le meilleur des mondes. Gabrielle ressassait la mauvaise pensée que Mme Mathilde était bien la dernière à pouvoir prétendre apprivoiser la petite. Que cette fille indolente et bornée, qui suffisait à peine à assister sa sœur aux cuisines, au prix de constants rappels à l'ordre, dans leur étrange langage de sourdes et muettes, était la moins indiquée pour s'occuper de Millie ; sans doute moins douée qu'elle de discernement, et même de parole. Elle n'était pas d'un meilleur acabit que les bonnes ignares, à qui on l'avait livrée jusque-là... Elle-même, la plus incapable des figurants de cette farce, la compagnie des imposteurs de cette maison. Le lapin écorché en ricanait de toutes ses dents. Gabrielle prit prétexte de ce matin désœuvré pour s'éloigner de la maison, dont l'atmosphère décidément lui était irrespirable. D'un pas vif, elle marcha vers le parc et se perdit sous les arbres.

En réalité, elle marchait au pas de sa méchante humeur, indignée par l'inconséquence de ces gens, par la sienne propre. Le tableau défiait le bon sens. En moins de vingt-quatre heures, c'était une telle accumulation de méprises et d'anomalies, que la tête lui en tournait. En dépit de son inexpérience, l'inanité des principes éducatifs de rigueur ici lui paraissait dépasser la mesure, cette façon de traiter la petite fille, désastreuse ; et que venait-elle faire ici, jouer les utilités, dans cette histoire familiale sans queue ni tête ? Avec quelle légèreté avait-elle pu envisager dans son calcul qu'une petite fille serait la moindre des choses... Un moyen opportun de s'introduire chez ces gens, d'occuper la place. Comme on saute à l'étourdie sur le théâtre, pour improviser le rôle d'une pièce dont on ne connaît pas le texte, ni l'intrigue, ni la troupe, ni la mise en scène. Quelle réplique donner, dans l'instant, à la petite partenaire plantée au milieu de la scène, qui lève vers vous ses yeux immenses et las, las de la comédie qu'on joue autour d'elle. Sous l'ongle de Michel Terrier, dans l'annonce du journal, la petite fille était un pion à jouer, à pousser négligemment sur l'échiquier. Un coup à tenter dans la fiction du jeu. Une vue de l'esprit, tout à fait commode. Soudain réelle, et présente, dans son abandon enfantin, le pitoyable jouet des négligences, des égoïsmes féroces. Ridicule, dans son affublement de fourrure hors de saison, que lui jetait sur le dos quelque domestique, au moment du départ ; agrippée aux jupes de sa grand-mère comme à un radeau de survie, quand celle-ci ne pensait qu'à lui faire lâcher prise, à s'en débarrasser, entre les mains de la première venue. Du naufrage de son arrivée, Gabrielle repassait les détails, choquée par sa silhouette chétive, à moitié nue au milieu de sa chambre, attendant le bon vouloir des deux têtes de linottes, opposant, d'un souffle presque inaudible, sa faible résistance à cette absurdité générale : je ne veux pas...

Maintenant Gabrielle pressait le pas, le cœur étreint, à en suffoquer. Furieuse de son émotion, elle arrachait au passage des tiges de folle avoine qu'elle cassait en brindilles. L'obstacle imprévu, c'était Millie. La faille du stratagème, l'erreur de calcul. Calcule-t-on avec un enfant ? Comment avec elle simuler et jouer *pour de vrai*, mentir le mensonge vrai, double et une sans se trahir dans ce piège des faux-semblants où palpite la vie, et trahir quoi ? La maquette dessinée par Michel Terrier, le schéma sur le papier, les plans sur la comète ? Il était temps encore, peut-être, de renoncer, de quitter la scène. De repartir, dès ce jour... Elle était rendue en plein soleil, au milieu de la prairie. En contrebas, entre les branchages des cèdres, on n'entrevoyait plus qu'un peu de la façade claire de la maison et un clocheton au toit d'ardoises étincelant. Le vent tiède rebroussait l'herbe haute autour d'elle, tournoyait en sens inverse et soulevait sa robe, rabattait sur son front des mèches folles. Elle tourna son regard vers le ciel d'un bleu de vitrail, eut un bref vertige. Seule, loin des êtres qui l'aimaient, d'Agota et de Renée, de Dora, et même de Michel, son ami, elle était pour la première fois livrée à ses propres forces. Et voilà que, dès le seuil, elle faiblissait, envisageait la défaite, la fuite, devant la trop grande épreuve des réalités. Avait-elle assez rêvé, échafaudé dans le vide, joué des combinaisons ? De cette éminence, elle dominait l'espace libre, la campagne alanguie sous le soleil vibrant de fin d'été, dont les couleurs ravivées chatoyaient jusqu'à l'horizon. Sous le grand ciel dégagé où couraient de petits nuages guillerets, haut portés par le vent d'ouest, vers des terres lointaines, la vastitude de régions et d'espaces ouverts, elle était seule, et solide sur ses jambes, et son cœur battait, et elle était assez fraternelle pour accueillir contre elle une enfant qui ne lui était rien, mais qui lui ressemblait, de même solitude, de même inquiétude. Alors tout reprit sa place et sa grandeur, la demeure cossue sous les arbres lui parut moins une forteresse qu'une enclave conquise. Elle avait pris pied en territoire ennemi, elle était à pied d'œuvre. Au moins cette petite crise morale lui servait-elle d'avertissement, et l'armait-elle pour les combats à venir. Rien n'était changé sous la lumière blonde du matin, elle avait gagné seulement un peu plus de lucidité, de force intime, pour avoir pris la mesure de ce qui l'attendait. Pour savoir qu'elle était dans la réalité, et non dans les rêves, et qu'en mémoire d'Endre, elle avait à être à la hauteur de sa volonté. Nous verrons ce que nous voulons, se répéta-t-elle avec ironie, rassemblant ses jupes contre le vent et redescendant vers la maison.

Seule dans le vestibule désert, tirée à quatre épingles, les joues luisantes de sa toilette et les cheveux en coques serrées sur ses oreilles, Millie attendait qu'on prît livraison de sa petite personne, comme d'un paquet en souffrance. A part soi, Gabrielle se fit la promesse que désormais cela ne se reproduirait pas.

— Viens, dit-elle, tendant la main, allons voir les vaches.

— Je ne veux pas, dit l'enfant.

Ayant posé ce refus de principe, elle se laissa entraîner. De cette obéissance paradoxale qui confinait à la soumission, on déduisait sa faiblesse d'esprit, mais Gabrielle décida, en ce premier matin, qu'elle entendrait désormais sa protestation enfantine, et que nul n'en tirerait avantage sur elle ni ne la moquerait. A l'écurie, Meyer était dans une stalle, en train d'étriller la croupe du cheval d'attelage qui tirait le cabriolet le soir de son arrivée, et qui le premier tourna sa tête vers elles pour les accueillir d'un faible hennissement. Gabrielle flatta son naseau humide, émue de retrouver un geste qu'elle n'avait fait de longtemps, qui lui remémora fugitivement le temps où Endre la conduisait au manège. A leur entrée, Meyer, impeccable dans sa tenue, les avait saluées avec une raideur militaire, puis il avait repris son brossage méticuleux, sans manifester d'étonnement à leur visite. L'écurie sentait le foin chaud et le fumier, le cuir et la corne brûlée, un mélange fauve qui piquait les narines, délicieusement.

— Pomme, Ridelle ou Loyal ? demanda Gabrielle à l'animal en lui prenant doucement les oreilles.

— Loyal, dit Meyer, la tête enfouie sous la croupe.

— Millie et Gabrielle, déclina-t-elle. Vous, c'est Meyer, n'est-ce pas ? Nous rendions visite aux vaches. Où sont-elles ?

— Au pré.

— Avec Pomme et Ridelle ?

— C'est ça.

Gabrielle prit la petite dans ses bras et la souleva à hauteur de la tête du cheval. Pour la première fois, elle sentait son poids et sa chaleur contre elle, et son corps un instant raidi se laissa aller tandis que, d'un geste ferme, elle conduisait la main de l'enfant vers la joue de l'animal.

— Je ne veux pas, dit Millie mollement, laissant sa main glisser sur le poil.

— Lui, il est content, dit Meyer, et il tourna vers elle sa face défigurée d'un sourire effrayant. Va voir sous le sac, enchaîna-t-il, là-bas, dans le coin…

Au fond de l'écurie, Millie souleva un sac de jute et découvrit une portée de chiots de quelques jours, fouissant de leur truffe menue, grouillant ensemble dans la paille, d'où montait une odeur chaude, épicée. Dodus et roses, les yeux clos, ils soulevaient leurs têtes chancelantes vers la lumière en poussant de faibles couinements. La petite s'accroupit et resta là, ébahie à ce spectacle, tirant la langue de surprise. Gabrielle elle-même contemplait cette toute jeune vie animale, gagnée par une tendresse pour le vieil homme laconique qui en avait réservé la surprise et improvisé le cadeau.

— Lula va revenir, faut les laisser, à présent, elle est jalouse, dit l'homme de loin. C'est la chienne, une bonne braque, précisa-t-il pour Gabrielle.

— Leur mère n'aime pas qu'on les dérange, souffla-t-elle à la petite. Nous reviendrons les voir. N'est-ce pas, Meyer ?

— Si on veut.

Le visage de nouveau fermé, la petite s'était éloignée du coin de l'écurie, sans plus y jeter un regard, affectant l'indifférence. Elles restèrent encore un moment, à observer en silence Meyer soigner Loyal et ranger la sellerie. Comme elles revenaient sans se presser vers la maison, traversant la cour, du seuil de la cuisine Mme Victor leur fit signe de se hâter. Trottinant à ses côtés, Millie prit brusquement la main de Gabrielle.

— Nous ne dirons rien à personne des petits chiens, dit-elle.

En guise de réponse, celle-ci serra seulement la main qui se donnait à elle.

— Mme Sophie est là, avec Madame, elles attendent après vous dans le premier salon. On vous cherchait partout, protestait la gouvernante. Où étiez-vous donc ?

— A notre leçon de choses, répliqua Gabrielle, passant le seuil.

La cuisine était en effet en effervescence, Gabrielle s'arrêta un instant à regarder Mauranne occupée avec Sassette et Pauline à brider les volailles parmi les légumes étalés sur la table, fraîchement portés du potager, à pilonner des foies et émietter du pain. Le lapin rissolait déjà dans une cocotte de fonte.

— Mme Sophie est venue en voisine, elle est arrivée sans prévenir. Nous sommes en retard pour préparer le déjeuner de tout ce monde. Madame n'est pas si contente de cette invasion, mais Mme Sophie dit que ses enfants voulaient absolument souhaiter la bienvenue à leur cousine. Comment es-tu fagotée, toi ? Tiens-toi bien, au moins, fit-elle mine de gronder, en enlevant trois brins de paille des cheveux de Millie.

— Je crois que je peux m'occuper de cela, madame Victor, dit doucement Gabrielle, entraînant Millie hors de la cuisine.

Depuis l'office, pour aller au salon, il fallait traverser l'enfilade des pièces, d'abord la petite salle à manger, meublée sans apprêt, qui constituait un havre domestique de taille modeste, une sorte d'annexe de la cuisine attenante, dont arrivaient les bruits de vaisselle et les odeurs de cuisson, et qui s'ouvrait d'une porte-fenêtre sur la cour des communs qu'on voyait de là, et sur le potager enclos d'un mur bas ; puis le fumoir, puis la grande salle à manger où la table était déjà mise. Au passage, Gabrielle compta pas moins de sept couverts, intriguée du nombre de convives… Cette pièce d'apparat ne devait servir qu'en de rares circonstances, ses tapis chamarrés et ses bibelots précieux l'apparentant à un musée, jusqu'au centre de table, une somptueuse et délicate vaisselle en porcelaine chinoise dont les reflets d'or luisaient dans l'ombre des lourds rideaux. Gabrielle avait déjà vu, au grand salon, la même décoration orientaliste, les vestiges rapportés de ses voyages lointains par le propriétaire du domaine, cet Henri de Galay, toujours absent. Mme Victor y avait fait une brève allusion en montrant ses collections d'armes, dagues et couteaux damasquinés, sabres de samouraïs accrochés sur tout un mur, jusqu'au plafond, en une menaçante exposition ; de même que, dans le billard, les masques africains, ténébreux et hérissés de dents en pierres de couleurs, de cheveux en filasse jaune, qui rappelaient à Gabrielle les objets d'art nègre des amis de Dora, du temps où elles allaient à leurs fêtes, à Montparnasse… Durant tout ce voyage, Millie garda sa main dans elle, comme si elle scellait une entente. Elle s'arrimait à elle comme pour s'affermir, face à l'épreuve apparemment redoutée de cette famille débarquant à l'improviste, à la rencontre de laquelle elles allaient, aussi peu assurées l'une que l'autre. Pour précaire qu'il fût, ce geste ne manquait pas de lui paraître une incroyable avancée de leur relation, quand tout à l'heure, au milieu de la prairie, elle désespérait de sa tâche.

— Nous avons droit à un beau couvert de fête, pour notre arrivée, chuchota-t-elle. Voyons ces cousins, maintenant.

— Je ne veux pas, dit Millie, en chuchotant de même.

En fait, ayant toqué à la porte et s'annonçant, la jeune fille n'obtint pour réponse que l'ordre irrité de Mme Mathilde de rejoindre les enfants dehors. A travers sa voix, elle crut en discerner une autre, étouffée et gémissante, des hoquets ou des sanglots.

— Puisqu'on nous envoie promener, allons-y, conclut Gabrielle, enjouée.

Devant le perron se trouvait en effet un groupe d'enfants égaillés jusque sous les buis, en compagnie de deux nurses en robes grises, tabliers et bonnets blancs ; l'une apparemment forte nourrice portant un bébé empaqueté de dentelles, l'autre menant dans une ronde deux bambins, de trois et deux ans, se tenant par les basques et tournant avec elle autour d'un buisson. De l'arrivée de leur cousine, ils ne semblèrent pas faire grand cas. Après l'avoir examinée avec la curiosité éphémère des tout-petits, ils se désintéressèrent d'elle pour leur jeu, auquel ils s'adonnaient avec enthousiasme, et comme Millie, du haut de ses quatre ans, ne manifesta pas l'envie de le partager, Gabrielle s'éloigna avec elle vers la prairie.

— Que voilà de beaux enfants ! s'exclama-t-elle, en saluant au passage les deux filles interdites.

Dans le salon, Mme Bertin-Galay s'éventait avec nervosité ; non qu'il fît trop chaud, mais pour manifester sa contrariété. Elle avait passé une nuit épouvantable, à chercher en vain une position pour soulager ses reins douloureux, jamais contente de ses coussins. Par trois fois, elle avait sonné Pauline, qui était une buse, incapable de la satisfaire. Celle-ci, en chemise de nuit, engourdie et la face froissée de sommeil, l'exaspérait encore davantage de son incompétence. Dans son insomnie, elle refaisait des comptes que Gillon lui avait présentés, juste avant de quitter Paris, avec lesquels elle était en désaccord. Elle se maudissait de n'avoir pas emporté tout le dossier avec elle, pour l'examiner pendant ces trois jours de séjour au Mesnil, et se sentait condamnée à les ressasser sans fin de mémoire, jusqu'à son retour. Et voilà que ce matin, sans s'annoncer, Sophie débarquait avec ses enfants, au prétexte de faire rencontrer Millie avec ses cousins, une inspiration subite, qui avait dérangé le programme de la journée, affolé la cuisine, et obligé sa mère à descendre plus tôt que prévu de sa chambre, où elle espérait bien jouir d'une matinée de repos et de tranquillité.

Sophie venait en voisine, vivant dans le bourg proche de Genilly, où Charles Guillemot était notaire. En réalité, plus occupé à la chasse et à tenir sa place au billard du cercle qu'à diriger son étude, que trois clercs paresseux faisaient tourner, vaille que vaille. C'était une des contrariétés permanentes de la vieille femme. Ce gendre bon vivant à la face recuite par le grand air, aux forts favoris roux provinciaux et à bedaine satisfaite, incarnait à ses yeux l'espèce maudite des jouisseurs sans ambition. De la dot de sa fille, il faisait un usage immodéré, en placements aventureux de terrains à construire pour les boutiquiers parisiens en mal de campagne, mais il menait ses affaires en garçon accommodant, sans en tirer les bénéfices escomptés, et cette sotte de Sophie se laissait dépouiller de si bonne grâce qu'elle méritait son sort de poule faisane, plumée et trompée. Car le notaire avait aussi réputation de courir le jupon, de se dissiper avec une bonhomie gentille, que pardonnait sa femme, insouciante et docile, étourdie comme un pinson au milieu des enfants qu'il lui faisait, entre deux escapades, aimant malgré tout sa famille, la troupe bruyante des petits et des chiens qui peuplaient sa maison.

Ses trois enfants ne semblaient pas assagir Sophie, la rendre plus adulte, la corriger de son indolence. De sa propre enfance, elle gardait le visage rond de porcelaine, le regard candide aux cils battants, la bouche petite et rieuse qui creusait des fossettes dans ses joues roses, une joliesse de poupée, déconcertante d'ingénuité, qui irritait sa mère plus que de raison. Plus encore que pour Blanche, elle concevait à son égard un mépris féminin féroce, le ressentiment de ne trouver en elle que la réalisation de ce à quoi elle avait voulu échapper, toute sa vie : la dépendance aux hommes, l'aliénation de sa condition de fille, l'abêtissement des maternités. Elle qui avait eu, bon gré, mal gré, quatre enfants, jamais ne s'était satisfaite de cette fatalité. Elle ne s'était acquittée de sa fonction reproductrice qu'avec l'ambition de la dépasser par l'action et les affaires ; avec obstination, et même une sorte de rage froide, elle avait organisé sa vie pour s'émanciper du fardeau domestique et conjugal, fût-ce au prix du naufrage de son couple et de la désertion d'Henri. Et même aujourd'hui, s'il lui était devenu cet étranger courant les mers, elle se refusait à y voir une sanction ; seulement la preuve de l'inconsistance chronique des mâles, aucun ne se haussant à la figure de son père dont la disparition avait été le seul chagrin inconsolable de sa vie. Tous ces sentiments amers se pressaient en elle, réveillés par la visite importune de Sophie, et elle s'éventait avec d'autant plus d'énergie, que celle-ci venait de s'effondrer en larmes, sitôt refermée la porte sur elles.

Le soleil entrait à flots, réchauffant l'atmosphère de la pièce confinée, exaltant les pétales translucides d'un bouquet de roses thé en camaïeu délicat et s'alanguissait sur les velours. Un rayon frappait frontalement la jeune femme effondrée dans un fauteuil, face à sa mère qui restait à contre-jour. Ainsi, en pleine lumière, Sophie offrait-elle sans masque son visage abîmé par les pleurs et, malgré le mouvement agacé qui l'avertissait du courroux maternel, elle laissait déborder ses larmes qui roulaient sans retenue sur ses joues enfantines. Elle venait d'avouer, qu'une fois de plus, elle se trouvait enceinte, son dernier-né étant à peine âgé de huit mois.

— Est-on assez niaise, ma fille, pour se reproduire à cette cadence ? Que vous laissez-vous planter un enfant par an !

Elle considérait sans compassion la jeune femme éplorée, sa mollesse et son abandon. Sophie ne savait ce qu'elle était venue chercher, en ce matin de soleil. Certes pas une consolation, qu'elle savait ne guère pouvoir espérer de sa mère, dont la rigueur, la froideur, l'implacable autorité avaient apeuré toute son enfance. Elle ne prévoyait peut-être même pas de se confier, de lui avouer cette détresse que, depuis une semaine, elle ressassait pour elle seule, n'en ayant pas encore parlé à Charles, ni à sa sœur, ni à quiconque. Depuis qu'il était devenu évident qu'à nouveau elle allait porter de longs mois un enfant de plus, l'angoisse de cette mue dans les profondeurs de sa chair, comme une maladie chronique, était devenue une obsession ; elle la révulsait d'un refus violent, d'une révolte nauséeuse qui entrecoupaient ses nuits de fiévreux réveils. Non, elle ne venait pas chercher secours auprès de sa mère, et d'ailleurs quel secours attendre ? Comment empêcher les enfants, comment échapper à cette fatalité des maternités ? Le mal était fait. Il lui restait à se résigner à son état, de semaine en semaine devenir plus grosse et plus lourde, plus laide, endurer ces embarras jusqu'au jour de sa délivrance. Mais ce qui l'affolait, c'est qu'ensuite il en serait de même : un autre enfant et un autre encore viendraient. Si elle se résignait à celui-ci, c'étaient tous les autres que, d'avance, elle acceptait. D'avoir soudain envisagé cet horrible consentement, dont sa douceur et sa nonchalance étaient capables, quelque chose avait cédé en elle, juste au moment où le soleil joyeux touchait ce bouquet charnel et magnifiait sa beauté éphémère, comme s'il lui annonçait sa propre défaite de femme, la fuite de sa jeunesse vouée à cette œuvre physique pénible, avilissante et destructrice des maternités, que s'était effondrée toute défense. Alors, balbutiante, elle avait annoncé la nouvelle, et les larmes, intarissables, étaient venues, dans un chagrin de toute petite fille. A ce moment-là, on avait toqué à la porte. Mme Mathilde avait renoncé à faire entrer l'institutrice, très contrariée que cette affaire de ventre, le spectacle affligeant de sa fille effondrée, vienne contrecarrer son projet de présentation. Elle avait espéré se débarrasser en vitesse de l'accueil de Sophie, pour remonter s'étendre ; il lui fallait subir ses confidences et ses lamentations déplacées.

— Mais il y a mille façons d'éviter cette corvée de votre mari, poursuivait-elle, cherchant les mots les plus durs pour blesser la jeune femme. Puisqu'il se contente ailleurs, que ne vous refusez-vous ? On trouve des raisons, quand on veut.

Plus encore que de cette cruauté pour son désespoir, un sanglot d'humiliation suffoqua Sophie, d'avoir cru un instant qu'elle obtiendrait autre chose que ce mépris et cette méchanceté maternels. Tout en elle se trouvait bafoué. Elle venait de laisser sa mère piétiner son attachement, sa tendresse indulgente pour Charles, l'intimité de leur couple, ses faiblesses et ses craintes féminines, son effroi devant la vie.

— Ressaisissez-vous, ma fille. Un peu de tenue. Un enfant de plus, le malheur n'est pas si grand.

Sophie se calma brusquement. Elle sécha ses larmes, espaça ses hoquets, soudain songeuse, le regard perdu dans les fleurs radieuses du bouquet, et sa mère attendit patiemment que la crise s'achève, ralentissant le rythme des coups de son éventail. Le claquant soudain, elle se leva, sans pouvoir retenir une grimace de douleur.

— C'est vrai, dit doucement Sophie se levant aussi, mon malheur n'est pas si grand. Tant que nous vendons bien nos biscuits...

Si rarement Sophie se permettait un persiflage ou une insolence, que sa mère eut un temps d'arrêt. Puis décidant que la scène pénible avait assez duré, et que la polémique ne valait pas la peine :

— En effet. Vous voilà redevenue raisonnable, ma fille. Allons, il est temps de rejoindre les chers petits, et leur chère cousine. Puisque vous avez eu la bonne idée de nous rendre visite, il serait bien dommage de rester là à papoter.

Pendant le déjeuner, regroupés en bout de table, les petits se tinrent cois, avertis de l'atmosphère orageuse, et comme la bonne assise avec eux veillait au service, leur sagesse fut exemplaire. A peine penchaient-ils leur tête curieuse vers celle de leur cousine, installée à l'autre bout avec la jeune dame qu'ils n'avaient jamais vue, son institutrice, tandis que leurs mère et grand-mère se faisaient face au centre de la table. Sa tête émergeant à peine du plateau, Millie ne broncha guère non plus, grignotant en silence le quart de son assiette de poulet au riz du bout de sa fourchette, ce dont personne ne semblait s'aviser ; ou bien on était résigné de longtemps à ce régime d'oiseau. La tablée d'enfants faisant diversion au drame dont chacun sentait bien les ondes menaçantes, il fut surtout question de la santé des uns et des autres, de leurs progrès et de leur éducation, dont la grand-mère prônait les principes, autant pour leur mère que pour les bonnes présentes, puisque la nourrice se tenait dans un fauteuil, avec le dernier-né endormi sur ses genoux. A bon entendeur, salut, ponctuait la vieille dame, mangeant de bon appétit.

Le visage encore marbré de ses pleurs, les paupières gonflées, Sophie avait prétendu un rhume en tapotant son nez d'un fin mouchoir, quand elle avait tendu sa main dolente à Gabrielle, interrogeant du regard cette étrangère, dont la présence avait attiré sa visite matinale. C'était un événement que l'installation de Millie au Mesnil, et les nouvelles dispositions la concernant. Blanche lui en avait annoncé la nouvelle, ironisant sur la solution trouvée pour cette pauvre nièce à la tête un peu faible. D'autant plus amère que, cette fois, sa plainte concernant Didier s'était heurtée à un refus sans appel. Encore outrée par l'indifférence, la rigueur, et la pingrerie de leur mère, elle s'était laissée aller avec sa sœur à des confidences qu'elle évitait d'ordinaire, accablant celle-ci des sarcasmes concernant le choix de cette garde-malade, une quelconque demoiselle de compagnie, une vieille fille plus ou moins veuve, affublée du titre pompeux d'institutrice, pour la circonstance ; car il n'y avait guère que ce genre de recrue distinguée pour accepter de s'ensevelir au Mesnil, en compagnie de la pauvre petite. Elle ne sera pas moins gourde que les autres qui ont défilé. Va voir au moins la tête qu'elle a, à l'occasion, avait-elle suggéré.

Sortant du salon, encore bouleversée par la scène avec sa mère, Sophie avait été surprise de la jeunesse de l'institutrice, et de sa grâce étonnante. Sa silhouette élancée, son cou gracile sous les lourds cheveux coiffés en torsade avaient un maintien digne, qui donnait une impression de maîtrise de soi et de tranquillité, comme si elle était parvenue à un équilibre intérieur, mais sans condescendance ni dédain, au contraire, animée d'une sorte de bienveillance amusée. Elle était jeune, mais d'une âme bien trempée, brûlant d'un feu silencieux. De ses gestes assurés et harmonieux, de ses longues mains, émanaient une force accueillante, une intelligence dont le rayonnement discret imprégnait toute sa personne. Voilà, avait conclu Sophie pour elle-même, une fille charmante. Tout sauf ce que décrivait Blanche. Et sa conviction fut si forte, qu'avec son inconstance coutumière elle en oublia dans l'instant son chagrin, attachée à établir avec Gabrielle un contact personnel, même si la séance du repas, occupée par les discours péremptoires de sa mère, ne lui en laissait guère l'occasion. Celle-ci continuait de lancer à tous des recommandations, la discipline des horaires, la vertu de l'effort, dès la petite enfance, la règle de se coucher et lever tôt, dont les animaux donnent l'exemple, applicable aux petits comme aux grands.

— Cela vous concerne, ma chère, lançait-elle à Gabrielle. Vous aurez besoin de santé pour supporter votre travail. Vous verrez, Millie est épuisante. Il est vrai que vous avez été à rude école : les vieillards sont encore pires que les enfants.

— N'est-ce pas ? acquiesçait l'intéressée, aimablement. Mais je suis résistante.

— Je dois faire un aveu public. Ma chère Sophie, c'est ce qui m'a plu en cette personne, et m'a décidée : elle a attendu plus d'une heure debout que je la reçoive, comme un petit soldat. J'aime le courage et l'endurance, et l'obstination, la volonté bien trempée. Il vous en faudra. M'aviez-vous dit que vous jouez du piano ? Où l'avez-vous appris ? s'enquit-elle brusquement.

— Ma mère était un peu musicienne, dit Gabrielle, évasive. Millie aimes-tu la musique ?

— Les enfants ne parlent pas à table. Normalement, ils ont la bouche pleine. Normalement. Mais cette enfant est une exception. Mauranne, enlève son assiette : elle a assez chipoté. Porte les fruits. On se demande ce qu'elle aime, de toute façon. La musique pas plus que le reste, sans doute. Bon courage, ma chère.

Gabrielle était surtout soulagée d'avoir rapidement esquivé la question du piano, contrariée de sa réponse concernant sa mère. Il lui fallait observer à tout instant la plus grande prudence, ne pas laisser prise à des intrusions de cet ordre, et elle venait de s'y laisser prendre. A plusieurs reprises, Sophie chercha son regard, croisa ses yeux bleus, d'un bleu très clair cerclé de bleu sombre, presque gris, des yeux complexes et changeants, que voilait à peine le lent battement de paupières. Un regard qui l'interrogeait en douceur, de l'autre bout de la table, un regard de connivence, crut-elle, amical, quoique autonome et plein de réserve. Dès que fini le déjeuner, ayant décrété qu'elle se retirait pour prendre le repos qu'elle n'avait pas eu ce matin, Mme Mathilde baisa Sophie au front, agita sa main vers la troupe des petits sans détailler les embrassades, les congédiant ainsi, sans doute, elle et ses petits-enfants, et disparut pour de bon. Aussi Sophie s'empressa-t-elle d'inviter Gabrielle à prendre avec elle le café dehors, à l'ombre de l'orangerie, pendant que les bonnes veilleraient sur une sieste générale.

— Je ne veux pas, décréta Millie, en suivant la troupe enfantine dans les étages.

Sous la treille de rosiers et de glycines courant d'un bord à l'autre des verrières, elles se retrouvèrent enfin seules. Le soleil avait tourné, avec cette douceur amoindrie de septembre. Le gravier chauffé tout le matin donnait encore l'illusion de la touffeur des jours d'été, et dans l'air flottait le lourd et persistant parfum sucré des roses brûlées. De la scène du matin, Sophie n'éprouvait plus qu'une faiblesse de convalescente, un frémissement nerveux qui aiguisait sa sentimentalité à fleur de peau et, dans sa propension familière à oublier ses humeurs, à passer d'un état à l'autre, de l'abattement à l'exaltation ou à l'émotion languissante, elle se sentait disposée à nouer avec cette jeune femme un lien de camaraderie féminine, si rare dans cette campagne. Une inclination intuitive la poussait vers sa compagnie, par similitude d'âge, sans doute, mais surtout parce que, durant tout le repas, celle-ci avait affiché une distance discrète, un peu mystérieuse, et que sa curiosité s'était aiguisée à l'observer du coin de l'œil.

Comment s'était-elle résolue à s'enterrer ici ? commença-t-elle sur un ton léger, car il s'agissait d'une retraite bien austère, que cette maison familiale. Et elle décrivit la vie du pays, les rares rencontres de voisinage qui rompaient la monotonie, car l'endroit comptait peu de gens amusants. Le maire et le sénateur, petits notables, son mari compris, en constituaient la société confinée ; on se heurtait toujours aux mêmes personnes. Sauf durant l'été, quand les familles revenaient séjourner dans leurs propriétés, alors c'étaient quelques fêtes de campagne, dont l'amusement passait vite ; et aussi à l'automne, les parties de chasse, qui occupaient ces messieurs. Cependant, maintenant que les boutiquiers parisiens, friands de dimanches au bord de l'eau, de canotage et de fritures, envahissaient le pays, on voyait un peu refleurir le commerce. Ainsi le Grand Café du Mesnil avait-il été modernisé, et doté d'un piano mécanique ; deux hôtels s'étaient ouverts sur la place de la gare, et une nouvelle mercerie, à l'enseigne de *La Mode de Paris* ! Elle en vint assez vite à elle-même, à sa vie recluse, entre enfants et embarras domestiques, suggérant avec légèreté sa solitude et son ennui ; la compagnie aimable de l'abbé du Mesnil, pourtant, un homme estimable ; et son plaisir de la proximité nouvelle de Millie, que ses cousins aimaient tant. Gabrielle écoutait avec sérieux son babil, attentive à ses propos, buvant à petites lampées le café de Mauranne, hochant la tête avec bienveillance, car à présent elle pressentait, tout en restant sur ses gardes, que l'alliée espérée se présentait peut-être, et qu'à établir une relation amicale avec cette jeune femme en mal de confidences, elle aurait les réponses aux questions qu'elle se gardait encore de poser... Sophie poursuivait, se félicitant de la décision de sa mère, qui avait enfin compris quel avantage l'enfant tirerait d'avoir une vraie éducatrice, au lieu de gardes et de bonnes, elle s'inquiétait de mieux connaître l'expérience de Gabrielle, dont elle rappela, à mots couverts, qu'elle avait appris son deuil, si jeune et déjà meurtrie par la vie...

— Le temps a passé..., murmura Gabrielle, surprise par l'irruption de ce sujet.

La soudaine présence d'Endre avait noué sa gorge. Il était si proche, si réel, qu'il lui sembla sentir son ombre glacée sur son bras. Un frisson ploya ses épaules, elle ferma les yeux. Avec une compassion sincère, Sophie se pencha vers elle, effleura sa main, donnant de son mieux quelques paroles de réconfort, mais Gabrielle détournait la conversation.

— Peut-être trouverai-je bientôt cette campagne ennuyeuse, comme vous, mais pour le moment, je crois que j'aurai trop à faire. C'est beaucoup à la fois de connaître de nouveaux lieux, de nouvelles gens, et de se faire adopter d'une petite enfant. Je ne sais comment je vais m'y prendre avec Millie... Je n'ai guère d'expérience, et cela ne s'apprend guère dans les livres... Il faut plutôt se fier à l'intuition, et au bon sens... Encore que la bonne volonté ne soit gage de rien. Les bonnes de Millie, qu'on décrie tant, n'en manquaient peut-être pas... Elles manquaient sans doute de temps, et d'amour. C'est une denrée rare, on ne sait où la trouver, où l'acheter !

— C'est le marché le moins bien pourvu ! Millie en a fait les frais, vous l'apprendrez vite. Elle est parmi nous comme une enfant adoptive, dont chacun se demande que faire.

— Pourtant j'ai appris cela : qu'être adopté vous réconcilie. Etre l'élu d'êtres qui vous accueillent et vous veulent, qui vous choisissent quand bien même ils n'ont pas le choix ! Parce que enfin, si sa mère est morte, elle a une famille, un père. Elle a autour d'elle des gens qui veulent son bien... Fût-ce en souvenir de celle qui l'a laissée là...

— Je ne sais ce qu'on a pu vous dire, mais la vérité est que nous n'aimions guère Jane, il faut le reconnaître. Comment aurions-nous aimé cette inconnue ? Elle parlait à peine français. Elle était anglaise, originaire des colonies, de Rangoon, où Pierre l'avait rencontrée. Elle était si faible, si malade. Nous supposions de fièvres ; en réalité, on ne sait de quoi. Notre frère, vous le savez, est spécialiste des maladies infectieuses. Il a tout tenté pour la sauver, mais rien n'a pu empêcher sa fin. Elle a vécu ici, la brève saison de sa grossesse... Je crois que notre mère préférait qu'il l'éloignât de Paris. Elle était assez fâchée de ce mariage soudain, décidé loin de nous, en tout cas sans l'en aviser, elle... Il ne l'avait pas consultée, imaginez-vous l'outrage ?...

Sophie souriait à ce souvenir. Elle resta un instant silencieuse tandis que le bourdonnement des abeilles dans les rosiers devenait plus fort, comme accompagnant ses pensées.

— En tout cas, nous n'avons eu le temps ni de la connaître, ni de la regretter. Si grande ait été l'affliction de Pierre, peu d'entre nous l'ont partagée... Et son deuil a été comme effacé par le souci du bébé, de sa naissance difficile. La longue année où il a semblé que Millie ne survivrait pas non plus. Ces choses-là arrivent dans les familles, n'est-ce pas ?

— Millie connaît-elle son histoire ?

— Comment la connaîtrait-elle ? Nous nous gardons bien d'y faire jamais allusion !

— Certains silences nous enseignent parfois plus que les paroles...

Sophie se laissa aller au fond de son fauteuil, songeuse.

— Vous avez peut-être raison. Mais qui aurait à cœur d'aborder ce sujet ? J'observe que Pierre lui-même se tient à son égard dans une distance, qui va grandissant avec les années. C'est cruel à dire... Je me demande, au fond, s'il ne lui tient pas rigueur de la mort de Jane.

Elle se tut soudain, comme si une incongruité lui avait échappé.

— Je veux dire, corrigea-t-elle, embarrassée, que notre frère est si secret, si lointain. Enfin, il vit en ascète, entièrement occupé par ses recherches scientifiques, on dirait que rien d'autre ne compte. Peut-être est-ce une façon d'oublier... Seule une folle passion a pu nouer si vite ce lien entre eux, poursuivit-elle, rêveuse. Elle était très belle, très jeune, très bizarre, vraiment... Heureusement, le temps passe, il aplanit tout. Enfin, il est préférable que vous sachiez tout cela... Quoi qu'il en soit, maintenant, Millie est en de bonnes mains. Je me réjouis fort de votre venue. Il semble que vous sachiez tant de choses de la vie...

— Je n'en suis pas certaine. Sous ses apparences ordinaires, elle cache tant de choses profondes et terribles. On n'en finit pas de les découvrir, enfouies les unes sous les autres, d'en extraire les racines emmêlées sans toujours savoir lesquelles sont mortes ou vivantes... J'essaie juste de comprendre...

— Alors vous comprenez que je suis votre amie, n'est-ce pas ? dit Sophie avec émotion, emportée par son élan.

Comme en guise de réponse, Gabrielle tendait sa main, elle la pressa dans les siennes, rayonnante, avec un sourire de bonté qui aurait ému une pierre. Sophie contemplait sa nouvelle amie avec un étonnement enfantin. Elle était venue, ce matin, vérifier les suppositions venimeuses de Blanche, elle s'était heurtée à sa mère, comme tant de fois, et voilà qu'il lui était donné de faire connaissance avec une personne délicate, raisonnable, ouverte, apparemment cultivée, et sensible, si différente des gens de Genilly, des femmes insipides ou hargneuses qu'elle fréquentait, à qui la condamnait sa position. Elle fondait de gratitude pour ce présent du jour, au moment où elle se sentait tellement perdue, tellement malheureuse. Cette rencontre la consolait de ses gros chagrins du matin. Encore bouleversée par l'accueil hostile de sa mère au premier aveu de sa grossesse, de s'être livrée à elle sans se souvenir de ses brutalités coutumières, elle éprouvait un besoin éperdu de compréhension féminine, de trouver une oreille amie pour de futures confidences. Pour l'instant, elle en resterait là. Elle ne pouvait partager cette nouvelle du poids dans son ventre et dans son cœur, le mauvais refus de sa maternité, et sa lassitude, et son effroi grandissant, mais c'était une telle promesse qui se scellait dans ce geste amical, qu'elle en riait à travers ses larmes.

Ne pas s'attendrir, pensa aussitôt Gabrielle, ne pas fondre comme sorbet au soleil... Ne pas succomber aux séductions sentimentales. C'était si tentant, en ces premiers jours, de prendre la main tendue. Si facile d'enjôler les gens qui venaient vers elle, Mme Victor prête à déployer ses services ; Meyer, conquis rien qu'à caresser la joue de son cheval. Et cette jeune femme, que sa solitude et son ennui poussaient à une relation de confiance spontanée, qui offrait ingénument son amitié à une totale inconnue. La conversation sous la treille la troublait. Elle ne savait plus si une vraie sympathie l'inclinait à écouter Sophie, ou si elle l'abusait par calcul, étonnée d'apprendre tant d'elle, sans effort, seulement par la grâce d'une après-midi alanguie sur la terrasse d'un jardin.

— Si vous en avez besoin, n'hésitez pas à faire appel à moi. Et moi, je vous rendrai visite volontiers. Maintenant, j'ai besoin de vous, décidait gaiement Sophie. D'ailleurs la compagnie des enfants sera bénéfique à Millie, n'est-ce pas ? Les roses sentent si fort !… Je crois que j'en suis grise !

VII

De la fenêtre du salon, Mme Victor vit paraître les deux silhouettes lointaines de Millie et de son institutrice sortant du
sous-bois, au fond de la prairie, revenant lentement vers la maison. Elle n'avait pas besoin de consulter sa montre au gousset,
c'était bientôt l'heure de la collation. Le plus souvent, leurs promenades les menaient sur le chemin jusqu'à la ferme des
Armand, distante d'un kilomètre, qui était un but intéressant
parce qu'on y menait au pré les deux vaches, et parfois les chevaux. Là vivait le couple de fermiers attachés au domaine, et leur
fils Renaud, un garçon aux manières rustaudes, que Pauline ne
manquait pas de taquiner de ses moqueries, quand il ramenait
les bêtes ou portait du fourrage à l'écurie. Gabrielle et Millie s'arrêtaient à la barrière de la ferme, regardaient dans la cour les
volailles en liberté, le pigeonnier ou les chats. Parfois, elles poussaient plus loin vers la forêt. Gabrielle avait institué cette marche
de santé quotidienne, incitant la petite à regarder autour d'elle, à
observer le ciel et la forme des nuages, l'aspect du sol et de la
végétation, les curiosités de la nature, les insectes et les cailloux.
C'était une leçon de choses un peu sommaire, mais roborative,
dont Millie rentrait les joues rouges du vent vif, les yeux brillants,
et l'humeur accorte. Elle mangeait son goûter avec un bel appétit, un bol de chocolat et des pains perdus dorés au beurre.
Ensuite, elle montait à l'étude ranger ses cailloux dans des boîtes,
coller les herbes et les graines dans des herbiers, que calligra-
phiait Gabrielle à l'encre de Chine. Millie copiait les lettres dans
un abécédaire déniché au grenier. Elle dessinait selon son inspiration un nuage, un insecte qu'elle avait rencontrés, une vache
ou un oiseau. C'était assez approximatif, mais varié et plein de
couleurs, grâce aux crayons et aux gouaches que Mme Victor
avait procurés. Son bon sens acquiesçait à ces inventions ludiques et savantes, et comme elle s'émerveillait de la science de

Gabrielle en tous ces domaines, celle-ci avait avoué en riant qu'elle ignorait tout de la botanique, de la flore et de la faune locales, comme du ciel ou de la minéralogie, mais qu'elle enseignait ainsi à Millie que la connaissance vient de la curiosité et de l'observation ; et des livres, où l'on cherche réponse à ses questions.

Gabrielle avait demandé à monter au grenier, où elle avait déniché tout ce qu'il fallait à l'étude : le vieil abécédaire illustré, un précis de botanique, annoté d'une main inconnue, et d'anciens recueils de contes, ceux de Mme d'Aulnoy, ou celui de Perrault, un magnifique album de la collection Hetzel, aux belles images de Gustave Doré, des morceaux choisis de lectures morales, et toute une pile de *Magazines illustrés*, relégués en tas poussiéreux, qui dataient de l'enfance de M. Henri, disait Mme Victor. Elle avait aidé Gabrielle à les épousseter et les descendre. Par ailleurs, Gabrielle avait entrepris d'inventorier les ouvrages de la bibliothèque, la plupart trop rébarbatifs pour son élève. Elle les consultait un par un, seule, le soir, quand Millie était couchée, pour voir lesquels compléteraient sa bibliothèque enfantine. Elle avait déjà trouvé, outre le dictionnaire de Littré en sept volumes, une encyclopédie géographique, un fascicule de planches d'animaux des mers. Dans sa grande ignorance de l'instruction élémentaire, et impressionnée par tant d'autorité, Mme Victor s'inclinait devant ses choix et la régularité de sa discipline, se félicitant en son for intérieur du tour favorable que prenaient les événements. Avant son départ, Mme Mathilde l'avait chargée de lui rendre compte de ses méthodes et de sa fermeté. Or non seulement Millie semblait s'accommoder de sa nouvelle vie, mais en tirer le plus grand bénéfice, ce que Mme Victor n'avait pas manqué de rapporter par le menu, à quoi Madame avait donné sa bénédiction et dit qu'elle priait pour que cela continue. Elle avait raccroché assez sèchement, ayant visiblement d'autres préoccupations en tête. La question importune de Millie semblait devenue le cadet de ses soucis. Quoique connaissant bien Madame, Mme Victor avait été choquée de cette manière expéditive et était résolue à ne plus rendre compte ni demander avis à la Chaussée-d'Antin. Le piano avait été accordé dans la semaine, ce dont Gabrielle l'avait remerciée avec une effusion sincère, et Mme Victor s'était bien gardée de lui dire sa pensée : on ne lui donnait si généreusement ces moyens que pour assurer la fameuse tranquillité familiale. A ce prix, elle jouirait de toute liberté pour remplir sa mission à sa convenance ; comme elle de mener la maisonnée et de tenir ses comptes à la sienne.

Penchée contre la vitre, la gouvernante les regardait traverser la prairie sous le soleil pâle. L'enfant s'éloignait de quelques bonds et revenait se mettre au pas de Gabrielle, petit satellite dans l'ombre de sa jupe dont les pans volants la recouvraient parfois. Elle portait à grand-peine le parapluie, qu'elles avaient emporté parce que le temps menaçait, et le panier d'osier où elle rangeait sa collecte du jour. Sa silhouette menue lui rappelait celle de Pauline au même âge, c'était si loin déjà. Sa fille la lui avait confiée, partie avec son mari au service de Madame dans son hôtel de la Chaussée-d'Antin, où l'encombrement d'une enfant était exclu. Elle avait alors accepté cette solution à contrecœur, contrariée des exigences des maîtres qui se souciaient peu des sacrifices de leurs employés. Surtout elle craignait que, séparée de ses parents, la petite fille ne pâtisse de son abandon. Mais le tempérament insouciant de Pauline s'était accommodé de l'arrangement, surtout de ce que les occupations de sa grand-mère, et les indulgences de la maisonnée pour ses foucades, lui laissaient la bride sur le cou, toute liberté pour se nicher dans tous les coins de la maison, du jardin aux granges, dans le chenil ou le poulailler ; toujours quelqu'un finissait par la ramener, crottée et rieuse. Mme Victor sentait bien que la fillette avait poussé en graine sans véritable éducation, gâtée par tous, encouragée à n'en faire qu'à sa tête, joueuse et paresseuse, vite lassée de l'école publique qu'elle fréquentait par épisodes, malgré l'obligation, et surtout jouissant de son empire sur elle, trop vite attendrie par ses mines et ses câlins. Avec sa petite-fille, elle s'était laissée aller à un élan d'amour maternel qu'elle avait réprimé avec sa propre fille, trop occupée aux travaux de son intendance, mettant toute son énergie à composer la figure qu'on attendait d'elle, à accomplir les tâches que nécessitait sa charge, et sa jeunesse était passée, sans qu'elle ait vu fuir les années. Aussi la présence de Pauline était-elle sa consolation de chaque jour, et déjà son remords pour sa faiblesse, pour n'avoir pas usé avec elle d'assez d'autorité. Elle en voyait chaque jour les signes, car elle n'était plus une enfant, presque une jeune fille, dans cet entre deux âges dangereux où une vie de femme se décide, si peu encline à obéir, se tirant par la feinte ou le mensonge des obligations que sa grand-mère n'avait pas le courage de lui infliger, et rusant avec tous, sauf avec son grand-père, qui lui en imposait un peu, quand il était là, pour sévir à sa place.

Certains matins, se tirant du lit à l'aube, avec plus de difficulté qu'auparavant, elle qui n'avait jamais perdu de temps à contempler sa féminité dans le miroir et à s'écouter, elle s'était surprise à chercher sur son visage les signes de la vieillesse prochaine, la lassitude des rides sur son front autrefois si lisse, le ramollissement de ses grandes joues, et sa belle gorge nue dont les chairs pleines s'affaissaient... Elle fermait sa chemise et tirait son corset, boutonnait haut son col empesé et s'empressait de descendre, les clés claquant à ses hanches. Il fallait désormais que Pauline travaille, se promettait-elle. Les maîtres ne toléreraient pas toujours de nourrir une bouche inutile ; elle finirait par être de trop. Alors on la renverrait, on la placerait ailleurs, et même si c'était à l'hôtel de la Chaussée-d'Antin, Mme Victor avait le cœur serré d'angoisse à l'idée de cette séparation. Aussi s'efforçait-elle de lui inculquer les règles domestiques, de la rendre nécessaire au service, comme fille de chambre. Mais si la gamine, habituée à l'oisiveté, frivole et pépiante, se pliait de bonne grâce à ces fonctions, elle n'y mettait aucune assiduité, aucun esprit de sérieux. Elle ne condescendait à participer à quelques tâches faciles que si cela se présentait comme un jeu. Pour le reste, elle s'esquivait avec la souplesse des chattes, on la perdait des heures entières, sans savoir où elle se cachait. Elle-même ne mettait pas beaucoup d'autorité à la contraindre, la laissant dormir tard le matin, malade à l'idée de la tirer du sommeil ; elle lui réservait des gâteries dans ses poches et fermait les yeux sur ses escapades d'enfant, sachant bien, qu'un jour ou l'autre, cela tournerait mal pour elles deux. Aussi, la silhouette de Millie aperçue au loin sur la prairie, lui rappelait-elle le temps béni de la petite enfance de Pauline, cette insouciance enfuie de sa vie, si menacée aujourd'hui. Elle redressa sa haute taille avec un soupir, lissa sa robe et rectifia sa ceinture, et s'en fut à la cuisine attendre les promeneuses. Elle y retrouva Pauline qui, avec une diligence louable, avait déjà préparé le chocolat au lait, fumant dans le pot sur la grande table, mais c'est qu'elle y goûtait aussi chaque jour, se pourléchant avec des mines gourmandes, qui déridaient même Mauranne.

Millie avait ramené un papillon, grande affaire, qui fit attendre le chocolat. Il voletait faiblement dans le fond du panier, déjà engourdi par la fraîcheur de ce début d'automne, et l'enfant le sortit sans mal dans sa main en corolle, avec des gestes pleins de délicatesse, craintive des flappements mous dans sa paume, cependant ravie de la curieuse beauté de l'insecte. Autour d'elle les visages des grandes personnes penchées donnaient à sa trouvaille une valeur si précieuse qu'elle en rosissait de plaisir.

— Voulez-vous un bouchon pour le piquer ? bougonnait Mauranne, avec sa mine sévère

— Oui, oui, piquons-le ! criait Pauline.

131

— Je ne veux pas, dit Millie.

— A quoi bon, alors, le ramener ? protestait Pauline.

— Nous allons regarder sa robe, le dessiner, et puis le relâcher. Sa vie est si courte, laissons-la-lui, trancha Gabrielle, récupérant l'insecte au bout de son doigt et le replongeant dans le panier.

— Buvez vite le chocolat. L'abbé Saulun attend, annonça Mme Victor.

L'abbé du Mesnil venait chaque semaine pour une séance de catéchisme, qu'avait imposée Mme Mathilde. A Gabrielle, celle-ci avait expliqué sans détour qu'elle-même n'était guère religieuse, et même plutôt agnostique ; mais qu'il convenait, pour avoir une vie décente et garantir un peu d'ordre, de se ménager l'amitié de l'Eglise, et l'assistance de Dieu et des saints, dans les mauvaises pensées. Elle n'imposait pas la messe dominicale, mais la prière du soir, et sa récitation, un minimum d'instruction catholique. Sa mère était réformée, avait-elle sèchement ajouté, cela suffit pour la maison. Agota avait transmis à Gabrielle suffisamment de préceptes moraux sans s'encombrer de religiosité, et si elle lui avait lu fréquemment l'Ancien et le Nouveau Testament, c'était avec le respect pour les choses sacrées, non pour lui inculquer de sommaires croyances, si bien que ces dispositions lui convenaient ; et que l'abbé, qui devait connaître la maison, et ses maîtres, accomplît son ministère avec un charisme éclairé. C'était un homme encore jeune, malgré quelques fils blancs à ses tempes, en soutane et rabat, athlétique et de belle prestance. Il arrivait à pied, ses souliers militaires et sa cape pleins de boue du chemin. Dans sa face tannée par le grand air, ses yeux graves brillaient comme un charbon. On disait qu'il était originaire des Alpes, qu'il avait été missionnaire dans la forêt vierge, en Amérique du Sud, qu'il savait comment parler aux Indiens et aux mécréants. Il courait la campagne avec son chien, un bâtard jaune nommé François, mais, avait-il dit à Gabrielle, avec un sourire paisible, n'y voyez pas de mal, François aimait les bêtes qui sont nos sœurs innocentes.

Gabrielle mit à profit la séance de catéchisme, qui se tenait dans le petit salon, pour monter seule dans la bibliothèque. Sauf quelques pièces fermées, dont le grand bureau de l'étage, elle avait exploré librement la disposition de la vaste maison, ses deux ailes en angle, jusqu'au grenier, ce long espace de charpentes où s'accumulait le rebut des générations, et à la tour au clocheton où logeaient les pigeons, et peut-être un hibou. On y accédait par un escalier en colimaçon et, de la petite rotonde, on voyait jusqu'au bourg, ce qui avait ravi Millie. Gabrielle connaissait à présent les couloirs et les chambres désaffectées, aux meubles enveloppés de housses, aux matelas roulés, les cabinets de toilette et les antichambres, les recoins de placards abandonnés, où semblait déposé le souvenir anémié des anciens temps... Toute maison garde mémoire de ceux qui y ont vécu, les vivants et les morts. Les morts plus encore, sans doute, eux qui ne sont plus là pour effacer ou corriger les traces de leur passage, et dont la présence fantomatique persiste, en dépit de l'oubli. A parcourir la demeure, elle sentait ce poids du passé, les signes impalpables, invisibles de ceux qui n'en sont pas partis tout à fait, qui y ont séjourné, dormi, joué, rêvé et aimé, et dont subsistent les ombres. De cette présence des absents, elle connaissait la puissance funeste, l'héritage mélancolique dont ceux-ci imprègnent les lieux où ils ont vécu, et tôt ou tard ils y reviennent tourmenter les vivants. Elle s'était donc réfugiée dans la vieille bibliothèque, où elle et Millie passaient le plus clair de leurs journées, à présent propre et lumineuse, fleurant bon la cire, de nouveaux rideaux de velours grenat suspendus à la fenêtre, et des coussins sur les chaises, la petite table d'enfant en osier, sortie du grenier, astiquée et pimpante ; spectaculaires aménagements qui en disaient long sur les bonnes dispositions de Mme Victor à son égard, et sur son autorité.

A son image, la maisonnée lui laissait sa liberté. Sassette et Pauline s'employaient bien, quelque matin, à cirer les planchers, ou à frotter l'argenterie dans la salle à manger, à ranger le linge blanc dans les armoires ou à faire briller les cuivres du vestibule, mais le plus souvent elles se cantonnaient à l'office, tenues à la couture ou au repassage. Mauranne passait une bonne partie de ses journées au potager et Mme Victor ses après-midi à faire ses comptes et ses listes, dans les réserves. Hormis la cuisine, où se concentrait l'essentiel des activités, le petit groupe de résidents occupait peu le reste de la demeure, que Gabrielle parcourait à sa guise. Elle avait surtout annexé le petit salon de musique, maintenant que le piano était accordé. L'endroit ressemblait davantage à une remise de jardinier, avec sa collection de vieux arrosoirs, les tuyaux d'arrosage enroulés dans un coin, et les caisses de bulbes dont la légère odeur de pourriture végétale poudrait l'air. Millie attendait maintenant la petite récréation musicale avec impatience. Elle l'écoutait lui jouer des danses hongroises, rondes villageoises ou chansons populaires, dont la brièveté pouvait convenir à sa courte patience, avait d'abord pensé Gabrielle. Mais, très vite, Millie en avait réclamé encore et encore, aussi s'était-elle risquée à des morceaux plus longs, reprenant de mémoire les sonates de Brahms et de Liszt qu'elle travaillait encore récemment avec Dora, se promettant de ramener ici ses partitions, à la première occasion. Dès les premières notes, Millie s'immobilisait et perdait son regard au plafond peint en trompe l'œil, où se fanaient des nuages roses, des colombes et des cornes d'abondance déversant fruits et fleurs délavés, et elle ne le baissait qu'une fois éteint le dernier accord. Tout le temps que Gabrielle jouait, elle tenait sans faiblir cette étrange posture au garde-à-vous, le cou légèrement renversé, les mains jointes sur ses genoux, son corps chétif transporté par les vibrations instrumentales et les yeux haut portés, comme si son recueillement ne trouvait réponse qu'en ces fausses échappées célestes, et quand c'était fini, elle s'affaissait d'un soupir.

— Encore, encore, chuchotait-elle alors, penchant la tête d'un air boudeur.

Gabrielle lui avait d'abord indiqué comment jouer de deux touches, tandis qu'elle l'accompagnait d'une petite phrase ; puis lui montrant comment poser ses doigts, tenir son poignet, elle avait commencé de lui enseigner une première gamme. Installée sur le banc rehaussé d'un coussin, en moins de quinze jours, Millie avait acquis quelques rudiments, mais elle ne se prêtait aux exercices ingrats que pour avoir ensuite la récompense d'un long morceau qu'elle écoutait jouer, en extase, juchée près d'elle.

Gabrielle se rassurait à présent, si vite installée dans ces murs, et si vite accordée à la vie de Millie. Elle avait tant redouté de ne savoir comment s'y prendre pour remplir les journées de cette petite fille maussade et rétive, dont les rares paroles revenaient toujours à la même formule : je ne veux pas, je ne veux pas... Elle ne pouvait puiser aucun exemple dans sa propre enfance, dont elle avait si peu de souvenirs des commencements, sauf à travers le récit qu'en faisaient Agota et Renée, mué en légende, selon lequel elle ressuscitait d'entre les morts dans leurs bras, comme une deuxième naissance, d'où partait sa vie. Ensuite, il lui semblait avoir été grande tout de suite, du moins associée sans transition à la vie des deux femmes, à leurs activités, leurs soucis et leurs joies, dans l'ombre du grand absent fraternel... Deux semaines plus tôt, elle ne savait comment apprivoiser Millie, la guérir de sa volonté négative, en réalité de bien faible portée, mais le symptôme de sa profonde rupture avec autrui. Si jeune, quelle expérience de la vie avait-elle déjà pour se protéger de cette manière ? Elle entrevoyait bien qu'enfant de l'étrangère, survivante d'une histoire que tous auraient voulu oublier, elle la leur rappelait sans cesse par son existence et qu'ils devaient, en bonne famille bourgeoise, se soucier uniquement de respecter les apparences. Les apparences… C'était bien ce que devait comprendre Millie, toute petite qu'elle était. La somme des compromis et des indifférences, des négligences, voire de l'hostilité pour sa simple présence, avait dû vite lui apprendre qu'il lui fallait résister, se construire une forteresse contre ceux dont elle aurait dû être en droit d'attendre l'affection et les soins. A commencer par son père, songeait Gabrielle. Cet homme absent, entièrement voué à sa vie scientifique, déléguant avec désinvolture à la grand-mère, et aux bonnes, l'éducation de sa fille. Quel être était-il donc, ce Dr Pierre Galay, digne fils de sa mère, hautaine et dure, insensible femelle et dévorée d'ambition, pour se désintéresser à tel point de son enfant ? Capable de passion, disait Sophie, pour s'en étonner. D'une passion défiant les convenances de son milieu, et incapable, ensuite, d'assumer la charge de Millie. S'inclinant lâchement devant le diktat familial, s'arrangeant des dispositions qu'on prenait sans lui. Elle complétait le portrait douteux qu'en avait tracé Michel Terrier, et n'évoquait pas sans crainte, mêlée de colère, la silhouette inquiétante de ce personnage, dont les traits se composaient peu à peu, et qu'il lui faudrait bien, un jour ou l'autre, affronter dans la réalité. Peut-être ne le verrait-elle jamais, peut-être ne serait-il pas nécessaire de le rencontrer, tentait-elle de se convaincre. Des uns et des autres, peut-être finirait-elle par apprendre assez de ce qui s'était passé à Rangoon, comment cet homme avait pu se charger des derniers biens d'Endre, et pourquoi il n'avait jamais cherché, au retour, à trouver sa famille, à consoler ceux qui étaient sans nouvelles… Mais ces questions ne l'oppressaient plus comme au premier jour. Elle pouvait les retourner paisiblement, dans le refuge de la bibliothèque, en regardant rêveusement les tranches des livres, les moulures contournées du plafond d'où tombait, bas sur la table, une belle lampe au globe de porcelaine. Elle laissait son regard se perdre, à travers le verre déformant des anciens carreaux, vers le paysage de campagne paisible, la prairie et le grand hêtre où les houles de vent léger faisaient des vagues par intermittence.

Peut-être s'était-elle un peu assoupie et, sortant de sa somnolence, pour la première fois, elle avait le sentiment d'être arrivée quelque part. Ou plutôt, si bizarre que cela parût, elle avait l'impression que ces lieux étrangers lui appartenaient, que par une de ces mystérieuses adoptions dont l'alchimie opère au plus profond de soi, ils lui étaient de longtemps familiers. Avant de redescendre, du seuil de la bibliothèque, elle avait embrassé d'un long regard l'espace clos et son échappée lumineuse.

Comme elle descendait à la rencontre de Millie, elle vit entrer Sophie en coup de vent dans le hall, la mine fraîche de sa course, ayant elle-même conduit le tilbury, qu'elle venait de laisser aux soins de Meyer. Elle était sans les enfants, s'exclamait-elle joyeusement. Rentrant d'une vente de charité, l'idée lui était revenue de la visite promise. Comme elle était heureuse de la trouver là ! Elle aurait pu aussi bien être sortie, puisqu'on disait qu'elle passait ses après-midi à courir les bois...

— Vous voyez : je suis informée de votre pédagogie, ma chère. Prenons un thé, un petit quart d'heure, car je dois rentrer bien vite. Je vous accorde une récréation, après vos exercices de gymnastique forestière.

Elle jetait ses gants et son chapeau sur une console et tendait ses mains avec empressement.

— Alors un petit thé, mais allons ailleurs, objecta Gabrielle, les prenant en souriant. L'abbé Saulun occupe le salon avec Millie pour sa leçon

— L'abbé Saulun ?... Il est donc ici ?

La jeune femme s'était troublée, à peine un fléchissement du buste, tourné vers la porte du petit salon, mais se reprenant :

— Eh bien, nous prendrons le thé avec lui. Ce sera charmant.

Mais à ce moment, celui-ci sortait avec Millie, qui se réfugia aussitôt auprès de Gabrielle, tendant son visage vers elle, mi-fâchée de la trouver en compagnie. Elle était encore si craintive, et maigriotte, comme une chrysalide froissée en ses plis, pourtant sous son air pensif et souffreteux, d'une certaine grâce, qui touchait Gabrielle. Elle l'embrassa et la poussa vers sa tante, mais la jeune femme sembla ignorer ce mouvement, tout occupée à se porter vers l'abbé. Un peu surpris de la rencontre, l'homme accueillait la visiteuse avec une affabilité discrète, enveloppant brièvement ses mains des siennes. Ils se connaissaient, d'évidence, car ils échangèrent quelques paroles convenues sur le temps et la santé des enfants, mais la jeune femme mettait à cet échange anodin une conviction trop intense, les mots se pressant à ses lèvres comme s'il lui fallait occuper du temps, ou empêcher un autre sujet, et tandis qu'elle parlait rapidement de tout et de rien, il penchait sa tête avec un tact et une gravité sans proportion avec la légèreté de leurs propos, baissant les paupières et détournant son regard vers le jardin, revenant au visage de Sophie avec une sorte de tristesse navrée. Gabrielle eut l'intuition que quelque lien plus privé existait entre eux, et que cette rencontre fortuite les inquiétait l'un et l'autre plus qu'ils n'auraient voulu le manifester, au point qu'elle ne savait plus si sa présence leur était importune, ou si elle les servait. D'ailleurs, tout en parlant, Sophie s'appuyait à son poignet, comme y cherchant un secours, et Gabrielle sentait sa main fiévreuse lui communiquer son émoi, mais Mme Victor surgissant, l'échange tourna court.

Prévenue de la visite, elle venait accueillir Sophie et s'enquérir des nouvelles. Alors l'abbé, profitant de son entrée, prit congé, déclinant et l'offre d'un thé, et celle de la voiture pour le reconduire au village, car Sophie insistait, grondant avec une feinte sévérité que pour une fois, peut-être, il ne rentrerait pas crotté par la boue des chemins, à quoi il opposa avec douceur qu'il avait encore à faire une visite, et qu'on l'attendait chez de pauvres gens. Il s'en fut, disparut dans l'ombre grandissante de l'allée, à grandes enjambées, suivi par son chien François qui jappait du plaisir de le retrouver. A son départ, Sophie resta un moment sans voix, pour dissimuler son trouble plongeant vers Millie, qu'elle embrassa soudain dans une effusion excessive.

— Millie, sois gentille, prête-moi un peu Mlle Gabrielle, n'est-ce pas ?

— Je ne veux pas, dit Millie, se dégageant de l'étreinte.

— Victor, portez-nous un thé dans le petit salon. Juste un quart d'heure, insista-t-elle, d'un air si suppliant que Gabrielle confia la petite à la gouvernante, entourant ses épaules et lui promettant un peu de musique avant le dîner.

Une fois seules dans le petit salon, les deux femmes observèrent un silence. Sophie s'était réfugiée près de la fenêtre, regardant vers l'allée où venait de disparaître l'abbé Saulun. Gabrielle ne savait ce qui allait suivre, encore interdite par la scène à laquelle elle venait d'assister.

— Ah ! Je dois vous paraître bien étrange, soupira Sophie, la voix étranglée, dérobant encore son visage. Je venais simplement vous rendre une visite, et puis… L'abbé Saulun est mon seul ami, dit-elle brusquement, revenant vers Gabrielle. Le seul ami que j'aie au monde. Et vous, à qui j'ouvre mon cœur à présent, que ferez-vous d'un tel aveu ?

Elle était si défaite, la bouche tremblante, que Gabrielle jeta un regard vers la porte, alarmée de la venue de quelqu'un. Mais Sophie se reprenait, ravalant son émotion, malgré les larmes qui étincelaient entre ses cils.

— Ce n'est pourtant pas un si grand crime, que cette amitié. Mais qui comprendrait ? L'abbé Saulun est bon. Je ne saurais le compromettre. J'ai été folle, tout à l'heure, de tant d'empressement à le ramener, n'est-ce pas ? Qu'allez-vous penser ?

— Je pense que vous êtes bouleversée. Calmez-vous maintenant. Nul besoin d'alerter la maison.

— Vous avez raison. Je suis calme.

D'autorité, Gabrielle la conduisit près de la cheminée et la fit asseoir, la laissant reprendre ses esprits en silence, et pendant tout ce temps elle observait son air juvénile et sa nervosité à fleur de peau, sa dangereuse émotivité, comme autant de périls qui n'auraient pas dû la concerner. Sophie la prenait à témoin de sentiments personnels et, dans son embarras grandissant, elle cherchait par quel moyen conjurer d'autres confidences. Lorsque Mauranne entra avec le plateau, elles étaient toutes deux posément face à face, sans plus un signe de désordre, mais dès qu'elles furent seules, Sophie tira son fauteuil près de Gabrielle.

— Ne me jugez pas en mal. J'ignorais qu'il se trouvait ici. L'aurais-je su, je ne serais pas venue, chuchotait-elle, comme si quelqu'un pouvait entendre. Rien que ces précautions sont un supplice. On dirait que nous sommes coupables, et pourtant il n'y a rien entre nous qu'une simple amitié, loyale et sincère.

— Vous êtes bien heureuse d'avoir un ami, dit Gabrielle faiblement.

— J'en suis malheureuse, au-delà de ce que vous pouvez imaginer. Je ne peux librement le rencontrer et, comme moi, il souffre d'être sans cesse interdit de me parler. Si vous saviez, Gabrielle, dans quel désert nous sommes, et combien ce désert est peuplé de regards et de pensées méchants. Nous ne faisons pourtant rien de mal. Nos rendez-vous ont lieu à l'église, dans le confessionnal ! A genoux, je lui dis ma peine, il m'écoute et me console de ses paroles. Le reste du temps, nous nous croisons par accident, comme ce soir, en présence de tiers, devant qui il nous faut feindre. Je n'ai parlé de cela à personne. Taisez ce sujet, je vous en conjure.

— Ce ne sera pas difficile. Comme vous le voyez, je suis bien seule, ici. Quant à feindre, ce n'est pas toujours une peine. On peut tirer du plaisir d'un sentiment gardé secret, comme un trésor qui n'appartient qu'à soi. Si vous trouvez à cette relation tant de consolation, il faut la protéger par tous les moyens, ne prendre aucun risque qui la mettrait en danger.

— L'abbé Saulun est dans notre paroisse depuis plus de deux ans. Mais il y a six mois de cela, en des circonstances douloureuses, j'ai trouvé en lui une aide providentielle... Vous voyez, je ne parle pas de grâce divine... Je désespérais de ma vie, si vaine, inutile. Il m'a réconfortée et encouragée, rendue à mes enfants et à mon mari. C'est un esprit généreux. Il sait tant de choses de l'âme humaine. Il a vu tant de malheurs au Brésil. En regard, les miens pouvaient passer pour caprices d'enfant gâtée.

Mais il a entendu ma détresse. Je crois bien que j'allais sombrer. En réalité, j'étais sur le point de devenir vraiment folle. Personne dans ma famille n'a rien soupçonné. Ni mon mari, ni ma mère. Ce ne sont pas des personnes très perspicaces. Nous sommes entre gens bien élevés, comprenez-vous ? Ces choses-là ne se disent pas. Ne se pensent même pas.

Elle parlait d'une voix blanche, avec un calme plus inquiétant que son émotion de tout à l'heure. Eperdue, Gabrielle l'écoutait déverser ces confidences avec le sentiment d'une débâcle intime qu'elle n'avait aucun moyen d'empêcher, ne trouvant aucun mot pour y mettre fin. Sophie reprit son souffle. Elle versa posément le thé, tendit sa tasse à Gabrielle. Elle eut un petit rire sarcastique avant de poursuivre :

— L'ironie, ma chère, est qu'il m'a si bien convaincue d'être une bonne mère, une bonne épouse, que j'attends un autre enfant de Charles.

Elle était devenue très pâle et dut prendre une inspiration pour marteler à voix basse les dernières paroles.

— Et je ne le veux pas. Je ne veux plus être grosse. J'ai en horreur cette chair étrangère. Elle me pousse au ventre contre ma volonté. Je préfère mourir, voilà. M'entendez-vous ?

Ce qu'elle venait de proférer laissa un silence. On n'avait pas allumé les lampes et l'obscurité gagnait les coins du petit salon, colmatait d'ombres menaçantes la forme des meubles, voilait le reflet livide des miroirs, enveloppait leurs épaules et leurs visages rapprochés.

— Je vous entends, murmura Gabrielle, le souffle court.

Cette révolte, elle pouvait en concevoir la légitimité, et même la partager au fond d'elle-même, convaincue par son éducation libérale que sa dignité résidait dans l'intégrité de son corps, mais elle se sentait effrayée de reconnaître cette règle imprescriptible, alors qu'elle allait contre tout ce qu'une société dictait aux femmes de leur condition. Cela touchait à ce rêve de la liberté féminine, tant de fois débattue avec Dora, qui en avait parfois formulé l'exigence en des termes catégoriques, et que celle-ci appliquait à sa vie, avec une farouche détermination. Mais ce sujet, que Sophie abordait maintenant si crûment, parce qu'il était pour elle une réalité et non une pétition de principe, la faisait frissonner d'angoisse impuissante. La mort ? Ce prix exorbitant témoignait-il de son inconséquence juvénile ou d'une résolution plus profonde, à la mesure de son pathétique refus ? Et que pouvait-elle lui apporter, dans son inexpérience, son ignorance de ces choses intimes de la conjugalité et de la maternité, sinon sa solidarité secrète, et sa compassion ?

139

— Vous n'êtes pas n'importe quelle femme, Gabrielle, poursuivait Sophie, sur un ton plus las. Je le sens, je le devine. Je sais bien que vous ne pouvez rien pour moi, mais votre sollicitude m'est chère. Je n'ai personne pour m'entendre. Même à l'abbé, je ne ferai, grand Dieu, un tel aveu... Quant à ma mère, elle s'en rit et me moque.

Elle s'était reculée, perdue dans des pensées amères qui durcissaient ses traits enfantins.

— La vôtre est-elle de ces femelles cruelles d'une autre époque ? demanda-t-elle brusquement.

— Elle est morte.

— Oh ! Pardonnez-moi. Mon amie, pardon. Je ne voulais pas vous blesser.

— Je ne l'ai pas connue.

— Je m'égare, Gabrielle. J'abuse de votre complaisance. J'étais pourtant venue avec d'autres intentions que de vous charger encore de mes pauvres états d'âme... Comme tout cela est dérisoire, le jeu de nos apparences et de nos réalités... De ce point de vue, notre famille est exemplaire, vous verrez... La belle façade des biscuits Bertin-Galay !

Les jours suivants, Gabrielle repensa à cet entretien avec le sentiment d'un terrible gâchis. Sophie avait été une de ces jeunes filles de bonnes familles, un pur produit du redoutable système social auquel Gabrielle, par les accidents de son histoire, avait échappé. Son front pur, ses yeux confiants, sa bouche candide, tout en elle évoquait les créatures élevées en serre et condamnées au mirifique mariage, ce mirage dont toute leur jeunesse avait été bercée, et qui se réveillaient dans la désillusion, partagées entre résignation et désespoir. Avec une sorte de terreur respectueuse, elle repensait à la souffrance, dont la jeune femme l'avait prise à témoin. Et ce rôle de confidente, qu'elle jouait à son corps défendant, lui répugnait profondément, partagée qu'elle se trouvait entre sa sympathie spontanée et sa règle de prudence, contrainte à ce faux-semblant dont les motifs étaient inavouables. D'en apprendre la vérité, Sophie serait tombée de bien haut... Aurait-elle compris, elle, que Gabrielle était là en fraude, pour enquêter sur le passé de son frère, que dans ce but elle passait pour une autre, feignait et mentait sans vergogne ? Mais chacun ourdissait pour soi la trame d'une toile d'araignée redoutable, où prendre les autres et les tenir à merci, les tourmenter et les réduire à ses desseins secrets ; et parfois où tomber soi-même, sans plus en contrôler les pièges. Elle, qui s'était donné pour but d'entrer à son insu dans l'intimité d'une personne, réputée ombrageuse, et dangereuse, voilà que, par un éclairage imprévu, elle entrevoyait celle de sa famille entière, les liens puissants et les fractures, les cicatrices mal guéries, les zones d'obscurité où chacun campe pour sa sauvegarde, sauvagement replié, ces recoins maléfiques des non-dits, ou des mensonges, des compromis terribles par lesquels se conjurent vainement les drames, et se fabrique assurément le malheur. Mais elle ne pouvait plus choisir quelle part ignorer, laquelle connaître, condamnée à avancer, à s'engager plus avant dans la toile, déjà entravée dans ses fils invisibles.

La succession rapide des journées et l'attention que requérait son travail lui laissaient pourtant le loisir de s'évader dans des pensées dissidentes qui l'emportaient loin du Mesnil. Tandis que Millie dessinait ou découpait des figurines, elle repensait aux siens. A Agota et Renée, à Dora qu'elle avait quittées si vite, et laissées sans nouvelles depuis son départ, avec pour consigne de ne pas écrire ni de chercher à la joindre. Pas question non plus d'aller au village poster une lettre, ni même de la confier au facteur, qui passait dans sa tournée pédestre et restait prendre un verre de vin à la cuisine. Ce que lui avait dit Sophie de ce désert peuplé de regards, où chacun sait tout de tout le monde, confortait son sentiment qu'elle ne pouvait prendre le risque de faire savoir un nom, une adresse des siens. Avec une impatience grandissante, elle attendait maintenant ce jour prochain où elle reviendrait à Paris. Elle en avait fixé la date, et prévenu Mme Victor. A cette occasion, celle-ci s'était incidemment enquise de l'endroit où elle comptait passer ces deux jours, de qui elle visiterait. Une vieille parente l'hébergeait occasionellement, avait éludé Gabrielle, et Mme Victor, sans insister, lui avait obligeamment procuré les horaires des trains, pour entendre qu'on la conduise et la reprenne à la gare. Trois semaines avaient passé, et il lui semblait bien davantage. Non qu'elle s'ennuyât – au contraire : les journées étaient si pleines qu'elles filaient étonnamment –, mais elle avait besoin de s'éloigner pour mettre tout cela à distance, loin de ce domaine et de ces gens. Même s'il ne s'agissait que de deux jours, ils se présentaient comme une échappée belle, un retour à soi, et elle imaginait d'avance comment employer ce temps si bref à endormir le souci des deux femmes et leur hostilité à sa décision ; à retrouver Dora qui lui manquait tant, à faire quelques courses avec elle, peut-être à visiter quelques galeries, se demandant s'il était temps de prévenir Michel Terrier, si même il était opportun de le faire ? Qu'avait-elle à lui rapporter ? De sa vie nouvelle si peu de choses, en réalité, sauf les confidences de Sophie…

VIII

— Ah que votre retour me contente…

Mme Victor était venue à sa rencontre sous l'averse, pour l'abriter du grand parapluie, mouillant sa jupe dans les flaques.

— Millie ne quitte pas sa chambre. Elle n'a presque rien mangé depuis que vous êtes partie… Elle craignait que vous ne reveniez pas…

— Que je ne revienne pas ?

— Elle a vu défiler tant de gens… Vous êtes bien la première à qui elle s'attache…

Elle suivait de son mieux Gabrielle, qui montait prestement l'escalier, encore saisie de cet accueil.

— La pauvre petite est triste à faire peur. Madame me dit de sévir, mais je ne sais que faire.

— Sévir ? Il s'agit bien de cela !

— Je crois que Madame ne sait plus à quel saint se vouer. Elle a appelé deux fois, depuis ce matin, pour demander de vos nouvelles. Elle va être rassurée de vous savoir revenue. C'est que la dernière garde l'a quittée du jour au lendemain… Elle a pensé que vous en feriez autant.

Gabrielle fit une halte sur le palier dénouant son chapeau et ôtant ses gants, et se contraignit au calme, pour une mise au point solennelle.

— Madame Victor, j'ai été engagée pour un mois. *A l'essai*, comme dit Madame. Si le temps venu je juge que l'essai suffit, je l'en aviserai. D'ici là, nous sommes tenues, elle et moi, de respecter le contrat. C'est bien simple, non ?

Dans son soulagement, Mme Victor eut un rire content, qu'elle réprima vite. S'emparant du manteau et du sac de Gabrielle, elle opina :

— Pour moi, c'est bien simple : vous êtes une providence pour Millie.

142

— N'exagérons rien, Victor. Je gagne ma vie. Comme vous.

— C'est ce que je voulais dire.

Sassette venait à leur rencontre, surgissant, ahurie, de la chambre d'enfant. Elle était empaquetée comme d'habitude, dans un tablier trop empesé et trop grand pour elle, traînant à ses pieds, visiblement soulagée elle aussi de l'arrivée de Gabrielle.

— Ah ! fit-elle, en guise de bonsoir, béant d'étonnement, ou de ravissement, et elle fila sans demander son reste.

— Ah ! répliqua aimablement Gabrielle, au passage, saisie d'une gaieté irrépressible devant le tour que prenaient les choses.

Il suffisait donc qu'elle tourne les talons pour que la maison soit sens dessus dessous, et l'on comptait donc déjà tant sur elle, pour garantir la paix de la famille ! Elle avait pourtant quitté Le Mesnil sans problème, ayant posément informé Millie de son absence de deux jours, sans que celle-ci ait manifesté quoi que ce soit, même pas son *je ne veux pas* rituel. Elle l'avait laissée dans la cuisine, occupée à boire son chocolat avec Pauline, pour se rendre à la gare en compagnie de Victor. Celui-ci n'avait soufflé mot, au retour, du drame qui affolait la maison et alertait Madame, jusque dans son hôtel de la Chaussée-d'Antin.

— Tout cela n'est pas raisonnable, souffla-t-elle, enjoignant d'un geste à Mme Victor de la laisser avec Millie, et celle-ci eut la bonne inspiration de s'éclipser aussitôt.

La petite était en effet recroquevillée sur un fauteuil, à peine sa tête émergeait-elle d'un grand châle d'indienne. A l'entrée de Gabrielle, elle se redressa, avec une expression de surprise intense, papillotant des paupières, sa petite bouche aussitôt froncée en une moue de chagrin et de colère, mais dès que la jeune femme approcha, elle enfouit son visage dans le châle et ne bougea plus. Gabrielle s'agenouilla près d'elle et caressa légèrement ses cheveux.

— Tu es très fâchée que je me sois absentée, Millie. As-tu donc oublié ce que je t'avais dit, avant de partir ?

— Tu es méchante, dit la voix étouffée dans les plis de laine.

— As-tu regardé la grosse étoile, comme je te l'ai appris ? Si tu l'as un peu regardée, tu as su que j'étais restée avec toi.

Le petit visage émergea, et de son regard grave interrogea celui de la jeune femme qui souriait tendrement. Le cœur serré, parce qu'elle mentait. Non, elle n'avait pas pensé à Millie, mais à mille autres choses. Elle l'avait oubliée pendant ces deux jours catastrophiques. Pourtant, à cet instant, elle était sincère, elle voulait réparer la douleur de la solitude que sa brève absence avait provoquée. Dire la force d'un lien qui n'existait pas entre elles, qui avait si peu de raison d'exister, et que pourtant l'enfant réclamait avec l'avidité des créatures privées d'amour car, si petite, elle avait déjà commencé d'apprendre combien s'attacher promet de souffrance, elle avait déjà été entraînée à la vaine attente, à la perte, au délaissement. Sa bouderie, son refus de manger n'étaient pas un caprice à punir. Ils protestaient trop bien, dans son langage enfantin, de sa hantise de l'abandon. Gabrielle appuya son front contre le sien, parce que ses yeux fermentaient dangereusement.

— Il n'y a personne dans les étoiles. Seulement nos pensées, chuchota Gabrielle. Elles nous permettent juste d'y retrouver ceux qui ne sont pas là. Ceux qui sont partis ou qui sont morts…

— Tu n'es pas ma mère, dit Millie brusquement. Ma mère est morte.

— Eh bien, moi aussi, ma mère est morte.

Interdite par cette réponse, elle battit des paupières, examinant sa personne avec un intérêt subit. Cette nouvelle balayait sa fâcherie, et son tourment. D'évidence, que Gabrielle partageât avec elle cette singularité, la remplissait d'une grande satisfaction. Elle sourit, et sauta du fauteuil.

— Et ton père ? demanda-t-elle, dominant maintenant Gabrielle, toujours agenouillée.

Alors celle-ci, suivant une intuition soudaine, raconta sa toute petite enfance, l'accident de chemin de fer en plein hiver, dans la neige, qui avait emporté ses parents, et comment orpheline, elle avait failli mourir de chagrin sans le savoir, ayant perdu la faim, et la parole. Elle n'avait pas à chercher ses mots pour donner à son récit la simplicité d'un conte, tant elle retrouvait ceux qu'avaient employés autrefois Agota et Renée, commuant la tragique réalité en récit des origines, dans lequel le couple enchanté des parents, leur beauté et leurs dons étaient cruellement sanctionnés par le mauvais sort d'une tempête de neige, abolissant dans la blancheur fantastique leur existence éphémère, et par magie les fées marraines accueillaient l'orpheline et la touchaient de leur baguette amoureuse, transformant le malheur en bonheur, pour venger l'adversité. Pendue aux lèvres de Gabrielle, Millie écarquillait maintenant les yeux, écoutant les paroles consolantes de la fiction. Sur son visage passaient en ombres changeantes les émotions de sa jeune humanité, tandis que lui venait en partage l'histoire d'une enfance qui n'était pas la sienne, mais lui ressemblait. Recueillie et ravie qu'à son oreille en soit versé le secret, elle laissa un silence, puis se penchant :

— Raconte-moi mon histoire, maintenant.

— Je ne la connais pas bien encore, dit doucement Gabrielle, se relevant… Allons faire un peu de musique, avant le dîner. Qu'en dis-tu ?

Mme Mathilde raccrocha l'écouteur d'ébonite à son socle. Elle tira sur les plis de sa robe et soupira, excédée par tous ces embarras. Elle n'aimait pas cet instrument dans lequel la voix des gens semblait venir d'une autre planète. Dans l'éloignement, celle de Mme Victor était claironnante, ce soir, et même triomphante, comme d'un succès personnel : Mlle Demachy était revenue comme prévu au Mesnil, et tout était rentré dans l'ordre. La gouvernante ravivait son mécontentement d'avoir craint une défection, d'avoir douté un instant de son bon choix. Elle-même avait posé les conditions ; cette personne avait usé de son droit en quittant deux jours Le Mesnil pour son congé, la belle affaire. Plus tôt que prévu, ce qui avait provoqué cette comédie téléphonique, mais pas de quoi fouetter un chat. En son for intérieur, sa décision était prise. Il tombait sous le sens qu'elle garderait Mlle Demachy, et que Pierre se rangerait à son avis. Elle n'avait pas encore abordé le sujet avec lui, et l'occasion ne s'en présenterait peut-être pas tout de suite. Tant mieux, le fait accompli prendrait l'avantage sur les discussions à n'en plus finir.

Elle traîna un peu dans le bureau de Fleurier où elle était venue téléphoner, pas très pressée de rejoindre les amis de Blanche, qui tenait salon une fois par mois. Elle s'embêtait ferme. C'était une de ces soirées auxquelles elle ne se rendait que par convenance, obligée d'y paraître pour asseoir les affaires de son gendre, mais quel ennui d'attendre l'heure décente pour se retirer… Au moins y retrouvait-elle, de temps en temps, des gens de sa connaissance, de vieux amis de son père, qui étaient là ce soir, comme le banquier Ménigot, ou M. Carolus, veuf d'une amie d'enfance, et père de trois filles charmantes, bien mariées, qui vendait des fourrures sur les boulevards. Quand ils n'étaient pas là, elle s'évertuait à faire bonne figure parmi les invités de Blanche, des assureurs et des ingénieurs, des industriels et leurs épouses aussi bavardes que mal fagotées, qui exhibaient leurs élégances comme des curiosités. La mode des robes de dîner leur inspirait ces drapés de soie soutenus d'armures de baleines, avec des bouillonnés de dentelle, de tulle et de plumes autour du corsage décolleté, et ces manches qui étranglaient le bras du coude au poignet, tout à fait inconfortables. S'exceptant du jugement, elle nourrissait pour les femmes un mépris général, les regardant pour de vaines créatures, vouées à la représentation. De son temps, elles se tenaient à leur place et ne coupaient pas la parole aux hommes. Elles n'avaient pas des idées sur tout, la politique et les arts, elles ne lisaient pas de romans, ne regardaient jamais un tableau, encore moins les acteurs et les actrices en vogue. Chez Blanche, on parlait littérature et musique, on se lançait à la tête des pièces de théâtre et des adresses de cafés-concerts. Fleurier acquiesçait à ces extravagances, l'air absent, allant de l'un à l'autre, sans aucune des passions qui agitaient sa femme, seulement soucieux de soigner ses relations. Ce soir, la présence de Didier le contrariait. A peine sorti de l'enfance, et bien qu'encore inscrit au lycée Condorcet, celui-ci jouait à l'homme fait. On lui prêtait de douteuses amitiés, avec lesquelles il s'encanaillait, et des plaisirs d'enfant gâté. Evidemment, il avait besoin d'argent, pour le gaspiller. Son père s'agaçait de le voir afficher envers sa grand-mère tant de prévenances, lui portant jus de fruits et petits fours, elle qui détestait les sucreries. Le prenant à part, son père l'avait vertement prié de cesser ses enfantillages et d'aller jouer plus loin. L'appel au téléphone avait été une bonne diversion à ce siège pénible par lequel son fils cherchait sans doute les bonnes grâces de sa grand-mère, avec des moyens aussi stupides. Le garçon avait pourtant soigné son habit, portant une cravate de soie blanche de dandy, qui donnait à son teint pâle une mélancolie intéressante, mais il se dérobait, avec une lassitude étudiée, aux avances des jeunes filles, réunies en bande rieuse autour du buffet. Dieu merci, on ne dansait pas, ce soir, pensait Edmond Fleurier, en étouffant un bâillement.

Avant de revenir au salon, Mme Mathilde passa distraitement en revue quelques ouvrages techniques qui traînaient sur le bureau de son gendre, illustrant ses travaux d'ingénieur, moteurs et châssis nouveaux, organes de freinage, prototypes de vitesse, auxquels elle n'entendait rien, sinon qu'ils assuraient l'expansion du commerce, et servaient ainsi, indirectement, sa propre entreprise. Elle finit par rejoindre la compagnie, à regret, se promettant de partir dans le quart d'heure, lassée d'avance par les propos décousus qui lui parvenaient dans le brouhaha. Blanche et Ménigot se tenaient debout, près d'une femme toute vêtue de rose, l'épouse d'un diplomate en vue. Assise en une pose alanguie sur le canapé près de la fenêtre, devant une table couverte d'orchidées et de gardénias en bouquets, d'un parfum entêtant, celle-ci semblait mener la conversation.

Il était question du palais de la Paix, construit dans le parc royal de La Haye, que la reine Wilhelmine venait d'inaugurer en grande pompe, avec les invités de toutes les puissances du monde, les signataires de la conférence qui devait poser les bases d'un règlement international raisonnable, après cette guerre affreuse des Balkans. Que de massacres, d'incendies, de pillages lors de la retraite des Bulgares ! Et le ravage des balles dum-dum qui déchiraient les chairs... La compagnie frissonnait d'horreur à ces détails. Enfin, avec la paix conclue à Bucarest et à Constantinople, la diplomatie retrouvait ses droits, malgré la plaie ouverte de la question d'Albanie, et des îles, de l'entente austro-russe si fragile, de la rivalité entre Rome et Vienne, avec Berlin pour médiateur, de la France qui courait le risque de contrarier la Russie par un zèle trop intempestif en faveur de la Grèce...

— Cette convention est de nature à détruire les conflits dans le germe, pontifiait le diplomate. Le patriotisme inspire nos nations, mais quand il s'exacerbe, il tend à la guerre, nous le savons. Or le patriotisme n'est pas seulement l'amour de la guerre ! Ce que prétendent les antipatriotes, qui n'espèrent rien tant qu'attiser la guerre, comprenez-vous ?

— La loi militaire de Barthou vient à point, le vote de la Chambre a pris deux mois de débats, mais voilà au moins une victoire patriotique, que ces trois ans de service !

On parlait aussi de la visite du président Poincaré à Toulouse, sur le terrain des manœuvres, où avaient été présentés les premiers tracteurs automobiles pour l'artillerie ; mais surtout d'un accident de voiture, où le délégué allemand, projeté sur un talus par l'éclatement d'un pneu, avait failli mourir. Le président l'avait visité sur son lit d'hôpital, avant de partir à Bordeaux. On parlait du zeppelin allemand, abîmé en mer du Nord, des expositions d'automne, dans les grands magasins, de la loi Caillaux, qui instituait l'impôt sur le revenu.

— S'il y a un bon sens et une morale, elle ne sera pas appliquée, soutenait Blanche avec une espèce de férocité satisfaite, secouant sa tête fichée d'une aigrette.

Mais la conversation revenait sur les fonds russes, trop indécis, la moins-value de dix-huit millions de roubles, les exportations en baisse.

— Pourtant, pour la première fois, la balance de son commerce extérieur se trouve favorable... Même si la Russie peut prétendre à bien des titres être créancière de l'étranger, gardons-nous d'en tirer des conclusions hâtives !

Un fait divers navrant, surtout, occupait les dames, le suicide de la princesse Sophie de Saxe-Weimar, trouvée morte, au petit matin, affreusement défigurée de s'être tiré une balle dans la tête, face au miroir de sa chambre, pour son amour contrarié avec Hans de Bleichroeder, le fils d'un richissime banquier berlinois.

— Quelle que soit sa fortune, ce roturier ne pouvait pourtant prétendre à un mariage ! C'eût été une mésalliance…

— Vous savez, c'est un israélite, soufflait une jolie jeune femme, derrière son éventail.

Mme Mathilde passa à l'écart, préparant sa retraite, mais à cet instant, par la porte entrouverte de l'antichambre, elle vit que Pierre venait d'arriver. Il tendait sa pelisse et son chapeau à un domestique et jetait un coup d'œil derrière lui, introduisant quelqu'un qui l'accompagnait. Elle avança le cou, sans se l'avouer inquiète que ce fût une femme, mais elle entrevit la silhouette d'un homme au teint cuivré. Quelque savant étranger, pensa-t-elle, rassurée, prête à toutes les indulgences pour le vêtement de ville de celui-ci, tant soit peu déplacé.

Pierre se rendait parfois aux soirées de Blanche, y passait une heure, contraint et distrait, et repartait discrètement, s'acquittant ainsi de sa contribution à la vie sociale. Mme Mathilde le soupçonnait de préférer ces brèves apparitions, perdues dans les conversations et les mondanités, aux réunions de famille qui les tenaient tous à table entre quatre murs, sans dérobade possible. Pierre répugnait aux échanges frivoles de ces sociétés, mais plus encore aux discussions privées avec les siens. Depuis combien de temps n'avait-elle pas eu un vrai échange avec lui, une conversation personnelle ? Cela remontait si loin… Peut-être à cette période mouvementée de son retour, quand il lui avait fallu mobiliser toutes ses relations pour étouffer le scandale pénible de ce qu'il fallait bien appeler son fiasco. Personnel et professionnel. Cette affaire sensible qui avait bien failli éclabousser sa réputation. Heureusement, du temps où la maison Bertin fondait sa fortune en fournissant les paquetages de biscuits pour l'armée en campagne, Mme Mathilde avait gardé de solides appuis pour services rendus. Même s'ils vieillissaient avec elle, ils avaient encore assez d'influence pour servir ses intérêts…

Mais au souvenir des épreuves de cette année-là, elle suffoquait encore d'angoisse, et de colère. Pierre était pourtant l'aîné de ses fils, son préféré. Cela malgré la voie qu'il avait prise, contre l'avis de son père, et le sien. Peut-être à cause de cela. D'ailleurs, cette vocation scientifique flattait sa vanité, par l'aura que pouvait avoir, pour une famille provinciale, enrichie dans les affaires, un domaine rare et prestigieux comme celui de la science, et partout on louait les travaux de ce M. Pasteur, dont Pierre était un émule. Quoi qu'il en soit, cela l'avait entraîné trop loin, à cette douteuse expédition coloniale, à laquelle elle ne comprenait rien, sinon qu'elle avait compromis sa carrière, et un moment sa notoriété. Et l'honneur de sa famille. De son point de vue, tout était la faute de la hiérarchie militaire, ignorante des exigences de la recherche ; de quelques gradés obtus, répugnant d'admettre qu'un homme de science pouvait se distinguer par l'originalité de son intelligence, de son génie, et ne pas se conformer aux règlements tatillons d'une colonie lointaine, étrangère de surcroît. Elle avait mis toute son énergie à le défendre, à le protéger, comme une louve son petit. En l'absence d'Henri, une fois de plus, avec pour seules armes sa force de caractère, et sa féroce détermination. Au moins, c'était sa victoire personnelle, tout était rentré dans l'ordre depuis. Cette bru inconvenante avait eu le bon goût de disparaître, et Pierre la sagesse d'accepter l'arrangement des avocats.

Elle s'assit à l'écart, près d'un guéridon, juste sous une lampe de bronze au globe gravé de cygnes, se promettant d'attendre patiemment le départ de Pierre, pour lui proposer sa voiture, et obtenir un moment de conversation, ne serait-ce que le temps de le ramener chez lui. Avec orgueil, elle observait l'allure et la stature de son fils, qui n'avaient pas d'égales parmi les invités. Sur le seuil, Pierre hésitait, prenait le coude de son compagnon, et le présentait à ses hôtes. Parmi tous les plastrons blancs et les habits de soirée, lui-même contrevenait au bon goût, avec son costume de ville en velours, mais son élégance naturelle s'accompagnait d'une aisance gauche, qui passait pour de la retenue, ou de la distraction. Il en tirait parti pour ne pas s'aligner sur les postures masculines en vigueur, sans chercher à provoquer, ni à obtenir d'assentiment pour son indépendance. Il avait une manière à lui d'abréger ses gestes, de retenir ses mouvements, qui pouvait passer pour de la brusquerie, et le gardait de toute familiarité. Par sa culture, il était nettement supérieur à ce milieu, car il avait plus lu, voyagé et pensé que la plupart des hommes présents, et cela le mettait dans un isolement sensible, qu'il ne faisait aucun effort pour rompre, non par mépris ou condescendance, mais par une sorte d'empêchement poli. Blanche le lui reprochait, se plaignant qu'il repoussait jusqu'à la sympathie de ses amies, mais il souriait d'un air contraint, pour toute excuse. Non seulement sa gravité, ou sa sévérité, mais sa malencontreuse tendance au laconisme décourageait son abord. Le suivait, ou le précédait, le bruit de son humeur chagrine, de sa passion professionnelle, et de ses ingrates activités de médecin. On le disait sans ami ni relation et voué à sa solitude de veuf. Voilà tout ce qui accompagnait à l'instant son entrée discrète, saluée d'un murmure poli, avant que se referment les cercles.

Il vit enfin sa mère et, s'excusant d'un mot, il traversa le salon pour la saluer. Elle aimait qu'il approche de son pas ferme, et se penche vers elle, et prenne sa main, secrètement émue de sa sollicitude, même si, elle le savait, celle-ci lui servait de prétexte pour couper court aux mondanités. Un instant, elle contempla son beau visage glabre au teint mat, ce front proéminent sous les cheveux coupés très court, et ce nez droit des Galay, la dépression des joues sous les pommettes osseuses. En lui, elle revoyait son mari en jeune homme, encore que déjà ses cheveux se mêlaient de fils blancs, et que ses yeux noirs avaient un éclat plus dur que ceux d'Henri, très clairs, toujours enjôleurs et caressants. Mais elle préférait cet ascétisme, cette rigueur, au charme nonchalant de celui qui l'avait tant séduite autrefois, et si cruellement déçue.

— Vous voilà bien esseulée. N'y a-t-il personne pour vous tenir compagnie ?

— J'ai eu assez de Didier pour m'accabler tout à l'heure, et ces conversations oiseuses m'épuisent. Je ne restais que dans l'espoir de te voir arriver. Comment vas-tu, mon garçon ?

— Je ne fais que passer. Je suis fatigué de mon voyage. Mais j'ai pensé que cette soirée serait une bonne occasion pour le Dr Ramanyalava de découvrir la vie parisienne…

Il expliqua que celui-ci était venu écouter le Pr Noguchi, un grand chercheur américain, qui avait enfin isolé la culture du microbe de la rage, ce qu'espéraient les disciples de Pasteur, depuis tant d'années. Il avait exposé ses travaux dans l'après-midi, devant l'Académie des sciences. Mais Mme Mathilde n'écoutait que d'une oreille, observant la compagnie avec ironie.

— Ta sœur s'occupe très bien de lui, vois comme elle lui fait les honneurs de sa soirée.

— Nous ne serons pas longtemps ici, observa-t-il sèchement. Il repart demain à Londres. Quant à moi, je dois prendre mon service de bonne heure. Mais vous, comment vous portez-vous ?

— Ah ! Mais très bien, très bien ! N'ai-je pas l'air florissante ?

— Vous avez une dentelle magnifique.

Il caressait du doigt le voile de Venise qui couvrait sa coiffure en bandeaux, piqué d'une grosse perle laiteuse, une coquetterie démodée mais pleine de charme.

— J'ai eu cependant quelques soucis, Pierre. Ce n'est pas trop le lieu, ni le moment d'aborder ces questions, mais en aurai-je l'occasion ces jours-ci ?

— Des soucis, vraiment ?

— Cela concerne Millie.

Pierre se rembrunit, jeta un regard vers les groupes dont s'élevait parfois un rire sonore. Cette question contrariait son sens de la chose privée. Il prit au passage deux verres de champagne sur le plateau que faisait circuler un domestique et en tendit un à sa mère.

— Tu sais bien qu'à cette heure-ci je ne bois que du café.

— Vous avez grand tort d'en boire tant.

— Et tu as tort de ne pas me consacrer ton attention.

Il s'assit près d'elle et croisa ses longues jambes, se contraignit à répondre à voix basse.

— Millie m'importe plus que vous n'avez plaisir à le répandre. Je sais que la vie qu'elle mène chez vous n'est pas ce qui convient. Elle y est seule et souffre de votre absence, pour vos occupations. De la mienne encore davantage, pour mon travail. J'ai le projet de mettre bientôt fin à tout cela.

— Mais c'est ce dont je me suis souciée ! Voilà ce que je voulais te dire : Millie est au Mesnil. J'ai trouvé quelqu'un de tout à fait satisfaisant. Le plus beau est que cette personne a accepté d'aller vivre là-bas, avec elle, au bon air de la campagne. Je t'épargne le récit de mes difficultés. La chose est réglée, depuis trois semaines.

Pierre observa sa mère, hochant la tête d'un air absent. Il n'approuvait ni ne contestait cette mesure nouvelle ; il semblait plutôt chercher les formules banales qui auraient dû venir pour la remercier et s'excuser de tant de tracas. En réalité, il calculait s'il était opportun d'informer sa mère de ses projets. Cet endroit était bien mal choisi pour le faire, mieux valait attendre, différer tant que rien n'était encore sûr de sa décision. Nul doute qu'alors il lui faudrait affronter ses objections, en raison même de l'initiative qu'elle venait de prendre.

— Enfin, murmura-t-il, vous avez sans doute très bien fait. Comme d'habitude.

— Je le pense. Cependant, par prudence, j'ai engagé cette personne sous condition. Pour un mois, à l'essai. Il serait bon que tu m'assures de ton accord.

Il reposa son verre plein sur le guéridon.

— Vous avez fait pour le mieux, j'en suis sûr, dit-il avec effort. Cependant Millie n'a pas besoin d'une nurse, si satisfaisante soit-elle.

— C'est une institutrice. Excellente. Fais-moi confiance. Mais n'iras-tu pas là-bas, pour te faire une opinion ?

Dans sa chambre, Gabrielle contemplait la vue du parc enveloppé de brouillard nocturne. A peine distinguait-elle la masse plus sombre des feuillages dégouttant de pluie et la faible clarté des allées s'enfonçant dans l'ombre. Sassette impuissante à endormir Millie, Gabrielle avait dû l'aider à trouver le sommeil, en lui chantant des berceuses, dont les paroles et la mélodie lui étaient revenues de son enfance, qu'elle croyait avoir oubliées, en particulier une chanson hongroise qui disait : *Mon bel amour, au portail de mon jardin, j'attends que revienne le temps des coquelicots...* Elle était restée ensuite, à contempler son visage endormi, l'ombre de ses cils que la lumière de la lampe projetait sur la joue, et ses lèvres entrouvertes que nacrait un filet de salive, songeuse devant cette physionomie étrange de la petite enfance, modelée par celles du passé, la cohorte des aïeux, et préfigurant celle de toute la vie. De quel héritage ce visage portait-il l'empreinte, et qu'annonçait-il dans son mystérieux silence ? Elle avait effleuré du doigt la tempe, et le lobe de l'oreille, dont le cartilage translucide rosissait sous la lumière de la veilleuse, avec une sorte de piété émue pour ce sommeil d'innocence. Puis elle s'était retirée, évitant les lames du plancher qui grinçaient.

Enfin seule, elle avait pu revenir aux deux jours qu'elle venait de passer à Paris. Rien ne s'était passé comme prévu. Alors qu'elle s'imaginait trouver Agota et Renée rongées de souci à son sujet, celles-ci l'avaient accueillie, non avec indifférence, mais avec une sorte de placidité, l'écoutant pour la forme décrire le décor de sa nouvelle vie, les gens qu'elle avait découverts là-bas, et l'emploi de son temps, comme si cela durait depuis longtemps et qu'elles se fussent habituées à son absence. Assises en face d'elle à la table de la salle à manger, elles avaient pris ces nouvelles avec une paisible attention, et tout en parlant Gabrielle constatait combien, à vivre depuis si longtemps en osmose, elles finissaient par déteindre l'une sur l'autre, se ressembler comme deux sœurs, dans leur frileuse intimité. Une seule chose tracassait Renée : au moins la traitait-on comme une dame ? Quant à Agota, elle regrettait seulement de ne pouvoir lui écrire, mais admettait les arguments de Gabrielle, selon lesquels elle ne voulait à aucun prix mêler sa vie personnelle à celle de ces gens, et surtout qu'ils ne sachent rien de leur véritable lien de parenté, ni de leurs démêlés récents avec le ministère de la Guerre, cela pouvait lui porter tort dans son emploi. Que d'ailleurs elle ne garderait pas toujours, ajoutait-elle, comme s'il fallait devancer d'autres objections... Bien sûr, elle était traitée comme une dame, et très contente de sa jolie chambre, et du piano spécialement accordé pour elle, et des livres qu'elle avait le temps de lire, et du beau parc où elle se promenait. Elle fit un tableau si idyllique que les deux femmes, qui n'attendaient sans doute que ces bonnes paroles, s'en contentèrent sans autre question. Plutôt surprise de leur complaisance, Gabrielle comprit assez vite que, au fond, elles s'accommodaient fort bien de son absence, et même en étaient secrètement soulagées, que la monotonie de leurs journées satisfaisait leur besoin de paix, après tant de chagrins et d'angoisses. Elles semblaient si loin de la réalité, confinées dans leur appartement, au rythme égal des jours, qu'elle ne jugea pas bon d'en dire davantage, gagnée par un sentiment étrange d'être infiniment séparée d'elles, comme si elle revenait d'un lointain voyage. Si peu de temps avait suffi à mettre entre elles cette distance... Elle pensa que cet éloignement était installé, en fait, depuis longtemps sous le voile invisible de l'habitude, et qu'il avait suffi de ces trois semaines pour le révéler au grand jour. Aussi n'eut-elle aucun mal à s'évader de la rue Buffon, à courir chez Dora, dès le premier jour.

— Te voilà revenue, infidèle ! avait protesté celle-ci en l'accueillant, grondeuse et pleine de tendresse. Pas un mot ! Pas une nouvelle, vilaine amie ! Montre-moi ta mine ? Dépéris-tu sans moi ?

Elle la tirait vers la fenêtre, examinait son visage avec sévérité. Et riait de son teint éclatant, lui reprochait son air de santé, quand, elle, languissait de son absence ! Puis d'un élan, jetait des baisers à ses paupières, ses joues, et sa bouche. En une étreinte silencieuse, elles s'étaient bercées l'une l'autre, émues aux larmes de ces retrouvailles. Alors Gabrielle, étouffant de remords, et cédant au besoin éperdu de partager tout ce qu'elle portait seule depuis plus d'un mois, d'un seul trait, en retirant les épingles de son chapeau, en jetant autour d'elle sa veste et ses gants, moitié riant, moitié tremblant d'inquiétude, avait tout raconté à Dora. Sa collision providentielle, au coin de la rue, avec ce passant distrait, en fait un employé du ministère de la Guerre rencontré chez le commandant, qui s'était révélé, en si peu de temps, un allié inespéré, un ami bienveillant... Et les révélations sur ce personnage inquiétant, ce Dr Galay vers qui convergeaient tous les soupçons, qui avait tant de raisons de taire ce qu'il savait sur Endre ! Et comment Michel Terrier avait eu cette inspiration subite de l'annonce, et comment elle s'était magnifiquement tirée de l'épreuve du recrutement, avec des dons insoupçonnés de comédienne, de véritable agent secret, qui pouvait, au pied levé, s'improviser pédagogue inspirée pour donner le change ! Elle s'échauffait tout en racontant, consciente de l'abracadabrante suite d'épisodes, dont elle lisait l'effet sur Dora.

Tombée dans ses coussins orientaux comme une poupée désarticulée, la jeune femme donnait en l'écoutant des signes d'ébahissement, ouvrant grands les yeux, et la bouche, y portant ses mains brusquement, renversant son visage. Gabrielle prenait ces mimiques pour une parodie. Sentant venir la moquerie, elle redoublait de ferveur pour défendre son plan ingénieux, et ses espoirs d'en apprendre assez sur cette personne extrêmement douteuse, et sur la mort d'Endre, dont celle-ci était peut-être bien responsable. A son discours, succéda un silence. Dora avait allumé une cigarette et soufflait maintenant la fumée d'un air sombre, les yeux perdus dans le vague.

— Je sais, Dora, s'était écriée Gabrielle, prévenant ses objections, que tout cela te semble saugrenu. J'ai agi sans te consulter. Ne me reproche pas mon silence, Dora : tout est allé si vite. Tu étais partie, absente pour quinze jours. Allais-je attendre ton retour ? Comment laisser passer cette occasion ? Mais vois comme je suis prudente ! Je suis, à la lettre, les conseils de Michel Terrier, qui sont très avisés.

— De quels autres conseils as-tu donc besoin ? laissa tomber Dora, écrasant sa cigarette avec rage. Va les prendre où bon te semble.

Gabrielle, soudain, réalisa qu'elle avait sous-estimé la susceptibilité, peut-être la jalousie, pourtant prévisibles, de son amie. Elle connaissait trop la répugnance de Dora à toute alliance avec un homme, quel qu'il fût. Mais plus encore son attachement à l'exclusivité de leur relation, qui pouvait lui faire, à juste titre, considérer son silence comme une marque de défiance à son égard. Elle avait eu tort de lui taire, en son début, la rencontre avec Michel Terrier... Un pressentiment, un remords, le scrupule l'avaient retenue de la mêler à tout cela. Au fond, elle voulait décider seule. Et maintenant, une fois engagée, elle venait prendre son amie à témoin, mendier son adhésion... Sentant venir un éclat, elle se jeta à ses pieds, enroula ses bras autour de ses genoux et y enfouit son visage.

— Dora, Dora ! Ne me repousse pas à présent. C'est de toi, dont j'ai besoin, plus que de quiconque. Je n'ai parlé à personne. Ma tante ignore tout, comme Renée. A qui m'ouvrirais-je, sinon à toi ?

— Qu'attends-tu de moi, à présent ? Que j'applaudisse à tes folies ?

— Mais il n'y a aucune folie, là-dedans ! Ce qui le serait, ce serait d'imaginer que cet individu avouera autrement ce qu'il sait. Qu'il acceptera tout benoîtement de me raconter sa sale histoire. Je t'assure que c'est un piètre individu. Il a de peu échappé à une condamnation. Il a lui-même déposé la malle d'Endre à Rangoon, voilà ce que je sais !

— D'où tires-tu tes informations sur cet *individu* ?

— Mais de Michel Terrier ! Il connaît son dossier.

— Et toi, tu le connais ?

— Qui ? Terrier ? Le dossier ? Le Dr Galay ?

— Tu ne connais rien, ni personne Tu cours après ta chimère, toujours la même ! Tu te fies à un inconnu, tu le crois sur parole, et tu fonces dans son histoire insensée !

— Mais, balbutiait Gabrielle, il n'est pas le premier venu. J'ai moi-même suggéré... Ce procès, je ne l'ai pas inventé, ni la malle !... Le capitaine de ce bateau avait... Tout concorde : sa sœur me l'a confirmé. Le Dr Galay a bien fait ce voyage, à la même date qu'Endre... Dora, ce n'est pas une chimère !

Effondrée, Gabrielle considérait son amie. Jamais elle ne lui avait vu ce visage de marbre, ce regard étincelant de colère sous le front barré d'un pli dur, elle n'avait jamais eu cette voix métallique, pleine de menaces. Une révolte monta en elle, redressa sa taille. Sous ses dehors d'intelligence et d'indépendance, sous ses protestations contre tous les conformismes, Dora était donc aussi pusillanime, prudente et vétilleuse, pour ne voir que pièges et malveillances, aveuglée par son aversion viscérale à la gent masculine, contre toute raison, contre toute logique ! Mais blessée, effrayée par la violence de son amie, mesurant l'effet de son aveu, Gabrielle plaida encore sa cause.

— Depuis cinq ans, je suis sans nouvelles d'Endre. Il était mon amour, Dora. Je l'aime encore, je l'aime et il est mort. J'en suis désespérée. Je ferai n'importe quoi pour sauver sa mémoire.

Elle ne pleurait pas, elle priait, peut-être, espérant encore faire plier sa rigueur, qu'au moins l'amie se souviendrait de son attente torturante, et qu'alors, elle avait partagé sa peine et ses espoirs. Mais Dora, insensible, marchait de long en large dans l'espace exigu, bousculant au passage le dossier d'un fauteuil, arrachant un châle, et tapant les coussins avec emportement.

— De là d'où vient tout le mal. De ta sentimentalité. De ton attachement insensé à cet homme, que tu as si peu connu. Es-tu niaise, à la fin ! Il n'a été qu'un compagnon épisodique de ton enfance. Il a abusé de toi, de ta confiance, de ton ignorance. Il t'a pris ta jeunesse, et il est parti. Tu as rêvé ce grand amour, tu l'as inventé de toutes pièces. Il n'existe pas. Le vrai Endre est un homme égoïste. Calculateur et sans scrupule. Ah, le beau héros ! Il s'est joué de toi. Il t'a réduite à rien. Détruite. Il est indigne de toi. Voilà ton ennemi, le vrai.

Ce que martelait Dora, ce verdict implacable était le fond de sa pensée. Ce ton de vérité si cruel, Gabrielle ne pouvait l'entendre. Elle ne pouvait assister à la fois au saccage de son amour, et à celui de son amitié. D'un seul mouvement, elle ramassa ses effets et s'enfuit, éperdue. Mais sur le seuil, Dora la retint, la prenant aux épaules d'une étreinte de fer, parla contre son visage :

— Moi aussi, dit-elle entre ses dents, je suis désespérée, mon amie. De voir qu'il a fait de toi ta propre ennemie, et la mienne.

Loin déjà de la maison, et de la rue de Dora, Gabrielle courait encore, droit devant elle, assourdie d'une clameur d'océan, jusqu'à ce que, hors d'haleine, la face brûlante, elle dût ralentir, et les passants se retournaient brièvement sur cette jeune femme en cheveux, emportée dans sa marche égarée, tenant contre elle comme un bouclier son sac et sa veste roulée en boule, son chapeau écrasé. Elle ne se souvenait pas comment elle avait fini par échouer au Jardin des plantes, et trouver un banc providentiel, où elle était restée, un long temps, hagarde comme d'un naufrage, sans penser à rien, tandis que s'apaisaient peu à peu les battements de ses tempes, le tremblement de ses mains, puis elle eut froid, un long frisson la rappela à elle-même. Le soir tombait sur le jardin, enveloppait de brumes blêmes le fond des allées désertes, et à ses pieds les feuilles mortes, comme des mains coupées, se pressaient contre sa robe. Alors, le chagrin la submergea, elle pleura. Son amour perdu, son amie perdue, son enfance perdue. Elle pleura d'une blessure encore plus profonde, celle des illusions, des ferveurs et de la foi perdues. Mais plus l'obscurité venait, plus ses larmes tarissaient. Elles ne coulaient plus que doucement de ses yeux, puis les dernières séchèrent sur ses joues au vent du soir. Elle se sentait paisible, comme lavée. Dense et solitaire, abandonnée par la vague qui mourait loin d'elle. Calmement, elle rattacha ses cheveux, rendit forme à son chapeau, enfila sa veste. Elle avait perdu un gant. Elle se leva et s'éloigna du banc, sans se retourner.

Dans sa chambre du Mesnil, plongée dans le silence et l'obscurité, Gabrielle repensait à tout cela avec une sorte de lassitude, et d'ironie désolée. Cette scène de la veille lui semblait se dérouler sur un très ancien théâtre, et dans son souvenir sa grandiloquence devenait presque comique. Dora gesticulant, vociférant, et pour finir lui jetant au visage ses derniers mots, mélodramatiques, elle courant comme une folle, cela ressemblait à une dispute de petites filles au jardin d'enfants. Comme Dora était aveugle, et décevante, dans sa colère, son dépit, ou sa jalousie. Impuissante à aimer. A comprendre et à donner. Comme elle devait souffrir, pour tant se barricader dans sa forteresse de solitude. Et si mal vivre ses choix, ses contradictions. Et comme elle-même avait eu tort de se précipiter chez elle, de tout lui jeter à la tête, sans préparation, alors qu'elle connaissait si bien ses préventions, et son hostilité à Endre, à sa personne, et jusqu'à son souvenir dont elle l'entretenait. Sans doute était-il trop tôt de lui confier son plan, tant qu'il n'avait pas donné de résultat. Ou bien trop tard, trop lourd à porter. Elle n'était pas loin de penser qu'elle était coupable d'exiger d'elle de partager tant d'amour, tant de passion pour un autre objet que soi. Il faut être si fort, si généreux pour éprouver et comprendre, pour entrer dans les vues d'un autre sans se sentir soi-même entamé. De tout cela il ne restait qu'une confusion navrante, la tristesse vague d'une douleur non localisée, qui avait le nom bien-aimé de Dora. Et le sentiment qu'à présent, comme elle l'avait compris dans le jardin, ayant épuisé son effroi et son chagrin, elle était seule, seule, sans autre appui ni secours qu'elle-même, pour juger et pour décider si, dans cette nuit qui recouvrait le monde, elle aurait la force de se rendre à l'appel d'Endre, de retenir, aux confins du visible, sa silhouette amenuisée, en voie de disparition... Elle chercha des yeux une étoile, l'étoile entre toutes, où sont les pensées. Mais dans la noirceur du ciel, elle ne vit rien.

IX

Accroupie devant la caisse, au fond de l'écurie, Millie caressait le poil ras du chiot tout roux et dodu, qui poussait de petits cris en mordillant ses doigts. Elle repoussait Lula, qui cognait sa main de son museau, et la léchait, admettant déjà que la petite fille approche celui de ses petits que Meyer lui destinait. Tout en versant l'avoine des chevaux, Meyer clignait de l'œil vers Gabrielle en souriant, ce qui donnait à sa face hirsute et martyrisée une expression comiquement diabolique.

Ayant appris que Meyer avait finalement trouvé preneurs pour tous les chiots de Lula, sauf un, un soir que, par exception, le jardinier s'attardait à la table, l'idée était subitement venue à Gabrielle de lui demander ce qu'il pensait de garder ce dernier pour Millie. Elle lui avait posé la question à voix basse, voulant s'assurer que la chose était possible, et cette brève conversation qu'ils avaient eue en aparté avait scellé entre eux une sorte de pacte, d'autant qu'ils étaient aussitôt convenus qu'il en ferait lui-même cadeau à la fillette. L'agitation de la cuisine garantissait la discrétion de leur échange, et de sa bouche tordue il riait sous cape de la surprise promise, regardant Pauline renverser les pots de verre ébouillantés sur un torchon, tandis que Millie tournait avec Mauranne une confiture de poires, dont l'odeur chaude et poivrée embaumait l'air. Tant que durait le sevrage, la portée restait à l'écurie, expliquait-il, mais ensuite séparé de sa mère, le chiot vivrait dans la cuisine, alors il fabriquerait une litière pour lui, avec une caisse et de la toile… Sauf qu'il fallait l'avis de Mme Victor, opposa-t-il pour finir. J'en fais mon affaire, avait dit Gabrielle. Bonne petite, marmonnait-il, en hochant la tête, et elle n'avait su si cela s'adressait à elle ou à Millie, qui léchait la cuillère en bois.

Le don du chiot l'avait tellement désemparée qu'elle était restée sans voix. L'énormité de cette adoption dépassait visiblement son imagination. La seule question qui lui était venue avait été celle de son nom.

— Pour le moment, il s'appelle chien, disait Meyer, en riant. A toi de lui en trouver un.

Alors, elle avait fui, entraînant Gabrielle loin de l'écurie, d'un air très contrarié, mais au cours de leur promenade, dans l'après-midi, sur le chemin du retour, après un long silence de réflexion, Millie, s'arrêtant brusquement, avait demandé :

— Lula l'a donc abandonné ?

— Pas du tout. Mais, bientôt, ses petits seront assez grands, elle ne voudra plus s'occuper d'eux. C'est pourquoi on les donne à qui en a envie.

— Personne ne veut de celui-là ?

— On dirait que non. Beaucoup de gens ont déjà un chien.

— Peut-être est-il trop petit ? Ou trop laid.

— Ou trop malin.

— Ou trop roux ?

Elle souriait à cette idée. Puis elle se rembrunit.

— Si personne ne le veut, il va mourir.

— Mais non ! Meyer le gardera à l'écurie avec les bêtes.

— Il restera tout seul, et triste.

— Peut-être t'attend-il ?

Décontenancée par cette réponse, elle levait les yeux vers Gabrielle, sans ciller.

— Il m'a choisie, décida-t-elle.

Cette conversation se tenait dans un sous-bois éblouissant de tous les jaunes de l'automne, traversé de flèches de soleil qui éclaboussaient par places le tapis de bruyères et, plantée au milieu du chemin, Millie observait cette beauté du jour qui l'environnait, comme si devaient en venir les réponses aux mille questions qui l'assaillaient à propos du petit chien. D'évidence, son adoption réveillait celles de son enfance, et de sa naissance, jamais posées en ces termes, mais qui montaient passionnément à ses lèvres, et Gabrielle avait quelque remords de n'avoir pas prémédité cette éventualité. Dans son inexpérience, elle se sentait au fil du rasoir, improvisant ses réponses avec la plus grande sincérité comme seul garde-fou, comme si elle jouait elle-même une part obscure de son histoire.

— Il s'appelle Tout Roux, je crois.

— Je crois bien, dit Gabrielle, prenant sa main.

Par la suite, bien d'autres questions lui vinrent. L'absence du père de ces petits chiens l'intriguait mais elle admettait qu'il courût la campagne, d'une ferme à l'autre, comme le suggérait Gabrielle. Aussi que leur mère se débarrassât d'eux, une fois tari son lait, d'autant que le sevrage lui promettait qu'alors Tout Roux ne serait plus qu'à elle. Chaque matin, elle courait à l'écurie, dès que fini son déjeuner, pour le caresser, lui répéter son nom à l'oreille, et tenir avec lui des conciliabules, impatiente de l'installer, comme promis, dans la cuisine, où Mme Victor avait décrété qu'il aurait sa place, à condition qu'il soit propre et ne morde personne.

— Il ne mordra que moi, avait promis Millie, ce qui avait fait rire autour de la table.

Finalement, tout le monde avait applaudi à cette nouveauté du chiot de Millie, tant elle en semblait heureuse. Elle avait très vite joué à tracer les lettres de Tout Roux, à les colorier d'orange, et comme elle inventait avec fantaisie de petits récits, tout en commentant ses dessins inspirés par le chiot, Gabrielle s'était mise en quête de quelques illustrations concernant la gent canine. Elle n'avait pas grand-chose sous la main. La bibliothèque savante n'offrait guère de ressources en la matière, mais, tout en se promettant, dans un prochain avenir, quand elle irait à Paris, de se procurer un beau livre d'images de chiens pour l'offrir à Millie, elle avait cherché si ne s'y trouvait pas, malgré tout, quelque livre de sciences naturelles, ou un ouvrage illustré où il serait question de son sujet de prédilection. C'est alors que, passant de nouveau en revue les rayons de la bibliothèque, elle avait découvert, tout en bas, compressés entre les gros volumes d'une *Histoire du christianisme*, deux petits livres abîmés dont la tranche mise à nu et les fils de reliure décollés dépassaient à peine. Leur place insolite et leur aspect délabré avaient éveillé sa curiosité. Ils pouvaient ressembler à de vieux fascicules de contes, mais quelle n'avait pas été sa stupeur, les tirant de là, ouvrant leurs pages jaunies piquées de taches, quand les mots, ces lignes imprimées s'étaient révélés à ses yeux. Une fraction de seconde, elle était restée sidérée par sa lecture. D'une ligne à l'autre, plus vite que sa pensée les mots s'enchaînaient, suivant un ordre spontané qui n'obéissait pas à sa volonté mais la précédait. La langue s'y déployait sans dire son nom, elle avait une voix incomparable, résonnait dans son esprit comme celle d'un être ressuscité, elle soulevait son cœur, et soudain le faisait battre, battre si fort qu'elle avait refermé le livre, sur le point de défaillir. Du hongrois ! Des livres de langue hongroise !

Millie, appliquée à recopier des lettres, n'avait même pas levé la tête. Rien ne bougeait, aucun bruit. La lumière tombait droit sur la table, y jetant une flaque aveuglante dont Gabrielle ne pouvait détacher ses yeux. Avait-elle une hallucination ? Ses mains enfermaient les petits formats, la matière pelucheuse du papier, et ils étaient en ruine, lamentables. D'une légèreté si inquiétante, qu'elle-même, à leur contact, se sentait immatérielle, privée de ses sens, et pourtant ils lui brûlaient les mains. Elle les posa vivement sur la table, l'un à côté de l'autre, pour qu'ils reprennent leur existence d'objets tangibles. Couverture disparue, page de garde déchirée, et les titres. Sándor Petöfi, János Vajda, leurs poèmes. D'une telle incongruité, en cet endroit. Une telle improbabilité que des industriels français lisent ces auteurs, ni même connaissent leur existence. Non, pas eux, corrigea-t-elle, la famille d'Henri de Galay. Vieille bourgeoisie intéressée à l'art, curieuse de culture et de langues... Mais non. Hormis une vieille grammaire allemande, et de grec, aucun ouvrage étranger sur ces rayons. Ces livres ne leur appartenaient pas. A personne. A qui donc ? Cette langue rare, illisible à quiconque. La vitesse folle de sa pensée, éliminant toutes les hypothèses, volait vers la seule conclusion que ces recueils de poèmes ne pouvaient se trouver ici que par... Petöfi, Vajda, ces écrivains qu'elle avait lus avec Agota, qu'affectionnait tant Endre... Posés sur la table, ils semblaient maintenant irradier dangereusement, tels les vestiges d'un tombeau profané, exhumés de leur ensevelissement funèbre, rayonner de la violence qui leur avait été faite. La preuve que je cherche, pensa-t-elle. La trace. Telle la pauvre paire de lunettes enfouie dans une poche, ils lui revenaient, épaves du voyageur naufragé, qu'elle seule pouvait recueillir, considérer et reconnaître. Et d'un seul coup, elle eut la certitude qu'ils étaient ceux d'Endre. Qu'entre tous, ces livres avaient été de son bagage. Et si cela était vrai, alors était vrai qu'ils ne pouvaient avoir été ramenés, et rangés là, que par celui qui avait rencontré Endre dans les derniers temps de sa vie, qui avait livré sa malle à un service portuaire. Rangés là, et oubliés ? Conservés, pour quelle raison, par quel oubli ? Quel hasard avait pu les préserver, les soustraire à leur destruction, leur dispersion...

Retenant sa respiration, elle les rouvrit avec douceur, presque religieusement, ausculta chaque page avec minutie, dans l'espoir d'y trouver une inscription, un indice si infime soit-il. Ah, si soudain elle avait trouvé un mot de l'écriture d'Endre, un chiffre, une initiale ! Mais rien. De l'encre anonyme d'imprimerie, du vieux papier flétri... On ne sait comment il échoue parfois, dans les héritages, au cours du temps, d'étranges volumes dans les bibliothèques, des objets inconnus au fond des tiroirs, pièces d'un ensemble dispersé, résidu d'un autre objet dépecé, qui prive son fragment de toute identité, et qui résistent à toute explication logique. Leur histoire est aussi aléatoire, absurde et pathétique, ou comique, que celle des êtres à qui ils ont appartenu, entre les mains desquels ils ont échoué en d'invraisemblables circonstances, par cette nécessité mystérieuse des hasards. Ils ne disent rien de leur origine, ni de leur migration étrange, des désirs, des convoitises ou des desseins qu'ils ont pu servir, pleins de menaces, d'avertissements occultes, ou de consolations miséricordieuses que leur silence souverain se refuse de délivrer, autrement que par le rêve.

Maintenant que s'éloignait le choc de la trouvaille, maintenant qu'elle avait épuisé l'émotion du premier instant, elle inclinait à laisser patienter les questions trop nombreuses. A jouir sans entrave du bonheur de ces textes chéris, qu'elle n'aurait jamais osé emporter avec elle au Mesnil, mais qu'il lui était offert de lire et relire par ce hasard. Et surtout *Nuages*, l'élan amoureux de Petöfi, ses plus beaux poèmes d'amour, et le romantisme fiévreux des *Petits poèmes* de Vajda... Elle se pencha vers Millie, tellement absorbée à délier son écriture qu'elle prenait à peine le temps de reprendre sur sa lèvre un peu de salive. Celle-ci leva son regard et lui sourit, replongea sur sa page.

Oui, c'était un bonheur, l'effusion intime et joyeuse qui fête l'instant secret où tout l'être communie, harmonieux et paisible. Que ces poèmes la remplissent d'une telle joie, elle en savait la cause, pourquoi ils illuminaient sa vie d'un tel feu. La poésie fait du langage l'espace où tout dehors est un dedans, l'instant habité de tous les temps. Elle pouvait loger hors d'atteinte, en ce lieu de liaison charnelle et mentale qu'était la musique de la langue hongroise, partagée avec Agota et Endre, mettant cœurs et âmes à l'unisson. Gabrielle laissa les deux petits recueils en vue sur sa table, parmi les cahiers et les livres. Leur anonymat les protégeait, autorisait leur présence, et à tout moment elle pouvait les ouvrir, lire l'un ou l'autre de ces poèmes, épouser en secret leur message amoureux. A tout moment du jour, il lui suffisait de les entrouvrir, ou de simplement les effleurer de la main pour que leur compagnie console sa solitude.

A quelques jours de là, comme Gabrielle et Millie quittaient de l'écurie, un cavalier déboucha dans la cour, au petit trot de son cheval boitillant, accompagné de trois jeunes boxers musculeux. L'homme en costume de chasse, avec gibecière et fusil à l'épaule, avait, pendus à sa selle, deux faisans au plumage fauve ensanglanté. La quarantaine dégarnissait son front, il avait un peu d'embonpoint, la taille épaisse et la carrure trapue, la face large et plate, qu'embroussaillaient ses favoris, sa moustache et ses gros sourcils roux, une tête de faune joviale aux petits yeux brillants et vifs et, quand il s'arrêta près d'elles, retenant sa monture, il souffla aussi fort que son cheval, s'ébrouant par jeu comme lui. Il se penchait vers Millie, mais son regard, allumé de curiosité, cherchait celui de la jeune femme avec insistance.

— Bonjour, princesse des Indes ! Où vas-tu de si bon matin ?

— Bonjour, mon oncle, dit Millie, prudemment réfugiée derrière Gabrielle, évitant les démonstrations d'amitié des chiens au poil trempé, qui tournaient autour de leur groupe, très excités par leur partie de chasse.

— Ils ne te mangeront pas, ma jolie ! s'exclama-t-il, sans quitter Gabrielle des yeux, et il donna dans l'air un coup de cravache pour éloigner les bêtes.

Maintenant que les chiens se tenaient à distance, Millie s'enhardissait.

— Ils sont morts ? s'inquiéta-t-elle, pointant du doigt le gibier.

— Un peu. Demande à Picard ce qu'il en pense ?

Un des chiens aboya bravement, et se coucha, la langue pendante.

— Je suppose que vous êtes la préceptrice, la perle dont parle tout le canton ? Mes hommages, mademoiselle. Et bienvenue dans nos campagnes !

Il piqua son cheval, et sans attendre de réponse fila vers Meyer, qui l'attendait sur le seuil de l'écurie. Cette visite matinale était déjà commentée à la cuisine, où elles passèrent, avant de monter à l'étude. Derrière le carreau, Mme Victor observait de loin le cavalier qui avait mis pied à terre et discutait avec le palefrenier, tenant son cheval au mors.

— Mauranne, sors les pâtés, et le vin. Celui qu'aime M. Charles, dans le dernier panier.

Puis se tournant vers Pauline :

— Va-t'en aider Sassette, à la buanderie, ordonna-t-elle brusquement.

— Mais j'ai à trier les lentilles ! protesta celle-ci, qui traînait, désœuvrée, autour de la table.

— Obéis et file. Que je ne te revoie pas ici de la matinée !

Le ton menaçant de sa grand-mère devait suffire pour avertissement. Pauline s'exécuta de mauvaise grâce, ramassant au passage une pomme, et la croquant avec insolence. Pour des raisons qu'ignorait Gabrielle, l'irruption du personnage, d'évidence le mari de Sophie, ce notaire bon vivant et oisif à la réputation suspecte, semblait électriser l'atmosphère. Elle ne demanda pas son reste et s'éclipsa, elle aussi, avec Millie.

Mais comme elles montaient l'escalier, le nom qu'il avait donné à sa nièce lui sonnait encore aux oreilles. Il était bien le seul, dans cette maison, à évoquer l'origine coloniale de la petite fille. Il ne semblait pas avoir choqué la petite. Le titre de princesse pouvait lui plaire, tant elle aimait les contes de fées. Apparemment, le notaire pratiquait le badinage, ou la raillerie, affichait une gaillardise de principe, et une fantaisie, somme toute plutôt sympathiques. Mais sa bonne humeur, son allure rustique et ses manières contrastaient tellement avec sa jeune épouse, que Gabrielle en restait confondue. Quelle que soit la mystérieuse attraction qui réunit les êtres, ces deux-là semblaient si peu assortis... Elle chassa ces idées, confuse de penser à Sophie, à sa grossesse encore secrète, d'imaginer l'intimité de leur couple enlisé dans un tel malentendu... D'ailleurs, une fois refermée la porte, loin des bruits de l'office et du dehors, occupée à la lecture, elle oublia le notaire, ses faisans, son cheval et ses chiens. Le plus souvent maintenant, Millie réclamait que Gabrielle lui lût des contes. Entre tous, elle préférait *La Belle et la Bête*, la pauvre fille du marchand sauvant son père par son sacrifice et rendant au prince maudit sa beauté perdue ; et la revanche de Poucet contre le handicap de sa petitesse. Par-dessus tout, elle était curieuse que la mère aimât mieux un de ses fils parce qu'il était un peu *rousseau* et qu'elle était rousse ; ce détail farfelu la laissait perplexe et ravie.

Quand elles redescendirent pour le déjeuner, le notaire avait disparu. Sassette sortait du four des pommes dont l'odeur de caramel emplissait la cuisine, et Mauranne plumait énergiquement l'un des faisans, que le chasseur avait laissé en cadeau. Les plumes volaient autour de son tablier, répandues en pluie à ses pieds. Tandis qu'on préparait le couvert, Millie examina avec intérêt l'anatomie rougeâtre de la volaille posée sur ses genoux, son croupion dénudé et ses pattes aux griffes recroquevillées.

— M. Charles l'a offert pour vous, il a dit : en cadeau de bienvenue, claironna Pauline d'un air moqueur, encore boudeuse de sa matinée passée à lessiver du linge.

— Garderas-tu ta mauvaise langue ? gronda Mme Victor, rouge de colère. M. Charles plaisante toujours, expliqua-t-elle à contrecœur.

— C'est ce que j'ai cru comprendre, tempéra placidement Gabrielle, évitant les commentaires sur ce sujet équivoque. Elle sourit à Pauline, qui se renfrogna ostensiblement.

Durant le repas, il ne fut plus question du passage du notaire, ni du désordre que sa visite inopinée semblait avoir suscité. Le gibier était déjà, avec les ingrédients de la marinade, laurier et oignons, dans un plat de terre entouré de bouteilles de vin et d'huile, telle une nature morte flamande sur les carreaux vernissés du potager. De la bête, ne restaient que la queue somptueuse, les longues plumes mordorées, leur rouge flamboyant, le vert et le bronze déclinant les couleurs mélancoliques de l'automne. Meyer, pendant le repas, en tressa une couronne, en attachant les pennes avec des liens de cuir, dont il coiffa Millie au dessert, par surprise. Interdite, elle accueillit cette parure de chasseresse improvisée avec une gravité comique, papillotant de plaisir devant son assiette.

— Princesse des Indes, chantonna Pauline, décidément en verve.

— Merci, Meyer. Vous êtes un grand chef indien, coupa Gabrielle, pour éluder le sujet et prévenir toute suite malencontreuse. Mange donc ta pomme, Millie, et puis nous irons jusqu'à la colline, il fait si beau aujourd'hui.

Gabrielle était reconnaissante au vieil homme de son geste amical, mais le persiflage étourdi de Pauline la mettait mal à l'aise. Quelles que fussent les raisons de son hostilité, elle avait le sentiment qu'à tout instant pièges et chausse-trapes pouvaient s'ouvrir, qu'il lui fallait se porter au-devant, et en protéger Millie. Peut-être n'y était-elle aussi sensible que parce que, désormais, la défense de la petite fille lui importait. Celle-ci avait peu à peu perdu son air de bête traquée, pitoyable et renfrogné, il lui arrivait de s'oublier à chantonner, et même de rire. Je m'attache à elle, pensa Gabrielle, étonnée, en regardant au bout de la table son visage épanoui. Elle ne s'en attribuait guère les effets car, d'évidence, son air de santé donnait raison à sa grand-mère. La campagne lui réussit, disait Mme Victor le matin même, se rengorgeant de satisfaction.

Millie garda sa couronne emplumée le reste de la journée, et jusqu'à la séance de musique dans le petit salon, où elles venaient maintenant tous les soirs. Il commençait à faire plus frais, et quand elles rentraient de la promenade, Mme Victor se souciait que la cheminée fût allumée. Même si la chaudière, dont on entendait le grondement lointain, fonctionnait depuis quelques jours, ce feu rendait plus confortable la pièce humide et malsaine, reléguée à l'extrémité de la demeure, dans l'odeur confinée de poussière et de moisissure, à laquelle se mêlait à présent celle de la résine coulant en miel dans les braises. Tandis que la petite se juchait près d'elle, Gabrielle commença de jouer. Elle sentait peu à peu contre sa hanche la chaleur de son corps blotti, qui ne dérangeait pas son jeu, mais mettait un poids à son côté, alourdissait son flanc de sa présence silencieuse, et par moments, sans l'oublier, il lui semblait qu'en une fusion passagère, celle-ci faisait partie d'elle-même, qu'elle était une part adoptive et familière, au diapason de sa vie. Millie ne bougeait pas, comme endormie elle écoutait lui venir, à travers le corps de la jeune femme, les vibrations de l'instrument, et souvent, alors que la dernière note s'était éteinte, elles restaient là, immobiles, dans un état de plénitude silencieuse.

Ce soir-là, les nuages roses du soir s'étiraient en charpie dans un ciel vert pâle, leur clarté projetée contre les vitres de la véranda. Le profil des branches d'arbustes, que le vent balançait, y dessinait d'étranges figures. Les jours raccourcissaient rapidement en ce début d'automne. Il faisait plus sombre, et pour la première fois une lampe était allumée sur la cheminée. Elles étaient seules, dans ce petit sanctuaire devenu leur refuge, enveloppées par l'obscurité grandissante. Millie, toujours couronnée de ses plumes, regardait les doigts de Gabrielle courir sur le clavier, leur fascinante souplesse et leur force nerveuse, cette cavalcade délicate qui faisait sourdre la magie sonore, liquide et charnelle, dansante ou languissante, qui emportait son cœur. Gabrielle jouait une pièce de Gabriel Fauré, dont elle avait ramené la partition, et qui lui rappelait l'amitié perdue de Dora. De ce souvenir cruel, la blessure se rouvrait, donnant peut-être plus d'intensité à son jeu, et des fléchissements plus douloureux. Chaque fois qu'elle tournait une page, Millie s'écartait, puis reprenait sa place, lovée contre elle, attentive à l'élan de la phrase prochaine, qu'elle connaissait maintenant, dont la mélodie chantait dans sa tête.

C'est ce tableau de leurs deux silhouettes auréolées par la lueur des flammes, se détachant faiblement contre la dernière clarté du jour, que contemplait depuis un moment le Dr Galay. Il les avait découvertes ainsi du seuil, par l'entrebâillement de la porte, et comme elles n'avaient pas semblé remarquer sa présence, il s'était avancé d'un pas, et assis dans le premier fauteuil, puis n'avait plus bougé.

Il n'avait pas prévenu de son arrivée, sachant pourtant que cela mécontentait Mme Victor, qui mettait un point d'honneur à préparer son accueil des visiteurs. Jusqu'au dernier moment, il

166

n'avait pas été sûr de pouvoir se libérer, et n'avait pris sa décision qu'en milieu d'après-midi, sautant dans le dernier train en partance pour Le Mesnil. Ce n'était pas la première fois qu'il venait de cette manière impromptue, mais sa dernière visite au Mesnil remontait à plus de six mois. Depuis lors, Mme Victor avait pu oublier que, de tous, il était le seul à tant aimer prendre le train, et à marcher depuis le bourg, comme lorsque, étudiant, il rejoignait de loin en loin sa famille, ou ce qui en restait alors, dès cette époque. Car son père avait déjà commencé de voyager de par le monde, laissant sa femme occuper seule la grande maison familiale, qu'ils désertaient tous, les uns après les autres ; raison pour laquelle elle avait fini par se réinstaller à Paris, dans le quartier d'affaires où le père Bertin avait acheté son bel hôtel, au début de sa fortune. Non, rien ne lui plaisait tant que ce bref voyage et son dépaysement, le paysage rural encore protégé de cette région d'Ile-de-France, et d'arriver en piéton, comme autrefois.

Il avait fait les deux kilomètres depuis le bourg d'un bon pas, seulement chargé d'un sac léger où il avait jeté quelques affaires. Le bruit solitaire de sa marche sur la terre du chemin, l'odeur humide et le froissement végétal dans le crépuscule, le vent frais sur son front lui avaient procuré un sentiment de paix bienfaisante, qui effaçait ces derniers jours de travail et de soucis préoccupants. Mais tandis qu'il descendait l'allée, sous l'ombre déjà nocturne des cèdres, à l'approche de la demeure où veillaient quelques lampes, était revenue l'angoisse sourde de ce qu'il avait vécu là, la sensation oppressante que tout renaissait et finissait en même temps, que se ravivaient, pour se perdre en une, les époques de son enfance, de sa jeunesse, et celle des temps plus récents, la saison où Jane se mourait, toutes se confondaient en une sorte de précipité douloureux, qui nouait sa gorge et ralentissait son pas jusque-là alerte.

S'il s'était décidé à venir, c'est que sa mère avait de nouveau insisté pour, disait-elle, qu'il donnât son avis sur les dispositions qu'elle avait prises en son absence. Toujours avec la même autorité, le même entêtement péremptoire. Il ne pouvait s'en plaindre sans ingratitude, car elle se dépensait sans compter pour pourvoir à tout. Mais, sans qu'il l'en ait informée, son intempestive décision de recruter quelqu'un contrecarrait son projet. Il n'avait pas envie de parler de cette récente proposition d'un poste en Suisse, dans un laboratoire de recherche bien équipé, avec des disciples de Pasteur financés par de riches mécènes. Il n'en était qu'aux premiers contacts, et il fallait encore en étudier les termes, sans précipitation. Mais cette éventualité de quitter Paris, de s'installer au bord du lac Léman, où il venait de passer trois semaines sereines, se présentait comme une chance inespérée. Il emmènerait l'enfant avec lui. Il n'était que temps de l'éloigner. Il y avait en Suisse une neutralité politique, ancrée dans l'histoire et les institutions, une garantie de liberté, d'indépendance dans ses travaux. Et pour Millie des pédagogues inspirés, qu'il avait rencontrés, et dont il avait visité l'école, ouverte aux préceptes novateurs. Son cadre équilibré, l'air sain de la montagne et la vie au milieu d'autres enfants conviendraient infiniment mieux à Millie que l'enfermement familial, où elle dépérissait depuis trop longtemps. Le recrutement de cette institutrice tombait mal. Mais cela ne constituait pas un véritable obstacle ; il s'en dégagerait, le temps venu. En attendant, puisque sa mère l'en priait si instamment, il avait concédé de faire un saut au Mesnil, fût-ce pour donner plus de poids à ses objections ultérieures. Et puis c'était l'occasion de voir Millie, de lui dire... Mais que dit-on à une si petite enfant ? Elle grandissait loin de lui, elle lui était étrangère, et en sa présence il s'effrayait d'être si peu un père pour elle.

Mme Victor l'avait accueilli avec moins de surprise qu'il ne le craignait, peut-être déjà instruite qu'il accéderait tôt ou tard à la demande de Mme Mathilde. En tout cas, elle lui avait épargné les reproches qu'elle seule se permettait avec lui, pour l'avoir connu enfant. Et comme elle aimait démontrer la belle efficacité de ses troupes, elle avait aussitôt donné des ordres, expédié Pauline préparer sa chambre, son cabinet de toilette et son linge. Elle avait finalement peu maugréé, mais prévenu Monsieur, avec une sorte de respect sévère, que c'était l'heure de la leçon de musique, et qu'il valait mieux attendre un peu, au lieu de déranger, puisqu'il tombait ainsi, au milieu des choses. On a accordé le vieux piano, expliquait-elle, et mademoiselle donne sa leçon à Millie.

Sitôt posé son manteau, il avait traversé les salons obscurs aux hautes fenêtres voilées, guidé par les accents, d'abord lointains et sourds, puis par la lumière de la porte entrebâillée. L'accueil de cette musique était tellement inattendu, si peu accordé au Mesnil, où aucun piano ne résonnait plus depuis longtemps, et l'intimité des deux silhouettes si parfaite, qu'il avait d'abord eu un mouvement de retraite. Elles n'avaient pas entendu ses pas, assourdis par les tapis, même lorsqu'il s'était avancé, franchissant le seuil, et qu'il s'était assis silencieusement au fond du fauteuil, décidé à attendre la fin de la leçon sans l'interrompre, pour complaire à Mme Victor, et par une sorte de retenue que lui inspirait cette scène étonnante.

De Millie, à demi cachée, il distinguait le paquet de sa robe bouffante, ses bottines pendant dans le vide sous la banquette trop haute, et sa bizarre coiffure dont les plumes tombaient dans son dos, sa courbe enfantine épousant la hanche de la femme, dont il entrevoyait la cambrure des reins jaillissant de la jupe, les épaules étroites et cette longue nuque inclinée sous la coque mousseuse des cheveux tressés, que les flammes cuivraient, comme on en voit aux anges musiciens des primitifs. Ainsi unies dans l'ombre, elles avaient une sorte de rayonnement souverain, que la musique enveloppait de ses inflexions mystérieuses. C'était si étrange, et beau, qu'il était resté immobile, gagné par un engourdissement, ne distinguant plus si, de sa vue ou de ce qu'il entendait, ou encore des sensations plus profondes de son être, venait le charme de cette scène imaginaire. Se pouvait-il, qu'un soir, il arrivât ainsi chez lui, dans un lieu qui n'existait pas, où une femme et un enfant l'attendaient dans une telle harmonie, loin des tourments et des horreurs, des catastrophes irréparables de la vie ? Mais au lieu de se projeter dans un avenir, sa vision semblait davantage appartenir au passé et ne se découper, toute d'ombre cernée par la lumière incertaine du ciel livide, que comme un souvenir douloureux, la réminiscence d'un bonheur perdu.

Au dernier accord, une sorte de commotion le saisit. Il se redressa d'une détente, mais déjà à son bruit, elles se levaient, découvraient sa présence dans la demi-pénombre. Elles eurent ensemble un mouvement de stupeur. Sans doute celui de la jeune femme fut-il plus intense, car elle se détourna vivement, le temps de fermer le cahier de partitions et de rabattre le couvercle du piano, tandis que Millie, le reconnaissant, approchait, reprenant cet air timide qu'elle avait toujours avec lui. Mais le temps qu'il se penchait pour embrasser maladroitement son front, la jeune femme s'était ressaisie. Elle sortait de l'ombre, frêle et pourtant sans crainte, comme l'apparition d'un être d'une race inconnue, presque guerrière dans son assurance altière. Elle avait une intensité singulière dans les yeux, une manière de regarder un peu fixement, sans ciller, et des prunelles d'un bleu pur qui le frappa, et il vit aussi qu'elle avait rougi tout à l'heure, parce qu'à ses joues et son front, il en restait trace, à moins que la chaleur des flammes, ou son jeu animé, n'eût donné à son teint cet éclat troublant. Lui-même dissimulait mal son embarras d'être là en intrus, d'avoir assisté à leur insu, et comme par effraction, à la leçon de musique, et qu'il pût être supposé avoir voulu, par son effacement, les surprendre, ou les épier, contrarié de sa gêne autant que de s'être oublié, au point que, lorsque la jeune femme fut à sa hauteur, il recula, en se détournant comme elle l'avait fait, et passa dans l'autre pièce, protégé par l'obscurité du grand salon.

— Je suis le père de Millie, se crut-il obligé de dire brusquement, par-dessus son épaule.

— Bonsoir, monsieur, dit la voix basse, derrière lui.

— Il fait noir, se plaignit Millie, cherchant le secours de la main de Gabrielle, qu'elle fut surprise de trouver tremblante, tandis qu'il les précédait entre les masses indistinctes des meubles.

Ils se trouvèrent soudain revenus en pleine lumière. Mme Victor avait allumé toutes les lampes, et même les bougies des chandeliers, ce qui donnait une allure solennelle au vestibule, dont les miroirs multipliaient le décor baroque. Maintenant la jeune fille semblait moins grande que tout à l'heure, quand elle s'était dressée devant lui, et d'une beauté plus réelle, que dessinait à ses yeux la clarté des lampes ; moins celle des anges musiciens que celle des femmes de Raphaël, dans leur pénétrante gravité. Elle serrait les partitions de musique d'une main contre sa poitrine, sans lâcher de l'autre la main de l'enfant, la tête un peu inclinée vers celle-ci et le regardant par-dessous, comme font les cygnes, pensa-t-il, arrêtée dans cette posture indécise ; qu'elle ne saurait tenir longtemps, pensa-t-il encore, et dont la grâce inquiète piquait sa curiosité, car de même l'enfant inclinait son cou vers elle par un mimétisme naturel et le regardait aussi, avec une expression plus candide d'interrogation. De quelle nature pouvait être sa relation à l'enfant pour que celle-ci épousât si bien les mouvements de son corps, maintenant comme tout à l'heure au clavier ? Alors il ploya le genou, attira la petite par la taille et, la questionnant sur le bizarre couvre-chef qu'elle arborait si fièrement, il ne quittait pas des yeux la jeune maîtresse de piano, comme si sous ces questions, il demandait : qui êtes-vous donc ?

— Meyer me l'a fabriqué, avec la queue du beau faisan, que l'oncle Charles à offert à mademoiselle.

— Quel superbe cadeau, ma chère ! sourit-il ironiquement, en caressant les plumes, un peu dépenaillées, gardant captif le regard de la jeune femme.

Mais Mme Victor faisait irruption, toutes clés dehors, cliquetant à sa ceinture.

— Qui raconte ces fariboles ? s'écria-t-elle, très fâchée. M. Charles est venu ce matin, faire ferrer son cheval qui boitait, d'avoir trop couru les bois. Si vous restiez assez pour en manger, vous verriez comment nous avons accommodé son gibier.

— Je serai là trois jours, Victor. Cela suffira-t-il ?

— Alors, monsieur, c'est donc un événement, que vous restiez tout ce temps ! Mais, ce soir, ne vous plaignez pas de votre dîner : ce seront des réchauffées. Quand on veut de bonnes choses, on prévient les gens !

— Est-ce que je me plains, Victor ? Je viens d'avoir une leçon de piano des plus charmantes.

— Je monte à l'étude, ranger les cahiers de Millie, dit Gabrielle, s'éloignant en hâte vers l'escalier.

— Nous vous accompagnons. Millie, montre-moi tes cahiers, j'en suis curieux.

Et prenant la main de la petite, il emboîta le pas de la jeune femme, laissant là la gouvernante, qui criait, la tête levée vers eux :

— Ne soyez pas longtemps ! On sert dans une demi-heure !

Gabrielle allait devant, tentant de maîtriser l'affolement qui la gagnait maintenant. Tout à l'heure, la présence de cet homme l'avait saisie comme l'apparition d'un fantôme. A peine avait-elle deviné sa haute silhouette dans l'obscurité, qu'elle l'avait reconnu. Bien souvent, pour l'avoir fréquenté assidûment en rêve, il arrive ainsi qu'on reconnaisse dans l'instant quelqu'un qu'on n'a jamais vu. Pour avoir appelé le dessin et le contour de son être, avoir tâtonné vers lui dans les ténèbres, l'imagination, fouettée par l'inquiétude, en apprivoise l'apparence, prévient de sa venue tout en le gardant dans son hésitation. Mais quand cet être jusque-là invisible sans s'annoncer se présente, sous son aspect indispensable et redoutable, dans sa séduction effrayante de rêve réalisé, alors le cœur bondit dans la poitrine, et pour conjurer sa vue, on ferme les yeux. Ces dernières semaines, elle s'était pourtant préparée à cette rencontre, composant de son mieux les façons qu'elle aurait de se produire, mais tandis qu'elle disposait des circonstances, et les arrangeait pour les mettre en scène, au lieu d'obéir à sa volonté, comme dans le rêve, il avançait, il progressait dans l'obscurité sur une autre voie. Il passait par une coulisse ignorée, approchait avec son assurance dangereuse, fortifié de l'invisibilité où elle croyait le tenir encore, et il s'incarnait dans sa présence soudaine, un corps vivant, une voix, un visage surgis de la nuit.

Sur ses talons, elle entendait ses pas, cette voix, qui s'adressait à Millie avec une considération mi-sérieuse, et celle-ci, sans manifester de répugnance à son abord, ou de réserve, babillait avec confiance, décrivait, volubile, Tout Roux et sa collection d'escargots, et celle de ses cailloux. Sur le seuil de la bibliothèque,

Gabrielle prit une inspiration pour se ressaisir. Mais alors que, d'ordinaire, elle trouvait sans hésitation l'interrupteur de porcelaine, elle dut le chercher, tâtonna, et dans l'obscurité sa main toucha brièvement celle du docteur, se retira vivement comme d'une brûlure, et la lumière jaillit.

— Quelle métamorphose ! s'écria-t-il, rendu au milieu de la pièce. Quel magicien est-il passé par là ?

— Venez voir mon cahier. J'ai écrit mon nom sur la couverture. Nous lisons des contes dans ces livres. J'ai dessiné Poucet avec ses bottes. Voilà le grand couteau de l'ogre. Nous n'avons pas peur de l'ogre. Il n'existe pas en réalité, seulement dans les étoiles. Dans les étoiles, il y a nos pensées. Voyez, mes crayons de couleurs. Nous les aiguisons avec ce petit couteau-là.

— Nous travaillons beaucoup, constata-t-il, se penchant avec complaisance par-dessus ses épaules.

— Cette herbe est une fougère, celle-là du plantain. Une feuille de chêne. Une feuille de peuplier. Une feuille de hêtre. Une feuille de châtaigne.

— De châtaignier, corrigea Gabrielle, posant les partitions en équilibre sur une pile de cahiers, et tentant de contenir le tremblement de ses mains.

— Châtaignier, confirma-t-il, caressant la tête de Millie. Nous apprenons tant de choses savantes, que j'en suis confondu.

Son sourire amusé démentait le regard vif et coupant dont il inspectait la pièce, revenait à la jeune femme avec une curiosité grandissante,

— Ma mère dit que vous êtes institutrice ?

Elle répondit d'un bref hochement de tête, privée de voix. Et comme elle cherchait une réponse plus appropriée, la pile de livres et de cahiers échappa de ses mains, glissa de la table et se répandit sur le plancher. Dans la confusion qui suivit, elle ne sut comment elle s'était retrouvée à genoux, et lui aussi, rassemblant les feuillets épars, les volumes ouverts qu'il refermait et lui tendait, elle les prenant au hasard, les rassemblant dans la précipitation, consternée de sa maladresse et du désordre de son esprit, et soudain elle fut glacée. Il tenait dans ses mains les petits recueils de poèmes hongrois, à moitié désarticulés par leur chute. Il en ouvrait un. Atterrée, privée d'une seule pensée de secours, elle plongea pour ramasser un autre volume, des feuilles, à l'aveuglette, sans avoir même la force de maudire son inconséquence.

— Ce sont des poèmes, observa-t-il d'une voix atone.

Elle vit à son visage une telle tension qu'elle se prépara à un éclat. Mais il restait absent, perdu dans la contemplation du petit livre délabré dont il feuilletait les pages.

— Vous aimez la poésie ?

— Oui, souffla-t-elle, mordant sa lèvre aussitôt.

— Vous connaissez donc cette langue ?

— Je cherchais des livres pour Millie, dit-elle avec précipitation, cherchant, à la vitesse folle de ses pensées, une esquive, un dérivatif inspiré, et elle continuait à ramasser, comme une automate, les feuilles répandues. Des contes ou des chansons, des poèmes, des livres d'images, mais il n'y en a pas beaucoup, ici...

Il ne relevait toujours pas les yeux, absorbé par ces pages jaunies que ses belles mains lissaient avec une application navrée, ignorant l'agitation de Gabrielle, et l'immobilité de Millie qui attendait, interloquée, considérant le désordre sur le plancher, et celui de ces deux adultes au comportement étrange.

— Vous avez donc trouvé ceux-ci dans la bibliothèque ?

— Oui, murmura-t-elle. Ils étaient là, ajouta-t-elle, parmi les dictionnaires. J'ai mal fait, n'est-ce pas ?

Il releva enfin les yeux, la dévisagea avec étonnement, comme s'il l'avait perdue de vue et se souvenait seulement de sa présence. Au lieu de réfléchir, elle le dévisageait aussi, troublée qu'il fût si proche, à la toucher, et que lui parût pour la première fois depuis tout à l'heure le modelé exact de ses traits, le front haut sous les courts cheveux grisonnants, l'arcade profonde et le nez osseux aux ailes contractées, la bouche charnelle dont le pli creusait aux commissures un pli profond, l'arc abrupt de sa lèvre supérieure tirée par l'amertume, ou l'ironie, découvrant le bord des dents comme dans ces sourires qu'arrache la souffrance, et la peau de sa joue au grain mat, si matérielle, et sensible, qu'elle recula.

— Mal fait ?

— De les prendre.

— Mais, non... Pourquoi ?

— Ils sont abîmés maintenant. Il faudra les remettre en état. Je suis désolée de ma maladresse.

— Vous êtes surtout troublée par mon arrivée. J'ai dérangé votre leçon. J'ai fait peur à Millie. Je vous prie de m'excuser, conclut-il d'un ton neutre, que démentait sa pâleur.

Très vite, il reposa le paquet de papiers sur la table, sans plus s'occuper des petits livres, mais désormais il n'accordait plus qu'une attention superficielle aux objets de l'enfant, et pressa le moment de redescendre. Gabrielle frottait machinalement ses paumes, qui brûlaient. A son émotion, succédait maintenant un immense désarroi, sans qu'elle pût démêler s'il venait de la fatale conjonction des circonstances qui les avaient menés, ce soir, à l'étude ; d'avoir laissé les recueils parmi ses cahiers ; ou de son comportement qui aggravait la confusion, incapable d'imaginer ce qui sortirait de cette scène catastrophique. Ayant repris une allure détachée, il attendait qu'elle eût passé le seuil, puis il éteignit la lumière et tira la porte.

— Vous lisez donc le hongrois, demanda-t-il de nouveau, tout près d'elle, puis il s'écarta.

Cette remarque avait le ton indifférent du constat, comme d'une évidence, mais d'une voix si basse qu'elle seule avait dû l'entendre, et non l'enfant, pourtant toute proche. Une rougeur envahit son front, brûla son visage, que dissimula la demi-pénombre du corridor, et comme il marchait devant, la main sur l'épaule de Millie, sans se retourner, elle osa répondre.

— Un peu.

— C'est une langue rare.

— C'est une belle langue.

— On le dit.

X

Une fois réfugiée dans sa chambre, Gabrielle se sentit rompue de l'immense fatigue des accidentés. Tout de cette soirée lui semblait irréel ; la chute catastrophique des livres dans la bibliothèque recommençait au ralenti, tel un long envol d'oiseaux blancs, suspendu, puis tombant en pluie ; telles les feuilles du hêtre dont la chute, cette après-midi, avait la mélancolie des avertissements funestes, annonçant l'apparition du docteur dans leur lent tourbillon, et sa haute stature de fantôme, instantanément surgie de l'obscurité, se muait en sa disparition subite au fond du corridor, tout à l'heure. Il l'avait si vite quittée sur le palier, qu'à se retrouver soudain seule, elle pouvait aussi bien l'avoir rêvé comme elle rêvait souvent, les yeux ouverts, la présence d'Endre, sa silhouette évanescente, et pourtant matérielle, charnelle et vivante, qu'un cillement pouvait conjurer. Quel revenant cet homme était-il pour tant ressembler au grand absent, se substituer à lui dans la pénombre, si semblable dans son oppressante réalité… Au moment où ils quittaient la bibliothèque, trop pressée de croire que l'incident était clos, elle était tombée dans le piège de sa dernière question. Vous lisez donc le hongrois ?… Les deux petits livres sur son bureau n'attestaient d'aucune manière qu'elle pût les lire… Rien n'obligeait qu'elle connût cette langue ; pourtant sans violence, de cette manière naturelle et douce, sur ce ton égal, il avait obtenu l'aveu qu'il voulait, qu'elle ne lui devait pas. Alors qui posait cette question, une fois éteinte la lumière, à qui répondait-elle dans le noir, comme une somnambule ? Dans cette langueur de l'aveu qui venait à ses lèvres ensommeillées, c'était à Endre qu'elle disait cette chose vraie, amoureuse et si triste : c'est une belle langue… A lui elle adressait ces mots, pas à l'autre, qui attendait, tapi dans l'ombre, et trompait sa vigilance. D'un seul coup, elle se réveillait, effrayée par la duplicité de cet homme. Son arrivée subreptice, cette manière d'assister sans s'annoncer à la séance de musique, son air de père bienveillant penché sur les cahiers d'étude, et même sa conversation anodine, dénonçaient l'adversaire redoutable et surarmé qu'elle imaginait, depuis des semaines. Elle ne rêvait pas, ne dormait pas, bien réveillée au contraire, et sûre que l'insomnie allait occuper sa nuit à revivre ces dernières heures, sans pouvoir démêler ce qui s'était passé ce soir.

Au dîner, elle avait pourtant retrouvé son sang-froid. Ils l'avaient pris dans la petite salle à manger, Mme Victor jugeant qu'il fallait un peu de cérémonie. Cette exception à ses habitudes, la nappe brodée et les couverts d'argent inspiraient à Millie l'idée que cette visite de son père était une fête à elle destinée ; d'ailleurs elle trônait entre eux deux, en haut de la table, et comme il faisait honneur au repas, elle s'efforçait de montrer le même appétit. Gabrielle aussi, mais une part d'elle-même se prêtait au rituel du dîner ; une autre restait en alerte, sur la défensive, parce qu'elle tremblait encore des livres tombant sur le plancher, et de ce qui avait suivi ; qu'il avait apparemment oublié. Du moins il le semblait, tant il mettait d'intérêt à connaître sa pédagogie, l'invitant du regard à intervenir, ce dont elle se gardait ; sollicitant son avis par des questions indirectes, qu'elle feignait d'ignorer, pour laisser Millie se raconter librement. Mme Mathilde n'étant pas là pour lui interdire de parler à table, encouragée par son père, Millie rapportait par le menu son existence, propos puérils auxquels l'un et l'autre prêtaient une attention excessive, comme si le sujet valait pour trêve consentie. Tandis que Pauline servait, sûrement bien chapitrée par sa grand-mère, parce que pas une seule fois celle-ci n'avait manqué son office, ils avaient devisé sur un ton inoffensif des faits et gestes de l'enfant, de l'emploi de son temps, et des avantages de la campagne pour sa croissance et sa santé. Tout en s'attachant aux petits accidents de table, Gabrielle observait sans paraître le convive étranger qui lui faisait face, dont elle n'avait pu encore connaître la physionomie. Sous la suspension de cuivre qui illuminait la table, il se révélait un homme d'une quarantaine d'années, aux beaux traits réguliers et sévères, au visage glabre d'un teint mat, portant la trace d'un ancien hâle. Aucun air de famille ne rappelait sa sœur, ni sa mère ; leur physionomie ni leur corpulence. Son aspect ne dénotait non plus sa position sociale ni sa profession. Seule la cravate de soie brune, épinglée d'argent sur sa chemise blanche, mettait quelque élégance à son habit de ville, d'une coupe stricte. Mais ses mains maigres et nerveuses, aux ongles ras, ses gestes brefs et mesurés dans leur amplitude, et quelque signe discret de lassitude, quand il avait passé une ou deux fois sa main sur son front, remontant vers ses cheveux courts, ou la posant contre son oreille et s'accoudant, comme si un souci lui revenait soudain, manifestaient une nature quelque peu différente. Son regard, surtout, que Gabrielle avait rencontré dès le vestibule, incisif et froid, avait l'étonnante aptitude à passer d'une intensité pénétrante à une expression dormante sous la paupière appesantie, des yeux changeants comme ceux d'un félin qui réprime ses appétits de prédateur domestiqué. Elle s'était appliquée à le croiser sans fléchir, lui opposant le sien, paisible et droit, apprivoisant cet échange pour en désamorcer le pouvoir déstabilisant, et elle était parvenue, peu à peu, à s'affranchir de son emprise.

Mme Victor avait paru enfin, portant un confit de pommes à l'anis, qu'elle savait le dessert favori du docteur, dit-elle. Sans façon, il l'avait fait asseoir près de lui, au coin de la table, et l'avait félicitée pour ses "réchauffées", dont elle s'était rengorgée, et comme il la questionnait poliment sur le domaine, elle l'avait informé des travaux du jardin et de la maison, des ennuis de M. Victor avec la chaudière à charbon, qui chauffait trop les radiateurs des étages, et pas assez ceux des pièces éloignées. Mais il semblait ne prendre qu'un intérêt distrait à ces considérations domestiques, en homme peu attaché aux problèmes d'intendance.

— Leur installation est récente, éludait-il, conciliant, il faudra aviser ma mère de cette question avant l'hiver.

Millie dodelinait, elle finissait avec peine son assiette, écartant de la fourchette les morceaux d'anis étoilé et réprimant des bâillements, aussi le docteur, voyant ces signes de sommeil, avait fait signe d'enlever le couvert, décrétant qu'il était temps de la conduire à sa chambre. Gabrielle avait confirmé qu'il était bon, en effet, d'aller dormir à présent, soulagée de ce prétexte qui mettait fin à l'épreuve du dîner. Mais tandis qu'elle ôtait à la petite fille la coiffure de plumes qu'on lui avait laissée tout le jour, il s'était éclipsé un instant et avait rapporté un paquet emballé, un cadeau qu'il avait rapporté de Suisse à son intention. C'était une petite boîte à musique, une précieuse mécanique à manivelle, décorée d'une ronde de moutons, qui jouait *Il pleut, il pleut, bergère...* en notes aigrelettes, dont Millie fit tourner plusieurs fois la ritournelle naïve avec ravissement.

— Cette mélodie est un peu simplette, avait-il observé. C'est que j'ignorais que tu avais de si belles leçons de musique. Bonne nuit, Millie.

Il avait déposé sur son front le même baiser rapide qu'à son arrivée, comme si entre ces deux-là il n'y avait pas d'autres effusions possibles, et l'avait confiée à Mme Victor. Mais comme Gabrielle sortait aussi, dans le même mouvement, il l'avait retenue d'un geste bref.

— Je suppose que votre mission s'arrête là.

Pauline tournait autour de la table, jetant des coups d'œil à la dérobée, et comme elle s'attardait à desservir, il proposa :

— Allons au salon. Si vous n'êtes pas trop épuisée de votre journée.

— Seulement un peu.

— Nous ne serons pas longtemps, je vous le promets.

A les voir installés près de la cheminée où flambait un feu joyeux, lui un peu alangui et croisant ses longues jambes, elle s'appuyant sans raideur contre l'accoudoir du fauteuil, on aurait juré un couple amical conversant à la veillée. Pourtant jamais plus qu'à cet instant elle ne s'était tenue en alerte, aiguisant ses pensées, résolue à ne plus céder un pouce. Il avait d'abord cherché un alcool, trouvé le cognac qu'il aimait, et elle avait accepté de bonne grâce le verre qu'il lui proposait. Comme il l'observait d'un air interrogateur, elle s'était prêtée à l'examen, attendant en silence. Nul doute que sa jupe de drap marine et sa guimpe au col de dentelle grise lui donnaient l'air modeste de sa fonction, une sagesse de bon aloi, peu compatible avec le doigt de cognac qu'elle acceptait. Mais outre qu'elle avait besoin de ce secours dans l'épreuve, elle trouvait quelque amusement à dérouter son jugement. Et quand il m'offrirait un de ses petits cigares, pensait-elle, irais-je jusqu'à le prendre de même ? Dora et elle roulaient ensemble, les soirs où elles étaient gaies, des cigarettes de tabac russe, qui faisaient tourner la tête ; ce souvenir dissident lui pinçait le cœur, et en même temps lui donnait l'aplomb dont elle avait bien besoin, à présent qu'ils étaient seuls, à visage découvert...

— Voilà près d'un mois que vous êtes entrée à notre service, mademoiselle. En êtes-vous satisfaite ? avait-il fini par demander d'un ton engageant.

— Je suppose qu'il s'agit d'évaluer mon *essai* ? C'était la condition mise à mon recrutement...

— Eh bien, disons qu'il s'agit de cela.

— Je suis satisfaite, monsieur.

— A ce que j'ai pu en voir, depuis tout à l'heure, nous pouvons l'être aussi. Ma mère se félicite d'avoir trouvé quelqu'un comme vous pour Millie. Mais elle ne m'avait pas prévenu de vos talents. Vous êtes une institutrice fort savante, et de surcroît musicienne d'exception…

— Mais je ne suis pas institutrice !… Je n'en ai pas fait mystère : j'ai seulement été garde-malade d'une vieille dame, durant deux années. Cela ne m'a guère enseignée, sinon que j'ai appris la patience. Me trouvant sans emploi, j'ai été bien heureuse de trouver celui-là. Rien ne m'y destinait, cependant j'improvise de mon mieux… Quant au piano : j'ai un très bon professeur, une musicienne polonaise, que j'aime beaucoup… Et puis, tous en jouaient un peu, dans ma famille. Ils étaient d'ascendance hongroise, du côté de ma mère, c'est pourquoi je sais un peu cette langue. Un peu d'allemand aussi, ajouta-t-elle vivement, par diversion… Aussi, trouver ces petits livres dans votre maison a-t-il été une vraie surprise. Maintenant, ils sont abîmés, par ma maladresse… J'en suis vraiment navrée. Vous semblez y tenir beaucoup.

Parler vite et beaucoup, devancer les questions servait de parade et gagnait du temps, elle y mettait un naturel étonnant, et lui l'écoutait, contemplant les flammes d'un air absent. Un temps, il n'y eut que le craquement du bois et le grésillement des braises.

— Que n'enseignez-vous le piano, au lieu de vous exiler dans cette campagne ? Cet endroit manque singulièrement de distractions, finit-il par murmurer, détournant son visage du feu.

— Le piano ne me suffirait pas à gagner ma vie.

— Et vous en avez besoin…

— Je n'ai pas de fortune, monsieur.

— Votre fiancé est mort, je crois ? C'est une épreuve bien triste, pour une jeune personne.

Elle ne dirait pas un mot de plus. Baissant les yeux sur son verre, elle but un peu d'alcool, qui brûla sa gorge. Sa petite toux pouvait passer pour de l'émotion.

— En effet. Mais le temps a passé…, concéda-t-elle, contrôlant sa voix.

— Le temps guérit peu la perte de ceux que l'on a aimés.

Gabrielle avait observé un silence prudent, ignorant si c'était là une formule convenue ou une allusion plus personnelle à son veuvage. Elle ne pensait plus qu'à se garder de lui, calculait qu'elle gagnait à l'épreuve du temps, qu'elle pourrait bientôt prétexter décemment de sa fatigue, sans avoir l'air d'esquiver cet entretien dont la pente devenait dangereuse, aussi eut-elle la présence d'esprit de changer de sujet.

— J'aime m'occuper de Millie, avait-elle repris, avec conviction. C'est une petite fille combative et curieuse. Elle a l'esprit vif, elle aime beaucoup nos séances du soir, au piano… Mme Victor, et Meyer, enfin tout le monde ici l'entoure de soins. Elle s'intéresse à toutes sortes de choses et son petit chien l'occupe beaucoup. C'est un compagnon, dont elle avait besoin… Je crois que sa tristesse s'efface un peu, qu'elle a du plaisir à apprendre et à jouer. Elle va bien, n'est-ce pas ?

— Vraiment bien. Je vous en remercie. Demain, j'ai l'intention de l'emmener en promenade. Montez-vous à cheval ?

— Il y a longtemps que je n'en ai pas eu l'occasion.

— Nos chevaux sont de bonnes bêtes paisibles. Que dites-vous de nous accompagner ?

— Je crains de ne pas être une fameuse cavalière.

— Nous irons au pas, et Millie sera contente, insistait-il, un peu agacé par ses réticences.

Gabrielle avait posé son verre sur le guéridon et comme il se redressait, elle s'était levée, d'un élan un peu trop rapide, qui le devançait dans son mouvement. Elle était debout avant lui, confuse de sa hâte.

— C'est entendu, avait-elle dit, en guise d'excuse. Elle sera très contente, assurément.

Maintenant, il lui fallait s'éclipser au plus vite ; mais il hésitait encore, la retenant par son attitude inquiète, cherchant vers les flammes un secours à son indécision, quelque chose au bord des lèvres, et elle n'avait pu faire qu'il monte encore avec elle à l'étage, regagnant lui-même sa chambre. C'était seulement une fois rendu en haut du palier, et comme ils se souhaitaient le bonsoir, qu'il avait demandé brusquement :

— M'accorderez-vous une grâce ?

Il tournait le dos à la faible lumière venue d'en bas, si bien que sa voix, de nouveau basse et altérée, semblait provenir de toute cette ombre de sa poitrine.

— Ces livres me viennent de quelqu'un, que j'ai connu autrefois… Je les avais oubliés…

Si proche à présent, qu'elle sentait la chaleur de son souffle, celle des vêtements, ou du corps, cette intimité plus troublante qu'un contact, et avant qu'elle ait pensé à fuir :

— Accepterez-vous de m'en lire quelques pages ? Je vous en prie.

Comme elle se taisait, bouleversée, il avait insisté, avec une sorte de colère :

— Vous le pouvez, puisque vous parlez cette langue, que je ne connais pas.

— Oui, avait-elle dit, dans un souffle. Je le peux.

Elle ne savait plus alors si elle feignait ou si elle avait fini par céder à son émotion, d'un élan trouvant l'accent qui convenait, s'accordant au sien, si grave. Car il était, dans cette obscurité du palier, comme le double d'ombre d'Endre, et il avait sa voix, par laquelle il lui faisait soudain l'aveu que cette personne, *connue autrefois*, dont il tenait ces poèmes, était dans les murs avec lui, si proche, si présent, qu'un instant ils s'étaient confondus, et ce qu'elle n'aurait pas osé espérer entendre de cet homme, Endre le lui disait par sa bouche. Alors ses suppositions, ses craintes et ses soupçons s'éclairaient enfin au jour de leur terrible vérité. Il lui avait brusquement souhaité la bonne nuit, puis tournant les talons, avait disparu aussi vite qu'un rêve.

Maintenant en toilette de nuit, les cheveux défaits, marchant fiévreusement dans la chambre, elle pressait ses mains à sa bouche, à sa poitrine, se laissant enfin aller à l'illuminant bonheur des certitudes. Car oui, dès l'instant qu'elle les avait trouvés, tandis qu'elle interrogeait leur anonymat, malgré la désespérante absence de traces, son intuition lui disait que ces livres venaient d'Endre, oh ! mon amour, gémissait-elle, entre larmes et hoquets de joie. En palpant leurs pages, elle touchait sa peau, la chaleur de sa chair se communiquait à la sienne, et cette sensation transportait son âme, balayait le découragement de ces dernières semaines. Comme elle avait bien fait de venir ici ! De se donner tant de peine à composer son personnage, de persévérer contre la résignation d'Agota, les craintes de Renée, et contre la fureur de Dora ! Seul Michel avait raison, pensa-t-elle avec enthousiasme. Mon cher ami, mon bon ange. Elle brûlait de fièvre, et si rompue de fatigue, d'allégresse et d'angoisse, qu'il lui semblait tanguer dans la chambre, aller d'un mur à l'autre tel un bouchon sur l'eau. Suis-je donc ivre d'un petit verre de cognac, ou des essences surnaturelles qui flottent dans l'air, autour des apparitions, riait-elle, étreinte d'une immense tristesse.

Elle alla contre la vitre, rafraîchir son front et regarda la nuit. Quelque part dans la façade, elle vit une lumière sourde, filtrant entre des rideaux. C'était sa chambre. Il veillait donc, lui aussi. Quelles pensées pouvaient occuper son cerveau, et comment si vite, en une soirée, avait-il su percer ses défenses, la mettre dans le plus grand danger... Sa présence étendait son empire à travers les murs, elle en éprouvait presque physiquement l'influence se propageant dans l'espace, tels ces corps rayonnants dont les radiations traversent les obstacles matériels et contaminent les corps de leur magnétisme. Quel être était-il donc, passant si aisément de la lumière à l'obscurité. Ni une apparition, ni une vision ; un homme bien réel, offensif et déterminé, sûr de lui. A plusieurs reprises, il s'était révélé incisif et caustique, sous de banals propos ajustant ses questions, et il avait une manière plus déconcertante encore de se livrer soudain comme si, d'intuition, il fréquentait ces zones dangereuses de la sincérité pour y entraîner l'adversaire avec lui, et le désarmer. Sous ses dehors policés, il était bien l'adversaire redoutable contre qui Michel l'avait mise en garde ! La lumière faible continuait de sourdre entre les rideaux, avec la nuisance du fanal nocturne qui attire, pour les perdre, les voyageurs égarés.

Le lendemain, le docteur ne parut pas de la matinée. Selon Mme Victor, qui lui avait porté un plateau sur sa demande, il travaillait, selon son habitude quand il venait au Mesnil, enfermé dans son bureau, dont il ne sortit qu'à l'heure de sa promenade. Au repas, Meyer avait pris des airs de conspirateur pour glisser à Gabrielle que les chevaux seraient prêts. Elle avait changé sa robe pour la jupe-culotte qu'elle avait achetée avec Dora, quand elles allaient faire de la bicyclette, au bois de Boulogne. Mais malgré ces préparatifs, elle n'avait pas parlé à Millie de la partie de plaisir, dont elle ignorait si la promesse serait vraiment tenue. Si bien que, lorsque son père entra dans la bibliothèque pour la chercher, la surprise prit une allure de fête. Millie battait des mains d'excitation, transportée par cet enlèvement, et ce fut toute une affaire que le départ. Les deux bêtes harnachées attendaient paisiblement devant l'écurie, avec leur selle astiquée, le crin peigné et le poil verni luisant au soleil, considérant leurs cavaliers d'occasion de leurs gros yeux débonnaires sous les cils soyeux. Meyer avait enfermé Lula dans l'écurie pour qu'elle n'inquiète pas les vieux chevaux, que leur exceptionnelle sortie tirait de leur retraite, et que rien ne devait effaroucher. Ils avaient un peu oublié le temps des courses et des chasses d'autrefois à travers bois. Pour la circonstance, M. Victor se montra. Lui qui disparaissait des journées entières, occupé aux travaux de la propriété, consentit à assister au départ de son air farouche d'homme taciturne, et comme Pauline et Sassette se tenaient aussi sur le seuil de la cuisine pour profiter du spectacle, Millie se gonflait d'importance d'être le centre de l'événement.

Meyer la grimpa près de son père et aida Gabrielle à monter Loyal, ajustant les étriers et s'assurant de son assise. Elle éprouvait quelque crainte à monter ce cheval inconnu, tant d'années après ses leçons d'équitation, mais la bête ne bronchait pas. Elle se mit en route docilement et, plus que sa cavalière ne la guidait, elle gouvernait, mettant son pas à l'amble de l'autre, frottant un peu son ventre au sien, comme à l'écurie. Ils s'éloignèrent sur le chemin de la prairie et gagnèrent les bois. Il faisait un temps vif et frais d'arrière-saison sous le ciel d'azur que des nuages passants assombrissaient par moments, et les couleurs végétales au sommet de leur déploiement automnal vibraient dans l'atmosphère limpide, aveuglant au loin les coteaux d'une brume bleutée. Rien ne pouvait altérer la sérénité de cet instant, dans la solitude des bois où ils entrèrent, chacun enfermé pour soi dans son silence. Le chemin suivait d'abord le fond du vallon, puis remontait longuement la pente de la colline, dominant peu à peu la combe où se trouvait la ferme des Armand, son toit émergeant des frondaisons, entourée de prés et de terres cultivées. Jamais Gabrielle n'avait poussé avec Millie jusqu'à cet endroit écarté, car bientôt le chemin perdait la ferme de vue à un tournant, s'enfonçant de nouveau sous le couvert d'une dense forêt de chênes et de bouleaux que le soleil traversait de flèches vibrantes. Seul le bruit des sabots froissant les feuilles mortes accompagnait leur marche paisible.

Dans l'intervalle de la nuit, Gabrielle avait presque oublié les particularités du visage du Dr Galay, qui avaient pourtant frappé si fortement son esprit tout le soir. Elle ne s'était rappelé ni sa haute taille ni ses gestes brefs, seuls son regard et sa voix l'avaient poursuivie jusque dans son sommeil. Il restait inexpressif malgré la joie contagieuse de la petite fille, gardant avec tous une distance ostensible, et avec elle une indifférence polie, comme si rien ne s'était passé entre eux la veille. Elle regrettait maintenant, tandis qu'il se penchait, protégeant de son buste le dos de Millie accrochée au pommeau, de ne pas voir sa tête dont la beauté sévère l'intriguait, ce masque que la vie imprime au visage par mille détails et qui constitue une physionomie, le haut front osseux et la ligne des sourcils enfonçant le regard qu'il semblait perdre, par-dessus la tête de l'enfant, vers le fond indistinct des bois. De lui, elle ne voyait que le dos et la nuque entre le chapeau de feutre et le col de sa veste, ses mains nerveuses tenant les rênes rassemblées sur le pommeau et couvrant celles de l'enfant, qui se taisait comme eux, impressionnée sans doute par la solennité de cette promenade exceptionnelle et par le silence environnant. Aussi Gabrielle pouvait-elle laisser aller ses pensées, maintenant rassurée par la bienveillance de Loyal, à l'abri du regard de l'homme qui marchait devant et qui semblait l'avoir oubliée. Peut-être ne l'avait-il conviée à la promenade que pour favoriser celle de Millie, ou par simple courtoisie, car pas une fois il ne se retourna, ne s'inquiéta de sa compagne ni de sa monture. Ils débouchèrent enfin sur le sommet de la colline, en une place dégagée qu'inondait le soleil, d'où s'étendait la vue jusqu'à l'horizon, la plaine de Nanterre et ses bourgs, le méandre miroitant de la Seine sous le haut ciel. Éblouis au sortir de l'ombre, ils restèrent un moment à contempler le paysage triomphant. Millie médusée par le spectacle, la main en visière, cherchait à percevoir les maisons posées comme des jouets au bord du fleuve. Il sortit brusquement de son mutisme pour l'interpeller.

— Eh bien, mademoiselle, voilà un essai concluant. Vous n'êtes pas si piètre cavalière que vous le disiez !

— Brave Loyal, avec sa vieille expérience, il a compris à qui il avait affaire !

Gabrielle flatta la joue du cheval et celui-ci hennit de plaisir, secouant son col, s'ébrouant avec tant d'énergie, qu'elle dut se retenir au pommeau et rectifier son assise. Elle rit de bon cœur de cette alerte. La gaieté creusait sa joue d'une fossette, l'arc des dents éclairant soudain son visage d'un rayonnement juvénile. Elle portait une veste cintrée, ajustée jusqu'au cou, mais le rire avait un peu renversé sa tête et gonflé sa gorge, dégageant cette zone délicate de peau sous le menton que bridait le ruban du petit chapeau drapé, et ainsi elle parut si gracieuse et si jolie, le front pur sous les boucles échappées de sa chevelure, qu'il regarda avec étonnement sa face délicieuse inondée de soleil, comme s'il la voyait pour la première fois. Mais elle avait repris son sérieux et regardait au loin, attendrie par la conclusion sereine de cette promenade, l'harmonie du paysage et l'excès de lumière, suivant un vol d'étourneaux qui passa en piaillant, tournoyant et se rassemblant plus loin en nuage bas, puis haut dispersé revenant au-dessus d'eux en cris aigus. Elle s'abandonnait, les yeux plissés d'un rire qui flottait encore.

— Quelle aventure ! Nous n'étions jamais venues si loin, n'est-ce pas, Millie ?

— Vous êtes heureuse, observa-t-il avec gravité.

Interdite, elle le regarda franchement au visage, cherchant un sens ou une intention à ces mots qui semblaient un reproche.

— C'est si beau, dit-elle platement, et elle rougit comme d'une faute.

Ils retournèrent aussitôt. Cependant, il la laissa cette fois passer devant et, tout le temps de la descente, elle souffrit de sentir son regard assombri dans son dos, encore ébranlée par sa remarque, se tenant d'autant plus droite et ferme en selle, gardant au maintien de la bête une vigilance accrue, montrant plus d'assurance qu'elle n'en avait. Mais Loyal n'aimait pas conduire la marche, dès que le chemin s'élargit, il marqua le pas et s'écarta pour retrouver sa place contre son compagnon, comme si le retour à l'écurie lui promettait la vieille camaraderie animale. Ce faisant, en dépit des efforts de Gabrielle, les chevaux se retrouvèrent à avancer de front, et comme l'étroitesse du chemin les contraignait à serrer leurs flancs, par accident elle sentit contre sa jambe, à travers sa jupe, celle de l'homme, son genou heurtant le sien, sans qu'il s'excusât ni tentât de mettre un intervalle pour éviter ce contact. Et comme elle redoutait une manœuvre hardie de sa part pour séparer les montures, elle remonta davantage son genou contre le cou de Loyal, compromettant son bel équilibre, d'autant que Millie, profitant de leur proximité, lançait de temps en temps sa main vers elle, demandait la sienne par jeu, offrant dans son insouciance enfantine une diversion bienvenue à sa gêne, dont il feignait de ne pas s'apercevoir. Sans tourner la tête, elle sentait pourtant qu'il l'observait et, sans doute avec ironie, suivait ses efforts pour garder son aplomb. Elle fut bien soulagée d'aborder enfin la dernière partie du chemin qui mettait fin à son épreuve, de voir au loin paraître, au bout de la clairière, le toit de la maison dans l'écrin majestueux des arbres du parc. Mais comme ils étaient en vue, Pauline surgit de la cuisine et s'élança à leur devant, sa robe et son tablier volant dans sa course, et avant qu'elle n'approchât, ils savaient déjà qu'une nouvelle funeste la portait vers eux. Car là-bas sur le seuil, aussitôt, sortaient les femmes, Victor et Meyer de l'écurie, tout leur groupe s'avançant tandis qu'ils rentraient au pas.

— Monsieur ! Monsieur ! Il est arrivé un malheur ! criait Pauline, de si loin qu'elle pouvait, en courant à perdre haleine à leur rencontre.

A quelques pas d'eux elle s'arrêta, à bout de souffle.

— Mme Sophie ! C'est un accident ! Quel malheur !

Gabrielle sautait à terre, tirant jusqu'à la déchirer sa robe accrochée aux étriers, saisissant à la volée Millie que lui tendait le docteur ; tandis que celui-ci piquait déjà sa monture et prenait les devants, elle resta au milieu du chemin, serrant de toutes ses forces l'enfant dans ses bras.

La maison était dans l'effarement de la nouvelle. Elle venait d'être portée, en pleine après-midi, par un garçon de l'étude envoyé à la course en messager : M. Charles savait que le docteur était là, on l'avait vu arriver, hier soir à la gare, et il voulait son secours. On faisait aussi chercher le médecin de famille, mais on ne savait s'il ne serait sur les routes, à ses consultations. Le pauvre garçon, que le docteur trouva dans la cuisine, restait là, paralysé par ses questions et par son irritation, parce qu'il n'y pouvait répondre, encore suant, éberlué de sa course et de son ambassade, incapable de décrire l'accident auquel il n'avait pas assisté. D'ailleurs le Dr Galay était sitôt remonté à cheval, sans attendre que Victor attelât, pour faire les trois kilomètres jusqu'à l'étude, au bourg de Genilly. Du garçon, on ne pouvait rien tirer de plus, sinon que Mme Sophie n'était pas morte, mais peut-être, et comme il restait stupide de l'émotion générale qu'il provoquait, plus saisi par l'effet spectaculaire de la nouvelle qu'ému par elle, on le renvoya bientôt sur la route, comme il était venu.

Mme Victor, en femme d'ordre et d'autorité, afficha un calme olympien. Elle renvoya les uns et les autres à leur tâche, par diversion commanda à Mauranne de préparer des crêpes pour le soir, à Sassette de nettoyer un panier de morilles, que venait de porter Renaud, le garçon des Armand. Et comme celui-ci traînait aussi à la cuisine, désœuvré et curieux de l'événement, elle l'expédia au verger avec Pauline, qui pleurnichait dans son tablier, pour qu'ils rentrent la récolte de pommes sur les claies du grenier. Ayant ainsi repris le contrôle de ses troupes, elle s'assit au bout de la table, où Gabrielle, apparemment rassérénée, faisait prendre son goûter à Millie, qui observait l'agitation des adultes par-dessus son bol, comprenant qu'il se passait quelque chose d'extraordinaire, mais avec la sorte d'indulgence incrédule qu'ont les enfants devant les excès des grandes personnes. Comme on lui avait dit que tante Sophie était soignée maintenant de son accident, elle buvait son chocolat sans marquer plus d'étonnement.

— Rien ne sert de s'affoler, décréta Mme Victor, quand on ne sait même pas de quoi. Et servons-nous de notre courage avant qu'il nous manque.

Gabrielle acquiesça en silence, convaincue de ce sage principe. Mais à son émotion, succédait à présent l'abattement, une amère douceur à repenser à cette promenade, dont restait si vif le plaisir, quand bien même la présence du docteur l'avait assombri de son humeur taciturne, et où ils avaient goûté dans l'insouciance aux simples joies du plein air, à la paix trompeuse des sous-bois, tandis que là-bas, au même instant, se déroulait le drame. Elle ne pouvait s'empêcher de frémir au souvenir de tant d'occasions où elle avait joui de la vie sans rien imaginer, ni pressentir du malheur qui frappait Endre, sans que son amour l'en prévienne en secret, d'un tressaillement, d'un suspens, sans que d'un bond miraculeux l'avertissement franchisse la distance et réunisse, en un seul, les points lointains de la terre où ils étaient séparés. Il y avait bien eu un instant fatal où, simultanément, elle riait et il mourait. Elle savait vaine cette pensée, qu'elle invoquait pour consoler l'oubli du malheur, le manquement des vivants à l'égard de la mort, mais en cette après-midi où s'étaient succédé si brutalement la partie de plaisir et la nouvelle de l'accident de Sophie, elle songeait combien la figure des êtres proches, dès qu'ils sont hors de notre vue, devient familière de ces zones ténébreuses de la disparition. Entre la mort et l'absence il y a parfois si peu de différence ; et alors qu'au moment où elle avait appris sa mort, elle refusait d'admettre que Endre pût n'être plus des vivants quand il l'était si vivement en elle, à présent elle s'étonnait qu'il continuât d'être si vivant, si présent à son esprit à tout moment, quand nulle part sur terre il n'existait plus, et qu'elle le savait mort. Il campait dans cette proximité de brouillard mental, si proche de se dissoudre, et pourtant résistant, matériel dans son indécision, et parfois s'incarnait, comme s'il fût encore de ce monde. De la même manière, à cause de l'accident dont la nouvelle bouleversait cette journée, la silhouette de Sophie, son corps, son image hésitaient entre le souvenir d'une vivante déjà disparue, ou celui d'une morte encore parée des oripeaux de la vie, perdue dans ces limbes où l'imagination douloureuse fait un fantôme de tout absent. Aucune affection profonde ne l'attachait pourtant à elle, mais il avait suffi qu'elle parût quelques fois dans sa vie et s'ouvrît à elle avec une si touchante confiance, pour qu'en ce moment elle prît près d'Endre une place dans son cœur.

Comme il fallait épargner à Millie l'affliction et l'angoisse, Gabrielle tentait de chasser ces pensées et elle resta en bas, au lieu de monter à l'étude, lui donna des jeux, la boîte à musique et des puzzles, renonçant à la leçon de piano comme si en se mettant à l'écart dans le petit salon d'hiver, elle craignait de perdre la rassurante proximité de l'office, à tout instant espérant entendre un galop sur l'allée, mais en vain. Le soir venu, la petite communauté réunie dans la cuisine affecta une fièvre d'activité ou d'enjouement forcés, alternant hostilité ou gaieté subites, parlant un ton trop haut, comme si la tension de l'attente ne trouvait à s'exprimer que sous ces formes théâtrales qui donnaient à la réalité l'apparence d'une fiction, tant chacun y jouait un rôle. Ni les morilles ni les crêpes ne firent une fête du repas et, comme la nuit tombait, et que le docteur ne retournait toujours pas, on dit à Sassette de coucher Millie ; puis Meyer partit, et aussi M. Victor, et l'on rangea la cuisine, mettant plus de temps que d'accoutumée à la vaisselle, ralentissant les gestes pour différer le moment de se quitter. Malgré ses protestations, la gouvernante renvoya aussi Pauline, qui traînait en bâillant mais voulait encore attendre les dernières nouvelles.

— Il n'y en aura que demain matin, va donc dormir, gronda-t-elle. Et ne fais pas une toilette de chat !

Mme Victor accrocha une lampe-tempête dehors, pour indiquer que quelqu'un veillait. Maintenant ne restaient plus que Gabrielle et Mauranne, assises à la table avec elle, sous le cône jaune de la lampe, toutes trois tacitement d'accord pour prolonger la veillée de compagnie, comme en ces nuits où la parentèle se rassemble autour d'un mort. Elles firent un café bien noir, bien épais, qui fumait sous la lampe, et pour passer le temps se mirent à deviser du passé, des souvenirs et des événements dont elles avaient entendu parler, ou dont elles avaient été témoin, les uns se mêlant aux autres par épisodes dont elles renouaient les liens, récitantes d'un texte qu'elles connaissaient ensemble, et que leurs voix basses accordaient. Elles semblaient n'en faire le récit que parce qu'elles avaient quelqu'un de nouveau pour les écouter ; et peut-être aucun conte ne s'invente-t-il que pour l'oreille qui le réclame. Gabrielle avait bien le sentiment que les deux femmes racontaient à son intention, et qu'en délivrant par bribes les histoires de la famille, elles lui faisaient le don par lequel les adoptions s'opèrent, scellant ainsi leur assentiment à sa présence dans la maison comme si, après la période d'essai où, à leur manière, elles l'avaient mise à l'épreuve, elles jugeaient qu'elle faisait maintenant partie des leurs. Et si Mauranne avait résisté plus longtemps, revêche et maugréant sur ses fourneaux, maintenant elle rejoignait Mme Victor dans sa sympathie, consentait à l'accueillir.

Elles avaient d'abord parlé de l'enfance de Sophie ; et tout naturellement à ce temps de l'imparfait qui indécide l'histoire, comme pour empêcher le malheur, suspendre sa menace, tant invoquer les absents sert à les retenir au monde des vivants autant qu'à les projeter dans une mémoire hors du temps, qui conjure la mort. Sophie, la dernière-née, était arrivée par surprise, disaient-elles, ni voulue ni aimée, car alors Mme Mathilde commençait juste de s'affranchir de la charge des trois aînés pour seconder son père vieillissant, et rien ne l'empêchait davantage que cet enfant. M. Henri, dont tout un espérait qu'il prendrait la succession, répugnait aux affaires, porté par son milieu et son éducation de grand bourgeois à goûter en esthète oisif des plaisirs de l'existence, des choses de l'art et de la culture, et prétextait de son ignorance pour laisser à sa femme le souci de la biscuiterie, où elle mettait tant de passion. Cela avait mis au jour la mésalliance d'origine, ce que leur mariage, d'amour, disaient-elles, avait un temps fait passer pour un conte de fées. En réalité une incongruité, tant ils étaient dissemblables d'esprit, mais leur dissentiment était allé s'aggravant avec les maternités, et la rigueur, les exigences de cette maîtresse femme, qui voulait tout gouverner, et plier chacun à sa règle. Elles avaient à ce sujet des vues divergentes. Si Mme Victor, venant de la maison des Galay, gardait un attachement admiratif au prestige de l'illustre famille, une indulgence pour M. Henri, dont elle connaissait la jeunesse pour avoir grandi près de lui, Mauranne, fille d'une ferme voisine, nourrissait contre lui une sourde aversion pour son dédain, sa morgue de seigneur. Il voit les gens d'en haut, disait-elle, on est des bêtes pour lui. Il nous marche dessus, et s'il n'avait tenu qu'à lui, je serais au ruisseau avec ma fille. Et soudain son histoire se délivrait à mi-mots, comme quoi, chassée par son père parce que engrossée de Sassette, si jeune qu'elles passaient pour des sœurs, Mauranne entrait en service au Mesnil, n'ayant nulle part où aller, recueillie par la bonté de Mme Victor, qui la sauvait du fumier comme des méchancetés du pays, raison pour laquelle Mauranne se vouait à elle si farouchement… Médusée d'apprendre tout cela si tard, confondue de n'en avoir rien soupçonné, Gabrielle restait plongée dans le silence. Quoi qu'il en soit, Sophie était bien celle par qui s'était révélée la mésentente, le couple divisé et la famille dispersée, poursuivaient-elles. Les aînés élevés en pension, la dernière restait seule, affolée par la discipline de fer qui punissait son existence, sous l'emprise de sa mère exaspérée. Ah non, elle n'avait pas une enfance heureuse ! Aussi, pour fuir la maison, se jetait-elle dans les bras du premier parti qui se présentait, espérant trouver dans ses fiançailles, arrangées par une marieuse, la tendresse qu'on lui refusait. Elle était si confiante, si rayonnante et si jolie pour son mariage, dans les belles dentelles des dames de Galay ! Mais ce M. Charles était une tête brûlée, tout à ses rages de chasse et de billard, grandi dans l'insouciance de l'étude comme un héritier, pourtant brave garçon, concédait Mme Victor. Non, protestait encore Mauranne, il n'est pas si brave garçon, qu'il ruine Sophie dans ses affaires. Il ne l'a prise que pour sa dot et préfère ses chiens, et les filles qu'il trousse partout où il s'en trouve. Tais-toi, grondait Mme Victor, la vie n'est pas si vilaine. Quant aux autres, ses frères, et sa sœur, ils faisaient bien peu de cas de leur cadette. S'ils ne moquaient pas sa vie étriquée, dans la grande maison de province du notaire, le plus souvent ils l'oubliaient, pris dans les tourbillons de leur vie parisienne, sa sœur aînée entêtée de ses relations mondaines, et M. Daniel de sa fabrique de cinématographe, le plus gentil de tous, et M. Pierre, qui menait sa vie à part, comme s'il était un loup dans la portée. Qui ne l'avertissait même pas, hier, de sa visite, quand elle, Sophie, la seule avait montré tant de dévouement pour sa petite madame, importée un beau matin au Mesnil, avec rien de malles ni d'affaires, déjà si malade, si triste que c'était pitié. Elle avait l'air d'un oisillon égaré face à l'incompréhension de tous, à leur réprobation, ne parlant pas dix mots de français, apeurée d'un rien. Sophie s'était montrée si bonne, alors, passant tout son temps à la distraire de sa compagnie...

Gabrielle avait osé questionner sur cette jeune morte dont si peu prononçaient le nom. Qui était-elle ? Ce que nous en avons vu est si triste, disait Mme Victor. Elle aurait été bien jolie, pourtant, si elle n'avait pas été tant épuisée de son voyage, et de cette grossesse qui dévorait ses forces. Et c'était une telle surprise que ce mariage précipité, quand tout le monde voyait M. Pierre voué à un célibat définitif, sans goût pour les beaux partis que Madame lui présentait, et pour les belles amies de sa sœur Blanche. Quelle épousée, il avait choisie ! Un moineau malingre, une souris. Il l'entourait d'attentions et de soins, à croire une princesse. Il l'avait montrée à des professeurs célèbres, qui tentaient des traitements nouveaux, mais elle s'en allait. De langueur, de neurasthénie, d'une maladie sans remède. Elle ne voulait plus vivre, voilà, et cela désespérait Monsieur. Les derniers mois, il s'enfermait ici, avec elle, abandonnant ses travaux, lui consacrant ses jours et ses nuits, pourtant poursuivi par son affaire, puisque au tribunal on voulait encore le punir d'avoir ramené cette femme, quand elle était en train de mourir ! Le punir ? Mais de quoi ? Elles ne savaient. Seulement que Mme Mathilde, une fois que débordait sa colère, avait parlé d'un enlèvement, là-bas, dans ce pays où M. Pierre était resté si longtemps, sans donner de nouvelles. Sûr qu'il s'agissait de quelque folie, pour l'avoir ramenée de si loin, et qu'elle l'ait suivi, abandonnant tout, des siens et de ses biens. Madame n'avait pourtant guère de leçons à donner, elle qui avait voulu son mari, contre toute raison. Et puis, à l'enlever, Jane n'avait pas dû peser bien lourd. Elle arrivait sans rien, pas même une robe de rechange, ni un bijou ! Il lui choisissait des toilettes chez les meilleurs couturiers, des chapeaux, des manteaux de fourrure qu'elle ne mettait qu'une fois, pour lui complaire... Il faisait livrer des framboises, des cerises, en plein hiver, ne savait quel luxe inventer pour la faire sourire, quel malheur c'était alors... Et elle était si menue dans son linceul qu'on aurait dit une enfant. Mais si grande que fût sa passion, et la douleur qu'il avait eue de la voir dépérir, il avait quitté Le Mesnil sitôt l'enterrement, et abandonné à sa mère ce nourrisson prématuré, entre la vie et la mort, pour qui on avait eu tant de mal à trouver une nourrice... Il ne s'en inquiétait guère, alors, comme s'il ne voulait qu'oublier tout de ce qui touchait à sa jeune femme. Que reste-t-il de Jane ? demandait Mme Victor, disparue en si peu de temps... Si peu de choses d'elle demeurent qu'on se demande si elle a réellement existé. On a fermé sa chambre, rangé ses robes et ses bijoux dans une malle ; la bible et le peu de livres qu'elle avait sont perdus. Il reste sa tombe, au cimetière. Il n'y a guère que Monsieur pour la visiter, une fois l'an. Non pas à la Toussaint, car il n'est guère religieux, pas plus que sa mère. Il s'y rend pour l'anniversaire de sa mort, en avril, qui est aussi celui de la naissance de Millie. C'est pourquoi on ne fête jamais ce jour-là, mais celui de son prénom, Camille. Elle le tient de la très vieille Mme de Galay, qui réside toute l'année sur la Côte d'Azur, et n'a jamais vu celle qui porte son prénom... Mais son arrière-petite-fille n'a rien de sa lignée. Plus le temps passe, plus elle ressemble à sa mère, elle a son teint blanc et ses yeux de faon, et peut-être bien aussi son tempérament nerveux, et lunatique...

— Souviens-toi, disait Mauranne, comme Mme Jane s'effrayait des figurines que M. Pierre a ramenées de là-bas. Te souviens-tu, quand elle les a trouvées sur son bureau, un des premiers jours ? Nous l'avons crue folle. Elle a tant gémi et pleuré qu'il les a cachées dans un coffret. Il ne les en a sorties qu'après sa mort. Pauline, qui fait le ménage de son bureau, dit que ce sont des sortes de diables, des créatures infernales, tout juste bonnes à effrayer les enfants. En tout cas pas plus affreuses que les masques du grand salon, qu'affectionne tant M. Henri ! En voilà des horreurs, dans notre maison...

Gabrielle écoutait en silence, se gardant de manifester un intérêt trop vif au récit des deux femmes, dont elle buvait pourtant les paroles. Renouant, dans le grand désordre de leur dialogue, les fils par lesquels peu à peu se composait à ses yeux le portrait de la mystérieuse épouse du docteur, la mère de Millie, elle complétait les traits que Sophie avait esquissés, voyant se dessiner peu à peu cette figure inquiétante et pitoyable échouée au Mesnil, dernière protagoniste échappée de l'aventure birmane, et qui n'était plus là pour en témoigner. D'ailleurs ni Mme Victor ni Mauranne ne semblaient savoir davantage que ce qu'elles rapportaient dans leur ressassement, tant on peut être au spectacle de l'intimité d'une vie familiale sans en connaître les pans cachés, si proche que l'on soit, ou si grande, peut-être, est la volonté de n'en voir et n'en dire que ce qu'il convient. Ayant épuisé la légende, elles faiblissaient, tombant de sommeil, et alors que Mme Victor décidait qu'elle resterait seule à attendre, on entendit brusquement monter sur l'allée le bruit d'un galop réverbéré par les murs, dont le silence de la maison rendait plus étrange l'écho grandissant. Meyer devait veiller aussi, puisqu'il parut aussitôt avec une lanterne sur le seuil de l'écurie pour prendre le cheval, et comme le docteur traversait la cour de son pas rapide, Mme Victor mit en hâte son couvert, posa un verre et une bouteille, et tira du four le plat de crêpes qu'elle avait réservé.

— Allons, gronda-t-il à son entrée, voilà que vous ne dormez pas non plus, vous autres !

Ses vêtements rapportaient de sa course le froid de l'automne, l'humidité des chemins nocturnes, cette odeur d'humus et de feuilles mortes qu'exhalent les fossés. Maintenant qu'il était debout sous la lampe, gêné de leur cercle silencieux, touchant à peine au plat de crêpes, elles étaient suspendues à ses lèvres, pourtant déjà moitié rassurées par son air tranquille.

— Rien n'est si grave, expliquait-il enfin en soupirant. Cela se soldera par une vilaine foulure de la cheville, et d'un bras, qui sera noir demain, assurément. Peut-être bien aussi le visage, parce que sa tête a violemment heurté en premier, d'une chute spectaculaire. Tout l'escalier dégringolé, marche à marche, du grenier où elle était allée, contre toute raison, chercher un meuble elle-même. Si j'avais pu vous prévenir de ce dénouement, je l'aurais fait bien plus tôt, croyez-moi, et vous dormiriez en paix, au lieu d'attendre mon retour. Mon beau-frère jure qu'il fera installer le téléphone, maintenant. Au moins cet accident l'aura-t-il gagné au confort moderne !

— Mais on peut mourir d'une telle chute ! s'écriait Mme Victor. Quelle lubie lui a-t-elle pris !

— On fait de ces choses idiotes, maugréait Mauranne en colère, déplaçant et cognant les casseroles, et on part tout droit au cimetière.

— Cela aurait pu se terminer ainsi, parce que l'escalier est raide et que rien ne l'a retenue. Et que personne n'est venu d'abord, croyant à un accident dehors, tant le bruit a été étouffé par les murs. C'est une bonne qui l'a trouvée sans vie, et a appelé. Elle est restée si longtemps sans connaissance que Charles l'a crue morte. Voilà comment il a ameuté toute la région. Je crois qu'il est plus malade qu'elle, ce soir. Je n'ai servi à rien, qu'à lui tenir compagnie et à le consoler de sa peur. Le Dr Ferrand était là avant moi, il a fait ce qu'il fallait. Je l'ai laissé au chevet de Sophie.

— Qu'allait-elle donc déménager seule son grenier, cette folle ?

— Un berceau. Il est cassé, lui aussi. Il n'est plus en état de servir, je crois.

Mauranne dénouait lentement son tablier. Elle jeta un coup d'œil à la gouvernante.

— Un berceau ! Qu'avait-elle besoin d'un berceau ? s'étonnait celle-ci.

Gabrielle se tenait à l'écart, bouleversée par ce récit, sentant qu'en homme qui répugne aux effusions, il cherchait à minimiser les circonstances réelles du drame, et à abréger l'épilogue. D'ailleurs son visage aux traits tirés par la fatigue de cette soirée marquait plus d'émotion qu'il n'aurait voulu, et une seule fois rencontrant son regard, il lui sourit avec une lassitude sans masque, comme s'il la prenait à témoin d'elle ne savait quelle peine, étrangère au drame de ce soir.

— Enfin, monsieur, cela se termine bien ! Sans nous l'avouer, nous pensions au pire, soupirait Mme Victor. N'avons-nous pas eu assez de malheurs, ici ?

— Il est bon d'avoir pensé le pire pour rien, Victor. J'espère que cela ne troublera pas votre sommeil. Il est bien tard, maintenant.

Cependant, ils restaient encore sous la lampe, bras ballants, comme des gens qui ont partagé une épreuve et, ayant épuisé les commentaires qui les rassurent, tardent quand même à se séparer. Il rangea lui-même la bouteille de vin et le plat sur la crédence, mais comme Gabrielle se retirait, il eut un mouvement vers elle.

— Je vous engage à aller la voir au plus tôt, dit-il brusquement.

— Je n'y manquerai pas.

— Vous êtes la première personne qu'elle a réclamée, savez-vous ?

— Elle m'a accueillie ici avec beaucoup de bienveillance, quand je ne connaissais encore personne.

— Sophie est une bonne âme, convint-il avec ironie. Merci d'avoir veillé pour elle.

XI

Gabrielle alla voir Sophie dès le lendemain matin. Elle aurait différé cette visite à Genilly, si Mme Victor ne l'avait pressée de s'y rendre au plus tôt. Elle soupçonnait bien que, pour apaiser leurs alarmes, M. Pierre avait pu déguiser quelque peu la réalité. Sans doute aussi voulait-elle satisfaire sinon l'inquiétude, au moins la curiosité, à commencer par la sienne, de ceux qui venaient aux nouvelles, brûlant de connaître les détails de cette chute extravagante. Mais elle ne prenait cette initiative que pour avoir entendu Monsieur déclarer la volonté de Sophie, disait-elle, et pour agrémenter la visite, elle avait envoyé en hâte Pauline faire un bouquet des dernières roses, à quoi elle avait ajouté un petit panier de pâtes de coings et des confitures de cerises. Munie de ces cadeaux, Gabrielle se mit en route, conduite par Victor qui avait attelé la carriole.

L'étude avait repris son activité, du moins les clercs étaient-ils tous à leur poste, et Gabrielle entrevit un groupe de paysans matinaux, assis sur les bancs, leur chapeau sur les genoux. A peine tournèrent-ils la tête à son passage, l'œil morne et la mine placide, en gens résignés à une longue attente pour traiter leurs affaires. Une petite bonne, faisant son importante et mimant la sévérité des gardes-malades, s'empressa de la conduire dans une chambre du rez-de-chaussée qui donnait sur le jardin, à l'arrière où, chuchota-t-elle, on avait installé Madame, parce qu'il n'était pas question, dans son état, qu'elle occupât la sienne à l'étage, et que là au moins elle avait de la tranquillité. On avait tiré les rideaux pour garder une demi-pénombre dans la pièce calfeutrée de tapis et de rideaux, que les gros meubles Henri II assombrissaient encore, mais dès son entrée, dans les dentelles de ses coussins, Gabrielle vit au visage pâle de l'accidentée l'hématome qui bleuissait sa joue et sa tempe, et son bras blessé reposant sur la courtepointe, enveloppé de linge blanc. Le mouvement que tenta Sophie pour l'accueillir lui arracha une grimace de douleur, qu'elle transforma en un pauvre sourire. Une odeur d'éther flottait dans la chambre dont l'atmosphère confinée évoquait les heures agitées de la nuit. Sophie tendit vers elle sa main valide avec une gaieté fébrile.

— Ah ! Ma bonne amie, je n'espérais pas que vous viendriez si tôt ! Le Dr Ferrand m'interdit les visites, mais je suis trop contente de lui désobéir !

— Je vous apporte les vœux de tous pour votre rétablissement, et les amitiés de Mme Victor, tout particulièrement. Nous avons été si inquiets de vous, hier soir !

— Mon frère vous a dit comme j'étais pressée de vous voir, n'est-ce pas ?

— C'est pourquoi je suis venue. Pourtant votre médecin a raison : il faut d'abord vous remettre de ce terrible accident. Comment vous sentez-vous ? C'est que je dois rapporter de vos nouvelles !

— Ah ! Gabrielle, à vous je peux le dire : en dépit des apparences, je ne me suis jamais mieux portée de ma vie !

Elle souriait faiblement, fermant les paupières dans la pénombre tiède et dormante, renversant son visage épuisé dans la mollesse des coussins, comme si elle jouissait enfin du repos, après un voyage harassant.

— Ma cheville est foulée, mon bras aussi. Je suis battue par tout le corps, et me voilà défigurée, n'est-ce pas ? Mais je suis si contente ! Contente !

Cette protestation enfantine était si sincère que Gabrielle sourit aussi. Après un tel choc, passés l'affolement et la souffrance, la convalescence donne par compensation de ces béatitudes naïves, le soulagement délicieux du naufragé malmené par la tempête, qui touche le sable d'une plage miséricordieuse. Mais Sophie tirait nerveusement sa main qu'elle n'avait pas lâchée, approchait sa tête de la sienne, à toucher sa joue et mêlant leurs cheveux.

— Chut ! Que personne ne m'entende vous dire mon secret. Je ne suis pas tombée du grenier par accident. Je connais trop l'escalier, il est raide et malaisé. Je me suis jetée en bas, de toutes mes forces.

Gabrielle eut un cri, étouffé aussitôt par la main moite de son amie, et elle lui garda ce bâillon tandis qu'elle poursuivait à voix basse et exaltée.

— Je n'ai rien prémédité, pourtant. Je ne sais comment l'idée m'en est venue, une fois là-haut. J'étais montée chercher de vieux draps, pour en faire coudre des torchons de cuisine à notre bonne. Elle ne sait rien faire, que des ourlets ! Soudain, le vieux berceau m'a barré le passage, il m'a heurtée à la hanche, et il m'a fait très mal. Il a servi pour chacun de mes enfants, et avant eux à nous tous, mes frères et ma sœur. Je crois que des générations de Galay y ont couché leurs nourrissons, depuis la nuit des temps ! Dans ma colère, j'ai voulu le lancer contre un mur, mais il est si lourd ! Alors je ne sais quelle rage m'a prise, je l'ai poussé de toutes mes forces pour le jeter dans l'escalier et qu'il se fracasse en bas. C'est étrange, dans ma colère, je faisais cette chose de sang-froid, une action très raisonnable, et pas du tout une folie, je vous assure. Et dans le même mouvement, il m'est apparu logique de me précipiter en bas moi aussi, de le suivre dans sa chute. Vous qui connaissez mon désespoir, Gabrielle, vous devez me comprendre. Je n'en pouvais plus de tourner en rond comme une bête malade, à me cogner la tête aux murs, sans trouver d'issue.

— Vous vouliez donc vraiment mourir, comme vous me l'aviez dit..., murmura Gabrielle.

Atterrée de ce qu'elle entendait, les tempes brûlantes, elle retenait sa respiration, sa joue contre celle de Sophie.

— Ah, je ne sais plus... Je ne crois pas, pourtant.

— C'est ce qui aurait pu arriver.

— Je n'y ai pas pensé, pas sous cette forme. Je ne voulais que disparaître, oublier. M'abîmer dans les débris du berceau... Oh mes pauvres enfants ! s'écria-t-elle, étranglée par les larmes.

— Calmez-vous, suppliait Gabrielle, calmez-vous ou bien je devrai partir. Vous êtes dans un tel état de fièvre !

— Ne partez pas encore. Je serai calme, à présent. Puisque je suis bien vivante, tout est effacé. Personne n'en saura jamais rien.

— Oui, tout cela doit disparaître de vos pensées. Pauvre Sophie, quelle peine j'ai pour vous...

— Ah mais non, mais non ! Plus de peine ! Ecoutez mon bonheur, Gabrielle : c'est qu'en tombant, grâce à cette chute... cette nuit, j'ai perdu cette chose, enfin... l'enfant est parti. Le pauvre docteur ne comprenait pas. Il avait pansé toutes mes blessures. Il avait renvoyé mon frère. Je crois que Charles dormait déjà, grâce à un narcotique qu'il lui avait administré. Alors ce saignement qui venait si tard après ma chute !... Mais moi je savais, je savais ! Cela s'est passé si facilement... Ah ! que pouvait-il m'arriver de mieux ? Maintenant plus rien ne sera comme avant, je vous assure.

Sophie s'était redressée, ses yeux mouillés étincelaient et son visage meurtri rayonnait d'une joie effrayante. Dans sa faiblesse, elle semblait si forte, si triomphante, que Gabrielle eut peur. Mais non, elle ne divaguait ni ne délirait. Elle était seulement submergée d'un bonheur sans mesure, multiplié par la souffrance de son corps blessé, et chaque meurtrissure chantait sa victoire sur la fatalité vaincue. Elle n'était pas une mauvaise créature, une mère dénaturée, mais une femme acculée au désespoir, à l'angoisse impuissante de n'être que la génitrice accablée de grossesses que chacun voulait, et à qui sa révolte aveugle donnait raison.

Sur le chemin du retour, il était midi. Le soleil d'automne avait percé les brumes matinales encore accrochées aux sous-bois et tiédissait la campagne alanguie, les premiers labours d'hiver qui retournaient la terre noire pleine de senteurs. Comme à son accoutumée, Victor se taisait, perdu dans d'insondables pensées, ou tout simplement abandonné au train paisible du cheval. Cahotée par les secousses de la carriole, Gabrielle repensait à la maison qu'elle venait de quitter, au calme domestique, à la vie qui suivait son cours comme si de rien n'était. Charles n'avait pas paru, parti traiter quelque affaire que les événements de la veille n'avaient suffi à empêcher, les enfants riaient aux mains des nourrices, les chocs de la vaisselle au bout du couloir et la pendule sonnant gaiement les heures sur la cheminée, l'ordre revenu démentaient que la mort ait passé là, frôlant un être de son aile brutale. En dépit de la frayeur et de la tristesse profonde que lui laissait sa visite à Sophie, Gabrielle ne pouvait s'empêcher de consentir au geste fou par lequel, au risque de sa vie, elle avait résolu d'en finir avec l'insupportable loi. Mais comment décide-t-on de ce qui est supportable ou non, où puise-t-on la force d'y consentir, et celle de le refuser ? Tout de son éducation et de son milieu lui dictait la sage conjugalité. Les relations de sa famille et sa fortune, son confort matériel, les agréments de sa vie protégée devaient faire d'elle une épouse et une mère comblées. Et la dispenser de souffrir, c'est-à-dire de sentir, d'aimer, d'imaginer ? Sous le poids des conventions, son cœur devrait s'endormir, rétrécir et ne plus battre qu'à petits coups prudents, ajuster sa faible amplitude à l'espace exigu qui lui était assigné, oubliant la vastitude du monde et les élans possibles ; et peut-être, pour certains êtres, l'attente vaine ou le désir déçu font-ils moins souffrir tant que leur objet semble inaccessible, hors de l'imaginable, et à cause de cela irréel. Mais Sophie qu'on disait si frivole, jolie tête insouciante, avait un cœur plein d'espérances et de regrets d'une autre réalité, qu'elle ne connaissait pas, elle aspirait à une autre voie que le consentement au sacrifice de sa jeunesse. Elle ne se contentait pas du rêve faible qui convoque les chimères pour étrangler l'espérance. Non, elle n'avait pas voulu mourir ; elle voulait vivre, avec exigence, avec passion. Rien de tout cela ne franchirait le seuil de sa chambre, ni l'aveu qu'elle avait fait à Gabrielle, ni la somme de tourments qui l'avait menée à vouloir briser son corps. Qui serait en mesure de comprendre, parmi tous ces gens qui l'entouraient ? L'abbé, peut-être ? S'il était l'homme qu'elle croyait, prendrait-elle le risque de lui confier son secret ? Il valait mieux que, pour tous, restât la version si plausible, si convenable, finalement, de la chute accidentelle, et celle de la malheureuse fausse couche qui en avait résulté, si jamais s'en répandait la nouvelle...

C'est ce que Gabrielle avait résolu de rapporter. A son retour, pressée de questions, elle dut décrire par le menu l'état de la blessée, son humeur et ses impressions. Mais quelque détail qu'elle donnât, et surtout les conclusions rassurantes qu'elle tirait de l'aventure, rien ne suffisait, tant l'événement restait étrange et choquant ; tant au fond de soi, contre l'ennui répétitif du destin ordinaire, chacun aspire à la catastrophe et s'en réjouit d'un frisson, préférant la terreur et la pitié aux fades nouvelles. Mauranne fourgonnait en soupirant, hochant la tête d'un air entendu, tandis que Pauline et Sassette redoublaient de questions oiseuses. Finalement le diagnostic consolant paraissait bien mince pour satisfaire leur attente. Seule Mme Victor faisait mine, avec une grande insincérité, de se réjouir de ces bonnes nouvelles, mais Gabrielle sentait que, par cette acuité incisive de l'intuition féminine, elle entendait sous ses paroles apaisantes la note dissonante, qui trahissait malgré elle la fausseté de son récit. Non qu'elle mentît. Mais, par omission, ce qu'elle savait et ne disait pas transparaissait de quelque manière, aussi, mal à son aise de si mal répondre aux questions, quitta-t-elle la cuisine dès qu'elle le put, prétextant un peu de migraine. Laissant Millie à leur garde, elle se réfugia dans sa chambre et, brisée de fatigue, sombra dans le sommeil à peine étendue sur son lit.

Lorsqu'elle se réveilla la lumière avait changé, déjà le soleil bas rosissait le faîte des arbres. Elle avait dormi près de deux heures sans bouger de sa position. Elle se leva en hâte, baigna ses joues et son front d'eau froide et se recoiffa. Dans le miroir, elle consultait son image. Pas plus que n'avait changé l'ordonnance paisible de la chambre, son visage n'offrait de signe de désordre. Le sommeil avait effacé les traces de l'effarement du matin, mais restait une tristesse confuse de tant de violence.

Trop grand pour être contenu dans sa seule personne, cela devait irradier vers toutes les choses qui l'entouraient, les contaminer et les corrompre. Ou bien c'étaient les murs de cette maison, qui avaient contenu trop de drames, entendu tant de plaintes dont les échos lui revenaient, peut-être elle-même trop encline à les percevoir. Jusqu'au plus profond d'elle-même elle se sentait meurtrie et s'étonnait que son visage restât aussi lisse et impénétrable, le regard qu'elle échangeait avec elle-même si serein. Depuis qu'elle vivait au Mesnil, voilà la transformation qui s'était opérée en elle, cette faculté d'absorber les angoisses et de les enfouir, de recevoir les coups sans rien laisser paraître. Et tout cela dans le seul dessein d'approcher cet homme. D'apprendre de lui, par des voies détournées, ces choses laides du passé, ce secret qui lui faisait peur. Qui n'en était peut-être pas un. Peut-être aurait-il suffi d'interroger, dans un de ces élans de franchise qui désemparent l'adversaire... Et l'était-il, autrement que dans son imagination ? Mais d'une secousse, elle se ressaisait. Quelle faiblesse la prenait soudain ? Oubliait-elle les avertissements de Michel Terrier, les faits avérés qu'il rapportait, dont elle trouvait confirmation ici, dans le moindre propos des uns ou des autres ? Elle se regarda de nouveau, composa son visage. Rien ne devait la faire fléchir, pas même l'émotion d'une femme qui tombe du grenier, ou d'un cheval qui bronche contre le flanc d'un autre, ou la beauté bleue d'un ciel d'automne. Ma première ennemie, c'est moi, pensa-t-elle, soutenant son regard avec sévérité dans le miroir. Ces mots mêmes, Dora les avait prononcés sur le pas de sa porte, elle les lui avait jetés au visage. Son menton en tremblait de colère ou de chagrin. Elle quitta sa chambre en hâte, chassant les murs de sa robe, et tapant du talon pour faire taire les élancements de son cœur.

Elle trouva Mme Victor seule dans la cuisine, en train de vérifier son livre de comptes. A son entrée, par-dessus ses lunettes, celle-ci l'examina avec insistance. Gabrielle s'excusa, confuse d'avoir si longtemps laissé Millie, et de ce qu'elle pouvait penser de son absence.

— A la bonne heure ! Vous avez une autre mine, à présent.

— J'ai dormi comme une sourde, vraiment. Je suis désolée.

— A croire que vous en aviez besoin.

La gouvernante, radoucie, lui dit que la petite fille avait passé son après-midi, avec Sassette et Pauline, à la buanderie où l'on faisait la lessive de la semaine, puis qu'elle était partie avec elles au jardin étendre le linge, contente de sa récréation prolongée. Mais au moment où Gabrielle sortait pour aller la chercher, sans lever son nez du registre, elle lança d'un ton faussement anodin :

— Puisque ce berceau est cassé, il n'aura plus à servir.

— C'est ce que je crois.

— Alors c'est bien ainsi.

Au jardin, Pauline et Sassette étendaient le linge sur les cordes. Un vent vif soufflait du nord, gonflant les draps suspendus et faisant grincer la barrière. Millie jouait à se cacher derrière les grands pans flottants, poursuivie par Tout Roux. Pour la première fois, Meyer lui avait confié le chiot qui titubait sur ses talons avec une ivresse pataude, tandis que les deux filles peinaient à soulever les paniers de lessive. Manches retroussées, le tablier trempé, elles actionnaient vigoureusement l'essoreuse à manivelle, et claquaient au vent les chemises de toute la maisonnée, sous la surveillance de Mauranne qui sarclait une plate-bande de poireaux, un peu plus loin. Puisqu'en cette journée rien ne se passait comme d'habitude, Gabrielle voulut se joindre à ce qui lui semblait une partie de plaisir, et proposa d'aider à épingler le linge en leur compagnie. Mais elles protestèrent farouchement, comme si participer à une activité de ménage eût été une lubie de sa part. Ce geste déplacé froissait leur sens de l'ordre et des hiérarchies, peut-être même y avait-il quelque chose d'insultant à prendre pour jeu leur travail. En tout cas, elles mettaient tant de susceptibilité à défendre leur besogne, que Gabrielle renonça, sentant qu'elle les offensait plus qu'elle ne leur plaisait, et ce qui n'avait été qu'un élan amical lui rappela cruellement quelle place ambiguë elle occupait, ni tout à fait du côté des maîtres, non plus de celui des domestiques.

Elle s'attarda donc au jardin et les regarda s'affairer, laissant Millie à ses ébats joyeux. Celle-ci jouait à disparaître et réapparaître sous le dôme des draps avec une exubérance qu'on ne lui connaissait pas quelques semaines plus tôt. Ce spectacle attendrissait Gabrielle, son rire la consolait, mais le refus des filles l'avait blessée. Comme elle avait hâte d'être au samedi suivant, de quitter Le Mesnil, de se défaire de son personnage… Déjà elle se promettait de revoir Michel Terrier, cette fois. Elle avait absolument besoin de lui parler, de trouver une oreille amie… Comme il était exaspérant de ne pouvoir lui écrire sans être remarquée, et sans risquer d'en faire circuler le bruit. Tout se savait dans l'instant ! On avait bien aperçu le docteur à la gare, dès le soir de son arrivée, et porté la nouvelle jusque chez le notaire, avant même qu'il eût atteint la maison. Dans ce pays, tout se savait, la vie monotone faisait du moindre événement l'objet des curiosités, des indiscrétions, et colporter faits et gestes à grande vitesse. Sophie avait bien des raisons de savoir que ce désert était en réalité peuplé de regards, de suspicions et de médisances...

Brusquement le docteur parut, rentrant d'une course à cheval dans les bois, et comme il avait aperçu leur groupe par-dessus le mur bas du jardin, il s'arrêta et mit pied à terre. Sa haute taille et son port élégant, sa manière civile d'ôter son chapeau et de saluer la compagnie en poussant le portail de bois, comme s'il entrait dans un salon, eurent un effet de surprise. Son irruption dans le jardin, où se déployait au vent l'intimité des linges, avait quelque chose de déplacé qui fit s'immobiliser le groupe des femmes à son approche, et même le vent fléchissait, laissant le linge retomber en lourds drapés, figeant cette scène champêtre.

— Votre jardin est magnifique, commenta-t-il plaisamment, en forçant la voix à l'intention de Mauranne, à l'autre bout du potager, ignorant la gêne qu'il provoquait.

Pourtant, la première à se ressaisir, Pauline s'était avancée d'un air d'audace, effrontée en dépit de son embarras, et poussant Sassette du coude pour l'inviter à l'imiter.

— C'est que nous y travaillons bien, monsieur, et que nous sommes bonnes ouvrières.

— Je le vois très bien. Quel âge avez-vous donc Pauline ?

— Seize ans. Presque, dit-elle avec aplomb, fléchissant du genou.

Il eut un imperceptible sourire.

— Vous avez l'air si forte ! Ramenez Pomme à l'écurie, je vous prie. Je crois qu'elle est fatiguée de sa course.

Pauline obéit sans broncher, domptée par le ton sans réplique.

— Millie a l'air contente, laissons-la à ses jeux. Rentrons, voulez-vous ? dit-il, sans se tourner vers Gabrielle.

D'un élan, la petite fille se jeta contre Gabrielle et tendit la joue, avant de retourner à son jeu insouciant. Il tira la barrière derrière eux et ils marchèrent ensemble vers la maison, suivant Pauline qui se hâtait sur le chemin, tirant énergiquement le cheval par sa longe. Il rit un peu de son allure.

— Voilà une jeune fille bien dégourdie. Comment va Sophie ? enchaîna-t-il, avec sa brusquerie coutumière.

— Elle souffre de toute part, monsieur, et elle est bien abattue.

— Votre visite l'a réconfortée, n'est-ce pas ?

— Les journées vont lui sembler bien longues, tant qu'elle sera immobilisée.

— Mais elle est courageuse. Et vous lui serez d'un bon secours.

— S'il lui plaît.

Sur ces paroles convenues, ils firent quelques pas en silence.

— Millie n'a d'yeux que pour vous, mademoiselle. J'observe que vous avez le don de plaire à tous, à Sophie, et même à ma mère, qui n'a pas grande réputation d'indulgence.

— Vous vous moquez, protesta-t-elle, piquée.

— Pas du tout. Ne rougissez pas.

— Je ne rougis pas. Je fais mon travail de mon mieux.

— Je ne vous reproche rien, grand Dieu ! Je me suis mal fait comprendre, et j'ai bien mal engagé mon intérêt. Maintenant, vous serez fâchée.

— Je ne suis pas fâchée ! s'écria-t-elle, s'efforçant à rire.

— Moi non plus, dit-il. A la bonne heure, nous voilà réconciliés.

On aurait dit que cet homme la faisait boiter à plaisir, car tout cela était dit sur un ton de légèreté. Elle ignorait le biais par lequel ses pensées progressaient et vers quel objet, s'il se jouait d'elle avec négligence ou cherchait à l'embarrasser vraiment par cette façon abrupte, qui l'avait tant désarçonnée le premier soir, de passer d'un sujet à l'autre et puis de se taire brusquement.

— Il reste peu de temps avant mon départ, et vous ne m'avez pas accordé ce que je vous ai demandé, dit-il. Qui sait quand l'occasion s'en représentera ? Puisque Millie est à son affaire au jardin, lisez-moi quelques pages de ces livres, voulez-vous ?

Gabrielle n'entrait pas sans appréhension dans le bureau de l'étage, dont Mme Victor interdisait l'accès, saisie par cette première fois, par l'atmosphère crépusculaire et la solennité des murs tapissés de livres et de nombreux tableaux, perdus dans l'obscurité, un lieu d'étude et de retraite dont le silence faisait un sanctuaire. Seuls les livres, le désordre de feuillets traînant encore sur la table, une tasse vide, un cendrier, attestaient que le Dr Galay y avait travaillé, ces jours derniers. C'est là qu'il l'invitait à cette lecture, dont il lui avait arraché la promesse, l'autre soir, qu'il venait de réclamer, par laquelle, elle s'efforçait de le croire, il voulait seulement vérifier qu'elle ne s'était pas vantée, par bravade, de lire cette langue étrangère si rare ; seulement la prendre en défaut d'un aveu étourdi, obtenu par surprise, dans la pénombre d'un couloir. Mais à se mentir elle ne gagnait rien. En réalité, il voulait cette lecture pour d'autres raisons, occultes,

202

et elle en redoutait tant les effets que sa gorge se nouait, n'osant avancer d'un pas, tandis qu'il déplaçait inutilement les bûches dans la cheminée.

— Eh bien, dit-il, sans se retourner, je vous écoute.

Avec l'impression de se noyer, elle plongea brusquement, dans une page de hasard, prit un poème en son milieu, bégaya les premiers vers. Sitôt il s'éloigna, quitta la cheminée pour se poster près de la fenêtre ; au moins, il ne verrait pas son visage. Il n'y lirait pas l'émotion, la nostalgie, la douleur de lire. Maintenant elle entendait sa propre voix comme d'une autre, enfantine, celle de la langue maternelle transmise de bouche à oreille par sa tante, que parlait Endre, les soirs sous la lampe du salon, quand ils étaient ensemble, et heureux. Les caractères, les mots et les lignes dansèrent sous ses yeux. Pour les discipliner, elle s'appliqua à une lecture scolaire, comme si ânonner atténuait sa peine, malgré cela sentant monter le chagrin, si grand que sa voix muait, son souffle et son timbre, venant non de sa gorge, mais de la source effrayante du temps passé, et il semblait qu'il l'écoutât avec une attention extrême, comme si, en dépit de l'ignorance où il disait être de cette langue, il l'entendait par quelque intelligence ancienne. Ses joues brûlaient, son front, mais elle poursuivait, sans plus se soucier de savoir où la conduisaient les mots, avec le sentiment de se précipiter follement au-devant du pire, et à ce moment elle sentit sa main se poser sur son épaule. Sous le poids soudain, elle fléchit, baissa la tête et se tut.

— Assez, dit-il. Nous en avons assez lu pour ce soir.

A son contact, elle sentit qu'il frissonnait de tout son corps, mais déjà il avait repris son poste près de la fenêtre, mains nouées dans son dos. Alors seulement elle remarqua qu'il avait changé son habit et semblait prêt au départ. Il la regardait avec une intensité inquiète, comme quelqu'un qui, venant de résoudre une énigme, est encore sous le coup de sa découverte.

— Que dit ce poème ?

— Il y est question de la nuit, de la liberté...

— Traduisez, mot pour mot.

Il remettait avec impatience le livre entre ses mains, désignait une strophe, n'importe laquelle, celle-là, posant son doigt sur la page. Elle eut un mouvement de recul, alors il se pencha au-dessus d'elle, la contraignant à traduire.

— ... *allais-je retrouver ma jeunesse ?... entre les murs de pierre humides m'imaginer un peu de liberté ?... mais quand je me levai, au-dessus de ma tête, je vis la Voie lactée qui brillait là-haut... comme les grilles des prisons. Comme les grilles muettes des prisons.*

— Vraiment… La Voie lactée ?…

— *Le Chariot et la Voie lactée.*

— C'est ce ciel nocturne qui vous rend si triste ?

— Il y a longtemps que je n'ai pas parlé cette langue.

— Je vois que cela vous chagrine. Il y a longtemps que je ne l'ai pas entendue, moi non plus.

Cette fois, il ferma le livre, le glissa dans un tiroir avec une sorte de précipitation.

— A quoi pensez-vous ? dit-il, après un petit moment de silence.

Le sang battait ses tempes, mais maintenant que c'était fini, elle n'avait plus peur.

— A ces poèmes. Si peu de gens les lisent… Vous connaissez ce poète ?

— J'en ignore tout. J'apprends que vous parlez cette langue, et j'en suis curieux… Je vous remercie de m'avoir donné cette lecture. Pardonnez-moi. Il me semble que vous avez froid. Venez près du feu. Nous n'avons plus beaucoup de temps… Vous pouvez donc vraiment traduire ces vers… C'est très bien, très bien…

— Mon Dieu, dit-elle, comme vous êtes pâle.

Les flammes éclairaient leur face, tandis qu'ils se tenaient côte à côte, tendant ensemble les mains vers la chaleur et il dut prendre une longue inspiration pour se décider à parler.

— Depuis l'autre soir, je n'ai cessé de penser à cet instant. Je l'espérais et je le redoutais, comme de réveiller un fantôme. Je ne sais comment remercier le hasard qui vous a mise sur ma route. Quelle chance a-t-il fallu, pour que vous soyez si maladroite… Que ces livres tombent de vos mains. Qu'ils se présentent à mon souvenir… Ils m'étaient sortis de l'esprit. Mais il y a de ces prisons, dont parle votre poème, qui sont au fond de nos cœurs…

Elle ne respirait plus, ne cillait plus, suspendue à son souffle.

— Je vous l'ai dit, poursuivit-il plus bas, j'ai connu autrefois quelqu'un qui parlait cette langue. C'était un de ces êtres rares, dont la vie vous fait le cadeau, et je l'ai perdu. Comprenez qu'à lire ces pages, dont je ne comprends pas un traître mot, vous m'avez un peu rendu sa voix, et sa présence.

Gabrielle eut un vertige, vacillant presque vers les flammes, et ne sut comment elle avait osé poser la question.

— Il est mort, n'est-ce pas ?

Il hocha la tête, d'un mouvement lent, qu'elle prit pour un acquiescement silencieux. Elle crut qu'il était perdu dans le souvenir, ou au bord d'un aveu, mais il se disait seulement : elle est là et elle peut s'en aller. Je vais peut-être la perdre. Pourtant elle est là. Il la regardait. Heureusement, à ce moment, elle baissait les yeux. La ligne de ses paupières dessinait une courbe aiguë vers les tempes, et il vit qu'elle avait un front bombé haut, avec un pli au sommet du nez et que, malgré ce souci, ses narines étaient d'une exquise délicatesse, et que ses joues avaient des fossettes très tendres, creusées par les flammes, enfin il prit conscience de la beauté entière de ce visage, et il eut encore l'audace de voir que sa bouche émouvante, et sensible, tremblait. Il éprouva le sentiment étonnant que cela ne l'empêchait pas de souffrir, au contraire, et que si elle ne lui était rien, et lui rien pour elle, il était bon qu'elle parlât le hongrois, et qu'elle fût là, encore un instant. Encore longtemps.

— Vous comprenez à présent pourquoi je tenais à cette lecture, dit-il enfin, comme un homme qui se réveille.

Elle fut sur le point, dans un élan, de tout lui avouer, sa duplicité, tout ce dont elle s'était rendue coupable, la vraie raison de sa présence au Mesnil, et de le supplier de lui parler d'Endre, mais il s'était brusquement écarté, revenant à son bureau et réunissant quelques dossiers qu'il fourrait en hâte dans une serviette de cuir.

— Je n'ai pas beaucoup travaillé ici. Il est rare que je prenne autant de loisir. Mon train part dans une heure, et j'ai des consultations, ce soir.

— Quel est votre travail ? Je veux dire : qui soignez-vous ?

Il la regarda, surpris, réfléchit une seconde et sourit.

— En vérité, je soigne peu de malades. Disons que je cherche… Je cherche à savoir comment certaines maladies se propagent. C'est-à-dire, la médecine a besoin… Pasteur… Vous connaissez Louis Pasteur ? J'ai été l'élève d'un de ses plus proches disciples. Je m'occupe de maladies contagieuses, d'épidémies pour lesquelles il faut des vaccins. De maladies répandues, dont on parle avec effroi, comme la typhoïde, le typhus, ou la phtisie. Et d'autres plus rares. Des bacilles. Vous n'imaginez pas ces sortes de choses.

— Mais si, très bien. J'ai vu des bacilles, et des microbes. Enfin, des photos prises au microscope. Ils sont assez épouvantables. Comme ces figurines, sur votre bureau ?

Il rit, s'emparant de l'une d'entre elles, une petite créature de terre cuite rouge, mi-chèvre, mi-homme, au masque ricanant qu'il leva jusqu'à son visage.

— Vous ne croyez pas si bien dire. Celui-ci est un petit génie birman, assez néfaste. Il donne la fièvre jaune. Mais il est son antidote. Celui-là, tout aussi laid, combat la peste et la

205

donne. Voyez comme ils ont l'air méchant… Hélas, la réalité est moins simple que ces gris-gris et leurs prétendus pouvoirs magiques.

— Pauline dit que ce sont des diables, et qu'en faisant le ménage, elle se garde d'y toucher.

— Elle fait bien. Au moins elle évite de les casser.

— D'où viennent-ils ?

— Je les ai ramenés d'un voyage en Orient. Sans doute mon père m'en a-t-il donné le goût, lui qui encombre la maison de ses trophées ? Et vous, ils vous effraient ?

Gabrielle contempla le groupe des statuettes.

— Elles, non. Mais ceux qui les ont imaginées, et fabriquées. Je pense à leur souffrance, à l'épouvante qui les leur a inspirées. Les hommes cherchent à donner une figure à l'horreur, mais celle-ci est toujours en deçà de la réalité.

Intrigué, il la considéra un instant.

— C'est ce que l'expérience nous enseigne. Vous semblez bien instruite de ces choses…

Il reposa lentement la figurine, hésita avant de poursuivre, comme sous le coup d'une inspiration subite.

— J'ai un projet pour Millie, dont je ne me suis encore ouvert à personne. Vous saurez le taire, n'est-ce pas ?… Je veux l'éloigner, lui offrir une vie plus…

— Vous voulez l'emmener, partir…

— Avec elle, oui. J'aimerais lui offrir une autre vie que celle qu'elle a eue jusqu'ici…

— Je dois donc chercher une autre place dans un délai assez bref, n'est-ce pas ? dit-elle, glacée par cette nouvelle.

— Comme vous y allez ! Ecoutez-moi, au moins ! En vous engageant, ma mère a contrecarré mon projet, qu'elle ignore. Mais il m'est apparu… L'idée m'en vient à l'instant… Cette offre peut vous paraître bien abrupte, bien précipitée… Seriez-vous prête à suivre Millie ? Ne répondez pas maintenant, ajouta-t-il très vite.

Désarçonnée par cette proposition, elle resta sans voix.

— Promettez-moi d'y réfléchir.

— Je n'ai pas envisagé de tenir une telle place auprès d'elle. D'ailleurs, il s'agit d'une disposition provisoire. Quant à s'occuper de Millie, bien plus que de quiconque, elle a besoin de son père, il me semble, ajouta-t-elle avec l'insolence de qui n'a plus rien à perdre.

Il la regarda avec étonnement, comme si elle venait de le frapper au visage. Il laissa un silence, pendant lequel elle retint son souffle, ne sachant plus quel tour prenait leur échange.

— C'est à quoi je dois remédier, en effet, concéda-t-il d'un ton d'amertume ou de lassitude, caressant du bout des doigts les statuettes.

— Vous ferez bien, sans doute. Cependant, dit-elle vivement, avec l'intention de le blesser, vous pouvez bien partir : ici ou ailleurs, on ne se quitte guère soi-même. On s'emporte avec les bagages, quel que soit le voyage.

Cette répartie lui arracha un petit rire sarcastique.

— Je ne sais d'où vous tirez votre science… Elle mériterait bien qu'on double vos gages !

Elle perdait pied, à présent, envahie par le dépit et la colère. Elle se moquait de son argent, de ses projets et de ses scrupules, et de sa muflerie.

— Je n'ai pas d'exigences de cette sorte, riposta-t-elle d'une voix blanche, tournant les talons.

Elle gagnait la porte au plus vite, mais en deux pas, il l'avait rejointe, et saisie aux poignets. Elle se méprit sur son geste et résista, de toute sa taille, dans la lutte brève accrocha son pendant au revers de son veston. Elle ne put retenir un cri, portant la main à son oreille. Alors il relâcha son étreinte, honteux, la retenant pourtant contre lui, si près que leurs fronts se touchaient.

— Pardonnez-moi. Oubliez ces mots, ils sont odieux. Ne nous quittons pas de cette façon détestable. Quelle que soit votre réponse, je veux vous revoir, la prochaine fois. Laissez-moi un peu de temps, je vous en conjure.

Et dans sa voix enrouée par l'emportement, elle entendit une supplique si farouche que toute son hostilité fondit. Elle ne savait si des larmes montaient à ses yeux de la brûlure à son lobe, ou de cet accent brisé, dégageait ses mains des siennes et se détournait. Mais lui-même, reprenant son sang-froid, s'écartait déjà.

— Je ne vous connais pas, et vous ne me connaissez pas, disait-il encore avec effort. Cependant je vous demande votre aide. Ne me la refusez pas.

Réfugiée dans sa chambre, elle l'entendit partir presque aussitôt, descendre rapidement l'étage. Elle le vit, de la fenêtre, monter en hâte, à côté de Victor. Tandis qu'elle les regardait s'éloigner, franchir la grille du parc, et disparaître derrière le mur d'enceinte, l'idée se présenta alors, soudaine, évidente et simple, que le bureau serait resté ouvert. Sans réfléchir davantage, elle sortit, écouta dans le corridor. Tout était retombé au silence.

Sans doute Millie était-elle encore au jardin, avec Sassette et Pauline, et la gouvernante occupée quelque part, loin de cette partie de la demeure. Sans hésiter, elle traversa rapidement le palier, jetant un coup d'œil au passage vers le bas de l'escalier, le vestibule, déserts. Le tapis étouffait ses pas. Elle fut à peine surprise que la poignée cède, se glissa à l'intérieur. Le jour venait encore de la haute fenêtre, baignant la pièce d'une clarté mourante. La gorge un peu serrée, elle avança dans la pièce, jeta un regard rapide aux murs, aux tableaux entrevus quelques instants plus tôt. Une marine, tempête et naufrage. Un paysage alpestre. Deux portraits du siècle dernier, des hommes vieillissants, graves et songeurs, le père et le fils, sans doute. Une jeune femme rieuse aux joues roses poudrées, en robe bleue, un pastel délicieux. Deux rangées d'ouvrages de sciences, aux titres énigmatiques. *Isométrie des cristaux. De la matière vivante des levures.* Elle n'était pas revenue là pour inspecter la bibliothèque.

Elle contourna le bureau, un grand meuble Empire, au plateau damassé de cuir fin, taché d'encre par endroits et de cercles bruns. Le cendrier, la tasse vide. L'encrier de bronze, deux pots de crayons, les statuettes grimaçantes. Et une série de petits antiques, jeunes éphèbes, satyres ricanants. Dans le silence, le bureau semblait se souvenir des échos de leurs voix, du poème hongrois qu'elle avait lu, comme du chuchotement pressé à son oreille, par lequel il la suppliait de l'aider. L'aider en quoi, quel projet ? Elle tirait méthodiquement les tiroirs, l'un après l'autre. Vides. Un seul contenait des dossiers aux colonnes noircies, qu'elle feuilleta rapidement : un ancien registre de comptes, des baux, des contrats de vente, actes de propriété. Un autre, les deux recueils de poésie, qu'il avait jetés là. Le dernier tiroir résista. Elle chercha d'un regard aigu, trouva immédiatement, dans le vide-poche d'argent, parmi d'autres menus objets, la petite clé, qui livra l'ouverture aussitôt. Sa main ne tremblait pas, au contraire, elle était froidement armée, agissait avec une sûreté qui devançait sa pensée. Elle tira vivement le portefeuille de maroquin rouge, l'ouvrit sur la table et s'écarta pour l'exposer au faible jour. Le papier crépitait comme du phosphore entre ses doigts nerveux. Un acte de décès : 27 avril 1909. Jane Archer. Fille d'Anton Archer, officier de l'armée de Sa Majesté, né à Liverpool en 1870... et de Melissa Southtown, etc. Epouse de Pierre Galay, médecin des armées, né en 1877, à Paris. Rien n'échappait à sa lecture rapide, ses yeux balayant les lignes sans revenir en arrière. Certificat de décès, signé du Dr Ferrand, officier de santé au Mesnil... Mort naturelle, permis d'inhumer. Acte de mariage, aux armes du consulat de France, à Rangoon.

Signé… illisible sous le tampon, attaché consulaire. Témoins : Joseph Rodier, capitaine de vaisseau, Roger Lebreton, négociant en épices. Les suscrits déclarent, etc. Sans contrat de mariage, etc. librement consenti, 3 décembre 1908… entre Pierre Galay, né le 12 septembre 1877, à Paris, fils d'Henri de Galay, rentier, et de Mathilde Léonie Marie Bertin, son épouse, etc. Et Jane Ellen Archer, née… 1887, fille de, etc.

De sous le dernier feuillet, où elle était restée collée, tomba une photo brune, virant à l'ocre. Un tirage d'amateur, de piètre qualité. Sur le pont d'un navire, de commerce plus que de plaisance, parce qu'on voyait, au fond, une cargaison enveloppée de cordes barrant le passage, entre le bastingage et la paroi d'une cabine, se tenait un groupe, trop éloigné, et un peu flou, de quatre ou cinq personnes, car de la dernière on ne percevait que le haut d'une tête, un front nu et clair sous des cheveux blonds, ébouriffés par le vent. C'étaient des gens de marine, l'un posant en uniforme d'officier, quadragénaire de belle prestance avec sa casquette blanche et ses galons, accoudé au bastingage. Ce Joseph Rodier, le témoin du mariage expéditif ?… Un autre homme, asiatique, en tablier de cuisine, un peu débraillé ; un marin en coutil de travail, nu-tête. Un homme jeune, le seul en civil, étonnamment chauve, se tenait un peu à l'écart, presque de profil. L'unique femme du groupe, étendue sur un transat, dans une posture un peu raide, portait la main à son chapeau dont flottait le voile noué, comme s'il allait s'envoler, ne laissant paraître, à cause de son geste, qu'une moitié de son visage, effacé ou surexposé, dont seul le regard lancé vers le photographe avait une intensité noire, sous l'ombre portée du chapeau, de la main. Jane Archer. Gabrielle cherchait à distinguer, dans le flou de la photo, sous la main délicate, gantée de dentelle, une image plus précise, qui persisterait dans cette brume dorée et qui confirmerait son impression étrange d'une ressemblance, d'un visage déjà rencontré mais celui-ci, perdu dans l'ombre, se dérobait, ne révélait rien de plus que ce regard, grave sous le sourcil froncé par le soleil, par l'étonnement, ou la fatigue. De sa robe, que le vent plaquait à ses jambes très minces, dépassaient les bottines lacées, très nettes, petits pieds croisés, enfantins. Mais rien, rien de plus. Le docteur n'était pas sur la photo. Absent. Ou alors, resté à l'écart sur le pont, spectateur de la prise de vue. Ou bien c'était lui, l'opérateur, qui visait le groupe, vers qui la jeune femme lançait son regard interrogateur. Les bords déchirés de la photo disaient qu'elle avait séjourné longtemps dans une poche, un portefeuille… Gabrielle rangea prestement les documents dans le maroquin, remit celui-ci à sa place, ferma le tiroir, replaça la clé, quitta la pièce et tira la porte, d'un seul mouvement. Rien ne bougeait dans la maison. Elle traversa le couloir et se glissa dans la bibliothèque, s'adossa à la porte, hors d'haleine, étourdie par l'exactitude, la promptitude de ses gestes. Dans le conte de fées, la clé magique se tache de sang et trahit la curieuse. Elle n'était pas dans un conte. Elle était dans la réalité. La clé ne dirait rien.

Jamais elle n'aurait osé une telle effraction de sang-froid, n'aurait imaginé en avoir l'audace. Une ou deux fois, elle avait pesé, en passant, sur la poignée de la porte. La porte était fermée. Pauline seule entrait là, de loin en loin, pour faire la poussière. Y restait peu de temps, le moins de temps possible. Jamais Gabrielle n'avait pensé pouvoir s'y introduire, encore moins fouiller, chercher quoi que ce soit. Pourtant c'était ce qu'elle venait de faire, avec une hardiesse, un aplomb insensés. Pour que l'idée s'en présentât, qu'elle passât à l'acte, si vite, il avait fallu qu'il l'invitât à entrer là, et qu'à la lecture succédât cette conversation, et qu'elle apprît son projet de départ. L'urgence s'était présentée, l'occasion, qui est chauve par-derrière. L'instant rare de la maison désertée, la dispersion de tous. Avec quelle facilité étonnante tout cela s'était déroulé... Elle en restait confondue, un peu honteuse. Mais si peu de précautions ! Laisser cette clé négligemment posée là... Il ne s'agissait pas d'un bien grand secret. Rien de mystérieux. Quelques archives, comme toute famille en conserve, attestant d'un mariage, d'une mort. Elle n'avait découvert que ce qu'elle savait déjà. Elle avait seulement appris l'identité de quelques personnes, leur nom, un peu de généalogie. Un visage. Des dates. Entre le mariage, début décembre 1908, entre ce voyage en bateau et la mort de Jane, fin avril 1909, si peu de temps... La jeune femme de la photo, alanguie sur son transat, n'avait plus que peu de temps à vivre. La jeune femme de la photo, malgré sa minceur extrême, était enceinte de quelques mois. Elle l'était à la date de son mariage. Les joues de Gabielle lui brûlaient, à cause de l'intimité à laquelle elle touchait ; qu'ils eussent été amants, qu'il l'eût épousée avant de rentrer en France, parce qu'elle attendait un enfant de lui, complétait l'histoire d'une circonstance dont nul ne parlait, pas même Sophie. On ne dit pas ces choses-là dans la bonne société. La décence, la réputation l'interdisent. Très noble Dr Galay, qui sait où est son devoir... Mais rapprocher ces dates éclairait l'histoire de manière oblique, y jetait une ombre, bien plus troublante que celle de la main gantée dérobant le visage de la jeune épousée... Elle jouait nerveusement avec la perle à son lobe, pour y agacer la petite cuisson, réveiller sa rancune contre ce personnage de si bonne éducation, corseté dans ses bonnes manières, et qui malmenait si vite les gens.

Des voix en bas l'arrachèrent à ses réflexions, et comme déjà Millie l'appelait, elle descendit rapidement. La petite fille riait à belles dents, la tête levée vers elle, ébouriffée par sa course. Elle tenait Tout Roux à pleins bras, qui se tortillait dans un châle d'indienne.

— Nous nous sommes si bien amusées ! Nous l'avons emmailloté ! Vois comme il est content !

Alors, d'un élan, Gabrielle la rejoignit, la prit dans ses bras et enfouit son visage dans le poil mouillé du petit chien, dans le cou de l'enfant, derrière son oreille fraîche, et posa ses lèvres sur la place de chair douce qui sentait les odeurs du jardin. Elle y cherchait, éperdue, la consolation d'une chaleur humaine, une tendresse que nulle part elle ne trouvait, et qui balayait tout, la pénombre oppressante du bureau, les grimaçantes figurines, et ses gestes de voleuse, la tristesse du poème qu'aimait tant Endre, et dont le grand désordre allumait son cœur.

XII

Le temps changea dès ces derniers jours d'octobre, apportant les premiers froids. Un matin, le parc était couvert de givre et le resta tout le jour, voilé par cette blancheur fantomatique qui dissolvait les couleurs et voilait les lointains de brume. Le soir, l'ouest se brouilla, mouillant les petits vallons, les combes et les lisières de ronces et de taillis, d'une ombre rouge qui désolait les grands espaces de la campagne. Désormais, chaque jour, Meyer brûlait les feuilles mortes et de longs panaches de fumée, de cendres envolées, s'étiraient du jardin vers la prairie. Cette approche de l'hiver ne faisait pas renoncer Gabrielle aux promenades quotidiennes sur les chemins maintenant familiers, qui les menaient jusqu'aux Armand, auxquelles Millie se prêtait d'autant plus volontiers que, désormais, le chiot les accompagnait et qu'elle s'amusait de ses courses pataudes dans les flaques, riant lorsqu'il s'ébrouait et les éclaboussait de boue. Elles en revenaient les robes et les bottines crottées, les cheveux poudrés de bruine et les mains gelées, mais heureuses de la course.

A leur retour, elles trouvaient les lampes allumées dans la maison. Le crépuscule assombrissait vite les vitres embuées de la bibliothèque, où Millie jouait à dessiner du doigt des silhouettes et des lettres. Plus tard, tandis que la petite fille s'appliquait à remplir sa page de bâtons et de ronds, Gabrielle devait lutter pour garder à ses gestes la douceur dont l'enfant avait besoin. Elle mettait grand soin à s'occuper d'elle, passait le long temps des journées suspendu aux rituels maintenant installés, du lever, dès qu'elle sortait de sa toilette avec Sassette, à son coucher qu'elle accompagnait même parfois de lectures et de chansons. L'enfant était la seule compagnie qui trompait son impuissance, l'indécision à laquelle l'entrée dans l'hiver la condamnait. Sa rencontre avec le Dr Galay avait pris un tour imprévu, si étrange qu'il déroutait ses pensées. De grandes flambées d'impatience la prenaient, elle gémissait en pensée de tout ce temps perdu, alors elle soupirait, exaspérée d'elle-même. De quoi seraient faits les jours prochains, la saison, vers quoi avançait-elle si lentement, dans quelle attente s'ensevelissait-elle ? Seul Michel Terrier l'aurait secourue, l'aurait aidée à mettre un peu d'ordre dans tout ce désordre, mais il lui semblait maintenant si loin de son univers, et si loin le jour où il lui avait fait promettre de l'informer de son enquête, qu'il lui paraissait parfois un personnage imaginaire sorti tout entier de ses songes.

Le jour de la Toussaint rompit cette monotonie des jours. Comme chaque année, Mme Mathilde fit le déplacement au Mesnil pour assister à la messe des Morts. Elle arriva de bon matin dans son coupé automobile, conduite par son chauffeur, vêtue en grand deuil, dans une tournure de faille noire et un manteau d'astrakan très élégant, dont émergeait sa face aux grandes joues pâles. Elle prit son bol de café debout dans le vestibule, tandis que Millie, se tenait au garde-à-vous, en attendant le départ des dames à l'église du bourg, sous le feu roulant des questions de sa grand-mère. Très intimidée, elle répondait seulement par des mouvements de tête énergiques, qui agitaient son gros ruban.

— Cette petite est-elle devenue idiote ? A-t-elle perdu sa langue ? lança-t-elle à Gabrielle qui descendait l'escalier.

Mme Mathilde avait fait savoir à celle-ci, par Mme Victor, qu'elle souhaitait qu'elle se joignît à elles, pour que le banc réservé à la famille Bertin-Galay, qu'aucun des membres de sa famille n'occupait plus à l'église, fût peuplé de manière décente en cette circonstance. Car cette année, même Sophie, l'accidentée, serait absente, aussi tenait-elle à une représentation domestique convenable, à défaut de ses enfants, concession obligée au qu'en-dira-t-on. La veille, M. Victor était allé au cimetière, nettoyer la pierre et placer la gerbe de chrysanthèmes, qu'elle faisait livrer tous les ans pour le tombeau des Galay. Elle se rengorgeait de ces dispositions, tout étant conforme à ses vœux, et les apparences sauves. Gabrielle, que ce service commandé contrariait fort, ne répondit pas et se contenta de renouer le ruban, d'embrasser en silence le front de la petite fille. Pour l'occasion, elle avait mis ses seuls vêtements noirs, sa robe plissée et sa veste cintrée, d'un lainage trop léger pour la saison.

— Grand Dieu, quelle toilette ! En manquez-vous donc ?

— Je n'en ai pas d'autre, madame.

213

— Pas d'autre ! Dira-t-on qu'on loge des pauvresses, ici ?

Le feu aux joues, Gabrielle retint la réplique cinglante qui lui montait aux lèvres.

— Victor, cria Mme Mathilde vers l'étage, descendez ma pelisse de renard !

— Je n'en veux pas, protesta Gabrielle. Je ne tiens pas non plus à assister à cet office.

Avec un étonnement amusé, la vieille femme ramena son regard sur Gabrielle et la toisa un instant, presque égayée de sa répartie.

— Je m'en doute. Croyez-vous que j'y tienne moi-même ? Vous allez geler, ma chère. C'est plein de courants d'air, ces églises de campagne. A la guerre, comme à la guerre.

Mme Victor arrivait en hâte, dans son gros capuchon de laine, portant la pelisse jetée sur le bras. Mme Mathilde la mit elle-même sur les épaules de Gabrielle et fit bouffer la fourrure fauve de quelques revers de sa main gantée.

— Voilà. Vous avez meilleure allure. De plus, j'aurais été fâchée que vous rameniez une fluxion de poitrine. Ne prenez pas cette mine d'enterrement, nous survivrons. En route.

Malgré la pelisse, Gabrielle réprima des frissons tout le temps de la messe, gagnée par l'humidité froide de l'église, sentant peser sur ses épaules le regard de l'assemblée, la foule des gens inconnus pour qui la présence de ces personnes d'importance constituait un événement. Plusieurs fois, Mme Mathilde tourna sa grosse taille pour jeter des regards d'impératrice vers le fond de l'église. Elle attendait son gendre : qu'au moins, à défaut de sa fille, il fît acte de présence auprès d'elle. Il ne parut pas, mais à la sortie, tandis que sonnait la cloche funèbre, il surgit de la foule qui s'attardait sur la place, et en bel homme prenant la pose sous le regard de tous, le front découvert, tenant son chapeau sur le coude, il baisa la main de sa belle-mère avec componction. Il s'excusait, étant arrivé en retard, d'être resté au fond de l'église, avec les messieurs.

— Qu'ennuient ces cérémonies, commenta Mme Mathilde, glaciale.

Charles avait la face rose et fraîche, un air de santé et de gaieté naturelles, qu'il dissimulait mal sous son air de circonstance. Comme Gabrielle retenait la pelisse de sa petite main gantée de laine, il s'en empara soudain, protestant avec empressement des amitiés de Sophie, et disant son vœu qu'elle vînt bientôt lui rendre à nouveau visite. Gabrielle avait repris sa main au plus vite et l'avait enfouie frileusement dans sa manche, sous le regard noir de la vieille femme, à qui cette privauté et la gêne de Gabrielle n'avaient pas échappé.

— Comment va ma fille ? coupa-t-elle froidement. Est-elle moins estropiée, à présent ? Je n'aurai pas le temps de l'aller voir, Charles. Je repars tout à l'heure. Dites-lui bien mon bonjour.

Cette scène mettait Gabrielle au supplice, et Mme Mathilde eut l'esprit d'y mettre fin en entraînant sa troupe vers le cimetière. Mais Charles les suivit parmi les tombes. Sophie se remettait, se plaignait-il, mais il lui fallait des ménagements, et du repos, et toute la maison se pliait à ses caprices de convalescente. Assurément, il lui fallait aussi de la compagnie, et celle de Gabrielle entre toutes, insistait-il, comme s'il cherchait à plaisir à contrarier la vieille femme.

— Mlle Demachy est fort occupée, que je sache, trancha celle-ci, et nous avons à nous recueillir, à présent. Adieu, Charles. Portez-vous bien.

Elle lui tourna le dos, emmenant ses compagnes à sa suite. Le cimetière s'était empli de la foule des paroissiens, des mornes silhouettes endimanchées que ce jour des Morts réunissait, et Mme Mathilde, tenant haut sa taille imposante, chapeautée de noir et sanglée comme un soldat, imposa le silence. La tombe familiale se distinguait des autres par son ampleur monumentale, avec son reposoir orné de vitraux auquel s'appuyaient deux anges éplorés dans leur drapé mélodramatique. Gabrielle eut le temps, qui passa pour celui d'une prière, de lire les noms de plus d'un siècle de Galay, gravés au flanc du caveau, des hommes et des femmes dont les cercueils étaient là-dessous. Pourtant manquait la jeune épouse du docteur. Nulle part une Jane Archer-Galay ne signalait sa brève trajectoire dans la mémoire familiale, personne n'avait eu souci d'inscrire son nom dans la pierre, pensa-t-elle. Aussi fut-elle saisie lorsque Mme Mathilde bifurqua soudain dans l'allée et fit une courte station devant une pierre nue, presque anonyme, sans fleur ni plaque commémorative, seulement une croix et un nom, une date. La petite photo lui revint à l'esprit, le jeune marin, l'homme chauve, la longue silhouette sur le transat, la main tenant le chapeau... Cette petite tombe désolée sous le ciel bas de novembre était si poignante dans son esseulement, qui ressemblait à un exil, que Gabrielle en eut le cœur étreint de tristesse. A peine Mme Victor avait-elle marqué elle aussi un arrêt, marchant déjà à la suite de Mme Mathilde vers la sortie du cimetière, saluant rapidement au passage, de discrets coups de tête, l'une ou l'autre des connaissances qu'elle croisait, et dont les regards les accompagnaient longuement.

— Eh bien, mes bonnes amies, voilà qui est fait, conclut Mme Mathilde, une fois adossée aux coussins de la voiture. Gilbert, nous ramenons ces dames au Mesnil, et nous rentrons à Paris. Ce soir, j'aurai encore les reins brisés de mes expéditions.

Ce qu'elle ne disait pas, c'était qu'elle irait, dès que rentrée, au Père-Lachaise, sur la tombe de Raoul Bertin, et que là, elle serait seule, pour se recueillir vraiment, loin de tout regard. Aucun de ses enfants, ni Henri, ne l'avait jamais accompagnée dans ce pèlerinage, le seul qu'elle fît, une fois l'an, vers son père bien-aimé, vers cette passion de sa jeunesse dont le fantôme bienveillant et sévère continuait d'assister sa vie, de lui inspirer force, et courage, et rage de poursuivre sa tâche, de tenir, de sa main de fer, l'entreprise dont il l'avait faite l'héritière. L'unique être au monde dont la figure pleine d'ombres se tenait en face d'elle, où qu'elle se trouvât, qu'elle invoquait en toutes circonstances, le tenant présent par sa pensée comme une tutelle adorée, pour qui ses entrailles tressaillaient encore de tendresse navrée. A ce rendez-vous, elle irait seule, laissant Gilbert l'attendre à la porte du grand cimetière. Elle marcherait entre les tombes jusqu'à la sienne, et, les jambes rompues, à bout de souffle, elle s'y assiérait longuement, comme au chevet d'un enfant, d'un amour dont on veille le sommeil. Elle ne sentirait ni le froid, ni la nuit d'automne montant sous les grands arbres, peuplant la foule des tombeaux de présences funestes. Avec lui elle aurait cet entretien muet, qui n'était ni une prière, ni une incantation, mais une communion intime qui la tenait debout pour le reste de ses jours. Seule.

L'abbé Saulun précipita cette visite à Sophie, que Gabrielle s'était pourtant promis de différer, tant la rencontre avec Charles lui laissait un désagréable souvenir. Chaque semaine, la leçon de catéchisme au Mesnil, à laquelle elle assistait parfois, se terminait par un bavardage amical avec l'abbé. Gabrielle avait fini par trouver plaisir à sa conversation, d'abord parce que ses préventions étaient tombées, tant le discours qu'il tenait à Millie était exempt de moralisme. Il mettait à lui raconter le Nouveau Testament beaucoup de finesse, sans jamais l'entraîner dans la dorure et la mièvrerie, gardant leur simplicité aux récits et répondant seulement aux questions qu'elle posait. Mais surtout, en une ou deux occasions, Gabrielle avait surpris ses regards, tandis qu'il parlait, vers les fenêtres et la porte, comme d'une bête prise au piège qui cherche une issue, prête à bondir par là et se sauver, vers elle ne savait quel horizon. Cette fièvre qui le prenait par moments lui plaisait. C'était un homme mince et sec, athlétique sous son aspect austère, une chair de tendons et de muscles endurcis qui traitait par le dédain le froid ou la pluie, la brûlure des soleils, mais dont la peau était fine comme celle des enfants. Gabrielle considérait avec sympathie qu'à ses tempes on vît battre le sang. Un jour que Millie l'interrogeait sur l'église où il habitait avec le bon Dieu, il avait expliqué qu'on n'habitait pas chez Dieu pour avoir un toit contre les intempéries. Ni pour avoir une consolation, disait-il. On n'y est pas en location, ni propriétaire d'une belle maison, comme celle-ci. Dieu n'est pas un commerçant, ni un patron de l'immobilier. J'ai rencontré des hommes des bois qui en parlaient très bien, et qui n'étaient jamais entrés dans une église. Ils regardaient juste les étoiles, de temps en temps.

— Gabrielle et moi, nous aussi regardons les étoiles, avait dit Millie, très satisfaite.

— Voilà une bonne chose, mademoiselle, avait-il conclu en souriant.

Ce soir-là, elle s'était un peu attardée, tandis que Millie courait à la cuisine retrouver son chiot, qui dormait désormais dans une caisse, près de la cheminée. Comme elle raccompagnait l'abbé dans le vestibule, celui-ci s'était soudain arrêté, jetant au-dehors ce regard d'animal enfermé que les murs apeurent.

— Mademoiselle, je vais vous demander une chose qui ne se mérite pas. Elle se mendie ou se marchande. Je ne suis pas marchand, alors je vous prie. Portez ce livre à Mme Guillemot. Pour que vous ne soyez pas trompée, sachez qu'il y a une lettre dedans.

Il mit dans les mains de Gabrielle un tout petit ouvrage relié en toile bleu roi, qui tenait dans la paume, mais il ne le lâchait pas encore.

— Ce n'est pas une bonne chose de vous demander cela, mais il n'y a pas de bon moyen.

— Il y faut parfois du courage, murmura Gabrielle, le souffle court.

— Malheureusement, j'en ai. Le ferez-vous ?

— Je le ferai, promit-elle, et il partit aussitôt, allongeant le pas, sans se retourner.

Gabrielle tint promesse, dès le lendemain. Elle ne voulait pas garder plus longtemps le petit livre, n'osa même pas l'examiner, le soir, dans sa chambre. Elle l'enveloppa d'un mouchoir et le cacha sitôt sous son oreiller pour dormir dessus, jusqu'au lendemain, le cœur battant à l'idée que quiconque en connût l'existence. Ce n'était pas une bonne chose que ce service rendu, ou que ce don qui faisait d'elle sa messagère. Mais ce qui se donne ne se choisit pas, et elle accepta de ne pas choisir. L'heure trouble du soir, quand elle se retrouva seule au lit, Millie couchée et la maison endormie, lui fit une peur étrange. Celle des ombres qui bougent dans la venue de la nuit et vous tirent vers quelque part, qu'on ne connaît pas. Ce n'était ni vers un but, ni vers une destination. C'était juste une force pour vivre, tendue telle la flèche sur la corde de l'arc, qui n'était ni pour le lointain ni pour le proche, mais vers un absolu effrayant et obscur, dont elle ignorait le nom. Cela venait de trouer sa peine, l'attente vide où elle se trouvait, par l'aiguillon d'un désir sans objet, que le petit livre sous son oreiller incarnait, à cette heure trouble où la lumière cède à la nuit. Non pas la lumière du jour, mais celle de l'esprit, et où les ténèbres qui nous accompagnent se présentent dans leur clarté. Elles ne sont pas si éteintes ni mortes, elles clarifient et simplifient le désordre du jour. Gabrielle s'endormit, la tête sur le petit livre et son message, dont elle ne se demandait ni ce qu'il contenait, ni quelle conséquence il portait, mais seulement si elle saurait comprendre de quel secret personnel il lui parlait. Le lendemain, elle prit prétexte que M. Victor avait attelé pour aller au bourg chercher des commandes à l'épicerie, et emmena Millie avec elle. Ce serait une visite brève, le temps pour Victor de ses emplettes : il les reprendrait dans l'heure.

Sophie était dans la salle à manger, près de la cheminée, sa jambe calée par un coussin sur une chaise basse. Elle l'accueillit avec une gaieté feinte, dissimulant ou sa lassitude ou son inconfort, car, se plaignait-elle en se forçant à sourire, cette entorse durait et elle ne pouvait poser son pied sur le sol sans en souffrir vivement, aussi se trouvait-elle recluse, elle qui aimait tant aller et venir… Encore quinze jours de patience, disait le Dr Ferrand, mais savait-il combien dure un jour, dans cette immobilité ? Autour d'elle, les enfants menaient grand train, et la jeune bonne courait de l'un à l'autre sans succès pour les faire se tenir tranquilles, ce que Millie contemplait en se tenant à l'écart, effarée du tapage. La jeune femme finit par demander à la bonne d'emporter les enfants. Mais à peine Gabrielle eut-elle le temps de prendre quelques nouvelles et d'en donner, que la couturière se présenta, pour l'essayage d'un manteau. Sophie la fit attendre dans l'antichambre, les yeux embués de larmes, exaspérée de ces obstacles.

— Que ne venez-vous une après-midi ? dit-elle, la voix tremblante. Au moins, on me laisse en repos. Voyez comment il en va, dans la maison : je ne peux rien commander. Pas même d'être avec mon amie.

Gabrielle s'assit près d'elle, sur la chaise basse, et profitant de ce que Millie, désœuvrée, contemplait le jardin par la fenêtre, elle prit le poignet de Sophie et glissa, sous sa manche de dentelles, le tout petit livre enveloppé du mouchoir.

— Je vous en conjure, dit-elle d'une voix ferme, soyez prudente. Prenez patience.

A ce moment, Charles passa la tête par l'entrebâillement de la porte, et découvrant la visiteuse, entra pour de bon. Sophie était devenue toute blanche. Elle referma ses bras sur elle, frileusement, tandis que Gabrielle se redressait de toute sa taille, dissimulant un instant Sophie de la vue de Charles. Mais celui-ci ne fit aucune attention à ce mouvement, et, sentant qu'il était importun, pour se donner une contenance, souleva Millie à bout de bras, la portant au-dessus de lui.

— La belle petite Indienne que voilà ! Viens-tu voir ton oncle ou ta tante ?

— Mon ami, gémit Sophie, se reprenant. J'ai si peu de visite, laissez-moi en jouir un peu !

— Vous êtes bien jalouse de vos amies, tonna-t-il en riant. Je l'ai moi-même tant priée de venir que vous devriez m'en remercier.

— C'est vrai, concéda Gabrielle. Mais nous prenions congé à l'instant.

— Qui donc vous fait fuir ?

— Victor vient nous prendre, et nous ne le ferons pas attendre.

— Restez déjeuner, je vous ramènerai tantôt.

— C'est très aimable à vous, mais nous avons à faire.

En dépit de la gêne palpable qu'il jetait, ou à cause d'elle, malgré le départ annoncé, Charles s'installa tout à fait, s'adossa au manteau de la cheminée, décidé à imposer sa présence. Sophie ne disait plus un mot, gardant au fond du fauteuil la posture frileuse qu'elle avait adoptée, tenant dans sa manche l'objet dangereux dont la livraison avait creusé son visage de pâleur. Sous la haute stature de son mari, elle semblait plus petite et fragile, résignée à entendre le discours goguenard, qu'il avait déjà dû lui tenir, car il commentait la prestation de sa belle-mère, l'autre jour, la leçon de maintien et de dignité qu'elle avait offerte aux bien-pensants de la région, dont ce théâtre du cimetière lui donnait l'occasion, et il y mettait une verve si plaisante que

Sophie souriait à moitié, pour lui complaire, ou bien pour ce que ce portrait contenait de vérité.

— Mon ami, tu es bien sévère, protestait-elle faiblement.

— Mlle Demachy pense-t-elle autrement, elle qui était de la garde rapprochée ?

Gabrielle força un sourire pâle et hâta son départ, tenant Millie contre elle comme un bouclier. Dans le vestibule, elle salua la petite couturière qui patientait, serrant contre elle la toilette de papier épinglée, avec un air de souris effarouchée. Le notaire les accompagna jusqu'à la rue où, providentiellement, Victor attendait déjà, dans la carriole rangée le long du trottoir. Et comme il soulevait Millie pour la monter sur le banc, il lança à mi-voix :

— On m'a dit que vous montiez superbement Loyal, mademoiselle. Il faudra que nous chevauchions ensemble, un de ces jours !

— Quel dommage, monsieur, j'ai trop peu de loisir pour l'envisager, répliqua-t-elle avec une politesse exquise, ignorant le ton équivoque.

Mais dès le coin de la rue tournée, elle laissa aller son hostilité, encore palpitante de colère rentrée. Il fallait vraiment qu'elle eût engagé sa parole pour risquer de subir, en rendant visite à la pauvre Sophie, la présence de cet individu. S'il passait aux yeux de Mme Victor pour le bon vivant, pour l'inoffensif jouisseur, l'homme aux bonnes fortunes, indulgemment toléré par tous, elle n'avait qu'aversion à son encontre. Depuis qu'il avait pris sa main, sur le parvis de l'église. Peut-être dès avant, lorsque Pauline avait suggéré de quel cadeau de chasse il entendait l'honorer… Sans doute incarnait-il à la perfection ce que Dora raillait avec tant d'acharnement, la suffisance niaise des mâles, leur grossière fatuité, leur goujaterie, leurs instincts répugnants. Souvent, Gabrielle l'avait écoutée, incrédule, prêtant l'oreille à son indignation sans la partager vraiment, ignorant ce qui justifiait l'outrance de ses propos. Elle se riait de Dora, la traitait de féministe enragée, de suffragette. C'est qu'elle n'avait jamais approché d'homme de cette espèce. Elle suffoquait de dégoût à imaginer ses étreintes, cette répugnante intimité charnelle à laquelle était condamnée Sophie. Quelle indigne condition que d'avoir à subir la vie conjugale, à se soumettre à de telles ordures. Un goût salé lui vint aux lèvres, elle y porta sa main, effarée de voir sur son gant un peu de sang. Les larmes brouillèrent sa vue et elle serra Millie contre elle, dans les cahots de la voiture. L'amour ne pouvait-il être que cette chose sale et contrainte, la soumission honteuse des femmes. Endre ! gémit-elle en pensée. Y avait-il seulement eu de la joie entre eux, ou bien l'avait-elle rêvé ? Le rêve ajoute tant à la réalité qu'on ne la voit plus, si pauvre, si sordide qu'elle soit… L'imagination la submerge de sa houle enivrante et trompeuse, on ne sait plus sur quel sable on s'est couchée. Ah ! Je vis pourtant, je suis seule, et je suis libre, se disait-elle, tapotant sa lèvre meurtrie. Je vis, je me réveille. Voilà que le soleil perce le gris, il fait des rubans de perle et de nacre dans la brume, voilà la beauté du jour. Millie penchait sa tête sur son épaule, toute silencieuse et chaude, calée entre Victor et elle, et devant, la grosse croupe rousse de Ridelle fumait dans l'air froid.

Quelques jours plus tard, débouchant sur le parvis de la gare Saint-Lazare, Gabrielle retrouva, tout étourdie, le brouhaha des encombrements, le roulement des voitures et les éclairages de la rue, dont elle avait presque perdu le souvenir, réalisant alors quelle anomalie était sa réclusion au Mesnil, pour elle qui n'avait jamais vécu qu'en ville. Elle s'élança et se faufila prestement parmi les passants, humant ces odeurs urbaines dans l'air du soir, et traversa la place d'un pas vif, en direction du bureau des Postes et Télégraphes de la rue du Havre. Il y avait foule, elle dut patienter pour demander son numéro et obtenir une cabine. Dans la file d'attente, elle avait beau se raisonner, elle ne pouvait s'empêcher de regarder autour d'elle comme si, parmi tous ces gens inconnus, l'un d'eux pouvait la surprendre. Elle n'était pas pourtant au guichet du bourg, mais dans l'anonymat merveilleux de la grande ville, et bien libre, vraiment, de téléphoner à qui bon lui semblait ! Elle se sentait très excitée, oh oui, de ce qu'elle faisait, et de s'entourer de tant de mystère, et vaguement troublée, comme d'une faute, qu'elle renonça à élucider, parce que la cabine se libérait enfin. Une fois à l'abri, dans l'espace exigu, elle tourna quand même le dos à la salle pour se protéger des regards, passionnément suspendue aux vibrations de la ligne et elle eut un tressaillement en reconnaissant la voix de Michel Terrier. Elle l'avait obtenu si vite, que l'émotion la fit balbutier, et avant qu'elle ne dise son nom, il demandait déjà :

— Gabrielle ! Où êtes-vous donc ?

— Je viens d'arriver, gare Saint-Lazare… Vous m'aviez fait promettre de vous appeler…

— Quand et où nous verrons-nous ?

— Je repars dimanche, par le dernier train…

— Alors, soyez au Louvre, à 15 heures, demain. Devant le *Baptiste* de Vinci. Cela vous convient-il ?

— Mais… Oui. J'y serai !

— A demain, alors.

Elle se retrouva sur le trottoir, encore abasourdie. Une voix neutre, inexpressive et rapide. Aucune surprise, après ce silence de plusieurs semaines. Comme s'ils s'étaient quittés de la veille, et que son appel fût une formalité. La froideur et la brusquerie lapidaire de cet échange la désappointaient, lui laissant un malaise, auquel elle chercha une consolation. Il était évidemment dans un bureau, en train de travailler, peut-être en présence de tiers… Mais il avait immédiatement compris la raison de son appel, n'y avait pas mis d'obstacle, accédant à son vœu avant même qu'elle l'ait vraiment formulé. Il volait à sa rencontre. Il pensait donc à elle avec constance, pour avoir aussitôt reconnu sa voix au bout du fil ! Elle oublia aussitôt l'impression désagréable et se réjouit de cette conclusion inespérée. La perspective de leur rendez-vous si rapide lui donnait des ailes.

Elle pressait le pas, retrouvant sa gaieté d'aller librement sur les trottoirs, de fendre la foule anonyme, loin de cette maison où il lui fallait sans cesse jouer son personnage. A présent, elle était impatiente d'être rendue rue Buffon, chez elle, où l'attendaient Agota et Renée. A elles aussi, elle donnerait le change. Elle savait d'avance ce qu'elle raconterait, mentant par omission, composant le récit de ses journées pour les satisfaire. Maintenant que Dora l'avait abandonnée, il ne lui restait que Michel Terrier, le seul être au monde à qui se livrer, en toute confiance. Comme il serait bon, avec lui, de redevenir transparente et vraie, de ne plus simuler et contrôler ses sentiments. Comme l'insincérité lui pesait, et quel soulagement ce serait de s'abandonner, de tout raconter…

Elle acheta *Le Temps* à un vendeur de journaux en casquette, qui criait les titres au coin d'une rue. Voilà ce qui lui manquait le plus, au Mesnil : de lire la presse, les nouvelle du monde, des événements et des questions de l'actualité, les comptes rendus et les chroniques de la saison. Ainsi ignorait-elle les expositions et les programmes des spectacles… Elle qui prenait tant de plaisir à visiter les salons de peinture, à se rendre aux concerts avec Dora, ou à discuter avec elle d'art, de politique, de faits divers… Elle se souvint avec amusement du jeune photographe roumain, rencontré l'hiver dernier, qui parlait avec une passion farouche de ses expériences et qui lui avait fait timidement la cour, toute une soirée. Elle repensa au groupe de jeunes gens bohèmes qui l'entraînaient, avec Agota pour chaperon, à leurs fêtes pleines de musique et de rires. Comme tout cela était loin, et qu'étaient-ils devenus ? Dora les voyait-elle encore, en dépit de leur rupture ?

Elle se jeta dans les pages du journal, marchant à travers la foule, lut en diagonale les gros titres qui annonçaient les débats à la Chambre sur la loi des trois ans, des inondations à Toulouse. On y faisait le récit de la catastrophe ferroviaire à Melun, de la collision, à dix heures du soir, entre le rapide venant de Marseille et le train postal qui y partait, l'incendie, les trente-neuf cadavres déchiquetés sous l'amas de ferraille tordue et fumante, les éclairages dans la nuit des voies... Le souvenir l'effleura du déraillement du Paris-Berlin, où avaient péri ses parents, autrefois. De décembres pareils, on avait retiré leurs corps sans vie. Pour la première fois cette scène, restée imaginaire, se présentait, dans son affreuse réalité... L'accident de Melun faisait des orphelins, qui n'en savaient peut-être pas encore la nouvelle, comme elle alors. Elle eut un frisson, ferma le journal et héla un taxi. Elle donna l'adresse de la rue Buffon et se laissa aller au fond de la voiture.

Cette fois, Millie avait bravement consenti à son absence, assurée de son retour, dans trois jours, et avait tenu à accompagner Gabrielle jusqu'au portail, avec Mme Victor. Elle avait promis, pendant ce temps, de travailler les petites pièces de piano qu'elle commençait de jouer, et de l'étonner à son retour. Mais en s'éloignant, la voyant agiter sa petite main, son cœur s'était serré. Quelle place la petite fille avait prise dans sa vie, combien lui importaient désormais sa confiance, et son bonheur, sa sécurité. Saurait-elle l'épargner ? Gabrielle calculait à présent qu'elle exposait l'enfant aux conséquences de son stratagème, si jamais elle était découverte. Les changements précipités des derniers jours rendaient cette éventualité bien réelle. Que sortirait-il de cette situation, maintenant ? Le Dr Galay ne ressemblait en rien à ce qu'elle avait imaginé. Il trompait ses prévisions et défiait son jugement. Il s'était risqué si vite à évoquer, pour l'inconnue qu'elle était, sa rencontre avec l'homme dont il tenait ces livres, d'autant plus librement qu'elle était cette inconnue... Gabrielle n'en doutait plus, à présent, ce n'était plus une supposition, échafaudée par calcul : il avait rencontré Endre. Ils s'étaient fréquentés, et estimés. Un être rare. De ces cadeaux que vous fait la vie... Elle s'était répété ces mots adorables, si doux à son cœur. Un ami. Avait-il dit *ami* ? Mais quel lien recouvrait ce terme, quel commerce viril, quelle relation douteuse ou loyale méritait ce nom si équivoque ? Cet homme ressemblait peu au cynique ou au lâche manipulateur, retors et malfaisant, qu'avait décrit Michel Terrier. Sa courtoisie pouvait être de pure composition, son ironie une manière de se garder, cependant il avait une franchise, une liberté de ton qui l'avaient désarmée. Il se montrait plein d'assurance et d'autorité, distant et impulsif à la fois, trahissant sous sa froideur des élans dont la sincérité la renvoyait cruellement à ses mensonges. Alors que ne s'était-elle découverte, que n'avait-elle tenté le tout pour le tout ? Ces derniers jours avaient changé tant de choses, qu'elle en avait la tête perdue, avec l'intuition effrayante d'approcher un terrible secret, comme on en éprouve à soulever les suaires. Quelle aide lui demandait-il si expressément ? Favoriser son départ ? Accompagner Millie ? Vers quelle destination lointaine ? Serait-elle assez folle pour accepter une telle aventure ? Elle jouait avec le feu, engagée à un jeu qu'elle ne maîtrisait plus. Seul Michel mettrait un peu d'ordre dans tant de confusion. Parvenue sur le seuil de l'appartement, elle oublia tout cela, accueillie par Renée qui claironnait joyeusement vers le fond de l'appartement :

— La voilà ! La voilà ! Venez vite, la voilà !

Comme étaient bonnes son étreinte, et ses caresses. Elles riaient ensemble, émues de leurs retrouvailles.

— Ah que tu nous as manqué ! Es-tu contente ? Dis-le-moi, à moi, demanda-t-elle très vite à voix basse.

— Oui, oui, chuchota Gabrielle, tout va bien, ma Ninette.

— Trois semaines, s'écriait Agota, trois semaines que nous n'avons de nouvelles ! Ma chérie ! Comme te voilà changée !

Changée, Gabrielle l'était sans doute, plus qu'elle ne le pensait. D'abord par la lassitude du trajet en chemin de fer, mais surtout par la discipline qu'elle s'imposait pour tromper constamment la vigilance des uns et des autres, pour garder enfouies pensées et émotions qu'elle ne pouvait partager avec personne. Sans s'en rendre compte, elle y avait gagné un air impénétrable, une égalité d'expression qui n'était pas de son humeur ordinaire. Qu'elle était loin, la jeune fille impétueuse et fantasque dont le tourbillon enchantait la vie des deux femmes. Elles en furent saisies, plus qu'à sa première visite. Elles seules au monde la connaissaient assez pour percevoir ce changement profond de leur enfant chérie. Elles l'avaient aussitôt accaparée, prenant place tout près d'elle dans le sofa du salon, l'encadrant amoureusement, et tandis que Renée servait le thé dans les petites tasses de Hongrie, avec des mines de chatte ronronnante, elles posèrent mille questions sur ce qu'elle faisait de ses journées, sur ce domaine du Mesnil qui leur semblait en pays sauvage de la campagne. Gabrielle se livra à l'exercice, pliant la réalité avec gentillesse, sans mentir vraiment, sans rien dire non plus, et elle fut soulagée que la conversation glissât bien vite sur les sujets de leur propre vie, dont la chronique occupa toute la soirée. Il s'agissait d'un différend entre deux propriétaires de l'immeuble qui ne parvenaient à s'entendre sur l'installation d'un ascenseur, du nouveau bureau de Postes et Télégraphes installé au bout de la rue, et surtout de commandes de robes pour l'hiver, passées sur le catalogue du Bon-Marché, dont Agota voulait obtenir un essayage à domicile, parce qu'elle répugnait maintenant aux courses dans les grands magasins, où les demoiselles ne prenaient plus le temps d'écouter les exigences des clientes. Il s'agissait aussi de remplacer la vieille cuisinière à charbon par une gazinière moderne, maintenant que le gaz de ville était distribué dans l'immeuble. Ai-je besoin de cet engin, ronchonnait Renée, le gaz gâche l'air et la nourriture. J'aime mon charbon, et mon charbonnier. Sera-t-il au chômage, bientôt, s'il ne livre plus ? Gabrielle écoutait ce bavardage d'une oreille, sans s'étonner des achats dispendieux envisagés par sa tante, que Renée ponctuait de hochements réprobateurs, mais celle-ci avait beau chercher son regard, l'interroger, muette, inquiète, Gabrielle consentait, approuvait, souriait.

L'étrangeté de se retrouver là, dans ce monde parallèle, étanche à sa vie réelle, la remplissait d'un sentiment ambigu. Au fond, jouer des personnages, changer de rôle d'une heure à l'autre, et composer avec tant de vérité un faux visage pour chacun lui procurait l'ivresse de son pouvoir, et le vertige de ne plus trop savoir qui elle était vraiment. Elle se perdait sous ses masques multiples. Se pouvait-il qu'en si peu de temps, elle eût appris à si bien déguiser et mentir ? Ou bien cet art de la feinte lui était-il une disposition ancienne, une habitude, ancrée depuis son enfance, de se conformer en tout point à l'apparence que la circonstance voulait d'elle ? Une docilité de surface, dictée par la protection excessive des deux femmes, leurs craintes et leurs prévenances. Elle se souvenait mal de sa toute petite enfance, mais nul doute qu'il lui avait fallu se défendre contre leur dévorante sollicitude. Davantage ensuite, quand Endre était paru, quand il avait conquis cette place rayonnante dans son cœur, et qu'il leur fallait tous deux se cacher à leurs yeux. Mais Agota elle-même lui avait appris la simulation, pensa-t-elle, par son obsession des inquisitions du voisinage, sa hantise de sa condition d'immigrée, qu'un revers de fortune pouvait compromettre, d'un jour à l'autre. Elle l'avait armée pour trouver au fond d'elle-même les ressources de sa défense. Oui, elle se défendait, seule. Elle se gardait de tous, en sécurité derrière tous ses masques. Elle en prenait conscience avec une tristesse sourde, une lassitude d'être si seule, seule pour toujours, désertée par le seul être au monde avec qui elle eût partagé une vérité d'elle-même. Mais de quelle vérité s'agissait-il, puisque rien aujourd'hui n'en restait ?

Sur le buffet de la salle à manger, sur les tables du petit salon, partout les portraits d'Endre dans de petits cadres dorés, dont elle détournait son regard, y revenant pourtant, avec crainte. Là, jeune étudiant à la faculté des sciences, il posait près d'une table drapée où une fausse pile de livres manifestait sa réussite aux examens. Il était sérieux, raide dans sa veste passementée, la main sur le cœur, comme un communiant. Là, il tenait un cheval par le mors et retenait un petit sourire, celui qu'il avait quand il jurait, sans colère, pour l'amusement du juron, pour la faire rire, parce qu'il la traitait en garçon, loin des oreilles maternelles. Pour le plaisir des excès de langage et de dépense physique, des frasques viriles dans des lieux interdits aux filles. Ce sourire entendu augmentait sa solitude, terriblement. Aussi le portrait, envoyé lors de son dernier voyage, à Cologne. Il avait là cette moustache des derniers temps, qui faisait un barrage sauvage sur sa bouche, ce regard détourné, fuyant, et sa joue creusée. Le plissement imperceptible au coin de sa paupière annonçait une de ses colères rentrées, colère froide et calculée, dont il épouvantait sa mère. Le petit prélude aux tempêtes, aux décisions brutales, au départ. Elle n'aimait pas ce portrait, les signes occultes qu'elle y déchiffrait. Laissant les deux femmes poursuivre leur bavardage, tout en allant d'une photo à l'autre, Gabrielle écoutait le vent, qui s'était levé depuis un moment et brutalisait les arbres du Jardin des plantes.

Elle n'entendait plus que lui, à présent. Un bruit de grand large, une rumeur venue d'espaces inconnus. Sans commune mesure avec les existences feutrées enfermées dans les maisons, sous les toits de la ville. C'était un bruit contre lequel on ne pouvait simuler ou mentir, arranger son visage pour contraindre les circonstances. Un bruit contre lequel tout semblait minuscule et vain. Contre ce vent-là, en mer, au large des océans, on sait qu'on n'a plus rien à soi, que la certitude du néant. Elle était sous la lampe familiale, à l'abri des murs, mais Gabrielle entendait ce que disait cette voix gigantesque, son débordement de gouffre, dans lequel il n'y a ni espoir ni désespoir, contre quoi les jurons de garçon ne peuvent rien, ni la belle force qu'on se donne, ni les promesses qu'on se fait. Dans cette dispersion du vent, les photos d'Endre se superposaient, s'effaçaient et se perdaient…

Et elle ne sut comment, dans sa rêverie des grands remuements du vent, comme portée par une vague montueuse, une image se mit à bouger dans sa mémoire, à refluer sous l'eau et revenir, s'enfoncer de nouveau, résistante et insaisissable, celle d'une figure inconnue, et pourtant familière, qui se dessinait, perçait la surface... Elle remontait du fond de sa mémoire, à la manière des épaves, longtemps après l'engloutissement des naufrages. Elle se redressa soudain, sous le choc de la chose visible qui se présentait à elle. L'homme chauve de la photo, près de Jane Archer sur le pont du navire ! Elle l'avait déjà vu, une fois, elle le connaissait... Parmi les quelques photos qui restaient d'Endre, perdues dans le vrac de la boîte d'Agota, il y en avait une où elle avait vu cette calvitie, ce visage... Du moins, quelqu'un qui lui ressemblait... Elle eut un grand frisson, de la tête aux pieds. Quelque chose se déchirait, aveuglait sa pensée. Elle se serait jetée sur la boîte de reliques pour vérifier dans l'instant, mais Agota et Renée poursuivaient leur papotage, à mille lieues d'imaginer ce qui lui traversait l'esprit. Elle les considéra avec effroi comme si elles étaient des spectres. La réalité de son souvenir lui paraissait plus présente, plus concrète, que ces deux femmes penchées sous la lampe, et bientôt, n'y tenant plus, elle feignit d'étouffer un bâillement dans sa main, annonça qu'elle avait sommeil.

Tout cela était incroyable, et très bouleversant. Elle passa une heure à convoquer son souvenir de la photo, à peine entrevue, si vite rangée dans le tiroir du Mesnil ; à l'examiner en pensée, à scruter cette image virtuelle dansant dans l'obscurité de la chambre, ses formes floues, insaisissables. Chaque examen était définitif, et elle le recommençait, de point en point, en s'écarquillant dans le noir. Immobile, debout, tout habillée au milieu de sa chambre, comme pour un départ. Sa vue était pénétrante, et même extralucide, mais elle n'y voyait rien, qu'un grand barbouillage de grisaille. Par ailleurs, elle suivait avec une grande attention les bruits de toilette qui venaient des chambres, les pas d'Agota et de Renée, le petit ménage de leur coucher, qui n'en finissaient pas ! Elle voyait tout très clairement, sans savoir exactement quoi, extrêmement concentrée, si calme qu'elle oubliait de respirer. De temps en temps, elle ouvrait la bouche, stupide, et buvait l'air comme des paquets de mer. Elle entendait le vent battre les murs. Il lui semblait dériver tel un minuscule esquif sous un ciel sans étoiles. Il devait être tard. Depuis longtemps plus rien ne bougeait, quand elle se glissa dans le salon, se dirigeant sans peine dans l'obscurité, s'empara de la boîte de photos, et la ramena dans sa chambre. Elle se faisait l'effet d'une excellente cambrioleuse. Au vrai, cela n'avait pas pris dix secondes. Parmi le vrac des photos, elle trouva immédiatement celle qu'elle cherchait.

Elle la mit sous la lampe. Voilà. Lui, le jeune homme chauve, en pied. Devant la toile peinte d'un jardin flou qui fait des plis flottants. Une main sur l'épaule d'Endre, l'autre à la hanche, l'air résolu, un peu dominateur, un peu condescendant. Endre, les mains dans les poches, complaisant. Même taille, même prestance. Tous deux sourient. Des camarades qui s'offrent une petite séance chez le photographe, pour sceller un accord. Fêter un contrat, une bonne farce. La seule chose étonnante est la calvitie de cet homme jeune, dont les traits, si fuyants dans l'autre photo, sont là bien nets, le visage frontal, le regard droit. Une face longue et pas très belle, irrégulière, comme taillé à coups de marteau, quand celle d'Endre, avec ses pommettes hautes, ses tempes lisses et ses lèvres mouillées, est finie au petit burin. Deux jeunes gens élégants, un peu débraillés, confiant leur portrait au photographe, enfoui sous le drap noir de son appareil. Une photo au format carte postale, en carton fort, comme on en fait dans les ateliers des villes, un peu brunie, un peu vieille. Si peu. Ce crâne chauve retient l'attention si l'on se détourne de l'attirance du plus beau. Si on oublie le plus convaincant, le plus séduisant. Alors seulement, on prend note du second couteau, de sa calvitie remarquable. On prend surtout note qu'il est le commanditaire de la photo. Sa main assurée sur l'épaule du camarade, son avantage, et son aisance un peu canaille, vous disent précisément ce à quoi vous n'avez pas du tout pensé d'abord : celui qui prend la pose a eu l'idée de cette séance ; il a donné la photo à Endre, et pas le contraire. Gabrielle retourne la carte. Paraphe grandiloquent du studio, *Maison Taillandier Père et Fils*, fondée en 1865, boulevard Poissonnière, trois médailles de concours, et dans le coin, un chiffre au tampon.

Elle glisse la photo dans son réticule. Le claquement sec du fermoir fait un tel bruit qu'elle sursaute. Il pourrait réveiller toute la maison. Mais c'est grand silence de sommeil. Elle rapporte la boîte à sa place, sur la pointe des pieds, aussi joliment qu'à la première fois. Tandis qu'elle se déshabille fébrilement dans l'obscurité, laissant tomber son linge en pluie sur le plancher, elle est déjà demain, à toute vitesse. C'est très facile de sauter la nuit, de se rendre boulevard Poissonnière, de chercher ce photographe, d'entrer dans son magasin. Tellement facile, qu'elle y est déjà. Elle commence à sommeiller, mais à plusieurs reprises, comme elle dérive dans des sables mouvants, elle se réveille en sursaut, parce que, à dormir, elle se met en grand danger de perdre de vue la photo sur le pont du bateau. Elle n'est plus si sûre que l'homme chauve s'y tient, ni que son profil ressemble à sa face. Ni qu'un camarade d'Endre puisse se trouver d'un voyage en mer, avec la femme du Dr Galay, rentrant de Rangoon, en 1909. Sur le pont du bateau où souffle le vent du large. Qui fait s'envoler l'écharpe de la dame. Le même vent qui souffle dans la nuit du jardin bat avec méchanceté les arbres, arrache les feuilles, balaie et enlève haut la poussière, disperse au loin la cendre de toutes choses. Elle prend son petit sac et le serre contre elle. Elle s'endort d'un seul coup.

Le lendemain matin, Gabrielle trouva Agota dans la salle à manger, prenant son petit-déjeuner. Elle lui sembla une très vieille dame, toute frêle au bout de la table, désemparée devant son plateau, encore dans le désordre de sa toilette de nuit, ses cheveux emmêlés dépassant de sa coiffe et ses gestes de chatte endormie agrippant la tasse de thé, tandis qu'elle, debout sur le seuil, était la figure même de la jeunesse, apprêtée pour sortir, fraîche et vive, déjà gantée. En piquant son chapeau, elle annonça, sans rencontrer d'objection, qu'elle avait un programme de courses indispensables et qu'elle ne rentrerait que le soir, pour dîner. En hâte, Renée la chargea de trouver un métrage de dentelle noire pour rafraîchir une guimpe, et l'entraîna dans le corridor sous ce prétexte.

— Ta tante dépense sans compter, dit-elle sans s'encombrer de préface. Hier soir, elle ne t'a parlé que de ses robes et de sa lubie de la cuisinière à gaz. Figure-toi qu'elle vient de demander l'installation d'un téléphone.

— Le téléphone ! Quelle bonne idée ! Je pourrai prendre de vos nouvelles, et vous donner des miennes.

— Jamais je ne parlerai dans cette machine, et quand il ne te restera que les yeux pour pleurer, ne compte pas me trouver.

— Mais de quoi parles-tu ?

— Comment crois-tu qu'elle paie ces folies ? C'est ton héritage, qu'elle dilapide.

— Je ne veux pas t'entendre reparler de cela, coupa Gabrielle, d'une voix fâchée.

— Mâtine que tu es. Je quitte cette maison demain.

— Tu l'as dit cent fois.

— Une fois je le ferai.

— Ninette ! Ne gronde pas de si bon matin. Réjouis-toi que ma tante prenne des initiatives comme celles-là. Elle se soucie de ton confort, et du sien, et elle a raison, voilà tout.

Avec emportement, elle prit Renée dans ses bras, posa un baiser dans ses cheveux et s'enfuit.

Une fois dans la rue, elle eut quelque remords d'y trouver tant de plaisir. Le vent était un peu tombé, mais il emportait des brassées de feuilles mortes, ridulait les flaques, fouettait les jupes des passantes. Pressant le pas contre les bourrasques, elle attrapa un omnibus qui partait au coin du boulevard et s'installa en haut, aussitôt amusée des scènes matinales de la rue qu'elle dominait, de la circulation déjà intense où se mêlaient voitures à bras, trolleybus, charrettes et automobiles, des murs et des colonnes où les affiches annonçaient spectacles et réclames publicitaires dont le collage bariolé évoquait l'effervescence de la vie urbaine qui lui manquait tant. Elle avait pour projet de passer dans la journée à la librairie de la rue Soufflot, d'y commander les livres qui lui faisaient défaut, des ouvrages de littérature enfantine, des albums et des illustrés, *La Semaine des enfants* et *Les Belles Images*, et aussi un album de Bécassine que Millie réclamait. Du matériel de découpage et de collage ; et dans une mercerie de la rue de Rennes de petites fournitures de couture. Toute une liste d'achats qu'elle avait composée et soumise à Mme Victor, qu'elle ferait livrer au Mesnil. Par la même occasion, la dentelle de Renée. Elle déposerait aussi à la banque sa solde de deux mois, que la gouvernante lui avait remise, augmentée d'une prime inattendue, dont Mme Mathilde avait donné l'ordre. Elle avait hâte de se délester de ces billets dans leur enveloppe. Elle n'avait nul besoin de cet argent usurpé, qui lui brûlait les doigts. Nul besoin non plus de cette prétendue fortune, que Renée inventait, par quelque confusion de son esprit. Si modique qu'il soit, le revenu du petit héritage de ses parents, placé avec discernement, en actions et obligations, par le notaire de sa tante, lui suffisait. N'avoir besoin de rien, ni de personne, faisait trotter ses pensées avec gaieté, cette liberté-là n'avait pas de prix. Elle vous donnait un sentiment matinal de gloriole très naïve, de sûreté et d'arrogance. Ce sentiment immédiat s'augmentait du projet d'aller tout droit boulevard Poissonnière, chez ce photographe, du plaisir d'y courir sans entrave.

Tout en y courant, elle collait son front à la vitre de l'omnibus, absorbée par le spectacle de la rue. Comme un défilement de cinéma, elle voyait les comptables se pressant vers leur bureau, les femmes en cheveux, poussant du ventre contre le vent, les cabas pendus au bras sous leur pèlerine croisée en cache-cœur ; et les marchands ambulants installant leur voiture le long des trottoirs ; les beaux messieurs gris argent, très aristocrates et nonchalants, tenant leur chapeau d'une main ferme, et les pans de leur manteau claquant leurs cuisses de sauterelles, et les larbins, les portiers à courbettes devant les hôtels, hélant un taxi ou fonçant vers les portes à tambour tournant follement, et le jeune livreur, joli comme un Jésus, l'air vaurien en casquette, un grain de beauté à la tempe, qui traversait la chaussée en se riant des cochers. Ce monde bouillonnant de la ville la fascinait, comme si, sous les apparences changeantes, elle voyait passer non les silhouettes mais les âmes, les passions d'égoïsmes, de bonté et de colère, les appétits et les chimères qui agitent toute vie.

Comme elle se sentait légère, soudain, et loin de ses angoisses du soir, parce qu'elle portait trop de masques. Parmi tous ceux que la ville charriait, il y avait le sien, ni plus ni moins dissimulé, ou vrai, plus sincère ou menteur que tous ceux-là. Un visage n'est pas un masque, il ne se porte pas comme un emplâtre de théâtre, il est de portée générale comme la force du sang, le pouls au poignet, la pulsation du ventre, on n'y peut rien, ou pas grand-chose. Le visage du jeune homme chauve était un masque intéressant, avec lequel faire connaissance. Un drap rouge flottait contre une façade et empourprait fugitivement sa face. Dans la vitre, elle se vit, son jeune visage taillé à la florentine, le front bombé, le nez aux narines larges, sensibles, susceptibles, et sa bouche fière, les coins retroussés, parce qu'elle souriait. Elle se voyait, dans le reflet maintenant gris perle des murs fuyants, gris ardoise, bleu d'iris, son regard d'iris bleu sous la paupière voilée, elle était pleine d'orgueil. Elle se demanda d'où elle tenait cet orgueil, même s'il n'était que crânerie parfois, pour ne pas céder. Ou pleurer. Ne pas s'évanouir de solitude. Elle pensa à son père, parce qu'on lui avait toujours dit qu'elle ressemblait à sa mère, et que les photos le confirmaient, mais de son père, que tenait-elle ? Et son visage à lui, ce Pierre Galay, quel orgueil a-t-il pour porter, avec une telle imprudence, un visage sans barbe, aucun poil de dissimulation. Pas même une moustache sur sa bouche, qui a un sourire engageant, très blanc et poli, qui peut vous mordre d'un mot métallique, sans faire semblant. Sous son front osseux, qu'elle a heurté du sien, comme deux béliers se mesurent avant l'assaut, sous son front très grand, il a ses yeux de goudron. De velours cachou qui vire au charbon s'il s'enfonce un peu profond dans l'ombre de la vaste chambre, au fond du bureau, là où la lumière des flammes ne va pas, et il vous dit alors : Je ne vous connais pas, vous ne me connaissez pas, aidez-moi ! Le cœur peut défaillir de ne savoir s'il dit vrai ou s'il ment. Admettons que tout aille bien, chantonnait Gabrielle en pensée, admettons que ses phrases vont tout droit à des vérités qu'il ne s'est pas dites avant de me les dire. Des phrases qui vont droit à des pensées, à des sentiments dans leur vérité. C'est très imprudent, comme son absence de barbe, qui laisse voir sa lèvre trembler. Alors on est deux à être en grand danger de nudité naturelle, on voit à travers l'autre comme d'une vitre. Admettons qu'il a connu, tout autant qu'Endre, le jeune homme chauve ! Je suis sur le point d'une illumination. Elle sauta du marchepied et se trouva dans la foule du boulevard Saint-Michel. Elle prit aussitôt un autre omnibus pour se rendre boulevard Poissonnière.

— En effet, disait le jeune commis, cette photo a été faite chez nous, mais nous ne faisons plus ce travail. Nous avons modernisé, l'atelier est changé. Aujourd'hui, nous éclairons nos clients à la lampe. Ce cliché date d'au moins cinq ans, il est complètement démodé.

Au coin du boulevard, le magasin avait belle allure avec son lambris de chêne, ses tapis de faux Orient et ses pots de fougères, et son salon à l'anglaise, meublé de profonds fauteuils où attendaient les clients, à qui une demoiselle, en robe de soie noire et tablier empesé, servait des plateaux de thé, dans une atmosphère feutrée. Dans la vitrine, étaient exposées les spécialités commerciales que proposait la maison, des grands tirages encadrés au format galerie aux cartes postales en série, retouche et colorisation.

— Notre maison est ancienne, elle a une tradition, poursuivait le garçon, d'un air pénétré.

— Une grande réputation de sérieux et de qualité. C'est pourquoi nous vous faisons confiance pour cette affaire délicate. Nous souhaitons vivement retrouver l'ami de mon frère, à qui nous devons reconnaissance. C'est de la plus haute importance. Voyez ici, dans le coin, le numéro de tirage. Il est sûrement référencé dans vos archives. Vous tenez bien des archives, n'est-ce pas ?

— Evidemment. M. Morel, qui tient nos comptes et nos fichiers, est la mémoire de la maison… Mais on nous demande rarement ce service.

— Combien coûte-t-il qu'il recherche tout de suite ?

— Oh ! Mademoiselle, c'est un service gracieux. Mais nos bureaux sont au dernier étage de l'immeuble, et je ne saurais quitter mon poste et laisser la clientèle. Passez commande, et revenez dans une semaine.

— Je suis de passage à Paris, je repars demain.

— Alors, pour vous complaire, je vais voir ce que je peux faire. Mais cela risque d'être long.

— Je peux attendre, consentit bravement Gabrielle.

Le soleil d'hiver entrait à flots, auréolant son front têtu sous la voilette, et sa joue se creusa d'un sourire d'encouragement, à faire fondre, si convaincant que le commis s'éclipsa dès qu'il put se faire remplacer. Attendre n'était rien. C'était même si joyeux que Gabrielle chantonnait en regardant par la vitrine la circulation du boulevard qui traversait le quartier animé et populeux, aux ruelles tortueuses. Au milieu du passage des fiacres et des voitures et des bicyclettes, la foule se faufilait. On y sentait la gêne des petites gens, mêlés aux bourgeois en manteaux ou redingotes, traînant le long des vitrines et des enseignes. Sur les murs, des réclames peintes vantaient la ouate thermogène qu'un diable vert, soufflant des flammes, tenait sur ses poumons rouges, la phosphatine Falières, aliment des enfants, et les cachous Lajaunie, toujours imités, jamais égalés... En face, dans la façade de l'immeuble du *Matin*, la grande horloge brillait de tous ses cuivres, sous le lettrage tapageur accroché aux étages : *Le journal le mieux renseigné, connaît tout, dit tout !* Au carrefour, une marchande de quatre-saisons déballait son étal de légumes, une autre des caisses de harengs dans le sel, et une porteuse de pain poussait sa carriole, plus loin des chiffonniers triaient un monceau de nippes qu'ils lançaient sur une charrette à bras. Un garçon tenait un brasero où cuisaient des marrons, qu'il vendait en cornets, et dont la fumée embaumait la rue. Et puis, de l'autre côté, l'élégant café du Gymnase avait sorti quelques chaises à sa terrasse, profitant du beau temps pour tenter les beaux messieurs. A l'intérieur du magasin, les candidats au portrait se succédaient dans un ballet discret, disparaissant et réapparaissant les uns après les autres sous la portière de rideaux rouges, derrière laquelle officiaient les photographes, sans savoir ce que pouvait avoir de comique et d'équivoque, pour une spectatrice comme Gabrielle, leur séjour dans la chambre des opérations.

Lorsqu'elle quitta la Maison Taillandier Père et Fils, il était plus de midi à l'horloge du *Matin*. Elle était en possession, tracés à l'encre violette, de la belle écriture ronde de M. Morel, des nom et adresse, rue, étage et numéro de porte du jeune homme chauve qui avait commandé, et réglé, le 17 octobre 1907, deux tirages d'un double portrait, au format carte postale.

XIII

Apparemment, le sourire du *Saint Jean-Baptiste* de Vinci n'intéressait guère les visiteurs. Des groupes de dames très sérieuses
se pressaient devant d'autres tableaux de la salle, devant
L'Homme au gant, ou devant le *Philosophe* de Rembrandt, qu'un
vieux monsieur examinait au lorgnon, et commentait gravement
à un petit garçon intimidé. Et même, tout à côté, les groupes
trouvaient à sainte Anne et Marie, penchées adorablement vers
l'Enfant, plus d'attrait qu'au jeune saint énigmatique, qui restait
en disgrâce auprès du public, même en l'absence de Mona Lisa,
dont il avait pourtant le sourire. Bientôt, on le disait dans le journal de la veille, *La Joconde* retrouverait sa place au musée, après
la rocambolesque affaire de son vol, deux ans plus tôt. On
venait de la retrouver, grâce à un antiquaire de Florence
contacté par le voleur qui avait voulu, disait-il, rendre le tableau
à son pays d'origine… Peut-être Terrier l'avait-il choisi pour leur
rendez-vous justement à cause de ce célèbre sourire, un dessin
creusant d'ombre la ligne aiguë des lèvres en un mélange d'extase triste et de gaieté absente, qui laissait dans l'incertitude.
Cette combinaison est plus belle encore si l'on va de l'un à
l'autre des portraits de Vinci. Alors se confondent leur noblesse
de traits, leur séduction, leur aguicheuse douceur, la malice
cruelle du sourire figé… Cela venait-il des yeux ou bien de la
bouche, de la courbe un peu molle de la joue, qu'ils semblaient
un même personnage fort ironique jouant des rôles de composition, jouant sur tous les tableaux ? A la fois acteur, modèle,
incarnation et mystification, ni saint, ni la Vierge ou sa mère, ni
Mona Lisa ; une personne subreptice sous le glacis de la peinture, défiant la sagacité du spectateur.

Gabrielle était arrivée à 15 heures précises devant le tableau,
et il était la demie. Elle restait seule avec *Jean-Baptiste*. Elle eut
bientôt fini de trouver du charme à son faux sourire de saint, à

son doigt levé pour la narguer, à son air insolent de jeune voyou. Elle s'éloigna, fit une station devant chaque tableau en jetant de brefs coups d'œil vers la place vide de son rendez-vous. La *Vénus d'Urbino* la retint un long moment parce que la scène du fond, les deux servantes près du coffre, l'intriguait, plus que la nudité de la femme et les plis de son linge. Dans le coffre devait être la résolution, ou bien dans le geste ambigu de la suivante, retroussant sa manche... Quatre heures. Il ne viendrait pas. Elle en éprouvait moins de surprise ou de déception qu'elle n'aurait cru. Ce rendez-vous rapide au téléphone n'annonçait rien de bon. Il l'avait oublié, dès que donné. Terrier était trop sûr de lui, et d'elle, pour le tenir. Elle ne s'était trompée ni d'heure, ni d'endroit, ni de tableau. D'un regard circulaire, elle embrassa une dernière fois la salle et décida que cela suffisait, qu'elle s'était acquittée. Sans s'attarder davantage, elle abandonna la place, remonta d'un pas alerte la grande galerie, effleurant du regard les tableaux en nombre dont les grandes figures filaient dans sa course. Elle s'égara, tomba au milieu de statues antiques, de sarcophages aux frises guerrières, redescendit un étage et chercha la sortie. Comme elle atteignait les guichets, elle eut un haut-le-corps. Elle venait de reconnaître Dora.

Peut-être parce que celui qui avait provoqué leur rupture venait de lui faire défaut, et que sa désinvolture donnait raison à Dora, ou parce que le hasard lui paraissait compenser avec ironie son manquement, Gabrielle n'eut pas un instant d'hésitation, elle se porta d'un seul élan vers la jeune femme qui filait devant elle vers la sortie, de son air décidé, un peu garçonnier. Elle marcha quelques pas à son niveau, et l'aborda en prenant résolument son bras. Dora eut un sursaut, fit un écart brusque de la hanche, prête à protester, puis reconnaissant son amie, elle pâlit, se mordit la lèvre d'étonnement. Mais déjà Gabrielle la tenait dans ses bras, embrassait en riant ses joues et ses mains, avec une effusion un peu maladroite qui fit fondre ses hésitations. La jeune femme portait un chapeau en velours cramoisi, noué à la dernière mode, laissant tomber de longs pans impertinents sur les boucles de son front. Son tailleur rayé d'allure masculine soulignait sa taille élégante, et elle sentait si bon le tabac blond que Gabrielle en fut émue aux larmes.

— Je t'aurais retrouvée les yeux fermés ! s'exclama-t-elle, humant la dentelle de son corsage.

— Gabrielle chérie ! Que fais-tu là ?

— Je t'attendais, bien sûr ! Et toi ?

— Je te cherchais, tu le vois bien.

— Nous aurions pu nous manquer d'une seconde !

— Un ange veillait sur nous, il faut le croire.

— Comme tu m'as manqué !

Elles se turent, cette fois, émues au souvenir de la soirée violente où elles s'étaient quittées dans les cris, et qu'elles avaient crue irréparable, l'une et l'autre honteuses de n'avoir pas fait le premier pas de cette réconciliation que leur offrait la providence. Elles laissaient leur silence réparer le mal, se jetant des regards brillants entre rire et larmes, confuses de ce hasard inouï, tout au bonheur du pardon et de la connivence retrouvée. Elles sortirent du musée et remontèrent la rue de Rivoli. Elles allaient du même pas, se tenant par la main à travers la foule du soir, revenues à leur ancienne tendresse, la face illuminée par le très beau crépuscule gentiane et pourpre dont la débauche heureuse fêtait leur rencontre comme un cadeau. Elles entrèrent dans le premier café, une grande brasserie où s'allumaient déjà les lampes, et que les consommateurs envahissaient à cette heure de la sortie des bureaux du quartier, une assemblée d'hommes, en austères costumes noirs et gris, mais quelques femmes mettaient des couleurs vives parmi les tables, où elles s'installèrent. Le brouhaha du café, l'atmosphère enfumée et les reflets des cuivres, des cristaux, dupliqués par les miroirs, étaient le décor d'une élégance un peu canaille qui convenait à leurs retrouvailles.

— Je suis pour trois jours à Paris. Je me fais l'effet d'une provinciale. Tu n'imagines pas la vie sage que je mène là-bas. Au moins, j'ai un piano ! Tous les soirs, je joue et je pense à toi.

— Raconte, dis-moi tout de tes folies. Ensuite je te raconterai les miennes. Prenons une absinthe, pour nous donner du courage !

Gabrielle raconta. C'était un tout autre récit que celui qu'elle avait fait, la veille, à Agota et à Renée, et voilà que, par ce concours de circonstances, elle tenait à Dora le propos qu'elle croyait destiner à Michel Terrier. S'il était venu au rendez-vous, elle n'aurait pas croisé les pas de Dora. Il l'avait abandonnée, et l'amie perdue avait surgi à sa place. C'était aussi simple, aussi étrange que cela. Par un retournement opportun, le confident que Dora lui reprochait d'avoir élu s'absentait, et l'amie recueillait le compte rendu que son rival ignorerait, que Gabrielle lui faisait maintenant dans l'élan, s'efforçant d'être méthodique, de distinguer ce qu'elle avait appris d'avéré, et ses suppositions, les conclusions qu'elle tirait des indices épars, mais concordants, par lesquels elle avait la certitude d'être désormais sur la vraie piste, celle qu'elle cherchait depuis tant d'années.

— Tu imagines quelle émotion c'était pour moi de lui lire ces poèmes à voix haute ! Mais la sienne semblait plus grande encore d'entendre ma lecture. Une bien forte raison l'inspirait de me la réclamer, et je ne sais quelle sorte de lien il a pu avoir avec Endre pour garder ces livres en souvenir. Car il n'aime pas plus la poésie que la Hongrie, je t'assure, mais ce que lui rappelle cette langue... Je me demande même s'il n'en connaît pas un peu, tant il y mettait d'attention. J'ai bien failli trahir ma traduction, pour voir s'il y trouverait à redire...

Elle enchaîna, cherchant à faire un portrait exact du docteur, mais elle se troublait, hésitait sur ses sentiments, ses intuitions, perdant sa belle cohérence et son assurance, laissant tomber le sujet pour relater son effraction un peu leste du tiroir, les documents privés dont les dates établissaient l'épisode du retour précipité de Birmanie, qui coïncidaient avec la mort d'Endre, et la photo du navire, avec la jeune femme du docteur allongée sur son transat... L'impression vague qu'elle avait eue de connaître déjà son visage, si mal défini, alors qu'en réalité c'était cet homme chauve, juste à côté d'elle, qui lui était familier, dont la physionomie était restée logée dans un recoin obscur de sa mémoire, dont l'image dormait au fond d'une boîte, dans l'appartement de la rue Buffon, à portée de sa main. Cependant illisible, invisible et muette, tant qu'une autre photo, cachée dans un maroquin rouge, ne la désignait pas à son souvenir... En fallait-il des tours et des détours pour que se raccordent ces deux images, comme l'accident qui nous fait converger aujourd'hui ensemble vers les guichets du Louvre... Il s'en faut de si peu pour que cela n'ait jamais lieu, comme s'éloignent infiniment les astres, ou bien se hâtent inexorablement vers le point unique de leur collision... Nos souvenirs ont-ils ce mouvement qui les sépare ou les précipite, au gré de notre vie ?

— Comme il est curieux de penser que, de la multitude des visages que nous rencontrons, peut-être n'oublions-nous aucun... Leur image demeure, imprimée durablement dans ces replis sensibles et secrets du souvenir, jusqu'au moment où elle rencontre une empreinte dans laquelle se refléter, un cadre d'accueil pour se fixer et dire son existence latente... Et peut-être n'ai-je été que cela, pour le Dr Galay. En remettant sous ses yeux les livres qu'il avait oubliés, qu'il a cru, ou voulu oublier, je ne sais, je les lui rendais actuels, ils sortaient des replis de souvenirs enfuis qui l'ont bouleversé, lui si maître de lui par ailleurs...

Gabrielle revenait à cet instant où il lui avait fait, dans la pénombre d'un couloir, ces demi-aveux, ces allusions troublantes... Impossible qu'il soupçonnât, alors, à qui il les faisait ! Il ne pouvait l'imaginer... Elle digressait, emportée par le désordre de ses pensées, comme si elle cherchait une excuse ou une consolation à l'émotion qui la gagnait, au remords de ces confidences volées, obtenues par un moyen indigne, mais la fin veut les moyens, protestait-elle, la voix incertaine.

— Ma belle, tu ne dis pas deux mots raisonnables à la suite ! s'écria Dora. Je ne suis pas plus bête qu'une autre. Je vois bien que tu perds le fil et m'embrouilles parce que tu n'es pas très fiérote de tes exploits. C'est moins facile qu'on ne croit, de mettre son nez dans la vie privée des gens. Gabrielle, ton histoire est scabreuse, et dangereuse. En vérité, je ne connais pas ce docteur, mais si ignoble qu'il soit, il aura bien raison de te vouer au diable s'il apprend ton stratagème. Ou de te mener droit au poste de police. Quoiqu'il tienne sûrement davantage à garder ses vilains secrets qu'à te punir de tes indiscrétions... C'est ton seul avantage sur lui, ma chérie.

Elle riait, les lèvres au bord de son verre d'absinthe, et l'alcool mettait dans ses yeux noirs une gaieté frondeuse. Loin était le jour où elle s'indignait de l'aventure, loin le souvenir de cet odieux M. Terrier, qui la lui avait inspirée. Décontenancée, Gabrielle souriait aussi, soulagée de voir son amie prendre son parti avec tant de liberté.

— Et te voilà sur une nouvelle piste, maintenant, avec ce revenant...

Gabrielle sortit la photo de son sac, la tendit à Dora. Sous la lumière éclatante des lampes, l'image semblait bien commune, un petit bout de carton sépia qui aurait pu traîner dans le ruisseau, une relique dérisoire. Mais entre les doigts délicats de Dora, tandis que celle-ci l'examinait avec attention, saisie de contempler le visage d'Endre, dont Gabrielle avait pu, une ou deux fois, lui montrer un portrait, elle prenait la valeur précieuse d'un talisman.

— L'autre homme, dit Gabrielle, posant son doigt sur la photo. Vois, il est photographié avec Endre, en 1907. Et il est du voyage de retour, avec le Dr Galay, dans les premières semaines de 1909. Il n'a rien d'un fantôme, mais tout du témoin principal.

— Qui est-ce ?

— La pièce manquante, dont j'ai retrouvé trace, ce matin même. Il se nomme Jean Zepwiller. Et voici son adresse. Je vais m'y présenter. Ce qu'il m'apprendra m'évitera d'aller plus avant avec le Dr Galay, du moins pour le moment...

— Gabrielle ! Où t'arrêteras-tu ?

— Quand je saurai de quoi et comment est mort Endre.

— Quitte ces gens, cette maison, abandonne cette aventure. Confie cette photo à un détective privé, il s'en débrouillera mille fois mieux que toi.

— Non, Dora, j'irai au bout moi-même. Songe qu'en deux mois j'en ai plus appris, toute seule, que d'aucun des tiers à qui nous nous en sommes remises en vain, depuis tant d'années. Et puis cette petite fille, dont je t'ai parlé, m'interdit de l'abandonner, maintenant. C'est peut-être elle, qui me retient le plus sûrement. C'est envers elle que je suis engagée. Elle que je dois protéger des conséquences de tout cela. En réalité, voilà le plus grand danger que je coure : l'attachement de cette enfant me dicte à la fois la prudence et la détermination qui pourraient me manquer. Et avec elle je pense plus à donner qu'à prendre, ce qui n'est pas naturel ni économique, je te l'accorde. Et cela me rend un peu crapule, parce que j'y ai un certain bonheur personnel. Me comprends-tu ?

Dora inclinait sa joue sur sa main et les pointes de son chapeau tombant sur son front lui donnaient un air mutin, que démentait la gravité de son regard. Elle réfléchissait sérieusement.

— Je comprends surtout que tu n'en démordras pas. Tu sais ce que je pense de ton cousin. N'y revenons pas, nous nous fâcherions encore à son sujet. D'ailleurs je crois qu'il est moins le *sujet* qu'il n'en a l'air, et que tu fais de cette affaire une question de principe. Tu es une tête de bourrique, et les risques que tu cours, c'est pour te donner raison, un plaisir incalculable. Jusqu'à ce que tu te casses le front contre une réalité, qui te ramènera un peu rudement au bon sens. D'ici là, je suis bien obligée d'être ton amie, et de vouloir te protéger. Et de t'aider, s'il le faut. Quant à moi, ajouta-t-elle sans laisser une pause, mes folies sont moins romanesques. Francis m'a trouvé une occasion magnifique, j'ai accepté l'invitation de jouer demain, salle Gaveau, à la matinée en l'honneur de Camille Saint-Saëns. Il sera au piano et à l'orgue pour son dernier concert. Je n'en dors plus, j'en suis malade d'angoisse. C'est pour ça que je suis venue au Louvre. Pour m'offrir un tête-à-tête très intime avec le grand Sphynx, mon vieux confident. Tu n'imagines pas comme son air hautain de félin désabusé me fait de bien, en certaines occasions. Tu devrais lui rendre visite, toi aussi, de temps en temps.

— Mais quelle nouvelle, Dora ! Avec Saint-Saëns !

— Tu seras déjà repartie dans ta campagne, évidemment…

— Mais non ! Seulement dimanche. Dora, veux-tu dire que je suis ton invitée ?

L'absinthe chauffait leur gorge et leurs joues et, sous les lampes, elles se mangeaient du regard, exaltées et émues de l'amitié retrouvée. Comme elles ne pouvaient se décider à se séparer, Dora entraîna Gabrielle vers la Concorde, longeant les grands magasins du Louvre aux vitrines pleines de frivolités exquises. Dans la nuit tombante, elles remontèrent les Champs-Elysées, bras dessus, bras dessous, jusqu'au carrefour d'où l'on voyait le Grand Palais illuminé comme un immense paquebot, alors, curieuses, elles s'approchèrent et regardèrent, par les portes grandes ouvertes, l'Exposition de l'automobile, la gloire de la jeune industrie. Au faîte des trois rangées de pylônes qui s'alignaient au centre de la vaste piste, des lanternes énormes, tels des cabochons monstrueux, faisaient des yeux d'or dans la nuit, auréolés de points clignotants autour des enseignes, et sous la verrière les lustres coiffés d'abat-jour transparents nimbaient d'une brume féerique le régiment des voitures alignées, les derniers modèles, les plus modernes, autour desquels se pressait la foule. Elles s'attardèrent, éblouies par ce spectacle triomphal, remuées par le tapage luxueux, s'oubliant un instant. Sur le trottoir, elles se quittèrent enfin, avec la promesse de se retrouver le lendemain, salle Gaveau, où Dora ferait retenir des places.

— Conduis-y donc ta tante ! Elle sera enchantée de te chaperonner, pour une fois !

Une fois seule, Gabrielle marcha un moment pour savourer son plaisir, la manière imprévue dont la vie réparait les bévues, les souffrances ou les manquements. Avec quelle inconséquence, elles avaient, l'une et l'autre, cru mettre fin à des années de tendre confiance, saccager en quelques mots une amitié qui pouvait se restaurer si vite ! Sous les arbres nocturnes, elle emportait son bonheur fourmillant, l'ardeur retrouvée, qui lui faisaient faire un bilan enthousiaste des épisodes mouvementés de la journée. Non seulement la photo avait donné des résultats au-delà de ses espérances, mais Dora la merveilleuse était de nouveau son alliée. Sa meilleure alliée, la seule. Tant pis si Michel Terrier s'évaporait de sa vie. Elle ne se faisait aucune illusion, n'escomptait trouver aucun message en rentrant chez elle, ni plus tard. Elle n'avait même pas envie de se perdre en conjectures, de lui supposer les raisons, sans doute excellentes, de n'être pas venu au rendez-vous. Malgré ce que le procédé pouvait avoir d'offensant, d'humiliant, elle se moquait bien de sa défection. Je m'en moque comme d'une guigne, chantonnait-elle en allongeant le pas. Sans doute s'est-il lassé de ses vaines tentatives de séduction. Deux mois sans nouvelles, c'est trop à endurer pour un prétendant tiède et timoré. Il s'est ravisé parce qu'il n'a guère à offrir. Il a servi ma cause de son mieux mais, de lui, je n'ai pas à attendre davantage, concluait-elle, sans souci pour son ingratitude. Et s'il était embarrassé de mon appel, que n'y a-t-il répondu plus fermement, par une fin de non-recevoir.

Au lieu de quoi, ce rendez-vous comminatoire, ce tableau équivoque, devant lequel il l'avait fait attendre une heure durant ! Tout le temps d'examiner la physionomie moqueuse de saint Jean-Baptiste, et d'en tirer la leçon. On ne désigne pas d'un doigt aussi insolent un ciel virtuel sans intention très maligne.

Au moment où Gabrielle traversait la ville, à moins d'un kilomètre à vol d'oiseau, Michel Terrier se souciait fort peu, en effet, de son rendez-vous manqué. En réalité, la réunion d'urgence, décidée en fin de matinée par l'Etat-Major, avait duré jusqu'à la nuit. Elle aurait dû être expédiée en une heure, une formalité, mais une discussion pénible l'avait prolongée. Les officiers de haut rang, convoqués pour la circonstance, avaient dit leur mot, puisqu'il fallait l'entendre, sur une affaire aussi grave, une de ces bavures qui pouvait aller jusqu'à la Chambre. Aussi le cas leur avait-il été soumis de sorte à sauver les apparences, et obtenir leur silence. Les convocations étaient parties par pneumatique pour ceux que le téléphone ne pouvait joindre, et à midi trente seul manquait le colonel Camelle, retenu au camp de Troyes. Le commandant Feltin leur avait présenté la situation avec toutes les précautions oratoires, selon la version que Terrier avait préparée pour lui, et soit qu'il la crût excellente, soit qu'il comprît le danger d'y regarder davantage, il s'y était conformé en tout point. On n'allait pas recommencer le débat avec ces beaux esprits qui restaient aveugles, accrochés avec obstination, avec imbécile entêtement à leurs prérogatives, et leurs préjugés, leur discours d'honneur et de probité. Il y avait mort d'homme. Un homme du rang, certes, mais l'accident devait être couvert par la hiérarchie, sans qu'un seul fasse défaut. L'articulation entre scientifiques et militaires était un point trop névralgique pour laisser ce regrettable incident compromettre l'effort de guerre, que certains menaient à leurs risques et périls. Il s'agissait bien, déclara-t-il, d'une expérimentation conventionnelle de dianisidine, des essais en cours et autorisés, menés par les laboratoires de recherche en toute transparence et bonne méthode. Pas besoin de revenir sur la controverse qui opposait les officiers entre eux, sur leur rejet de la guerre chimique, inadaptée, onéreuse, et inefficace, disaient-ils. Au mieux admettaient-ils ce sternutatoire bénin, mêlé à quelque agent lacrymogène irritant, du bromure de xylile, qui empêche le tireur de viser, quelques minutes durant. La muqueuse oculaire et les voies respiratoires picotent, les yeux larmoient, la gorge s'étrangle, et une sécrétion nasale intense étouffe le sujet. Incapacitation mineure, et passagère, évidemment. Leurs vues s'arrêtaient là, et leurs scrupules. Encore ne voulaient-ils entendre parler que d'expérimentation animale. D'ailleurs, les cartouches suffocantes n'étaient pas encore au point et justifiaient leurs préventions.

La version était donc que, la veille au matin, au centre militaire des explosifs de Châlons-sur-Marne, ce manipulateur débutant avait dû se tromper de dosage, ou s'enfermer imprudemment avec l'échantillon de cobaye, et inhaler dangereusement un peu de gaz, dont la formule était concentrée. On pouvait ajouter que sa constitution fragile avait exacerbé l'effet du mélange volatil, au demeurant conforme, ce que le médecin militaire rattaché au centre venait confirmer maintenant, par un pneumatique arrivé en pleine réunion. Celui-ci avait constaté les conditions du décès, et en était aux conjectures, mais déjà l'examen du dossier révélait chez ce sujet quelque tendance asthmatique infantile, et même un séjour en montagne pour une faiblesse pulmonaire mal soignée. Voilà : une regrettable erreur d'affectation à un poste exposé, une manipulation imprudente. Il s'agissait de prévenir le scandale, d'étouffer l'affaire, que pas une rumeur ne circule, surtout. Quelques mises en garde avaient bien été lancées, des objections indignées, et les accords internationaux invoqués, la convention de La Haye prohibant l'utilisation d'armes toxiques, mais Terrier avait laissé le commandant calmer les esprits.

— Messieurs, gardons la tête froide. Nos bureaux d'expérimentation chimique sont sous le haut contrôle de la Commission spéciale. Ils sont coordonnés en toute légalité avec la recherche industrielle et scientifique de nos facultés. Avec un tel cas, nous risquons que les mauvais esprits ne s'échauffent, de déclencher une campagne de presse détestable. Ne mettons pas cette affaire interne sur la place publique. Nous avons décidé de transférer la dépouille de cet agent de son arme d'origine à celle des tirailleurs du camp de Dijon. Cette substitution d'unité et de localité supprimera toute polémique. Si vous donnez votre accord à ce procédé, certes illicite, mais d'exception, nous pouvons éviter bien des désagréments, en ces temps instables. Nous déplorons la perte d'un de nos meilleurs soldats, c'est tout. Pas de pension compensatoire : ce serait signaler inutilement une éventuelle faute des armées et nourrir la suspicion.

Malgré de fortes réticences, l'accord avait finalement été obtenu, le commandant réitérant solennellement ses assurances et faisant appel à l'esprit de corps, à la discipline, aux hautes vertus exigées de chacun, en un plaidoyer vibrant, qu'il réservait aux grandes occasions. Une fois réglée la délicate affaire du consensus nécessaire et repartis les officiers de haut rang vers leur commandement, Michel Terrier avait encore retenu, pour une réunion restreinte, dans son petit bureau sous les toits, ses collaborateurs, camarades de la même promotion de l'Ecole militaire où il enseignait et qu'il avait lui-même recrutés. C'était une réunion de crise dont il tenait à garder jusqu'au bout la maîtrise. Il n'était plus à l'ordre du jour de rejoindre la jeune Gabrielle au Louvre, devant l'illustre *Jean-Baptiste,* ni de se soucier de la prévenir d'une quelconque manière. A vrai dire, le souvenir ne lui en était pas sorti de la tête. Sa tête mathématicienne et supérieurement organisée pouvait conduire plusieurs visées à la fois, et ne se trompait jamais de calcul sur leur hiérarchie ni l'ordre de leur urgence. Cette visée-là pouvait attendre, il avait les moyens de la retrouver en temps voulu. Aussi avait-il conduit son conseil avec la rigueur qu'exigeait la situation, reléguant parmi d'autres ce souci subalterne.

A son habitude, avant de prendre la parole, et tandis que le petit groupe s'installait, Michel Terrier s'était penché vers la ville et la nuit. Ce bain d'obscurité plaqué contre sa face de prédateur avait l'effet glacé d'un éther. Il minéralisait ses traits d'un faciès guerrier, comme naguère, lorsque les humiliations cinglantes refoulaient à l'intérieur de son visage d'enfant les larmes de rage et de souffrance qui lui tombaient des yeux, non sur ses joues mais dans le cœur, derrière le masque du visage. Il en ravalait l'énergie négative pour opposer à son dégoût et à sa terreur de souffre-douleur, à l'abaissement, le sourire du mépris qui tirait ses lèvres sur ses dents grinçantes. Là, sans défaillir, contre les affronts, il avait appris à aiguiser sa ruse et l'hypocrisie, la cruauté. Et même à la bonté redoutable, la divine bonté d'une mère souveraine, il avait opposé la méchanceté froide qui sauve de la sentimentalité, ce plus haut danger. Enfant, il se disait que ce qui lui arrivait n'était rien, que le temps passerait, et qu'enfin il mourrait. Le ciel noir de la ville entrait par ses yeux vides, il inspira longuement et se retourna vers l'intérieur, sali de lumière électrique.

— Ce que nous redoutions est arrivé. Mais le pire est évité. Le major fera le rapport d'autopsie qui convient. Il est des nôtres. Ce cadavre encombrant sera inhumé sans autre conséquence. Cependant vous avez entendu comme moi dans quel esprit se trouve notre hiérarchie. Moins que jamais nous ne devons attendre sa mobilisation, ni les moyens nécessaires pour notre travail. D'ailleurs nous n'avons pas d'existence. Je veux le point exact sur cet événement, et votre avis sur la conduite à tenir, désormais. Messieurs, au rapport.

Un à un, les jeunes officiers à l'exercice traitèrent l'étude de cas. Le temps était loin où l'on tâtonnait, en attendant des résultats de la recherche industrielle. Celle des colorants, commencée en Allemagne, avait longtemps rencontré la répugnance des industriels à se convertir à la fabrication d'explosifs, puisqu'ils protestaient de leur incapacité à mettre en place l'équipement nécessaire à la production, et de leur mission économique et sociale, de leur humanisme désuet. Et d'ailleurs, l'armée d'outre-Rhin elle-même se gardait bien de laisser traîner le moindre bruit sur ses projets de gaz toxiques tels que le monoxyde de carbone, ou le phosgène et le cyanure, restés à l'état d'hypothèses, selon les rares archives obtenues par le renseignement. Il avait fallu des années pour comprendre que, ni d'un côté ni de l'autre, on ne conduirait avec rigueur et détermination de telles recherches de manière officielle. S'y opposaient d'ailleurs le retard en matière d'explosifs, l'inadaptation des obus et des tubes de mortiers pour contenir des charges suffisantes de substances. Et surtout l'inconscience criminelle des plus haut gradés de l'armée, la cécité chronique des décisionnaires soumis à l'opinion publique, patriotes en parole, exaltés de revanche contre les spoliateurs, les massacreurs allemands, les barbares qui occupaient Alsace et Lorraine, mais incapables d'aller plus loin que leurs tirades vengeresses, la vaine gloriole dont ils se gargarisaient. Heureusement, quelques jeunes gens instruits et aguerris, farouchement déterminés, appartenaient au même cercle du renseignement militaire, formés à la même école de la guerre secrète et maîtres du réseau le plus sophistiqué de laboratoires clandestins où se déclinait le savoir utile. Celui des ingénieurs chimistes, des physiciens et des physiologistes, des pharmacologues convaincus que la plus haute urgence était de se mettre au service de la patrie. Mais ce dont Terrier et ses hommes parlaient à présent dépassait assurément ce que des oreilles déjà averties de la guerre secrète auraient supporté d'entendre. Non, l'agent de Châlons n'avait pas maladroitement manipulé une dérisoire charge de dianisidine. Et si une version à ce point inoffensive outrageait la petite escouade des officiers bardés de leurs décorations, comment auraient-ils, alors, accueilli la vérité ? Mais ils se contenteraient de cette version, en claquant des talons, et l'opinion publique en ignorerait jusqu'à la nouvelle.

— Cependant, soyons lucides. Les discussions menées à la Chambre en ce moment risquent fort d'aboutir au renversement du ministère Barthou, qui a tant mérité du pays en lui redonnant l'armée forte dont il a besoin. Son projet d'emprunt des trois cents millions sera balayé par l'opposition des radicaux et des socialistes, Caillaux en tête. Plus que jamais nous devons anticiper, éclairer l'avenir. Messieurs, il s'agit de décider les mesures pour éviter un autre accident. Il s'agit d'un conseil de guerre.

Cette même après-midi de la mi-novembre, un embarras spectaculaire encombrait la rue Dutot. Des deux côtés de la chaussée, les maisons jumelles de l'Institut Pasteur pavoisaient de drapeaux à toutes les fenêtres, et devant les grilles grandes ouvertes se pressait la foule d'une centaine d'invités prestigieux, tous des sommités et des personnalités en vue, de la science et de la politique, parmi lesquels des dames, enfouies dans leurs étoles de fourrure et entravées dans leurs robes, manquaient défaillir, bousculées par la presse. Une légion de photographes attendait, se bousculant pour avoir la meilleure place, braquant ses objectifs vers cette société choisie, et espérant tirer quelques clichés avant la cérémonie, car le président Poincaré était attendu pour fêter les vingt-cinq ans de l'Institut. Les mouvements des agents de la police et l'embouteillage de voitures bouchaient la rue de ce quartier du faubourg, aux petites maisons encadrées de jardins. Dans son charme de couvent provincial aux façades de brique, l'Institut restait d'ordinaire ignoré de tous, à l'écart des agitations de la ville. Ce haut lieu de la conquête scientifique recevait pourtant la visite de biologistes considérables, comme celle du Pr Chantemesse, et du Pr Vincent, initiateurs du vaccin antityphique, que la polémique avait opposés sur le degré de chauffage des bacilles, ou des étrangers comme le Pr Noguchi, venu d'Amérique au mois de septembre, présenter ses travaux sur l'éclairage à l'ultramicroscope des cultures du bacille de la rage, révélant qu'il appartenait à la famille des protozoaires. Ce maître de la bactériologie moderne était passé inaperçu, comme tant d'autres qu'accueillait l'Institut. Mais en ce jour anniversaire, la foule des curieux avait envahi le jardin, jusque sous la statue du petit Jupille, l'enfant héros premier vacciné, qui en gardait la porte, et des casquettes, des chapeaux se soulevaient pour crier quelques slogans enthousiastes ; une effervescence extraordinaire, que filmaient des opérateurs de cinéma, juchés sur le perron et jouant frénétiquement de leur manivelle.

Le Dr Galay se tenait à l'intérieur, sa haute silhouette appuyée à l'encoignure d'une fenêtre. Le manteau jeté sur le bras, et les pans de son écharpe de soie perle tombant de ses épaules, il tournait distraitement les bords de son chapeau, jetant de temps en temps un regard sur le spectacle de la rue, derrière les vitres.

Il était là par obligation, en compagnie de quelques collègues entourant le maître de l'Institut, dont la haute stature maigre, mince et longue, dominait le groupe. Il savait la contrariété profonde du Pr Roux, hostile à cet événement, que les officiels avaient voulu rendre illustre. Son sentiment était partagé par son équipe, les préparatifs de ces extravagances publiques les avaient dérangés depuis huit jours dans leurs travaux. Lui-même, réfugié dans son laboratoire de la Salpêtrière, en avait moins pâti que ses collègues, mais il lui avait fallu composer comme les autres avec le protocole, et tenir sa place à la réception.

Avec sa redingote haut boutonnée, le directeur affichait une austérité de clergyman, qui contrastait avec l'effervescence et le luxe de l'assistance, encore maintenue au-dehors. Nul doute que l'amphithéâtre ne contiendrait pas toute cette foule, et le Pr Roux, ce premier des grands disciples de Pasteur, considérait d'un air ennuyé l'affluence qui allait envahir son domaine, piétiner ses couloirs et ses laboratoires, bousculer la paix feutrée de la maison. Il serrait de ses mains maigres le cache-nez de tricot blanc, épinglé sous la pointe de sa barbe grise, et garda, vissée sur son crâne, l'étroite calotte noire qu'il portait à son habitude, jusqu'à l'entrée du président dont les cris et la rumeur montante annonçaient l'arrivée. Alors seulement il souleva son calot noir, s'inclina brièvement devant son hôte accompagné de Mme Poincaré en robe de faille prune et chapeautée d'un magnifique drapé de soie sauvage, et il conduisit la délégation dans les salles de recherche, le long des paillasses et des appareils de science auxquels ses invités n'entendaient rien, vers lesquels ils se penchaient avec un incrédule respect. D'ailleurs le brouhaha couvrant ses explications, il écourta la visite sans plus de cérémonie, entraînant à sa suite l'escouade d'attachés de cabinet qui entouraient le président d'un rempart empressé. Dans l'amphithéâtre, la foule s'apaisa un peu, impressionnée peut-être par l'allure ingrate et sévère de cet homme qui, du haut de l'estrade, accoudé au pupitre, lisait tout du long, de sa voix nasillarde, le bilan de l'œuvre accomplie, les prodigieuses conquêtes ravies dans ces murs contre l'ignorance, la modeste et l'héroïque tâche du chercheur, et la pensée de Louis Pasteur, ce géant de l'humanité.

Le Dr Galay était resté à l'écart, contre le mur au fond de l'amphithéâtre, écoutant la prose solennelle de son maître, sans se départir de son air d'ennui poli. C'est là que finit par le rejoindre, après maintes contorsions pour fendre la foule et se glisser jusqu'à lui, un garçon en veste et casquette de tweed, ébouriffé et tout rouge de son effort. Le bref conciliabule qu'ils tinrent eut son effet immédiat, et le docteur quitta la cérémonie aussitôt, s'excusant, se frayant un passage parmi les gens entassés, que son mouvement de retraite offusquait. Dans la rue, il eut encore à traverser le barrage des cordons de police et la foule des badauds alertés par le tapage, une masse de gens du peuple en tablier ou en habit de travail, le vélo à la main, qui saluaient et riaient, s'interpellaient sans savoir ce qui valait une telle manifestation dans le quartier. Le garçon s'était esquivé, une fois remplie sa mission de remettre la missive en mains propres, et autour de lui un attroupement se faisait, car il se vantait d'avoir approché, à quelques mètres, le président de la République lui-même, et les beaux messieurs et belles dames de la réception. Il paradait, tandis que le Dr Galay s'éloignait d'un pas vif, enfilant son manteau tout en marchant, avant de consulter sa montre, de se mettre à courir et de sauter dans le premier taxi sur le boulevard.

Sous la haute verrière du hall de la gare de Lyon, encombrée de voyageurs et de porteurs, dans le bruit assourdissant des machines en attente, il considéra la cohue d'un air perplexe, hésita une seconde. Machinalement, il acheta un journal du soir à un gamin, tout en jetant un regard circulaire par-dessus la foule des têtes dansantes. Aussitôt, apercevant au bout d'un quai le jeune assistant posté qui le hélait de loin, avec de grands gestes désespérés de sémaphore, il fendit les groupes et le rejoignit. Le départ de l'express avait été déjà annoncé deux fois, dit celui-ci très vite, et à peine eurent-ils sauté dans le dernier wagon que le convoi démarrait, dans un nuage de vapeur dont les volutes brouillaient déjà les vitres. Ils remontèrent un couloir et s'enfermèrent dans le premier compartiment vide qu'ils trouvèrent, tandis que commençait à défiler, au lent cahot du départ, le paysage des abords de la gare, ateliers, hangars, poutrelles métalliques et ponts enjambant les voies. Le soir tombait, et quelques lumières éparses perçaient l'obscurité grandissante, nimbant de taches jaunes la grisaille de la ville.

— C'était le dernier train pour Châlons. Je vous préviens : il s'arrête partout, et il est sans première classe. Je suis venu directement, prendre nos billets. Personne n'était sûr que vous arriveriez à temps pour le prendre, mais le directeur Guimet a dépêché ce coursier pour vous joindre : étant donné l'urgence, il a voulu tenter l'impossible.

— Bonne discipline. De quoi s'agit-il, Grandrieux ?

— J'ignore le détail. Une affaire curieuse. Nous avons été alertés en début d'après-midi. Hier soir, l'hôpital de Châlons a admis un malade dans un état critique. Ses symptômes ressemblaient d'abord à un cas foudroyant de choléra, en raison de vomissements intenses. Mais les signes sont devenus atypiques, et l'état de l'homme empire.

— Le choléra ? Un cas isolé est peu probable. Aucun autre signalé dans le département ?

— Aucun. Je crois qu'ils sont dépassés. Ils ont demandé une expertise en urgence, parce que cela leur semble un cas infectieux de type trois, sinon on ne vous aurait pas dérangé. C'était réussi, la réception présidentielle à l'Institut ?

— Type trois. Qui a porté ce diagnostic ?

— Un Dr Denom, directeur de l'hôpital qui a télégraphié à Guimet. Il ne voyait personne de mieux que vous, il a pris la décision de vous dépêcher sur place. C'est que la description clinique est grave.

— C'est-à-dire ?

— Dyspnée, cyanose, expectoration sanglante.

— C'est incroyable. Personne là-bas n'a su distinguer un degré de virulence plus précis ?

Le jeune homme tapota la serviette de cuir posée sur ses genoux.

— J'ai votre ordre de mission, et votre trousse d'urgence. S'ils se sont trompés, nous en serons quittes pour le voyage. Je n'ai jamais vu Châlons, son église et sa place du marché.

Mais l'humour de son compagnon ne dérida pas le Dr Galay. Sous son manteau, entre les pans de son écharpe de soie, il portait la chemise à plastron empesé et la cravate épinglée d'or de la cérémonie, un habit peu compatible avec le décor du petit compartiment de deuxième classe où ils avaient pris place. Pas plus que Grandrieux, il n'avait eu le temps de prévoir un quelconque bagage, et ce départ précipité, qui les jetait à cinq heures du soir dans le dernier convoi de la ligne, faisait d'eux d'insolites voyageurs. Mais il semblait peu soucieux de cet aspect matériel, et le jeune homme aurait même été bien en peine de dire si le Dr Galay était contrarié ou non d'avoir dû renoncer aux festivités présidentielles. A vrai dire, depuis un an qu'il était son assistant dans son service d'immunologie, à l'Institut et à l'hôpital, et bien que le côtoyant régulièrement, rien ne lui avait permis de percer la réserve de son maître, ni d'apprendre quoi que ce soit de sa vie privée. Il estimait son humeur égale, et sa courtoisie, son assiduité remarquables, comparées au comportement parfois désinvolte de certains de ses confrères, plus attachés aux mondanités de leur charge qu'à la constance du travail obscur. Malgré son penchant taciturne et laconique, sa grande patience, égale envers ses pairs comme pour le plus humble personnel, la pertinence de son enseignement et la rigueur de sa méthode faisaient de lui un modèle prestigieux aux yeux du jeune Grandrieux qui, en ce soir de novembre, n'aurait pour rien au monde échangé sa place à ses côtés dans le petit compartiment. Confiné à l'étude et au travail de laboratoire, rivé au microscope et aux cultures microbiennes, il n'avait guère l'occasion d'expérimenter ses connaissances en biochimie sur un cas d'espèce, aussi, sans le montrer, se réjouissait-il de ce déplacement improvisé et d'assister à un exercice pratique. Comme son compagnon s'était plongé dans son journal, il somnola une bonne partie du voyage, secoué par les cahots et sans cesse réveillé par les stations dans les petites localités désertes, que la locomotive emplissait des échos sonores de son souffle et de panaches de vapeur, dispersés par le vent.

A huit heures du soir, la gare de Châlons-sur-Marne était éclairée de quelques lanternes électriques, aux halos trop faibles pour dissiper la nuit des quais, et ils gagnèrent en hâte la sortie, où les attendait un homme entre deux âges, à la figure poupine, au nez couperosé et aux lèvres gourmandes, qui corrigeait son tempérament de bon vivant par un air de déférence obligée, se présentant avec componction comme l'adjoint du Dr Denom. Dans la voiture qui les conduisait à l'hôpital, avec toutes sortes de circonlocutions affectées, il rapporta la nouvelle que le patient avait trépassé, en fin d'après-midi. Rien n'avait pu enrayer sa terrible hémorragie, et c'était maintenant à la morgue de l'établissement qu'ils se rendaient, directement. Tout en joignant sur son ventre des mains grassouillettes de prélat, il se confondait en louanges sur la commodité du chemin de fer et du télégraphe, sur la promptitude des transports et des communications modernes qui permettaient à de si hautes sommités de venir en un éclair de Paris, éclairer les humbles serviteurs de la santé publique en proie au désarroi. Mais quel effroi, messieurs, quel danger, si cette maladie foudroyante se révélait un cas contagieux, s'il fallait prendre des mesures de protection sanitaire ! La chose pressait, n'est-ce pas, pour les extraire ainsi de leurs occupations ? A ce déluge de paroles, le Dr Galay opposait un silence poli, sans se départir de son calme et de sa gravité. Les rues de la ville désertée de passants défilaient, dans la grisaille morne que perçait seulement la lumière intermittente de quelque brasserie encore ouverte, ou d'un magasin dont les employés installaient les barres aux volets.

Le Dr Denom les accueillit sous les arcades d'une cour, dans la petite salle d'infirmerie attenante à la morgue. Sous son étonnante couronne de cheveux frisés poivre et sel échappant de son calot noir, sa face sévère était empreinte d'inquiétude.

Entouré de son équipe, trois jeunes médecins et une religieuse infirmière, il marqua une effusion contenue, s'excusa longuement du dérangement, expliquant que, pour avoir été autrefois étudiant du professeur le chirurgien Poirier, hélas décédé, et du clinicien Troisier, sa discipline le laissait désarmé devant ce cas atypique, pour lequel il avait cru bon de solliciter l'expertise de son confrère, spécialiste d'immunologie des plus compétents. Alors, il refit posément la chronologie des circonstances qui avaient bouleversé son établissement. La veille, vers onze heures du soir, une femme s'était présentée avec son mari, dans un tel état qu'on l'avait aussitôt admis au dispensaire. A ce qu'elle avait alors déclaré, cet employé d'une usine métallurgique des faubourgs était rentré de bonne heure à son domicile, se plaignant d'une si grande fatigue qu'il s'était couché aussitôt. Mais très vite, il avait présenté des signes effrayants d'asphyxie et de convulsions, si bien qu'affolée, à l'aide d'un voisin, elle avait chargé son mari dans une carriole, et l'avait porté là, car ils habitaient non loin. Bien souvent ces pauvres gens n'appellent même pas le médecin pour de plus graves maladies, et sans doute, si elle n'avait pas eu cette présence d'esprit, serait-il mort sans que personne apprenne son cas. Quoi qu'il en soit, sitôt examiné, le malade avait vu son état empirer, toute la nuit il avait étouffé sans qu'on sache comment le soulager. L'oppression respiratoire avait atteint quatre-vingts expirations par minute, et le rythme cardiaque cent vingt pulsations à la minute, avec diarrhées et vomissements violents, des émissions de matières grumeleuses et blanchâtres, ce qui avaient pu faire croire un moment à un choléra. C'est alors qu'il avait pris la responsabilité d'en référer aux services des maladies infectieuses.

— Mais en milieu d'après-midi, les expectorations sont devenues étranges, un liquide transparent mêlé de sang coulait continûment de la bouche et du nez, provoquant engouement et étouffement, rendant le malade à un tel épuisement qu'il ne pouvait plus expulser lui-même ces humeurs. Jusqu'à deux litres par heure. Je n'ai jamais vu de telles excrétions, et d'une telle abondance, disait le médecin. Les poumons semblaient remplis de ces mucosités qui envahissaient aussi l'œsophage, la trachée et les voies nasales, aucune ponction mécanique n'en étanchait le flux nauséabond et délétère. L'agonie a été atroce, il est mort en fin d'après-midi, alors que vous étiez déjà en route.

— Avez-vous conservé ces substances ? Avez-vous préparé l'autopsie ?

— Evidemment.

A cette question, Grandrieux eut un grand frisson. Il redoutait ce qui allait suivre. L'odeur d'éther qui flottait dans la pièce l'avait déjà pris à la gorge, mais la dissection d'un cadavre était une épreuve dont ses quelques expériences d'interne lui avaient laissé un souvenir tel de dégoût, que cette seule éventualité lui soulevait le cœur. Pour éviter la chirurgie, il s'était tourné vers la recherche, parce que, dans les bacs de cultures, sous le microscope, sur les lamelles de verre, la physiologie minuscule des bacilles et des germes microbiens lui épargnait d'approcher la chair vivante et souffrante. Si son père, petit pharmacien d'Orléans, l'avait convaincu d'étudier la médecine, il ne s'y était résolu que dans cet espoir que la science théorique le garderait éloigné des réalités sanglantes et morbides, de toute cette matière organique exposée à la vue et au toucher, ouverte par le scalpel, toute cette chirurgie du vivant et du mort, dont les flux, les odeurs et la sanie horripilaient son imagination.

Dans le train du retour, Grandrieux repensait à cet instant de sa panique, quand le Dr Galay, se tournant vers lui, lui avait enjoint brusquement de rejoindre sa chambre, à l'hôtel que le Dr Denom leur avait réservé pour la nuit, et de l'y attendre. A ce moment-là, il avait fort rougi, honteux d'être percé à jour, mais il avait profité de cet ordre providentiel avec un lâche soulagement, attribuant cette dispense à une intention charitable de son maître, peut-être peu soucieux de s'encombrer d'un assistant défaillant. Pourtant celui-ci était peu enclin, d'ordinaire, à ménager ses collaborateurs, à transiger avec les nécessités ingrates du métier, aussi, tandis qu'il prenait seul son dîner de rôti froid, dans la salle de la petite pension, déserte à cette heure tardive, lui étaient venues d'autres pensées. Il s'était ressouvenu de l'expression qui avait peu à peu envahi le visage du Dr Galay, tandis qu'il écoutait son confrère, une rigidité glaçant sa belle face d'une pâleur extrême jusqu'à la stupeur, pinçant ses narines et ses lèvres, creusant ses joues comme si ce qu'il entendait configurait un tableau clinique catastrophique, dépassant en gravité toutes ses suppositions. Il l'avait vu regarder, avec une sorte d'étonnement, ses deux mains osseuses tendues devant lui sous la lampe, les refermer en une prise étrange, puis les enfouir dans les poches de son manteau, d'un geste d'effroi. Comme Grandrieux fuyait la petite salle d'infirmerie, il s'était encore retourné, mais le docteur enfilait déjà la vaste blouse de chirurgie et se préparait à l'asepsie, aidé d'une religieuse aux grandes cornettes blanches, sans plus s'occuper de lui ni de ceux qui l'entouraient. S'était-il trompé en reconnaissant la peur, cette manière qu'a la peur de décomposer les traits, de défigurer un homme ? Quelque chose en avait passé sur le visage du Dr Galay, et durant tout son repas, Grandrieux était resté irrésolu, ébranlé par cette intuition, incompatible avec l'idée qu'il se faisait de cet homme.

Au moins, pour le retour, voyageaient-ils en première classe. Maintenant installé dans le compartiment du train qui les ramenait à Paris, son compagnon avait repris son air fermé et lointain, observant un silence qui excluait toute conversation. D'ailleurs assez vite, il avait succombé à son épuisement et s'était endormi, la tête calée contre l'oreillette confortable du fauteuil. Au petit matin, le médecin avait cogné à sa porte pour le tirer du lit, et l'avait pressé de descendre. Il était bien tôt encore, et une fille en tablier bleu, les manches retroussées sur ses gros bras constellés de taches de son, brossait à grands seaux d'eau savonneuse le plancher de la salle à manger de l'hôtel, en chantonnant pour s'encourager. Tout le temps qu'ils avaient pris leur seul bol de café, debout près de la porte, sa chanson légère qui parlait d'amour et de printemps lui avait paru une incongruité, mais le docteur, qui avait revêtu son habit de la veille, fermé jusqu'au cou sur sa chemise élégante, gardait son maintien strict et droit. Il n'était pas rasé, une ombre bleuissait ses joues et son visage portait la trace de son insomnie, et à voir ses paupières rétrécies sur la pupille, filtrant le regard soucieux qu'il portait avec distraction sur la portion de rue qu'on apercevait à travers les rideaux, Grandrieux avait eu du remords de son dîner paisible, de sa bonne nuit de sommeil, de ne l'avoir pas même entendu rentrer.

— Avant de partir, nous avons une visite à rendre, avait-il annoncé, brièvement. C'est à deux pas.

La fille avait pris leurs bols avec un large sourire, et le docteur lui avait rendu le sien en hochant la tête d'un air amical. Ils avaient quitté l'hôtel à pied et gagné, à travers des ruelles encore assombries par la nuit, le quartier de la ville basse où quelques échoppes commençaient de s'ouvrir, un estaminet aux réclames tapageuses, un débit de tabac, où le docteur s'était arrêté pour acheter une petite boîte de cigares. Tout en marchant, il avait succinctement précisé qu'ils emportaient quelques prélèvements à analyser, et que quelqu'un de l'hôpital les leur ferait porter à la gare, tout à l'heure.

— Typhus, choléra, ou fièvre jaune, malaria et peste sont exclus, soyez rassuré, Grandrieux. Il ne s'agit pas de maladie infectieuse, nous ne risquons aucune contagion, vous et moi, ni le bon Dr Denom et son équipe, ni la ville de Châlons...

Il parlait avec une sorte d'humour désabusé, une amertume ironique, dont le jeune homme crut qu'elle lui était adressée, pour avoir si facilement accepté d'être exempté de l'autopsie.

— Je penche pour un empoisonnement. Nous verrons à l'analyse quel toxique mortel a pu le provoquer. Je compte poser quelques questions à l'épouse de cet homme, avant de rentrer.

— Vous la soupçonnez d'empoisonnement ! Il s'agit donc d'un crime ?

Le docteur eut un petit rire las.

— Si c'était le cas, elle se serait abstenue de conduire sa victime au dispensaire, et personne n'aurait eu vent de l'affaire. Les crimes parfaits ne sont pas plus compliqués.

Le domicile en question se trouvait au bout d'une impasse mal pavée, longée de palissades vermoulues barrant des terrains vagues que des immondices et des rebuts encombraient, noyés dans des flaques glauques et mousseuses. C'était un immeuble bas d'un étage, en moellons et mauvaises pierres jaunes ravinées par les pluies, dont la porte d'entrée était ouverte sur un étroit corridor carrelé, donnant à l'autre bout sur la lumière blême d'une cour en terre battue. Il s'engouffrait là un courant d'air froid et humide, chargé d'odeurs rances de vieille cuisine et de linge moisi, de relents malsains de taudis. Pour autant, le Dr Galay ne manifestait aucun signe de répugnance, il cognait à une des portes de son doigt ganté et penchait l'oreille aux bruits intérieurs. Si loin de la propreté méticuleuse de son laboratoire, de l'atmosphère feutrée de son bureau, où Grandrieux le voyait d'ordinaire, lui qu'il avait pourtant entendu dénoncer l'insalubrité et les campagnes d'hygiénisme public, trop peu efficaces, mal coordonnées, gardait son impénétrable quant-à-soi et semblait ignorer ce que ce décor misérable pouvait avoir de choquant. La femme qui leur ouvrit avait la face abîmée par les pleurs, une rougeur intense aux joues et les lèvres gercées. Ses cheveux pendaient en mèches échappées du bonnet. Elle n'avait visiblement pas dormi, ne s'était pas dévêtue de la nuit, et la pèlerine de laine jetée sur ses épaules ne l'empêchait pas de frissonner. Derrière elle, on voyait une grande cuisine, sans doute la seule pièce de l'appartement, étonnamment propre et bien tenue dans son dénuement, sur laquelle le jour naissant jetait une clarté blafarde, et au fond de laquelle dormaient encore deux petits enfants, dans une large caisse leur servant de châlit. Le décor disait assez ce qui l'attendait désormais, veuve et chargée de ces orphelins, la solitude, la nécessité, l'indigence. Tout le temps qu'ils avaient passé là, Grandrieux n'avait pas quitté des yeux cette femme enlaidie par l'insomnie, l'angoisse, la détresse, mais dont la jeunesse, abolie par la pauvreté et son grand chagrin, lui paraissait peu à peu surgir dans le désordre de sa robe froissée. Il observait avec émotion la fermeté juvénile de ses formes, ses épaules rondes, sa poitrine parfois secouées de brefs sanglots, la peau laiteuse de son cou sous les mèches folles, ses gestes craintifs de petite fille pour les relever, la manière délicate et frileuse dont elle serrait sa pèlerine, tandis qu'elle parlait à voix basse avec le docteur. Celui-ci l'avait attirée près de la fenêtre, et leurs silhouettes se découpaient à contre-jour, tous deux étouffant leur voix pour ne pas réveiller les enfants. Il répétait ses questions avec une douce obstination, elle reprenait ses explications, dans un embarras grandissant, comme acculée à un aveu honteux, mais il ne semblait pas qu'il en prît ombrage, ni qu'il lui en fît le reproche, au contraire il l'encourageait, l'exhortait patiemment à poursuivre, et il eut pour finir un geste étonnant, qui laissa Grandrieux interdit. Comme elle inclinait le front, accablé d'un poids soudain trop lourd, il porta avec bonté sa main à la nuque de la jeune femme et attira brièvement sa tête contre son épaule.

De tout cela, Grandrieux restait perplexe, incrédule. Ils rame-naient la mallette de métal réglementaire, dans laquelle se transportaient échantillons, éprouvettes et lamelles, tous les pré-lèvements organiques dont le docteur aurait besoin. Il ignorait s'il serait chargé, ou d'autres, des analyses au laboratoire. Et de quelle conséquence seraient les conclusions, si elles justifieraient l'effroi qu'avait suscité chez son maître le cas de ce malheureux ouvrier. Surtout, il ne comprenait rien à leur ambassade, à cette course matinale dans les quartiers pauvres de la ville, ni à ce dialogue inaudible auquel il avait assisté tout du long, et dont la femme était sortie comme apaisée, les remerciant de leur visite, avec une gratitude navrée, qui fendait le cœur. Il ne comprenait pas non plus que son maître eût besoin de lui pour l'accompa-gner, quand il eût eu tout le loisir de s'y rendre seul, tandis qu'il dormait profondément. D'autant que la totalité de l'échange lui avait échappé. Et qu'ensuite le docteur n'avait pas jugé utile de l'instruire de ce qu'il avait appris. Ou de ce qu'il avait conseillé. Car, sur un coin de la table, au moment de partir, il avait grif-fonné non une ordonnance, mais un nom et une adresse, les siens, peut-être, mais c'était invraisemblable. Plutôt ceux d'un confrère, ou bien d'une officine d'assistance sociale, d'un bureau de bienfaisance. Encore que, jusqu'à hier, il ignorât tout de cette ville, pour être en mesure d'y recommander quiconque... Gran-drieux se perdait en conjectures, contemplant le visage détendu de son compagnon, la tempe appuyée au velours du dossier, abandonné aux mouvements réguliers du train, la paix du sommeil lissant la dureté des traits et les fatigues de sa nuit blanche. Le geste de compassion auquel il avait assisté lui soufflait peut-être la solution. Peut-être le docteur ne l'avait-il entraîné avec lui que pour enlever toute équivoque à sa présence, de si bon matin, chez cette femme éprouvée. Pour lui garantir un témoin, lui épargner le malaise d'un tête-à-tête compromettant. Par crainte qu'une effraction solitaire de son domicile ne l'effarouchât, et n'interdisît sa confiance, qu'il avait eu tant de mal à obtenir. Cette prévenance, cette correction et ce scrupule envers une femme du peuple, une inconnue qu'il ne reverrait sûrement jamais, convenaient à Grandrieux, confortaient son estime et son admiration pour cet homme, au demeurant si discret, si retenu dans son expression, qu'il avait la réputation d'un misanthrope. Le jour s'était levé à présent sur la plaine de Champagne, morne et grise, laissant de lointaines franges d'arbres roux barrer un horizon de brumes, et le jeune homme se laissa aller à rêver à ce qu'il ferait demain de son dimanche, rejoindre ses amis au café-concert ou au cinématographe, ou bien paresser tout le jour à lire un roman où Arsène Lupin résolvait magiquement toutes les énigmes.

XIV

Ce samedi matin, Gabrielle crut se réveiller dans sa chambre du Mesnil, et les quelques secondes que dura cette illusion, encore embrumée de sommeil, elle éprouva une sensation de plénitude, d'abandon si heureux que, pour rétablir la réalité, elle dut s'asseoir brusquement au bord du lit et contempler l'étrangeté de ce qui l'entourait. Avec une attention soutenue, elle s'attachait à distinguer les formes dans l'obscurité, comme on cherche un souvenir. Les murs et les meubles de la rue Buffon reprenaient péniblement leur place, et leur aspect familier, la remplissant du désenchantement d'avoir à faire cet effort pour se transporter dans l'endroit où elle avait pourtant passé son enfance et sa jeunesse, vécu tant de joies et de chagrins.

Elle s'étira, chassa l'effet de ce bizarre réveil. Elle avait mieux dormi qu'elle ne le craignait, excitée par les épisodes mouvementés de la veille, la vitesse à laquelle les perspectives changeaient, détrompant ses prévisions. Certes Michel Terrier n'était pas venu au rendez-vous, il n'avait pas non plus, d'une quelconque façon, adressé un message d'excuse, ni fourni une explication, mais cette défection ne l'attristait guère. Des pensées plus positives l'occupaient, car non seulement la photo avait donné des résultats au-delà de ses espérances, mais elle avait retrouvé Dora, et elle ne savait, de ces deux chances, laquelle la remplissait le plus de courage et de gaieté, maintenant qu'elle était bien réveillée. Elle avait donc tant dormi, qu'il faisait grand jour ! Elle ouvrit les volets, et le froid du petit matin la saisit. La brume colmatait la rue, fondant tous les gris de la ville, mais elle ne permit pas à cette vision d'amoindrir son humeur combative et son impatience de mettre son projet à exécution. Son besoin d'action et de mouvement lui dictait d'échapper au train-train domestique des deux femmes, qui trompaient la longueur des heures par des lenteurs calculées.

Les préparatifs pour le concert les occuperaient toute la matinée, aussi quitta-t-elle la rue Buffon sans le remords de les priver de sa présence, avec la promesse de rentrer tôt après midi, pour prendre Agota et la conduire salle Gaveau.

Eût-elle su quel périple elle commençait, qu'elle eût peut-être reculé devant l'épreuve de cette course folle qui l'avait menée aux quatre coins de Paris, des beaux quartiers de Passy, au carreau des Halles, et pour finir, à la porte d'Italie, en un jeu de l'oie inédit, sautant avec intrépidité d'une case à l'autre, franchissant les distances et les obstacles sans souci de la règle, sans la plus élémentaire prudence, sans crainte de tomber dans le puits ou dans la prison, et qui serait venu, alors, la sortir du mauvais pas, quand personne au monde ne la savait ici ou là ?

Installée dans les confortables fauteuils du parterre, à côté d'Agota, parmi la foule élégante du concert et sous les lustres illuminés, elle se ressouvenait d'elle-même comme d'une autre personne, de ce samedi matin comme d'un jour lointain, avec la même sensation d'irréalité qu'à son réveil, dans la chambre inconnue de son enfance. Elle se demandait comment, écoutant maintenant l'orgue du grand maître Saint-Saëns, elle pouvait se tenir si naturellement, ses mains gantées de chevreau crème posées sur ses genoux, chapeautée d'une délicieuse cloche de taffetas piquée de pompons de cygne, la joue fraîche et la bouche rose comme une demoiselle de bonne société, en compagnie de son chaperon de tante. Celle-ci avait fait, elle aussi, belle toilette, en son ancien mantelet de soie noire aux revers brodés de jais. Nous faisons la paire, pensait Gabrielle avec une folle gaieté, guignant de loin son amie Dora, assise maintenant au premier rang. Celle-ci avait été si fort applaudie pour son concerto de la première partie du programme, que Gabrielle en avait exulté de joie, de fierté naïve et d'enthousiasme, comme s'il se fût agi d'un triomphe personnel. Le vieux maître aux longs cheveux blancs, coiffés à l'artiste, était monté sur la scène pour la remercier, lui baiser les mains avec une grâce qui avait redoublé l'ovation. A présent, il était à l'orgue, et les sombres vibrations mettaient sur sa peau des frémissements charnels, à renverser le cœur. Pourtant cette émotion, ce grand plaisir de la musique n'effaçaient pas son trouble d'être là tout à fait, et ailleurs absolument. Elle était encore à Passy, à l'adresse donnée par M. Morel, archiviste chez Taillandier, Père et Fils, rendue dans l'élégante rue, sans un seul passant à cette heure matinale, dont les façades des immeubles s'abritaient derrière les chèvrefeuilles rouges, au fond de jardins de province que l'automne couvrait de feuilles mortes, où elle vit fuir un chat tigré, s'éclipsant sous un buisson. De là-haut, on dominait une courbe du fleuve au reflet métallique, les guinguettes et les petites maisons du Point du Jour, leurs pauvres toits d'ardoise et leurs façades d'un blanc sale, face au panorama d'installations industrielles d'où s'échappaient de hautes fumées immobiles.

Le concierge avait tiré le cordon sans se montrer, et Gabrielle était montée directement à l'étage, gravissant lentement les degrés de l'escalier dont le tapis rouge étouffait ses pas, jetant des regards vers le vestibule désert. La belle rampe de ferronnerie, et les stucs du plafond, le silence ouaté du palier avec son grand palmier dans le pot de terre vernie, et le dôme du puits de jour modern style disaient toute l'opulence de cette résidence, où l'on pouvait pourtant entrer comme dans un moulin, sonner à une porte et se présenter de bon matin, sans rencontrer d'obstacle. Rendue devant l'appartement, deuxième étage, droite, elle restait éberluée, hésitant à sonner. Quelqu'un allait ouvrir, le jeune homme chauve, un peu vieilli, un peu changé, le visage encore ensommeillé : il allait se tenir sur le seuil en veste d'intérieur, et la faire pénétrer dans une antichambre, et tout expliquer. Car, dans l'élan de son projet, elle était décidée à ne rien déguiser, prête à raconter tout de son histoire, de sa recherche, à plaider et convaincre. Prête à présenter la photo, qu'elle avait sortie de son petit sac, et qu'elle gardait contre elle, comme un viatique. Chassant résolument ce que lui soufflaient la retenue, la prudence, et la raison. Qu'on ne débarque pas ainsi dans la vie des gens. Que ce monsieur lui trouverait du toupet, de l'incorrection, de la vulgarité, de se présenter ainsi, à une heure aussi matinale, sans s'être annoncée, sans avoir écrit une lettre d'introduction. Sans avoir mis les formes de la bonne éducation, décence et discrétion. Car la vie des gens est imprévisible, il y survient tant de drames et de mystères. La vie des gens est pleine de bruit et de fureur. Y plonger comme au fond du puits peut déclencher des cris de joie, ou des larmes, réveiller des courroux, des haines. Déclencher des coups de feu et de couteau. Elle sourit. Assez de roman-feuilleton, assez d'enfantillages. Assez d'années, de saisons, à mettre en vain les formes et respecter les formules de politesse. Assez d'embarras. Elle tira vigoureusement la poignée d'une sonnette à l'ancienne, qui pendait au bout de son cordon. Aucun bruit n'en résulta. Elle attendit. Recommença. Au troisième essai, elle renonça, brusquement ramenée aux réalités. L'éventualité, qu'elle n'avait pas envisagée, c'est que la personne serait absente. Partie sur la Riviera, ou à Venise. Au chevet de son vieux père. En voyage d'affaires. A moins qu'elle n'eût découché, nuit de noce et tra-lala. Elle redescendit, cogna au carreau de la loge, d'où on lui avait tiré le cordon, tout à l'heure, sans lui demander de montrer patte blanche. La tête qui s'encadra était celle d'un vieil homme très roux, cheveux rouges, joues rouges, qui semblait surgir, tel Guignol au jardin d'enfants pour épouvanter les petits. Malgré son air de diable, il n'était pas rogue, ni mécontent, ni même étonné de la demoiselle en voilette qui cherchait un M. Zep-willer. Cela le fit même rire, et beaucoup tousser à la suite, et s'extraire de son fenestron, ouvrir sa porte.

— Voilà deux fois en trois mois qu'on cherche après Zep-willer, c'est une maladie de saison ! Si vous avez sonné là-haut, personne ne risquait de vous ouvrir. La vieille Mme Gens est si sourde qu'elle n'entendrait pas le canon. C'est simple, elle a coupé son cordon.

— Elle habite donc chez M. Zepwiller ?

— Elle est on ne peut plus chez elle, voyez-vous ? C'est la propriétaire, et ses locataires sont tous partis, depuis belle lurette ! Ils ont eu des revers de fortune, comme on dit. Les huis-siers vous en diraient davantage que le pauvre Cyprien. Mais qu'est-ce que vous avez tous à les vouloir, ces bohémiens ? Vous êtes de la famille, peut-être ?

— Je ne les connais pas, mais je tiens à retrouver M. Zep-willer. J'ai un renseignement à lui demander.

— Ma petite demoiselle, vous êtes drôle, vous cherchez lequel de la famille, le fils, le père ou l'oncle ? Il y a aussi la sœur, mais on la demande moins.

— Jean, c'est lequel ? Voyez ce monsieur, là, sur cette photo. Il est chauve, on ne peut pas se tromper.

— Alors c'est le fils. On réclamait surtout le père, les derniers temps. Les créanciers lui courent toujours après. Il y a peu, ils étaient là tous les matins, comme vous, dès potron-minet. C'est pas le genre de notre maison, vous comprenez ?

— Je comprends qu'ils ont déménagé.

— C'est ça, à la cloche de bois. Mais en plusieurs épisodes. Celui de votre photo a disparu le premier, ça remonte à trois ou quatre ans… Il était voyageur, vous voyez, de passage, itinérant migrateur. C'est qu'il allait loin dans les colonies, en Inde, Cochinchine ou Birmanie, je ne sais. Ensuite, c'est la sœur qu'on n'a plus vue. Il restait les vieux. Pourtant, c'est elle qui est reve-nue. Soufflée de trouver porte close, l'autre hiver. Soufflée que papa et tonton se soient volatilisés sans crier gare. Si elle n'était pas au courant, elle a bien fait semblant... Des bohémiens. Vous avez l'air bien convenable pour fricoter avec cette engeance.

— Monsieur, s'il vous plaît, aidez-moi. Il faut absolument que je retrouve une de ces personnes, n'importe laquelle. Il y va de ma vie !

Cyprien ouvrit de si grands yeux que ses sourcils remontèrent haut, hérissant son front rouge, et il s'étrangla, toussa encore.

— De votre vie ! Mazette ! J'espère que non !

Gabrielle confirma énergiquement, le front buté, prête à tous les moyens, même aux larmes, pour gagner sa cause.

— Allons, vous m'avez porté chance, puisque j'ai gagné ma réussite. Je la finissais tout à l'heure, c'est pourquoi je ne me suis pas dérangé. Mais ça m'a mis de bonne humeur pour la journée. Nous sommes en veine, vous et moi. Et comme je vous trouve bien gentille, et touchante, avec votre vie dont il va, entrez un peu, que je cherche quoi.

Dans sa minuscule loge, c'était un bijou de rangement, une boîte miniature où se casaient par magie un nombre invraisemblable de meubles, d'objets bon marché, de bibelots, de vaisselle décorative et de photos de bolides, d'aéroplanes piqués aux murs, jusqu'au plafond. Calendriers, feuilles d'almanach, chromos et cartes postales de types régionaux, bretonnes et niçoises, assiettes avec vues de Lourdes, du Mont-Saint-Michel, un bric-à-brac de souvenirs pittoresques et héroïques. Comme le concierge avait dégagé un tiroir entier et l'avait posé sur la nappe cirée où restaient les cartes de sa réussite, elle poussa la porte et s'assit au bout de la table, ébahie que si peu d'espace comprît une cuisinière, un évier de grès, un lit derrière les rideaux de l'alcôve, un fauteuil de peluche calé sous la table et trois chaises autour, avec cela le linge bien plié et rangé derrière la vitre d'une petite armoire, un manteau et un chapeau melon suspendus à la patère, et rien ne traînait du petit ménage célibataire, pas une miette, pas un grain de poussière. Seule la cafetière bleue en métal émaillé chauffant sur la cuisinière dégageait une forte odeur de café.

— Servez-vous, si le cœur vous en dit. Mais attention, c'est du rebouilli : je suis du Nord, moi. D'Ouchy-les-Mines, vous connaissez ? J'ai pas pu descendre à la fosse, à cause de mon asthme... Mon père et mon frère y sont morts. Moi, je tousse, mais je suis toujours là...

Il ne mit pas longtemps à trouver le papier plié, dans son rangement impeccable de liasses et de carnets.

— Voilà tout ce que j'ai. L'adresse que la sœur m'a laissée, à l'époque, pour la prévenir, au cas où un des Zepwiller referait

261

surface. Elle ne disait pas comme vous qu'il en allait de sa vie, mais c'était tout comme, pauvre fille. J'ai rien contre eux, notez bien. Ce sont des Alsaciens qui ont quitté leur pays, ils traînent. Ils n'ont plus leur chez-soi. Les uhlans y sont, que voulez-vous ? Leurs affaires ont bien marché, un temps, ils portaient beau, mais le vent a tourné. Voilà : rue Tiquetonne, le 42. Clarisse Zepwiller. Faut la donner à personne, hein ? Ça lui ferait des ennuis. Mais vous avez bonne tête…

— Vous ne savez pas davantage de ce Jean ?

— Je ne sais rien, sinon qu'il voyageait pour ses affaires, voilà. Et il n'est pas dit que la sœur en savait davantage, quand elle venait aux nouvelles… Vous voyez, je parle, je parle, je vous reçois, comme ça, parce qu'une mignonne dame de bon matin, c'est une surprise agréable. Mais dans la maison, c'est silence et compagnie, discrétion à tous les étages, la paix des ménages. Cyprien est payé pour ça. Vous seriez arrivée deux heures plus tard, j'aurais fait mine de vous éconduire prestement, parce que la maison ne veut pas de représentants, ni d'embêtements. C'est comme ça que j'ai reçu ces messieurs, la dernière fois. Ils n'ont pas dépassé le paillasson du vestibule, et du balai. C'est pas à eux que j'aurais donné l'adresse de la petite dame Clarisse. Ils m'avaient l'air de la rousse, et je m'y connais !

Il riait de bon cœur en frottant sa tignasse rouge. Même s'il avait un je ne sais quoi qui ment au bout du nez, cet homme-là, avec sa réussite solitaire du petit matin, sa loge rangée comme une maison de poupée lui faisait l'effet d'un brave diable, sa chance du matin. Elle en serait quitte pour une course de plus, le fil n'était pas rompu, comme elle aurait pu le croire si elle était repartie sans cogner au carreau, ou si elle était venue plus tard, à la mauvaise heure. La fortune est à ceux qui se lèvent tôt. Elle but une tasse de café rebouilli, avec beaucoup de sucre pour faire passer l'amertume, et elle s'en fut.

A dix heures du matin, les Halles étaient une chaudière, un caravansérail de charrettes et d'étals, d'entassements qui barraient les passages, obligeaient à des détours périlleux entre des montagnes de choux-fleurs, des murs de cageots, instables et débordants, tandis que de partout fusaient cris et appels, jurons et réclames, dans le tohu-bohu des chevaux claquant du sabot, des roulements et des chocs, et dans l'odeur mêlée des herbes, de la marée, du sang, des viscères jetés en tas. Gabrielle sauta un ruisseau qui emportait les eaux rougies d'un dépeçage de bouchers, jetant les carcasses à pleine épaule jusqu'aux crochets qui s'alignaient sous les auvents de fonte, au bord de l'immense verrière, éclaboussée par le soleil pâle qui perçait les nuages. Elle leva les yeux, se laissa éblouir un instant, bousculée de nouveau et houspillée par une forte femme, ployant sous un chargement de poulets. Dans la rue Tiquetonne, c'était un train de crainquebilles rangées le long des trottoirs, une coulée de légumes, croulant du haut de leurs pyramides jusque sur le pavé, et parmi les épluchures, les rebuts écrasés, elle se fraya un chemin, se faufila entre deux carrioles, entra au 42, ouvert à la rue. Un couloir obscur et humide, sans loge ni concierge, des murs dont la peinture écaillée découvrait de multiples couches anciennes, et un escalier abrupt de bois ligneux, aux marches incurvées à force de pas. Elle resta indécise un moment, cherchant une aide vers la rue, mais les marchandes l'intimidaient. Elles l'avaient vue passer, jetant sur sa robe à petits plis et son manteau fourré, sa voilette au bout du nez, des regards de commères goguenardes, comme à ces clientes délicates qu'elles effarouchaient à plaisir de leurs rires et de leurs allusions grossières. Si elle pouvait s'en passer, elle éviterait de leur demander quoi que ce soit, et pour ne pas leur donner de grain à moudre, elle grimpa hardiment le premier étage.

Des deux côtés partait un long corridor, et dans chacun elle dénombra trois portes. Six appartements. Quatre étages. Le bruit de la rue montait jusque-là, et derrière les murs trop minces on entendait aussi des remuements domestiques, des voix, des chocs de vaisselle et des pleurs d'enfants. Elle heurta à une de ces portes, au hasard. Un homme en maillot de corps, les bretelles tombées sur les hanches et les joues pleines de savon entrouvrit, n'eut pour réponse qu'une moue d'ignorance, et lui claqua la porte au nez. Elle s'enhardit, cogna à la suivante, et à l'autre encore, mais chaque fois des femmes ou des enfants la laissèrent attendre sur le seuil, pour lui rapporter la même réponse. On ne connaissait pas ce nom. D'ailleurs, on ne connaissait personne dans la maison, ou on n'avait pas envie de renseigner la jolie dame coquette avec sa voilette. Ce n'était pas vraiment de l'hostilité, mais une sorte d'indifférence et de sans-gêne, de vague mépris pour l'intruse qui dérangeait les demeures. Pour ce qu'elle en entrevoyait, les appartements étaient simples mais agréables, donnant sur la rue par des fenêtres à petits carreaux, des logements populaires où vivaient des familles nombreuses, et des animaux. On aurait dit que de chaque porte ouverte filait un chien ou un chat, ou un petit enfant vacillant rattrapé au vol, et la porte se refermait. Elle restait indécise, rageant de cette adresse si vague, de n'avoir pas réclamé plus de précisions à ce M. Cyprien, qui en savait peut-être bien plus qu'il n'en disait, elle s'en persuadait à présent, dépitée de n'avoir pas insisté davantage, alors qu'elle était là-bas. Il n'était pas temps d'y retourner, ni de renoncer à présent.

Au moment où elle allait s'engager dans l'escalier pour faire encore au moins deux ou trois tentatives plus haut, un homme parut, descendant vivement. Il s'arrêta en découvrant avec un sourire surpris la jeune femme qui levait la tête vers lui, postée sur le palier. Il portait beau, bien trop élégant pour cette maison avec son habit de soirée, qu'on entrevoyait sous les pans de son manteau en poil de chameau, qu'il soulevait d'une main, comme pour éviter qu'ils ne frottent les murs, et de l'autre il tenait une canne à pommeau qu'il ne lâcha pas pour soulever son chapeau. Il s'effaça galamment pour lui laisser la place de s'engager, et au moment où elle le croisait, il s'inclina.

— Vous cherchez quelqu'un, mademoiselle ? Puis-je vous aider ?

Elle hésita, mais ne voulut pas laisser passer l'occasion.

— Merci, monsieur. Etes-vous de la maison ?

— En visite, en visite seulement. Mais ce serait un plaisir de vous conduire.

— Je viens chez Clarisse Zepwiller ? Vous la connaissez ?

Il jeta un coup d'œil vers les étages, eut une mimique amusée. A présent qu'elle était près de lui, elle voyait à son vêtement des traces d'usure, au col, aux poignets, et l'étoffe râpée du manteau, la peau cireuse des joues, le cheveu rare. Il lui emboîtait le pas cependant, remontait avec elle.

— Peut-être bien, mais sous un autre nom... Les dames seules vivent au dernier étage, il me semble, c'est là que nous la trouverons, sans aucun doute.

Une fois rendue sur le dernier palier, elle eut un frisson de gêne car sous la soupente, éclairée de mauvaises lucarnes, une suite de portes délabrées laissaient passer des fentes de lumière pâle au ras du plancher gras et des murs ruinés. L'atmosphère confinée et misérable de ces combles la déconcertait, elle se tourna vers l'homme d'un air d'interrogation.

— C'est bien ici qu'elle loge ?

— Voilà un endroit mieux approprié pour faire connaissance, ma jolie. On tente le diable, on cherche aventure ? chuchota-t-il, tapotant sa lèvre du doigt, et sous les bords de son chapeau, son regard s'était fait plus aigu, allumé d'une convoitise effrayante.

Elle comprit trop tard sa méprise, amorça vivement une retraite, mais se heurta à lui, qui barrait le passage. Il l'avait enlacée aussitôt du bras qui tenait sa canne, ployant brutalement sa taille, la poussant vers le mur, et jetant sa face dans son cou, y soufflant des paroles égrillardes, si ordurières qu'elle en fut d'abord suffoquée. L'odeur moite de son corps, le contact humide de sa bouche sur sa peau lui arrachèrent un cri de dégoût, de colère, tandis qu'elle s'arc-boutait contre le mur pour échapper à son étreinte ignoble, donnant des coups dans le vide, affolée de ce corps à corps répugnant, mais à deux reprises il la repoussa, sa tête percuta le mur, l'assommant à demi, et au moment où elle fléchissait, étourdie par le choc, ses genoux ployant sous elle, une porte s'ouvrit. A peine comprit-elle, la vue brouillée, ce qui se passait, le surgissement d'une silhouette, l'altercation, la bousculade qui s'ensuivit, et la fuite du triste sire dans l'escalier, jetant des injures.

Son sauveur, un tout jeune homme, lui faisait face, plutôt gringalet, avec son torse maigre que découvrait sa chemise, échancrée par la bagarre, et ses poignets d'enfant. Sa barbe clairsemée ne le vieillissait guère, ni ses lunettes, qu'il avait ramassées et recalait sur son nez.

— Vous n'allez pas tourner de l'œil ? demanda-t-il, inquiet.

Gabrielle reprenait son souffle, et maintenant que l'alerte était passée, son cœur battait à tout rompre, sa tête tournait. Elle eut soudain un haut-le-cœur, se précipita vers le seul point d'eau du palier, et d'un spasme vomit le café amer de M. Cyprien. Tandis qu'elle baignait son visage d'eau, et frottait son cou à la place de l'immonde baiser, éperdue de honte, de confusion, balbutiant des excuses et des remerciements, le jeune homme la contemplait, songeur.

— Infâme rencontre, commenta-t-il sobrement.

Un instant plus tard, elle était dans sa chambre de bonne, assise sur la seule chaise paillée, et lui sur l'étroite banquette qui lui servait de lit. Dans le minuscule galetas éclairé d'une trappe donnant sur les toits, il y avait un peu partout des livres, sur des rayons de fortune, empilés dans un coin, et sur la tablette qui servait de bureau, quelques effets suspendus au clou, le désordre d'un étudiant pauvre. Il avait versé deux petits verres d'alcool blanc, et coupé la tranche d'une miche de pain, qu'il couvrait doctement de confiture.

— Mangez. Après une émotion pareille, il faut se remplir l'estomac. C'est de la mûre. Ma mère me l'a portée hier. Vous vous sentez mieux ?

Elle hocha la tête, accepta la tartine avec reconnaissance. Maintenant qu'elle reprenait ses esprits, la scène du palier lui revenait, dans toute son abomination. Elle se damnait pour son inconséquence, pour n'avoir pas évincé cet individu évidemment louche, évidemment suspect, avec son habit de soirée de mauvais aloi, et sa mine dépravée. Dès le premier instant, le premier regard, il l'avait mise mal à l'aise, avec son air sournois et sa mise de noceur. Pourtant elle avait accepté sa compagnie, aveuglée par son idée fixe d'atteindre son but, coûte que coûte. Un instant, elle pensa à la mise en garde de Dora, qui lui promettait de se casser le nez sur de ces réalités. Mais sa jeunesse effaçait l'émotion de l'épreuve, elle mordait à belles dents dans la confiture maternelle, en soutenant le regard du jeune homme. Un visage d'enfant et l'assurance d'un homme. Un peu myope mais fort grave, et sérieux, si condescendant qu'elle se sentait une petite fille devant lui. D'autant que le surmontaient de sévères portraits, piqués au mur enduit de chaux, qui l'encadraient, tels ses tuteurs ombrageux. Il vit son regard et sans se retourner :

— Marx, Engels, et Bakounine, les présenta-t-il, comme s'ils fussent de sa famille.

Et il vida son verre en leur honneur. Elle les salua aussi, d'un petit mouvement de tête, vida bravement le sien, d'une seule gorgée. L'alcool glaça sa gorge, mais elle parvint à ne pas tousser.

— Un de ces messieurs a écrit un livre...

— *Le Capital.*

— J'ai essayé de le lire, mais c'est difficile à comprendre.

— C'est très simple. La lutte des classes est un effet de l'histoire, pas une théorie. La condition du prolétariat est un fait social, pas une fatalité divine. Rares sont ceux qui l'admettent. Pour l'apprendre, il suffit d'être à la sortie des usines. Ou des fabriques du faubourg. Vous vous promenez souvent dans nos quartiers, mademoiselle ? Vous faites la dame de charité dans nos étages ?

Gabrielle rougit, consciente soudain de ce que sa robe, son chapeau et ses gants, ses bottines de cuir fin avaient d'inconvenant, de déplacé, dans cette pauvre chambre sous les toits. Ils n'étaient pas luxueux, mais valaient plus cher que la totalité de ce qui se trouvait là.

Ignorant le sarcasme, elle secoua la tête.

— Non. Je cherche une personne qui habite ici. Mon fiancé est mort, dans des circonstances suspectes. J'ai de bonnes raisons de croire qu'elle et sa famille l'ont connu, et savent des choses que j'ai grand besoin d'apprendre.

— Bigre ! Enquête sur mort suspecte ! Et vous la menez toute seule ? Vous n'avez pas recours aux services de la police ?

— Eh bien, non. Ni à ceux du ministère de la Guerre, ni ceux du Commerce ou des Colonies, vous voyez. Je ne suis pas sûre qu'ils m'y aideraient. Je suis même sûre du contraire.

— Je vois, conclut-il d'un air entendu.

— Vous ne voyez rien du tout, riposta-t-elle vivement. Mais ce serait bien long à raconter. Pouvez-vous seulement me dire si une Clarisse Zepwiller habite bien ici, comme on me l'a indiqué ? C'est elle que je cherche. Il faut qu'elle me conduise à son frère.

— Rien que ça. Et si elle refusait ? Si votre démarche les mettait en danger tous les deux ?

— En danger ? Personne ne saura que je les ai rencontrés. Moi aussi j'ai besoin de discrétion. Je suis prête à tout pour atteindre mon but.

— Vous êtes bien téméraire, mademoiselle. Bien imprudente de fréquenter des endroits pareils. D'importuner des gens qui ne vous aimeront pas, ou qui vous feront des misères. De tenter le diable, avec vos beaux yeux. Ce noceur vous aurait fait un mauvais sort...

Ce diable, qui revenait depuis le matin, commençait à agacer Gabrielle.

— Et vous, vous êtes bien présomptueux de me juger sur la mine, riposta-t-elle. Laissons le diable courir. Je me suis fait une promesse ; je la tiendrai jusqu'au bout. Vous connaissez cette personne, n'est-ce pas ? Ses ennemis sont peut-être les miens.

— Qui vous dit qu'elle a des ennemis ?

— Sa famille en difficulté. Elle a perdu de vue son père et son oncle. Son frère a disparu, ou il se cache. Je crois qu'elle craint pour lui. Vous-même parlez de danger, n'est-ce pas ?

Alors, taisant d'intuition tout ce qui touchait de près ou de loin à la piste du Dr Galay, Gabrielle raconta ses vaines démarches, le front de silence auquel elle s'était longtemps heurtée, l'annonce si tardive de la mort d'Endre, et l'étrange voyage de sa malle, rapatriée récemment... Son découragement jusqu'à hier, où elle avait retrouvé par hasard cette photo ; et comment, prenant l'initiative de consulter le photographe, elle avait obtenu l'adresse de Passy, et avait appris du concierge la dispersion de la famille Zepwiller, la visite de policiers, ou d'enquêteurs à leur ancien domicile. Ces nouvelles informations l'avaient convaincue qu'elle était enfin sur la bonne trace.

— Indiquez-moi sa porte ! S'il vous plaît... Que vous en coûte-t-il ?

Le jeune homme considérait la jeune fille d'un air irrésolu. Il l'examinait comme un spécimen bizarre, détaillait sa mise. Même avec les belles torsions de sa chevelure et ses grands yeux, on aurait pu la prendre pour un garçon, tant elle parlait net, et bref. Mais son buste très féminin, et cette jupe à petits plis ouverte en corolle autour de ses hanches lui pinçaient le cœur. Et le coup du verre d'alcool enfilé raide lui avait plu, et sa ténacité solitaire. Aussi qu'elle avouât sans façon avoir tenté de lire ce livre, qu'il considérait comme une bible, mais trop théoricienne pour les masses, trop sophistiquée dans ses analyses. Un livre de bourgeois qui pense dans son cabinet. Lui avait parcouru un autre chemin. Et s'il fallait passer par cette pensée, il en savait qui la déborderaient maintenant. Cette fille n'était pas de taille, évidemment. Elle ne serait jamais une compagne de route, ni une alliée. Mais elle avait un petit air guerrier pour mener son combat personnel ; son cran lui plaisait. Et son histoire romanesque, pour laquelle elle était *prête à tout*...

— Vous ne la trouverez pas ici, finit-il par dire. Elle y vient seulement de temps en temps, quand elle n'en peut plus de la vie qu'elle mène. Et là où elle est, vous n'irez pas sans danger.

— Dites-moi où. J'en fais mon affaire.

— Alors je vous accompagne. Assez de mauvaises rencontres pour aujourd'hui.

Lorsqu'ils descendirent du tramway, porte d'Italie, il était presque midi. La rangée de marronniers plantée pour aligner la nouvelle avenue, dont les branches dépouillées de feuilles griffaient le ciel gris, ne suffisait pas à rendre aimable la sinistre perspective qui quittait Paris vers la barrière d'octroi. Ils avaient longé les immeubles populaires et entrevu les rues adjacentes aux maisons basses et sordides, ce quartier misérable dont le fleuron était cette cour des Miracles de la cité Jeanne-d'Arc, de sinistre réputation, où logeait la foule des ouvriers, ceux de la raffinerie du sucre Zay et de la chocolaterie Lombart, aussi bien ceux de la biscuiterie Bertin-Galay du quai de la Gare, des usines Panhard & Levassor, avenue d'Ivry, des abattoirs de Villejuif, ou des ateliers de futaille et de charrettes et des fabriques de chaussures, une population misérable battant le pavé devant les épiceries et boutiques, les innombrables caves de vins et liqueurs, et restaurants, "salons noces et banquets", un paysage urbain désolé auquel la grande ville tournait le dos. De l'avenue, partaient en étoile de larges rues pavées entre des palissades et des restes de prairies, de jardins potagers et de friches, la route filant vers Choisy étirant son morne horizon. Là finissait le faubourg, mais ne commençait pas pour autant la campagne. C'était une zone enchevêtrée de chantiers et de terrains vagues, au milieu desquels d'anciennes masures, des murs de fermes ou de relais de poste finissaient de se délabrer, s'écroulant jusque

sur la chaussée ; un quartier promis aux projets d'assainissement, toujours repoussés, à une urbanisation improbable,
mélange bâtard de constructions provisoires et d'immeubles
inachevés.

Ils passèrent les grilles de l'octroi et continuèrent à pied, s'engageant le long des murs des fortifications, où se tenait une foire
disparate. On y vendait de la nourriture et des fripes, de la quin-
caillerie ou de la ferblanterie bon marché, dans un mélange de
cahutes, de bicoques en planches, couvertes de zinc ou de carton, constructions de fortune affublées de réclames et de calicots flottant au vent. Le long du chemin, Marcus avait expliqué
en quelques phrases qu'il était étudiant en philosophie à la Sor-
bonne, et docker quai de Bercy, pour gagner sa vie. Il n'avait
pas l'air costaud, mais il roulait des barriques et portait des far-
deaux comme un fort des Halles. Il n'avait de famille que sa
mère, maraîchère à Pontoise, qui lui rendait visite chaque vendredi, parce que samedi et dimanche étaient de gros jours pour
les marchés. Il avait enfilé un long manteau étroit, et enroulé autour de son cou un cache-nez rouge, assurément tricoté de
mains maternelles. Il allait le front nu, les mains dans les poches,
sans trop se soucier que Gabrielle franchît avec lui les trottoirs
et les ruisseaux. Il marchait vite, et pour rester bravache, elle
suivait son pas, sans se plaindre. Ils venaient de longer un étalage de parapluies à trois francs, à deux francs, à trente sous,
des occasions récupérées aux "non-réclamés", que la préfecture
de Police cédait aux revendeurs. Les gens perdaient beaucoup
de parapluies, expliquait Marcus, ou alors la police en volait
beaucoup.

Ils s'éloignaient dans la direction d'Ivry, sur une longue
chaussée défoncée par les charrois, le long de laquelle s'éche-
lonnait la fin de la foire, de misérables échoppes, et parfois seulement un étal improvisé, posé à même le sol, sur une bâche. La
foule populaire qui achetait ces misères venait jusque-là, lente et
pressée par groupes, agglutinée autour d'un bonimenteur, attirée par les cris d'une dispute, ou par la romance d'un joueur de
guitare qui distribuait des textes de chansons, les roulements de
tambour d'un montreur de rats géants, qui couraient le long
d'un fil tendu entre deux piquets. Tout ce bruit et ces cris couvraient la mélopée d'une négresse énorme, assise dans ses
jupons à volants, promettant la bonne aventure à qui voulait
bien lui donner un sou. Ils étaient arrivés à droite de la place,
rue Blanqui, un chemin tracé dans la boue de la zone militaire,
bâtie de taudis en planches, où se tenait une foire aux puces, le
marché des innommables déchets de papiers, de ferrailles, de

loques vendues de pauvres à pauvres, une cour des Miracles aux portes de la ville que n'aurait jamais imaginée Gabrielle. Effarée, elle reconnaissait ce qu'elle avait lu dans les pages de Victor Hugo, *Notre-Dame de Paris*, dont le Moyen Age imaginaire lui avait paru si pittoresque. C'était le champ des zoniers, des charrettes à bras qu'on voyait parfois traverser les boulevards du centre, chargées de haillons, de hardes sans couleur ni forme, des roulottes de Gitans aux peintures défraîchies, dont les mules broutaient une herbe maigre et grise. Le plus étrange était que cela formait une ville, avec des rues, des passages, et des places, habitée de créatures hâves, émaciées de carences et d'alcool, les yeux cerclés de rouge dans le visage terreux, les paupières tombantes sur des regards las, ou la face rubiconde illuminée d'un espèce de joie hagarde, et de petits enfants chétifs, les pieds nus dans la boue, les chevilles entortillées de guenilles, couraient et jouaient malgré tout dans cette puanteur et ce chaos, sous le ciel de novembre, sale et froid. Gabrielle observait le silence, comprenant ce que son compagnon entendait, quand il avait décrété qu'elle ne se risquerait pas seule ici.

Car quelques quolibets avaient fusé, des voix si éraillées qu'on n'aurait su dire si elles venaient d'hommes ou de femmes, arrêtés dans leur mouvement pour regarder le passage rapide de leur étrange couple. Des gamins plus effrontés approchaient, en bandes dépenaillées, que la curiosité de cette demoiselle égarée dans la boue jaune rendait gais, que tentait sans doute l'espoir d'une pièce. Ils les suivaient depuis un instant, et l'un d'eux, plus audacieux, avait agrippé la manche de Gabrielle, s'y tenait comme un petit singe maladif, et comme elle hésitait, entravée dans sa marche, prête à chercher un peu d'argent dans son réticule, Marcus passa avec fermeté son bras sous le sien et l'entraîna vivement, détachant la main de l'enfant avec une tape amicale, comme s'il avait été un de ses familiers.

— Surtout pas d'argent, dit-il. Si votre bonne morale y trouve son compte, elle ne résoudra rien. Mais ce sera le signal pour que la bande vous dépèce, en une seconde. Venez.

Marcus dépassait le camp des zoniers, emportant Gabrielle que ce spectacle des misérables mettait à la torture, sur lequel elle n'osait arrêter son regard de crainte qu'il ne passât pour une provocation. Elle n'en entrevoyait que des bribes, du coin de l'œil, à la vitesse de leur marche forcée, mais si violentes images de dénuement, d'êtres dégradés tombés au dernier cercle de l'enfer, qu'elle en gardait une vision de cauchemar. Elle serrait les lèvres, toute pâle et prise d'une fièvre qui mettait du rouge à ses joues. Malgré le vent humide et glaçant qui plaquait sa jupe à ses genoux, elle avançait vaillamment, ayant renoncé à comprendre où la conduisait le jeune homme en colère, abandonnant toute velléité de questionner ou de protester. S'il fallait aller au bout de cet horrible chemin pour rencontrer Clarisse Zepwiller, elle affronterait l'épreuve sans un mot, fouettée par l'avertissement brutal du jeune homme, dont l'haleine bleue rencontrait la sienne dans l'air froid. La route pavée d'Ivry descendait maintenant vers un groupe d'immeubles bas aux toits de tuiles, isolé au bord d'un immense champ aux confins perdus dans la brume, et ils marchaient sur les pavés déchaussés, parmi d'autres passants silencieux, solitaires ou en groupe, s'acheminant comme eux vers les bâtisses, longeant le champ où des gens travaillaient, silhouettes enduites de boue jusqu'aux cuisses, hommes et femmes pareillement ceinturés de tabliers en caoutchouc gluant, jetant, sans se redresser des tas de betteraves, luisantes de glaise, au bout des gros labours défoncés. Une fois passé le porche, on entrait dans une sorte d'hospice, un ancien couvent dont le cloître avait encore sa galerie d'arcades sous le feston de tuiles cassées, et une fontaine tarie en son centre, mais la cour était pleine de charrettes et de mules, de chiens et même de moutons ; de gens attablés à des tréteaux, comme à une kermesse triste. Nulle musique, ni chant, ni danse, mais un brouhaha de bêtes et de gens, parmi lesquels passaient des femmes en robes marine, en bonnets et collerettes militaires, portant à deux des chaudrons fumants.

— C'est la soupe populaire de l'octroi, un sou la part. Ceux qui n'ont rien ne donnent rien. Suivez-moi.

Ils entrèrent à l'autre bout, dans une vaste cuisine ouverte à deux battants sur la cour, dans laquelle s'affairait un bataillon de femmes, lavant des collections sonores de gamelles et de timbales de fer dans la buée bleue des bassines, sous les torchons suspendus à sécher, d'autres le front penché sur le feu des cuisinières, tournant des breuvages fumants, dans un bruit de vaisselles entrechoquées, de grondements, d'appels et de grelottements de clochettes qui retentissaient jusque sous les poutres.

— L'Armée du Salut, précisa Marcus, sans se retourner.

Après un regard circulaire, il s'était approché d'une des femmes, occupée à racler un dessus de cuisinière en fonte noircie, où les restes d'un chaudron débordé se carbonisaient en bulles brunes, et elle mettait à sa besogne une telle énergie, ou une telle rage, que son dos tressautait, maigre sous le caraco de drap. Il lui tapota l'épaule, et comme elle se redressait, le reconnaissant, il glissa quelques mots à son oreille. La femme se retourna, dévisagea Gabrielle d'un œil noir. Tout était noir en elle, la chevelure moite qui collait à son front, sa face, et ses mains barbouillées de suie, de fumées de cuisson, qu'elle essuyait à sa mince robe en indienne, et surtout son regard brillant comme une pépite de charbon, dans l'orbite profonde. Gabrielle hésita sur son âge tant son front froissé de rides, les plis de sa bouche, et sa peau flétrie démentaient la vigueur de sa silhouette nerveuse, la rapidité et la sécheresse de ses mouvements. D'un saut de chat sauvage, elle s'était écartée, sur la défensive. Elle restait à deux pas, examinant Gabrielle avec une acuité menaçante. Celle-ci, encore essoufflée de sa marche, et frissonnant de tout ce qu'elle venait de traverser, ne cilla pas, soutint son regard hostile, attendit. Marcus dit encore quelque chose qui sembla la convaincre. A contrecœur, elle arracha un torchon, s'en frotta la face et les mains, tout en prenant la direction de la cour. Dehors, ils s'assirent au bout d'une table de mangeurs. Là il y avait moins de bruit, mais le vent leur glaçait la face, tourbillonnant entre les murs, s'engouffrant sous les arcades, où d'autres s'étaient réfugiés, emportant leur gamelle.

— Qui est-ce ? Tu m'amènes n'importe qui, à présent ? demanda-t-elle au jeune homme, sans lâcher Gabrielle des yeux.

Son reproche était si véhément que Marcus toucha sa main, d'un geste d'apaisement.

— Je crois qu'elle a des choses à te dire.

Elle retira violemment sa main et l'enfouit sous la table.

— Je n'ai pas envie qu'on me dise des choses.

— Vous les connaissez ?

Gabrielle tendait la photo. La femme, gardant ses mains sous la table, se pencha à peine, y jeta un coup d'œil. Aussitôt elle porta loin ses yeux, d'un air absent et fermé.

— Non. Vous travaillez pour qui, pour embêter les gens comme ça ? C'est la police qui vous envoie ?

— Je travaille pour moi. Pour moi seule.

— Qu'est-ce que j'en sais ? Et puis je m'en fiche.

— Si j'avais affaire à la police, je ne viendrais pas vous voir.

— Chacun ses affaires.

— Celui-là est votre frère, Jean. L'autre est mon fiancé, Endre Luckácz. Ils étaient amis.

— Et alors ? Des amis, on en a, on en perd.

— Ils l'étaient assez pour partir ensemble, en Birmanie. Endre est mort là-bas. Seul votre frère est rentré. C'est à son retour qu'il a commencé à changer, n'est-ce pas ? Qu'il a disparu. Il s'est passé quelque chose de terrible qui a peut-être menacé sa vie, la vôtre ? Il se peut que je me trompe. Il se peut qu'il ne sache rien. Mais je voudrais tant m'en assurer.

Gabrielle ravalait ses larmes pour ne pas perdre la face. Sa voix s'était altérée, elle jetait les mots au hasard, cherchant désespérément une prise pour ébranler la femme qui se recroquevillait davantage, serrant ses coudes contre son torse maigre, prête à fuir. Elle hésitait, pourtant, se détournait, interrogeait Marcus du regard.

— Je ne sais rien, finit-elle par dire, à bout de souffle, baissant les paupières. Alors Gabrielle porta son visage vers le sien et la buée de son haleine touchait les joues de Clarisse.

— Je vous en conjure, si vous rencontrez votre frère, un de ces jours, dites-lui que je le cherche, que je veux lui parler. Qu'il m'écrive à cette adresse, elle est sûre. Et je garderai le secret, je ne le mettrai pas en danger. Mon Dieu, je vous le jure. Sur la tête d'Endre.

Elle pâlit et se redressa, honteuse de sa grandiloquence, désespérée par cette scène inutile, soudain épuisée de cette invraisemblable matinée. Très vite, elle griffonnait, sur une feuille de son calepin, l'adresse de Dora, rue des Saints-Pères.

— En voilà assez, dit brusquement Marcus. J'ai à faire. Partons.

Ils étaient debout, tous deux, et Clarisse, restée assise, frottait machinalement ses mains gercées au bord de la table, sans toucher au papier, poussé par le vent.

— Il a eu assez d'ennuis comme ça, souffla-t-elle sans regarder Gabrielle.

— Vous aussi. Moi aussi, murmura celle-ci. Au revoir.

Déjà Marcus l'entraînait par le bras, ils s'éloignaient. Sous le porche, Gabrielle se retourna encore. Clarisse était restée à la même place, les suivant du regard. Au mouvement de Gabrielle, elle se leva brusquement, et disparut en courant sous les arcades.

— Vous avez eu ce que vous vouliez ? lança Marcus, hâtant le pas.

— Peut-être, riposta Gabrielle, les dents serrées.

Elle écrasait la boue du talon, sans plus se soucier de ses bottines.

— L'Armée du Salut ! Quelle foutaise ! pestait Marcus, en descendant l'avenue des Gobelins. C'est bien pour vous rendre service que je suis allé là-bas. J'enrage chaque fois que je les croise, ces soldats de Dieu. Clarisse est une brave voisine, mais elle n'est rien d'autre qu'une petite sœur des pauvres. Vous connaissez leur devise ? *Soup, soap, salvation !*

— Heureusement qu'il y a des gens comme eux.

— C'est bien ce que je disais : vous êtes une dame patronnesse. Vous donneriez à la Mie de pain, la gloire des bienfaiteurs de l'humanité ! Paulin Enfert a son armée de gosses pouilleux autour de sa cambuse, il a ses terrains de Maison Blanche, pavés de bonnes intentions pour régaler les pauvres des miettes du festin. Et les belles âmes, ces messieurs des beaux quartiers, viennent y frotter leur vertu. Ah, je crache là-dessus ! Il n'y a pire aliénation que la charité.

— Pour tenir, jusqu'à l'avènement de votre grand soir, les prolétaires ont bien besoin de soupe, et de mie de pain, dit doucement Gabrielle. Cela ne me semble pas incompatible.

— Il y a une différence entre celle qu'on gagne, et celle qu'on vous donne.

— Quand on a le ventre plein, c'est facile de faire la distinction.

— Dans les bas-fonds de Londres, le pasteur Booth et Marx ont vu le même scandale de la misère ouvrière. Mais l'un pense sauver son âme en donnant du pain au pauvre, en lui faisant miroiter l'Evangile et le Royaume des Cieux. L'autre pense à sauver par la révolution les masses opprimées. Voilà la différence. Prolétaires de tous les pays unissez-vous !

Encore glacée par la vision de cette zone de no man's land, Gabrielle sentait se relâcher son angoisse, se remplissant les yeux du spectacle de la rue retrouvée. Le discours rageur de son compagnon l'arrachait à la noirceur de ses pensées, mais elle gardait un sentiment d'irréalité, frissonnant encore d'avoir touché ce monde que la ville ignorait, cette misère qu'elle venait de côtoyer, si loin, si proche. Touchée dans son tempérament généreux et optimiste, elle avait trouvé un objet à la révolte qui la prenait parfois, et elle n'était pas loin d'éprouver de la sympathie pour ce discours farouche.

— Vous voulez me convertir, comme Clarisse ? plaisanta-t-elle pour faire diversion.

— J'aurais du mal. Les femmes sont religieuses. Elles sont asservies par des siècles de soumission aux curés, comme à leurs maris.

Gabrielle éclata de rire et glissa son bras sous celui du jeune homme.

— Voilà enfin une pensée que je peux comprendre. Et si je vous offrais une assiette, pour me libérer de ma condition ? Ne me dites pas que cela vous choque d'être invité par une femme !

A cette proposition soudaine, le jeune homme marqua la surprise. Mais, pris au piège de ses déclarations, il eut un sourire.

— Si c'est pour encourager votre émancipation… concéda-t-il, bon joueur.

Ils prirent leur assiette de soupe, dans un bouillon du boulevard Saint-Marcel, à une table de marbre, près de la fenêtre embuée. L'atmosphère, pourtant chargée d'odeurs de cuisine, de vêtements mouillés et de mauvais alcools, était réconfortante, après le grand froid de la place d'Italie.

— Vous avez bien fait d'en appeler à Dieu devant Clarisse. Cela a dû lui plaire, ne put-il s'empêcher de lancer, goguenard.

— C'était façon de parler. Ni Dieu, ni maître, n'est-ce pas ?

— Voilà que vous connaissez aussi Blanqui ?…

Finalement cette Gabrielle lui plaisait assez. Sa manière affranchie de foncer dans l'épreuve, et de tenir bon, d'encaisser les coups. De relever les défis et de plier la circonstance. Il se radoucit.

— Je crois que Clarisse va repenser à vous. Moi, elle m'écoute, parfois… Je ferai ce que je pourrai pour votre cause.

Gabrielle effaça la buée du doigt et perdit son regard vers la rue. Tant de gens lui avaient tenu ce langage, s'étaient engagés à l'aider… Elle sourit faiblement. Sur une colonne Morris, Yvette Guilbert annonçait son retour sur la scène pour un récital de ses chansons, Mme Suzanne Després interprétait *Hamlet* au théâtre Antoine, et on reprenait *La Vie parisienne* d'Offenbach aux Variétés. Mais surtout, au coin du boulevard, un gigantesque bébé Cadum, avec un nombril grand comme une horloge de gare, souriait de tout son bonheur publicitaire.

— Nous avons la soupe ; voilà le savon, dit-elle rêveusement. Il nous manque encore d'être sauvés… Serons-nous sauvés, Marcus ? Quoi qu'il en soit, je vous remercie de m'avoir conduite là-bas, reprit-elle. A vous aussi, je laisse cette adresse. C'est celle d'une amie. Elle sait où me joindre. Peut-être nous reverrons-nous ?

— Vous êtes bien mystérieuse, qu'on ne vous joigne que par personne interposée.

Elle hocha la tête, réchauffant ses mains à l'assiette fumante.

— Je dois être prudente. C'est comme une guerre non déclarée. On s'y prépare à l'aveugle, sans savoir où est l'ennemi, quelles sont ses armes.

— Au moins, moi, je sais qui est l'ennemi de classe contre qui je lutte. J'ai une longueur d'avance sur vous !

Gabrielle rit et son visage s'illumina, creusé de fossettes.

— Je vais de ce pas me remettre à lire M. Marx.

Maintenant, dans le grondement de l'orgue, au milieu de la riche assistance, Gabrielle est assise près de sa tante qui dodeline, ravie d'être là parce que, de longtemps, elle n'a pas été au concert. Gabrielle est ici et ailleurs. Sa folle matinée de courses à travers la ville lui revient, et son sentiment d'irréalité perdure, tant l'apparat du décor, les lustres resplendissants, la gratuité somptueuse de l'art rendent imaginaires les scènes terribles de la pauvreté, les renvoient à leur fiction de cauchemar. Ou bien c'est la misère, dans son implacable vérité, qui falsifie le présent, le dénature, jusqu'à l'obscénité. Pourtant, elle ne souffre pas de cette distorsion. En pensée, elle peut se déplacer librement dans ces visions contraires, comme les deux faces tangibles d'un même monde, et elle n'en est pas étonnée, ni désespérée. Sa conscience s'aiguise de la coexistence du malheur et du bonheur, images inversées et complémentaires, figures solidaires de la même réalité, ou du même rêve. Endre est mort, et elle est vivante. Transportée par les volutes de la musique, elle franchit les strates imaginaires du temps, de l'espace, aérienne et matérielle à la fois. Elle est sur le pont d'un navire, en pleine mer. Accoudée au bastingage, voisine du jeune homme chauve et de l'épouse du Dr Galay ; elle rentre de Birmanie. Elle est près de la mauvaise malle de planches, au moment où le tampon du port oblitère sa vignette, pour le dernier voyage. Dans un lit amoureux, elle veille le sommeil d'Endre, le visage enfoui dans son épaule nue. Elle montre une étoile à une petite fille, qui glisse sa main dans la sienne, et se blottit contre son flanc, dans la pénombre d'un petit salon de musique. Elle fouille un tiroir, elle vole une photo. Elle ment, elle rit, elle a peur, et elle se bat contre des ombres. Elle aime Endre, et elle oublie ce qu'a été cet amour, emportée dans les labyrinthes de la vie, les corridors des maisons, les rues de la ville, les chemins de campagne, où elle va maintenant, au pas tranquille d'un cheval, sous les branches d'un sous-bois, un soir d'automne paisible. Un vol d'étourneaux plane et s'abat. Les mains gercées de Clarisse ont pris le papier sur la table. Gabrielle l'a vue le chiffonner et l'enfouir dans la poche de son tablier. Voilà que saint Jean-Baptiste sourit, désignant un ciel inaccessible.

La première chose qu'elle fit, en arrivant gare Saint-Lazare, fut de glisser, dans une boîte postale, la lettre qu'elle envoyait à Dora. Puisque la fin du concert ne lui avait pas laissé l'occasion de l'approcher, et de lui en parler de vive voix, elle y expliquait pourquoi elle avait donné son adresse à Clarisse Zepwiller, et à

Marcus, et en appelait à son amitié pour lui pardonner ce procédé, à cette amitié qu'elle lui offrait de nouveau, si généreusement. Sa tante, ni Renée ne sauraient comprendre qu'elle ait pu chercher des informations chez ce photographe des boulevards, et suivre cette piste, à ses risques et périls. Elles ne sauraient admettre tout ce qu'elle leur cachait, depuis le début. Je veux leur paix, écrivait Gabrielle, je veux les protéger, autant que je le peux. Toi seule peux recevoir le message que j'espère, le garder et m'en faire savoir la nouvelle au Mesnil, sans rien préciser cependant, car je ne redoute rien tant qu'une correspondance me trahisse... Sois prudente, mon amie, et pardonne l'embarras où je te mets... Sa lettre était tellement mal construite, hâtivement rédigée la veille au soir, dans le désarroi où l'avait laissée cette longue journée incohérente. Dora comprendrait-elle, parmi ses confuses explications, ce qui l'animait, au fond, ce qui la poussait à abuser de son amitié, récemment retrouvée ? Elle avait encore plaidé son besoin impérieux d'aboutir à un peu de lumière, coûte que coûte. Car comment vivre, sinon, comment consentir, pour le reste de ses jours, à cette partie de sa jeunesse abolie par les ténèbres... Au moment où l'enveloppe échappait à ses doigts, tombait dans la boîte, elle eut un pressentiment. Elle sentait à peine les passants la heurter, restait près de la boîte, irrésolue, pleine de remords. Trop tard, le sort en est jeté, trancha-t-elle, et elle quitta cette place, se dirigea vers les quais, mais, alors qu'elle traversait le hall de la gare d'un pas pressé, elle vit se détacher, venant vers elle parmi les voyageurs du soir, celui qu'elle n'attendait plus, qu'elle avait chassé de ses pensées ; elle crut en défaillir.

— Ah ! s'écriait Michel Terrier, je n'osais plus espérer ! Gabrielle, je craignais tellement de vous manquer encore !

Et comme la jeune fille restait saisie par cette rencontre, il prit son coude et l'attira délicatement à l'écart, la protégeant de son bras de la bousculade. Par-dessus son épaule, elle jeta un regard vers la boîte, à l'autre bout du grand hall. L'avait-il vue jeter sa lettre ? Et si oui, quelle importance ? D'ailleurs, il la regardait avec une telle passion, qu'elle eut un rire ému en remontant sa voilette.

— Comment avez-vous su me trouver ici ?...

— L'autre jour, vous m'avez appelé de la gare Saint-Lazare, et vous m'avez dit : Je repars dimanche, par le dernier train ! Je n'avais que cette heure, et cet endroit, pour tenter ma chance, en guettant les trains au départ. Je n'ai pensé qu'à cela depuis ! Me pardonnerez-vous de vous avoir fait faux bond, si grossièrement ? J'en ai été au désespoir ! J'ai maudit mon inconséquence, de vous avoir donné ce rendez-vous, sans m'assurer que j'y serais, absolument. Croirez-vous que j'aie pu être contraint, accablé d'une mission, au dernier instant, à laquelle je ne pouvais me soustraire... Et je n'avais nul moyen de vous prévenir, de vous épargner l'odieuse attente. Dites-moi que vous n'êtes pas horriblement fâchée, offensée, et furieuse contre moi !

Etourdie par ces protestations, elle tentait de faire bonne figure, à la limite du plaisir et du déplaisir, moitié attendrie, moitié contrariée de retrouver le jeune homme empressé de son souvenir. Son obstination était touchante, mais il la mettait dans l'embarras en surgissant ainsi. Elle en éprouvait une gêne, comme si c'était mal de se laisser aborder, mal qu'il l'eût attendue de cette manière. Certes il avait fait l'impossible pour la revoir quand, elle, s'était si vite résignée à sa défection ; mais l'impression d'avoir été guettée était tout de même très désagréable.

— Votre train part dans dix minutes, hélas ! Comme vous êtes rayonnante ! Avais-je donc oublié vos yeux ? Ma belle amie, pardonnez-moi : quel bonheur c'est, de vous revoir... J'ai tant pensé à vous, depuis des semaines ! Tant regretté de vous avoir engagée à ce biais aventureux ! Quel souci était le mien, sans nouvelles de vous, et sans aucun moyen de vous protéger ! Vous m'étiez parue si follement obstinée à mettre votre projet à exécution, que j'ai failli dans mes conseils. Dans mon désir de vous aider, j'ai été aussi fou que vous ! J'étais prêt à passer ma soirée ici, à vous attendre !

Etrangement, dans son émoi, elle y voyait assez clair en elle-même, et peut-être en lui, pour savoir que, si elle restait là, pendue à son bras, sans une esquive ni un sursaut, il allait la séduire et la convaincre, obtenir d'elle, dans la précipitation du départ, un aveu auquel elle répugnait, d'instinct décidée à taire tout, plutôt que de dire trop d'un peu qui lui échapperait. Tout ou peu de quoi, elle ne savait, et se sentait rougir sous son regard.

— Cher Michel, protesta-t-elle, en s'écartant fermement, vous êtes trop bon de vous inquiéter de moi à ce point ! Mais... Auriez-vous vraiment passé votre soirée à faire la vigie ? Je vois que, sous votre manteau, vous êtes en habit, et que, de ce pas, vous allez à quelque fête... N'est-ce pas ?

— J'en viens, convint-il, désarçonné. Un ami m'a entraîné au spectacle. Je me suis enfui pour ne pas vous manquer, cette fois.

Elle souriait, fine mouche, contente d'avoir suspendu son effusion, effacé ainsi le bénéfice de sa surprise. Il s'était assombri, remontant machinalement ses lunettes sur son nez, l'air d'un collégien pris en flagrant délit de mensonge. Eût-elle pu lire dans ses pensées, que Gabrielle en eût été glacée. Car Michel Terrier venait d'être pris au dépourvu, et en ces rares occasions, l'animal policé devenait redoutable. Une fois encore, il avait sous-estimé l'adversaire. Gabrielle le surprenait par sa répartie ; elle avait l'œil vif, l'esprit délié, bien plus aiguisé que prévu. Son préjugé l'avait abusé, cette candeur qu'on prête aux femmes, cette niaiserie... celle-là était d'une autre espèce. Il se contint, ravala son dépit. S'il était supérieurement armé sur certains terrains de guerre, celui-là exigeait davantage d'instinct. Sentant passer l'heure, il renonça à la diplomatie.

— Alors, qu'en est-il ? Avez-vous réussi à prendre cet emploi chez le Dr Galay ?

— Oui, bien sûr ! Je m'occupe de sa petite fille, dans une campagne de famille. Je lui apprends à lire et à chanter. Je dispose d'un piano, d'un cheval, et du grand air pour nos promenades. Mais voilà qui déjoue vos prévisions : je me trouve tellement exilée dans cet endroit, que j'ai bien du mal à être le fameux *agent secret* que vous espériez...

Il fit mine d'ignorer l'allusion à ce mot malheureux, auquel elle mettait un accent ironique.

— Au moins, l'avez-vous approché ? insista-t-il. Est-il possible d'apprendre quelque chose de lui, comme vous le souhaitiez ? Avez-vous percé le mystère de la disparition de votre fiancé ?

— Imaginiez-vous que je démêlerais si vite ce que votre ministère peine tant à élucider, depuis des années ? persifla-t-elle, agacée. Le Dr Galay ne semble pas suivre de près l'éducation de sa fille. Il vient rarement la voir... Et peut-être suis-je moins douée pour les enquêtes que pour l'enseignement ?... Au moins, j'ai conquis mon indépendance... Par ce moyen, je gagne ma vie, à présent.

— Mes félicitations. Je dois donc comprendre que vous avez abandonné votre projet, dit-il d'un ton piqué.

— Vous me connaissez mal, cher Michel...

— Votre humeur est bien acerbe.

— C'est que vous ne cessez de me malmener ! Vous me laissez seule au Louvre, vous me surprenez dans cette gare...

— Bref : je ne fais que vous déplaire. Vous avez beaucoup à me reprocher, n'est-ce pas ? murmura-t-il, amer.

— Après tout, j'ai eu tout loisir de faire la connaissance de Jean-Baptiste... Drôle d'endroit pour une rencontre... Quelle idée curieuse...

— Ce tableau est un souvenir d'enfance.

— Voilà qui m'éclaire ! s'écria-t-elle, franchement moqueuse, cette fois.

— Restons-en là.

Il avait pourtant l'air si contrit, si malheureux, qu'elle en eut un remords.

— N'en restons pas là. Revoyons-nous une autre fois, plus agréablement que dans cette gare... Je dois partir, à présent, voilà l'heure de mon train.

— Votre jour sera le mien, dit-il avec effort. Je vous le dois bien.

— Cessons cette querelle, dit Gabrielle, soudain vaincue par sa bonne volonté, honteuse de la malice qu'elle mettait à l'embarrasser.

Elle avait tant voulu ce moment de le revoir, tourné et retourné ce qu'elle lui dirait de ses progrès, des découvertes décisives de ces temps derniers... Elle attendait tant de lui, et voilà qu'en sa présence, elle ne ressentait plus que méfiance, et irritation. Une tristesse lui venait du malentendu, du tour pénible qu'avait pris leur échange, et du persiflage par lequel elle cachait son malaise. Elle avait gaspillé le peu de temps où il s'ingéniait à se faire pardonner, lui tendant la main, si généreusement. L'instant pressait de se séparer, maintenant, et la perspective du départ imminent de son train la soulageait, inexplicablement. Elle tendit sa main, dans un geste de camaraderie, mais il la saisit avec fièvre, renversa sa paume et posa au creux de son poignet un baiser qui la fit frissonner tout entière.

— Donnez-moi une autre chance, Gabrielle, je vous en prie.

— Je viens à Paris chaque fin de mois. Je vous appellerai d'ici, en arrivant, une prochaine fois. Je vous le promets, dit-elle, heureuse de la réconciliation.

Et jetant encore un geste d'adieu, elle s'enfuit dans la foule qui se dirigeait vers le quai, dans les vapeurs de la locomotive.

Michel Terrier resta au bout de la voie, la suivant du regard, jusqu'à ce qu'elle ait disparu, jusqu'au bout jouant son personnage de soupirant maladroit, au cas où elle se retournerait encore. Elle ne se retourna pas. Il se jugeait avec sévérité, furieux du fiasco. Les joutes verbales le mettaient en échec. Il était piètre joueur à ces combinaisons de hasard et d'intuition, à ces exercices de l'esprit, au gré de l'inspiration, marivaudage et cie. Il préférait l'argumentation, la persuasion. Le raisonnement. Et, mieux encore, le jeu silencieux de la stratégie, les calculs probatoires, les spéculations mathématiques. Cette Gabrielle, si modeste et sucrée, lui avait damé le pion, en une pirouette. Il avait pourtant tenu la place avant l'heure, guetté sa venue, pour la voir sans être vu, la surprendre. Autant d'avantages tactiques qui devaient la mettre à sa merci. Mais elle avait si vite repris pied, et l'avantage… Jusqu'au faux pas. Ah, l'aveu imbécile de ce souvenir d'enfance ! Un comble. Comment avait-il pu lâcher cette obscénité ? Cette stupide réplique, surgie dans l'urgence. La sincérité, arme des imbéciles. Qu'elle l'ait obtenue de lui était détestable. Pourtant, ses impairs successifs avaient peut-être mieux servi sa cause que tous ses calculs… Avec humeur, il chassa ces idées pénibles. D'elle, il n'avait rien appris qu'il ne sût déjà, n'espérait rien apprendre. Son seul objectif, en se présentant gare Saint-Lazare : garder le contact. Racheter l'effet du regrettable contretemps. Dans l'ensemble, il y était parvenu. Cette femme n'était qu'une des pièces de son jeu, petite caille en guise de leurre. Il n'en suivait la manœuvre que de manière lointaine, chasseur à l'affût. Mais pas en dilettante, comme ce soir ! La négligence, la distraction, les pires fautes à commettre. Aucun détail n'est mineur. Depuis l'affaire de la malle, il suivait son plan. Cette malle providentielle valait tous les jokers. Rapprocher les corps éloignés, les mettre en contact. Observer les effets. Physique expérimentale, chimie des échanges. Puisque tout était verrouillé, côté Galay, il mettait celle-là en place. Elle ne ferait rien, peut-être. Ou bien oui. Elle était de nature à inventer, à forcer la circonstance. Elle avait une passion. De la passion, Michel Terrier savait la portée de feu, l'énergie guerrière. A lui la balistique. A elle l'improvisation. Patience, soyons bon joueur, décida-t-il, quittant la place.

XV

Tandis que défilait le paysage ingrat de la banlieue, la lumière d'hiver estompant sa grisaille dans les brumes rousses du soir, Gabrielle se laissait aller aux secousses du train, petits cahots berceurs qui engourdissaient délicieusement ses membres, mais son esprit, électrique, survolté, passait en revue ces derniers jours, le cumul d'espace et de temps où se précipitaient trajectoires, rencontres, courses, visages et voix, de Passy au faubourg d'Italie, Dora au Louvre, Marcus et Clarisse, Saint-Saëns et sa belle crinière blanche, le photographe du boulevard Poissonnière, tant de lieux, de gens et d'émotions, que c'en était étourdissant. Et la survenue de Michel Terrier, pour finir !... Quel coup au cœur, son apparition au bout du quai ! L'alerte passée, elle restait contrariée, et même furieuse, pourtant émue, cherchant dans le désordre à raisonner, à justifier comment, ayant manqué leur rendez-vous, et sachant son départ, il parût ainsi. Quelle faute de goût, quelle impudence ! Importun, vraiment, odieux, au plus haut point. Pourtant désarmant. Mettons qu'il obéit à de bons sentiments... Mettons qu'il est sincère. Qu'avait-elle à craindre de lui ? Mais la guetter, l'espionner... Ah la vilaine pensée ! Ce mot désagréable la plongeait dans un malaise inexplicable. Elle l'avait rabroué, très bien remis à sa place : cette manière cavalière, ce procédé ! Il ne méritait pas mieux... Mais en usait-elle autrement avec le Dr Galay, avec sa famille ?... Mécontente, elle croisait et décroisait ses jambes. Les cahots ne la berçaient plus du tout, ils heurtaient ses pensées, l'exaspéraient. Le plus urgent, décida-t-elle, est de retrouver Jean Zepwiller, le voir et le questionner, lui arracher la vérité... Ah quelle illumination, les deux photos rapprochées, par un éclair de mémoire ! Alors elle revoyait Clarisse, la pitoyable sœur jetée à la misère par l'infortune, servant la soupe populaire dans ce vent glacé, soldat d'une armée de plus pauvres qu'elle, et elle repensait au livre de Marx, dont la lecture, autrefois abandonnée, l'intriguait. Elle emportait ce livre dans son bagage. Qu'y avait-il, dans ces pages, pour inspirer au petit jeune homme tant de passion et de colère ? Par une étrange boucle de l'histoire, Marcus la ramenait à Endre, au volume oublié rue Buffon, et ce rapprochement la troublait plus que tous les hasards qui avaient ponctué ces journées.

Quand elle arriva en gare du Mesnil, la nuit était tout à fait tombée. Victor l'attendait, comme convenu. Pour une fois, il était loquace, et dès qu'il eut embarqué Gabrielle, il rapporta, de sa voix lente et basse, l'événement qui mettait la maison sens dessus dessous. M. Daniel était arrivé, deux jours plus tôt, avec une compagnie de gens plus fantasques les uns que les autres. Mme Mathilde avait donné son accord pour cette invasion, mais c'est qu'elle ignorait sans doute comment il en irait.

— Voilà qu'ils sont venus pour tourner un film de cinématographe dans notre campagne, et que nous logeons la troupe, les acteurs et les ouvriers, enfin les messieurs qui arrangent leur machine. Voilà que nous hébergeons ce monde comme nous pouvons, parce que nous n'avons été prévenus que la veille, le jour de votre départ, et il a bien fallu improviser l'intendance ! Inutile de vous dire que Mme Victor est aux cent coups, et qu'elle ne sait où donner de la tête du matin au soir ! Huit personnes de plus à table, pour chaque repas. Même s'ils mangent le plus souvent sur le pouce, ce sont des préparations, des paniers, des allées et venues, bien du tracas et du linge. Toutes les chambres de l'aile sont occupées, Pauline est débordée, mais elle s'amuse beaucoup. Nous n'avions pas vu tant de monde chez nous depuis des lustres… Deux voitures et un camion automobile, pour transporter les gens et leur attirail, leurs affaires personnelles et les malles de costumes. Pensez qu'ils ont même apporté deux paons ! Des paons, connaissez-vous ces bestiaux ? Personne ne sait les nourrir, ni comment ils logent, avec leur grande queue à la traîne. Oh, c'est très farce, vous allez voir quel caravansérail est devenue notre maison !

Il riait sous cape, donnant du poignet quelques coups de fouet amicaux sur la croupe du cheval.

— Et que dit Millie de tout cela ?

— Millie est enchantée de la pagaille, d'autant que M. Daniel la tolère partout avec lui. Elle n'en fait qu'à sa tête. Vous aurez du mal à la discipliner à son étude, à présent !

Mme Victor accueillit Gabrielle dans un vestibule encombré de matériel, pieds de caméra, panneaux réflecteurs et volets de toile comme de grandes ailes de moulin déployées, galettes de pellicule en piles, et caisses à demi ouvertes, d'où débordaient des vêtements et des accessoires de toutes sortes, dans un tel désordre, qu'elle semblait avoir renoncé à régenter son domaine, la face écarlate et l'air épuisé. Outrée de voir son mari rire du spectacle, elle haussa les épaules avec grandiloquence et entraîna Gabrielle à l'écart.

— Je ne sais qui a l'esprit de trouver cela comique ! Je vous préviens : vous allez avoir fort à faire. Ils sont là pour toute la semaine. Voyez le capharnaüm ! Nous ne savons plus où mettre les pieds. J'ai dû passer commande pour notre épicerie et nos provisions, et employer deux filles du bourg au service. M. Daniel est bien aimable, mais il nous fera tourner en bourrique, avec ses fantaisies.

Gabrielle examinait avec curiosité les instruments de cinéma au repos, les deux caméras Pathé fixées sur leur pied, comme d'étranges têtes d'oiseaux échassiers, leur aspect mystérieux de boîtes cirées trouées de loupes, et le bras armé de leur manivelle. Elle savait l'enchantement des images animées, leur fascinant défilement de rêve et leur pouvoir de suggestion. Elle se rappelait sa première séance, quand Endre l'avait conduite à l'Omnia-Pathé sur les boulevards, une après-midi de pluie, voir une suite de petits films comiques, des gags, des fantasmagories burlesques trépidantes, des saynètes sentimentales. On voyait un homme coupé en morceaux par un fiacre sur la place de l'Opéra, des sirènes coloriées qui se tordaient sur des rochers piqués d'étoiles de mer à visages de femmes, et une fusée plantée dans l'œil de la lune, des dames surprises à leur toilette par des voleurs masqués. Une autre fois, c'était Max Linder, en gentleman catastrophique, toujours ivre, toujours digne ! Comme elle riait, alors, comme elle était heureuse au bras du grand frère amoureux, dans la demi-obscurité complice de la salle aux draperies troublantes, aux dorures violentes… Elle en gardait un souvenir de joie nerveuse, le cœur chaviré par la magie du spectacle, avec l'excitation de la chose défendue, car ils y étaient allés en cachette d'Agota. Ensuite, c'était avec Renée qu'elle avait couru les salles où l'on donnait des mélodrames, comme *Le Maître des forges*, et *Les Deux Orphelines*.

— Ce soir, si vous voulez être tranquille, on vous portera un plateau dans votre chambre, poursuivait Mme Victor, parce que ces dames et ces messieurs n'ont pas d'heure pour le dîner. Je leur fais tenir les plats au chaud, et ils se servent eux-mêmes à la cuisine ; ou bien ils mangent des sandwichs, comme ils disent. Cela a-t-il un sens, de mener une vie pareille ?

— Ne compliquez pas le service pour moi. Je m'accommoderai de la situation. Où est Millie ?

— Elle est là, dans le salon. Avec eux, bien sûr. Elle ne quitte pas son oncle d'une semelle. Au fond, je ne suis pas mécontente : elle s'est occupée, pendant que vous n'étiez pas là, au lieu de pleurnicher, comme la dernière fois.

Toutes lampes allumées, la grande pièce offrait un joyeux désordre de vêtements jetés sur les canapés, de tasses de thé et de cakes abandonnés, et la table était couverte d'une grande feuille déployée, au-dessus de laquelle se penchaient cinq ou six messieurs, comme sur une carte ou un plan de bataille. Millie, installée à la table de jeu, disputait une partie de petits chevaux avec deux curieuses femmes, une très jeune, et très jolie, au teint blanc et aux cernes violets, aux cheveux ébouriffés de rubans et de boucles à l'anglaise, vêtue d'une robe déchirée qui laissait nue son épaule ; et une plus âgée à la bouche fardée et aux ongles rouges, dont la gorge flétrie débordait d'une robe outrageusement décolletée. A l'entrée de Gabrielle, Millie sauta de son fauteuil et s'élança vers elle.

— Mademoiselle ! Vous voilà revenue ! Voyez comme je suis sage ! Voici Dorothée, et Mme Anouilh.

Gabrielle salua, serra la main des inconnues, sous le regard de qui elle se sentait embarrassée, comme si c'était elle, avec sa toilette de ville, qui fût une originale. D'évidence, elles avaient gardé leur costume de comédie et leur maquillage de scène. Quant aux hommes, qui s'étaient redressés à son entrée, et l'observaient de loin, ils avaient une mise négligée, en gilet, leurs manches de chemise retroussées.

— Oncle Daniel ! Voici Mlle Gabrielle, qui revient de Paris !

L'homme qui se détachait du groupe et venait vers elle portait un costume prince de galles aux larges carreaux, avec une très charmante désinvolture. Il ressemblait à Sophie de manière frappante, la même grâce des traits, le visage ouvert, mais avec une expression de santé insolente, une assurance mâle pleine de séduction, l'œil cachou plissé de malice tandis qu'il dévisageait Gabrielle, la détaillait franchement de la tête aux pieds.

— Voici donc notre fameuse préceptrice ! Je n'entends parler que de vous, mademoiselle ! Bienvenue dans notre navire à la dérive. Mme Victor a dû vous dire combien nous avons désorienté la maison. Elle en a perdu le nord ! Approchez, vous autres !

Quand il avait été près d'elle, elle avait été étonnée qu'il fût seulement de sa taille, mais sa prestance, son aisance, sa manière de hausser le menton le faisaient paraître plus grand. Il émanait de lui une force et une ardeur contagieuses, et la caresse de son regard avait assez d'humour pour en atténuer la pétulance. Il fit les présentations, avec une distinction mêlée de bonhomie mais, dans son étourdissement, Gabrielle retint à peine les noms, les fonctions de chacun. L'opérateur, le machiniste, des acteurs ? Elle s'excusait de tomber au milieu de cette soirée, amusée comme elle ne l'avait pas été depuis longtemps. Ces gens étaient drôles, ils différaient tellement des familiers de la maison, de la rigueur spartiate de Mme Mathilde, de la sombre réserve du Dr Galay... Daniel s'était tourné vers elle, l'enveloppant d'un regard interrogateur.

— Mon frère m'a laissé entendre que vous étiez une pianiste de talent...

— J'enseigne seulement la musique à Millie...

— Ta ta ta ! Foin des politesses et des ronds de jambe. Vous tombez bien ! J'ai quelque chose à vous proposer, de bien amusant. Si cela vous chante, jetez un coup d'œil là-dessus...

Gabrielle frissonnait encore du froid du dehors. Un peu abasourdie par cet accueil, elle souriait dans le vague, et pour se donner une contenance, réchauffa ses mains au grand feu de bois, tandis que Daniel cherchait dans le fouillis de la table en pestant et jurant. Lorsqu'il lui tendit enfin le paquet de feuilles, il la dévisagea de nouveau avec insistance.

— Voilà. Ce sont des partitions. Vous en tirerez peut-être quelque chose ?

Il rejoignit ses compagnons sans plus se soucier d'elle. Avec ses mouvements félins, sa taille cambrée, son teint hâlé et ses moustaches claires, il avait l'air d'un jeune pirate tombé dans ce décor bourgeois, par quelque caprice d'une histoire extravagante. D'ailleurs, chacun de ces personnages saugrenus échoués là faisait régner dans la maison une atmosphère romanesque pleine de fantaisie. Nul doute que Dorothée, dans ses haillons de comédie artistiquement déchirés, jouait un rôle de pauvresse ; et la vieille dame celui d'une méchante mégère, avec son aigrette de cygne noir... Si loin, dans leur dégaine factice, des réalités sinistres que Gabrielle avait traversées, chez les chiffonniers de la place d'Italie, et comme leur caricature joyeuse... Elle en avait le cœur un peu serré, mais son humeur optimiste la portait à considérer avec humour ces simulacres et leur théâtralité affichée.

Les deux femmes lui avaient fait une place à la table de jeu, et tout en jetant les dés avec l'enfant, elles racontèrent par quel coup de tête le jeune cinéaste avait soudain décidé de les inviter dans sa propriété familiale, pour y tourner des scènes de son film. Cette adaptation des *Mystères de Paris* devait être un événement retentissant, et une occasion sans pareille d'asseoir sa société de production Grand Lux. Car il prenait ainsi de vitesse la Gaumont, qui avait différé le même projet, au prétexte qu'une actrice célèbre, pressentie pour le rôle de Fleur-de-Marie, n'était pas libre, retenue par le théâtre jusqu'en janvier. Pour celui du Chourineur, l'acteur choisi, un ami de Daniel, de la Comédie-Française, avait décliné l'offre du rival pour se réserver à lui... Elles riaient de l'affaire, et avançaient leurs petits chevaux avec gaieté. Tout se tournait, expliquaient-elles, dans les studios de Boulogne, dans les décors de carton peint, ou bien dans les rues et les jardins des bords de Seine, le long du canal de l'Ourcq. Mais cette fois, Daniel avait enlevé toute la bande hors de Paris, et arrangé cette partie de campagne, persuadé que les décors naturels de la propriété de sa mère conféreraient à son drame un cachet extraordinaire. Huit jours d'évasion, et même si c'était l'hiver, quelle belle aubaine, la vie de château ! Daniel et son équipe passaient les soirées comme maintenant, à préparer les scènes du lendemain, qu'ils enchaînaient à toute allure, improvisant au gré du jour, et s'il faisait plutôt froid, dehors, pendant les prises, elles se réfugiaient dans le grand salon, dont elles avaient fait leur campement, leur loge d'actrices et leur cantine !

Gabrielle écoutait ces confidences pittoresques qui dissipaient par magie ses émotions récentes, et lui ouvraient l'univers inconnu de la coulisse, la machinerie mystérieuse du cinématographe. La jeune beauté, surtout, cette Dorothée Margerie, la charmait, avec son air déluré, les boucles de sa perruque. Fille d'un négociant en vins de Lyon, elle avait fui un mariage arrangé et la vie de petits-bourgeois de province, pour apprendre le chant, sa passion. Mais les quelques rôles qu'elle avait décrochés, aux Variétés ou à la Gaîté-Lyrique, grâce à son minois avenant plus qu'à son talent, lui avaient enseigné en peu de temps qu'il fallait ne pas avoir froid aux yeux et ne pas laisser passer l'occasion. Sa rencontre avec Daniel semblait avoir été la chance de sa vie, elle parlait de lui comme de la Providence. Il l'avait d'abord engagée pour quelques rôles comiques, mais il avait vite deviné son tempérament dramatique, et cette fois, il lui avait donné le rôle qui la révélerait, bientôt elle en tirerait gloire et fortune, et on l'appellerait La Margerie ! Ses paroles avaient une gouaille enfantine qui emportait la sympathie, même si la vieille dame, à qui sa longue carrière de théâtre donnait plus de réserve, ponctuait son discours de hochements de tête, secouant son aigrette de plumes, en signe de réprobation indulgente. D'ailleurs Gabrielle comprit bien vite la nature de la relation qu'avait la jeune première avec son Pygmalion, car celui-ci vint plus d'une fois se pencher sur son jeu, et elle surprit le geste furtif et familier dont il entourait ses épaules ou taquinait ses haillons. Lors d'une de ces privautés, comme il croisait son regard, il adressa à Gabrielle une mimique amusée qui la prenait à témoin, haussant légèrement le sourcil, d'un air d'excuse et de bonne camaraderie qui lui arracha un sourire.

Plus tard, Mauranne porta des plateaux de viande froide, des cailles confites et du pâté de lièvre, avec une salade de pommes de terre au vin blanc, et Gabrielle se laissa sans façon inviter à ce pique-nique d'hiver au coin du feu, s'attarda encore en leur compagnie, écoutant leurs propos. Millie, après s'être régalée de fromage blanc et de noix, avait fini par s'endormir, la tête sur les genoux de Dorothée, tandis que Daniel, flatté par l'intérêt que Gabrielle manifestait, l'avait entraînée à l'écart pour lui expliquer sérieusement le grand plan étalé sur la table. Il commentait, comme s'ils étaient un projet d'ingénieur ou d'architecte, les croquis schématiques qui situaient les tableaux du lendemain, et la liste des scènes, le programme du tournage sur les différents lieux de la propriété : au bord de l'étang des Armand, le long du chemin du bois, et au bord de la prairie, sur le perron du Mesnil, et devant les écuries. Il tapotait les points de la carte du doigt avec autorité.

— On ne peut plus se passer de dessiner, et d'écrire, de combiner et de contrôler. C'est le règne du scénario. L'argent du cinéma ne peut plus se perdre dans l'improvisation, entre les prises de vue. Il faut rentabiliser le déroulement, les déplacements, les mises en place, le prix des acteurs, tout ce temps est trop coûteux. Ah ! Je vous assure qu'en Amérique on avance à grands pas, il faut aller voir comment ils s'y prennent, là-bas ! Mais depuis que Pathé fabrique notre pellicule, et maintenant que nos concessionnaires louent nos films au lieu de les vendre, nous contrôlons la distribution : nous sommes en train de gagner la bataille des coûts, d'inonder le marché ! C'est que je joue gros, avec mon film en pleine nature... Et vous voyez : je vous parle d'argent, j'ai l'air d'un comptable. Mais moi, j'ai envie de fabriquer de l'art, des sentiments et de la beauté, du rêve, de l'espoir. Ma mère serait folle d'apprendre que j'investis tout mon capital dans ce qu'elle appelle un loisir de bonniches. Elle n'a de religion que pour ses petits-beurre et ses boudoirs ! Elle ignore non seulement que le cinéma est une véritable industrie, mais que c'est l'usine de notre imaginaire futur. Elle prend mon travail pour un amusement de gamin !... Remarquez, je m'amuse, je m'amuse follement ! avoua-t-il avec un air gourmand. Vous aimez le cinéma ?

Alors Gabrielle, séduite par sa fougue et par sa vitalité, se laissa aller, accoudée à la grande table ; le menton dans la main, l'écouta décrire son film avec enthousiasme, comment il adaptait le roman-fleuve d'Eugène Sue en coupant quelques épisodes, en sacrifiant à son corps défendant les péripéties secondaires. Pour garder du nerf à sa fresque, du rythme, il rusait avec les lois avares de l'économie. Mais il ne s'en consolait pas, parce que rien n'est facultatif dans un tel roman !

— Il n'y a pas d'épisode, ni de personnage secondaire, entendez-vous ? Chacun a sa fonction, chacun réclame d'exister. Chacun est le héros de son histoire personnelle. Chacun donne la chair, le sang, la vie de notre imaginaire, comme dans la vie, nom de Dieu ! Qui est secondaire, dans la vie, hein ? Vous êtes secondaire, vous ? Les gens sont pressés, ils veulent du sommaire, vite raconté ! Et les banquiers sont là pour vous le rappeler ; le cinéma, c'est de l'argent : alors on coupe. On fait des petites coupures, vous comprenez ? Moi je veux du souffle, une symphonie luxueuse !

Et il accompagnait du geste la figure musicale des séquences de son récit, tel un chef d'orchestre illuminé, portant devant lui les figures de son esprit comme si elles étaient déjà matérialisées, et il voulait du décor naturel, du vrai, de l'actuel, du vivant ! Raconter les histoires de la vie : on en a besoin, comme de manger ! Elle riait de le voir s'enflammer, conquis par l'auditoire qu'elle lui offrait, et elle ne pouvait s'empêcher de lui opposer la personne de son frère, le taciturne et sévère médecin qui, quelque temps plus tôt, avait hanté ces lieux de son humeur mélancolique.

— Le Dr Galay partage-t-il votre passion ?

Interloqué, il s'arrêta dans son élan.

— Mon frère ?... J'ai peur qu'il n'en ignore tout ! Il vit enfermé dans son laboratoire ! Je sais qu'il travaille pour notre bien à tous, avec ses vaccines et ses microscopes. Mais il n'a aucune idée de ce que je fais ! Vous l'avez rencontré, n'est-ce pas ? Vous avez pu constater qu'il n'a pas une once de fantaisie, aucune imagination...

Gabrielle sourit de ce jugement à l'emporte-pièce.

— Il en a peut-être plus que vous ne pensez... Pas la vôtre, qui se joue des intrigues, des fictions et des chimères. Mais pour défier les énigmes de la nature, l'esprit scientifique exige beaucoup d'imagination, un esprit ingénieux et aventureux...

— La belle raisonneuse ! Quel avocate pour sa défense ! Mais vous avez sûrement raison... Pierre est d'une belle force dans sa partie. Et il a eu son lot d'aventure... A une époque, il aimait courir les mers et les colonies... Et il ne négligeait pas la conquête féminine. Il a eu de bonnes fortunes, comme on dit. J'en étais jaloux, moi qui frottais encore mes fonds de culotte sur les bancs de mon école d'ingénieur. Mais voilà, ces fantaisies lui ont passé. Il a connu de ces épreuves qui endurcissent les hommes...

Daniel s'était assombri, il tapotait la carte avec une moue méditative, mais il éloigna ses pensées d'un geste léger.

— Et vous ? Etes-vous curieuse des aventures ? Voyez ce que je vous propose : ce sont des musiques américaines. Du ragtime, vous connaissez ? Eubie Blake, Scott Joplin... Mazurka, polka trafiquées par les nègres... C'est bien mieux que tous les zinzins de cake-walk ! Vraiment, c'est très drôle ! J'ai bien envie d'enregistrer ça, pour un de mes petits films sautillants. On met le rouleau sur piano mécanique, et hop ! Maintenant, il faut faire du cinématographe musical !

Dorothée s'était glissée jusqu'à eux, s'étirant et bâillant exagérément, comme si elle jouait la dernière scène du jour, et ses bras nus, caressés par la lumière des lampes, faisaient une corolle gracieuse autour de sa jolie tête. Il l'enlaça sensuellement et esquissa un pas de polka avec elle.

— Gabrielle, je compte sur vous ! lui lança-t-il de loin, entraînant la jeune femme.

La semaine qui suivit fut pleine d'agitation et d'excentricités, chaque jour apportant son lot de nouveauté. Le matin, Gabrielle parvenait avec peine à persuader Millie de travailler à l'étude. La petite s'impatientait de rester sagement à sa table de lecture quand, des fenêtres de la bibliothèque, elle voyait partir toute l'équipe, pieds de caméra à l'épaule, chacun chargé d'une valise ou d'un carton débordant de matériel hétéroclite, s'acheminant vers le fond de la prairie, ou campant près de l'écurie, et Gabrielle n'était pas loin de partager son envie de sortir, de jouir de cette partie de plaisir, qui rompait la vie monotone du Mesnil. Seules les quelques heures de grand jour se prêtaient au tournage, aussi la troupe ne perdait-elle pas une minute, et l'on entendait de bon matin Daniel tempêter dans la maison, appeler et donner des ordres comme un capitaine préparant le départ d'une expédition. Puis leurs voix s'éloignaient, d'un côté ou de l'autre de la maison, et le silence revenait.

Aussi, l'après-midi, à la place de la promenade habituelle, avaient-elles pris pour habitude de rendre visite au cinématographe ambulant, là où se trouvait le tournage, assistant aux séances en spectatrices discrètes, de plus en plus averties de leur déroulement et familières des rituels. Daniel se dépensait beaucoup, courait partout, corrigeait un détail de costume, sciait lui-même une branche d'arbre gênante, faisait déplacer une échelle, tendre un drap pour refléter la lumière du jour avec plus d'intensité sur le visage des actrices. Il déplaçait la caméra, criant des ordres dans son porte-voix pour déclencher l'action quand elle était éloignée, et dictait le jeu des acteurs avec une autorité qui intimidait et ravissait Millie. On ne faisait qu'une prise de chaque tableau, après deux ou trois répétitions, alors Millie, sachant qu'elle pouvait s'y risquer, se mêlait aux techniciens, réclamait de voir dans le viseur. On la soulevait, on ajustait l'œilleton, et elle écarquillait ses yeux. Mais quand Daniel criait : on tourne ! tout le monde se tenait à carreau, car l'opérateur actionnait alors la manivelle avec tant de sérieux que c'était presque religieux de suivre l'action. On comprenait grossièrement que Fleur-de-Marie, évadée de son cachot, tentait d'échapper à la Chouette, lancée à sa poursuite. Mais les épisodes étaient sans ordre. Tantôt Dorothée mendiait au bord d'un chemin, tantôt elle se glissait le long du mur de l'écurie, bras écartés et la tête renversée. Tantôt Mme Anouilh descendait les marches du perron en rentrant sa tête dans son cou, en recroquevillant ses mains dans ses mitaines, comme des griffes, prenant un air si cruel que Millie se réfugiait peureusement contre Gabrielle.

Le tableau avec les paons fut le plus périlleux. Daniel y tenait absolument. Ces paons, c'était un grain de folie, une note de poésie, un peu fantastique, ce genre de détails qu'il semait dans sa mise en scène, par intuition et toquade inventive. Ce fut toute une affaire d'obtenir de ces volatiles une collaboration correcte, de les rassembler devant le perron. Les paons refusaient de rester en place, s'égaillaient en traînant leur longue queue d'un air hautain dans les graviers de l'allée, refusant de jouer leur rôle. Mais il y eut un miracle ! Soudain l'un d'eux, se rengorgeant, se décida à faire la roue, à déployer l'éventail somptueux de ses plumes ocellées, alors la manivelle tourna comme jamais, tandis que Mme Anouilh, intervenant en hâte, descendait les marches, s'arrêtait un instant devant eux, et repartait brusquement, dos courbé, vers ses mystérieuses manigances. Pendant la prise, chacun retenait son souffle, mais quand ce fut fini, les cris de joie fusèrent, et comme l'animal majestueux continuait de poser, vaniteux, poussant ses ridicules cris, ce fut l'hilarité générale, un fou rire à tirer les larmes.

Le plus étonnant, c'est que certains techniciens de l'équipe jouaient aussi de petits rôles, gardant leur casquette et leur foulard de filous pour repasser derrière la caméra, et l'on ne savait plus si ces personnes faisaient un vrai métier ou s'amusaient à des enfantillages. Les situations, dramatiques ou cocasses, avaient toutes une allure loufoque. Daniel exigeait des mimiques terribles, des roulements d'yeux et des postures outrées, puisque c'est le genre, nom de Dieu ! C'était comique de voir ces gens se transformer à vue et reprendre leur expression naturelle, l'instant suivant, par une métamorphose stupéfiante. Attirés par le divertissement que leur offraient ces saltimbanques, M. Victor et Meyer avaient fini par approcher et se réjouir de l'aubaine. Gabrielle soupçonnait Mme Victor et Mauranne d'en profiter aussi, postées derrière les vitres de la cuisine, maugréant pour la forme. D'ailleurs, le dernier jour, elles se laissèrent convaincre par l'insistance de Daniel, quand celui-ci décréta qu'il lui fallait rassembler une bande de villageois pour une scène décisive.

— Il me faut des figurants en nombre, hommes et femmes, plaidait-il avec conviction, des gens de bonne volonté, juste pour ce tableau ! Voilà : ce sont des paysans qui passent sur la route. Ils partent au marché. Ils croisent cette pauvresse, et ils la regardent avec méfiance. Avec mépris. Ils voient bien qu'elle n'est pas de leur monde. Ils ralentissent un peu, mais ils ne s'arrêtent pas. Elle les supplie pour avoir un morceau de pain. Et eux, ils continuent de marcher, ils s'éloignent. Alors, Fleur-de-Marie tombe à genoux dans la terre du chemin, et elle lève ses bras au ciel. D'accord ?

A la grande surprise de Gabrielle, il eut gain de cause. Toute la maisonnée se prêta au jeu, laissant le régisseur affubler les uns et les autres de chapeaux et de châles, de vestes de chasse, de gilets de mouton, de paniers. Meyer sortit Ridelle, qu'on attela à une petite charrette, chargée de bottes de paille et de cageots. Pauline fut désignée pour tirer le cheval par sa longe.

— Vous aussi, Gabrielle, et Millie, vous en êtes ! ordonnait Daniel, péremptoire. Mettez ce tablier, ce bonnet de paysanne à rubans. Il faut un sarrau et des sabots pour la petite. Tressez ses cheveux, je veux une petite campagnarde réaliste, une vraie…

Cette après-midi-là fut étourdissante de divertissement, car il s'agissait d'une mise en scène compliquée, d'une grande importance pour le drame. Tout le monde collaborant à la figuration,

Daniel resta seul derrière la caméra à tourner lui-même la manivelle. Tous devaient rester cachés derrière un bosquet et se mettre en marche au signal, gens et cheval en cohorte, et cheminer un long temps vers la caméra avant que Dorothée, restée près de Daniel, se mette à venir à leur rencontre, de sorte qu'ils se croisent au milieu du parcours. Au moment où elle arrivait à leur hauteur, elle s'arrêtait, tendait la main, et comme ils passaient, dédaigneux, elle tombait à genoux en levant les bras, éplorée, tandis que la troupe s'approchait de la caméra et continuait jusqu'à passer derrière celle-ci, jusqu'au dernier, ainsi que Daniel l'avait indiqué. Et il criait :

— Ne riez pas ! Ne regardez pas ma caméra, ne me regardez pas, nom de Dieu ! Bravo, continuez ! Avancez ! Pas trop vite ! Dorothée, tombe à genoux maintenant ! Tu es désespérée, nom de Dieu ! Tu as faim ! Vous, vous avez le ventre plein, vous allez vendre vos provisions ! Tant pis pour cette créature, que le diable l'emporte !...

Malgré l'étrangeté de cette mise en scène à laquelle ils se prêtaient, ou à cause d'elle, chacun était gagné par la gravité, simulait de son mieux, s'appliquant à tenir son rôle. Il faisait un grand beau temps, excellent pour le tableau, mais un vent froid soufflait du nord, claquant les jupes, ébouriffant les cheveux, rebroussant et couchant les hautes herbes, agitant les arbres, et tout ce mouvement enchantait le cinéaste, lui arrachant des cris de jubilation. Il mena sa troupe avec une telle fougue qu'en moins d'une heure tout fut fini, et réussi ! Maintenant, tous autant qu'ils étaient, réunis près de Daniel, ils avaient l'air d'enfants sur la grande prairie, éblouis par le soleil d'hiver, comme s'ils se réveillaient d'un songe. Eberlués de leur déguisement, ils se dévisageaient avec une sorte de timidité, comme s'ils réalisaient que les créatures qu'ils venaient d'incarner n'étaient pas de simples personnages, mais des êtres réels, et seule Mauranne, remuée de ce qu'elle venait de faire, protesta timidement.

— Ce n'est pas bien, monsieur Daniel. Ce sont de méchantes gens, pour lui refuser seulement un morceau de pain !

— C'est justement ce que doivent penser mes spectateurs, Mauranne ! Il faut qu'ils aient pitié, et qu'ils soient indignés !

Bien vite, ils rentrèrent se réchauffer et pour fêter la fin du tournage, Daniel réclama des crêpes, et du vin, pour tout le monde ! Ce fut un grand moment de gaieté, dans l'agitation nombreuse de la cuisine, dans l'odeur de cuisson, de beurre chaud et de sucre, tandis que grésillaient les poêles. Même Mme Victor s'était départie de son masque d'autorité, elle semblait avoir abandonné ses préventions pour contribuer activement à la collation, gagnée par la contagieuse bonne humeur de cette après-midi. Peut-être troublée, elle aussi, d'avoir consenti à faire cette chose incroyable ; que la puissance de la fiction, la séduction de ce mensonge vrai l'eussent transportée en des régions d'elle-même inconnues. Millie allait de l'un à l'autre, échauffée par cette atmosphère inhabituelle, ravie de ces grandes personnes qui jouaient aux enfants.

Mais comme la soirée avançait, la nuit tombant derrière les vitres, l'excitation retomba peu à peu. Meyer et Victor repartirent vers leurs tâches, Daniel disparut avec ses équipiers pour ranger le matériel, les bobines dans les caisses, tout le désordre de la maison, en prévision du départ, le lendemain. Ils avaient laissé à la cuisine les femmes entre elles, épuiser une conversation où la gêne se mêlait à présent à une sorte de tristesse, ralentissant les gestes, raréfiant les paroles. Maintenant qu'était dissipée l'euphorie factice, l'éphémère rencontre de deux mondes étrangers, ce qui les avait réunis paraissait l'égarement d'un instant, peut-être la dangereuse ivresse d'un partage sans avenir, et la mélancolie, l'amertume des fins de fêtes s'emparait d'eux, tandis que les nippes qu'ils avaient dépouillées restaient abandonnées en tas sur un banc, tels les oripeaux des fantômes qui avaient traversé la prairie tout à l'heure, en lente cohorte, dont l'existence imaginaire avait pu un instant peupler leur vie, et dont la nuit venue, la brume et le vent dispersaient la présence.

Quand, le lendemain vers midi, les voitures s'ébranlèrent enfin, descendirent l'allée sous les cèdres, et disparurent sur la route, il y eut un moment de paix déroutant. Soudain la maison retrouvait son calme, mais les ondes du silence bruissaient encore de la rumeur confuse, du tapage des voix, de l'agitation nombreuse, des allées et venues qui avaient résonné jusqu'au dernier moment. Les préparatifs avaient pris toute la matinée en l'absence de Daniel, parti de bonne heure en automobile rendre visite à Sophie, la petite sœur bien-aimée, sa préférée. Il ne voulait pas repartir sans l'avoir vue, contrarié d'avoir laissé passer la semaine sans quitter le lieu de son tournage. Il savait son accident et l'entorse qui l'immobilisait, et plusieurs fois avait demandé de ses nouvelles à Mme Victor, différant chaque jour de se rendre à Genilly. Aussi s'était-il éclipsé au dernier moment, laissant ses collaborateurs ranger le matériel et préparer le départ. A son retour, impatient et soucieux, Daniel reprit en main les opérations, supervisant le chargement, querellant les uns et les autres avec une autorité ombrageuse parce que les paons étaient à l'étroit dans leur cage et criaillaient, parce que l'heure passait en gestes inutiles. Il redevenait le directeur de la société Grand Lux, déjà préoccupé par ce qui l'attendait aux studios de Boulogne, déjà emporté par le tourbillon de ses responsabilités. Dorothée et Mme Anouilh, laissant les messieurs s'affairer, attendaient dans le vestibule, assises sur le canapé, vêtues de leur toilette de ville pour la première fois de tout le séjour, chapeautées et gantées, avec des airs de dames en visite, convenables et sérieuses.

Au dernier moment, Daniel était venu prendre congé, il avait toqué à la porte de la bibliothèque pour embrasser Millie et saluer Gabrielle, mais s'il gardait sa grâce d'homme séduisant, il avait perdu son enjouement. D'un air curieux, il considéra l'austère bibliothèque, jeta un coup d'œil par la fenêtre, vers le paysage de campagne que l'hiver couvrait de brumes matinales, et le grand hêtre maintenant dénudé.

— Une jeune femme comme vous doit s'ennuyer mortellement dans cette solitude, observa-t-il brusquement. Mon frère a d'étranges lubies de vous enfermer ici...

— C'est plutôt une idée de Mme Mathilde... Et je ne m'ennuie pas.

— Vous auriez pourtant de bien belles occasions de vous amuser, si vous veniez nous voir, de temps en temps ! Conduisez donc Millie, un de ces jours ! Je vous montrerai nos studios. Ma sœur est venue, l'an dernier. La seule de la famille, je dois dire... Sophie vous envoie son bonjour. Elle espère votre visite. Elle est bien seule, là-bas, entravée par sa patte folle...

— Oui, monsieur.

— Mais que fait-elle dans ce trou, quand le monde est si vaste à voir !... Vous aimez ma sœur ?

— Oui, monsieur.

— Occupez-vous d'elle, un peu...

— Oui, monsieur.

— Oui monsieur ! Ah vos répliques sont un peu plates. Hier, vous étiez meilleure dans votre rôle de composition. Voilà votre avenir ! Avez-vous envie de faire du cinéma ?

Gabrielle rit à cette suggestion saugrenue, et comme chaque fois son visage s'éclaira d'une gaieté exquise, creusant sa joue de fossettes juvéniles.

— Vous étiez ravissante en paysanne. Mais vous l'êtes encore plus en institutrice, ce matin, murmura-t-il, ému par ce rayonnement.

Amateur de jolies femmes et rompu aux compliments galants, il était pourtant sincèrement touché par la beauté, partout où il la voyait, trouvant à plaire moins de plaisir peut-être qu'à être lui-même séduit, avec une gratitude d'enfant ébloui pour la surprise des rencontres, la prodigalité de la vie. La vue des corps et des visages féminins éveillait en lui un besoin permanent de possession et de caresse, une gourmandise sensuelle d'enfant inassouvi, affamé de conquêtes et de réussite que son sentiment de la perte et de la mort exacerbait parfois en de violentes et brèves passions amoureuses, dans lesquelles il se jetait violemment, le cœur blessé, l'amertume de ses impatiences déçues fouettant en lui le besoin de recommencer toujours. Et cette avidité visuelle trouvait sa réponse parfaite dans l'exercice de son métier de cinéaste tant décrié, encore si mal compris du plus grand nombre. Il comblait son goût de pouvoir et de jouissance, redoublait dans la fascination des images l'excitation d'un désir dont les objets miroitants semblaient lui échapper toujours.

— En tout cas, j'attends de vos nouvelles, n'est-ce pas ? Essayez ma musique de nègre, nom de Dieu !

L'hiver de décembre hésitait, alternant les journées clémentes de soleil et les matins de gelée qui engourdissaient la campagne. Deux ou trois fois déjà, profitant du beau temps, Gabrielle avait cédé aux propositions de Meyer d'organiser des promenades à cheval, puisque cela avait tant plu à Millie, la première fois, et elle soupçonnait qu'il brûlait lui-même de l'envie de monter, d'aller sur les chemins. Il les escortait, chevauchant Pomme, le plus rétif des trois, qui n'obéissait qu'à lui, laissant Loyal, plus docile, à Gabrielle. Celle-ci prenait l'enfant devant elle, bien calée à califourchon sur la selle, et ils allaient ensemble, à travers les champs ou les bois, en devisant paisiblement. La conversation de Meyer avait cela de plaisant, qu'elle allait droit au but et sans façon. En dépit de sa tête abîmée, il était de bonne compagnie. Il commentait le cuir du cheval, sa peau cirée et son crin luisant, le temps qu'il faisait, et l'alentour, avec juste les mots qu'il fallait pour s'en réjouir l'œil, et quel bel alentour que ces chemins d'automne ! Le givre avait verni les feuilles, les champs de grosse terre étaient d'un bleu fumant, le ciel de perle grise. De tous côtés, des passereaux, des alouettes filaient, qu'il nommait, et les forêts, les bosquets se retroussaient d'un vent à rebrousse-poil comme on caresse les chiens fous. Ah les beaux chemins ! Encouragée par le vieux palefrenier et au grand plaisir de Millie, Gabrielle s'était enhardie, retrouvant les sensations d'autrefois. La connivence avec la bête, emportée dans l'espace par le trot ou le galop nerveux, le rythme tonique

de la course, plus de souplesse, plus de cadence, plus de légèreté qu'une danse, dont elle revenait les joues rosies par l'air vif,
le corps délicieusement rompu. Pendant ces promenades, Meyer
se montrait un excellent maître, attentif et courtois, content, sans
le dire, que Gabielle montât en homme, et non en amazone. Il
était si précis et sévère dans ses consignes que celle-ci s'en était
étonnée, un jour qu'après un galop exemplaire, ils revenaient au
pas vers la maison.

— Quel bon professeur vous auriez fait ! s'exclama-t-elle en
riant.

— Je l'ai été, mademoiselle. J'ai enseigné au prytanée militaire de La Flèche, dit-il avec une fierté modeste.

— Vous étiez donc soldat !

— Maître d'écurie pour les petits jeunes gens. Jusqu'à mon
accident.

— Alors vous avez quitté l'armée...

— J'aurais dû. J'étais presque au bout de mon temps, et voilà
que je fais une erreur avec la bête, ça ne pardonne pas pour le
service. Fini pour moi. Pas tellement que j'étais défiguré. Les
chevaux ne sont pas comme les gens, ils se fichent de la tête
que vous avez. Mais ils allaient en profiter pour me mettre à
pied, alors le docteur m'a pris un peu comme son tampon.

— Pour son tampon ?

— C'est une façon d'appeler le soldat domestique. Lui, il était
là comme aspirant, médecin du lycée, et moi je n'avais plus personne au pays, ni famille, ni métier. Et au civil, une solde de ser-
gent, c'est pas misère qui m'attendait, mais presque... Alors il
m'a gardé avec lui. Il m'a sauvé la vie, pour ainsi dire.

Ils longeaient un long bosquet de chênes roussis jusqu'à la
rouille que le vent froissait par longues rafales, délogeant un vol
de corbeaux qui traversa le chemin avant de se laisser lourde-
ment tomber dans les labours. De cette confidence, Gabrielle
restait interdite. Elle n'avait pas imaginé une relation entre le
palefrenier et le Dr Galay. Personne ne l'avait suggéré, aucune
allusion... Ou alors si vaguement. Sa discipline de vieux militaire qu'on moquait, sa ponctualité à table, ses manies et ses
scrupules dans l'entretien de son écurie, son soin maniaque des
chevaux, tout cela semblait habitudes de vieux célibataire, et
son air renfrogné, bourru, une conséquence de sa figure qui
mettait les gens mal à l'aise, de la vie solitaire qu'il avait pu
mener pour cette raison. Une ou deux fois, Gabrielle avait surpris de brefs apartés entre le docteur et lui, sur le seuil de l'écurie. Mais elle avait attribué son ton familier à l'ancienneté du
palefrenier dans la maison. Saisie, elle se taisait. Elle sentait

contre elle la chaleur de Millie, adossée à elle avec confiance, son odeur d'enfant. Celle-ci entendait sans doute la conversation des adultes, au-dessus de sa tête, mais s'appliquait surtout à bien suivre le balancement du cheval. Elle avait déjà réclamé qu'on lui donnât un poney, mais Meyer s'y opposait. Trop petite, disait-il. Il faut d'abord apprendre à te tenir, ma belle. Aussi, pour mériter la récompense qu'elle espérait, obéissait-elle aux consignes de Meyer d'épouser l'impulsion de l'animal, sans raideur ni crainte, au galop ou au pas, sans le contrarier par un faux mouvement.

— Vous avez donc suivi le Dr Galay dans sa carrière ? reprit Gabrielle, d'un ton uni.

— Pour ainsi dire. Je l'ai servi pendant des années à Paris, avant de me retirer ici. Bon pour les chevaux, bon pour la retraite.

Il hochait la tête en silence, rembruni, comme s'il en avait trop dit, perdant son regard dans le sous-bois.

— J'ai vu un lapin, nom de Dieu ! s'écria Millie.

C'était un lièvre, en effet, détalant dans les fougères.

— Oh, le gros mot ! gronda Gabrielle. Ton oncle Daniel a le droit de jurer, mais pas toi !

— Ah le beau morceau ! dit Meyer, suivant la fuite de l'animal. Voilà un sacré civet qui galope ! Et une demoiselle qui apprend du joli vocabulaire !

Cette diversion le soulageait visiblement, et Gabrielle n'osa pas revenir au sujet, qu'elle sentait sensible. Il avait donc été un proche du Dr Galay, avant son départ, après son retour… Cette découverte la bouleversait. Elle n'avait pas un instant imaginé que, sous ses dehors bourrus de domestique vivant en marge de la maison, campant à l'écurie, le vieux soldat entraîné à la dure, avec sa figure ravagée, fût le témoin de qui elle avait peut-être le plus besoin. Et pourtant, impossible de le questionner davantage, de manifester un intérêt subit pour cette époque de sa vie. Elle ne pouvait que se mordre la lèvre, au bord des larmes. A quoi lui servait-il donc d'être entrée, par de si tortueux détours, dans la vie privée du docteur, comme de ce vieux serviteur, puisqu'elle n'oserait poser à l'un ni à l'autre la question qui brûlait son cœur. Puisqu'il lui fallait observer la prudence, et attendre. Attendre quoi, encore et encore. Un mot de Clarisse, une lettre de Dora. Un faux pas du docteur, un signe. Et faire le tour du propriétaire, des maisons et des bois. Dormir dans la chambre bleue. Lire des contes à Millie, découper des figurines de papier, et jouer du piano. Voilà ce qu'étaient ses propriétés. Elle se sentait si malheureuse qu'elle fit le reste du chemin en silence et ce fut seulement en arrivant devant l'écurie, et comme elle tendait les rênes à Meyer, qu'elle trouva un pauvre mot.

— Il est bon que le Dr Galay puisse compter sur vous, articula-t-elle, la voix tremblante.

— Je donnerais mes bras pour lui, dit Meyer sombrement.

Il tapota doucement sa main, à cause de la tristesse qu'il lui voyait.

— Vous faites pas de souci. Je suis là…

Mais elle n'eut pas le loisir d'élucider cette promesse, un dérivatif inattendu se présenta, car Millie, s'étant précipitée à la cuisine pour retrouver Tout Roux, revenait en courant, retournant l'écurie et soulevant les sacs de jute, ouvrant les seaux d'avoine, passant sous le ventre des chevaux, impatients de retrouver leur stalle et agacés par son agitation.

— Oh là ! Doucement, la demoiselle, s'écria Meyer. Tu vas te faire piétiner, comme ça !

— Tout Roux a disparu ! Tout Roux ! Tout Roux ! Où est-il ?

On fit le tour du potager, du verger, on revint à la maison, et maintenant tout le monde cherchait, appelait, mais le chiot restait introuvable.

— Est-il perdu, Gabrielle ? Pauline, est-il perdu ?

Elle pleurait à moitié, toute pâle. Comme l'heure passait, et que la nuit venait, chacun, assez peu inquiet du sort du chiot, inventait une explication rassurante, mais aucune ne consolait Millie, dont grandissait l'angoisse. Jamais Gabrielle ne l'avait vue, même le soir de son arrivée, tétanisée par cette peur sauvage qu'elle mettait tout son courage à contenir, et qui lui donnait un tremblement de tout le corps, si près de la crise de nerfs que Gabrielle, effrayée, la souleva et la porta contre elle, la serrant dans ses bras, en refaisant encore le tour de la maison, appelant vers l'espace déjà nocturne du jardin, de la prairie, navrée de ne trouver une issue.

— Il dort quelque part, bien caché, bien au chaud. Nous le retrouverons demain. Millie, ma douce. Ma toute petite, ne te fais pas de souci… Les chiens aiment leur liberté…

Millie se taisait à présent, le souffle court, abandonnée à ses bras, dans une détresse inconsolable. Mais comme elles revenaient, rejoignant Mme Victor et Pauline, qui rentraient bredouilles du jardin, il y eut le miracle de Tout Roux galopant à leur rencontre, jappant et sautant joyeusement. Millie s'arracha aux bras de Gabrielle, empoigna le chiot, et l'étreignit follement, se roula avec lui dans la terre, riant et pleurant à gros sanglots, tandis qu'il lui léchait le visage, lui mordillait les joues. Renaud arrivait derrière, à longs pas tranquilles, venant des Armand. Le garçon portait un panier de cèpes à la cuisine, et il riait de sa trouvaille. Il avait entendu, sur le chemin, de petits cris, des gémissements, alors il avait cherché alentour, croyant à une bête des bois prise à quelque branche, et très vite il avait trouvé le chiot.

— L'idiot était tombé dans le creux du vieux hêtre, là-bas. Il ne pouvait pas s'en sortir tout seul, ce bestiau. Si j'étais pas venu ce soir, il aurait pu passer la nuit dans son trou…

Alors, il fallut qu'on mène Millie voir le trou du vieux hêtre, qu'on lui montre cet endroit où son petit chien avait disparu. Accroupie avec elle, Gabrielle découvrit, dans le tronc énorme de l'arbre, auprès duquel elles passaient chaque fois qu'elles partaient en promenade, la longue fente dans son flanc, et la cavité remplie de mousses, de feuilles mortes, assez large pour loger un enfant, et assez profonde pour qu'un petit animal ne pût remonter seul, une fois tombé dedans.

— Tu vois, la belle logette, riait Renaud. Je m'y suis caché bien des fois, pour faire enrager mon père ! On peut même y dormir, comme un loir !

— Tu vois, disait Gabrielle. Même si on ne l'avait pas trouvé ce soir, il aurait passé une bonne nuit, au chaud… Rentrons, à présent.

On n'était pas loin de la maison, dont les lumières se voyaient entre les bosquets, mais la nuit venant, le remuement d'eau sombre de la campagne, et les nuages éteignant la clarté du ciel, la lisière proche des bois donnaient un frisson d'inquiétude. Comme de lever la tête vers la charpente immense de l'arbre, pleine d'ombres vivantes, son déploiement forcené de branches nues, plus grosses que des torses d'homme, solides et tordues, perdues dans l'obscurité d'en haut, d'une beauté et d'une force qu'on eût dites humaines tant elles se cramponnaient au firmament. Gabrielle en avait un frisson, qui n'était peut-être que la lâche réponse à sa peur récente de ne savoir consoler Millie. Ils revinrent lentement vers la chaude lumière des lanternes allumées aux façades, comme vers un havre, et tandis que Pauline et Renaud marchaient devant, Gabrielle les vit, dans l'obscurité, se prendre furtivement la main. Ce geste amoureux acheva de la bouleverser, la submergea de tendresse et de tristesse pour les enfants qu'ils étaient, tous, eux deux et Millie, et elle aussi, si seule à le savoir.

XVI

A quelques jours de là, et comme si ce mois de décembre dût être celui des invasions intempestives du Mesnil, Mme Victor annonça solennellement le retour de M. Henri. Il était à Paris depuis quelques jours, à peine débarqué de son long voyage, et comme chaque année qui le ramenait, il viendrait d'abord se reposer à la campagne, y attendre la livraison des caisses d'objets rares, qu'il avait pour habitude d'acquérir au long de ses périples, collections excentriques dont Mme Mathilde refusait absolument d'encombrer son hôtel de la Chaussée-d'Antin. Celle-ci avait téléphoné ses ordres le matin même : qu'on préparât l'accueil de Monsieur, et celui de son domestique, et aussi qu'on gardât les deux filles du bourg, en service pendant le séjour de M. Daniel, parce qu'elle avait pour projet de réunir sa famille le jour de Noël, et qu'elle n'avait pas l'intention d'envoyer au Mesnil sa domesticité préparer les festivités rituelles.

Au ton de Mme Victor, on entendait celui de Mme Mathilde, sa brièveté incisive, sa volonté de régenter jusqu'au moindre détail, et son mécontentement évident. Attablée dans la cuisine, la compagnie ne pipa mot, mais Gabrielle comprit à ce silence général que tous savaient d'avance quel désordre cette nouvelle mettrait dans leur petite vie bien réglée, et quels changements allaient intervenir dans les semaines suivantes. Pauline fut la seule, comme à son habitude, à commenter avec impertinence les paroles de sa grand-mère.

— Sûr que M. Henri incommode, là-bas. Sûr qu'il sera mieux traité chez nous.

Pour une fois, M. Victor s'abstint de la réprimander. Lui-même avait accueilli la nouvelle de ces dispositions avec un hochement de tête suggestif, avant de s'éclipser, tandis que Mme Victor et Mauranne, à peine le couvert enlevé, s'installaient au bout de la table pour dresser le plan de campagne dans le grand livre

301

de comptes. Il fallait tout de suite faire contrôler le chauffage central qui donnait du souci, assurer le grand ménage des salons et des chambres, cirer meubles et parquets, aérer les tapis, les rideaux, nettoyer l'argenterie, vérifier linge de table et de toilette, visiter la cave, dresser la liste des commandes, et prévoir des menus... Les deux filles en extra ne seraient pas de trop pour toutes ces corvées, et Mme Victor maugréait parce que, les autres années, pour Noël, Mme Mathilde envoyait toujours du personnel de sa maison de Paris au Mesnil, et que c'était la seule occasion qu'elle avait de voir sa fille et son gendre, le seul moment de l'année où Pauline rencontrait ses parents...

— Ce n'est pas passé par la tête de Madame, acquiesçait Mauranne, elle n'en a pas le souci.

Gabrielle, sentant l'atmosphère électrisée par ces préparatifs, les laissa à leur besogne d'intendance, et à leurs récriminations. Elle monta se réfugier dans la salle d'étude, parce que, ce jour-là, une pluie glacée tombait à verse depuis le matin, sans promesse d'éclaircie, et compromettait toute sortie.

A deux heures de l'après-midi, il faisait presque nuit. Déjà, le ciel éteignait la lumière et les rideaux de pluie jetaient des paquets d'eau contre les vitres, brouillant la vue du paysage. Au plus triste et frileux de la saison, la bibliothèque offrait le décor consolant de son confort et de sa chaleur, la présence austère mais rassurante des livres bien rangés sur les rayons, et de toutes les petites tâches ludiques dont Gabrielle avait peuplé la vie de Millie, ses découpages de personnages installés sur une petite table, ses herbiers, et son boulier. Et ses poupées, qu'elle avait peu à peu exportées de sa chambre pour les asseoir en bon ordre et jouer à leur faire l'école, à leur dire des contes, à les punir ou les récompenser. Or Gabrielle ne punissait pas et ne se fâchait guère, tant elle était docile. Mais en l'écoutant rudoyer ses poupées, elle apprenait alors selon quel régime absurde elle avait été traitée, auparavant, quand les bonnes l'avaient en leur garde. Au moins, à présent, c'étaient les poupées qui disaient "je ne veux pas" et que la petite fille malmenait à plaisir. Cette formule des premiers temps, par laquelle elle avait opposé sa pauvre résistance, prenait maintenant tout son sens, et aussi la manière que Millie avait de les contraindre par des pincements cruels, jusqu'à ce qu'elle les fasse céder en feignant de pleurnicher. Cette enfant pleure beaucoup, avait prévenu Mme Mathilde, lors du premier entretien, dans son bureau directorial. Alors Millie n'avait aucun visage, aucune réalité, elle n'était qu'un objet de transaction, otage de sa famille indifférente, et celui de Gabrielle aussi bien, puisqu'elle avait servi son plan. Comme les choses avaient changé, depuis ce soir de fin septembre...

Gabrielle considérait la fillette penchée sur ses collages avec une émotion pleine de tendresse. Cette petite personne était entrée dans sa vie, de si étrange manière. Elle y occupait à présent une place essentielle. Elle était la seule avec qui elle eût une relation vraie, exempte de calcul et de mensonge, avec qui elle ne déguisait pas, vers qui allait son cœur d'un élan sincère. A Dora, dans le café de la rue de Rivoli, elle avait dit la vérité : la seule personne qu'il fallait épargner, dont il fallait se soucier, et qui lui dictait la droiture, qui lui interdisait de s'égarer, c'était elle. L'autre soir, quand ils cherchaient Tout Roux, il y avait eu cet accord tacite entre eux tous pour réparer quelque chose de plus que la perte, et quand elle avait pris Millie, tremblante de détresse, Gabrielle avait su, en la serrant dans ses bras, de quel poids d'amour elle pesait, quel engagement elle exigeait de chacun, et d'elle, par-dessus tout. Mais cela ne l'effrayait pas, ne constituait pas un obstacle. Quel que fût l'avenir, songeait-elle, quels que fussent les projets du Dr Galay de l'emmener loin, et si elle la perdait de vue, la perdait vraiment, ce qu'elle avait donné à Millie était une sauvegarde. Où qu'elle allât, la petite fille saurait que des êtres pouvaient lui vouloir du bien, la faire grandir, lui transmettre force et courage pour affronter l'adversité. Elle-même se sentait raffermie par l'enfant, comme si elle reconnaissait en elle, si petite, si faible, la force de sa propre enfance d'orpheline, régénérée par le don d'amour d'Agota, de Renée, par les bras aimants qui lui avaient transmis la conviction de vivre. En cette sombre après-midi de pluie hivernale, Gabrielle se sentait sereine, et pleine d'espoir. Malgré son inquiétude, malgré l'avenir opaque, malgré l'attente et l'irrésolution, la présence de Millie l'emplissait d'un bonheur inconnu, qui n'avait pas nom de maternité, et pourtant y ressemblait, comme si elle en accueillait le don gratuit, et y reconnaissait la grâce d'une adoption.

Henri de Galay arriva en effet quelques jours plus tard, sous une semblable pluie battante, conduisant lui-même son automobile, une Panhard luxueuse, avec son domestique coincé à l'arrière, parmi les bagages. Dès son entrée, il parut comme le maître dont l'aura absente était l'âme des lieux. Il était chez lui, ici, dans la demeure de son enfance, héritée de ses parents, de la longue lignée des de Galay dont l'histoire était inscrite dans les murs, et dès son premier pas dans le vestibule, il en retrouvait le règne légitime, comme s'il fût parti d'hier. C'était un homme svelte, au corps nerveux que l'âge affectait à peine, étonnamment vêtu, en cette saison, d'élégantes bottes fauves et d'un costume clair, si naturellement qu'on l'eût dit directement transporté des climats tropicaux. Sa veste en laine écrue, sa chemise blanche, rendaient plus éclatant son teint de belle santé, que le hâle des soleils d'Afrique ou d'Asie creusait de fines rides et plus perçants ses yeux, d'un vert si clair qu'il virait au jaune. Sa calvitie naissante dégageait aux tempes son beau front, et sa moustache, ses cheveux encore très bruns et mi-longs, coiffés en arrière, lui gardaient un air de jeunesse qu'il portait avec insolence. Sa tranquille prestance disait assez l'assurance hautaine de sa classe, la conscience évidente de son privilège. A sa vue, Gabrielle mesura quel assortiment paradoxal il formait avec Mathilde Bertin, combien leur couple avait pu confondre la bonne société, et combien leur éloignement signait leur divorce social et d'éducation. S'il n'avait pas affiché tant d'aisance, cela aurait pu passer pour comique, et que leurs noms fussent réunis au fronton des fabriques Bertin-Galay trouvait là son expression la plus ironique. Ils s'étaient pourtant aimés, du moins assemblés, ils avaient eu ensemble quatre enfants, et maintenu contre tout leur pacte, sans que chacun renonce à sa singularité, à sa volonté. Elle, tenant de main de fer famille, maisons et usines, lui fuyant vers les horizons d'aventure où il dilapidait sa fortune et son temps.

Passant en revue le comité d'accueil réuni pour son arrivée, il se montra charmant avec tous, trouvant avec discernement le mot approprié, témoignant que, pour lointains que fussent ses voyages, il n'oubliait pas la particularité de chacun ; prenant des nouvelles des enfants des Victor, déplorant leur éloignement, à la Chaussée-d'Antin ; des rhumatismes du régisseur et de la coupe des taillis, de l'attachement de Meyer à ses chevaux, complimentant Pauline pour sa taille, Sassette pour sa fraîcheur, et Mauranne pour ses recettes excellentes. Cela se disait sur un ton débonnaire, très simple, qui était supposé combler chacun. Quand vint le tour de Millie, il s'accroupit pour être à sa hauteur et pinça tendrement sa joue.

— En voilà, une demoiselle ! Que tu as grandi, Camille ! Quelle bonne mine, tu as ! Ta grand-mère me dit que l'air de la campagne te va, et que Mlle Demachy fait des merveilles avec toi. Bonjour mademoiselle.

Il s'était relevé avec une souplesse animale, plantait son regard clair dans celui de Gabrielle et d'un sourire poli qui soulevait à peine sa moustache :

— On me dit grand bien de vous. S'il ne s'agissait que de ma femme... Mais Daniel a l'air enchanté de vous connaître, et

Pierre me dit que vous avez été très complaisante pour notre pauvre Sophie. De plus, musicienne ! Me ferez-vous la grâce de jouer, ce soir ?

Pendant toutes ces représentations, le garçon qui l'accompagnait, trempé jusqu'aux os par l'averse, faisait en courant les allées et venues pour rentrer les bagages et repartait garer la voiture sous l'abri des communs.

— Régis en sera quitte pour laver la carrosserie, tantôt... Nous avons ramassé toute la boue des chemins jusqu'ici... Y a-t-il assez d'eau chaude pour qu'il prépare mon bain ? J'ai grand hâte d'une toilette.

Il s'éloignait déjà, suivi de Mme Victor, empressée de lui complaire, laissant négligemment derrière lui le vestibule encombré de ses nombreuses valises en cuir fin, du portemanteau chargé de ses housses, et de paquets soigneusement emballés.

Dans les premiers temps, Henri de Galay affecta de prendre intérêt aux activités de la maisonnée. Equipé d'un grand imperméable et de bottes de chasse, toute une journée à cheval il accompagna Victor sur ses terres, rendit visite aux fermiers des Armand, écouta leurs remarques avec sollicitude, passa un long moment avec Meyer à l'écurie et monta dans la bibliothèque, assista poliment à une leçon de choses, au fond d'un fauteuil, ses longues jambes croisées avec nonchalance. Millie ayant fait pousser des lentilles dans du coton mouillé, elle s'appliquait à en copier sur la planche à dessin les radicelles, les petites pousses vivaces et frisées, et à les colorier avec ses crayons, aussi félicita-t-il son institutrice pour l'excellence de cet exercice d'observation, et la petite fille pour sa concentration exemplaire et son joli dessin. Puis il s'attarda encore, contempla les tranches des volumes d'un air distrait, le paysage par la fenêtre, feuilleta quelques livres d'images et s'en fut discrètement.

Une fois accompli ce devoir d'inspection générale, il s'absenta décidément, passant le plus clair de son temps à écrire dans le grand bureau de l'étage, entouré des figurines de son fils, sous le regard mort des portraits familiaux ; ou à des marches forcées dans la campagne, qui satisfaisaient son besoin d'exercice. Désormais indifférent au train dont allaient les choses, il prenait seul ses repas dans la grande salle à manger, servi par ce Régis, un jeune homme stylé et gominé, au teint mat et aux yeux las, qui semblait calquer son air impénétrable sur celui de son maître, peu enclin à fréquenter la domesticité locale et limitant ses rapports aux seules questions de service. De sa vie intime, on savait peu de choses, sauf par

Pauline qui tenait le ménage de sa chambre. Elle décrivait, avec luxe de détails admiratifs, sa table de toilette, et tout le nécessaire dans la grande housse de cuir, les accessoires d'argent et d'ivoire, ciseaux, peignes et bol de rasage, et encore le beau polissoir pour les ongles, incrusté de nacre. Elle s'attribuait jalousement l'entretien du linge fin de Monsieur, avec une volupté que grondait Mme Victor : es-tu assez merlette pour n'aimer que ce qui brille ? L'avantage que trouva immédiatement Gabrielle à cet hôte nouveau est qu'il se faisait porter la presse, tous les matins, par un coursier du bourg. Elle eut soudain à sa disposition les journaux qui lui manquaient tant, et qu'elle emportait dans sa chambre, quand M. Henri les avait parcourus. Le séjour de celui-ci ressemblait à celui d'un invité de marque, qu'on traite avec égard, mais dont chacun sait qu'il n'est que de passage et mérite à ce titre quelque effort pour le rendre agréable.

Le seul échange que Gabrielle eut avec lui, en cette brève période où il résida au Mesnil, fut occasionné par la livraison de ses caisses de collection, qu'un camion vint porter un matin, et dont le déballage et le classement prirent plusieurs journées. Il s'en occupa lui-même, excluant jalousement l'aide de quiconque, décloua les caisses, dévissa et vida leur contenu avec un soin et une habileté manuelle qu'on n'eût pas attendus de son oisiveté. Comme, une fois de plus, il encombrait sans vergogne le vestibule, il avait à chaque instant des spectateurs attirés par son activité méthodique, par l'étrangeté des objets qu'il dégageait un à un de la paille, des couvertures, des papiers d'emballage qui les protégeaient. Traversant le vestibule pour se rendre au salon de musique, Gabrielle, intriguée, s'arrêta aussi, resta un moment à distance respectueuse, pour le regarder faire, et Millie, qu'elle retenait contre elle, n'était pas la moins étonnée du spectacle car, à ce moment, il dépliait, avec d'infinies précautions, une splendide pièce d'étoffe, de la soie rebrodée de motifs précieux aux couleurs violentes, incarnat et or, violine, piquetée de pierres. Celle-ci se révéla, une fois étendue, une figure de dragon convulsé, aux yeux cruels et à la langue fourchue, toutes griffes dehors. Les épaules du manteau étaient rehaussées de tresses délicates, d'où pendaient des cordons multicolores en cheveux d'ange. La matière composite miroitait comme un énorme bijou, et c'était si éblouissant que Millie poussa un cri. Il sourit, lui jetant un regard distrait, revenant à sa contemplation satisfaite.

— C'est la robe d'apparat d'un mandarin, elle date du XVIᵉ siècle, une pièce unique, expliqua-t-il. Avez-vous rien vu d'aussi beau ?

De la main en survol, il suivait les draperies, mimant une caresse sensuelle.

— Jamais, transportée par bateau, elle n'aurait gardé cette fraîcheur. D'ailleurs, elle ne serait même pas encore arrivée, ni rien de mon bagage, entassé dans les soutes, au gré des gens de mer qui n'ont aucun soin pour ces choses. Pensez, poursuivit-il, que j'ai tenté, pour la première fois, le retour de Pékin en chemin de fer ! Cinq semaines par la mer, contre quinze jours par le Transsibérien ! Encore avons-nous été ralentis, durant trois jours, par la tempête de neige, entre Irkoutsk et Moscou, progressant de cinq kilomètres par heure, derrière un chasse-neige antédiluvien, que des coolies étouffaient de charbon. Ils devaient dégager la locomotive à la pelle à tout instant... Sans ce malencontreux retard, nous n'aurions mis que douze jours, en passant par Moukden, Chang Chun et Kharbin. Mais je vous parle d'endroits dont vous n'avez pas l'idée !

Il se redressait lentement, soulevant le lourd manteau, dont le froissement soyeux emplit le silence, et il le tint devant lui, telle une carapace d'insecte barbare et somptueux.

— Le plaisir... murmura-t-il, soudain abîmé dans son extase.

Comme Gabrielle, devant ce ravissement solitaire, esquissait un mouvement de repli, il releva la tête, brusquement.

— Aucune autre jouissance ne vaut celle-là, dit-il, avec une sorte d'orgueil amer. Venez, je vais vous montrer le reste, voulez-vous ?

Dans le grand salon, la table monumentale était couverte par les objets rares qu'il avait déballés toute l'après-midi, sans les classer encore, important dans ce cadre bourgeois le bric-à-brac excentrique et rutilant d'un marchand oriental. Il présenta les statuettes de fonte ciselées rehaussées de turquoise et de malachite, et une série de pièces impériales Qing, aux émaux chatoyants, de la famille verte, et rose, où dragons et bestiaire réaliste se côtoyaient dans des scènes de chasse ou de cueillette ; d'autres en biscuit, de la famille noire, aux tonalités plus assourdies, décorées de motifs végétaux d'une grâce aérienne. Il faisait tourner, entre ses mains délicates, des coupelles de laque aux reflets de sang, puis un vase de l'époque Ming, en terre cuite à glaçures, dite "aux cinq couleurs", orné d'une sarabande de daims bondissants, un autre d'un bleu laiteux, piqueté de fleurs azurées ; et encore, toute une collection de bols en céladon, gris-vert d'or, translucides, au décor en pétales de lotus ; et des jades, des émaux de Canton, à la surcharge plus contemporaine. Il ouvrit aussi deux des rouleaux de soie, spécimens de calligraphie, l'un avec d'exquises branches de cerisier, l'autre de lilas peintes à l'encre par la touche d'un pinceau virtuose, bordant de mystérieux idéogrammes.

Henri de Galay, avec une sorte de jubilation, commentait en érudit la caractéristique technique, la fonction sacrée ou profane de chacun des objets, leur noblesse et leur art. Gabrielle écoutait ses indications, découvrant des détails inaperçus, fascinée par ces œuvres exotiques et peu à peu gagnée par l'envoûtement de sa voix, un peu rauque, aux accents fervents. Elle ignorait s'il déployait tant d'éloquence uniquement pour elle, et Millie, ou s'il se parlait à lui-même, jouissant de mettre des mots sur la passion que lui inspirait sa collection, car le plaisir se double d'être nommé, de bondir sur le théâtre et d'avoir des spectateurs. Elle souriait, sous le charme, et Millie, médusée, autant par l'étrangeté des objets que par la gravité de son grand-père, par le temps exceptionnel qu'il leur consacrait pour en faire la présentation, suivait cet exposé en ouvrant de grands yeux, bouche bée.

— Excusez-moi, s'écria-t-il soudain. J'abuse de votre patience…

— Au contraire, c'est moi qui abuse de la vôtre. Quelles merveilles vous rapportez, et quelle science vous avez de leur histoire…

Conquis par cette remarque, il sembla s'extraire tout à fait de sa contemplation et s'éloigna de la table, considéra Gabrielle d'un air pensif.

— J'aurais été moins disert si je n'avais senti votre réel intérêt, mademoiselle, et je vous en remercie… Je dois dire que j'en rencontre peu, dans cette maison, et que j'ai lâchement profité de l'occasion… C'est double contentement, que d'avoir un auditoire… Vous vous demandez peut-être pourquoi je m'obstine à réunir de tels objets, pour les quitter ensuite, les abandonner dans cette maison, où personne ne s'en soucie… L'esprit de collection est regardé par d'aucuns comme une folie, n'est-ce pas ? En réalité, ces objets me donnent plus de satisfaction que la compagnie des êtres humains. Voilà un aveu bien scandaleux. Nous passons. La vie est fatale, elle est périssable, c'est d'un grand ennui. Je m'en console par cette possession, toute provisoire. Car la beauté reste. Pour peu que nous la reconnaissions, elle est notre éternité. Le dépassement de notre condition mortelle est dans l'art, la fabuleuse variété, la dépense inouïe des civilisations. Ce ne sont là que pauvres échantillons de ce que je rencontre, de ce que je cherche, de par le monde. Et je suis bien solitaire dans cette quête, qui n'a pas de fin, sauf la mort. Cependant, la beauté m'excite, extraordinairement. L'excitation est le seul ingrédient qui me rende la vie supportable. Je la cultive avec mes moyens propres, le privilège de ma richesse, et de mon loisir. L'amour, peut-être, donne-t-il parfois cette sensation d'exister au-delà de soi... Mais il dure peu. Il ne dure que jeunesse, et ses objets sont décevants. Etes-vous amoureuse, mademoiselle ?

Gabrielle, interdite par cette sortie, n'attendait pas la question finale. Elle rougit, baissa les yeux, désemparée par cette attaque.

— Pardonnez mon indiscrétion ! Que voilà une détestable question... Pourtant, à vous voir, elle se pose. L'amour est de votre âge. Et la nature vous a dotée d'une beauté qui rivalise avec mes objets d'art.

— Quel bonheur y a-t-il à ressembler à un vase Ming, ou à une tabatière ?

Il éclata de rire, ravi du trait, qu'il n'attendait pas.

— Ah ! Le bonheur ! Quelle croyance diabolique. Ayez au moins du plaisir, c'est plus facile à prendre...

Il jouait visiblement de son cynisme par provocation, cherchant son effet sur le visage de la jeune femme, le regard allumé par les sentiments qu'il y lisait.

— Allons, je vous ai malmenée par mes propos. Le désagrément de mon retour les inspire... Il n'est pas aisé de rentrer d'un grand voyage, et d'échouer dans ces murs, parmi des gens qui vous indiffèrent... Il y a quelques jours encore, j'étais dans le Transsibérien, transi comme un trappeur du Grand Nord, enfoui sous mes épaisseurs de fourrures pour combattre le froid des wagons inhospitaliers ; à taper du talon sur le quai en planches de gares perdues, en plein vent des steppes, attendant un départ improbable, courant après les porteurs qui égarent vos bagages mal enregistrés, à chercher un samovar et du thé chaud, parce que, depuis vingt-quatre heures, plus aucun repas n'est servi ; à me laver un peu, dans un baquet d'eau sale loué par une vieille babouchka, où dix avant moi auront laissé leur crasse... Pourtant, c'était un ravissement, comparé au confort de notre demeure, à son électricité et son équipement moderne... Vous savez ce qui me sauve, ces jours-ci ? C'est d'écrire le récit de mon voyage, depuis mon départ, en mars dernier. Comme chaque fois, je consigne, à partir des notes de mon journal, les paysages et les villes, les sites, que j'ai visités, et qu'aucun guide Baedeker ne mentionne ; les gens que j'ai rencontrés, les anecdotes et les péripéties. Cela les rend doublement réels à mes sens, à ma vue ; mieux qu'à y rêver, mieux qu'à m'en souvenir... Peu m'importe qui lira cela. Il suffit que j'écrive, pour être de nouveau à mille lieues d'ici, avant que la mort m'emporte.

Il mettait à son langage moins de suffisance que d'amertume, ou de mélancolie, et maintenant qu'ils s'étaient rapprochés de la cheminée, dont les flammes rageuses dévoraient les grosses bûches, il semblait las, exténué par la vanité des choses entassées sur la table, celle de ses paroles, celle de cet aveu qui semblait fuir de lui par quelque oubli, sans réparation possible. Millie s'était lovée au fond d'un fauteuil, résignée, puisqu'on l'oubliait, à attendre la fin de la conversation, amusée des langues de feu, et du chuintement de sève chaude, bavant et bouillonnant par une entaille du bois.

— Puisque la mort nous emporte, peut-être vos petits-enfants aimeront-ils vous lire, plus tard, apprendre qui vous aurez été. Et Millie, qui vous voit aujourd'hui, près de ce feu, si étranger à elle, aura besoin de mieux vous connaître par ce moyen... On n'écrit pas pour personne, mais pour demeurer plus longtemps, à soi, aux autres. Les murs des maisons servent aussi à cela, à garder notre mémoire, et le secret de notre vie, en dépit de nous. Vos collections, comme vos pages, vous survivront.

— Vous avez bien de sentimentalité, mademoiselle. Je ne suis ni pédagogue, comme vous, ni écrivain, ni un *pater familias* non plus, vraiment. Il m'est poussé une famille au flanc, dont j'observe, en entomologiste intermittent, la généalogie hasardeuse. Mes enfants ont fini par renoncer à moi, comme je le leur signifiais, à ma manière. Cependant, ils m'intéressent plus qu'ils ne croient. Ce que j'aime le plus en eux, c'est leur curiosité. Pierre, l'œil rivé à son microscope, Daniel, au viseur de sa caméra, sont des scrutateurs d'existence, que je comprends un peu. Mes filles ont davantage de mal à échapper aux fatalités de leur condition. Leur mère leur est pourtant un bel exemple d'indiscipline...

— Le docteur a peut-être hérité votre goût du voyage, lui qui a rapporté les figurines qui sont sur son bureau. Il m'a dit quels pouvoirs on leur prête...

— Vous vous trompez. Pierre n'a aucun goût du voyage, ni de la collection. Il n'a voyagé que sur ordre. Et je soupçonne qu'il tient à ses mauvais diables pour d'autres raisons qu'esthétiques. Du moins, je l'espère, pour son discernement. La Birmanie réserve des trésors artistiques, qu'il n'a pas seulement dû voir... Voyons, Millie, poursuivit-il avec un agacement visible, que dis-tu de tout cela ? Viens te montrer à moi.

Paralysée par la crainte, Millie approcha, et il passa sa longue main hâlée dans ses cheveux.

— J'ai à peine rencontré trois ou quatre fois cette petite personne, depuis sa naissance. Tu sembles si peu de la tribu... Pierre me dit que vous l'acclimatez ? Sais-tu un peu de piano ?

Abandonnant son chantier, Henri les accompagna au salon de musique pour entendre les petits morceaux que Millie commençait d'exécuter, ritournelles simplettes et rondes enfantines, dont Gabrielle rattrapait les fautes, d'un doigt courant sur les touches. Une fois finie sa corvée, comme si elle savait que son grand-père ne s'intéressait pas tellement à ses prouesses, la petite se logea, comme à son habitude, contre la hanche de Gabrielle et ne bougea plus. Alors, rencogné au fond du fauteuil dans l'ombre, à la place qu'avait occupée son fils, accoudé et la bouche posée sur ses mains jointes, les yeux clos, il écouta Gabrielle jouer une sonate de Schubert, puis une danse villageoise de Chopin, égrènement et roulades célestes, amoncellement de nuages dans des cantons éloignés qui gagnaient la place, dilatant le petit salon aux dimensions d'une plaine, d'où montaient des refrains rustiques en farandoles, venus de loin. Le tapement des semelles se rapprochait, sous celui de timbales ou de tambours qu'on entendait aussi, sortant de terre, montant sous les arbres fleuris, éclatant sous la main gauche quand la droite jouait en sourdine la mélodie plaintive du récitant qui chante mezza voce sa propre partition, sa nostalgie du pays qu'il a quitté, comme on quitte l'enfance, et la vie.

Gabrielle avait vite oublié la désagréable impression qu'Henri de Galay la mettait à l'épreuve, pour se faire une opinion à son sujet. Elle n'était plus qu'au plaisir instrumental, au ciel peint de nuages roses du plafond vers lequel montaient les accords, aux odeurs de vieux jardin d'hiver qui venaient de la serre, et à ce soir où le docteur était venu à elle, et s'était assis là, en silence... Elle pensait à lui et tout ce qu'elle n'était pas capable de penser, ni d'exprimer, elle le sentait par la musique, le papillonnement de toutes ces sensations lui donnait envie de dormir des yeux et de n'être éveillée qu'au bout de ses doigts, qui couraient seuls, comme cabris au galop de leurs sabots sonnant sur les touches d'ivoire. Aux dernières notes, après une pause, il s'inclina.

— Mille grâces, mademoiselle.

Debout près du piano, il attendait, encore sous le charme

— Je ne suis pas sûr que la maison vous paie pour le luxe de votre art, ironisa-t-il, la voyant songeuse.

— Il est gratuit, monsieur, riposta-t-elle vivement. C'est un cadeau, pour votre aimable cours sur l'art chinois.

— Alors, nous sommes quittes pour ce soir.

Sophie se fit porter au Mesnil le lendemain, quittant Genilly pour la première fois depuis son accident. Elle marchait à grand-peine, à l'aide d'une canne, mais sans le secours de personne, et sitôt reparti le tilbury que conduisait un garçon de l'étude, elle s'installa dans le grand salon, accueillie par les gens de la maison, cajolée et soignée, avec des attentions qui la faisaient rire de plaisir. Gabrielle, alertée par Pauline, descendit aussitôt lui tenir compagnie, tandis qu'on cherchait son père pour l'avertir de sa visite impromptue.

— Puisqu'il ne vient pas à moi, j'avais grand-hâte de venir le voir. Mais il a bien fait de m'ignorer jusque-là : quelle bonne occasion de m'arracher à ma chambre. J'y deviens gâteuse, à force d'ennui… Et vous aussi, j'avais grande envie de vous revoir, Gabrielle. Charles est si encombrant, qu'il fait fuir tous ceux qui m'approchent. Au moins, ici, il ne nous importunera pas. Il craint trop mon père. Quel bonheur de me retrouver chez moi ! Moi qui ai fui cette maison, voilà que j'en rêvais, comme d'une île lointaine… J'aurais tant aimé voir Daniel tourner son film, et les paons si drôles dont il m'a parlé, et cette Mlle Dorothée, une actrice en vogue, dit-on. Comment vous a-t-elle paru ? Racontez ! J'ai tout mon temps, je m'installe ici pour la journée, vous devrez me supporter un peu. Mon père a-t-il encore ramené son butin annuel ?… Nous plaisantions, autrefois, de la caisse qu'on livrait, sa hotte de père Noël, même si les cadeaux ne nous étaient pas destinés. Mais cette fois il s'agit de dix caisses ! Bientôt il faudra ajouter une aile à la maison, pour loger le musée Henri-de-Galay !

Henri restant introuvable, la matinée passa en bavardages. Gabrielle, cédant à sa demande, lui rapporta par le menu les événements récents, son séjour à Paris, le temps qu'il y faisait, les spectacles à l'affiche, et les salons de peinture, et surtout, par le détail, la semaine pittoresque où les comédiens avaient campé pour jouer *Les Mystères de Paris* dans les décors naturels du domaine, sans épuiser les questions de la jeune femme, avide de nouvelles. Puis celle-ci voulut aller jusqu'à la cuisine, clopin-clopant, s'appuyant au bras de Gabrielle, et trouvant à ce trajet périlleux un plaisir puéril, elle faisait des haltes pour s'émerveiller de rien, d'un napperon en dentelles de Bruges, de la petite pendule en marbre au clocheton doré, d'un tableautin, une nature morte aux cerises, qui étaient là depuis toujours.

— Tout me semble nouveau, je me fais l'impression d'un nouveau-né qui découvre le monde… On me dit qu'une foulure est pire qu'une fracture, et que je garderai toujours des douleurs à ma jambe. Pourtant j'irais à l'autre bout de la terre avec ma canne, pourvu que je marche, que je marche ! Voyez comme je m'affermis… L'avantage, mon amie, est que, éclopée comme je le suis, mon mari me laisse tranquille, ajoutait-elle à voix basse, contre l'épaule de Gabrielle. Je geins dès qu'il approche. Je ne le tolère plus dans mon lit, voilà. Je suis redevenue fille, pour mon plus grand bonheur.

Gabrielle rougit à la crudité de cette confidence, et s'abstint de répondre. Elle venait de comprendre que c'était le jour du catéchisme de Millie, et que Sophie ne pouvait ignorer cette coïncidence. Que sa visite à son père était le plus bel alibi qu'elle pût trouver, au nez et à la barbe de quiconque, pour revoir enfin l'abbé, après de si longues semaines. Son enjoue-ment et son indifférence au retard que mettait son père à l'ac-cueillir s'expliquaient d'autant mieux. Gabrielle admit, avec une indulgence attendrie, la ruse de Sophie, son audace et sa déter-mination à se donner licence, et pour s'être fait quelque peu sa complice, et même l'instigatrice de leur échange, en acceptant de porter le message, un soir de cet automne, elle ne formula pas ce qu'elle venait de penser, laissant aux circonstances le loi-sir d'organiser, ce soir, leur rencontre. Elle se disait, riant au fond d'elle-même : tu peux courir, ma belle, et aller à ton bonheur tout en boitillant, jusqu'au bout de la terre, si l'envie t'en prend. Henri dit que le bonheur est moins facile à trouver que le plai-sir... Pourtant il y a du bonheur secret à écouter chanter son cœur, à désirer écouter la petite musique d'un autre cœur, à prendre au passage les modestes offrandes du jour et à les considérer avec autant de dévotion, d'amoureuse convoitise, que les objets d'art du monde entier. Et si cet homme ne courait pas si vite de par le monde, emporté dans l'ivresse de ses voyages, peut-être entendrait-il parfois d'autres appels, regarderait-il mieux au visage ceux qu'il rencontre, à commencer par les siens. Mais son égoïsme, sa fatuité, sa quête de bête affamée l'en empêchent, alors il joue au dandy désabusé, au philosophe de Transsibérien... Mais déjà Pauline et Sassette venaient à leur secours, jouaient à l'infirmière, feignaient des soins que Sophie ne réclamait pas, et comme midi sonnait, que M. Henri ne paraissait toujours pas, il fut décidé de prendre le repas à la cui-sine, avec les domestiques. Les deux gamines employées en extra prenaient leur repas debout, au coin de la cuisinière, observant en dessous les gens de la maison. Noiraudes, plus intimidées que maussades, effarées d'un rien, elles enduraient les rebuffades de Mauranne qui les traitait comme souillons, se plaignant qu'elle n'en tirait rien, qu'elle n'avait pas à les dresser, ni à leur enseigner les manières. Mais sous ses brutalités de lan-gage, elle les gavait et les bouchonnait comme ses filles, et elles filaient doux, obéissaient au doigt et à l'œil, trop contentes d'être au chaud, dans la belle maison, plutôt qu'au travail de l'auberge du bourg.

Gabrielle n'aimait rien tant que ces tablées, la communauté, familière à présent, réunie autour des nourritures dans l'odeur du pain chaud coupé en tranches par Victor, des soupes rustiques, et du caramel des viandes rôties, sorties fumantes du four. Elle aimait voir Meyer fendre les noix et prendre le fromage en lichettes, à la pointe du couteau. Et comment il glissait en douce, sous la table, des entailles de pain ou des bouts de viande au chiot, avec un clin d'œil à Millie. Et regarder Pauline chipoter dans son assiette, avec des mines de chatte capricieuse. Celle-ci avait maigri, son visage s'allongeait, fort délicat et d'une transparence d'opale, la lèvre luisante avec aux joues un beau vermillon naturel, qui s'inspirait de fièvres secrètes. Cours, se disait Gabrielle, très gaie, cours, ma belle, l'amourette est jolie, qui vient en cachette des Armand, te voir à la brune... Comment ni sa grand-mère, ni Mauranne ne voyaient-elles la mue de Pauline, qui réclamait tant ses seize ans et vivait la fête champêtre de son âge, avec un temps d'avance ? Sophie avait pris place en haut de la table et hachait finement de l'ail en éclats, pour se faire une tartine avec le beurre, qu'elle mordait à belles dents gourmandes.

— Je crois bien n'en avoir plus goûté depuis mon enfance ! soupirait-elle. Alors, Victor, comment préparons-nous notre Noël ? Aurons-nous un sapin, cette année ? Depuis quand Le Mesnil n'en a-t-il plus connu ? Où sont donc rangés les guirlandes et les petits anges de porcelaine ? Mon père ne mange donc pas aujourd'hui ?

— Son couvert est mis, là-bas. Son assiette est sur le réchauffe-plat, et Régis s'occupe de son service. S'il sonne, nous verrons bien... Nous autres, mangeons, bougonna Mauranne, posant sur la table un grand plat de chou farci fumant dans ses volutes bleues.

— Madame a commandé des homards, pour Noël, protestait Mme Victor. Qui saura cuire ces bêtes ? Je ne sais qui les livrera, pas plus que les huîtres. Qui les ouvrira ? Je m'occupe déjà des pâtés et des faisans, c'est toute une affaire. Il faudra bien que je sache, un jour, combien nous sommes, à ce déjeuner...

Henri de Galay les surprit en pleine après-midi, toujours autour de la table à demi desservie, prenant le café en bavardant paresseusement dans un désordre de carafes, de pot à eau et de salières d'étain. Sassette s'était mis à ravauder du linge blanc, installée sur une chaise basse, Pauline et Millie jouaient avec Tout Roux, couchées sous la table, et les souillons pelaient des pommes pour la compote, dans leur tablier, d'où tombaient en spirales des pelures dorées. Gabrielle pensa que, de ce tableau rustique des femmes dans la grande cuisine aux dalles fraîches, où le reflet des cuivres mettait des flammèches fauves, et que nimbait la matière laiteuse et translucide du jour d'hiver, Henri ne semblait pas voir l'harmonie et la beauté, qui valaient bien, pourtant, celles qui lui faisaient courir le monde... Il rentrait en manteau de fourrure, les joues gaufrées et lèvres amincies par le froid, se frottant les mains et tapant ses bottes crottées sur le carreau impeccable, suivi de Régis qui avait dû l'accompagner dehors, toujours raide dans son pardessus bleu roi, le nez rouge mouillé de bruine. Ils tombaient comme mars en carême, et le silence se fit à leur entrée, non d'une faute, mais de réprobation muette pour cette irruption cavalière dans leur intimité.

— Voilà bien ma fille, qui est là sans me prévenir !

— C'est que vous restiez sans venir me voir, rétorqua-t-elle avec une insolence qui le laissa pantois. Et encore vous sortez courir les bois, me sachant à vous attendre...

Régis roulait des yeux en coquilles d'escargot pour trouver la jeune maîtresse avec les servantes, et la petite demoiselle vautrée sous la table. Il fila sans demander son reste, sentant l'orage.

— Sophie ! Bon Dieu ! De ce pas, j'arrive de Chine !

— J'arrive de Genilly, mon père. Et je suis heureuse de vous voir si bonne mine.

En claudiquant, elle s'était jetée fougueusement dans ses bras, et pour faire bonne contenance devant la compagnie, il baisa son front, dans le mouvement passa son bras sous le sien et, d'autorité, l'entraîna avec lui dans la maison.

— Au moins, son accident lui a délié la langue, remarqua placidement Mme Victor, dès qu'ils furent sortis.

Elles pouffèrent ensemble et, par indiscipline, Mauranne resservit du café.

XVII

Pierre Galay remontait la rue Lepic, sous la pluie battante, enjambant les flaques au pas de gymnastique, traversant la chaussée, esquivant de justesse les voitures que la pente emportait. Il allait vite, autant pour fuir le mauvais temps que pour opposer un effort physique à l'agitation de ses pensées, mais le crachin glacé qui perlait son front et noyait ses yeux n'apaisait pas son souci. Il avait quitté l'Institut en coup de vent, sans même prendre son parapluie, sur une brusque inspiration, le besoin immédiat de trouver conseil et secours auprès de son vieux maître, le professeur Bauer, chez qui il se rendait à présent.

Celui-ci vivait retiré dans un vieil immeuble de la butte Montmartre, persécuté par de douloureux rhumatismes qui le prenaient par crises aiguës, et qui avaient fini par lui faire abandonner toute activité, le confinant peu à peu dans son appartement, dont l'escalier était devenu impraticable pour son âge. Sans enfants ni famille, veuf depuis longtemps, il n'avait plus pour compagnie que Suzanne, sa gouvernante, dont Pierre, de longtemps, pensait en secret qu'elle avait été plus que sa servante. Elle continuait de tenir auprès de lui tout ensemble le rôle de mère, d'infirmière, de cuisinière et de secrétaire, avec une passion confinant à la dévotion, mais elle avait son âge, et Pierre redoutait ce qui se passerait le jour où elle-même ne pourrait plus monter les étages, ni prendre soin du vieil homme. Pour Jules Bauer, des premiers disciples de Pasteur, qui avait voué sa vie à défendre sa mémoire et poursuivre son œuvre, dont l'enseignement, l'intelligence et l'esprit avaient décidé de sa propre vie, quand, jeune médecin, ayant fini son temps militaire, il hésitait encore entre la carrière de praticien ou celle de chercheur, il avait conçu un de ces attachements profonds qui mêlent l'estime à la gratitude, l'admiration à l'affection, une vénération où la déférence avait laissé place au sentiment filial. Il ne s'agissait pas seulement de sa science, transmise avec une bienveillance et une générosité rares, de sa haute conscience morale, de sa droiture, mais surtout de la complicité installée entre eux par le compagnonnage scientifique, et cette sorte de reconnaissance mutuelle dont la vie offre parfois l'occasion. Le considérant comme un pair, et bientôt en ami, Bauer l'avait accueilli dans son intimité, tel son fils adoptif, et nul doute que l'adhésion de la sourcilleuse Suzanne, qui l'accueillait toujours avec tendresse, avait joué un rôle décisif, car elle veillait trop jalousement sur son maître pour n'avoir pas compris combien la présence de Pierre comblait le vieil homme. Sans doute Bauer incarnait-il une figure paternelle manquante, mais, de ce lien, Pierre ne cherchait pas à connaître la nature, ni les raisons, et c'est vers lui qu'il courait, à présent, après avoir traversé toute la ville. Qui d'autre que Bauer pourrait l'aider à y voir clair, à prendre une décision, à juger en conscience des questions dont il ne pouvait discuter avec quiconque, sans avoir à livrer des pensées que leur gravité lui interdisait de partager ?

Les prélèvements biologiques ramenés de Châlons avaient été envoyés au plus tôt à l'Institut médicolégal, et il fallait compter plusieurs semaines d'attente pour le rapport. Ce délai pourtant raisonnable le tourmentait, si grande était son impatience d'y confronter ses résultats. Car, par sécurité, ou par scrupule, il avait soustrait une part de chaque échantillon des tissus, poumons, reins, œsophage et trachée, prélevés lors de l'autopsie du cadavre, ainsi que des mucosités recueillies par le Dr Denom, confiés maintenant aux laboratoires de physiologie. Il en avait mené lui-même l'analyse, seul et pour son propre compte, moins pour établir une supposée maladie infectieuse, qui concernait en principe sa spécialité, que pour prévenir la perte éventuelle, ou la destruction accidentelle de ces matières, dont il ne voulait, pour rien au monde, laisser l'examen dépendre des seuls médecins légistes. Or ses tests de pharmacologie venaient de confirmer son hypothèse, conçue dès son autopsie du mort de Châlons. Il avait isolé des particules d'acétone, hautement concentrées, dont les propriétés caustiques expliquaient les dégâts organiques terrifiants. Or cette qualité d'acétone n'était pas d'origine organique, comme celle de la production domestique, issue de la distillation du bois ou de la décomposition de l'acétate de calcium : elle résultait d'une synthèse bactériologique. Ce microbe, isolé depuis peu par Fernbach, capable de produire le *Bacillus violarius acetonius* à partir d'hydrates de carbone, n'était encore connu que de la petite communauté scientifique, procédé resté à l'état expérimental, ignoré encore de la production industrielle. Qu'un tel toxique fût présent dans l'organisme d'un individu, que sa condition sociale excluait du contact avec cette substance, était une anomalie absolue. Ce constat l'avait glacé, plongé dans un tel état que Grandrieux, alarmé par sa pâleur, avait quitté sa paillasse pour le secourir, croyant à un malaise.

C'était huit jours plus tôt, dans une des petites salles à l'étage de l'Institut. Par les fenêtres, l'or des peupliers du jardin flamboyait contre un ciel d'azur hivernal éblouissant, opposant, dans une sorte d'obscénité, sa beauté triomphante à la sinistre découverte qu'il venait de faire, dans le silence et la solitude de son étude. Ce qu'il venait d'identifier là avait de si graves conséquences, qu'il en avait été abasourdi, aussitôt rejeté au doute, comme pour en conjurer la réalité. Aussi s'était-il bien gardé, dans l'instant, d'en faire part à Grandrieux, ce jeune assistant de talent, sympathique mais encore brouillon, peu apte à l'aider à réfléchir calmement. Sa confusion une fois passée, il s'était perdu en conjectures sur l'origine de ces particules, sur les circonstances qui pouvaient en expliquer la présence, à un dosage aussi concentré, dans un corps humain, surtout celui d'un ouvrier misérable d'une petite ville de province... Pendant huit jours, il avait tenté d'oublier sa découverte, trouvant une diversion aux tâches prenantes de sa double fonction, hospitalière et de recherche, mais le soir son souci revenait, dévorant ses nuits d'insomnie, le jetant hors du pénible sommeil par de brefs cauchemars, trop familiers.

Il venait, au prix d'un effort stoïque, de passer la matinée à relire ses analyses, à contrôler l'exactitude de ses protocoles et de ses calculs, déserté par tout autre pensée ou sentiment, retrouvant en professionnel la grande froideur qu'exige la rigueur scientifique. Vers midi, une fois achevée sa vérification, il avait méthodiquement reclassé les feuillets, refermé la chemise de carton, et l'avait rangée dans le placard de son bureau, une sueur glacée aux tempes, le pouls battant ses poignets. Il n'était pas un débutant pour se laisser ainsi submerger par l'effroi, mais en tournant la clé, il pensa enfermer là une bombe à retardement. Grandrieux l'avait vu faire, du coin de l'œil, intrigué par le long temps passé sur ces feuillets, par la raideur mécanique de ses rares mouvements et le silence de son étude, par ce rangement exceptionnel, car on ne déposait là que les dossiers importants.

— Eh bien, avait-il lancé, comme le docteur enfilait son pardessus, avez-vous bien travaillé, aujourd'hui ? On dirait que vous avez vu le diable !

Comme s'il se réveillait, le Dr Galay s'était arrêté dans son geste, tandis qu'il enfilait son pardessus, surpris par la jovialité déplacée du jeune homme.

— Ah... Oui, sans doute, cela y ressemble... Je vous en parlerai. Je sors, Grandrieux. Je serai absent toute l'après-midi.

Maintenant il courait à son but, le cerveau en proie au désordre, furieux contre lui-même, de si peu ordonner ses pensées, de si peu en contenir le déferlement anarchique. C'était bien pourquoi il avait fui l'Institut et traversé la ville, vers le seul être à qui il pût se confier sans réserve. Suzanne ouvrit et, si elle remarqua son air, elle ne marqua aucun étonnement, au contraire, fondit de gentillesse pour le baiser aux joues, comme un enfant de la maison, et repoussant du dos de sa main les mèches poivre et sel de son opulente chevelure torsadée à l'ancienne, elle eut un grand sourire maternel.

— Mon pauvre garçon ! Vous voilà bien saucé ! D'où venez-vous par ce temps de chien ? Quittez donc vos souliers, et chaussez ces pantoufles, vous attraperez du mal avec vos pieds trempés, et vous gâcherez mon parquet !

Elle prenait prestement son manteau, l'emportait dans une antichambre pour le suspendre, et comme elle allait et venait, il songea quelle beauté elle avait pu être autrefois, avec sa longue nuque et ses épaules élancées, sa peau laiteuse piquetée de rousseur, son étoffe de santé et de robustesse, toute la sensualité de sa personne, aujourd'hui amoindrie par l'âge, mais non pas disparue, au contraire peut-être, dans son grand calme de vieille femme, plus douce, plus désirable que par le passé. Sa vue était si rassurante, après la course éperdue dans la ville, qu'il eut un élan de gratitude enfantine pour son accueil, prit sa main miséricordieuse et y posa sa joue.

— M. Bauer sort de sa sieste, vous tombez bien. Je vous porte à tous les deux un thé, et une part de quatre-quarts au citron, qui sort du four... Amenez-lui donc son journal.

Il alla seul au fond de l'appartement, ses pas étouffés par les tapis, mais Bauer avait tout entendu du dialogue dans l'entrée, et il l'attendait déjà, installé à son bureau près de la fenêtre, sous sa lampe de verre vert, à cette place où Pierre l'avait si souvent vu, au milieu de ses livres et de ses dossiers, dans cette pièce où il vivait et dormait désormais, pour s'éviter les déplacements dans son intérieur trop vaste. Malgré son grand âge, et ses douleurs, il continuait de lire, de se tenir au courant des derniers développements de sa discipline, d'exercer son esprit critique et son intelligence, encore passionné par toutes les sciences et les techniques, dont il suivait avec passion les progrès constants.

— Mon cher Galay ! Quelle bonne surprise ! Par ce jour de grisaille et de froid, je ne croyais rien voir venir pour m'arracher aux sombres pensées... L'horizon est bien bouché, n'est-ce pas ?

Il désignait la vue de sa fenêtre, qui ouvrait d'ordinaire sur Paris en une perspective royale, l'étendue urbaine déroulée d'est en ouest, jusqu'aux lointains d'Ivry et de Saint-Cloud, l'immense carrière de la ville, ses toits, ses dômes et ses monuments, la flèche des églises, et le ruban d'argent de la Seine sous ses ponts. Mais aujourd'hui le ciel bas, le sombre couvercle de pluie colmataient le paysage, et rien ne se voyait, que les premiers immeubles aux toits de zinc luisant d'un morne éclat, le reste perdu dans l'insondable brouillard. Maintenant qu'il était rendu là, sous la lampe, dont le cercle de lumière circonscrivait leur intimité, dans la réconfortante chaleur de ces murs, plus rien ne pressait. Il questionna Bauer sur sa santé, sur ses nuits et ses jours, ses lectures, depuis sa dernière visite, en octobre. Avec sa discrétion coutumière, ou par pudeur, Bauer fit avec humour un bref tableau de ses infirmités chroniques, et comme Suzanne poussait le petit chariot de service avec la collation promise, il la plaisanta de le gâter comme un invalide.

Pierre considérait sa tête blanche, à la barbe et aux cheveux soyeux comme duvet de cygne, son front nu et la netteté de ses traits, l'énergique dessin de sa mâchoire carnassière, le nez fort et les grandes joues massives, l'intensité de son regard noir, aux aguets. Tel un vieux fauve tenu à sa tanière, il gardait une séduction virile, une puissance offensive pleine de douceur, agitant ses mains écartées comme des fleurs pour encenser Suzanne, puis les posant en redoutables griffes sur ses papiers épars, haussant son long buste et bombant la poitrine pour rire, de son rire sarcastique et plein de bonté. Pierre adorait cet homme. Il aurait voulu mériter de devenir un jour ce vieillard, que l'expérience n'avait pas aigri, mais armé d'une foi lucide, sans illusion et cependant avide de connaître encore. Il mordait avec plaisir dans le quatre-quarts savoureux, se souvenant qu'il n'avait pas déjeuné, et cette faim retrouvée calmait sa fièvre. Bauer commenta son appétit mi-riant, mi-inquiet.

— ... car enfin, tu n'es pas uniquement venu pour manger le gâteau de Suzanne, poursuivait-il. Qu'as-tu donc, pour y mordre avec ces dents de loup ? Que se passe-t-il ?

Alors Pierre, ému d'être deviné, prit le temps d'avaler sa bouchée, puis prenant son inspiration, se raconta. Il le faisait avec un grand souci de calme et de concision, cherchant la géométrie froide d'un langage qui contiendrait les faits et les questions ensemble, qui exclurait les franges douteuses pour ne garder que le clair exposé des épisodes, mais sa voix avait des inflexions tendues et s'enrouait fréquemment, tandis qu'il retraçait son voyage à Châlons, et le résultat de ses analyses.

— Je crois, conclut-il, que cet homme est mort d'avoir inhalé une dose massive de toxique rare et très concentré. Sa formule le rend incolore, et inodore : il n'alerte aucunement de sa dangerosité. Le ravage caustique est immédiat, mais indolore dans l'instant. Les symptômes apparaissent dans le délai d'une heure ou deux, selon les constitutions. Ils sont irréversibles, mortels à cent pour cent. L'agonie est atroce. Si mes collègues de Châlons ont cru à un choléra, ou à un typhus, c'est par aveuglement, tellement le cas était inouï, inconnu par la clinique.

— Inconnu. Je n'en ai jamais vu de semblable. As-tu questionné l'entourage ?

— Dès l'autopsie, j'ai pensé que ce cas était une anomalie majeure. Je suis allé visiter sa femme. Ce sont des ouvriers. Elle coud à domicile, il travaille dans une petite usine qui fabrique des clous et des vis, ils ont deux enfants, une vie de très pauvres gens.

— Enfin, Pierre, qu'attends-tu de moi ? D'évidence, cette mort n'est pas naturelle. Elle est due à un toxique rare, tu t'en es assuré par une très bonne méthode.

— Je dois attendre les conclusions de l'Institut médicolégal.

— Elles seront moins précises que les tiennes. Ce sont des physiologistes, pas des chimistes.

— Soit. Mais j'ai besoin de leur confirmation.

— Quelle confirmation ? Quelle que soit son origine, ce poison a été administré ou dispensé de manière criminelle. C'est à la police d'enquêter. Remets-t'en à elle.

Pierre se leva brusquement, passa derrière le fauteuil du vieil homme et se pencha vers la rue, en proie à une émotion qu'il voulait maîtriser avant de poursuivre. Mais Bauer avait pivoté et lui faisait face.

— Tu ne m'as pas tout dit encore.

— Non. Et c'est difficile. M'entendrez-vous ?...

— Tu sais que ce bureau peut entendre beaucoup de choses sans que rien en sorte. Va fermer la porte.

Pierre Galay s'exécuta, et le simple mouvement de traverser la pièce le soulagea. Il revint s'installer de l'autre côté du bureau, et soutint le regard d'aigle de Bauer.

— Je crains d'avoir découvert un fait de la plus haute gravité, et je ne suis pas sûr... Ou plutôt, je suis sûr que je dois me taire.

Rien ne pouvait m'arriver de pire que cette affaire de Châlons… Elle me ramène des années en arrière, c'est un cauchemar. Comme je voudrais me tromper… Vous savez dans quelles circonstances l'armée m'a acculé au procès, à mon retour de Birmanie. J'ai été accusé de trahison, de détenir des informations qui concernaient ma hiérarchie, et que je refusais de livrer… Jules, je vous conjure de garder le secret sur ce que je vais vous dire maintenant.

Un instant, il n'y eut que le silence ouaté de l'appartement au fond duquel vaquait Suzanne, la lointaine rumeur de la rue et la pluie, tambourinant sur le rebord en zinc de la fenêtre.

— Les avocats de ma mère ont construit ma défense en détournant l'accusation : c'était une affaire de femme, n'est-ce pas ? J'avais enlevé la fille d'un militaire anglais, je l'avais arrachée à sa famille, à sa maison. Le scandale d'un Français compromettant une ressortissante anglaise, dans une province de l'Empire britannique, la régularisation hâtive par un mariage à la sauvette, et la fuite sur le premier bateau en partance pour la France, au mépris de ma mission et de tous mes devoirs de médecin… C'était si énorme, que cela a balayé les autres chefs d'accusation. Les autorités ont aggravé volontairement mon cas : désertion de poste, manquement à mes obligations, atteinte à l'honneur de l'armée française. J'étais passible d'une peine infamante. Vous savez tout cela. Et comment ma mère a étouffé l'affaire, comment la hiérarchie militaire, forcée d'admettre la version passionnelle, a dû renoncer à poursuivre sa plainte pour rétention de documents. Pour m'accuser, elle souffrait d'un manque criant de preuves. A défaut de me condamner pour trahison, elle a préféré le faire pour l'indignité de mon comportement. Car je n'étais ni militaire, ni agent de renseignements. Comme pour mes missions précédentes, à Madagascar et au Maroc, j'étais parti cette fois encore sur la demande du ministère des Colonies, intéressé au vaccin antityphique, pour une campagne d'étude de l'Institut, au moment où commençait la polémique sur la méthode de préparation. Aujourd'hui les professeurs Chantemesse et Vincent s'affrontent encore là-dessus… Ce dernier a raison, d'après moi, de critiquer l'altération par le chauffage et de préconiser le mélange de races du bacille. Celui-ci varie sensiblement selon le pays, les sujets, et l'intensité de l'épidémie… Il pratique maintenant sa nouvelle méthode, la culture très jeune et rapide de bacilles polymorphes, limitant la sécrétion et la virulence, puis, au lieu du chauffage, l'addition de l'éther, qui tue le bacille en quelques heures, et, après évaporation, l'obtention d'une vaccine polyvalente, alors bien plus opérante.

A l'époque, c'était une hypothèse balbutiante, et on n'avait essayé l'injection, à quelques jours d'intervalles et selon un dosage croissant des microbes, que sur des cobayes. J'avais suggéré de tester la méthode dans des zones géographiques variées, à partir de races variées de bacilles. Le ministre des Colonies a donné son accord pour l'appliquer aux contingents de soldats en poste en Orient, à titre expérimental...

Vous savez tout cela... Je ne le rappelle que parce que, lors de mon embarquement au Havre, j'éprouvais le sentiment exaltant de participer à une mission décisive, qui allait nous permettre de prouver l'excellence de ce procédé, et de vaincre, par ce grand vaccin, les épidémies dévastatrices de typhus. C'est celle qu'emploie aujourd'hui notre armée, n'est-ce pas d'une belle ironie ?... Et puis, mandaté par le Pr Roux, j'allais au Tonkin, rencontrer le grand Alexandre Yersin à Nha Trang, visiter son école de médecine à Hanoï... J'étais loin d'imaginer à quelle aventure j'allais me trouver mêlé. Ma première escale à Rangoon n'a duré qu'un mois, le temps de mettre au point un protocole, et de l'administrer à un échantillon de volontaires, sous le contrôle de l'administrateur anglais, hautement intéressé par nos recherches. Si désireux de collaborer, qu'il a lui-même organisé, ensuite, une campagne de vaccination jusque dans la région des deltas, puis à Mandalay, et en a communiqué ensuite régulièrement les résultats à l'Institut, durant plusieurs années... J'ai quitté Rangoon, ma campagne comportant les zones épidémiques de Cochinchine, d'Annam et du Tonkin, où je suis resté le temps du test et de son contrôle, durant trois mois, avant de clore mon voyage par ce séjour à Hanoï. Ma dernière étape, sur le chemin du retour en France, était Rangoon, où je revenais recenser les résultats relevés par les médecins de l'administration britannique, avant de rentrer.

— Pierre, pourquoi me racontes-tu tout cela ? Quel rapport a cette vieille histoire avec le cas de Châlons ?

— C'est là que se situe l'épisode, dont je n'ai parlé à personne encore, à personne. Mon système de défense a permis de le passer sous silence, au procès. J'ai tenté de le chasser de ma mémoire, je le croyais définitivement enfoui dans l'oubli... Et voilà qu'il resurgit aujourd'hui, dans toute sa cruauté... Parce que, là-bas, j'ai vu mourir un homme dans les mêmes conditions que l'homme de Châlons... Je fais ce rapprochement en toute connaissance de cause. Il m'épouvante, Bauer.

Un instant, il resta suspendu au regard du vieil homme, sondant on ne savait quel vertige. Puis il se lança, perdant ses yeux par-delà l'épaule de Bauer, vers l'insondable ciel d'hiver.

— Sur le vapeur, à l'aller, j'ai fait la connaissance d'un voyageur qui partait pour la même destination que moi, un jeune ingénieur d'origine hongroise, avec qui j'ai sympathisé aussitôt. J'avais bien, pour m'assister, deux équipiers, médecins des armées, mais ils étaient camarades, partageant leur cabine et n'inclinant guère à l'échange. Sans doute ai-je été porté vers ce voyageur pour fuir leur triste compagnie, par l'ennui, le grand désœuvrement du voyage au long cours, ces semaines de traversée qui vous jettent, dès que perdu de vue le port, dans la solitude des mers, la monotonie des jours et des nuits, dans l'épreuve du face à face avec soi, que seuls les vrais marins supportent... Mais surtout, j'ai été attiré par sa personnalité attachante, son charme d'homme cultivé, polyglotte et curieux de tout, d'une conversation profonde et enjouée, en qui j'ai trouvé l'ami d'élection de qui tout vous rapproche, dont les affinités rencontrent magiquement les vôtres dans l'instant de la rencontre. Peut-être le temps gratuit du voyage, l'artifice de sa parenthèse, vous précipitent-ils alors dans ces relations intimes, d'une intensité qu'aucun autre moment de la vie ne permet... Nous n'avions aucune raison de nous connaître, nous nous serions croisés sur les trottoirs de la ville sans nous voir, rien ne devait nous rapprocher que le hasard de cette traversée... et elle a été un des plus beaux moments de ma vie. Combien de soirées avons-nous passées, tandis que la nuit montait à l'horizon, à deviser sur le pont face aux vastes nuages océaniques qui rendent si poignants les crépuscules en mer... Combien de nuits à jouer au whist ou aux échecs, à lire ensemble, dans le grondement constant du vent et la rumeur des vagues.

Nous nous sommes pourtant peu ouverts l'un à l'autre, de nos vies privées, de notre histoire. Les hommes sont peu enclins à se livrer sur le mode impudique de la confidence, mais je suis encore étonné que cette grande proximité m'ait si peu appris de lui, finalement. Je crois seulement savoir que sa famille était d'une lignée princière de Hongrie, et que l'adversité l'avait jeté dans l'exil. Mais, de lui, j'ai su la science, la culture humaniste, l'esprit pénétrant, frotté à des expériences intellectuelles et scientifiques. Car lui aussi partait en mission, pour des commanditaires industriels de la chimie, un comptoir néerlandais faisant commerce de colorants, et cette expédition comblait en lui un besoin d'expériences nouvelles, qu'il avait hâte de satisfaire. L'arrivée à Rangoon nous a séparés. Cependant, nous nous étions promis de nous revoir. Ce qui est arrivé quelques fois, durant mon séjour, à l'occasion d'une réception au consulat, d'une soirée chez l'administrateur colonial... On réunit les résidents et leur famille autour des voyageurs de passage, comme des curiosités, pour tromper leur ennui, les divertir de leur éloignement. Le mal du pays et le climat éprouvant dissolvent les esprits, et parfois jusqu'au goût de vivre, ils jettent ces communautés d'expatriés dans des frénésies passionnelles très étranges... Quoi qu'il en soit, nous nous sommes encore croisés dans ces réunions mondaines, où il faisait belle figure, très séduisant, et courtisé. Nous nous sommes engagés à nous revoir, à mon retour de Hanoï. Il m'a demandé ma parole, avec ce détachement ironique qui engageait plus qu'un serment solennel. Il résidait alors dans un hôtel assez luxueux, comme on en trouve dans les ports coloniaux, près du comptoir d'import-export de la compagnie qui l'employait. Je dois ajouter qu'il ne voyageait pas seul. Un autre employé l'accompagnait, qui semblait son familier, mais taciturne et gros dormeur. En proie au mal de mer, celui-ci avait passé le voyage le plus souvent enfermé dans sa cabine, ne nous rejoignait que rarement pour les repas, ou pour quelques parties de cartes. Je ne l'ai plus vu, lors de mon premier séjour. Il m'avait paru, alors, qu'il avait un rôle subalterne, de comptable, ou de courtier. A vrai dire, j'étais trop pris par ma mission, les contacts à établir avec l'administration britannique, et la mise en place de mon protocole, pour me soucier de son sort.

C'est pourtant lui qui m'attendait sur le quai, trois mois plus tard, dans les affres de ma venue improbable. Depuis huit jours, sachant qu'approchait la date de mon retour, il guettait chaque bateau des compagnies maritimes de tous pays, qui croisent en mer d'Andaman, avant de gagner les comptoirs de l'Inde, et l'Europe... Il était dans un état de grande déchéance physique, et mentale, je le crois. Ce qui s'est passé ensuite est tellement incroyable... Sachez seulement qu'à cause du pli que me remettait cet homme, j'ai abandonné mon équipe, et mon poste, et quitté immédiatement Rangoon pour Kyaik Htiyo, sur la route de Moulmein, afin d'y chercher cet homme, qui m'appelait à son secours en des termes de vie et de mort. Sans autorisation, je transgressais les lois locales, je trahissais l'accord passé avec l'occupant anglais, et je prenais le risque de perdre tout le bénéfice de mon étude. Mais je n'ai rien réfléchi ni pesé. C'était un acte impulsif, dicté par je ne sais quel pacte fait avec moi-même, avec lui, d'obéir à son appel, quel qu'en soit le prix. J'ai d'abord emprunté le chemin de fer, la ligne incertaine qui joint Moak Palin, puis j'ai loué un cheval et un guide, et me suis enfoncé dans la vallée du Sittang pour trouver le village que m'indiquait sa lettre. Je ne vous dirai pas les conditions de ce voyage de cinq jours, à trois cents kilomètres de mon port d'attache, ni les paysages, ni la mousson du Sud-Est qui commençait, les orages et la chaleur, les pluies incessantes, et la crise de paludisme qui m'a terrassé en arrivant dans cette région insalubre. Cela occuperait un livre, et je n'aurai jamais le cœur de l'écrire.

Je n'avais rien emporté, qu'un bagage sommaire, assez d'argent pour monnayer mon voyage, que m'a volé mon guide en arrivant, m'abandonnant dans cette contrée dont je n'avais pas de carte, où je n'avais aucun repère, aucun appui, dont je ne parlais pas la langue. Et c'est un marchand irlandais, un négociant en bois précieux rentrant de Moulmein, faisant halte dans l'hôtel minable où je délirais depuis quinze jours, en proie aux fièvres, qui m'a recueilli et soigné, avec cette solidarité des étrangers perdus en pays hostile. Se renseignant, il m'a indiqué comment atteindre le village, où je suis arrivé à pied, après trois jours de marche, dans un tel état d'épuisement et d'anxiété que rien ne m'est paru étrange de ce que j'y trouvais. Car mon ami était là, en effet, le seul Blanc dans cet endroit reculé, un minuscule bourg sous les palmiers et les vergers de cajoutiers, à l'écart de toute route, de toute civilisation occidentale. Il vivait dans le plus grand dénuement, abrité dans une demeure coloniale presque effondrée, ouverte à tous vents, à moitié envahie par les lianes et les herbes sauvages, parmi des meubles en ruine, couverts de moisissure. Ivre d'opium, dévoré par la vermine, en proie à de violentes hallucinations, au milieu desquelles mon apparition a dû lui sembler si naturelle, qu'il m'a accueilli comme si je venais finir avec lui une partie d'échecs engagée la veille. Je ne sais quel air égaré je pouvais avoir, après ces épreuves, mais lui était dans un état de délabrement effrayant, amaigri et tremblant de fièvre. A peine ai-je reconnu l'homme élégant, en pleine santé et maître de lui, que j'avais quitté trois mois plus tôt. Une très jeune femme était avec lui, dans le même dénuement. Si frêle, si délicate qu'on eût dit un fantôme à ses côtés, tant elle se tenait silencieuse, aux aguets du moindre de ses désirs. Et j'étais si loin de toute raison, que je me suis à peine étonné de sa présence, en cet endroit sauvage. Je l'ai épousée, Jules Bauer. Jane Archer est devenue ma femme. Je l'ai ramenée avec moi, selon la promesse faite à mon ami. Je l'ai sauvée des siens, qu'elle avait quittés, et trahis pour le suivre dans son aventure. Et plus que le suivre, le servir, au risque de la mort. Je l'ai ramenée en France, en dépit des obstacles, et des dangers, parce qu'elle était la fille d'un officier de l'armée d'occupation anglaise, et qu'elle avait commis le crime, inexpiable aux yeux de ses compatriotes, de voler à son père des documents de la plus haute importance. Voilà dans quel péril était mon ami, et la femme qui avait épousé sa cause…

Pierre Galay interrompit son récit, submergé par une si forte émotion que des larmes brouillaient sa vue, qu'il ravala en silence. Le professeur se racla la gorge, rangea ses papiers, servit du thé, presque froid à présent, attendit sans un mot. S'il ne comprenait toujours pas la raison de ce récit, il en recevait la confidence avec le tact de sa vieille amitié, frappé par l'exceptionnelle gravité de ce long aveu. Il connaissait pourtant depuis longtemps l'équipée birmane, ou plutôt la parenthèse irrationnelle qui avait perturbé la mission de son jeune disciple, et son retour mouvementé, son malheureux mariage, et la mort de son épouse. Il savait d'autres choses encore, les conclusions du procès, la détestable rumeur qui avait pu, un temps, compromettre la carrière de Pierre, que son veuvage avait fait taire, pour finir, mais jamais il n'avait posé de question, averti de ces aventures du cœur, ou de l'âme, qui emportent les plus raisonnables, les plus estimables des hommes hors d'eux-mêmes.

— Voilà ce que j'ai appris alors, reprit Pierre, d'une voix raffermie. Mon ami était ingénieur chimiste. Sa compétence intéressait au plus haut point les puissances étrangères, qui l'ont approché alors. Il a eu à connaître des expériences militaires clandestines, illégales, menées en Birmanie, sous le prête-nom de compagnies civiles. Menées sur des indigènes, comme du bétail. Expériences mortelles. Pour lui, Jane a volé à son père des documents témoins de ces exactions. Elle les lui a remis. Ce geste les a perdus. Quand je les ai retrouvés, ils n'avaient plus d'espoir d'échapper longtemps à ceux qui les poursuivaient. Ils avaient projeté de descendre jusqu'à la frontière du sud, de passer au Siam, en pays thaï, d'embarquer pour n'importe quelle destination. Mais elle était trop faible, déjà atteinte, je crois, par le mal qui l'a emportée, et lui déjà désespéré, atteint de cette maladie mortelle de l'âme, n'avait pas d'illusion sur leur fuite sans appui, sans argent, en pays ennemi. Ils avaient échoué là, atteint ce village d'où venait la nourrice de Jane, où ils m'attendaient. Où lui m'attendait, avec une foi insensée en ma parole donnée de le revoir. Je ne sais comment vous expliquer mon effarement, alors, mon incrédulité, à les entendre. Nous nous tenions sur la véranda, devant nous les trombes de pluie emportaient la boue du chemin, charriant rats noyés et jacinthes d'eau, les éclairs déchiraient le brouillard de pluie, et nous conversions de cette affaire en fumant des cigares, avec une grande patience, une indolence qui tenaient de la folie.

Les jours ont passé sans que je sache exactement combien, peut-être quinze ? J'ai fumé de l'opium, moi aussi, par intermittence. J'ai rêvé des jours entiers, ou des nuits. Je ne sais si j'ai vraiment marché sur les corniches de calcaire qui dominaient la vallée, si j'ai vraiment plongé dans la rivière, tandis que tombait la mousson. Je crois que je me suis réveillé de cet état somnambulique, un matin d'éclaircie fantastique, d'une infernale beauté. Le soleil venait de se lever, baignant la nature d'un rouge d'incendie, épuisante aux yeux, comme si nous avions perdu les couleurs du monde réel. Mon ami m'a rejoint sur la véranda, il est venu sans que je l'entende. Il était dans un état effrayant de lucidité et de paix, sa face livide fardée par cette lumière d'un rouge surnaturel, si ardent qu'on l'eût dit émanant de lui. Il n'a jamais été plus beau qu'à cet instant.

— Pierre, je me suis tué, m'a-t-il dit, avec une sérénité si inquiétante, que j'ai cru à un nouveau délire.

Puis il m'a pris dans ses bras, m'a étreint longuement. Il s'est assis sur les marches, et m'a dicté ses dernières volontés, disait-il. Il m'a confié une sacoche de toile, qui contenait des objets sacrés, c'étaient ses mots, et si impensable, si chimérique était ce testament, que j'ai juré, comme il m'en suppliait, de faire en sorte qu'ils ne tombent jamais en d'autres mains que les miennes, de les détruire plutôt. J'ai juré de fuir, j'ai juré de sauver Jane. J'ai juré tout ce qu'il a voulu. De ne dire à personne au monde ce qu'il était devenu, ce qui lui était arrivé, ni ce qu'il savait. Je n'ai jamais vu de ma vie un homme aussi désespéré, aussi serein, aussi heureux dirais-je, si ce n'était une injure pour lui.

— Rien de ce qu'a été ma vie jusque-là, disait-il, rien de ce que j'ai fait, désiré et rêvé ne devait me conduire là. J'ai pourtant contribué, de toute mon intelligence, de tout mon pouvoir, et de toute ma volonté, avec passion, au plus monstrueux usage qu'on puisse faire de la science. Je vivrais encore, mais je suis un homme mort. Voyez l'aube, comme elle est vraie. Comme elle est sanglante.

C'étaient des paroles extravagantes, qui dépassaient en absurdité tout ce que j'avais pu entendre. Je crois que moi-même, après ce que j'avais vécu, ces dernières semaines, affamé et affaibli par ma maladie, je n'en mesurais pas toute la folie. Au contraire, transporté par une sorte d'ivresse, d'empathie fervente, j'approuvais ces paroles démentes… Je consentais, comprenez-vous ? J'étais d'accord avec lui. Jusqu'à ce que je reprenne mes esprits devant l'apparition des premiers symptômes. Ceux que je vous ai décrits de l'ouvrier de Châlons. Jane avait la capsule, elle avait assisté, peut-être collaboré à l'inhalation. Elle savait ce qu'il avait fait, et elle se tenait dehors, loin de nous sur le chemin, et elle est restée, là-bas, tapie comme une bête, immobile sous la pluie, tout le temps qu'a duré l'agonie, des heures atroces, désespérantes, car je n'avais aucun moyen, aucun secours à lui apporter, atterré par ses souffrances, par mon impuissance. La seule chose que j'ai pu faire, Jules, c'est de lui administrer l'unique dose de morphine dont je disposais, et elle fut si peu utile... Mon Dieu... Je vous raconte tout cela, aujourd'hui, dans ce bureau paisible, si loin de ce temps et de cet endroit maudits. Je reviendrais là-bas, dans ce pays de l'autre côté du monde, les yeux fermés. J'y reviens sans cesse dans mon sommeil. Jules, pardonnez-moi !

— Il s'agit bien de pardon ! Allons, Pierre, cette tisane nous endort. Attrape donc mon calvados, dans cette commode. Suzanne me l'interdit, mais nous avons bien besoin, toi et moi, d'un vrai remontant.

Sous l'effet de l'alcool, le cours de ses pensées changea. Tout ce qu'il venait d'évoquer, si intensément actualisé par le récit, par les mots qu'il mettait pour la première fois sur son souvenir, lui parut soudain non pas pacifié, mais neutralisé, comme s'il en tenait à bout de bras, devant lui, la représentation, et qu'il la regardait enfin comme un miroir du passé. Si violentes qu'elles fussent, les scènes se recomposaient hors de lui, et s'il en était un des personnages, cela ne l'empêchait pas de vivre, au contraire lui donnait une impression très douce et très triste d'être vivant, douloureuse, poignante sensation de vivre encore, de n'être plus là-bas, prisonnier de lui-même et témoin solitaire, mais propriétaire du temps qu'il venait de réveiller, tant le passé n'est pas ce qui a disparu, mais ce qui nous appartient. Il pouvait invoquer la pluie de mousson, nommer cet affreux matin d'écarlate, dessiner la silhouette de Jane sur le chemin, et regarder la face convulsée de son ami, cela existait comme les papiers peints de ces chambres d'enfants où l'on a eu la fièvre, qui apeurent la vue de leurs terrifiantes chimères, dont on se console en se persuadant qu'elles reprendront leur aspect naturel au réveil. Il lui appartenait d'en rétablir la vérité de souvenir, de se l'approprier comme la réalité de ce qui avait eu lieu. En face de lui, Bauer suçotait son alcool, à petites gorgées, tel un homme à la halte qui ménage sa peine.

— Ton histoire nous mène où elle veut, dit-il lentement. Elle est terrible à voir, mais il y a des petites places désertes et des seconds couteaux, que tu ne m'as pas décrits, et des liaisons qui manquent, des coordinations qui t'appartiennent, avec lesquelles tu mènes rondement l'affaire dans ta tête, mais moi je suis comme devant un paysage à moitié caché par le rideau, ou si tu veux, comme cette vue de ma fenêtre, embrouillée par la pluie. Ce que j'en sais me suffit pourtant pour comprendre l'attentat de l'homme de Châlons, la grenade qu'il vient de dégoupiller dans ton esprit. Et avec un engin pareil, on se demande si on a le temps de le poser quelque part avant qu'il ne saute. Posons-le quand même, mon ami.

Tu as la certitude que ce mort est la victime d'une arme nouvelle, que ton ami a inventée, ou trouvée là-bas, enfin la même ou une autre, mais de semblable nature. Et qu'il s'en soit fait exploser la tête d'horreur n'a pas empêché que d'autres continuent à la vouloir, à la chercher un peu partout. Si tu ne te trompes pas, nous avons raison d'avoir peur. Mais nous sommes seuls entre ces quatre murs à le savoir, restons calmes. Même si Suzanne écoute à la porte, elle est aussi solide que la porte. Toi et moi, que faisons-nous de cette arme, à présent ? J'entends que si tu me l'offres en cadeau du soir, c'est par bonté, par amitié. Pour que nous l'examinions ensemble, tranquillement. Nous ne sommes pas des enfants. L'effort de guerre n'est pas seulement sur la place publique, avec l'emprunt national et les manœuvres de nos cavaleries en grand uniforme. L'industrie des colorants est celle des explosifs, elle verse vite à celle des canons. Nos temps s'y prêtent. Il y a toujours des officines d'activistes aux avant-gardes pour réunir les ressources humaines nécessaires, les savoirs et les techniques, que toi et moi n'imaginons même pas, pour faire de notre science, de notre foutu progrès, les instruments du crime de masse. Vois donc, Pierre, la puissance créatrice et le génie inventif de notre race ! Tu pars au bout du monde tester des vaccins pour sauver l'espèce, et tu tombes sur des criminels qui rêvent de massacre, d'extermination. Entre toi et eux, il s'en faut d'une feuille de papier. Ou d'une conscience, c'est aussi mince. Est-ce à toi, à moi, de décider si la science doit être assignée au progrès matériel, social, voire moral, ou à la puissance nationale ? Nous sommes dans nos frontières, chacun est dans les siennes, et sans aller chercher la poudrière de nos Balkans, les récents événements de Saverne montrent à quel point la situation est explosive ! Il a suffi qu'un officier un peu excité malmène trois civils, les traîne au poste, pour que nous en soyons aux drapeaux et aux fusils, aux cris de haine.

— A qui d'autre que vous me confier ? A qui porter cette nouvelle ? Ni à la police, ni aux militaires. J'ai eu affaire à eux. Je suis le dernier qu'ils écouteront.

— Non seulement ils ne t'écouteront pas, mais ils enterreront la chose en vitesse, et toi avec. Et il y a assez d'activistes, de ligues enragées, de patriotes illuminés pour en faire leur profit, alerter la presse et jeter les gens dans la rue, sans que rien n'en soit changé. Sinon que tu auras servi la vindicte des droites. Ils veulent la guerre, la guerre, le massacre. Quel combustible pour eux, en ce moment ! Sois prudent, Pierre. Laissons cette grenade sur l'étagère, et réfléchissons encore. Attendons. Le mort est bien mort, nous ne le sauverons plus. Attendons la confirmation de tes résultats.

— Et ensuite ?

— Ensuite, il sera temps de décider, d'agir. Nous trouverons alors qui, par quelle voie. Puisque tu t'en es remis à moi, suis mon conseil, à présent. Patiente, Pierre, ou nous serons d'aussi piètres apprentis sorciers que ceux qui manipulent étourdiment ces substances, quelque part, vers Châlons, ou ailleurs... La pluie redouble, on dirait. Emprunte mon parapluie à Suzanne, je ne m'en sers plus guère... Tu me le ramèneras bientôt, mon ami.

Millie était attablée à la salle à manger, agenouillée sur sa chaise, en train de verser, avec un petit cornet, de la poudre d'argent sur des cartons de Noël. Elle en avait elle-même fait le décor de feuilles de houx avec le tampon encreur, et badigeonné de colle arabique les surfaces à poudrer. C'était un travail absorbant qui lui faisait tirer la langue, délicat et très important, puisque chaque carton, calligraphié de beaux paraphes par Gabrielle, portait le nom d'un convive, et serait dressé sur son couvert. La liste était longue, sur la feuille où s'alignaient les noms de la famille, pour le déjeuner privé, puis ceux des invités du goûter qui suivrait dans l'après-midi, car Mme Mathilde voulait distinguer cette fête intime de Noël de la réception offerte en collation aux amis les plus proches d'Henri, à l'abbé et au sénateur, qui est de nos bons voisins, disait-elle. Pour marquer le retour de Monsieur au bercail, disait-elle.

— Le bercail, pas pour longtemps, se gaussait Mauranne. Monsieur n'est pas un mouton, qui reste à brouter la même herbe.

Elle passait en revue le cristal des verres, sortis de la desserte, inspectait chacun en le faisant tourner, étincelant, dans la lumière du matin. D'ailleurs on savait déjà que Monsieur repartirait bientôt, ajoutait-elle, pour passer, comme à chacun de ses séjours en France, quelques semaines de janvier avec la vieille

Mme de Galay, sa mère, sur la Côte d'Azur. Et puis visiter quelques amis dans des provinces diverses, peut-être jusqu'à Florence où vivait un de ses frères, dominicain. Ensuite ce serait le printemps, et il serait, avec armes et bagages, sur un quai de gare, ou de port, en train d'embarquer de nouveau pour Dieu sait où. En attendant il était bien là, séjournant au Mesnil, et ce déjeuner avec son goûter à sa suite donnait assez de mal à la maisonnée pour l'organiser selon les ordres de préséances, parce que Mme Mathilde détestait mélanger les serviettes et les torchons.

— C'est son expression, enchaînait Mme Victor. Elle critique beaucoup Blanche, dans ses soirées mondaines, de confondre à plaisir la famille et les relations. Donc, à table, ils seront la seule famille, sauf les deux petits derniers de Sophie, laissés aux bonnes. Son aîné de trois ans et Millie seront là, ensemble en bas de table, servis par Sassette. Soit douze personnes, et le cousin Vergeau, treize couverts. Alors, comme je lui représentais que tout le monde n'aime pas ce chiffre, qui porte chance ou porte malheur, on ne sait quoi, Madame a ajouté Gaston Delhomme au compte, pour faire rond, mieux vaut ne pas tenter le diable. D'ailleurs, il fait partie de la famille, pour ainsi dire, vieil ami et presque frère de Monsieur, sans avoir sa bougeotte, et bon actionnaire de nos usines... Mais voilà qu'il était déjà parti pour sa campagne en Champagne... Eh bien, ma chère, apprenez que demain vous serez à table avec les Bertin-Galay au grand complet. N'allez pas vous monter la tête ! Vous n'êtes pas invitée pour vos beaux yeux, mais pour faire quatorze.

Mme Victor donna une petite bourrade amicale à Gabrielle. Tout en expliquant les dispositions, elle vérifiait le linge exposé sur la grande table, une nappe de cérémonie en lin damassé, et son jeu de serviettes brodées aux initiales B G enlacées.

— Des serviettes de table grandes comme des draps de lit, se plaignait Pauline, qui avait lavé tout le service, l'avait empesé d'amidon bleu, et lissé le linge au fer chaud, avec des pattemouilles spéciales pour ne pas faire une seule trace. Il sera plus vite sali que blanchi !

Elle avait eu les bras rompus de tout ce travail, pourtant fière de la belle allure des piles immaculées aux plis cassés que comptait sa grand-mère.

— Vraiment, je ne tiens pas à en être, c'est contrariant, dit doucement Gabrielle, trempant sa plume dans l'encrier de porcelaine.

— Je crains bien que vous n'ayez pas le choix...

— J'aimerais bien, plaidait Millie, être placée près de Gabrielle. Mon cousin est un bébé, pas moi.

— D'ailleurs je n'ai pas de toilette assez belle, poursuivait Gabrielle, sans lever le nez. Et Madame n'aime pas qu'on soit mise comme une pauvresse.

Elles rirent ensemble en silence, chacune à sa besogne. C'est au milieu de cette scène que tomba le facteur qui, au lieu d'aller à la cuisine, voyant de l'animation par les grandes portes-fenêtres, vira sur le gravier et toqua au carreau, par civilité pour excuser la façon. Le temps qu'il appuie son vélo au mur et rentre, tournant sa sacoche sur la hanche, Mme Victor tint la porte ouverte et un grand coup d'air glacé s'engouffra dans la salle à manger, qui les fit frissonner. Le chauffage central bien réglé marchait maintenant à merveille, et c'était un luxe de toute la maison que son atmosphère délicieuse, partout répandue, dont Victor se vantait comme si c'eût été sa victoire. Le facteur avait la moustache et les sourcils givrés par sa course, de petites pendeloques à sa pelisse de mouton, et pleurait d'un œil, la goutte au nez. Il restait sur le seuil, n'osant s'avancer et mouiller le parquet, ébahi du déploiement de beau linge et de riche vaisselle, d'argenterie dans les écrins ouverts, et des carafes en cristal de Bohême alignées sur la cheminée. Il portait la correspondance et les journaux de M. Henri, un catalogue du Bon-Marché, et une enveloppe bleue pour Mlle Gabrielle Demachy. Elle s'attendait si peu à cette livraison, qu'elle rougit, et voyant qu'on la regardait, que sa confusion pouvait surprendre, elle retourna l'enveloppe, s'exclama, un peu trop fort.

— Ah ! C'est une lettre de mon professeur de piano ! Elle se souvient de moi, à présent que voilà la nouvelle année !

Mais on ne fit pas davantage attention à elle, et comme déjà Millie poursuivait Mauranne pour qu'elle déballe le catalogue tout de suite, et lui donne les pages des poupées, et les vignettes de réclames à découper ; comme Pauline montait porter son paquet postal à Monsieur, et que Mme Victor conduisait le facteur à la cuisine, où l'attendait son bol de vin chaud, Gabrielle se mit à l'écart, près de la cheminée, et déchira l'enveloppe, lut très vite dans la feuille encore mi-pliée les trois lignes de la longue écriture de Dora, laconiques quand on connaissait son goût épistolaire, mais d'une parfaite concision.

Chère amie, il fait froid à Paris, j'espère que la campagne est agréable et votre tâche facile. J'espère que Noël et la fin de l'année nous donneront l'occasion de nous revoir, d'autant qu'une de nos amies m'écrit qu'elle souhaite vivement vous rencontrer aussi. Portez-vous bien et pensez à moi, comme je pense à vous.

DORA

333

Gabrielle replia la lettre et la glissa dans sa manche, reprit son ouvrage. Seule maintenant dans la grande salle à manger désertée par tous, elle profitait de ce répit pour calmer les battements de son cœur. Dora était son amie. Clarisse avait écrit. Elle avait décidé de parler. *Une de nos amies souhaite vivement vous rencontrer.* Elle voulait donc la revoir ! Marcus l'avait convaincue. Clarisse la conduirait à son frère. Jean Zepwiller lui dirait tout ce qu'il savait. Avant la fin de cette année, peut-être. Pour commencer l'année 1914. C'était le cadeau tant espéré, ses étrennes. Le paiement et la fin de toutes ses peines. Elle se prit à chantonner en bouclant d'une arabesque joyeuse le nom de Charles, en allongeant l'initiale de Blanche d'une hampe de fantaisie, en jolis pleins et déliés. Gabrielle fourmillait d'impatience et de gaieté. Elle pensait qu'elle mettrait sa guimpe en dentelles de Bruges, pour faire bonne figure au déjeuner de Noël. Et sa petite broche de perles. Qu'elle coifferait ses cheveux en chignon haut, et qu'elle se tiendrait très bien à table, très modestement, très humblement, juste pour faire quatorze, et, dès que finie la fête, elle filerait à l'anglaise, elle filerait comme le vent prendre son train à la gare, et rejoindre Dora.

Au matin bleu et clair, pointe de bise et givre blanc sur le jardin, gros nuages palpitants amassés en brume que noircissait l'orée des bois, au bout de la prairie. Mais à midi, plus rien à voir. Le brouillard se déplaçait lentement, s'amincissait par places, s'allégeait pour retomber, plus opaque, et dense, noyant les cèdres, encapuchonnant la moindre forme de massif, les buis proches, d'un sirop laiteux que traversaient parfois de longues flèches de soleil pâle, comme une poudre de farine endormie. On aura la neige, disait Victor. Ce matin de Noël, il rentrait des bois, rapportant le grand sapin qu'il planta dans une caisse d'oranger, au milieu du vestibule, et Pauline descendit la boîte des guirlandes, tirée du grenier. Gabrielle accrocha avec elle les bibelots anciens, boules de porcelaine peinte et angelots en biscuit, étoiles aux cheveux de verre, que Millie leur tendait, trépignant d'excitation, houspillée par Pauline qui l'exhortait à en prendre soin, elle-même enchantée de ce déballage de fête. Décidément, celle-ci était touchante, encore dans les rondeurs de l'enfance, mais la chair affinée, énervée par une secrète mue de tout son être, qui la rendait sérieuse, incertaine de soi, avec des brutalités ou des douceurs soudaines, des accès puérils et de brusques chagrins. Cette godiche, elle se cherche ou elle se trouve ? grommelait sa grand-mère, qui n'avait pas l'œil dans sa poche. Henri avait paru dans le vestibule, et s'était attardé à les regarder, parce que c'était un événement. Il y avait bien longtemps que Le Mesnil n'avait plus connu d'arbre de Noël, et si cela réveillait en lui des souvenirs, il n'en fit pas état, hochant seulement la tête avec un petit sourire narquois qui déguisait son plaisir du spectacle. S'il ne manifestait pour Millie aucune affection particulière, il la considérait parfois d'un air étonné et rêveur, comme un objet curieux, observait ses mains délicates et malhabiles, sa fièvre enfantine, avec une sorte de convoitise triste. Perchée sur l'escabeau, Gabrielle surprenait son bel œil d'or auquel rien n'échappait, ni la grâce gauche de Pauline, ni la sienne, la cambrure de sa taille que son équilibre instable déliait quand elle tendait haut les bras, et sur laquelle il jetait son regard averti d'esthète, sans rien déguiser.

— *Merry Christmas*, mesdames ! Vous faites un tableau intimiste tout à fait charmant, lâcha-t-il en conclusion.

Car Régis dévalait l'escalier, portant son manteau de cuir fourré, et ils quittèrent le domaine en voiture, pour toute la journée. Il y eut encore à accrocher le buis et le houx qu'avait portés Victor en brassées, toutes lustrées de glace, et puis à installer la crèche dans un buisson de paille et de papier froissé, les santons précieux de Naples que Millie sortait du papier de soie, avec des mines circonspectes. L'abbé Saulun l'avait préparée à ce théâtre pieux de la nativité, mais les figurines l'intimidaient beaucoup, leurs couleurs patinées, leur expression pénétrée et sérieuse, qu'elle examinait en silence. Pauline étant sortie, encapuchonnée dans sa pèlerine, chercher vers les Armand de la mousse sous les arbres, des brindilles pour agrémenter la mise en scène, elles se trouvèrent seules un instant. Alors Millie vint se blottir contre Gabrielle, considérant avec une sorte de crainte cette réunion de personnes graves, les Rois mages et les bergers autour de l'Enfant, tout nu dans la paille, tout petit. Comme elle se taisait, Gabrielle la prit dans ses bras, l'embrassa longuement en silence, et au retour de Pauline, elle mit bien vite fin à ces installations.

A la cuisine, la troupe était trop affairée aux préparatifs pour se laisser distraire par les allées et venues des uns et des autres. Pauline fut aussitôt recrutée, elles deux traitées en intruses, gênant le grand tapage des cuisinières. La longue table d'office était couverte de jattes, de torchons roulés sur les légumes ciselés, de saladiers où fermentait le dôme des pâtes, et de soupières pleines de marinades odorantes. Cela sentait la rôtisserie, les épices et le vinaigre, la sauge et le thym, les sucs amers de sauces mijotées, le beurre doré à la poêle, le bois des fours ronflants, et cette agitation, cette fébrilité gagnaient la maison tout entière, électrisaient l'atmosphère. On avait mis sur un banc, au froid du dehors, les bourriches d'huîtres et dans leur vivier ces homards dont Mme Victor faisait grand cas, comme si elle leur en voulait personnellement, bêtes vivantes dans leur carapace, de défier sa compétence. Gabrielle en profita pour emmitoufler Millie et rendre visite à l'écurie, où Tout Roux était assigné. Pas question d'avoir cette bête dans les jambes, avait décrété Mme Victor. Aussi Millie avait-elle installé son écuelle là-bas, et une caisse de couvertures, pour qu'il eût bien chaud, le temps de son exil.

Rien qu'à traverser la cour, on perdait de vue la maison, seuls les carreaux éclairés de la cuisine perçaient le brouillard de halos jaunes. Il faisait une bonne chaleur d'animal, dans l'écurie, qui sentait la terre battue, le crottin chaud et le foin foulé, fort à piquer le nez. Les râteliers étaient pleins de fourrage, et les seaux de picotin suspendus, les bêtes paisibles, étrillées et peignées, avec leurs gros yeux placides qui se détournaient des lanternes, parce que les chevaux ont un appétit d'obscurité, et de nuit ; leur haleine souffle du côté de l'ombre. Ils avaient pourtant l'air de savoir qu'il régnait autour d'eux un bel ordre de maison nettoyée comme un sou neuf. Meyer, qui avait passé le balai de bruyère sur les pavés, fourbissait à présent à la peau de chamois, frottait le cuir et les clous de cuivre d'un harnais posé sur le chevalet, pour le plaisir de la belle besogne gratuite. Il les accueillit en homme content.

— Je les ai bien bouchonnés, hein ? Ils ont droit à leur Noël, eux aussi. C'est de la bonté, disait-il en passant son coude sur le lustre du cuir, quand les choses brillent, sans le demander.

Il riait dans sa moustache, et comme chaque fois son rire était effrayant, qui tirait sa blessure et déchirait sa vieille face.

— Tout Roux est mieux installé que l'Enfant Jésus, remarqua Millie, très en gaieté, parce que le chiot lui faisait fête, tournant entre ses mollets et mordillant son manteau, jappant vers ses bras et sautant dans sa caisse.

— A quoi tient-il qu'on ait ses aises, hein ? De trop dormir dans des draps blancs, on ignore ce qu'est le confort d'une botte de paille, et on manque quelque chose, mademoiselle. Ce qui me garde ici, dans ma petite chambre au-dessus, c'est de sentir à travers les planchers l'odeur belle du grain, du foin et aussi celle de la terre, des arbres. D'ici je sens les poiriers du verger, en été. Même les racines ont leur parfum personnel. Il y a un saule, là-derrière dont je sais l'odeur jaune d'écorce, et quand elle jute de gomme au printemps, ça sent l'absinthe, l'anis, ça monte dans la nuit. Les chevaux bougent en dormant debout, ils tirent du licol et renâclent, ils rêvent comme des hommes. Je ne suis pas seul.

Il avait allumé sa pipe courte au briquet d'amadou et soufflé des brindilles de son tabac, quelques étincelles piquetaient l'ombre.

— Vous, vous êtes seule, poursuivit-il.

Ce n'était pas une question, juste une conséquence qu'il tirait de sa bouffée tranquille.

— Ils sont tous autour de vous à se demander quoi, à votre sujet, hein ? Ils voudraient bien savoir... Mais à ce sujet, ils s'en demandent moins que vous encore.

— J'ai Millie, dit Gabrielle, humblement.

— Non pas. C'est elle qui vous a. Et ça lui donne le souci de ne pas savoir pour combien de temps. C'est Noël, mais les nativités durent plus long que ça, pensez-y. Je vous dis des paroles, juste parce que vous êtes là. Vous faites bien de rendre visite aux chevaux.

Il ne levait pas la tête, mais son coup d'œil était dur et juste comme un caillou de fronde. En guetteur solitaire, il se tenait de ces discours rapides où les mots n'adressent qu'à soi leur portée, et font ricochet en silence. Tandis qu'il parlait, ses mains calleuses, robustes, s'emparaient de la chose, la trafiquaient, la malmenaient et la frottaient, et voilà le travail : la selle luit comme de l'or.

Dès le matin, Millie criait sous les jets d'eau chaude, toute nue dans la baignoire, et Gabrielle vint finir sa toilette pour libérer Sassette, en belle robe neuve et bas noirs. Elle ôtait le grand tablier de toile qu'elle avait enfilé pour donner sa douche à la petite fille et s'enfuyait, à présent, rejoindre les autres à la cuisine, les joues luisantes d'avoir été frottées, fronçant le sourcil d'un air d'importance.

— Nos messieurs et nos dames seront là à onze heures, et c'est moi qui prendrai les manteaux, les chapeaux et les cannes.

— Va vite, la poussait Gabrielle, et toi, Millie, viens donc voir !

A travers les vitres que le froid étoilait de glace, elles regardèrent dehors. Un peu de neige était tombée dans la nuit, ensevelissant la grande prairie d'où émergeaient des bouquets hérissés d'herbe givrée, et au loin, l'orée des bois s'encapuchonnait de blanc, comme une grande carte postale pailletée. Mais Millie était trop impatiente pour jouir longtemps de cette vue. Sur le lit, était étendue sa robe de fête en velours bleu, mais elle voulut absolument descendre, tout de suite, voir ses souliers, qu'elle avait tenu à disposer sur le bord de la cheminée, avant de monter se coucher.

Gabrielle s'était abstenue de commenter son initiative, ignorant quels Noëls avait pu connaître la petite fille à la Chaussée-
d'Antin, si quelqu'un l'avait entretenue des légendes enfantines,
d'un saint Nicolas, ou d'un père Noël, d'un quelconque père
Fouettard ou protecteur, sauveur d'enfants coupés au saloir, ou
escaladeur de cheminées, et si elle avait déjà attendu, un matin,
de trouver dans ses souliers le cadeau magique tombé du ciel
d'hiver. En tout cas personne ne s'était avisé d'envoyer, de Paris
ou d'ailleurs, un jouet à déposer, un colis enrubanné pour elle,
ce matin-là, aucun ordre, aucun signe. A peine Millie, dans sa
courte vie, avait-elle eu l'expérience de deux ou trois Noël, et
hormis l'abbé, Gabrielle ignorait qui, de ses parents, oncles
et tantes, aurait pu lui transmettre l'idée de la sainte Famille, de
la sainte maternité, à elle qui n'avait pas de mère, et si peu de
père. Elle avait pourtant tenté sa chance, tant les enfants s'em-
parent avec ferveur des occasions de croire, et au moment de
s'endormir, Gabrielle avait eu une pensée navrée pour la
méchanceté que seraient les souliers vides, signant la cruelle
indifférence de tous. Les paroles de Meyer lui étaient revenues :
vous êtes seule, disait-il... Elle avait alors opposé qu'elle avait
Millie... et cet aveu, jailli à ses lèvres, s'il n'était pas une vaine
parade à la sagacité du vieil homme, lui dictait soudain de se
prendre au mot, et d'inventer une réparation. Elle avait cherché,
mortifiée d'improviser si tard, quel don composer dans la pénu-
rie, et d'un élan, elle avait choisi un bijou de son enfance, gardé
au fond d'une pochette, dans son réticule, une bague d'argent
au chaton en fleur d'émail bleu, qu'elle tenait de sa tante, un de
ces bimbelots d'enfance qui se transmettent de génération en
génération. Peut-être la petite bague oubliée au fond de son sac
– pas si oubliée – n'avait-elle duré ce long temps que pour élire
précisément cette destinataire, en ce soir de Noël. Gabrielle était
furtivement redescendue pour la glisser, enveloppée d'un mouchoir en dentelle, dans un des souliers, au moins pour s'acquitter, et donner une chance à la légende. Il faisait grand noir dans
le salon, sauf le rougeoiement des braises sous la cendre, mais
comme elle se pressait pour regagner sa chambre, elle sentit
une ombre dans l'ombre, à ce seul poids de silence, à cette qualité de l'air qui entoure une présence. Elle se retourna vivement,
au moment où il se détachait de l'obscurité, contre la lueur des
braises.

— Je vois, dit Henri de Galay à voix très basse, que nous avons
eu la même idée.

Il déposait un petit paquet de papier bleu très brillant près du
sien et la rejoignait.

— Vous avez bien failli me faire peur, jeune fantôme.

Gabrielle avait seulement enfilé en hâte sa robe de chambre sur son jupon, et elle eut un mouvement de recul, honteuse de la surprise, de son indécence à quitter sa chambre en toilette de nuit, les cheveux défaits, les pieds nus.

— Sommes-nous seuls, vous et moi, à jouer les fées ? Moi qui ai si peu d'enfants, vous qui n'en avez pas...

Dans sa confusion, Gabrielle serrait sous son menton le col de son déshabillé, mais il semblait plus amusé que choqué de la tenir ainsi devant lui, à peine visible, sa silhouette pâle, longue et floue, nacrée par le feu mourant, son visage serti dans la masse soyeuse des longs cheveux qui luisaient comme un buisson.

— Personne ne saura notre rencontre nocturne, n'est-ce pas ? Gardons-en le secret, et merci pour votre apparition. Je ne savais pas que cette maison pouvait me réserver de si séduisante aventure. Bonne nuit, mademoiselle.

— Bonne nuit, monsieur.

Tandis que Millie dévalait maintenant l'escalier devant elle, Gabrielle repensait à cette scène, brève comme un rêve entre deux apnées de sommeil, où un grand-père insoucieux et désabusé venait porter à sa petite-fille l'offrande royale de sa solitude. A ce souvenir, elle souriait, tandis que Millie défaisait les papiers, trouvait la petite bague, et une précieuse poupée chinoise en porcelaine, aux yeux de jade et aux cheveux de soie floche. Peu importait que ces cadeaux fussent incongrus, ils étaient tombés dans son soulier, ils étaient son ravissement. Elle voulait courir, en chemise, montrer ses merveilles à la cuisine, mais comme c'était, depuis l'aube, une artillerie au grand complet sur le pied de guerre, Gabrielle l'emmena dans sa chambre pour l'habiller.

XVIII

En maître de maison, Henri de Galay accueillait sa famille, comme s'il honorait de son invitation de lointains visiteurs venus en ambassade. C'était une société mondaine, qui arrivait en voitures de luxe, les Fleurier d'abord, puis Mme Mathilde, accompagnée de son cousin Vergeau, se succédant de quart d'heure en quart d'heure, avec la ponctualité d'invités soucieux de ne pas déplaire à leur hôte. Ils entraient, empaquetés de leurs manteaux, de leurs pelisses, encore glacés du voyage sur les routes hivernales, du pas hésitant de ceux qui sont en territoire inconnu, et pourtant chez eux, étonnés de le reconnaître. Ils envahissaient le vestibule avec la précipitation d'une mauvaise scène d'exposition au théâtre, sortant de la coulisse, en acteurs qui ont attendu leur numéro, inquiets de rater leur entrée, chacun attaché à offrir au père prodigue, de retour dans ses terres, la représentation qu'il attend. Et ils étaient excités, aussi, de ce que la neige avait compromis un moment leur départ, et de ce que l'état des routes empirait, dès que quittée la ville. Mais chacun affectait le bonheur, le plaisir de ces retrouvailles familiales retardées par les occupations de chacun, adoptant, avec des masques et un fard accompli, la gestuelle et les expressions convenues, maîtrisant leurs effusions, retenant leurs gestes, si émouvants, si sincères dans l'émulation réciproque de leur jeu, que l'artifice passait presque pour naturel. Henri, rompu au même art, s'y prêtait avec la mansuétude du metteur en scène qui connaît sa troupe, choisissant avec humour pour chacun le mot approprié, et cela ressemblait tellement au courtois paternalisme avec lequel il avait salué la domesticité, le jour de son arrivée, que sous les yeux de celle-ci seulement, la démonstration prenait le tour d'une parodie burlesque admirable, ou d'une cruauté sans pareille.

Gabrielle, qui se tenait modestement à l'écart, au bas de l'escalier, les voyait réunis pour la première fois. Elle restait saisie par l'unité de leur apparence, leur aisance de classe effaçant les disparités, l'air de famille et l'éducation uniformisant gestes et intonations, donnant au spectateur de leur réunion une qualité intime, harmonieuse et touchante. Mais justement parce qu'elle occupait cette place du spectateur, à distance respectueuse, celle-ci lui offrait paradoxalement de percevoir la mécanique discrète de cette mise en scène, comme, au travers d'une loupe d'horloger qui grossit l'échelle et le détail, on aperçoit les rouages minuscules au travail. Blanche, tout particulièrement, qui haussait sa taille, lissant machinalement les plis de sa robe, la soie verte de sa riche toilette rebrodée de perles roses, tant soit peu froissée par l'étreinte paternelle, et tapotant sa chevelure rousse qu'une teinture nouvelle enflammait, jetant à la dérobée un œil inquiet à sa mère, tandis que son père la félicitait de sa beauté matinale. Renonçant à intéresser sa mère, qui accueillait son gendre avec enthousiasme, elle trouva plus spirituel de décliner l'hommage excessif de son père par une mimique amusée, pour faire sourire autour d'elle, et cherchant des yeux un miroir pour rectifier sa coiffure, elle poussait son fils, ce jeune gringalet en costume cintré, qui faisait l'homme avec une désinvolture de fat, attendant son tour. Didier finit par saluer son grand-père, auprès de qui Mme Mathilde, souveraine, avait pris place, la face hautaine et satisfaite, gonflant son large buste en cuirasse mordorée, encore en grand chapeau et gantée. Elle considérait l'aîné de ses petits-fils d'un regard vague, avec un sourire si faux, si mal accroché au muscle de sa joue, qu'il lui donnait l'air de pleurer. Mais Didier semblait ne rien voir de cette grimace, jetait alentour des regards condescendants, comme s'il exigeait l'assentiment d'un spectateur choisi, et il croisa un instant celui de Gabrielle, leva un sourcil ironique, voila aussitôt ses yeux d'une paupière lasse et tourna le dos.

Cela s'éternisait péniblement, aussi, Mme Mathilde ayant congédié les domestiques d'un revers de main pour mettre fin aux effusions, finirent-ils d'entrer au grand salon, par grappes lentes, prenant peu à peu leurs aises. Alors seulement, on s'aperçut de l'existence de Millie et, comme pour combler l'embarras persistant et donner une diversion, elle devint l'objet d'un intérêt général passionné, avec sa nouvelle institutrice, qui l'accompagnait, présentée à chacun. Gabrielle ne savait quelle attitude prendre pour atténuer l'épreuve de Millie et affronter elle-même l'examen curieux des nouveaux venus. Si Edmond Fleurier et son fils l'avaient saluée avec une distance polie, Blanche, abandonnée sur le sofa, lui jeta sans mot dire un long coup d'œil perçant, tordant sa bouche d'un léger mépris souriant et, pour mieux l'ignorer, elle revint à Millie, louangea avec une complaisance exagérée, qui faisait trembler sa voix d'un rire nerveux, sa jolie robe bleue, ses jolis rubans, ses jolis bas brodés, et ses chaussons vernis, quelle mignonne poupée vous faites, Camille ! Sentant avec l'intuition des enfants que cet excès la moquait, paralysée, celle-ci avait pris l'air d'une sotte, rouge comme une pomme, la bouche et le front froissés d'effort, endurant le feu croisé de ces compliments et se taisant, de peur d'être impolie.

— Mignonne, n'avez-vous toujours pas de langue ? Savez-vous dire : bonjour, ma tante ? articula Blanche, comme pour une demeurée.

— Bonjour, ma tante, répéta Millie, au supplice.

— Magnifique ! s'écria Blanche. Quel inestimable progrès !

Mais Sophie s'annonçait, toute la famille Guillemot débarquant d'un tilbury bâché, avec bonnes et petits, emmitouflés de couvertures et de dentelles, au milieu des chiens qui avaient suivi la voiture et aboyaient d'excitation à l'arrivée. Ce nouveau désordre mit fin à l'examen de Millie, qu'on oublia tout à fait pour admirer les enfants de Sophie, bambins tout raides dans leurs vêtements endimanchés, l'air éberlué des bébés transplantés parmi des adultes inconnus, incapables de proférer un son, pleurnichant bientôt, et qu'emportèrent vite les bonnes dans la chambre préparée pour leur servir de nursery. Que Sophie se détournât aussitôt des siens pour attirer Gabrielle près d'une porte vitrée, s'émerveillant de son corsage de dentelle, et enjouée, flattant sa coiffure, laissa dans l'indifférence, car Charles réclamait déjà à grands cris de *voir les nouvelles collections*, persuadé de faire honneur à son beau-père, mais celui-ci, avec une réticence affichée, éluda la demande. Alors, sans se formaliser du refus à peine poli, il se lança dans des considérations tonitruantes sur le temps, excellent pour la chasse en ces jours de grand froid, sur une partie que le matin même, à l'aube, il avait menée avec ses chiens, malgré le brouillard et le givre, rapportant quelques perdrix, et deux bécasses d'un affût dans les marais, où la glace commençait à prendre. Cependant, on attendait encore Daniel, et Pierre, qui tardaient toujours, aussi Mme Mathilde commanda-t-elle les liqueurs apéritives, que Régis porta, en serviteur stylé, gardant son quant-à-soi distingué, avec son petit sourire affligé, plein de componction. Fleurier le congédia avec désinvolture et, en homme du monde qui condescend à ces menus services domestiques, remplit lui-même quelques verres pour les messieurs, tandis que Mme Mathilde, toujours debout, avec son port de reine, gouvernait le tableau familial, son décor et ses personnages, du regard satisfait d'un général passant ses troupes en revue.

Elle se félicitait de son idée. Bien mieux que l'hôtel parisien des Bertin, la campagne du Mesnil était l'endroit favorable à la rencontre annuelle autour du chef de famille. Cela lui donnait un petit air intime et patrimonial, tout à fait ajusté à la circonstance, une manière délicate d'offrir à Henri la maîtrise de son territoire et d'y vérifier son règne, devant lequel elle s'effaçait, modeste intendante qui concède pour un jour l'illusion d'un pouvoir qu'elle sait lui appartenir. Dans ce salon un peu désuet mais spacieux, chacun trouvait un coin personnel, chaque groupe une place de rassemblement, au gré des conversations. Il flottait une odeur balsamique très plaisante de sapin crachant sa sève dans les flammes, et son plafond, peint à pleines volières d'oiseaux frivoles, envolés avec des rubans au bec, faisait un dôme rafraîchissant au rouge sombre des rideaux, et celui des tapis, tout ce rouge de vieille noblesse qui rend solennel et un peu triste. Par les portes grandes ouvertes, elle apercevait aussi, de l'autre côté du vestibule, le couvert dressé pour le déjeuner, selon ses ordres, la longue table d'apparat glacée de son lin immaculé et, sous la lumière livide du jour, la cristallerie des verres, l'impeccable coutellerie d'argent, les disques opalins de porcelaine fine, les carafes de vin au gros ventre de pourpre et d'or. Tout cet aquatique et luxueux ruissellement d'éclats, de reflets et de transparences irisées, se réverbérant les uns les autres, lui donnait un frisson de contentement. D'autant que les trois grandes glaces de Venise répétaient le mirage dans le mur du fond, multipliant le faste de la table. Mais elle vit soudain, au fond de ces lointains miroirs, la compagnie d'inconnus qui se tenait de l'autre côté du vestibule, reflétée au fond d'un long tunnel d'ombre, comme d'anciens pantins décolorés, aux masques de plâtre et poudrés d'une fade poussière, et elle mit un moment avant de comprendre que c'étaient les siens, et elle-même. Elle eut un tressaillement d'effroi et détourna les yeux de cette vision.

Au soir de cette journée pleine de gêne et de confusion, Gabrielle gardait le souvenir d'interminables heures qui ne faisaient jamais le tour du cadran, et d'autres qui avançaient par à-coups subits, où elle se trouvait soudain transportée de la table, où étaient servies des assiettes d'huîtres, au salon de musique, ou devant la grande cheminée du salon, sans savoir ce qui s'était passé dans l'intervalle, par quel saut du temps elle avait pu se trouver sans le décider, ici ou là. Elle avait aussi le sentiment d'avoir été, contre son gré, impliquée dans des tensions palpables, dont elle ne connaissait ni la nature ni l'enjeu, et que sa présence déplaçait, orientait ou distordait, enfin constamment en porte-à-faux, importune à force de discrétion, car elle s'était efforcée à une attitude effacée, à la retenue extrême, jusqu'à la séance de musique, dont le souvenir lui causait un malaise persistant, comme s'il avait révélé son imposture.

Daniel était arrivé avec Pierre, sur le coup de midi, au volant d'une voiture qui avait, peint sur ses portières, le nom de la société Grand Lux. Tous deux portaient manteaux et casques de cuir fourré, avec des lunettes comme des hublots, un équipement des pionniers de l'automobile, anachronique mais bien utile car, bien que le véhicule fût hermétiquement clos, il y faisait un froid de canard, disait Daniel frottant ses mains gelées devant le feu.

— Nous avons fait des pointes à quatre-vingts à l'heure ! Moins d'une heure pour couvrir la distance depuis Saint-Cloud, en dépit des routes verglacées ! Mon père, tentez un tour du monde en voiture, et je suis des vôtres ! Voilà qui serait une vraie aventure moderne...

Didier considérait ses oncles avec un dédain de jeune dandy, qu'agacent ces déguisements sportifs. Lui insupportaient surtout l'exubérance de Daniel, la mâle assurance de ses propos et sa propension à la gouaille, comme si celles-ci menaçaient son personnage. Mais à table, Daniel avait perdu toute jovialité, observant parfois sa famille de l'œil étonné d'un Huron, et dès qu'on avait porté les homards, triomphalement dressés sur un long plateau d'argent, il avait négligé son assiette, ne goûtant que du bout des lèvres aux pâtés de gibier en croûte, à la dinde rôtie accompagnée de cèpes, et aux vins rares choisis par son père. Le beau millésime de Saint-Estèphe restait dans son verre et Sophie, sa voisine de table, avait beau l'exhorter gentiment à en boire avec elle, elle ne lui arrachait qu'un sourire forcé. Les paupières lui brûlaient, sa gorge se serrait sur des sanglots d'enfant, qu'il refoulait, presque content que la douleur lui ôtât l'appétit.

Il avait passé une nuit épouvantable, de ces nuits qui le laissaient brisé, déchiré de souffrance, emporté par l'affolement des amours qui s'achèvent, sans plus savoir si c'était elle ou lui qui voulait aller au bout des larmes, des supplications et des reproches, des mots qui vous mettent à nu plus cruellement que le plaisir, détruisant irrémédiablement les derniers lambeaux de tendresse, dans l'épuisement de l'insomnie. Il avait bravement soutenu, et peut-être volontairement prolongé cette bataille jusqu'à l'aube, vaincu, pantelant, offrant à la petite Dorothée le cadeau royal de cette scène, qui donnait à leur rupture la dimension tragique qu'elle ne méritait pas. Il s'en fallait de si peu pour que larmes et cris ne versent au vaudeville, à la dérisoire sarabande des amants se jouant l'un à l'autre la comédie du désamour. Et cette scène en répétait tant d'autres, insincères, et vaines... Ainsi finissent les liaisons, s'abîment le désir, l'exultation des corps. Il en sortait rompu, mais sans amertume ni regret, reconnaissant à la prodigalité de la vie de lui donner toujours de ces passions, cette comédie de la passion, sa fièvre et sa brûlure adorables. Cette maladie-là est bonne, qui torture et rend plus vivant. Une autre maîtresse remplacerait Dorothée, bientôt, et sans doute celle-ci n'était-elle, au fond, que l'ingrédient accessoire pour nourrir son autre passion de conquête, dévorante et implacable, celle de l'industrie du cinéma en plein essor, qui défiait l'intelligence et l'imagination, éliminait les médiocres, élisait les aventuriers des temps nouveaux.

Il avait de la chance, pensait-il, et il était heureux, malgré ce bête chagrin qui lui brouillait la vue, ou grâce à lui. Oui, il était heureux, se répétait-il, dans l'amollissement des convalescences. Et regardant encore la tablée familiale, tous ceux-là en leurs habits élégants, si étrangers à son monde, si loin d'imaginer ses tourments, il eut un sentiment de gratitude pour le choix qu'il avait fait de sa vie. Il vit alors Pierre, en face de lui, avec son air impassible, sa face énergique au front osseux, ses cheveux ras parsemés de fils blancs. Ses yeux perdus au fond de son verre, il considérait le vin rutilant avec une sorte de rêverie douce, attentif à ses sens, mouillant un peu sa lèvre et soudain, il le regarda droit, par-dessus la table. Ils se sourirent faiblement, isolés dans le brouhaha des conversations par cette connivence muette. Pierre était bien le seul de la fratrie avec lequel, en dépit de leurs vies divergentes, et sans jamais parler ensemble de ce qui les tenait, il eût un lien solide, de ces affinités tacites nouées sans qu'on sache de quoi elles sont faites, et dont le mystère même fait le prix. Lui aussi devait rouler de sombres pensées, car en le prenant ce matin devant chez lui, rue de Turenne, Daniel l'avait trouvé encore plus fermé et soucieux que d'ordinaire, les traits tirés par quelle insomnie, quelle angoisse secrète... De tout le voyage, ils n'avaient pas échangé dix mots, chacun enfermé dans son silence, mais solidaires dans l'assentiment réciproque à ne pas le rompre, et d'ailleurs, eussent-ils voulu parler, le grondement du moteur, le crissement des giclées de glace sous les pneus auraient empêché tout échange.

Pourtant, souvent, Daniel se promettait d'inviter son frère, en garçons, de l'emmener dîner avec lui, dans une brasserie des boulevards ou dans un restaurant des Halles, où l'on vous sert, tard le soir, des pieds de cochon grillés avec de la choucroute, et de la bière belge succulente, de l'encanailler un peu dans la foule brassée des gens du peuple et des cocottes, et de provoquer entre eux la confidence de leurs vies, de leur enfance séparée, où Pierre avait joué un si grand rôle de modèle envié, jalousé et haï, des pensionnats qu'ils avaient connus, des femmes qu'ils avaient aimées... Sur ce sujet sensible, sans doute, Daniel était le plus perplexe. Il avait entendu parler, autrefois, de fiançailles arrangées, et rompues pour un départ à l'armée, et ensuite, à une époque où il se souciait peu des péripéties familiales, de cette épouse exotique, à peine entrevue, sitôt disparue... La vie privée de son frère lui restait un mystère, à la fois excitant et troublant, qui agaçait son imagination. Puisqu'ils étaient des hommes, à présent, et que la vie avançait, qu'il se sentait comme lui d'une autre espèce que les siens, peut-être était-il temps de tenter un rapprochement... Mais Pierre l'intimidait encore, et même à cet instant où ils avaient échangé leur sourire entendu, celui-ci le rejetait par son détachement, sa réserve contrainte.

Aussi avait-il été surpris qu'il s'empressât, à peine fini le dessert, de se lever un des premiers pour accompagner Millie au salon de musique, l'écouter jouer les petits airs, rondeaux et danses de village, qu'elle avait préparés avec son institutrice. Se retrouvant seuls d'abord pour faire le public du concert improvisé, ils s'étaient accoudés ensemble au piano, tandis qu'avec une complaisance feinte Blanche les suivait, et s'installait dans le profond fauteuil, sa jupe verte étincelante de perles bouffant autour de ses hanches. Attiré par le petit événement, Henri restait près de la porte avec Didier, à qui il avait offert un cigare, par jeu, ou par provocation, car Blanche s'était rembrunie à cette vue, sans oser protester de leur fumée, qu'ils soufflaient ostensiblement vers le salon. Puis Sophie était arrivée aussi, entraînant Charles, et le ventripotent cousin Vergeau, qui voulait ce qu'on voulait, un sourire béat fendant sa face rubiconde. Pour finir, ils avaient tous migré jusque-là, laissant Mme Mathilde surveiller seule l'affaire délicate de la table à desservir promptement, parce que la société ne tarderait pas à se présenter. Alors chacun s'était prêté à la scène de l'enfant au piano. C'était puéril et un peu ennuyeux, mais charmant, cette petite personne appliquée, dont Gabrielle rattrapait les fautes d'un doigt léger, et il avait fallu applaudir rondement, et féliciter la virtuose, qui restait toute pâle et immobile, bras ballants, sur son tabouret.

— Délicieux petit singe, avait laissé tomber Blanche à mi-voix.

— Et tu t'y entends, en singeries, avait glissé Sophie, suave.

Daniel avait dû se retenir de rire franchement, ravi de l'impertinence nouvelle de Sophie que le fiel de sa sœur, pour une fois, ne faisait pas taire. Et il la découvrait soudain, la cadette toujours rabrouée et moquée, une femme changée, que son accident avait amincie et affinée, curieusement aiguisée comme un joli couteau de chasse, émouvante pourtant, avec ses oreilles délicates en coquillage rose sous ses boucles rebelles, son teint de blonde vite échauffé, d'une contrariété, d'une illumination subites. C'était cette sensibilité à fleur de peau, cette transparence qui le touchaient en elle, mais voilà qu'elle ne l'était plus tellement, qu'une sorte de voile habillait sa face, son regard, et que ses dents poussaient, et qu'elle pouvait mordre ! Cependant Henri s'était avancé, guilleret, très en verve, remerciant Millie de son gentil concert, et il avait alors prié Gabrielle de bien vouloir lui jouer aussi quelque chose, rien que pour lui, en cadeau de Noël.

— Je sais que vous êtes fée, à vos moments perdus, insistait-il...

A cette allusion énigmatique, Gabrielle avait répondu par un petit signe de tête amical, et elle s'était installée au piano. Elle avait eu la bonne grâce de ne pas se faire prier, d'exécuter sans vaine coquetterie une barcarolle, puis un impromptu de Gabriel Fauré, aux enchaînements savoureux dont l'esprit convenait à la fête. Mais, à la demande d'Henri, elle avait enchaîné avec *Le Roi de Thulé*, et peu à peu l'émotion avait gagné l'assemblée, provoquant ce silence singulier qui subjugue les pensées dissidentes et les emporte dans le même envoûtement musical, car l'air charrie des formes, des halos et des ondulations palpables, qui s'enfoncent et jaillissent d'un même espace imaginaire, et jusque dans ses commentaires descriptifs, Schubert laissait cette place rare, à laquelle chacun rapporte son rêve. Soudain, Daniel, plus qu'il n'écoutait la musique, regardait intensément Gabrielle. Il était si proche, au-dessus du clavier, qu'il pouvait voir à sa tempe, sous la coque souple des cheveux qui ombraient son front, battre une touchante petite veine, et la finesse de ses traits, altérés par la concentration de son jeu, le velours de sa joue où se creusait une fossette qui ne devait rien au rire, mais à sa ferveur, à sa tension intérieure. Accoudé au piano, le menton dans sa main, il sentait la trépidation des notes se propager de l'instrument à son corps, ses muscles et ses nerfs, si intimement qu'il lui semblait entrer par effraction dans son secret féminin, épouser les vibrations de tout son être, et ce qu'il accueillait en lui avait la sensualité d'une caresse dérobée. Elle baissait les paupières, comme si elle dispensait cet émoi dans un feint sommeil, et l'ombre de ses cils sur sa joue était si troublante qu'il se recula un peu, surpris par la commotion d'un spasme voluptueux. Par son geste, il heurta légèrement le bras de Pierre, et par ce contact électrique il eut la certitude que son frère éprouvait la même chose que lui, la même émotion inavouable, le même frisson érotique que sa gratuité parait du trouble délicieux de l'émotion partagée. Alors son chagrin envolé, aveuglé de larmes encore, le cœur meurtri, il s'abandonna au bien qui lui venait, en ce jour de Noël si triste, de cette jeune femme inconnue, de sa mystérieuse beauté et de son pouvoir. Il pensa qu'il la désirait, et cette pensée brutale avait la grâce d'une consolation.

Il fut de ceux qui applaudirent avec le plus de fougue, dans un mouvement où il jetait tout son chagrin, toute sa gratitude, et dans son enthousiasme, il tendit à Gabrielle les partitions de ragtime qu'il lui avait laissées. Elles traînaient sur le piano, qu'elle en jouât au moins un morceau ! Encore émue par Schubert, elle hésita, mais pour ne pas rester sur son impression, elle accepta de se risquer à l'exécution des pièces bizarres, qu'elle avait essayées, non sans étonnement pour leur rythme syncopé. Sans façon, Daniel s'appuya d'un genou près d'elle et entama un air, elle le rejoignit gaiement, mêlant ses mains aux siennes pour reprendre une phrase à l'unisson, et soulagée de cette diversion cocasse, elle jetait vers Pierre et vers Sophie des regards de complicité rieuse. Ses mimiques d'excuses, pour cette musique dont les échos fantasques résonnaient dans toute la maison, arrachèrent un sourire à Pierre, de ces sourires qu'on lui voyait rarement, et d'un brusque élan, peut-être pour dissimuler sa confusion, il souleva gauchement Millie et esquissa avec elle un mauvais pas de danse, Charles l'imita avec son garçon, et Henri applaudit, enchanté du désordre et de la cavalcade improvisée, tandis que, ravie de cet envol, de cet emportement joyeux, la fillette jetait au cou de son père l'étreinte de ses bras enfantins.

Cette dernière incongruité fit se lever Blanche, tel un ressort. C'en était trop, à présent. Elle n'avait que trop supporté ces réjouissances, cette débauche de rires et de gaieté, ce concert unanime de louanges, le ridicule achevé de cette scène, et l'indécent carnaval familial, pour finir. Elle quitta la pièce, rejetant derrière elle, d'un geste rageur, les pans majestueux de sa robe, et disparut, dans un froufrou de soie outragé. D'ailleurs, la fête improvisée ne dura pas, déjà les invités arrivaient, et l'excitation retomba brusquement, dans la tristesse que laissent les excès de joie ou de plaisir, quand ils ont mis à nu les visages, et les cœurs, et que chacun doit recomposer son personnage. Et tandis qu'ils revenaient lentement vers le grand salon et se dispersaient, reprenant chacun sa place, Gabrielle gardait le sentiment d'une faute, d'avoir autorisé, à son corps défendant, un débordement par lequel s'était rompu le factice équilibre de cette famille, d'avoir contraint à communier des êtres que tout séparait, que leur éloignement soigneusement cultivé condamnait à éviter cette sorte de circonstance. La sortie intempestive de Blanche lui signalait qu'une limite avait été franchie, et qu'elle avait été le jouet d'un différend qui lui échappait. Mais, avec insouciance, elle renonça à s'en soucier davantage, simplement heureuse que Millie ait pu jouer sans faute les petits airs qu'elle avait répétés avec tant de sérieux, de l'avoir vue danser aux bras de son père, et de la gaieté revenue de Daniel, si sombre à son arrivée. Peu lui importait ce que pensaient les uns et les autres, et déjà elle s'éclipsait, déjà elle était en pensée sur la route avec Victor qui la menait à la gare…

Sa présence n'était plus requise pour la réception mondaine. Elle n'avait plus à *faire quatorze*, selon le mot de Mme Victor, aussi déserta-t-elle discrètement la place pour rendre visite à l'office, qu'elle trouva en pleine effervescence. Les deux filles du village, au milieu des piles d'assiettes étincelantes, finissaient la nombreuse vaisselle du déjeuner, essuyant aux torchons de lin le cristal qu'elles rangeaient dans les paniers, avec des mines craintives et respectueuses, et déjà on s'affairait à préparer les couverts de friandises pour la collation, les crèmes dans les coupes de porcelaine, les petits-fours et les fruits confits dans leurs collerettes de dentelle en papier doré, et les chocolats fins livrés par un grand confiseur parisien, le vin de Champagne, et les carafes de sirop d'orgeat pour les enfants. Trois énormes boîtes de biscuits Bertin-Galay étaient ouvertes sur la table et Sassette les disposait artistiquement sur un plateau de vermeil. Ce nouvel article de luxe de la fabrique, lancé pour les fêtes, devait défier le marché concurrent, un produit raffiné de meringues glacées de sucre fin, aux couleurs pastel et piquées de bonbons argentés, que Madame avait tenu à présenter en cette occasion.

Les langues allaient bon train, que n'interrompit pas son arrivée, tant Gabrielle était une familière, à présent. Mauranne, les cheveux plaqués au front par la sueur et le feu aux joues, pestait comme aux plus beaux jours, parce que le monde arrivait sans discontinuer, et que les deux services enchaînés mettaient la cuisine au défi de mener ce train d'enfer pour obéir à Madame, qui se souciait peu du mal qu'elle donnait aux gens. Et Mme Victor, très fâchée, restait sous le coup de la nouvelle que Madame voulait dès ce soir emmener Millie avec elle, pour passer la semaine à la Chaussée-d'Antin, avec Pauline pour la garder, puisque son institutrice voulait son congé. Elle avait pris les choses en main, blessée de ces improvisations désinvoltes, du caprice des maîtres qui ordonnent sans prévenir, et de ce qu'il lui fallait quitter ses troupes en pleine bataille pour aller préparer en vitesse le bagage de Pauline, expédiant Sassette préparer celui de Millie. Au fond, elle n'était pas mécontente de l'occasion, que sa fille vît un peu son enfant, puisqu'elle était empêchée de venir elle-même, comme d'autres années, mais elle s'énervait, doutant qu'avec son service Pauline eût un seul moment pour être avec sa mère, et qu'il y eût quelqu'un pour la commander convenablement, prévoyant des sottises, des manquements, tête en l'air comme elle était, et Pauline pleurait de cette nouvelle, le nez dans son tablier, houspillée par sa grandmère que cette affliction déplacée ulcérait.

— Mâtine, est-ce un si grand malheur que de voir Paris, et d'être avec ta mère, et ton père ? Au moins, tiens-toi bien, obéis. File doux, et garde ta langue. Si Madame est satisfaite de toi, peut-être finira-t-elle par te prendre à son service, là-bas, et t'assurer une place ! Madame n'est pas tellement contente que vous preniez votre congé à présent, Gabrielle. Elle veut vous ravoir dès que passés vos jours autorisés. Elle me fait vous le dire : son ordre est que vous vous présentiez chez elle le 28 au soir, voilà.

— J'y serai, ma bonne Victor, et ne vous faites pas de souci : Pauline sera parfaite. Nous reviendrons ensemble, Pauline, ce sera tôt passé…

Elle seule, sans doute, soupçonnait la cause du chagrin excessif de Pauline, que ce départ précipité empêcherait de retrouver Renaud près du vieux hêtre, pour les quelques minutes de leur rencontre en cachette, comme chaque soir, et sans pouvoir le prévenir de son enlèvement. Il l'attendrait, et elle ne viendrait pas, ni les jours suivants, et il n'apprendrait la raison de son absence qu'avec retard, aussi redoublait-elle de pleurs. Comme Mme Victor avait disparu, et que les gens faisaient peu de cas de sa peine, trop occupés à leurs tâches, Pauline restait perdue au milieu de l'agitation, seule avec ses pensées désolantes, alors Gabrielle l'entraîna avec elle dans la buanderie, lui jeta sur les épaules son grand capuchon marine, couvrit sa tête et l'embrassa dans l'obscurité.

— Cours donc, va et reviens vite, chuchota-t-elle à son oreille. Je dirai que tu es avec moi à l'étage, pour nos préparatifs.

Saisie par cette complicité inattendue, sans demander son reste, Pauline disparut dans la nuit tombante et Gabrielle attendit que s'éteigne le bruit de sa course sur le chemin pour monter dans sa chambre. Au bas de l'escalier, elle entrevit encore l'assemblée nombreuse qui se pressait sous les lustres du grand salon, les toilettes élégantes des belles dames rivalisant de grâces et d'amabilités, au milieu des sombres tenues des hommes dont le front nu contrastait avec les coiffures féminines, rehaussées de perles et de plumets, et à travers la rumeur des conversations, des éclats de voix, des rires de gorge lui parvenaient, des roulades et des vrilles de faussets qui montaient vers le ciel du plafond peint d'oiseaux. Elle entrevit Millie, désœuvrée, jouant à suivre les ramages du tapis avec son petit cousin, derrière un fauteuil où ils avaient trouvé refuge, oubliés par la société, et, au milieu de la pièce, Henri entouré de quelques notables du pays, déférents et graves comme s'il fût leur souverain, et encore Pierre et Daniel, pris dans un aparté près de l'âtre, où ronflait une grosse flambée. Elle monta rapidement l'escalier, se retourna encore sur le palier, dominant le sapin croulant sous ses ors, abandonné à sa splendeur d'un jour, la crèche oubliée où dormait la figurine de plâtre rose de l'Enfant Jésus. Déjà, Sassette et Régis traversaient le grand vestibule illuminé, portant cérémonieusement les plateaux de sucreries, les douceurs luxueuses de la collation.

Mme Mathilde savourait la gloire de sa réception. Il y avait là le sénateur Rougerie et sa famille, sa femme corsetée de soie rouge comme un cardinal, si maigre que la peau lui semblait collée aux os, avec ses mains jaunes de squelette qu'elle joignait en prière sur son estomac creux, son long cou emmanché de dentelle raide, jusque sous son menton de rapace, le nez effilé d'une belette. Mais elle était bonne, disait-on, secourable et magnanime pour toutes les misères, menant ses œuvres miséricordieuses en compagnie de ses dames de charité, avec le martial dévouement d'un grognard. Une sotte, pensait Mme Mathilde, confite dans son terroir comme une missionnaire à la petite semaine. Et aussi le député, que ses séances à la Chambre tenaient toujours loin de son épouse, retenu à Paris pour d'interminables travaux, et que ses deux filles accompagnaient, de petites demoiselles à marier, dodues et fanfreluchées, pépiant comme perruches pour paraître spirituelles, qu'entretenait Blanche avec condescendance. Mme Mathilde se félicitait que celle-ci mît du sien pour distraire ces dames et flatter leur présence, au contraire de ses frères, qu'une conversation isolait près du feu, contente que, debout devant une porte, l'abbé écoutât bien patiemment le cousin Vergeau, très disert, qui lui tapait sur l'épaule en bon garçon, content de trouver une oreille favorable, lui qui passait sa vie de célibataire avec son vieux chat et un couple de serins, dans sa grande maison bourgeoise. Ce cousin, confit en religion, qui avait ses entrées à l'évêché, de bons amis en soutane, dont un vieux cardinal son parrain, n'était jamais si heureux qu'au commerce des gens d'Eglise. Un peu distrait, l'abbé opinait, penchant son visage grave, qu'éclairait par moments un mot de Sophie, assise tout près, sa jambe posée sur un coussin. La jeune femme se renversait vers eux, d'une torsion du cou pleine de délicatesse, qui déliait son buste gracieux, et de temps en temps elle adressait à Charles, à l'autre bout du salon, un petit geste qui disait que tout allait bien, qu'il s'amusât et ne s'occupât pas d'elle. Mme Mathilde était assez fâchée d'avoir appris qu'un de ces soirs récents, venue saluer son père, Sophie ait fait attendre le garçon de l'étude, venu la chercher en tilbury, pour ramener l'abbé à sa cure, après sa leçon de catéchisme à Millie. Non d'avoir fait patienter un employé, mais de l'inconvenance de se compromettre avec ce prêtre, de lui offrir ses services, et de faire jaser un commis indélicat. Elle n'était plus grosse, au moins, exemptée de ce quatrième enfant indésirable... Et soudain elle se souvint que Sophie avait été ce même quatrième pour elle, combien elle avait eu de mal à admettre sa dernière maternité, si elle l'avait jamais admise. Personne, hormis elle, pensait-elle, ne savait comment Sophie avait perdu l'enfant, et c'était une bonne chose que sa chute eût produit ce résultat providentiel. Mais si maintenant elle tombait aux mains des curés, si elle trouvait à sa vie inepte un dérivatif de cette sorte, c'était une nouvelle contrariété, que cette écervelée lui causait...

Elle chassa ce souci et chercha des yeux Didier, qui avait disparu au billard avec le fils du sénateur, pour fumer des cigares à l'écart, et plaisanter ou comploter, avec ce jeune gandin, sournois et ingrat comme lui, qui menait dans la région une vie oisive de parvenu, attiré par la vie parisienne où il faisait des escapades, au grand dam de sa pieuse mère. Quant aux petits, ils vaquaient en silence, et se tenaient à carreau, sans pleurnicher ni déranger le monde. Peu lui importait qu'on parlât, autour d'elle, du vote de la Chambre, du renversement du

ministère Barthou, et du ministre, quittant l'assemblée au cri de
"Vive la France !", et des triomphateurs, Caillaux et Jaurès, les
gauches du comité de la rue de Valois émergeant du nouveau
cabinet, avec le président Doumergue à sa tête, et de cette mode
nouvelle des voilettes portées à la turque sur la bouche et le nez,
qui amusait tant ces dames, et de *La Joconde,* enfin rétablie au
Louvre en grande pompe, et du dernier Goncourt, disputé entre
Léon Worth et Alain-Fournier… Les conversations de ces messieurs allaient bon train, là était l'essentiel ; dans l'autre salon, les
dames s'étaient réunies autour du pavillon du gramophone,
pour écouter *La Veuve joyeuse,* avec des mines pâmées. Satisfaite
de son tour d'observation, elle s'autorisa à relâcher sa vigilance,
tomba assise sur un canapé, les reins rompus, les jambes
lourdes. Comme cette journée était épuisante, et ennuyeuse…

Mais tout se déroulait selon son vœu, dans le respect du protocole, sans accroc ni éclat, et c'était sa victoire, son œuvre, que
l'exceptionnel rassemblement familial eût pris, malgré tout, ce
tour bon enfant, de grand naturel, avec l'intermède musical
bienvenu pour conclusion. Ils s'y étaient suffisamment réjouis
pour accueillir à présent les relations du voisinage et faire bonne
figure au monde, quand tout les séparait, chacun venant de son
horizon, antagonistes, et même ennemis, dans l'ignorance les
uns des autres… Elle ironisait en elle-même pour cette fatalité
de la descendance tombée de son ventre, que seul réunissait le
hasard de l'hérédité, le dérisoire, anecdotique accouplement
parental. Elle considérait de loin ses enfants, ces hommes et ces
femmes si dissemblables, et indifférents à sa vie, à sa passion
des affaires. Aucun ne se souciait d'elle, ni de sa santé, ni de son
humeur ou de ses craintes, considérant que sa toute-puissance
pourvoyait à tout. C'était ce qu'elle avait voulu, en somme, être
si peu une mère qu'aucun ne la traitait comme telle. Elle en
avait une orgueilleuse vanité, dans le vertige de sa solitude, au
milieu de tous. Quant à Henri, qu'il fût content la contentait. Il
la laisserait tranquille, une année de plus. Il disparaîtrait bientôt,
pour un nouveau voyage, en Australie cette fois, et s'il lui fallait
l'entretenir des comptes de la fabrique avant son départ, au
moins pour la forme, car il n'y connaissait rien et entendait bien
continuer d'en ignorer la marche, elle verrait à organiser une
séance avec Gillon, tout dévoué à elle et conquis à ses idées,
qui n'avait pas son pareil pour ennuyer les gens par ses scrupules de comptable. Et puis elle était sur le point de recruter un
jeune directeur financier, une perle rare, qui allait insuffler des
idées neuves… D'ailleurs, l'année 1914 s'annonçait faste. Selon
ses prédictions, les affaires étaient en hausse et prometteuses de

beaux résultats, même si l'apport de capital était un risque, décidé avec tant de témérité, qu'elle se promettait de le taire à Henri. Mais celui-ci n'avait que faire des montages industriels. Pourvu qu'elle s'amusât à sa fabrique... Cours toujours, moi, je m'amuse, pensait-elle, couvrant du regard l'assemblée insouciante sous les lustres, et si quelqu'un avait surpris ce regard, il eût été effrayé de son implacable mépris.

Mais Blanche vint interrompre ses ruminations. Son tour achevé, ayant épuisé les amabilités mondaines qu'elle savait si bien dispenser, elle venait chercher auprès de sa mère le réconfort que méritait son zèle, et elle tomba près d'elle d'un air fourbu.

— Voilà mes devoirs remplis... Ma mère, quelle bonne idée d'avoir fait d'une pierre deux coups ! Deux fois moins de tracas, et double avantage, que d'expédier en même temps nos agapes familiales, et les relations de voisinage. Vous avez l'art des réceptions.

— Pour le tracas, tu en parles à ton aise.

— En tout cas, rien n'y paraît. C'était parfait, comme tout ce que vous faites.

— Voilà de bonnes paroles, ma fille. Es-tu contente de ta couleur rouge ?

— Rousse... Ah ! J'ai cédé à mon coiffeur. C'est un artiste qui vous tente avec ses fantaisies...

— On cède à qui on veut, quand on veut.

Par prudence, Blanche ne releva pas la remarque désobligeante. Elle feignit de chercher des yeux dans l'assistance, donnant de petits signes de tête polis aux uns ou aux autres.

— Tiens, cette fille... Mlle Demachy a eu le bon goût de disparaître, dirait-on. Elle a assez occupé la place, depuis ce matin...

— Je l'en avais priée. Y trouves-tu à redire ?

— Evidemment, non... Cependant, si vous voulez m'en croire, c'est une impertinente.

— C'est-à-dire ?

— C'est-à-dire que, pour une employée de maison, elle a bien de la prétention. Reconnaissons-lui un petit talent. Mais enfin son numéro au piano était quelque peu malvenu...

— Mlle Demachy est l'excellente institutrice de Millie, et de surcroît son professeur de musique. Henri était ravi de son numéro, comme tu dis, et moi enchantée de son plaisir.

— Enfin, ma mère, qui est cette intrigante ? Si elle est si bonne musicienne, que ne cherche-t-elle un poste plus reluisant ?...

— Et toi, que te soucies-tu soudain de ma maisonnée ? Pierre est satisfait de mon arrangement. Ton humeur est bien noire, en un si beau jour !

— Vous savez bien que mon frère se moque de savoir qui s'occupe de sa fille. Et vous, vous avez toutes les indulgences, pourvu qu'on ne vous cause aucun souci. Je comprends cela. Cependant j'observe que cette personne en prend à son aise avec nous, et que c'est fort désagréable.

— Si Mlle Demachy t'insupporte un jour, elle me tire une épine du pied le reste du temps. Tes doléances m'ennuient, Blanche. Amuse-toi donc, et soucie-toi plutôt de Didier, qui fait l'intéressant au billard avec le petit Rougerie, un vaurien de sa taille.

— Vous ne pouvez lui reprocher d'être quelques minutes au billard quand il s'est montré si charmant, toute la journée, comme il me l'avait promis. Ce n'est pas très amusant, pour un jeune homme de son âge, que ces obligations familiales. Il avait des invitations, auxquelles il a renoncé, pour faire fête à son grand-père et être des nôtres.

— Il n'est que temps qu'il se plie aux obligations. Elles sont davantage de son âge que les caprices d'enfant gâté, voilà mon sentiment.

Blanche eut un gros soupir de lassitude, qui ne chassa pas la boule de tristesse nouée à sa gorge. Quoi qu'elle dît ou fît, jamais elle ne trouvait grâce auprès de sa mère, et si elle avait tant supporté de sa sévérité, de sa rigueur inhumaines, au moins était-elle en droit d'attendre d'elle un peu de tolérance pour ses petits-enfants, qu'elle accueillît leur présence avec bienveillance, à défaut de tendresse, maintenant que l'âge lui venait. Se croyait-elle donc immortelle, pour faire si peu de cas de sa descendance, si peu flatter les espoirs légitimes de ses héritiers ? Elle n'emporterait pas sa fabrique dans la tombe, ni ses biens et ses terres, ni sa considérable fortune... Qu'en faisait-elle, d'ailleurs, sinon la rejouer chaque matin à la roulette, comme les possédés qu'on voit aux tables de jeu ? Elle avait si peu de besoins, avec sa vie spartiate, son goût rustique pour la vie casanière, entre sa chambre de la Chaussée-d'Antin et son bureau du quai de la Gare... Mais elle avait d'autres jouissances, cette passion, dont Blanche voyait le ravage sous le masque maternel. La pâleur marbrée de ses joues, et ce pincement rapace des narines, cette lèvre effilée jusqu'à n'être plus qu'une fente cruelle, elle en connaissait les stigmates, et les redoutait, et les admirait comme les blessures qu'un inflexible guerrier rapporte de ses combats. Elle les lui aurait pardonnées, et pansées, si elle avait jamais eu la mansuétude de s'abandonner, de tomber un peu l'armure. Ce soir de Noël, elle s'y refusait encore, quand, la seule de ses enfants, Blanche venait humblement près d'elle, prête à l'entendre s'épancher et à partager son souci, à la protéger contre ceux qui profitaient de ses négligences. Car enfin, si forte fût-elle, elle ne pouvait être au four et au moulin, à la fois sur ses champs de bataille et à conduire sa maison, ni s'assurer que tout fût conforme à ses vœux. Elle n'était qu'une vieille femme, dont le mari avait déserté la maison, se disait Blanche, que fuyaient ses enfants, et qu'ignoraient ses petits-enfants. Voilà ta victoire, voilà ton œuvre. Et à cet instant, Mme Mathilde semblait si impénétrable, promenant son regard mi-voilé sur le spectacle de sa réception, un souverain sourire de sphinx à sa bouche, que Blanche désespéra.

— Joyeux Noël, ma fille, laissa-t-elle tomber, mettant fin à leur conversation.

Congédiée, Blanche se leva, humiliée, ulcérée. Une colère montait en elle, une révolte qu'elle n'avait jamais osé laisser venir à sa conscience, et une haine soudaine pour ce monstre froid, cette grosse femme cuirassée dans son corsage de douairière, sous lequel il n'y avait jamais eu de seins ni de ventre, ni un cœur, ni un tressaillement d'amour pour quiconque. Elle n'avait tremblé pour aucun d'entre eux, ne s'était penchée sur aucun berceau, n'avait faibli ni cédé, uniquement habitée par son égoïsme forcené. Blanche chercha son père du regard, cet homme inconnu dont la séduction lui faisait peur, qui habillait sa morgue et son indifférence d'une amabilité de surface, entièrement occupé à son plaisir, à ses rêves de voyages, vieux célibataire chez qui aucune fibre paternelle n'avait jamais vibré pour les siens. Il avait condescendu à montrer quelques bibelots orientaux, devant lesquels se pâmaient les dames et les demoiselles... Quelle portée étaient-ils, autant qu'ils étaient, leurs enfants ? Sophie minaudait avec son abbé, Pierre et Daniel s'isolaient, et elle était seule, seule, fendant la petite foule, traînant les pans élégants de sa robe et dressant sa tête orgueilleuse comme la proue d'un dérisoire navire.

— Allons, dit-elle, n'est-il pas temps de rentrer à Paris, Edmond ? La route sera bien difficile, ce soir.

Mais Fleurier était lancé dans une conversation animée avec le député, à qui il exposait les nouveaux brevets qu'allaient promouvoir les usines Renault, et l'enjeu colonial des programmes qui permettraient l'expansion industrielle de l'automobile, concurrente du chemin de fer. Si les Allemands avaient enlevé le marché du Liban et d'Anatolie, il restait tant d'autres territoires à équiper… L'avenir était aux routes goudronnées, qui ouvriraient la voie au marché du véhicule motorisé. D'ailleurs les Allemands se comportaient en conquérants, arrogants et maladroits, maniant la cravache avec les indigènes sous-payés de leurs chantiers, qui se rebellaient, en vaines mutineries ou sabotages. Aussi y avait-il une opportunité magnifique pour la France à faire le pari du réseau routier, et à tirer profit de l'expérience du gouvernement de ses colonies ! Nous savons domestiquer les Arabes en douceur, ils nous sont acquis, divisés par leurs rivalités claniques et faciles à dresser… Blanche s'éloigna, vaincue. Le brouhaha lui donnait la nausée, un début de migraine enserrait ses tempes. Dans un vertige, elle renversa sa tête vers le plafond et n'y trouva qu'un ciel en trompe l'œil, l'envolée immobile d'oiseaux imaginaires aux écœurantes couleurs.

XIX

Gabrielle trouva la ville embourbée d'une neige sale que les balayeuses avaient déjà repoussée en monticules grossiers, et les voitures jetaient vers les trottoirs des éclaboussures de fange mêlée de sel, épaisse et glaciale. La nuit tombée, les rues avaient pris un aspect sinistre de théâtre, décor crayonné en noir et blanc, surligné à gros traits, sur lequel l'éclairage urbain plaquait sa lumière crue, et les rares passants fuyaient, sombres silhouettes frileuses dans leur anonymat nocturne. Elle eut la chance de trouver un taxi devant la gare et s'y engouffra, avec un soupir de soulagement. Sortant du train inconfortable et brinquebalant qui traversait d'obscures gares enneigées, elle était dans un étrange état d'abattement, de langueur et d'extrême excitation, déchirée entre les derniers souvenirs de la fête triste et l'impatience de retrouver Dora, le refuge de son petit appartement douillet, plein d'objets précieux, cette bonbonnière féminine dont elle rêvait à présent. Sitôt grimpé quatre à quatre l'escalier de son immeuble, devant sa porte, elle eut pourtant un pincement au cœur, car elle n'était pas retournée là depuis l'automne, depuis ce jour de leur grande brouille. Sur ce même palier, elle s'était retrouvée en larmes, suffoquée par la brutalité et la rapidité de la scène, où elles s'étaient jeté au visage des mots si cruels. A la lettre de Dora, elle avait répondu, dès le lendemain, confiant au facteur sa missive, selon laquelle elle arriverait le soir de Noël, lui demandant l'hospitalité pour la nuit, avant de se rendre chez sa tante, le lendemain.

Dora avait ouvert aussitôt, encore en manteau. Elle rentrait juste d'une fête, d'où elle s'était enfuie pour l'accueillir, bien que ce fût très amusant : on y dansait le tango, une danse lascive et scandaleuse, venue d'Argentine, dont la mode allait faire fureur. Son manteau était ouvert sur une robe de soirée en mousseline prune, très décolletée et fendue à la cheville, qui montrait franchement sa jambe nouée de lacets de soie, et elle avait encore un grand renard jeté sur l'épaule, à la hussarde, enfin un tel air fanfaron de garçonne que Gabrielle l'avait enviée de tant d'insolence, de tant d'élégance. A côté d'elle, avec sa jupe sage et son corsage ancien, elle faisait figure de pensionnaire.

— Chez quel couturier as-tu trouvé cette merveilleuse toilette ?

— Nigaude ! Je te la prête, tu me la rendras plus tard !

Et joignant le geste à la parole, Dora avait tiré sa robe par-dessus tête. Elle tenait à ce que Gabrielle la passe tout de suite, la déshabillant elle-même, défaisant en riant les petits boutons de sa guimpe, de la nuque à la taille, libérant la frêle dentelle de Bruges qui moulait son buste comme une deuxième peau. Elle lui enlevait aussi bustier et jupon, enfilait à ses bras le fourreau fluide, si léger qu'on aurait dit du nuage.

— Eh bien ! Pas plus que moi, tu ne portes de corset ! Avons-nous besoin de cet attirail des mères la vertu, avec nos tailles de guêpe…

Elle-même en combinaison ajourée, sans soutien-gorge, nue sous la soie de sa chemise, Dora frissonnait de ce jeu, ajustait la robe aux épaules de son amie, échancrait d'autorité le décolleté pour dénuder son dos et sa gorge, et l'entraînait devant la psyché de l'antichambre.

— Vois comme tu es belle, et bien faite !… A damner les anges. Même si nous n'en connaissons pas beaucoup, n'est-ce pas ? Tu me damnes, Gabrielle ! Ah ! Je te rencontrerais, je te ferais une cour infernale !

Bouleversée par sa mue, Gabrielle se regardait au miroir, sous la lumière dorée des lampes, drapée dans la robe audacieuse qui épousait sa taille, moulait ses hanches et découvrait ses jambes, ses seins de jeune fille, la longue colonne de son cou et ses attendrissantes salières ; et toutes ces parties de peau nue rehaussées par l'étoffe délicate lui semblaient d'une autre, une inconnue, sensuelle et séduisante, si troublante qu'elle se tourna le dos. Au comble de la confusion, elle quitta la robe qui brûlait son corps comme la paume d'une main indiscrète.

— Je n'ai pas l'occasion de porter une toilette pareille, murmura-t-elle, enfilant rapidement le déshabillé que lui tendait Dora.

— Fais donc connaissance avec ton plaisir, ma douce, au lieu de le bouder.

Et maintenant, toutes deux en tenue de nuit, installées sur le sofa, dans les coussins satinés, elles se pelotonnaient l'une contre l'autre. Dora, qui dînait pour la deuxième fois, avait préparé un en-cas de pâtes italiennes, avec de l'anchois, des câpres et des condiments, du poivre, du safran, des choses fortes et odorantes, des tartines au piment, de quoi massacrer le gosier d'un régiment de soudards, et elles buvaient comme petit-lait du vin de Chianti dans les verres à liqueurs, remplis sans désemparer. A Gabrielle, qui racontait les épisodes de la journée de Noël au Mesnil, elle donnait des coups de coude dans les côtes, se moquant d'elle, si empruntée et scrupuleuse au milieu de ces gens dont la comédie ne tenait qu'à un cheveu. Un cheveu d'impertinence, d'effronterie ou de franc-parler.

— Ils ont si peur de toi, que d'un mot tu les abats, disait-elle, sentencieuse et rieuse, croquant un cornichon de ses dents aiguës. Cela t'apprendra, de te fourvoyer dans un tel milieu. Ils n'ont besoin de toi que pour faire le compte rond à leur table ? Entends bien la leçon. Voilà où est ta force. Manque à leur retenue, et leurs calculs s'effondrent.

— Je n'ai aucun intérêt à contrarier leurs calculs. Au contraire.

— Bien sûr ! Alors amuse-toi de ces simagrées, et prends-en de la graine, en attendant de leur faire le grand coup, avec ta robe du soir ! Ah ! que le grand Cric me transforme en souris pour voir ça !

— Dora, quelle sorcière tu fais.

— Gabrielle, je t'adore. Mais fais attention à toi. Tu as de mauvaises fréquentations

— Tu as donc vu Clarisse ?

— Je parle de moi, niaiseuse.

Et elle se lécha les doigts consciencieusement. Il faisait grand nuit. Par la petite fenêtre, on entrevoyait des cheminées chapeautées de blanc, des toits scintillants de neige sous la clarté laiteuse du ciel, et dans la chaleur des coussins, échauffées par leur dînette, elles prenaient leur temps, sans se soucier de l'heure. Leur abandon intime avait la douceur des complicités féminines, aux jeux du moment, un peu dangereux, parce que de son petit pied nu Dora câlinait celui de Gabrielle, qui ronronnait de cette caresse comme un chat sous le poêle, et du satin de sa hanche, elle faisait crisser celui de Dora, en lapant au bord de son verre de la crème de cacao, très sucrée, très orgues et délices. Dora lui jeta son bras aux épaules et mit un baiser dans son cou, assez voluptueux, tout embaumé de son parfum d'iris. Puis elle tapa les coussins et se redressa.

— Ne devenons pas trop sentimentales, ma belle, nous perdrions de vue nos affaires. Ta Clarisse est montée jusqu'ici, un jour que je donnais cours à une petite pimbêche, une figue jaune et maigre, que sa mère fait sécher en serre. Elle ne la quitte pas d'une semelle, la misérable.

— Ah ne me fais pas languir. Que t'a dit Clarisse ?

— Donc la mère est assise là, ici la fille au piano, avec un air d'ennui !... Et voilà qu'on sonne ! Moi sur des charbons, sachant que ta Clarisse attend maintenant dans l'antichambre. Où voulais-tu que je la mette ? Pas dans ma chambre, quand même. Je me disais qu'elle allait me filer entre les doigts. C'est une anguille, cette femme. Pas si pauvresse que tu dis. Elle avait sur le dos des nippes de bourgeoise, mitées peut-être, mais elle a eu de beaux jours, crois-moi. Elle s'était mise sur son trente et un pour me rendre visite. Quand j'ai enfin pu me débarrasser des autres : alors plus de Clarisse. J'aurais battu la mère et la fille. Mais non, elle était toujours à attendre, cachée dans la cuisine, son maigre cul posé au bord d'une chaise. Tu vois si j'étais à l'aise, avec cette bizarre. Mais elle avait ses raisons de se cacher pour faire tapisserie, ni vue ni connue, m'a-t-elle prétendu. Je ne coupe pas les cheveux en quatre, voilà ce qu'elle m'a dit. Qu'elle s'était informée auprès de Marcus de comment tu avais trouvé sa trace. Et elle n'était pas contente, je t'assure. Elle n'aime pas ton Cyprien de Passy. C'est un mielleux, un chassieux qui passe son temps à pister les gens derrière son rideau, un faux jeton. Un indicateur, voilà son gros mot. Du moins elle le soupçonne de se faire graisser la patte par les huissiers ou les créanciers, parce que, à peine tournés les talons de ses vieux père et oncle, partis se refaire en Angleterre l'hiver dernier, il a permis à des gens de venir vider leur appartement des derniers meubles, et aussi leur cave de toutes leurs affaires, malles et vieux rebuts, qu'ils ont embarqués il y a six mois, comme une saisie sur biens, si tu veux. Au prétexte de couvrir des arriérés de loyers, qu'il fallait rembourser dare-dare à la propriétaire. Ce qui l'a laissée comme deux ronds de flan, parce qu'elle n'avait pas prévu ce déménagement express, et qu'elle espérait bien récupérer le peu qui restait. Le vendre pour son compte, ou celui de son frère, je ne sais...

Dora s'interrompit contente de son effet, sachant Gabrielle pendue à ses lèvres, et prit le temps de remplir de nouveau leurs verres, trinquant avec malice.

— Voyons que je remonte dans l'histoire... Elle a donc, d'abord, longuement protesté contre toi de ta visite à Passy, mais ensuite elle m'a déballé de sa vie, plus que je n'attendais. On aurait dit que cela lui échappait, qu'elle n'avait pas tant envie d'en dire... Mais au bout d'un moment, on n'arrêtait plus la fuite. Il faut dire que je lui avais fait un chocolat chaud. J'étais bonne fille, et dans mon jour de simplicité. Avec ma jupe grise et ma veste noire de maîtresse de piano, j'en jetais moins qu'en robe du soir ; ça l'a amadouée. Du moins je crois. En tout cas, si elle a trouvé le décor mauvais genre, elle n'a pas manifesté, et ce n'est pas ce qui l'intéressait. Pourtant, preuve qu'elle a l'œil avisé, elle a vite vu qu'ici c'étaient des choses de Pologne, des livres, des partitions, des bibelots et des tableaux qui sentaient leur étrangère. Elle a fini par me le dire, tout de go : Quelqu'un comme vous qui vient d'ailleurs, ça doit savoir tenir sa langue. Tu te rends compte ? J'ai remarqué qu'elle couvait le piano des yeux. Elle en a fait, dans le temps, aux beaux jours dont je parlais. Enfin, ce qui est sûr, c'est que ce Cyprien t'a doré la pilule, avec ses bonnes paroles, et qu'elle aurait préféré que tu ne passes pas par lui pour venir la voir. Je crois que Marcus a dû argumenter et rhétoriquer sévèrement pour la convaincre que tu n'étais pas de mèche avec ce Cerbère malhonnête. Mais surtout, elle m'est parue un peu folle. Obsédée de secret, une maniaque des précautions, comme si on la persécutait. Elle m'a raconté ses ruses pour sortir de chez elle par la cour de derrière, qui donne sur une autre rue, et malgré ça, elle a fait mille détours pour déjouer une éventuelle filature, et une fois ici, elle est montée à l'étage du dessus, attendre un quart d'heure sur le palier, avant de redescendre sonner chez moi, au cas où quelqu'un l'aurait suivie… Le plus beau, c'est qu'elle me racontait tout ça pour me rassurer. Cela ne me rassurait pas du tout ! Elle non plus, d'ailleurs. Mais elle brûlait de voir la tête qu'avait la personne à qui tu la recommandais. Elle me l'a déclaré pour finir, comme elle s'en allait. Et qu'elle serait partie sans demander son reste si ma tête ne lui était pas revenue. Voilà le personnage. Une délirante, qui voit des ennemis partout et qui croit à ses intuitions. Rien de plus redoutable que ces gens-là.

— Tu ne coupes pas les cheveux en quatre, mais tu y vas par quatre chemins… Je ne te suis plus. Que t'a-t-elle appris, pour finir ?…

— Ecoute, je te rapporte notre conversation dans le désordre, et bien délayé, or elle n'est pas restée plus d'une demi-heure. En bref : son père et son oncle sont de petits industriels. Ils fuient l'Alsace, en 1871, et s'installent à Reims, puis à Paris, comme commissionnaires ou détaillants. Tout va bien, la belle vie, mais la mère meurt en cours de route. Clarisse élève son petit frère, son cadet de dix ans, à peu près. Une passion, crois-moi. Elle en parle comme du Jésus. Naturellement, il prend la suite, Zepwiller & Fils, comme courtier, voyageur de commerce en colles et colorants, produits chimiques, je ne sais. Leur affaire rapportait. Puis il part soudain en Orient, à la date que tu connais, toujours pour son industrie, une affaire faramineuse, promettait-il. Mais quand il revient, tout est changé. Ce sont des tracasseries douanières, des contrôles, des contrats qui leur filent sous le nez. Ils ont dû vendre leurs biens, et son Jean a pris le large, évaporé. Ils végétaient, traînaient misère, tu vois. D'après elle… voyons, comment dit-elle cela ?… On leur veut le mal. Quel mal ? Qui "on" ? Les créanciers, les huissiers ? Elle a l'air de penser à d'autres gens, des concurrents, des ennemis. Je donne ma langue au chat. Elle a l'air normale, à première vue, mais c'est une crucifiée de l'existence. Elle se signe tous les dix mots. J'exagère, mais quand même.

— Et elle t'a raconté tout ça, en une seule demi-heure ?

— Exactement. Elle parlait vite et sec, sur le qui-vive.

— A moi, elle n'a pas dit trois mots, là-bas, place d'Italie.

— Elle avait le gosier gelé. Mon chocolat chaud fait des merveilles pour délier les langues.

— Dora, ne plaisante pas… Je n'en crois pas mes oreilles. Cette femme est une illuminée. D'après Marcus, elle passe son temps à servir la soupe aux pauvres, à militer dans la rue avec l'Armée du Salut. Vous êtes aux antipodes. Comment se met-elle à te raconter sa vie ?

— Elle était venue pour ça, je pense. Elle n'a pas dû en avoir l'occasion depuis longtemps. Il y a un moment où le trop-plein déborde. Et je lui ai plu. Nous nous sommes plu, ma chérie. En dépit de son air hagard, elle n'est pas égarée. Elle veut bien te rencontrer. Elle est persuadée que tu as les mêmes ennemis que son frère. Je crois surtout qu'elle a peur de toi, une peur bleue.

Gabrielle observa un silence, suçotant le fond de son verre de cacao, amer et sucré.

— De moi ? Que lui as-tu dit pour lui faire une peur pareille ?

— Rien de rien, je t'assure. Je m'en suis prudemment tenue au strict minimum. Je n'avais pas de consigne, n'est-ce pas ? D'ailleurs, elle n'a rien demandé.

— Mais enfin, elle venait s'informer, prendre des assurances, non ?

— J'ai dit que j'étais ton amie. Que je n'en pouvais plus de te voir te consumer sur place, obsédée par ton fiancé disparu. Une histoire romanesque et pathétique, un tableau sentimental à faire pleurer les pierres. Que tu étais prête à tout et n'importe quoi. La vérité, en quelque sorte. C'est ce qui l'a convaincue. Que tu ferais n'importe quoi, vraiment.

— Tu es la plus belle amie du monde, Dora. Je ne sais comment te remercier…

— Taratata. Je me suis engagée à te suivre, alors allons-y. Mais, de mon point de vue, tu vas au-devant de sérieux ennuis. Maintenant qu'elle t'a agrippée, elle ne va pas te lâcher, avec son histoire de persécution. Elle tremble pour la vie de Jésus, et ça finit mal, comme tu sais.

Dora était trop gaie, elle plaisantait, mais sa voix était grave. Gabrielle prit sa main. A elle aussi, l'alcool aiguisait les nerfs comme une scie, et de petits poinçons d'angoisse piquaient sa gorge.

— La piste du docteur, c'était un chemin creux d'où on ne voit rien du paysage. Par là, tu vas à l'aveugle, poursuivait Dora. Tu t'es embarquée là-dedans sur le conseil de ce petit monsieur du ministère, parce que tu n'avais pas d'autre issue en vue. Tu t'y es jetée, tête baissée, tellement tu te rongeais d'inaction. Mais admets que c'est d'un esprit très sophistiqué, très maniéré. Et même tortueux, dirais-je. Qu'en as-tu tiré, à ce jour ? Que le Dr Galay a fort probablement connu Endre. Qu'ils se sont plu, et qu'il a pu lui laisser des livres de poèmes, en souvenir. Et alors ? Que deux Français isolés en pays étranger se rencontrent, fraternisent, ça va de soi. Maintenant, avec cette Clarisse, tu cours à découvert, exposée en première ligne. Mais c'est comme ça qu'on prend du terrain, mon petit fantassin. Ah ! Gabrielle, je ne sais, des deux, ce que je préfère, ou ce que je crains le plus, de ton médecin, de ton Alsacien ou de ton Terrier... Quel nom de contrebandier il a, celui-là ! L'as-tu revu, cet intrigant ?

Heureusement, elle ne regardait pas Gabrielle, qui enfouit son nez dans son verre.

— Non, murmura celle-ci, aussitôt glacée par son mensonge.

— Voilà une bonne nouvelle. Je n'ai aucune confiance dans ce manipulateur. Crois-moi, c'est un faux frère de première : dans la situation où il t'a fourrée, tapi dans ses tranchées, il te laisse prendre tous les coups...

Gabrielle se leva, s'enfuit vers la fenêtre. Elle effaça la buée, regarda la nuit. La ville était toute nue et noire, avec ses arbres sans feuilles, ses rues désertées, ses pavés givrés. La sagacité de Dora l'effrayait, elle disait vrai, elle l'ébranlait. Michel Terrier ne lui était effectivement d'aucun secours. Pourtant elle lui gardait gratitude, et tendresse, et cela ne pouvait que trahir le jugement de Dora. Quel mal y avait-il à lui avouer qu'il était venu l'attendre, gare Saint-Lazare ? De quelle pierre était-elle donc bâtie pour ne pas se fier à son amie, aveuglément, ne pas vouloir entendre son avertissement ? Mais cela était du passé, maintenant elle tenait la piste de la photo, elle avait trouvé Clarisse, et bientôt elle rencontrerait Jean Zepwiller. Quand on attend violemment quelque chose et qu'il se présente, il faut rester très calme, équilibré et méfiant. Ne pas perdre la tête et vaciller du coup que vous fait la chose. Il ne faut plus se faire d'imagination, ni s'occuper des considérations annexes. Juste voir ce qui est, et s'en contenter. Si Clarisse promettait Jean, Gabrielle touchait à son but. Elle en avait une lassitude, une langueur de l'esprit qui enrobait les contradictions, les dissolvait, comme si elle s'ensommeillait, au moment même où il aurait fallu le plus de lucidité.

— Que ferons-nous maintenant ? demanda-t-elle, perdue.

— Voilà ce que tu feras : demain 26 à midi, Clarisse mettra du houx à sa fenêtre, pour dire que tu peux monter. Sinon, pas question, même d'entrer dans son immeuble. Pas de houx, tu passes sans t'arrêter, compris ? C'est sa condition.

— D'accord. Tu viendras avec moi.

— Je ne viens pas avec toi. Tu dois y aller seule.

— S'il n'y a pas de houx ?

— Même heure, le lendemain, et ainsi de suite.

— Je n'ai pas beaucoup de jours pour "ainsi de suite".

— Il y aura ce qu'il faut à la fenêtre, mon petit doigt me le dit. Elle a vraiment hâte de te voir. Et bientôt tu sauras ce que tu veux savoir... Alors, j'espère que tu tourneras cette page, Gabrielle, que tu refermeras la boîte aux souvenirs, et que tu seras enfin libérée de cette vieille histoire... Alors tu te tourneras vers le vaste monde, tu ouvriras tes yeux sur ce qui t'entoure et tu tomberas amoureuse de gens fabuleux, tu jouiras, tu riras, tu voyageras... Ah ! voilà que j'en suis à tirer des plans sur la comète... Et toi, tu es comme un chat mouillé, toute frileuse, toute triste ! Tu tombes de sommeil, pauvre minette. Viens, couchons-nous.

Il y avait bien du houx accroché à la fenêtre. Dès qu'entrée dans la rue Tiquetonne, Gabrielle aperçut la tache verte hérissée, là-bas, en haut de la façade où pendait, malgré le froid, du linge à sécher sur des fils, des maillots, des culottes et des torchons. Sans se retourner, ni chercher à droite ou à gauche, ni changer d'allure, elle parcourut la courte distance, le mollet agile, les reins souples, tapant la neige de son petit talon de biche, sans heurter personne, se faufilant entre les uns et les autres, esquivant de la hanche les marchandes, les passants badauds qui traînaient, à se geler, à considérer on ne sait quoi, de la rue sale ou du ciel gris. Soudain elle obliqua, comme prise d'une lubie, traversa l'étroite chaussée aux pavés embourbés de neige grise, que les roues avaient malaxée jusqu'à cette bouillie gelée collant aux semelles. Parvenue au niveau de la porte d'entrée, toujours ouverte sur son corridor, d'un saut, elle quitta la rue, se glissa à l'intérieur. Elle s'étonna de si bien céder aux craintes de Clarisse, de se prêter à ces manœuvres clandestines. Qui donc l'aurait suivie, ou attendue ? Qui ferait le pied de grue en plein vent, au bas de cet immeuble vétuste, pour y guetter entrées et sorties ? L'odeur saumâtre de la maison la prit aux narines, poisson de vase ou vieux fond de bassine, savon aigre dont on frotte les planchers. Elle grimpa les étages en vitesse, était déjà rendue au deuxième étage, quand un pas vif monta derrière elle. Marcus surgit, la doubla d'un pas alerte.

— C'est bon. La voie est libre, souffla-t-il au passage.

Et il disparut devant elle, grimpant les marches quatre à quatre. Interloquée par cette apparition, elle n'eut pas le temps de l'arrêter, de le questionner. Elle n'avait pas repéré sa présence dans la rue, mais lui l'avait vue passer, de quel poste d'observation ? Les jambes coupées, elle s'appuya à la rampe, reprenant son haleine. Elle avait un frisson, tant cette atmosphère de mélodrame la mettait mal à l'aise. Quelle comédie se jouaient-ils l'un à l'autre, et à elle, pour entourer sa visite de tant de mystères ? Malgré ses résolutions, elle se laissait gagner par l'inquiétude. Tout en accélérant son ascension, elle jeta encore un regard dans la cage d'escalier, déserte. Mais Clarisse, prévenue, l'attendait déjà sur le palier et d'un seul mouvement la poussa chez elle, tourna la clé, avant que Gabrielle eût le temps de réaliser ce qui se passait.

Maintenant elles se trouvaient face à face. Maintenant elle était au rendez-vous tant espéré. D'un seul coup d'œil, elle embrassa la pauvre cuisine où la fenêtre découpait un rectangle du ciel de neige, versant une lumière crue qui buvait les couleurs, délavait les matières, éblouissante blancheur d'étain, d'argent, de mercure, qui éclaboussait aussi le visage de Clarisse. A sa pâleur personnelle, s'ajoutait celle de cette clarté qui baignait sa face, livide comme la cire des églises, et les os de son nez, de son crâne, sous la peau translucide devaient être de ce même blanc, ses paupières, sa lèvre en étaient décolorées, sauf ses cheveux et ses yeux de charbon, qui lui donnaient le visage émacié des vierges byzantines.

— Vous êtes bien pâle, remarqua Clarisse, avec ironie, en guise de bonjour.

Elle l'examinait sans aménité, serrant la pèlerine jetée sur ses maigres épaules, réfugiée de l'autre côté de la table comme si le bref contact qu'elles avaient eu sur le seuil l'eût contaminée.

— Vous aussi, rétorqua Gabrielle. C'est ce grand froid.

— Je n'ai pas froid. J'ai peur pour mon frère.

— De quoi avez-vous peur ? De qui ?

— Asseyez-vous. Il y a des choses que vous savez, et moi d'autres. On peut tenter de voir ce qu'il en sort. Puisque vous êtes venue, parlons.

Avec ces gestes brefs que Gabrielle lui avait déjà vus, elle posa une cafetière émaillée sur la nappe cirée, et deux jolies tasses en porcelaine fleurie, restes d'un service dépareillé. Elle s'assit, servit le café en silence. Puis elle allongea, de chaque côté de sa tasse, ses mains gercées aux ongles usés, les considéra.

— Vous d'abord, dit-elle, de son air hostile.

Gabrielle se lança sans préambule. Il n'était plus temps de biaiser, de ruser. Elle rapporta l'exil de sa tante, son amour d'enfance pour le cousin adorable et prestigieux, toujours parti, et son dernier voyage. Le long temps sans nouvelles, les interminables tentatives enfin, pour retrouver sa trace, les bribes de ce qu'elle avait appris, ou déduit de ses vaines démarches, et l'annonce officielle de sa mort, en septembre dernier. L'affreuse livraison de sa malle, misérable relique de son aventure, qui avait mis fin à l'attente. Mais comment, se heurtant à la fin de non-recevoir de l'administration, plus que jamais elle avait voulu en savoir davantage, parce que rien de ce qu'on lui disait ne la satisfaisait, au contraire épaississait le mystère de sa disparition. Parce que, parti en pleine santé, avec sa force et sa détermination d'homme fait, il n'avait pu échouer dans cette mission que par d'exceptionnelles et suspectes circonstances. Et que si elle n'avait été si jeune, et si dépourvue, elle aurait tenté l'aventure de partir là-bas, pour retrouver des témoins, en dépit du temps passé, établir les raisons de sa mort. Si elle avait fini par tomber sur cette photo d'Endre avec un inconnu, et par s'aviser de son origine à son recto, par aller chez ce photographe pour avoir l'adresse, c'est qu'elle était aux abois, prête à faire feu de tout bois, prête à tout, pour un lambeau de vérité…

Elle s'écoutait parler, elle entendait le son de sa voix, mat entre les murs, assourdi et tremblé, son souffle court et vibrant, l'hésitation ou la précipitation des mots qui faisaient de son récit un poignant témoignage et mouillait ses yeux de larmes sincères, car elle se convainquait elle-même, se prenait au piège de son émotion. Pourtant, jamais elle n'avait été aussi froide, aussi étrangère à elle-même. Elle assistait à son récit comme à celui d'une autre, étonnée d'y trouver les intonations, les accents de la vérité. Tout ce qu'elle disait était conforme, et fidèle, et juste, bien sûr. Elle y traçait un portrait d'elle-même en jeune fiancée naïve. Mais voilà que, plus elle avançait dans sa relation, plus elle était sûre de devoir taire et l'intervention de Terrier, ce que celui-ci lui avait appris du Dr Galay, et son conseil de s'introduire dans sa maison. Un instinct l'avertissait de ne pas effrayer Clarisse davantage. Comme avec Dora, cette nuit, de ne pas se livrer tout entière. De ne pas prêter le flanc, là où la cuirasse était faible, là où elle-même n'était sûre de rien. Et obscurément, plus que Michel Terrier, c'était la personne de Pierre Galay qui lui intimait silence. Sa silhouette dans l'ombre d'un couloir. Ou sa prière de l'aider, sans qu'elle sache à quoi. En raison d'un pacte, à quel moment passé entre elle et lui, qui ne devait être trahi, qu'elle confondait obscurément avec celui qui la liait à Endre. Ce pan entier qu'elle taisait faisait frémir sa voix d'une appréhension grandissante, qu'elle maîtrisait mal sous les yeux implacables de Clarisse. Celle-ci ne perdait pas une miette de sa longue confidence, elle la transperçait de son intense regard noir, ses lèvres serrées. Elle ne pouvait qu'entendre son mensonge par omission, que la condamner pour sa fausseté parfaite.

— Endre et votre frère sont partis ensemble en Birmanie, conclut Gabrielle d'une voix éteinte. Sur cette photo, ils sont confiants, et solidaires. Ils sont allés se faire photographier avant le départ, comme on scelle une amitié. C'est ce qui m'a persuadée de retrouver votre frère, où qu'il soit. Parce qu'il est des derniers, peut-être le seul, à avoir connu sa vie, et sa mort, là-bas. Sa malle, qu'on nous a livrée en septembre, disait assez dans quelle misère il était tombé, quelles épreuves il a pu endurer... Si vous aviez vu ses nippes, ses pauvres objets entassés dans cette caisse de fortune... Des fioles vides, une collection de couteaux rouillés, une bible déchirée, lui qui ne pratiquait aucune religion... Rien ne ressemblait à mon pauvre Endre. Je n'en ai gardé que cette paire de lunettes, la seule relique qui me rattache à lui.

Elle fit jouer l'étui d'argent, tendit les lunettes. Clarisse les considéra avec une expression ébahie, retirant ses mains pour ne pas y toucher. Elle observa un silence, dardant ses yeux vers le lointain ciel de neige, vers quelque point d'intense colère, perdu dans la blancheur éblouie de l'hiver. Puis elle se ressaisit, ramena vers Gabrielle son regard noir.

— J'ai rencontré M. Luckáczs, une fois, laissa-t-elle tomber, contenant son exaspération. Si Jean ne l'avait pas amené chez nous, je ne serais pas obligée de m'occuper de vous, maintenant.

— Endre est donc venu chez vous ! À votre tour de me dire ce que vous savez, Clarisse.

— Pas avant que je sache, moi, ce que vous avez pu faire, comme stupidités. Et d'abord, de qui tenez-vous qu'ils sont partis ensemble, là-bas ?

Gabrielle se mordit la lèvre. Pour rien au monde ne parler de l'autre photo de Jean, sur le pont du navire qui ramenait le Dr Galay, ni du maroquin rouge où elle l'avait vue, de ce tiroir qu'elle avait fouillé. A la vitesse de l'éclair, elle calcula sa feinte, se laissa un temps de réflexion, comme si elle était désarçonnée.

— En réalité, je le suppose seulement... Je raisonne, je raccorde les indices. Eux deux, photographiés quelques semaines avant le départ... Quand Cyprien a lâché que votre frère voyageait, qu'il allait en Inde, en Birmanie, je crois que je l'aurais embrassé, tant il corroborait mon hypothèse...

— Vous auriez embrassé Judas. Il aura rapporté votre visite. Il parle à qui le paie, je l'ai appris à mes dépens. Maintenant ils savent que vous me cherchez. Ils vous surveillent. Vous êtes une menace extrême pour moi, pour Jean.

Sous la violence de l'accusation, Gabrielle s'affaissa sur sa chaise, comme si sa colonne vertébrale s'effondrait soudain.

— Oh ! Parlez-moi Clarisse. Je ne comprends rien de ces menaces obscures, de ces suspicions. Aidez-moi et je ferai ce que vous voudrez.

— Voilà où le bât blesse, mademoiselle. Le premier venu vous fait faire ou dire n'importe quoi. Si je vous laisse repartir, vous commettrez encore quelque folie. Vous irez trouver des gens, leur raconter votre histoire, comme vous venez de le faire à moi. Vous livrerez tout, la photo, Passy, Clarisse, et Jean Zepwiller. Je n'accepte de vous voir que pour vous neutraliser, pour vous empêcher de nuire. Pour que vous ne preniez plus de risques imbéciles. Votre amie, elle au moins, n'a pas froid aux yeux. Elle m'a persuadée de traiter avec vous. J'y ai intérêt. Vous êtes trop dangereuse.

— A elle, vous avez pourtant dit bien des choses que vous me refusez.

— C'est une personne sensée. Elle sait tenir sa langue.

— Si vous m'exposez vos raisons, je serai moins dangereuse, comme vous le dites. Au lieu de me traiter de sotte, prenez-moi pour alliée.

— Je n'ai plus le choix, en effet. Si vous avez un brin de jugeote, vous vous tiendrez tranquille, peut-être.

En Gabrielle s'aiguisait un sixième sens. La personne qui se tenait devant elle avait beau la tenir sous son regard, avec ses yeux de charbon et sa perspicacité, elle ne traversait rien. Elle n'avait pas la double vue, elle naviguait dans son brouillard personnel comme tout le monde. Elle avait ses ombres et ses fantômes à elle, qui glissaient entre deux couches opaques, elle croyait les connaître et se jouer de leurs écueils, elle se croyait bien forte, comme un renard dans ses bois, que sa peur rend à l'intelligence. Mais Gabrielle était dans le même bois, et armée de la sienne. Et ce n'était plus un jeu de colin-tampon, c'était devenu une chasse sérieuse. Si elle faisait peur à cette femme, alors c'était à son avantage. Même si elle ignorait le pourquoi, le comment, celle-là allait le lui apprendre. Par nécessité. Ce que Clarisse faisait tout de suite, à la vitesse des gens qui ont calculé ce qu'ils ont à perdre ou à gagner.

— Vous ignorez tout du goudron de houille, de l'acide picrique et du chlore ? Tant mieux pour vous. Notre fabrique en traite depuis trente ans, comme une brave industrie du colorant pour textiles et papiers. Nos parents sont là-dedans depuis longtemps, des autodidactes, des artisans sans malice. Jean n'en avait pas davantage, à vingt ans. C'est moi qui l'ai fait, qui l'ai élevé, je le sais. Il était travailleur, intelligent, ambitieux, il était beau, il était bon. Je n'ai rien vu venir, pas plus que vous, avec votre cousin. Mais ce qu'ils avaient appris de chimie les rendait très intéressants. Les gens qu'ils ont fréquentés, qui les ont fait se rencontrer, savaient, eux, quoi faire de leur intelligence, de leur ambition. Ce sont des gens sans scrupules ni morale. Ils œuvrent à tuer, à affamer les pauvres pour les abêtir. Pour qu'ils ne pensent à rien, qu'à trouver leur pitance et à servir de munitions, quand il faudra faire la guerre. Car ils préparent la guerre, mademoiselle, quand vous, vous courez à vos leçons de musique et vos distractions. Dans votre dos, c'est une armée de l'ombre, qui recrute ses agents. Ça vous contrarie d'apprendre que votre Endre et mon Jean ont été enrôlés, comme des moutons ? Qu'ils sont partis là-bas, loin, en Birmanie, trafiquer des expériences d'armement. En Birmanie ou ailleurs, c'est pareil. Vous croyez qu'ils ont des limites ? Il n'y a pas de frontière, pas de nation qui compte. Ils font tous la même chose, en Angleterre, en Allemagne, en France, en Russie. Ils appellent ça travailler pour la patrie. Dieu nous garde.

Clarisse se signa, jeta un regard vers le ciel blanc.

— Vous n'avez pas idée de ce qui se trame. Moi non plus. Mais sachez qu'il y a cinq ans, ils sont partis ensemble, croyant qu'ils travaillaient pour la science nouvelle. Ils n'étaient pas des amis, juste des associés. J'ai mis Jean en garde : je ne donnais pas cher de son collègue, moi. Mais il était entiché de lui, vraiment. Que s'est-il passé, une fois là-bas ? Je n'en sais que ce que m'a dit Jean : votre beau cousin l'a lâché. Du jour au lendemain, il a disparu corps et biens, et quand mon Jean est rentré, il était méconnaissable. Il traînait comme une âme en peine. Il ne dormait plus. Il a été arrêté. Huit jours sans nouvelles de lui, et puis la police l'a relâché. Une bête traquée, il ne sortait plus de chez nous, il délirait sur des gens qui nous en voulaient. Alors il est parti, dans une maison de santé, disait-il. J'ai cru qu'il était devenu fou d'une maladie tropicale. Mais ce qu'il annonçait s'est réalisé : ils nous ont poursuivis, jetés à la faillite. Ils ont de puissants appuis. Ils nous ont mis sur le dos des contrôles, des inspecteurs, des saisies. Même nos avocats nous ont laissés tomber, à cause des menaces. Au début, ils nous convoquaient, au commissariat, pour nous faire dire où était mon frère. Mais nous n'en savions rien, rien de rien. Il n'était pas en maison de santé. Il se cachait, je ne sais où. En tout cas, il a travaillé aux Halles, comme manutentionnaire, la nuit. Sous un nom d'emprunt, avec une perruque, mademoiselle. Parce que sa calvitie, qu'il a eue d'une maladie infantile, le faisait repérer trop bien. Voilà où il en était, mon Jean. C'est comme ça qu'il a connu la mère de Marcus, une brave femme. Et que Marcus est venu l'an dernier, s'installer à côté, de sa part, pour me protéger. Pour me dire que Jean était là, pas loin, et veillait sur moi, sur nous. Qu'il ne nous abandonnait pas. C'est lui qui a aidé mon père et mon oncle à partir à Londres. Je ne cherche pas à vous faire pleurer, moi. C'est de la réalité, dont je parle. S'ils le trouvent, ils le tueront. Parce que avec votre fiancé, tous les deux, ils ont appris des choses monstrueuses, et n'ont plus voulu en être. Ils ont déserté, ou trahi, est-ce que je sais ? Votre fiancé en est peut-être bien mort, là-bas. Mais si mon Jean s'en est sauvé, il n'a pas plus belle part. Maintenant, il est condamné à n'être que son ombre, un hors-la-loi. Même pas d'argent pour s'expatrier, partir en Amérique, comme il en rêve. Là-bas, il se fondrait dans la grande foule des migrants, des expatriés, on perdrait sa trace. A moins qu'ils ne le trouvent avant... Voilà, mademoiselle, dans quel danger affreux vous nous mettez, à nous poursuivre, à nous harceler.

L'expression de Clarisse était devenue si hagarde que Gabrielle eut peur pour sa raison. Abasourdie par ce qu'elle entendait, elle ne bougeait plus. Une aliénée, une folle, disait Dora. Une misérable, crucifiée par la déchéance de sa famille, par celle de son frère chéri, que son malheur emportait dans des chimères. Qui tombait à la dévotion et au sacrifice des pauvres pour étendre au mal de la société son délire d'un complot mondial, et s'en acquitter par des charités visionnaires. Elle tremblait au spectacle de cette pauvre femme, que son insistance à la rencontrer n'avait pu que conforter dans ses obsessions… Maintenant que Clarisse se taisait, Gabrielle éprouvait pour elle une compassion immense. Avait-elle jamais imaginé où la détresse, la nécessité, la souffrance pouvaient jeter les êtres ? Et cette petite cuisine confinée, avec sa vue sur les toits blancs, d'où montait la fumée des cheminées, grise sur le gris du ciel, lui semblait un désolant réduit, propre à confire de désespoir, à distiller chaque instant le poison de la folie. Elle tendit la main par-dessus la table, mais Clarisse retira la sienne.

— Je n'ai pas besoin de votre pitié, dit-elle sèchement. J'ai besoin de votre silence.

— Oh ! je me tairai. Pourtant votre histoire me plonge dans la consternation.

— Consternation, vraiment ? Vous êtes bien aimable.

— Ne m'accablez pas, Clarisse. Je m'efforce de vous croire. J'essaie de comprendre… Tout ce que vous dites dépasse mon imagination.

— Ah, cela dépasse votre imagination ! Ah vous ne croyez que ce que vous touchez ? Laissez-moi donc vous ouvrir les yeux. Vous qui savez si bien examiner les vieilles photos pour y reconnaître les gens, que me disiez-vous, à l'instant, de cette malle, qu'on vous a livrée…

— La malle d'Endre ?…

— Je vais vous la décrire, moi. Une caisse de mauvais bois, de planches grossièrement vissées, sans poignée. Seulement une sangle de cuir, avec des inscriptions à l'encre, des vignettes de voyage à moitié effacées. C'est cela, n'est-ce pas ?

— Que voulez-vous dire, mon Dieu ?

— Que cette caisse est à Jean. Que je la connais. Tout ce que vous avez décrit, y compris la collection de couteaux, la bible et les lunettes. Vos lunettes ! Je les connais, moi, vos lunettes, je suis allée moi-même les chercher, chez l'opticien de la rue Réaumur ! C'est tout ce qu'il a ramené de son expédition : cette malle. Des saletés de la misère où il est resté quand il a dû, abandonné par votre cousin, quitter son hôtel et se cacher, dans les vieux quartiers du port, et qu'il a vécu d'expédients, pendant des semaines, avec l'idée d'embarquer sur le premier rafiot venu, pour n'importe où. Je voulais jeter ces saletés, les brûler. C'était un danger de conserver cette caisse. Je savais qu'elle nous porterait malheur. Il n'y avait pourtant rien là-dedans, rien, mais il s'est entêté à la garder, jusque dans notre cave de Passy. Celle qu'ont vidée les huissiers, il y a quelques mois. Vous commencez à comprendre maintenant ?

Clarisse n'avait tenu ni ouvert l'étui pour y lire l'adresse de l'opticien. Un vertige noir brouillait sa vue, Gabrielle balbutia :

— C'en est trop, Clarisse. Je ne peux vous suivre...

— Suivez-moi quand même, ma jolie demoiselle. Cette caisse n'est rien. N'importe quelle relique aurait fait l'affaire, tellement vous êtes prête à mordre à l'hameçon. Mais ils sont tombés dessus, ça leur a donné l'idée de s'en servir pour vous relancer dans vos enquêtes. C'est que vous alliez faiblir, n'est-ce pas ? Ils vous appâtent avec trois nippes pourries et vous foncez droit devant. Vous ne m'auriez pas montré les lunettes, j'aurais pu croire à la coïncidence de la photo, à un effet de votre merveilleux esprit de déduction. Mais non, mademoiselle. La caisse est du génie. Elle est si nulle, que c'est à pleurer. Et vous avez pleuré comme une idiote sur les pauvres nippes, les pauvres lunettes de votre pauvre cousin. Ils vous connaissent très bien. Ils savent que vous avez tout tenté, et que vous continuerez, que vous trouverez bien une piste qui mène à Jean. Ces gens sont prêts à n'importe quoi pour arriver à leurs fins. Et ils y sont parvenus.

Gabrielle s'était levée, n'y tenant plus. C'était trop à entendre à la fois. La malle d'Endre, les lunettes, ces effets dans lesquels il s'était dressé, fantôme défiguré dans ses hardes horribles, pour venir hanter ses nuits. Elle avait cru en leur vérité de preuve... Elle avait ployé de douleur devant leur réalité... Si c'en était un, ce leurre, ce piège absurde et monstrueux était sorti d'un cerveau malade. Si Clarisse disait vrai. Si cette caisse était bien celle de Jean. Celle qu'enlevaient les huissiers. Que livrait le coursier. Qu'annonçait le commandant Feltin. Une stratégie si retorse, si diabolique mise en scène, conçues en haut lieu, dans le seul but d'authentifier la nouvelle de la mort d'Endre ? En haut lieu, dans les arcanes d'un ministère de la Guerre qui soudain s'avisait de les informer, sa tante et elle, et pourquoi maintenant, d'une nouvelle, qui n'en était pas une, aussi bien... Alors, Endre n'était peut-être pas mort ! Le docteur avait-il prononcé ce mot ? Il n'avait opposé que silence à sa question... Si Endre n'était pas ce cadavre qui ravageait sa pensée et son cœur, se pouvait-il alors que, depuis des mois, elle ait vécu dans cette fiction ? Prisonnière d'une caverne aux miroirs déformants où s'agitaient de ricanants pantins, défigurant toute vérité, toute réalité tangible... Toutes apparences faussées de grimaces et d'illusions, aucune coulisse où se réfugier, aucune issue pour sortir en pleine lumière, pour se réveiller... Elle se débattait dans les toiles d'araignées répugnantes d'un théâtre sans nom, et l'épouvante la prit, de trappes soudain ouvertes sous ses pieds. Elle eut un éblouissement, si violent qu'il ne pouvait venir de ce jour aveuglant, de cette clarté naturelle versée par la fenêtre, mais d'une lumière plus affreuse, jaillie de ténèbres environnantes qui l'encerclaient à présent, l'étouffaient de leurs mille bras. Elle chancela, heurta la table du front. Le choc la ranima brusquement et elle se redressa, Clarisse la soutenait, la poussait vers la chaise où elle tomba, suffoquant. Elle versa une tasse de café et la lui fit boire de force.

— Remettez-vous, bon Dieu ! Ne tournez pas de l'œil, à présent ! Dire que Marcus vous a traînée jusque porte d'Italie pour vos beaux yeux éplorés... Ah ! Vous vouliez savoir ! Il vaut mieux avoir le cœur bien accroché, pour ce genre d'histoire. Si vous croyez que je n'en ai pas eu, moi aussi, des vertiges !

Gabrielle but avidement le café noir. Un bruissement de vent l'assourdissait, elle n'entendait plus Clarisse. Elle voyait seulement tout près d'elle sa face blême, ses lèvres gercées s'agiter, ses poings se serrer sur sa poitrine creuse, et comme elle se penchait vers elle, Gabrielle la repoussa faiblement, cherchant de l'air. Elle ne voulait que fuir, échapper à cette cuisine de cauchemar, à cette femme infernale, mais ses jambes se dérobaient, elle n'avait pas la force de se lever. Clarisse s'était pourtant rassise, et soudain elle lui sembla épuisée, elle aussi, prise d'un tremblement nerveux.

— Pardonnez-moi, murmurait-elle, honteuse de sa violence. J'ai été comme vous, une jeune fille innocente et confiante. Autrefois, j'ai été heureuse. Je suis devenue méchante. Et j'ai eu si peur de vous...

A voir Clarisse fléchir, Gabrielle reprenait courage. Encore transie, elle résistait de tout son esprit à la lassitude mortelle qui l'envahissait à présent.

— Dans quel cauchemar sommes-nous, si vous dites vrai... balbutia-t-elle.

— Je dis vrai ! protesta Clarisse, dans un souffle.

Mais Gabrielle n'écoutait plus, cherchant l'appui d'une réalité tangible. Seule la table était vraie, sa nappe cirée aux carreaux rouges. La cafetière émaillée et les tasses fleuries. La cuisinière à bois où ronflait un petit feu était vraie. Les casseroles et la pile d'assiettes au bord de l'évier, le calendrier des Postes accroché derrière la porte étaient vrais. Graduellement les choses reprenaient leur allure réelle, leur présence et leur force d'objets inoffensifs.

— Je ne veux pas avoir peur, dit Gabrielle, d'un ton si posé qu'il en était effrayant. La peur nous affole. Je veux raisonner.

Sa voix sonnait bizarrement dans l'ouate, au bord de l'asphyxie.

— Je ne conçois pas que des gens, si malintentionnés qu'ils soient, recourent à de tels stratagèmes. D'ailleurs, tellement aléatoires, tellement absurdes... Qui pouvait prévoir que je retrouverais cette photo, chez moi, que je m'engagerais à remonter sa trace ? Et si vraiment cette malle est celle que vous dites... ces gens, dont vous parlez, sans scrupule ni morale, sont de bien piètres manipulateurs, puisqu'il suffit que je vous rencontre pour que leur projet se découvre. A admettre d'aussi tortueux complots contre vous ou moi, on perd toute logique. Il s'agit d'un malentendu, d'une erreur...

Accablée par ce raisonnement dérisoire, à bout d'arguments, Clarisse renonçait. Elle s'abandonnait, le visage enfoui dans ses mains, si misérable que Gabrielle eut envie de la prendre dans ses bras, mais elle se sentait trop faible pour un geste de secours.

— La seule chose qui me semble assurée, articula-t-elle avec effort, c'est la persécution dont vous faites l'objet. Vous et votre frère. Je vous crois. Je crois que Jean et Endre ont pu entraver de puissants intérêts, se compromettre gravement. Au point d'être poursuivis, traqués, comme vous le dites. C'est cela que je veux établir. Pour réparer sa mémoire, pour ne pas sombrer dans le désespoir ou la folie. Il faut que Jean me dise ce qui s'est passé, là-bas. Et puis qu'il disparaisse, en effet. Vous aussi, Clarisse.

— Moi plus tard. Quand il sera en sécurité...

Elle eut une hésitation, puis céda brusquement.

— Il le sera bientôt. L'hiver dernier, il s'est engagé dans un cirque. Les cirques voyagent, ils passent les frontières, ils vont, ils viennent. Bientôt, il sera en Belgique, en Hollande. A Hambourg ou Amsterdam, il trouvera à s'embarquer, plus sûrement qu'au Havre, ou à Bordeaux.

Gabrielle s'étonna à peine de cette nouvelle, la trouva même très ingénieuse, tant elle naviguait en pleines extravagances. Elle acquiesça avec conviction.

— Vous avez raison. C'est une très bonne idée. Il faut qu'il parte en Amérique au plus vite. Je n'ai pas d'appuis, mais j'ai un peu d'argent. Acceptez que je l'aide. Au nom d'Endre.

Elle avait fait cette offre sans réfléchir, d'un élan spontané, au risque d'offenser Clarisse, mais celle-ci n'entendit sans doute que l'accent sincère et navré. Elle hocha brièvement la tête. Elle consentait. Dora le pressentait, Clarisse n'en pouvait plus de solitude, de détresse ; elle était prête, en dépit de ses angoisses, à prendre la main tendue. Elle n'avait plus rien de la créature véhémente, vitupérant des méchancetés. Sous ses traits émaciés, il semblait à Gabrielle voir se dessiner le visage de la sœur aimante, confiante et heureuse qu'elle évoquait tout à l'heure, avant que le malheur et la peur ne dévastent sa jeunesse et sa beauté.

— Avant son départ, dit-elle enfin, son cirque sera à la Villette, fin janvier. Je lui parlerai de vous. Il vous verra s'il veut. Je vous le ferai savoir par votre amie. En attendant, je vous conjure de ne plus rien faire. Promettez-le-moi, mademoiselle. Et que Dieu me damne si je me trompe à votre sujet.

XX

Enfouie dans le duvet de plumes et les châles, les pieds sur une bouillotte, Gabrielle s'abandonnait à l'épuisement, tandis qu'à la cuisine, Renée cognait casseroles et vaisselle, cognait la table et bousculait la chaise, fourgonnait en maugréant contre sa cuisinière à gaz qui ne chauffait pas, du mauvais sang qu'elle se faisait, et de cette fille folle qui lui tombait dessus, à deux heures de l'après-midi, comme un glaçon sur le paillasson. Ce tapage était bon à entendre. Il l'enveloppait d'amour brutal et de sainte colère, comme quand elle était toute petite, réprimandée et punie. Elle se recroquevilla en soupirant, ferma les yeux, frissonnant encore du grand froid qui l'avait battue comme marteau sur l'enclume.

A peine se souvenait-elle de sa course à travers les rues verglacées de la ville. En quittant la rue Tiquetonne, elle avait pensé que marcher lui ferait du bien, que le froid la revigorerait au sortir de cette épreuve. Mais la bise avait vite transpercé son manteau et mis sur ses épaules une chape glaciale. Bientôt, ses bottines détrempées par la boue gelée, elle n'avait plus senti ses pieds, ni ses mains devenues aussi dures que le fer. Sur le pont Marie, le grand froid l'avait surprise, se glissant partout sous les épaisseurs, comme des vers grouillants dévorant sa chair. Elle n'avait plus ni mains ni pieds, ni cuisses ni ventre, ployée contre le droit fil du vent qui cingle et coupe, une poussière glacée rasant ses joues, son front. Elle pleurait de froid en passant le fleuve, suivant des yeux brouillés un chaland chargé de charbon qui remontait lentement la Seine entre des giclées d'écume étincelante. Il crachait une fumée noire qui salissait les arbres dénudés, jetée par le vent en paquets tourbillonnants contre les façades grises, et la lumière louche de ce paysage hivernal avait achevé de la transir jusqu'aux os. Elle avait cherché en vain un taxi, ou un omnibus, et avait dû finir le parcours à pied, si bien que Renée l'avait recueillie pantelante sur le seuil, affolée par sa pâleur et sa faiblesse.

— Ah ! La calamité ! s'écriait-elle. Tu as donc le diable au corps, gredine pour de telles sottises ? D'où arrives-tu, en cet état ? Es-tu malade, de courir les rues par un froid pareil ?

Tandis que Gabrielle grelottait, à genoux, elle délaçait déjà ses bottines, enlevait ses bas trempés et prenait ses pieds nus dans ses vieilles mains, les pétrissait comme pâte à pain, frictionnait ses mollets gelés avec son jupon de laine.

— Et te voilà sans prévenir ! Ta tante n'est pas là pour voir tes folies, c'est bien dommage. Elle est sortie pour des courses, et j'ai bien failli l'accompagner. Tu aurais trouvé la maison vide, malheureuse ! Sommes-nous des chiens ? Tu veux donc attraper la mort ?

Gabrielle se laissait rudoyer et maudire, maintenant blottie dans le canapé près du poêle, et sa grande fatigue lui tirait un pâle sourire. Non, elle n'avait pas envie d'attraper la mort. Pas envie de danser avec elle sa gigue macabre. Elle avait envie de chaleur, de bras autour d'elle, d'étreintes et de caresses pour consoler son corps meurtri, et d'ailleurs ses pieds picotaient, ses doigts avaient des fourmis agiles remontant partout le long de ses bras, délicieusement. Elle ne voulait pas la mort, elle voulait vivre et avoir raison. Renée revenait, portant un plateau avec un grog bouillant, des pains perdus dorés au sucre, de la confiture et du pain d'épice.

— Tu manges tout ça, ou je te jette dehors, gredine.

Elle avait mangé tout parce qu'elle avait une faim de loup, et bu le grog au citron à s'en brûler le palais, retrouvant peu à peu ses couleurs. Son esprit s'aiguisait comme lame. Elle avait son jugement multiplié par mille, la tête claire, concernant ses tribulations du matin, et pour sauver les apparences, elle racontait n'importe quelle calembredaine à la pauvre Renée, pendue à ses lèvres. Comme quoi elle avait pris un train plus tôt, pour venir vite, et que les taxis étaient rares, en raison du verglas, et que si elle avait fini le trajet à pied, c'était pour ne pas attendre plus longtemps un tramway improbable, et qu'enfin elle était là, à présent, à se faire dorloter et cajoler pour trois jours de congé.

— Ces bourgeois ne se soucient guère de toi, pour te laisser aller par des temps pareils. Je t'avais pourtant prévenue, que tu serais traitée comme de rien. En auras-tu assez, bientôt, de cette place ? Cela a-t-il du sens qu'une demoiselle comme toi fasse l'employée de maison ? Je proteste, je menace, mais ta tante s'en moque comme d'une guigne. Pourtant je vois bien, moi, que tu mouds de la mauvaise farine ! J'en ai une mouche noire devant les yeux, elle est partout où je regarde. Tu me rendras chèvre, voilà.

Et cela continuait en chapelet, comme au bon temps où Renée la grondait pendant des heures, la poursuivant de ses reproches, de ses invectives, jusqu'à capituler soudain, la câliner pour se faire pardonner sa grosse colère. Mais Gabrielle avait beau regarder son brave visage noiraud, ses pommettes ridées, son nez qui mincissait avec l'âge, et la douce grisaille de ses cheveux frisottant sur les tempes, ses pensées étaient si puissamment ailleurs qu'elle laissait flotter la voix et l'image de la vieille femme dans un nuage très agréable, très indifférent. Enfin, Renée se lassa. Satisfaite du plateau vidé, et rassurée de l'état des lieux, elle la laissa pour aller repasser son linge.

Dans le silence revenu, Gabrielle sentait enfin se dénouer toutes les tensions et la fatigue la submerger. Elle voyait le petit sapin sur la cheminée, un ouvrage précieux en bois de Hongrie, dont les branches articulées se déployaient en éventail, piquées de crochets auxquels on suspendait des pommes en faïence, des angelots de métal aux ailes multicolores et des étoiles des neiges. Agota n'a pas manqué de le sortir de sa boîte, comme tous les ans, avec la crèche miniature héritée de sa famille, les minuscules personnages en porcelaine peinte, et ce fidèle rituel la ramène aux ravissements de son enfance pour ces bibelots anciens. La veille au soir, quand elle a préparé son petit bagage au Mesnil, pour filer à l'anglaise avec Victor vers la gare, lui semble loin comme une année dernière. Et la soirée avec Dora, la liqueur de cacao et la mousseline de sa belle robe, aussi. Et même ce matin, quand elle a quitté d'un pas alerte la rue des Saints-Pères pour son rendez-vous rue Tiquetonne, c'est du temps lointain. Tandis qu'elle bée devant le sapin, son esprit s'aiguise par ailleurs, piqué de dix pensées en une, qui volettent comme guêpes. Voilà qu'il s'agit à présent d'une paire de lunettes, exactement. Ah les jolies lunettes d'argent ! D'une bible déchirée et d'une collection de couteaux rouillés. Bon, ceux-là partis à la poubelle, avec caisse et barda, nippes, sangle de cuir et vieilles étiquettes. C'est une belle erreur de les jeter au trottoir, une étourderie magistrale, mais il reste les lunettes. Une paire de bésicles, qu'elle a nettoyée, lustrée, baisée, adorée comme relique de saint Endre. Il aurait mieux valu moins de dévotion et plus de raison. Les chausser pour regarder au travers, et y voir clair, un peu. S'écouter davantage. Par exemple, s'en tenir au fait que ces vis ne tiennent pas. Les affaires de vis sont essentielles pour comprendre les caisses. On constate alors que celle-là a pâti d'un trimballage récent, de visites intéressées. Michel Terrier en convient bien volontiers, après deux secondes de perplexité. Il fallait maintenir son point de vue contre le sien, suspecter la caisse. Suspecter le commandant Feltin et sa version du navire arrivé de peu au port, avec sa malle extraite d'un entrepôt colonial mal administré. Comme si les entrepôts des colonies s'embarrassaient longtemps de caisses égarées. Comme si les commandants s'occupaient eux-mêmes d'acheminer les épaves en perdition jusqu'à leurs supposés destinataires. Michel Terrier est une courge. Son saint Jean-Baptiste est bien plus malin que lui.

Gabrielle se sent gaie jusqu'à l'ébriété, mais pas du tout légère. Elle sent son orgueil grésiller comme une flamme, et même si le gosier et les doigts lui brûlent maintenant, c'estt plus de colère que du froid qui les a gelés. Colère d'être celle qui marche dans les chemins creux à l'aveugle, c'était le mot de Dora. Ce sera trop beau s'il n'y a rien d'autre là-dessous. Supposons un gros mensonge général, mon commandant. Qu'Endre n'est ni mort, ni perdu. Que vous voulez le prendre et que vous lancez sa petite fiancée énamourée sur sa piste pour débusquer un Dr Galay, un Jean Zepwiller à votre place, espèce de planqués. Ils sont donc bien intéressants, ces deux oiseaux-là ? Et moi une vraie dinde de Noël. Et Michel Terrier un pauvre type, une dupe qui fait le faraud, avec ses informations de trois sous pour me faire la cour. Les murs s'écroulaient, ils tombaient, crevaient comme calebasses pleines de poudre, et cela faisait une grande poussière plaisante. Pas du tout fin du monde, raz-de-marée et tremblement de terre. Juste un peu de ménage pour chasser les cafards. Chaussons les lunettes. Servons-nous de cette vision et pas de la vue commune. La réalité n'est pas magique. Elle est ingrate et scientifique. C'est une science à laquelle il faut s'entraîner et se perfectionner, sans se gêner d'amour-propre et de scrupules. Cela donne une aisance séduisante pour jouer des masques, fouiller dans les tiroirs, et prendre à bras-le-corps le cadavre des mensonges. Se guérir des illusions ; et en rabattre sur la question de la confiance. Clarisse divague, elle a les mains usées à force de savonner ses rêves absurdes. Elle a la tête encalaminée de rage divine, à chanter sa charité au coin des rues. Son affaire de cirque est d'une astuce phénoménale, Jean fait le clown en nez rouge et perruque verte sur le pont d'un navire, et sa sœur l'acrobate sur le fil entre deux fenêtres, avec son petit bouquet de houx, et soudain, on n'a plus de terre sous les pieds, on glisse au fond du gouffre.

Gabrielle dormait d'un sommeil si lourd que Renée venue aux nouvelles, à cause du grand silence, approcha et posa la main sur son front. Il brûlait de fièvre. Elle la souleva, l'emporta, titubante, jusqu'à sa chambre, la déshabilla comme un bébé et la coucha d'autorité. Et comme Gabrielle, toute rouge et les yeux étincelants, délirait à propos de poupée chinoise, de bague bleue, de petits souliers et de cirque ambulant dans le port d'Amsterdam, elle comprit qu'elle avait au moins une maladie du cerveau.

— Elle a attrapé la mort, lança-t-elle violemment à Agota.

Celle-ci, qui rentrait justement de sa course, encore en manteau dans le couloir, de la neige sur son chapeau, resta avec ses paquets sur les bras, éberluée du reproche.

— J'ai fait chercher notre docteur, et si vous avez encore du courage, allez donc voir en quel état ils nous l'ont mise, ces assassins...

Gabrielle resta deux jours alitée, même si sa fièvre était vite retombée. Le gros docteur de famille, venu en hâte tout emmitouflé d'écharpes, avait assuré qu'elle n'avait ni congestion, ni même un rhume, robuste comme elle était, et il avait ordonné cataplasmes de moutarde préventifs et sirop d'eucalyptus, et du quinquina pour apéritif. Et du sommeil, du repos, disait-il, benoît, souriant, pas du tout affolé, assis près du lit, entouré des deux femmes consternées, mais pas mécontentes au fond, puisque rien n'était si grave, de tenir l'enfançon au fond de son lit avec sévérité, avec rigueur, vengées de leur belle peur. Comme la chambre dansait encore, que la lumière des lampes s'éparpillait en étoiles épuisantes, et qu'elle était très bien dorlotée et très fatiguée dans les jolis draps brodés, Gabrielle se laissait tapoter la main par la bonne main paternelle.

Le Dr Galay trouva le courrier de l'Institut médicolégal sur son bureau, le 31 décembre. Il arrivait d'une longue matinée de consultations à la Salpêtrière et ne passait que par acquit de conscience au laboratoire, pressé de rentrer, ayant accepté, sur les insistances de Daniel, de dîner avec lui dans un restaurant des boulevards, et puis d'aller au spectacle, une surprise que celui-ci lui avait promise, avec des airs de conspirateur. Debout dans l'encoignure de la haute fenêtre, il consulta rapidement la liasse des analyses. Comme l'avait estimé Bauer, les physiologistes s'occupaient, non de la nature du toxique, mais des tissus et des prélèvements organiques, et établissaient leur processus de destruction, mais leurs conclusions corroboraient en tout point celles de la chimie. Ces résultats, pour être attendus, le remplissaient d'une amère satisfaction. Non parce qu'il y vérifiait la pertinence de son travail, mais parce qu'ils levaient le dernier doute, et qu'à présent plus aucune échappatoire n'était permise.

Car il avait dans sa poche, arrivée chez lui, le matin même, par une coïncidence ironique, la lettre de la veuve de l'ouvrier de Châlons, qu'il n'osait plus espérer. Elle l'avait rédigée elle-même, comme il l'en avait priée, et non dictée à un écrivain public. Il lui avait demandé, là-bas, si c'était possible. Si elle savait écrire. Si jamais elle voulait bien un jour s'ouvrir à lui davantage, qu'elle le fît de sa main, sans le secours d'un tiers. Et il avait juré d'en garder le secret, que jamais il n'utiliserait cette lettre contre elle, qu'il la détruirait. Elle s'était donc décidée à écrire... Dix lignes d'une écriture laborieuse, à l'orthographe défectueuse, sur un papier ligné de bleu, qu'elle avait dû acheter pour l'occasion. Cette lettre l'avait à la fois navré et rempli de gratitude, car la jeune femme avait cédé à ses injonctions de lui livrer ce qu'elle n'avait pu se résoudre à lui avouer là-bas, quand il était allé chez elle, au petit matin, après sa nuit d'insomnie, au chevet de ses deux petits enfants. Ce que sa pauvreté, son chagrin et la peur des poursuites l'empêchaient de confier, sa honte de dire la gêne et les expédients de hasard, le mal, ou la faute que son homme avait pu commettre. Elle semblait si perdue, effrayée, s'imaginant des vengeances de patrons, d'employeurs méchants, des autorités de police ou du voisinage, intimidée par ce monsieur qui se dérangeait pour elle et lui parlait si doucement. Il attendait seulement confirmation de ce qu'il soupçonnait, et qu'elle décrivait avec des mots simples. Le travail au noir proposé par un recruteur, un drôle de travail, de loin en loin, facile et bien payé pour ne rien faire, seulement prendre des médicaments ou recevoir des injections, ou respirer des produits, et se laisser examiner. C'était ce qu'elle écrivait, et que l'argent manquait. Qu'il avait été un peu malade, une ou deux fois, mais pas gravement. Et que cette fois, si ça s'était mal passé, c'était peut-être bien par sa faute. Mais une personne était venue lui donner de l'argent, de la part des autorités, et avec ça, elle s'en sortirait, disait-elle, sans vouloir d'ennui à personne pourvu qu'on la laissât tranquille, à présent, même si monsieur avait été bien bon en paroles, à qui elle souhaitait salut et prospérité, signé Veuve Mesnard.

Par sa faute... L'expression revenait, comme la résignation à une culpabilité fatale, celle de l'ignorance et de la nécessité. Les scélérats, avait-il pensé, le cœur soulevé de dégoût pour l'impunité de ce crime. Jamais, aucune expérimentation humaine ne se tenait sans protocole rigoureux, sans précaution extrême. Jamais un test scientifique ne devait se mener sans contrôle, sans passer par l'autorité d'équipes assermentées et déclarées, sous la responsabilité d'une institution légale, et dans le cadre de recherches officielles. Sur la base du volontariat, de sujets consentants et informés. Ce que la lettre révélait choquait son sens moral, contrevenait à la plus haute exigence de son engagement professionnel et sa foi en la recherche scientifique. Il trahissait le serment médical, sa philosophie et son éthique, sans lesquels il n'est pas de progrès.

Même si l'information donnée par cette lettre ne faisait que confirmer son intuition, elle l'avait ébranlé au point que, quittant son domicile et marchant à grands pas comme à son habitude, il s'était égaré. Il était soudain rendu dans un lieu étranger, que la neige achevait de dépayser, n'avait rien reconnu des façades. Incapable de se situer, il avait eu un bref vertige, la sensation d'être subitement frappé d'amnésie. Il avait dû remonter la rue jusqu'à un croisement pour en apprendre le nom sur une plaque, qu'elle se rétablisse dans sa familiarité, réalisant alors qu'il s'était dirigé en automate vers le marché des Enfants-Rouges, à l'opposé de l'hôpital, où il se rendait. Se perdre dans son propre quartier, se tromper de direction à ce point ne lui était jamais arrivé. Toute la matinée, il en avait gardé le sentiment troublant de s'être échappé de lui-même, de s'être absenté, comme on s'écarte de quelqu'un qu'on redoute, dont on a honte ou peur. Sa consultation avait dissipé son malaise, mais celui-ci revenait à présent, accablant, comme si la liasse de l'Institut médicolégal autant que la lettre dans sa poche étaient fausses, et faux les murs du laboratoire dont la lumière du jour d'hiver amoindrissait la matière comme fait la bruine, et jusqu'au visage de Grandrieux qui s'approchait de lui, gris et flou, avec sa fausse bonne face ouverte d'un rire amical, si loin de ses pensées, qu'il lui paraissait lui aussi un étranger. Comme s'il avait besoin de réaccorder la réalité, de renouer le contact avec quelqu'un, il le prit à témoin, affectant un ton détaché.

— Eh bien, voilà de fâcheuses nouvelles, Grandrieux... Puisque vous êtes venu avec moi à Châlons, vous saurez de quoi il s'agit. Vous souvenez-vous ?

— Ah ! L'épouse que je tenais pour une empoisonneuse, s'exclama-t-il, rieur.

— Exactement. Si ce n'est elle, c'est donc un autre, qui empoisonne. Une saleté pire que la peste. Vous qui aimez les romans policiers, voilà un beau cas d'étude...

— Vous m'intriguez, monsieur !

— Nous en reparlerons plus sérieusement. Je suppose que, ce soir, vous avez d'autres projets en tête ! Vous réveillonnerez, n'est-ce pas ?

— Je rejoins des amis tout à l'heure, et nous irons à Montparnasse.

— Allez donc tout de suite, mon garçon. Et amusez-vous bien !

Le jeune homme ne se le fit pas dire deux fois. L'instant d'après, sous la fenêtre où il était resté, Pierre Galay le vit traverser le jardin de l'Institut Pasteur, courant à ses plaisirs. Une fois seul, il brûla la lettre sur une paillasse. Il regarda la flamme consumer la feuille de papier ligné, jusqu'à ce qu'elle ne fût plus qu'un volume arachnéen de cendres, dont il considéra un instant l'architecture étrange. Puis il les poussa d'un souffle dans le bac et les dispersa sous l'eau du robinet. Ce faisant, il se privait d'une preuve décisive. Mais à l'instant, il voulait ignorer quel procès elle était supposée instruire, et le prix qu'aurait coûté sa conservation. A s'acquitter de cette dette, il éprouvait une sorte de paix triste, de gratitude et de tendresse envers la jeune femme que son infortune avait mise sur sa route. Sa condition et la méchanceté scélérate l'avaient asservie au point d'en faire cette désolante victime, elle n'était pour rien dans cette histoire. La destruction de sa lettre obéissait à la parole donnée. D'une certaine manière, elle réparait un peu l'iniquité affreuse de la mort, et le sauvegardait, lui, du mal qu'il aurait pu faire encore à cette femme. Il s'attarda, rangeant machinalement le laboratoire, classant les courriers en attente sur son bureau, et avant de partir, plaça dans le coffre, avec le sien, le dossier d'analyse des physiologistes. En éteignant la lumière et en tirant la porte, il eut l'impression de fermer un tombeau. Et il était bon que cet endroit fût aussi retiré, aussi solitaire, hermétique et sûr qu'une tombe, autant pour protéger des aventures du monde les tâtonnements occultes de la connaissance, les aléas de la recherche, que pour lui assurer le secret sur ses propres pensées.

Il rentra chez lui en pleine après-midi, désemparé par cette exceptionnelle oisiveté. Le petit appartement où il vivait, rue de Turenne, appartenait à la famille de son père, à son oncle de Florence, peut-être. Il y avait logé, étudiant, et avait continué de l'occuper plus par négligence que par choix, trouvant commode ce pied-à-terre modeste où il restait si peu. Il n'y rentrait le plus souvent que tard le soir et, malgré les années, il eût été bien en peine de dire quels étaient ses voisins dans les étages de l'immeuble. Il connaissait mieux les artisans, qu'il saluait le matin en partant, dont les ateliers entouraient la cour pavée, un ébéniste, un doreur et un fourreur, dont le travail maintenait tout le jour une animation populaire. En passant le porche, il y avait trouvé un calme inhabituel. Les boutiques étaient déjà fermées, en ce dernier jour de l'année, et il n'avait rencontré que le fourreur, encapuchonné, le dernier à partir, qui finissait d'accrocher les barres à ses volets. Celui-ci avait traversé la cour pour lui souhaiter la bonne année, ses bésicles sur le bout du nez et soufflant la buée de son haleine dans l'air froid. Des paquets de neige traînaient dans les coins, jusqu'au bas de l'escalier de pierre dont la rampe de ferronnerie ouvragée avait glacé sa main à travers le gant. Et maintenant que, de sa fenêtre, il regardait la cour plongée dans la demi-obscurité, il ne voyait plus que les vitres opaques, les enseignes ternes, les façades éteintes.

Il abandonna son poste, passa d'une pièce à l'autre dans le grand silence que seul le chuintement du poêle emplissait d'un bruit sommeillant. Tout était en ordre, comme si personne n'habitait là, sa chambre de célibataire et le petit salon, qui lui servait de bureau. Il y vivait en ermite, et seule Elvire, sa femme de ménage, avait la clé. Elle profitait de ses heures d'absence pour entretenir son logement, qu'il dérangeait peu, ne recevant jamais. Il la voyait à peine, ne la croisait que deux ou trois fois par mois, d'une discrétion et d'une assiduité rares, aussi méticuleuse que pratique, pleine de prévenances domestiques, comme la préparation de plats simples à réchauffer, qu'il trouvait les soirs où elle était venue, l'approvisionnement judicieux de son garde-manger en denrées peu périssables, ou celui de son bureau en petits cigares qu'il aimait, mais qu'il négligeait parfois d'acheter, ou l'adaptation de son vestiaire aux changements de saison, aux sautes du temps, sachant sa propension à ne porter que la même chose, par indifférence, par inattention.

— Plus que la fée de mon logis, vous êtes son gentil ange gardien, lui disait-il parfois, en guise de remerciement pour son service.

Ce qu'elle prenait en rosissant, éperdue d'une adoration qu'il ne voyait même pas. Il prit une longue douche brûlante et mit à sa toilette un soin inhabituel, se rasa de nouveau, puisqu'il devait rejoindre son frère, s'étonna, tout en tirant la peau de sa joue pour y passer la lame, de considérer son visage avec attention, interpellé par son image dans la buée du miroir. D'ordinaire, il n'avait pour ce vis-à-vis quotidien qu'un intérêt technique et rapide, qu'il oubliait le reste de la journée, mais ce soir le regard de cet autre l'interrogeait, enquêtait avec une curiosité persistante, comme si sa présence, inaccoutumée à cette heure du jour, en révélait l'étrangeté, ou l'incongruité. En réalité, il s'ignorait, n'avait, depuis sa jeunesse, pour son aspect qu'un intérêt distrait et prudent, une sorte de compagnonnage poli. Son narcissisme était ailleurs, dans la conscience de son corps entraîné au sport, qu'il pratiquait par discipline, une fois par semaine, à la salle d'escrime, par goût solitaire de s'exercer avec des adversaires d'occasion, indifférent aux camaraderies viriles. Son corps lui obéissait, il était musclé et fonctionnait correctement dans l'effort, comme dans les longues stations immobiles, au laboratoire, ou à la clinique, il résistait aux insomnies, à son mode de vie frugal comme aux rares excès sportifs, et cela suffisait pour le laisser en paix. Il n'était pas en rivalité avec lui-même, ni content ni mécontent, seulement en accord. Il était une machine entretenue et disponible, en laquelle il avait confiance, qui pouvait lui procurer des plaisirs physiques, exemptés des obligations de séduction sociale. L'homme qui le regardait cherchait pourtant à le séduire, ou à le convaincre, à le pénétrer de son existence, avec une insistance si troublante qu'il céda à l'examen, s'inspecta en fronçant le sourcil.

L'étranger lui demandait quelque chose de désagréable. Prendre acte de son front osseux et tourmenté, de ses tempes nues jusqu'aux cheveux ras plantés dru et parsemés de fils gris, ce sommet énergique de sa tête, son crâne large. Mais sous les sourcils qu'il libéra haut, il scruta les rides, au coin de ses yeux. La pupille élargie en mangeait les stries de verre clair, qu'il voila d'un battement rapide des paupières. Il considéra son nez aux narines sensibles, susceptibles, et le bord de sa lèvre supérieure creusée d'une gouttière profonde, si bizarre qu'il sourit pour l'étirer, et son sourire lui parut carnassier, d'une pénible ironie de façade, qu'il composait par habitude, une expression sans grâce ni bonté, de ces mimiques masculines de forfanterie, de dédain, qu'il effaça subitement. Savait-il accrocher à ses lèvres autre chose que cette grimace machinale ? D'ailleurs à qui avait-il à adresser un sourire, en quelles occasions ? Il baissa les yeux, honteux, blessé, malcontent de ce sourire préfabriqué, n'en trouva pas d'autre. A quoi sert un visage, outre ses fonctions sensorielles, la superbe organisation faciale des muscles innombrables, des nerfs subtils en fuseau, en réseau, habillés de peau mate et lisse. Enduit de savon à barbe, à l'instant, joues un peu creuses, un peu maigres. Compensées par le gonflement de chair de la bouche. Qu'il tordit, plissa, mordit. Quel intérêt pouvait trouver un autre être que lui-même à contempler son visage… Un ami ? Avait-il un ami ? Le seul Pr Bauer. Que voyait celui-ci de son visage, qu'en aimait-il ? Les autres étaient des collègues, des collaborateurs, des relations professionnelles. Les siens, ses frère et sœurs, sa mère ? Son père ? Il reprit son rasage. Aucun de ceux-là ne lui donnait le sentiment de le regarder vraiment, les rares fois où il les rencontrait. Une femme ? Une femme… Il avait pu séduire, autrefois, pensa-t-il, et plaire, sourire avec grâce, avec confiance, ou avec l'offensive vanité des jeunes mâles. Il chercha des noms féminins, convoqua des visages oubliés. Pensa aux amoureux commencements de sa jeunesse, aux émois fébriles, inconséquents. Jeunesse, pensa-t-il, soudain effaré de se trouver si loin de lui-même, de ce passé qui le rattrapait. Il plongea vers le lavabo, inonda sa face d'eau chaude et aveugla son visage.

Du linge frais attendait dans sa chambre. Il avait dû faire savoir à Elvire qu'il sortait ce soir, puisqu'elle avait préparé sur son lit chemise empesée, boutons de manchette et cravate de soie, son habit sur le valet, et sur la carpette une paire de chaussures énergiquement lustrées. D'ailleurs, d'habit, il n'avait guère que celui-là pour les grandes circonstances. Le reste de son vestiaire était d'un ordinaire très digne, sans fantaisie, qu'il achetait chez le même tailleur, et aussi ses chemises, à la demi-douzaine, que le marchand voulait toujours sortir du papier, mais c'était inutile puisque c'étaient les mêmes, aussi celui-ci finissait-il par y glisser une ou deux plus coquettes, par goût du commerce. Il portait ses costumes et ses chemises le plus longtemps possible, parce qu'on est plus confortable dans les vêtements que l'on use. Aussi était-il amusé du choix cérémonieux d'Elvire, qu'il salua avec déférence. Il enfila une veste d'intérieur et alla manger un sandwich, debout dans la cuisine, soulagé de s'être acquitté sans plus de mal de cette rencontre avec lui-même au miroir.

Sous la lampe, tout en mastiquant, il parcourut les journaux en retard, lut tout au long un article sur l'émission de bons du Trésor lancée par Caillaux, contre le projet d'emprunt prévu par Barthou, pour couvrir les ressources considérables de la Défense nationale et équilibrer le budget. Les plus gros acheteurs étaient les établissements de crédits, mais les particuliers se précipitaient aussi, rassurés que les bons fussent à taux variable, et remboursables dans l'année. Le journaliste s'enthousiasmait pour cette mesure avantageuse et souple, propre à garantir le mouvement des fonds publics, que soutiendraient le commerce et l'industrie, en plein essor, ce que l'année à venir confirmerait, disait-il. Il y avait aussi un article sur l'épilogue des incidents de

Saverne, la petite ville d'Alsace, qui faisaient grand bruit dans les provinces annexées, pour les violences et abus des militaires zélés, qui avaient insulté et séquestré des civils. Mais le colonel Reutter, couvert par le *Konprinz* lui-même, s'en tirerait à bon compte, à la grande indignation du chroniqueur qui appelait aux représailles contre cette forfaiture. Une autre page vantait le projet de moteurs à pétrole de grande puissance pour les locomotives allemandes, en passe de concurrencer les machines à vapeur, un mode de propulsion adopté pour le remorquage d'un train express sur la grande ligne Berlin-Magdebourg, un moteur de type Diesel développant une force de mille chevaux, et qui avait atteint l'extraordinaire vitesse de cent kilomètres à l'heure. On jouait *L'Irrégulière*, d'Edmond Sée, au théâtre Réjane, on annonçait une exposition de Vuillard, chez Bernheim, et que *La Joconde* avait été enfin restituée au Louvre par la galerie des Offices, une fois le voleur Perugia condamné à Florence, et la France était fière de rétablir le chef-d'œuvre sur les cimaises de son prestigieux musée, au nom des Beaux-Arts et de la Justice… Restauré et reposé, il se lassa de sa lecture, laissa les miettes de sa collation, et revint dans le salon en emportant son verre de vin.

La lumière tombait, et de son troisième étage il ne voyait qu'un fragment du ciel, uniment plombé au-dessus des toits bordés de neige. Il s'installa dans un fauteuil et ferma les yeux, ennuyé de son désœuvrement. Rien ne l'appelait, ne le réclamait, dans aucun endroit de la ville, où les gens devaient courir à leurs dernières courses, dans la fébrilité des soirs de fête. Rien ne lui répugnait davantage que ces divertissements obligés, leur excitation vaine et l'artifice de ces tourbillons de joie collective, à laquelle il lui faudrait se joindre, tout à l'heure, pour complaire à Daniel. Il avait si souvent décliné ses invitations que, cette fois, il avait cédé, par il ne savait quelle lassitude, touché sans doute par son amicale insistance, le soir de Noël, au Mesnil… Il faut dire que ce jour-là ne lui avait été supportable que par sa présence, par les deux ou trois moments où ils s'étaient trouvés ensemble à écouter la musique, à bavarder au coin du feu, à l'écart des conversations mondaines…

Cette idée reflua, et l'angoisse qu'il avait tenue à distance jusque-là l'envahit de nouveau. Yeux fermés, à l'abri sous son visage qu'il ne voyait plus, il sentait se crisper ses mâchoires, se serrer ses dents, tressauter le coin de sa paupière. Tout ce qui est derrière le visage, de chair et d'os, de muscles, de nerfs, fermente et crépite de la vieille peur, celle d'avant le déluge. Pas la peur de ces temps féroces, d'aéroplanes, de locomotives, de machines à vapeur et à pétrole, des mille inventions modernes conquérantes. Celle du vieil âge d'homme des cavernes, la brute primitive qui en sait déjà long sur tous les poisons, les venins, les crocs et les griffes, qui arme les lames, les pointes, les silex, qui hume le sang de son mufle grimaçant. Sous le visage policé des hommes d'aujourd'hui, sous le mien, pensait-il, c'est toujours la même cruauté de l'espèce, acharnée à sa perte, à la géhenne, au supplice, avec le rire atroce du crime décrochant sa mâchoire. Il eut un frisson d'horreur, se leva d'un bond et arpenta comme une prison la pièce envahie de nuit.

Maintenant qu'il avait raconté à Bauer le souvenir de l'épisode birman, que les mots l'avaient tiré de l'oubli où il le maintenait, sauf en rêve lui interdisant d'occuper sa mémoire, son amnésie volontaire lui paraissait une faute fatale. Le moyen par lequel il avait conjuré le passé, arrangé sa vie pour qu'elle continuât, sereine et protégée par les murs du laboratoire, par les murs de son appartement, par les murs intérieurs de sa mémoire, verrouillée. Confortablement aux abris parmi ses pairs, la communauté scientifique noble et dévouée, inspirée par les grandes idées morales de l'humanisme et des Lumières, avec la bénédiction de l'Etat, et du Saint-Esprit, amen. Aux abris dans ses retranchements, une fois rempli le devoir de la promesse au mort, en paix avec sa conscience. Il avait sauvé Jane, l'avait ramenée avec lui. Il l'avait prise pour femme, par ce rapt étrange et bouleversant, lui avait donné son nom, la protection de sa famille, le havre de sa demeure. En dépit des menaces et des poursuites. Il avait honoré sa parole jusqu'au bout, et s'était tenu pour quitte, une fois refermée la dalle du tombeau. Il s'était cru hors d'atteinte, et il avait gardé le secret sur ce qu'il ramenait, caché la relique sacrée confiée par son ami, si bien inhumée, si bien abolie, jusqu'à son souvenir, qu'il allait tête haute par les rues, arrogant, parmi ses semblables, lavé de la faute. En réalité, la tête dans le sable, frileusement embusqué dans son dérisoire fortin, et satisfait des petits arrangements avec sa conscience. Lavé de rien. Il avait suffi, songea-t-il, qu'un soir de cet automne, les livres de poèmes tombent d'une table, qu'ils glissent sur un plancher et touchent sa main pour qu'à leur contact sa paume brûle, et son cœur, que sa mémoire s'enflamme, réveillant l'insupportable tourment. Et enchaînant, avec l'implacable ironie du hasard, qu'à des kilomètres de là, un pauvre type aux poumons incendiés fût porté à l'hôpital par sa femme, et qu'un brave Dr Denom crût au typhus, au choléra, à la peste bubonique, à n'importe quoi plutôt que de donner un nom à cette horreur, et alertât l'Institut Pasteur. Et maintenant que son passé l'avait rattrapé, maintenant qu'il le mettait en demeure de ne plus s'aveugler, les murs tombaient. Il était en rase campagne, sans plus aucun abri, ni fortin de mauvaise mémoire. Rendu à lui-même dans le miroir. Il pouvait toujours se faire des sourires de circonstance, amadouer du regard son masque policé d'homme moderne, c'était bien la face des criminels qu'il avait rencontrés, ceux dont il se faisait le complice par son silence.

XXI

— Regarde bien, Pierre ! Tu vas avoir des surprises ! souffla Daniel sur sa nuque, en passant derrière lui et tapotant son épaule. Holà, à vos places, vous autres, et silence, nom de Dieu !

Daniel était en pleine forme, vêtu d'un élégant costume gris et d'une chemise rayée, avec une époustouflante cravate d'artiste qu'il portait crânement. Il lançait des ordres, empressé et tranchant à la fois, arrangeant les dames dans leurs fauteuils avec des mines de félin, rudoyant amicalement les messieurs, une assistance d'une trentaine de personnes, ses techniciens, ses comédiens, et quelques hommes d'affaires, de banque et de crédit, quelques chroniqueurs de revues et de spectacles parisiens. Tout ce monde déjà fort gai, richement vêtu de fourrures et de soie, ou en veste de travail et casquette, riait haut, bavardant et gloussant, tandis que la projection se préparait. Daniel Galay, le directeur de la société Grand Lux, avait convoqué quelques intimes pour l'avant-première de son feuilleton de cinématographe, son dernier film, un grand mélodrame populaire dont le premier épisode serait bientôt à l'affiche, dans la capitale et dans les provinces.

Il en faisait l'annonce avec la gouaille satisfaite d'un bateleur sur ses planches, tandis que sautaient les bouchons et circulaient déjà les verres de champagne. Il avait tenu à ce que la projection eût lieu dans ses studios, au siège de Boulogne, une installation bon enfant, improvisée pour la réception, entre les décors de carton sur leurs portants et les échafaudages, qui montaient jusqu'aux cintres, d'où pendaient des toiles peintes, un décor de spectacle bohème, qui avait du culot, du chic et du chien. Parmi ces gens inconnus, Pierre se faisait l'effet d'un intrus. Il tentait d'accorder son attitude à cette fantaisie de Daniel, pour lui complaire jusqu'au bout, et il observait avec une certaine curiosité les familiers de son frère, si éloignés de sa sphère. Ces gens différents, plus ou moins proches des milieux artistes, l'arrachaient à ses pénibles pensées. Ils étaient pittoresques et détendus, leurs manières affichaient une franchise de mœurs, peut-être plus affectée que réelle, mais ils y mettaient une bonne humeur contagieuse. Son ventre ne se serrait plus, ses mâchoires ne se crispaient plus, et il souriait même d'un sourire détendu qu'il aurait bien voulu voir au miroir. Ce n'était pas une question de relâchement, de manque de profondeur, au contraire, plutôt un consentement au petit vent venu d'ailleurs, à respirer l'air qu'il faisait chez ces chevaliers de la nouvelle industrie, ces cocottes et ces actrices joyeuses, leurs Pygmalions attitrés et leurs soupirants d'un soir. C'était l'envie de comprendre qui était son frère Daniel.

Ils avaient dîné de bonne heure près de la Bourse, chez Gallopin, une brasserie luxueuse du quartier de la presse, déjà envahie par la foule des fêtards, mais Daniel avait eu la délicatesse de réserver un cabinet privé à l'abri du tapage, une de ces alcôves pour les rendez-vous galants, dont l'atmosphère les avait fait rire. Aux murs, c'étaient des gravures licencieuses, bergères énamourées sur des escarpolettes ou entretiens coquins dans des buissons, et au plafond un jeu de miroirs à facettes qui multipliaient l'éclat des lampes juponnées de chiffon à guipures.

— Mon vieux, c'était ça, ou la grande salle à courant d'air, et j'aurais rencontré dix personnes de ma connaissance : il vient de tout monde, ici. Tiens, tout à l'heure, j'ai croisé Jaurès : il dîne avec de ses amis, et avec Séverine. La lis-tu ? Fière journaliste, beau culot ! On est bien mieux ici, s'était excusé Daniel en s'étalant dans le canapé de velours vieux rose, parmi des coussins qui avaient dû recueillir bien des soupirs et gémissements.

Ils s'y étaient très bien trouvés, finalement, en vieux camarades, oubliant ce décor pour déguster des huîtres et du foie gras, des asperges à la sauce flamande, et des écrevisses, des cassolettes de crème flambée. A la lueur de la flamme bleue que le garçon faisait courir sur le caramel grésillant, ils avaient échangé un long regard, le premier de la soirée. Jusque-là, ils avaient conversé de choses inoffensives, commentant le dîner fin qu'offrait Daniel, exceptionnel dans leur relation, la rigueur soudaine de l'hiver, qui désorganisait la ville, les voitures automobiles de plus en plus faciles à diriger. Daniel se félicitait que Pierre se fût décidé à passer comme lui l'examen du permis de conduire, à l'automne, mais moquait son désintérêt pour le progrès technique, puisqu'il ne possédait pas de voiture. Il avait refusé de conduire, le jour de Noël, au prétexte des routes verglacées.

— Tu perdras ta pratique, à force de manquer les occasions de t'exercer. C'est en bûchant qu'on devient bûcheron et en tâchant qu'on devient tâcheron !

La gaieté de son frère distrayait Pierre et, de bonne grâce, il acceptait de s'entretenir de ces sujets bénins, s'épargnant de répondre et le laissant bavarder, imperméable aux saillies, mais évitant d'afficher trop sa réserve. Daniel y allait lui-même prudemment, évaluant ses chances, en renard qui négocie son approche. D'emblée, il avait bien vu à Pierre cette sorte de quant-à-soi ascétique, que celui-ci affichait par principe, par habitude, sans se soucier de l'effet qu'il produisait. Non pas renfrogné ou désagréable, seulement absent, par inaptitude foncière à tomber la cuirasse, comme un spécialiste qui concède une auscultation, entre deux opérations d'extrême importance. Mais sa mine défaite, ses traits tirés, ce pli creusé entre ses sourcils au bas du front étaient mauvais signe. Signe qu'il arrivait peut-être de son laboratoire, ou d'un séminaire austère, et si Daniel admettait que les soucis de la science fussent aussi tracassants que ceux de l'industrie, il restait incrédule devant ce penchant monomaniaque de son frère, cette façon d'y consacrer sa vie comme un moine. Aussi avait-il escompté que la bonne chère et les vins, son humeur légère finiraient par le dérider. Maintenant que le garçon s'était éclipsé, laissant le plateau d'argent avec les cafés, il se taisait, soutenant le regard étonné de Pierre, désemparé par son soudain silence.

— Tu te demandes quel saltimbanque je fais, n'est-ce pas ? lança-t-il en se rejetant au fond de sa chaise, dénouant sa cravate.

Pierre eut un geste bref de la main, chassant négligemment le sujet, et s'écarta lui-même de la table, offrit à Daniel un des petits cigares qu'Elvire avait mis dans sa poche.

— Je me demande surtout quel plaisir tu trouves à ma compagnie, dit-il en prenant du feu à une chandelle. Je ne suis guère un des joyeux convives que tu as d'ordinaire à ta table…

— C'est là que tu te trompes. Je ne passe pas toujours mon temps avec des noceurs. Je te l'ai dit l'autre soir : je m'amuse de la plus sérieuse manière qui soit, avec d'ennuyeux banquiers, des hommes d'affaires et des gens du métier qui ne rigolent pas tous les jours. C'est ce dont je veux te parler, Pierre. Pour une fois que nous avons plus de dix minutes à passer ensemble, il ne faut pas que je rate l'occasion ! C'est que tu es un insaisissable, toi, l'homme des vaccins et des éprouvettes. Tu m'intimides. Bon

Dieu, il me semble toujours avoir dix ans, en face de toi... Toujours dix ans de retard pour être à ta hauteur. En barboteuse quant tu montes déjà Loyal et pars à la chasse ; en culottes courtes quand tu es déjà l'étudiant diplômé, et je cours après toi, je t'envie, je te déteste, je t'adore, je te singe, mais rien n'y fait : toujours dix ans de retard !

— Nous n'avons pourtant que cinq ans de différence, sourit Pierre, un peu ému de cette déclaration.

— Dans ma tête, je les double. Est-ce pour ça que j'ai pris le chemin de traverse le plus extravagant ? En tout cas, pour la famille, je suis la bizarrerie achevée, avoue-le. T'es-tu demandé par quelles contorsions d'acrobate je suis devenu ce que je suis aujourd'hui ? Des études de physique, l'électricité, l'énergie moderne devaient faire de moi un honnête ingénieur, décoratif et bon parti. Eh bien, je m'embêtais beaucoup, figure-toi, je m'embêtais immensément. Alors j'ai éclairé de mes lumières les théâtres de mes amis, et de là à faire le décorateur, le costumier, et à régler les pantomimes, et à faire le régisseur des grands spectacles de l'Hippodrome, il n'y avait qu'un pas, un petit pas de danse sur le fil. Homme à tout faire, c'est une vocation. Connais-tu les gens qui m'ont mis en apprentissage ? Victorin Jasset ; Georges Hatot, et Feuillade. Le grand Louis. Celui-là, c'est un explorateur de génie, un genre Pasteur dans son domaine, si tu veux mon avis. Voilà dix ans que je trafique là-dedans en regardant ces gens, en les écoutant, en les imitant, en leur volant leurs idées... Pas meilleur moyen de leur rendre hommage : ils inventent tout. Comme eux, j'ai fait de tout, dans leur sillage ou sous leur direction, des scénarios, des films, des longs, des courts, n'importe quoi, documentaires, gags, féeries, burlesque et reconstitutions historiques, mélodrames, Jésus au Golgotha, la bande à Bonnot, Morgan le pirate, Don Juan, Dreyfus, Riffle Bill, Ulysse et Hérodiade, crimes et guet-apens ! Ah mais, je ne fais pas dans la dentelle ! Tout est bon, mon cher, pour tourner la manivelle et impressionner la pellicule. Je m'impressionne moi-même, du nombre de kilomètres de films auquel j'ai pu contribuer. Et me voilà le patron de Grand Lux, depuis deux ans. Directeur de société, propriétaire du capital, et auteur de mes films. Tantôt je gagne beaucoup d'argent, énormément. Tantôt je suis sur la paille, mais je suis mon maître, et le plus heureux des hommes.

— Bravo, dit Pierre, sincèrement admiratif. Au moins, tu fais ce que tu aimes faire.

— Autant que toi, peut-être. C'est ma manière de te rejoindre.

Il goûta l'alcool servi dans un carafon de cristal tarabiscoté, claqua de la langue.

— C'est de la cerise, du kirsch d'Alsace. Fameux. Tu en veux ?

— Allons pour la cerise. Où veux-tu en venir, Daniel ?

— J'y viens. Tu n'as pas vu grand-chose de ce que je fais, hein ? Pour ainsi dire rien. Avoue, crapule.

Pierre rit et souffla sa fumée.

— J'avoue.

— Tu vas te rattraper tout à l'heure. Tu n'y couperas pas, cette fois. Tant pis pour toi.

— C'est pour ça que tu m'invites ? Pour que je sois moins ignorant ?

— Un peu. Mais écoute bien, Pierre. A trente-deux ans, je suis en équilibre au milieu de mon fil, et je réfléchis, avant de me casser la figure. Je tourne, je tourne, et la tête me tourne de ne plus faire que ce que je sais faire. On n'en est plus aux films de pioupious et de bonniches, vois-tu. La vulgarité, la facilité, les niaiseries, bluettes, cocufiages et bidasseries. Le cinéma n'est plus de l'artisanat de foire, c'est maintenant une affaire de grand art. Enfin, nous sommes tombés dans la littérature, voilà. C'est grand, c'est époustouflant, c'est noble et illustre, mais c'est une autre impasse. On n'avance plus qu'à coups de montages faramineux, avec des acteurs de la Comédie-Française, des célébrités qui font des caprices de diva et nous coûtent la peau du dos. Il faut toujours davantage, en gigantisme : des décors, du luxe, des effets, des figurants en masse, des costumes. Et tu sais ce qu'on perd de vue ? La réalité. Prise sur le vif de la vie. La beauté, la laideur, l'étrangeté de la réalité, sa poésie, son mystère. A force de tout combiner, tout écrire, tout contrôler, on est retombé dans la boîte à malice des lanternes magiques, des théâtres. L'ennemi, c'est le théâtre, les actrices de théâtre, les maquillages de théâtre, les gestes de théâtre. J'ai envie de filmer au naturel des acteurs qui ne savent pas bien ce qu'ils ont à faire, et dans le décor de la vraie vie : le géant bébé Cadum, les quais de Bercy, le métropolitain, les graffitis sur les vespasiennes, les flaques de pluie, les ours du zoo au Jardin des plantes, la tour Eiffel. Je commence à m'embêter de nouveau, j'ai envie de neuf. C'est-à-dire d'écrire en cinéma le langage des temps nouveaux. Le fabuleux est dans la réalité, le fantastique c'est la réalité même, et nous ne manquions que du cinéma pour l'apprendre. Le cinéma est la pensée de demain, pour réveiller les hommes à eux-mêmes. C'est explosif, ça ! Je veux être un artiste de la poésie naturelle, voilà. Je te parle chinois ?

Pierre hochait la tête, peu à peu gagné par la profession de foi de Daniel, sentant sous la plaisanterie et l'éloquence, l'aveu d'une passion réelle.

— C'est une langue que je peux entendre parfois... Qu'est-ce qui t'empêche de faire les films dont tu parles ?

— La machine, Pierre, la machine à faire ce qui plaît au plus grand nombre. La loi du rendement opportuniste. Le marché. Les frères Lafitte, qui sont nos banquiers à tous, n'en démordent pas : ils veulent du Film d'Art, comme on dit à présent. Les coutures craquent, si je veux sortir de là. Qui voudra de mes films ? Je vais partir en Amérique. Voilà où je voulais en venir.

— En Amérique !… Tu te lances à la conquête de l'Ouest ?

— Tu ne sais pas si bien dire. L'Ouest des pionniers, oui. Là-bas, dans le Far West, en Californie, il y a un village du tonnerre de Dieu pour le cinéma moderne. Une ville en pleine lumière, un climat idéal, soleil tous les jours de l'année, et des paysages si variés qu'ils résument la terre entière, les tropiques, le désert et la savane, les lacs et les forêts du Nord, les plages, les collines, les montagnes et les glaciers… et la ville ! La grande ville électrique, des boulevards, des boutiques, des hôtels, des banques, des journaux, tout, dans un mouchoir de poche. Un studio de décors naturels, grandeur nature. Hollywood, joli bois de houx ! Sacré bois du saint cinéma ! Je vais y construire mon palais. *A Xanadu, Kubla Khan fit bâtir un somptueux palais de plaisirs*, hein ? C'est de Coleridge, non ? Notre père déclamait ça… Ce rêve, je vais le réaliser, Pierre, parce que je ne suis pas homme à mettre mes rêves en conserve. Je n'ai dit mon idée à personne. D'ailleurs je viens juste de la formuler, je ne me l'étais pas encore annoncée à moi-même. C'est fait.

— Donc tu as déjà pris ton billet… Tu pars demain matin.

— Ah ! Tu ne me crois pas ! Tu me connais mal.

— Je te connais mal, mais je te crois. Et je pense que tu as raison d'envisager le large espace, les destinées lointaines, les conquêtes. Tu en as l'âge, la force, et l'intrépidité. Cependant, à s'éloigner, on ne se quitte guère soi-même. On s'emporte avec les bagages, quel que soit le voyage…

Répéter soudain les mots de Gabrielle le troubla. Il se tut brusquement.

— Justement. Je m'emporte dans mes bagages, tel qu'en moi-même, et j'espère bien m'être fidèle. Remplir loyalement le contrat que je passe avec moi-même, devant toi, devant l'Eternel. C'est en restant ici que je me trahis, que je me leurre. Et même… Allons-y pour les confidences : à force de dégoût, de fatigue, je perds mon temps, et mon argent, avec les femmes autant qu'il en vient, et je me lasse. Il ne manque pas de jolies candidates, je t'assure, des poupées de trois sous qui achètent leur carrière de cette manière, qui monnaient leur gloire dans mon lit, et moi je suis la pute des banquiers amoureux du théâtre filmé, j'essuie leurs paillassons et je bâcle le travail, voilà où j'en suis. Mais je ne suis pas ma dupe. Je sais qu'à tricher, à truquer, j'endors mes vrais désirs, je les amuse de petites conquêtes, en coq de basse-cour. Basta. A moi la Muse, à moi la déesse et les bonnes ivresses !

Daniel riait, un peu gêné de sa crudité, de cette familiarité qu'il n'avait jamais osée avec son frère, et qu'autorisaient la chaleur du repas, l'intimité de leur soirée. Mais ému de sa sincérité, de ce cri de son cœur, il quémandait maintenant son accord, accoudé au bord de la table, en bras de chemise et rouge de sa fièvre. Autour de lui, sur la nappe, tachée et parsemée de miettes, où traînaient les couverts d'argent dispersés, les fonds de verre en cristal, les carafons et la porcelaine souillés, les reliefs de leur repas semblaient une mélancolique nature morte, la vanité des jouissances au réveil des ivresses, lui rappelant cette amertume des petits matins qu'il connaissait si bien.

— Dans mes bagages, il y en a une que j'emporterais bien... ajouta-t-il d'une voix pensive. Un genre de déesse, justement. Une belle fille solide, ni bégueule ni poule mouillée, ni poule de luxe. Un cœur à prendre. Elle n'a pas froid aux yeux, elle est intelligente et drôle. Je l'emporte tout de suite, sans contrat.

— Emporte-la donc ! s'écria Pierre, soudain très gai, versant de nouveau l'alcool blanc dans leurs verres et portant un toast. Si elle t'inspire, que n'en fais-tu la muse dont tu as besoin ?

Daniel rit aussi, de bon cœur, et leva son verre.

— Sais-tu seulement de qui je parle ?

— Tu ne me présentes guère tes amies...

— Celle-là est une amie à toi. Tu l'enfermes au Mesnil comme une nonne. J'ai trouvé ce petit joyau au mois de novembre, en faisant mon film. Je lui ai tourné autour, mais j'avais une Dorothée au bras. Je crains d'avoir compromis mes chances. Ah nom de Dieu ! C'est une galette de roi, mais pour l'avoir il faut se lever de bonne heure...

Pierre resta saisi. Il lui appartenait que Gabrielle, qu'il venait de citer, lui passât par l'esprit. Sa présence lui appartenait dans l'ombre d'un couloir. C'était une affaire personnelle. Les lointains jours d'automne dans la forêt, quand elle avait ri à l'envol des étourneaux ; quand, à genoux, elle ramassait, éperdue de sa maladresse, les feuilles répandues sur le plancher ; et aussi ce bref moment où il l'avait ramenée vers lui, tenue aux poignets comme une prisonnière parce qu'il se disait : elle est là et elle veut s'en aller. Je vais peut-être la perdre. Pourtant elle est là. Cela lui appartenait. Abasourdi par le portrait sacrilège de Daniel, comme d'un coup donné à la nuque, par traîtrise, il restait interdit, sans voix pour protester. Ce frère à la moustache rousse, aux yeux de braise et aux bras forts, avec son air canaille, qui se cambre comme un épi d'or et roule des hanches, matador, pouvait enlever les filles du petit doigt et crier "fouette cocher" sans s'embarrasser. Il lui parut un malotru, un brutal. Il en avait du mal à déglutir. Son éblouissement durait et il devait faire une telle tête de carême que Daniel éclata de rire.

— L'as-tu seulement regardée, toi qui ne vois rien ?

Mais le visage de Pierre était silencieux et froid. Ce regard qui fixait on ne savait quoi, perdu au-delà des scènes galantes accrochées au mur, à travers les murs vers des épaisseurs ombreuses, était celui d'une machine à calculer, dans un cerveau froid. Il n'avait pas dû entendre, pas écouter la question. Il suivait son raisonnement, qui le menait droit à sa logique.

— Daniel, je te suis où tu veux, jusqu'à Hollywood ; c'est parfait. A part notre mère, qui va hurler au loup, je ne vois pas qui s'opposera à ton départ. Tu es libre comme le vent, et propriétaire de ta personne. J'imagine que tu n'attends pas ma bénédiction, mais je te remercie de m'avoir réservé la primeur de cette nouvelle. Elle changera les choses entre nous, sans doute. Nous vivions dans les parages l'un de l'autre, sans beaucoup nous rencontrer. Il se pourrait que ton éloignement me le fasse regretter...

— En attendant, viens donc voir mon film. Il sera distribué en épisodes, à suivre, comme le feuilleton, et je me vends au diable s'il n'enrichit pas mes financiers. Il faut que je fasse une sortie de seigneur pour ne pas partir avec des créanciers aux fesses !

Maintenant, Daniel flattait le flanc du gros projecteur, un appareil Joly, et recommandait aux dames de ne pas s'en approcher trop. C'était la peur des films d'acétate inflammables, des incendies instantanés dont la rumeur se répandait parmi les détracteurs du cinéma.

— S'il chauffe, nous brûlons tous, riait-il. La sortie de secours est par là !

Les invités finissaient de s'installer en désordre, qui sur des fauteuils de décor, qui sur des chaises de fortune ou sur des caisses, à la bonne franquette, amusés de cette soirée artiste, et la projection commença par le défilement de l'amorce barbouillée d'inscriptions et de chiffres, tandis qu'un phonographe jouait en accompagnement des airs de ragtime, tout à fait inattendus.

En dépit de sa bonne volonté pour suivre les péripéties du drame, Pierre eut le plus grand mal à suivre ses perpétuels rebondissements. C'étaient des gens vitriolés, poignardés, des yeux crevés, des scélérats et des escrocs patibulaires, d'horribles mégères, les personnages de ses lectures enfantines, le Chourineur, le Squelette ou la Chouette, occupés à des traquenards dans des caves, sous un porche, complotant leurs forfaits autour d'une table de gargote, des scènes de la pègre alternant avec les beaux salons, de touchantes figures, le bellâtre Rodolphe et la petite prostituée séquestrée, persécutée, fuyant, toujours fuyant, avec des mimiques apeurées. Dans le silence, les cartons s'enchaînaient, reliant les épisodes, explicitant sommairement sentiments et dialogues, ce qui faisait qu'il fallait autant lire que regarder. Pourtant c'était traversé d'images surprenantes. Le bord d'un canal avec un bouquet de gros marronniers qui jetait des pastilles d'ombre et de lumière sur l'eau, un vaste bassin plein d'eau noire au doux clapotis qu'on croyait entendre ; ou bien les entrepôts d'une usine désaffectée que le vent traversait, emportant de vieux papiers dont le vol mou n'en finissait pas de retomber ; puis la longue rue pavée d'un faubourg désert, où s'enfuyait Fleur-de-Marie. Elle courait entre des palissades de guingois, crevées sur des terrains vagues. Des enfants y jouaient, dans les tumulus d'herbe rare. Alors, on oubliait Fleur-de-Marie, et on restait avec eux, deux gamins sérieux comme des papes qui avaient fait leur barque d'une valise éventrée, et à côté d'eux, une petite fille très grave qui soufflait des bulles de savon. Les bulles avaient le temps de monter, de rester suspendues, étincelantes, et de crever, une à une. Toutes sortes de détails baroques et renversants de vérité, qui n'avaient que faire du récit, mais qui le servaient, donnaient aux excès comiques du mélodrame une intensité poignante, peut-être parce qu'ils étaient l'invisible de cette histoire, l'endroit réel où celle-ci atteignait sa véracité. Cela occupait la vue plus durablement que les péripéties haletantes et le pittoresque flamboyant.

Puis il y avait eu soudain cet épisode de campagne. Une route entre de hautes herbes sous le grand ciel où couraient de petits nuages effilochés. Des gens, des paysans avançaient. Ils allaient à un marché, avec cheval et charrette, tirant leur barda de paniers, mais l'horizon était si bas que les nuages occupaient tout l'écran, et un vol d'oiseaux, des étourneaux, pensa Pierre, se déploya soudain en feu d'artifice noir, sitôt revenant en filet et disparut. Alors il fut à peine étonné de reconnaître, parmi ces gens, quelqu'un qui ressemblait à Gabrielle, son visage immense passa, regardant loin, à travers lui, une route sur laquelle il était, et à travers lui elle passait, le traversait et le laissait seul, tandis qu'on ne voyait plus que le grand champ d'herbe couchée longuement par le bras du vent vers l'horizon vide. Le temps qu'il comprenne que le visage entrevu n'était pas une illusion de cinéma, mais la réalité, il y avait eu plusieurs fois la petite mendiante en diverses postures, et un carton qui disait "La charité, pitié ! j'ai faim !" et on était déjà rendu sur le perron d'une grande demeure couverte de chèvrefeuille automnal. Il reconnut enfin la façade, le décor, se souvint du tournage, là-bas. Des paons saugrenus faisaient la roue, effrayants d'orgueil, de beauté gratuite, et l'œil énorme de leur plumage ocellé envahit l'écran. Pierre ferma les yeux.

Il n'entendait plus l'accompagnement musical, perdu dans un brouhaha, seulement les pals de l'appareil de projection, son essoufflement de bête, ses tressautements et ses hoquets, et il sentait l'odeur de métal surchauffé, de caoutchouc, de poussière. Il comprenait ce que Daniel appelait la "surprise", cet épisode de son film tourné au Mesnil qu'il l'invitait à voir, par jeu, par facétie, en cadeau de Nouvel An, en cadeau d'adieu. Ou peut-être pour lui montrer ce qu'il appelait de ses vœux, l'avènement de la poésie naturelle au cinéma. Le fabuleux est dans la réalité, le fantastique c'est la réalité même. Et si Pierre rencontrait Gabrielle sur cette route, pourquoi la reconnaissait-il si tard, alors qu'elle était déjà passée, déjà disparue, qu'il ne pouvait plus boire son visage, se repaître de sa vue ? La regarder enfin au visage comme il ne l'avait pas fait en sa présence, pas osé faire, sans qu'elle sût qu'il la regardait, comme on peut contempler impunément quelqu'un qui dort, surprendre son sommeil et voler sa vue… Mais sur l'écran, c'était encore plus troublant, parce que c'était juste cela qu'elle donnait, elle dormait les yeux ouverts et elle offrait cette nudité de son visage, si vaste, si profond, aussi immense que le champ d'herbes folles, et si proche qu'il lui était passé au travers, tel un fantôme. Or elle ne s'était pas éloignée. Elle restait là, en arrière de ses yeux, sous ses paupières. Il ne les avait fermées, avec un temps retard, que pour la retenir. Que pour la sauver de toutes les autres images harassantes du film, leur beauté, leur laideur facultatives. Pour rappeler cette seconde trop vite enfuie, disparue avant que ses yeux ne voient qu'elle était la réalité même, la fabuleuse réalité du monde. Il la revoyait à présent, juste la petite seconde où elle avait été là. Elle revenait. C'était son présent d'image réelle, sa vraie présence. Maintenant, elle était endormie sous ses paupières, au fond de ses yeux, de ses pensées. Si souveraine, énigmatique, qu'il eut un frisson de tout son corps, une brûlure au front.

Ensuite, il lui avait fallu, malgré tout, se mettre à l'unisson, porter des toasts et recevoir les vœux exaltés de toutes sortes de personnes inconnues qui le prenaient familièrement par le bras, le présentaient aux uns, aux autres, avant de l'abandonner pour passer à d'autres abordages. Il y avait surtout, très entouré, un grand gros homme à belle tête carrée qui faisait frissonner les dames, un poète scandaleux, voleur de *Joconde*, pornographe et métèque. Il ne quittait pas sa pipe, en dépit des avertissements de Daniel, content de son effet, mais Pierre croisa un instant l'étrange regard mélancolique qu'il promenait sur la fête. Car autour, les gens se réjouissaient, comme d'un exploit, de sauter dans le Nouvel An, confondant dans la même ébriété l'idée piquante de cette soirée et l'excellence du spectacle qu'ils venaient de voir. Ils s'enquéraient de son avis sur le film de son frère, mais sans attendre une réponse, s'interpellant les uns les autres par-dessus son épaule, dans le brouhaha surexcité des échanges. Ici ou là, Pierre avait pourtant entendu, parmi les éloges et l'enthousiasme de mise, la perplexité de certains, d'une dame surtout, très choquée de ces choses triviales, de ces décors naturalistes, se croyait-on chez Zola pour filmer ainsi les banlieues ou les docks ? Et les caractères n'étaient pas fameux, les acteurs étaient comme dans la vie, sans expression artistique, sauf la petite Dorothée, si gracieuse, si touchante, une nouvelle Sarah Bernhardt. L'étoile montante minaudait, se pâmait d'aise avec des œillades charbonneuses aux journalistes qui l'entouraient, dont les compliments hyperboliques avaient l'air de contenter Daniel. S'ils mordaient à l'hameçon, courtisant l'actrice, ils courtiseraient le film : voilà ce qu'il espérait. Ils prendraient leur ivresse de la fête pour un engouement esthétique, et feraient de bons articles sur l'événement mondain, très original, et sur le film, par la même occasion. Maintenant que le cœur lui était refroidi, un peu étonné d'avoir tant souffert à cause d'elle, il veillait du coin de l'œil sur cette femme qui l'avait quitté, ou dont il s'était lassé, sans rancune, sans regret. Seulement satisfait de son succès et content de son abattage, de la bonne camaraderie qu'elle montrait en jouant son rôle jusqu'au bout, lui rendant la monnaie de sa pièce.

Pierre quitta les studios de Boulogne parmi les premiers, dès qu'il put se retirer sans désobliger Daniel, mais celui-ci, très entouré, lui fit seulement un geste amical, de loin, remarquant à peine son départ. S'éloignant du tumulte des voix et des lumières derrière les verrières, il avait marché dans la boue glacée des rues, faiblement éclairées du halo des réverbères, jusque sur les quais, avant de trouver un taxi en maraude, dont le chauffeur, engoncé dans une canadienne de cuir, pestait contre les fêtards ivres, qui gâchaient sa voiture, contre les noceurs qui se réjouissaient de la nouvelle année, tels des cochons qui ignorent à quel abattoir on les conduit...

— Sait-on de quoi sera fait 1914, pour s'en réjouir tant à l'avance ? Vous avez des raisons de crier victoire, vous ? La vie est-elle donc si plaisante, cette nuit plus qu'une autre ?

Pierre avait vaguement acquiescé et avait tiré la vitre, se rencognant dans son manteau. Frissonnant de sa marche dans le froid, il cala sa nuque contre le dossier et ferma les yeux. Il sentait à présent sa fatigue, la grande lassitude de cette soirée de festivités, du dîner et de la projection, dont il sortait comme de ces rêves confus, qu'on préfère oublier. Daniel avait eu beau se montrer chaleureux et disert, s'ouvrant à lui avec une rare confiance, il en gardait une gêne, et peut-être un ressentiment. Son frère voulait-il rattraper, au bord de sa grande décision, les années d'indifférence, d'incompréhension, l'éloignement où ils s'étaient tenus ? Où les avaient mis leur famille, et les circonstances de la vie. Qu'ils avaient cultivé, par une sorte de prudence. Il y avait plus grand danger à s'inventer une tardive intimité fraternelle, qu'à se contenter de cette ignorance réciproque. Parce qu'une fois ouvertes les vannes de la confidence, on ne sait plus à quoi l'on consent, à quoi l'on se risque. Daniel attendait-il davantage de lui, au seuil de ce départ projeté ?... Et d'ailleurs, passerait-il à l'acte, lui qui semblait si bien avoir tissé sa toile, qui excellait à entretenir ses réseaux, ourdir ses complots d'homme d'affaires autant que d'artiste ? La tentation du grand saut dans l'inconnu, l'aventure pionnière, la conquête du grand Ouest californien ! Table rase et nouveau commencement... Tout en s'en défendant, Pierre avait de la sympathie pour cet élan vital, cette audace et cet anticonformisme proclamés. Pour cette jeunesse et cette combativité. Il se reconnaissait dans ce frère aventureux, plein d'espoirs. Et d'illusions. Contre celles-ci, peut-être Daniel serait-il mieux armé que lui... Il avait les dents longues et l'œil aigu. Un appétit d'ogre, une belle santé d'esprit. Tout cela le blessait, l'emplissait de mélancolie et de regrets, pour l'avoir ignoré, pour ne l'apprendre qu'au moment du départ de son frère. Mais surtout persistait un ressentiment, un malaise, une douleur sourde et lancinante qui montait et descendait, tel un ludion dans sa poitrine.

Comme ils atteignaient le centre de la ville, les rues avaient retrouvé les encombrements et s'étaient emplies de passants quittant les lieux de fête, s'attardant en dépit du vent glacé sur les trottoirs, saluant avec familiarité les inconnus qu'ils croisaient, s'embrassant dans d'excessives effusions, comme pour donner raison à la misanthropie du chauffeur. Toutes ces vies entremêlées, accumulées, monstrueusement étrangères, solitaires, parallèles dans leur particularité et leur solitude, posées sur toutes les portées de la grande partition du monde, fuyant sur les tangentes de leur existence comme notes perdues d'une marche funèbre, sans connaître leur destination… Pierre s'ébroua, refusa ces noires pensées, parce que le volontarisme était sans doute son caractère le plus constant. Et que de son humeur susceptible, il savait précisément la nature ; il se l'avouait sans dissimuler. Celle-ci venait de sa contrariété que Gabrielle eût été par deux fois présente dans cette soirée, par le fait de Daniel. L'éloge paradoxal de celui-ci n'avait pas surgi par un hasard de la conversation, mais comme une obsession secrète, personnelle et sincère. Non comme une confidence délibérée, mais par lapsus, par aveu impulsif de son motif, conscient ou non, de projeter précisément cet épisode de son film. Au prétexte qu'il avait été tourné au Mesnil. En réalité parce qu'elle y figurait, parmi les gens de la maison, dont Pierre avait très bien reconnu, par ailleurs, les visages de figurants improvisés. Ce choix n'était pas un simple clin d'œil de connivence. Daniel s'était fait le malin plaisir de lui montrer, par surprise, cet impromptu, qui était en même temps le manifeste de son art et l'hommage sibyllin à la muse qu'il appelait de ses vœux.

L'as-tu seulement regardée, toi qui ne vois rien ? Voilà ce qu'il lui avait lancé, par défi, par provocation. Avec sa suffisance de bel homme. Ou parce qu'il recherchait son assentiment, sa complicité ? Pierre voyait Gabrielle, mieux que ne l'imaginait Daniel. Pas comme la galette d'un roi, ou la muse d'un cinéaste. Il la voyait très bien. Non seulement son immense visage de cinéma, qu'il gardait sous les paupières. Mais celui, véritable, qu'elle avait eu contre le sien, quand il la tenait contre lui, par colère, par peur qu'elle ne disparaisse. Parce que, d'elle, il attendait quelque chose qu'il n'avait jamais osé demander à personne, à quoi cette soirée le renvoyait à présent. Il était obligé de faire effort. De convenir d'une nécessité. Qu'elle eût ce visage ne facilitait pas les choses. Elle aurait mieux fait d'avoir la tête d'un grenadier, une trogne de vieille. Parce que avec ces gens-là, on peut être cassant, affecter le mépris ou la politesse de ne pas trop faire de façons, on n'est pas leur obligé. Il voulait se servir d'elle, et avec un visage pareil, il avait du scrupule. Avec un visage pareil, c'est une autre paire de manches, il y a de l'obligation. On doit y mettre des précautions, et même de la délicatesse, comme avec les chevaux ombrageux, qui tirent du collier sans prévenir et bronchent d'un coup de reins intempestif. Ils peuvent frotter leur museau contre la veste, faire leur petit pas espagnol avec beaucoup de gentillesse, et calculer leur mouvement de tête comme sur papier à musique, mais on ne leur demande pas n'importe quel service à la cravache. Et ce qu'il avait à demander aurait fait se cabrer n'importe qui de cette espèce. Or il n'avait qu'elle. Par le hasard d'un petit salon de musique surpris un soir d'automne, un couloir dans l'ombre, et l'émoi qui en était venu, qui faisait tomber de ses mains les livres sur un plancher. Par le hasard qu'elle lisait très bien des poèmes hongrois, avec conviction, avec sentiment, et peu importe ce qu'ils racontaient du ciel, de la Voie lactée, de la liberté et des grilles des prisons, puisqu'elle parlait cette langue. Il enfouit son visage dans ses mains. S'il existait une autre solution, il l'aurait trouvée depuis longtemps, il s'en serait servi pour liquider l'héritage, pour vider la sacoche d'amertume et de peur qu'il portait au flanc, depuis si longtemps. Il se sentait plein d'échos et de brumes, flottant dans le nébuleux visage de Gabrielle, qui traversait l'espace, le recouvrait de son ombre, et l'abandonnait, seul au fond de ce taxi, seul en cette nuit dont les promesses ou les menaces, plus qu'elles ne préfiguraient un avenir, le rendaient au dénuement de son enfance.

Gabrielle traversa la cour, contourna rapidement le perron de l'hôtel et s'abrita sous l'auvent de l'entrée de service. Une seule lanterne était restée allumée et, dans le cône de lumière, la neige qui s'était mise à tomber, d'abord en très fines paillettes de glace, tourbillonnait à présent follement ; elle s'était allégée, floconneuse, soulevée par les bourrasques, en nuage épais qui voilait la vue, et tout le temps qu'elle remontait en courant la Chaussée-d'Antin, Gabrielle avait renversé son visage pour la sentir lui jeter aux joues sa poudre fraîche. Elle jeta un regard derrière elle, sur le pavé de la cour qui commençait de se recouvrir, et où l'empreinte de ses pas disparaissait déjà. Elle tourna la clé et se faufila dans la maison, s'éloignant des bruits étouffés qui venaient de l'office, au sous-sol. Par les soupiraux, elle avait vu filtrer de la lumière. Peut-être des domestiques fêtaient-ils encore le passage à l'an nouveau, ou bien quelque solitaire veillait-il seul, en grignotant des restes…

Il était près de trois heures du matin, et elle rentrait très tard, ayant passé l'heure sans y prendre garde, comme Cendrillon à la fin du bal. Cette idée l'amusait, et aussi qu'elle fût sans carrosse pour la ramener, puisque les amis de Dora l'avaient déposée au bout de la rue, rentrant à Belleville. Elle s'était beaucoup divertie dans ce café russe de Montparnasse, où elle avait rejoint

Dora et ses amis, s'échappant en clandestine, une fois couchées Millie et Pauline. Vêtue de la belle robe de son amie, si décolletée aux épaules, si échancrée à la jambe, si légère sur la peau qu'il lui semblait être nue sous son manteau, caressée par les glissements et le froufrou de l'étoffe. Demain, il lui faudrait vraiment reprendre ses habits d'institutrice, et garder précieusement le petit soulier de vair, en souvenir de la fête et des musiciens, des blinis et du caviar, du bortsch et du *vatrouchka*, arrosés de vodka, En souvenir des chansons et des danses, et de ce jeune peintre avec qui elle avait conversé toute la nuit, parce qu'il venait de Hongrie, et ignorait le français, parce qu'il avait des yeux de violette et une peau de lait, une manière renversante de valser et de vous parler à l'oreille, une très ingénieuse façon de vous faire perdre la tête, sans vous incommoder de soupirs. Il n'avait aucune intention de la séduire, puisqu'elle était séduite d'avance, seulement de la convaincre en langue hongroise d'être heureuse et de ne penser à rien, qu'au plaisir de l'instant. C'est pourquoi rentrer si tard en catimini, par cette porte dérobée qui chuchotait des choses d'enlèvement et de fuite, de rendez-vous romantiques, finissait très bien l'ivresse de la soirée, ce jeu de cache-cache avec soi, qui ne fait de mal à personne. Elle était tout à fait remise de son coup de froid, de son coup au cœur, de son aventure rue Tiquetonne et de la fièvre qui en avait découlé, soignée, ensevelie sous les tendresses d'Agota et de Renée, qui avaient usé et abusé de leur maternage, légitimement retrouvé, le temps de sa guérison. Si peu malade, en réalité, qu'en deux jours, elle était sur pied, rendue aux faits, logiques et tangibles. Assurée de sa chance d'être sur le point de retrouver Jean Zepwiller, et de tirer au clair les élucubrations de Clarisse, avant qu'ils ne disparaissent tous deux de sa vie.

Elle se déchaussa et, ses souliers à la main, évitant le couloir de l'office, grimpa en silence l'escalier jusqu'à sa chambre, contiguë à celle de Millie, dont la porte entrouverte laissait passer la faible clarté de la nuit. Elle s'y glissa sur la pointe des pieds, regarda la petite fille endormie, bras en croix en travers du lit, ses cheveux défaits en couronne sur l'oreiller, dans un tel abandon qu'elle sourit. Bienheureux sommeil de l'enfance, visage d'ange des tableaux primitifs... Gabrielle remonta ses couvertures et posa un baiser sur sa main, fondit de sentir son odeur acidulée, sucrée, sa chaleur de petit animal. Dans son lit douillet et ses linges brodés, dans la chambre aux murs fleuris, privilégiée par son destin, comme elle était loin des enfants de la porte d'Italie, de la misère et de la laideur, des turpitudes et des violences sociales. Une Bertin-Galay petite reine protégée des souffrances et des peines. Et pourtant orpheline, mal aimée, délaissée. Et pourtant souveraine, si forte, si puissante dans son être énigmatique, armée contre les insuffisances, l'impéritie des adultes, engrangeant le revenu de ce capital mystérieux de l'existence qui, quel que soit le milieu qui vous voit naître, vous confère les pouvoirs d'inventer, de combattre et de vaincre. Quel héritage cette mère éphémère lui laissait-elle, quelle histoire, quelle mémoire enfouie au fond de sa chair... De quel amour, de quel accident du désir était-elle le fruit, pour que son père, qui avait un tel culte de sa femme, négligeât tant celle qui en était issue. Haïssait-il tant cette enfant, se détournait-il d'elle uniquement pour être la cause de la mort de sa mère ? Son ressentiment, si c'en était un, justifiait-il une aussi cruelle défection ? Et elle-même, Gabrielle Demachy, de qui était-elle l'enfant ? De jeunes gens amoureux, insouciants comme les rois d'une fête permanente, qui l'avaient abandonnée sans souci aux soins d'une nourrice pour courir l'Europe, les concerts et les réceptions. Ses parents avaient-ils été plus dignes d'accueillir le cadeau royal qu'est tout enfant, quand leur passion les appelait ailleurs ? Que ce fût au nom de la science ou de l'art, ceux-là avaient pris le droit de négliger avec inconséquence, criminelle indifférence, l'essentielle mission d'aimer. Millie, tu es la petite reine de mon cœur, songea-t-elle, peut-être encore enivrée par le plaisir de la fête, par les vins et la musique. Tu es l'enfant d'adoption, que mon étrange aventure de l'hiver offre à ma solitude. Tu es le cadeau de cette nouvelle année.

— Bonne année, chérie, murmura-t-elle avec ferveur, les lèvres posées sur la petite main endormie.

Mais se déshabillant, tandis qu'elle déposait la robe précieuse sur le bras d'un fauteuil, son exaltation retomba. Gabrielle ne ressentait plus qu'un immense abandon, la tristesse infinie de cette nuit. A peine quelques instants plus tôt, elle s'étourdissait de rires et de mots, dans la fièvre factice des échanges, et tout se passe dans les mots, les regards lancés comme bouées, harponnés au hasard, épaves à la dérive, une parole pour une autre, des yeux qui interrogent, points de suspension et silences perdus dans le tapage... On lève son verre à des inconnus et on boit dans l'explosion sentimentale, l'obscurité soudain éclairée de fusées, feux d'artifice et tournoiements de comètes joyeuses, les yeux pailletés de joie, et puis la nuit retombe, avec ses signes effrayants, indéchiffrables... Comme pour conjurer cette menace, ses bras noués autour de sa taille, tandis qu'elle l'entraînait sous les vivats dans un tango improvisé, et que leurs corps enlacés chaviraient sous les lumières rouges, Dora lui disait à l'oreille :

— Rions au lieu de pleurer, Gabrielle ! Aimons-nous au lieu de souffrir !...

Entre deux danses, alors qu'elles se retrouvaient seules à une table, essoufflées et le feu aux joues, elle l'avait interrogée sur sa visite à Clarisse. Mais parce que la fête s'y prêtait peu, parce qu'elle avait envie de s'étourdir, pour obéir à l'invitation de son amie, peut-être aussi parce que, à travers sa grosse fièvre, le souvenir de cette entrevue s'était altéré, et qu'elle ne savait plus trop ce qui relevait de la réalité ou du cauchemar, elle avait préféré taire les élucubrations de Clarisse, ses suppositions obsessives, et ne rapporter que la promesse d'un contact prochain, grâce à la grande confiance que lui inspirait Dora...

— Je t'avais bien dit que je lui plaisais : elle aime les belles étrangères ! avait plaisanté Dora. Elle préférerait que ce soit moi qui rencontre son frère ! En tout cas, ne tardez pas trop : je pars en tournée de concerts, début février. Je ne serai plus là pour faire votre messagère...

En février, pensait Gabrielle, Jean sera reparti sur les routes, vers le nord, vers un port d'embarquement, et plus rien ne sera comme avant... Voilà, se disait-elle, comment le sort se joue de nous... Pendant des années, il organise les obstacles, les empêchements de toutes sortes, il s'ingénie à tromper la patience, l'espoir, et il s'en faut de si peu qu'on renonce... Et en quelques mois ou semaines, il précipite en avalanche les coïncidences, agence les rencontres et les surprises, fait de malchance providence. Le ciel a tourné, en février, je serai une autre, je le sens, je le sais, soufflait-elle à Dora, sa joue contre sa joue. Tu es ma bonne étoile du Nouvel An...

Mais à présent que son euphorie s'était enfuie, l'anonymat de cette chambre provisoire lui semblait presque hostile, ses meubles, ses objets étrangers. Elle n'était pas chez elle ici, et nulle part d'ailleurs, toujours dans une chambre d'emprunt. Son rêve était si loin encore de s'affranchir, de s'émanciper, d'échapper au poids du passé, de l'enfance et de l'amour perdu, de faire la paix avec elle-même, libre d'inventer sa vie... Elle étouffait, alors elle entrouvrit la fenêtre, se pencha, aussitôt fascinée par la neige silencieuse, qui descendait dru, en rideau serré, ensevelissant les formes, au point que la lanterne n'était plus qu'un vague halo jaune dans toute cette blancheur. Elle aspira un grand coup, pour se libérer de son oppression, mais elle sentit l'air froid passer sur ses seins, sur ses épaules nues. On aurait dit un souffle sorti du tombeau, l'haleine glacée de la mort qu'elle avait sentie sur elle, l'autre jour, pendant sa traversée de la ville enneigée. Avant de refermer, elle se pencha davantage, attirée par une autre fenêtre, faiblement éclairée ; sans doute celle de Mme Mathilde. Elle eut une pensée pour la vieille femme insomniaque, encore plus seule qu'elle en cette nuit, que ni son mari ni ses enfants n'entouraient, qui n'avait pour aucun d'entre eux, ni pour Millie entre tous, un élan de tendresse, une inclination de son cœur. Elle ne riait ni n'aimait, alors pleurait-elle, souffrait-elle ?... et si elle ne pleurait ni ne souffrait de rien, le plaisir qu'elle tirait d'être riche et puissante, valait-il la peine d'être, à trois heures du matin, à plat sur le dos, seule avec sa lampe ? Riche à millions dans ses coussins, d'une fortune qui ne craint ni les grèves, les mutineries, les coups de Trafalgar, ni les cataclysmes, les séismes, les guerres et les fins du monde. Riche de son seul orgueil et de sa grandeur de femme, qui mène contre les hommes une vie d'homme, ou de cheval, ou de chien. Comme un homme. De cela, elle est riche à millions, et elle a peut-être raison, de n'être la chatte, la chienne, ni la lionne de personne. De sécréter toute seule son poison personnel, le plus fin, le plus belliqueux et meurtrier des poisons, de se faire une bile de tous les diables, rien que pour être celle-là. Libre, affranchie de tout. Cela valait-il vraiment que Gabrielle se gèle à la fenêtre, à trois heures du matin, en ce premier jour de l'année 1914 ?

XXII

A quelques nuits de là, Mme Mathilde était seule, en effet, seule avec sa lampe, parfaitement à plat sur son dos ; pour le confort de ses reins, calée dans les coussins, et les yeux clos pour tromper l'insomnie. La veilleuse projetait au plafond de la chambre les ombres chinoises dont elle avait mille fois exploré les fantaisies grimaçantes de lanterne magique, tout en guettant, dans le silence, le passage intermittent de voitures sur l'avenue, leur roulement lointain. Loin d'être un bercement, leur choc sur les pavés, leurs cahots et leurs trépidations, l'énervaient ; ils évoquaient l'agitation incessante de la ville, les innombrables trajectoires nocturnes qui la sillonnaient en tous sens, et qu'elle associait aux gribouillages absurdes du plafond, alors qu'elle était condamnée à l'immobilité. Elle avait beau prendre des précautions, d'extraordinaires précautions pour son coucher, et son confort, et sa paix, respirer de la lavande ou du camphre, mouiller ses paupières à l'eau de bleuet, rien n'y faisait. Dans la pénombre autour d'elle, la muraille des armoires, des tentures et des rideaux opulents, les tableaux et les riches bibelots ne servaient pas davantage son sommeil, ni sur son chevet le chauffe-tisane, dont la petite bougie mourait toutes les nuits, vers deux heures du matin. Elle venait justement de s'éteindre quand la sonnerie du téléphone avait retenti dans le silence. Une vibration inouïe, et elle avait à peine eu le temps de s'interroger sur cette incongruité majeure, que la bonne entrait déjà dans sa chambre, en chemise et pieds nus, une pèlerine jetée sur les épaules, ses cheveux s'échappant du bonnet, l'air abêti des gens qu'on a tirés d'un gros somme, pour lui dire qu'on la demandait d'urgence au téléphone, et c'était si ahurissant, si choquant, qu'elle en restait paralysée au milieu du tapis.

— On ? Qui, on ? Réveillez-vous, ma fille !

409

— Ah ! Madame, je ne sais... On attend de vous une réponse. C'est Gaspard qui a entendu sonner, et sonner, qui m'a réveillée, qui vous fait dire...

— Une réponse ! C'est un monde ! A cette heure de la minuit !... Donnez-moi ma robe de chambre, aidez-moi, gourde.

Aussi vite que le lui permettaient ses lourdes jambes, s'accrochant à la rampe avec la vigueur que donnent l'indignation, la colère, sans se soucier des battements de son cœur et de son essoufflement, sans rien non plus imaginer d'une catastrophe, d'un accident survenu à l'un quelconque de ses proches, seulement outrée de l'irruption de cette sonnerie intempestive, elle était descendue jusqu'au vestibule, où attendaient deux ou trois domestiques effarés, en vêtements de nuit.

— Eh bien ! En voilà un événement, que toute ma maison est debout, à présent...

Pour un événement, c'en était un. On l'appelait, en effet, Mme Bertin-Galay, en personne. Un commissaire de police à la voix de velours, qui se présenta sans s'excuser du dérangement, et qui exigeait sa présence tout de suite, au siège de son usine. Où il était présentement. Où il avait besoin d'elle, expressément. Immédiatement, absolument, madame. Un vol, avec effraction. Tout de suite.

Et en montant, cette fois l'escalier de son bureau du quai de la Gare, suivie de l'escouade des agents qui l'attendaient sur le trottoir, et du veilleur de nuit, un barbu aux yeux de batracien, avec son gourdin sous l'aisselle, elle trouvait encore l'énergie de pester contre elle-même, furieuse de la mauvaise lanterne qui éclairait les marches, de n'avoir pas encore fait restaurer ce hall, repeindre ces murs et placer un tapis, comme elle en avait le projet depuis des mois. Derrière elle, les hommes suivaient, se gardant tous de la dépasser, ce qu'ils auraient pu faire de leurs jambes plus alertes, mais elle était à leur tête comme un général et n'aurait pas toléré que l'un deux conduisît la troupe. Habillée en hâte, et conduite par son chauffeur tiré du lit, elle avait pourtant trouvé le temps de lisser ses bandeaux, et de se présenter gantée, en chapeau, un grand renard jeté sur ses épaules, aussi digne que si elle se rendait chez le ministre.

Sur le palier, le commissaire Louvain l'accueillit d'une cérémonie, saluts galants et claquement de bottes, en homme qui portait haut son épigastre, sanglé, ciré, le mollet sec, impeccable à cette heure comme s'il ne quittait jamais la redingote réglementaire, avec ça une moustache soyeuse taillée aux petits ciseaux, et des yeux mouillés d'une douceur menaçante. Il lui prit le bras, paternel, l'air calme, sachant où il allait, déjà chez

410

lui, d'évidence. Il la fit entrer dans la salle du conseil, où l'on avait allumé les lampes. Tout ce décor de lambris vieux chêne et de cuivre, de tentures en drap vert, comme chez un préfet, avait plutôt belle allure, mais Mme Mathilde y était en invitée, en femme cambriolée, et pas en patronne. En impératrice dévalisée, ce qui acheva de la mettre dans une colère du feu de Dieu. Ces gens chez elle, des hommes de police, des voleurs, des assassinats, des portes enfoncées, des lampes qui crachotent, une histoire à vous sortir du lit et faire débouler en pleine nuit au milieu de ces loups, ces gens d'armes et de pic ou de pioche, qui se conduisent en propriétaires, avec un ton de confiture, tout droit dans leurs bottes. Elle suffoquait, parfaitement ulcérée, drapée dans son courroux.

— Ah ! Ça, monsieur !...

— Tuut tutt tut ! dit-il, avec son sourire sous la moustache, où étaient peintes toutes les nuits de garde, les insomnies et les filatures. C'est une affaire délicate, madame.

Il la fit s'asseoir, resta debout avec ses hommes, et laissa parler le veilleur, qui fit son rapport. Celui-ci l'avait répété à plus d'un, sans doute, il l'avait peaufiné, entre-temps, depuis l'événement en question. Il était vers la minuit quand il s'était avisé de faire son deuxième tour de ronde ; son premier étant à dix heures du soir, et le dernier à quatre heures du matin. Ce deuxième, il le faisait plutôt vers une heure, d'habitude. Il ne savait pas pourquoi ni comment il l'avait avancé à minuit, par quelle lubie, ou quel pressentiment, peut-être parce qu'il gelait un peu dans sa loge, et qu'il avait envie de prendre son casse-croûte tranquille et la chicorée chaude de sa thermos, sitôt son tour fini... Le plus beau, c'est qu'il l'avait commencé à l'envers. Par les bureaux, plutôt que par l'usine, les travées avec leurs machines, plongées dans l'obscurité, qu'il fouillait de sa lampe-tempête, pas un recoin d'oublié. Le fait est qu'il était monté là machinalement ; et subrepticement, notez-le. Ce détail était de conséquence, car il avait ses bottes de feutre aux pieds, et pas ses croquenots. Voilà à quoi ça tient. Quoi qu'il en soit, sitôt rendu sur le palier, il avait entendu distinctement des bruits suspects dans le bureau de Madame, des voix étouffées. C'est-à-dire plutôt des grognements ou des grincements d'objets. Evidemment, à cette heure, n'importe quel bruit est suspect, puisque tout est désert, plus personne, que lui, dans la boutique. Plutôt que de prendre le risque de n'importe quoi, il avait fait une chose simple, et assez héroïque : il avait donné deux tours de clé en silence. En silence, parce qu'il huilait lui-même les serrures, avec une régularité d'horloger, et ça, il pouvait s'en féliciter.

Il s'en félicitait, parce qu'à l'instant, personne ne pensait à le faire. Ni le commissaire, comme endormi le nez dans son manteau, qui n'en perdait pas une miette pour autant, ni Madame, avec son masque d'empereur offensé, toute blanche dans son renard argenté. Et, rajoutait-il, il pouvait le jurer, la clé avait tourné. Ce qui prouvait que ce n'était pas fermé de l'intérieur. Que c'était ouvert, par conséquent.

— Finissez de nous amuser, mon bon, interrompit Mme Mathilde, agacée par ce verbiage.

— Tuut, tut, fit encore le commissaire. Chaque détail importe. Patience.

— J'ai réfléchi que, si c'était ouvert, c'est qu'on avait eu une clé pour entrer, et qu'on se croyait peinard dedans. J'étais bien perplexe, parce que, tout réfléchi, pour avoir une clé, ce pouvait être quelqu'un de la maison qui trifouillait. Seulement moi, je n'étais pas averti, et je n'avais vu passer personne sous le porche. Et comme je ne crois pas aux fantômes, j'ai filé sur mes feutres, droit comme balle, dans ma loge, alerter le commissariat de police, au risque de pincer une souris et de les déranger pour rien. Mais alors une grosse, grosse souris. Je ne me faisais pas de souci pour ma souricière : si visiteur il y avait, il était bel et bien emprisonné. Pas d'autre issue, que la salle du conseil, elle-même fermée au verrou de l'extérieur, comme elle est encore, remarquez-le ; et les fenêtres sur le quai, armées de grilles. Mais je me disais que si, malgré tout, le malfaiteur avait entendu mon tour de clé, ou grincer le plancher, car il grince, madame, il ne tarderait pas à rouvrir et déguerpir, et qu'il passerait forcément devant ma loge. Et qu'alors je n'aurais plus le temps de téléphoner, ni de discuter, ni quoi. Seulement de jouer de mon gourdin ferré et, homme ou souris, de lui rompre les reins, pareil, à la grâce de Dieu.

Grâce à Dieu, rien de rien. Il avait même eu le temps de mettre le nez dehors pour voir venir le renfort, et de héler, à grands moulinets, deux agents qui passaient par là à vélo, sur le quai désert plein de nuit, emmitouflés dans leur pèlerine qui débordait le guidon. Une chance de plus ! Ils avaient vite rappliqué et posé leurs vélos, ce qui fait qu'ils s'étaient trouvés trois à grimper dare-dare, et à entrer en force dans le bureau de Madame.

— Nous sommes arrivés peu après, conclut le commissaire, se redressant. Flagrant délit. Vol, sans effraction des lieux, puisque clé il y avait, en effet. Effraction du coffre-fort, gâchis d'amateur. Un témoin civil. Deux témoins fonctionnaires d'Etat, assermentés. Les voleurs sont à côté, sous bonne garde.

— Parfait, soupira Mme Mathilde, excédée. Vous avez dressé le procès-verbal, et moi, j'appelle mon avocat. Finissons-en.

— Pas de précipitation. Ça va, mes petits poulets, dit le commissaire sans se démonter.

D'un geste amical, il congédiait les agents, le veilleur, allant lui-même fermer la porte sur eux, et il resta seul avec elle. Il était évident que ce Louvain faisait marcher son monde à la baguette et ne se laissait pas dicter sa feuille de route. Il avait des airs de douceur, mais la main dure comme un nerf de bœuf.

— L'affaire est délicate, c'est pourquoi je me suis permis de vous faire appeler, à cette heure où les braves gens dorment sur leurs deux oreilles. Excusez-moi de vous avoir tirée du sommeil.

— Pas du tout. Je dors d'un œil, pas sur l'oreille, encore moins les deux. Assez de politesses.

— On n'en met jamais trop dans ce genre de circonstance. Vous voyez, les deux lascars à côté en ont mis beaucoup. Ils se sont risqués nuitamment sans fanfare, mais avec beaucoup de délicatesse. Ils se sont procuré la clé pour respecter la serrure, et la porte, ne rien casser, ne rien endommager. Ils ont enlevé leurs chaussures et sont en chaussettes, parce qu'ils savent qu'entre dix heures du soir et une heure du matin, pourvu qu'ils ne fassent pas de bruit, ils ont trois heures pour faire le ménage. Mettons deux, avec la marge de sécurité. Ils espéraient bien ne pas laisser de signature. Ce sont des gens avisés, renseignés et soigneux. Sauf pour le coffre-fort : là, ils ignoraient le code. Ou alors il a changé, il y a peu.

— Avant-hier.

— Eh bien, voilà. Ils n'étaient quand même pas venus pour admirer les dorures, et le portrait de M. Bertin. Alors ils se sont donné un peu de mal, ils ont insisté. Pas tellement. Je dois vous dire qu'ouvrir votre coffre-fort est un jeu d'enfant.

— Je le sais. Mon nouveau directeur financier me l'a fait remarquer. Nous en changerons.

— Changez plutôt de méthode. Garder des liquidités ici est d'une imprudence extrême. Cela donne des idées, des envies et des démangeaisons à ceux qui aiment voir luire l'or. Aujourd'hui les banquiers vous travestissent tout ça en papier, et il n'y a rien dans le coffre, que des écritures. C'est ingrat pour le voleur.

— Vous ne m'avez pas fait venir pour me faire un cours d'expertise comptable, n'est-ce pas ?

— Je voulais juste vous dire que, comme plaignante du préjudice matériel, on vous reprochera quelque légèreté.

— Pas de préjudice. Puisque vous les avez pincés, faites votre travail : arrêtez ces coquins. Mon avocat s'occupera de la plainte et de mes assureurs. Mon argent est toujours là, non ?

— Il y est. Et aussi les deux lascars. Voilà la chose délicate.

Le commissaire inclina sa tête comme s'il s'inquiétait de sensibilité féminine, de qualité de l'atmosphère ou de chant des rossignols, d'une très désagréable manière. Il précisa qu'il ne connaissait pas personnellement les deux jeunes gens qu'on avait trouvés réfugiés au fond du bureau, tels deux chiots apeurés et rageurs, la bave aux crocs. Deux freluquets bien mis, qui venaient de rendosser en hâte leur manteau, avec la forte envie de s'éclipser, mais traînaient encore sur le bureau directorial, sur l'accoudoir d'un fauteuil, leur écharpe de soie, et leurs gants, comme des gens qui ont leurs aises et qu'on surprend. Et ils l'avaient pris de haut, quand il leur avait signifié qu'il les arrêtait, au nom de la loi.

— Au nom de la loi, madame. C'est la même formule pour tout le monde. Car il y a bien une loi, n'est-ce pas, et j'ai du mal à la contourner, ce soir. C'est qu'il se trouve qu'un des deux voleurs se réclame de vous.

— De moi !

— Il est de vos parents, dit-il. Il dit que c'est une affaire privée qui ne regarde que sa famille.

— Sa famille !

Debout, grandie par la stupéfaction plus que par l'indignation, elle toisa le commissaire.

— Qui ?

— A vous de le dire, madame. Il ne décline pas d'identité. L'autre non plus, d'ailleurs. Il pleure.

Le face à face fut terrible, parce que Didier, il s'agissait de lui, fit front, avec une audace, une inconscience proprement sidérantes. L'autre, que Mme Mathilde reconnut d'un coup d'œil pour ce gandin de petit Rougerie, était effondré, enfoui au fond d'un fauteuil, la tête dans ses mains, revenu à la taille d'un garçonnet, si lamentable que c'était pitié, d'autant qu'il était encore en chaussettes avec un trou à son orteil, le fils du sénateur. Alors que Didier se dressait, cambrait sa taille insolente et poussait son menton, lui qui n'avait pas trois poils de barbe, juste sa morve au nez, sa lippe de foutriquet.

— Dites à ces messieurs, grand-mère, que nous réglerons cette affaire en famille !

Le coup fut si formidable que Mme Mathilde chancela. Heureusement, malgré son poids, se trouva sous le sien le bras secourable de Louvain, mais ce n'était pas d'une foudre en plein cœur qu'elle vacillait. Elle n'encaissait pas le coup comme un soldat de deuxième catégorie. C'était d'aller chercher son souffle au fond de sa vaste poitrine pour éclater d'un rire tonitruant, d'un rire comme en ont les dieux sur leurs nuages. Elle se tourna vers le commissaire pour le prendre à témoin de cette plaisanterie.

— Vous entendez ? hoqueta-t-elle, prise d'une folle hilarité. Mon petit-fils me cambriole, et il me donne des ordres ! N'est-ce pas farce, Louvain ?

— Désopilant, madame, convint-il, sobrement.

— A genoux, canaille ! s'écria-t-elle, soudain fulminante. A genoux, ou je t'assomme.

Et elle aurait bien exécuté sa menace, marchant sur le garçon qui battait en retraite, plus décontenancé qu'effrayé, si Louvain n'avait mis fin à l'identification en appelant les agents.

Tout le temps qu'on s'emparait des cambrioleurs pour les emmener au poste, la vieille femme resta de marbre, sur son visage le masque de la vertu outragée. Maintenant, comme sonné par la sortie de sa grand-mère, Didier se taisait, accablé par l'énormité de cette chose impensable qu'il sortait entre deux gendarmes, menottes aux poignets, indifférent au sort de son comparse qui continuait de sangloter. Passée la grosse émotion, Mme Mathilde défaisait son renard et son chapeau, se laissait aller au fond du fauteuil directorial, considérant avec un calme effarement le désordre de son bureau, la porte ouverte du coffre, écornée et voilée par le forçage, et les papiers éparpillés sur le tapis. Et le grand portrait de son père qui jetait là-dessus son regard consterné. Alors ce fut une nouvelle conférence entre quatre yeux, dans le silence revenu.

— Si l'affaire va son cours, madame, ils seront sous écrou demain, et versés à la prison de la Santé. Et tout ce qui s'ensuit.

Louvain se racla la gorge, en homme soucieux de clarté, jusque dans le timbre de sa voix. En homme qui connaît les coups de carabine scabreux, et les fameux, plus rares. Il avait une idée derrière la tête, mais il prenait son temps, parce qu'une dame de cet âge, de cette condition, à une heure pareille, est une partenaire susceptible. Il avait soupesé deux ou trois choses d'elle, depuis son arrivée, mais il n'en tirait rien de définitif. Les gens font mine d'être général et ils sont caporal, ils fanfaronnent et puis ils attendent des ordres, dès le premier coup de feu. Celle-là avait son air martial, mais c'était peut-être de la gloriole, il voulait voir. Comme il n'était pas du genre à frapper sur l'épaule, ni à se permettre des familiarités, il attendait un peu : on avait le temps d'en perdre, une fois la nuit gâchée. Et ce sursis qu'il se donnait, il avait assez l'expérience de ces choses, de son métier et des aléas, pour savoir que c'était du temps de gagné.

— Un Bertin-Galay, fils d'un ingénieur chez Renault, si j'ai bien compris, et l'autre un fils de sénateur, jouant les Arsène Lupin, les monte-en-l'air d'occasion en vandalisant les coffres de famille, c'est pain bénit pour la presse, qui aime les scandales croustillants de cette sorte. Je ne vous fais pas un dessin.

A ce moment-là, il avait la présence d'esprit de lui tourner le dos, de regarder par la fenêtre entre les grilles, le quai maintenant retombé à sa paix nocturne.

— Je n'ai de compte à rendre ni à l'opinion publique ni à la religion, laissa tomber Mme Mathilde. Je me fous du qu'en-dira-t-on comme de ma première bouillie.

Alors il s'assit à califourchon sur une chaise et se frotta les yeux.

— Je préfère, dit-il doucement. Comme ça on peut discuter. Mais on ne va pas rester toute la nuit à tourner autour du pot. Vous êtes en droit de poursuivre, et en bonne justice, je vous donnerai raison. Ils viennent piquer dans le pot avant leur tour d'héritage et vous détricoter la laine sur le dos ; ils ont besoin que la société leur rappelle le droit et la morale. Mais je ne suis pas le roi de Prusse pour ne manier que les verges. J'ai des principes domestiques, qui ne contreviennent pas à l'ordre public. Par exemple que la paix des familles est très sensible à ce genre d'anicroche. Les petits foutriquets ont besoin d'un coup de pied au cul, peut-être pas du fer rouge. Méfions-nous de l'infamie, elle est très bouleversante. En bref : voulez-vous traîner ces garçons au tribunal ? Où est votre intérêt ?

Mme Mathilde considérait ce Louvain, qui plaisantait de sang-froid et calculait avec sentiment. Son air carnassier lui plaisait, et qu'à cette heure du petit matin il prît le temps de raisonner comme elle le faisait elle-même : sans s'agacer les dents à la chicane, les idées claires, pas du tout tourneboulée par des vapeurs de donzelle, ni effrayée des conséquences. L'occasion qui lui était donnée de mettre au pas son monde, Blanche et ses airs de duchesse, ce vaurien et son minable acolyte, pareil son sénateur de père, et toute l'engeance, lui paraissait si bonne, si ajustée, qu'elle s'en méfiait, d'instinct. Lui aussi avait flairé d'avance la trop jolie solution. On se contente sur le moment, mais on a plus d'emmerdements que d'avantages ensuite. Avec un interlocuteur pareil, elle aurait bien discuté toute la nuit.

— Mon intérêt est de vendre mes biscuits en paix. Et que mon petit-fils soit mis au pas.

— Il y a moyen de lui dresser les côtes sans lui casser l'échine. Sans lui coller un casier judiciaire sur le dos. Exigez qu'il s'engage. Il apprendra le pas.

Elle réfléchissait. Elle plissait les yeux. Que cet homme était de bonne compagnie...

— Vous, vous payez de votre poche pour me fournir un biais que je ne vous demande pas...

— J'ai un garçon de cet âge. Remarquez, il ne m'a pas encore cambriolé : je n'ai pas de coffre. Mais on ne sait jamais ce dont les enfants nous dépouilleront. Ceux-là vont déjà passer la nuit au poste, en compagnie des clochards et des apaches de Popincourt ou de Picpus qu'on a pu ramasser, dans la crasse, le vomi et les injures. Ils n'en mèneront pas large, demain matin.

— Très bien. Je renonce au procès, contre quoi il s'engage, par force. Il signe à l'armée. Qu'il fasse son service militaire. L'autre pareil. Ce marché me plaît énormément, Louvain. Evidemment, j'ai des traces sous mon coude, comme quoi ils m'ont dévalisée. Le sénateur me baisera les mains de ma mansuétude. Commissaire vous être un grand ministre des Affaires intérieures.

— J'en vois des vertes et des pas mûres. Mais je ne m'oblige pas à jouer *Crime et châtiment* toutes les nuits. C'est pas méchant, l'armée, ça vous donne de la discipline et de l'endurance, c'est propre, c'est recta. La patrie a besoin de jeune sang. Tout le monde sera content. Et moi je vais me coucher de ce pas.

— Vous faites bien. Comment vais-je vous remercier, maintenant ?

Pour une fois, elle qui ne remerciait jamais personne, elle aurait bien embrassé celui-là sur sa moustache de soie.

— Sucrez moins vos biscuits, je n'aime pas les douceurs, dit-il en brossant négligemment le bas de sa manche.

Et c'était si gentiment dit qu'elle sourit pour de bon.

Ce qui ne fut pas gentil, ce fut la suite. Car au petit matin, alertés par les soins du commissaire Louvain, Blanche et Edmond Fleurier, et le sénateur Rougerie de même, qui accourait de son pied-à-terre, à quelques heures d'une séance plénière, s'étaient retrouvés au commissariat du boulevard de la Gare pour s'entendre notifier ensemble l'acte d'arrestation de leurs fils, interdits de rencontrer les délinquants, de leur parler, interdits d'accéder à une quelconque information supplémentaire. Si bien que, dans la stupeur, l'hébétude, dans la honte et la fureur, qu'ils se lisaient successivement dans les yeux, les uns les autres, ils avaient dû attendre sur les bancs de bois, près du poêle à charbon, les pieds dans la sciure, jusqu'à neuf heures du matin, le passage au bureau du commissaire chargé de l'affaire, pour être reçus par lui. De qui ils n'obtinrent rien, se heurtant à sa rigueur de fonctionnaire, inflexible, et même buté, ne dissimulant ni sa lassitude, car il bâillait grossièrement, ni son indifférence pour ce cas pendable, entre autres ; il en avait tant à traiter, il repartait tout à l'heure au quai des Orfèvres... Tour à tour, ils tentèrent la supplication, l'honneur des familles, l'éclaboussure, la tache, et pour le sénateur la menace de représailles, d'interventions occultes. Blanche eut un malaise opportun et respira un flacon. Mais lui s'abritait derrière cet argument simple qu'il n'avait pas besoin d'aveux, pas besoin d'enquête, pas besoin de plaideurs : flagrant délit avec témoins assermentés, faits incontestés, et procès-verbal signé de la main des coupables. L'affaire était limpide ; elle était close. A moins que la plaignante ne retirât sa plainte, l'affaire suivit son cours. L'ordonnance d'écrou étant prête, vers midi ils seraient transférés. C'est seulement alors qu'il leur donna le nom et l'adresse de la plaignante. Aucun des deux voleurs ne portait son nom : Louvain n'était pas censé faire un rapprochement. Il ne le fit pas. Mais à cette annonce les deux hommes blêmirent, et Blanche s'évanouit pour de bon.

La suite fut que Mme Mathilde, qui était rentrée au petit matin très fatiguée, et contente de sa fatigue, dormait sur ses deux oreilles pour une fois, et que, arrachée à son sommeil, elle les reçut en vêtements de nuit, dans son désordre intime, et elle en fut encore plus intraitable. Elle affecta la douleur de l'affront, la consternation, l'accablement, et le souci du scandale, avec un tel talent de tragédienne qu'elle riait, en son for intérieur, de la scène magistrale qui se jouait dans son salon. Tous les mots du registre y passèrent, abjection, ignominie, attentat, crime, et même : coup de couteau dans le cœur... Elle dicta ses conditions. Acceptées sans discussion avant midi, l'heure fatidique. Conditions que Blanche, désespérée, trouva épouvantables, tétanisée d'horreur, davantage par l'attitude de sa mère que par cette aventure, et ses conséquences affreuses. Qu'Edmond eut l'élégance de trouver judicieuses, et de bonne morale. Et le sénateur lui baisa les mains, comme prévu, pour tant de bienveillance, tant de bonté, tant d'humanité. Il eut même un mot pour la grandeur de la France et le service de ses armées.

L'affaire réglée, Mme Mathilde téléphona à Simon Lewenthal, son nouveau directeur financier, un jeune homme d'expérience et d'ambition, svelte et sec, qu'elle venait de recruter, et qui la satisfaisait en tout, du moins pour le moment. Du moins sur ce point particulier qu'il avait soulevé d'emblée. Changer de procédés. Plus de liquidités, plus de coffre-fort. L'affaire de la nuit donnait une singulière actualité à son conseil, et une belle crédibilité au jeune homme, qu'il eut le bon goût de ne pas revendiquer. Dans la journée, il prendrait les dispositions nécessaires. Il lui en rendrait compte dès le lendemain. Elle l'informa abruptement de ce que ni le veilleur, ni les agents ne pouvaient savoir, l'identité de ses voleurs, et l'arrangement conclu. Il observa un silence poli. Au bout du fil, elle pouvait l'entendre penser. Il assura à Madame que tout était en ordre, et que si le bruit avait pu courir du cambriolage, nul n'en saurait davantage. Que Madame pouvait s'en remettre à lui. Ce qu'elle faisait, dit-elle, sur un ton sans réplique. Une fois raccroché, elle considéra le combiné avec une grande sympathie, et constata brusquement qu'elle n'avait plus mal aux reins, mais alors plus du tout.

De ce qui se passa chez les Fleurier, Mme Mathilde n'eut pas connaissance. Elle le sut très bien, mais de manière dérivée, en plusieurs messes basses, par ce genre d'indiscrétions que peuvent seulement avoir les bonnes entre elles, d'une maison à l'autre, et qui interdisent qu'on en fasse état quand elles vous parviennent ; sauf à compromettre votre informateur et à perdre votre crédit. D'autant que ce qui se rapporte aux maîtres doit s'édulcorer, s'ajuster prudemment à ce qu'on sait qu'il attend, et passer sous silence les détails trop inconvenants ; de la bouche à l'oreille, la version originale se rabote et se polit pour ce destinataire ombrageux, dont il vaut mieux piquer la curiosité et le laisser sur sa faim, qu'irriter son amour-propre et risquer l'accident diplomatique. Le dosage suppose un rare tact, il est si délicat, si subtil dans les choix du langage, ses ellipses et ses litotes ne laissant que sous-entendre telle saillie, tel éclat... Un bon informateur est le résultat d'une longue pratique, d'une bonne éducation ; il se ménage et se câline. Ce que faisait Mme Mathilde avec Manon, une de ses plus anciennes bonnes, une qui avait ses racines chez les Bertin, et pas chez les Galay, qui avait son intérêt bien compris dans la maison, une qui savait se taire. *Je prends fait et cause*, disait celle-ci modestement, sans dévoiler ses sources, quelle voie suivait son renseignement, quelle relation elle entretenait. Motus là-dessus.

Pour que Manon prît *fait et cause* concernant l'attentat du quai de la Gare, il avait bien fallu lui donner des explications un peu circonstanciées, lui souffler le quoi et le comment de l'affaire. Parfois on s'oblige beaucoup envers ses obligés, et on paie cher un petit revenu. Mais enfin, Mme Mathilde avait su qu'une terrible scène avait opposé Edmond Fleurier à son fils, au cours de laquelle il l'avait peut-être battu, en tout cas fort malmené, et qu'il avait obtenu de lui l'aveu détaillé de son procédé. Comment celui-ci avait, lors d'une ancienne visite avec sa mère, subtilisé la clé du bureau et pris une empreinte dans de la pâte à modeler ; comment il avait surpris Gillon, peu avant Noël, à ranger des dossiers et enregistré du coin de l'œil un numéro du coffre, dont il s'était servi sitôt son dos tourné, pour s'en assurer, tandis que sa mère signait dans la salle à côté des papiers que sa grand-mère avait préparés, auxquels elle ne comprenait rien, mais elle voulait tant lui complaire qu'elle se pliait à cette corvée...

— Quels papiers signez-vous chez votre mère sans m'en parler ? s'était écrié Edmond Fleurier, mais sans attendre la réponse, refusant la diversion d'une affaire annexe qu'il traiterait plus tard, il continuait l'interrogatoire, ayant acculé Didier dans un coin du salon à portée de ses poings, si dangereusement que Blanche ne pouvait s'interposer sans risquer un coup elle-même, et elle se tordait les mains, implorant son mari d'en finir, son fils d'avouer.

Oui, il avait essayé le numéro du coffre, ce qui l'avait persuadé qu'il serait facile d'y venir se servir. Si le petit Rougerie était avec lui, c'est qu'ensemble ils avaient une dette, ni la roulette, ni les cartes, mais une sordide affaire d'emprunt chez un usurier qui les menaçait... Quelle dette, de quel montant ? Depuis quand ? Que sa mère avait un temps couverte, mais insuffisamment, ce qui faisait que l'intérêt courait, au rythme d'une inflation affolante... Au fur et à mesure que se découvraient les turpitudes du garçon, la préméditation longuement ruminée, ses manœuvres de sang-froid pour repérer les lieux du vol, seulement contrariées par le changement du code, qui, par ironie, était resté si longtemps le même, et les avait contraints, disait-il, à faire "un peu de bruit", au fur et à mesure que Didier révélait son mauvais génie, sa rouerie et ses méthodes de voyou, son égarement moral, la colère du père empirait, sans doute proportionnelle à sa culpabilité, parce que pas une fois, de toute son enfance, Didier n'avait rencontré le moindre obstacle à son caprice, et jamais un froncement de sourcils paternel. Chaque nouvel aveu mettait son père au supplice et relançait sa colère, en même temps qu'il enlevait tout argument à sa mère pour le défendre. Encore qu'elle s'y employât de son mieux, soudain révoltée par tant d'ire et de violence, reprochant à son mari son indifférence, ses absences, sa désertion de tout acte d'éducation, son incurie paternelle et son abandon conjugal pour finir, et du coup, elle avait au moins réussi à retourner contre elle l'emportement, si vertement prise à partie par Fleurier qu'elle n'avait eu, pour mettre fin à la scène, que la crise de nerfs, le secours des bonnes et un bain chaud avec une tisane de valériane. Didier consigné dans sa chambre sous peine de repartir en prison s'il la quittait, Blanche avait passé le reste de la journée alitée dans l'obscurité, et Edmond Fleurier chez son avocat.

Ce grand désordre familial rapporté à mots couverts ne réjouissait pas Mme Mathilde. Il remuait en elle de sombres pressentiments devant le fragile échafaudage de son empire. Il confirmait son pessimisme foncier, sa conviction que rien n'était plus solide que ce qu'elle construisait elle-même. En ces moments dramatiques, elle n'avait qu'une tutelle vers qui se tourner, qu'une assurance, un recours salvateur. La haute stature d'ombre dont son père la couvrait, dont le portrait en pied de son bureau avait assisté au cambriolage extravagant. Ce qui la blessait le plus profondément, c'était l'offense infligée au fantôme bien-aimé, à ses mânes sacrés, l'insulte de ce spectacle impie, ce misérable avatar familial. Plus qu'elle encore, il était la victime de l'injure. Ensemble ils étaient éclaboussés, spoliés et moqués. Elle n'en finissait pas d'imaginer la scène nocturne, les deux avortons en train de piller impunément son bureau, sans trembler sous le regard de l'aïeul. Il s'en était fallu de si peu qu'il en restât l'unique témoin, impuissant et humilié, dans le silence auquel le condamnait la mort. Avec lui, elle communiait dans une indignation que seule consolait la sanction inventée par le commissaire Louvain. Une solution juste, intelligente, d'un esprit subtil, qui réparait l'outrage, réinstituait l'ordre, sans insulter l'avenir. Quel homme providentiel, songeait-elle, quel bon ange sur ma route. Elle cherchait un moyen de le payer pour son excellence, mais il n'était pas homme à se laisser rétribuer, et il vaut mieux, parfois, savoir rester le débiteur d'un allié de cette trempe... Elle se promettait de suivre l'affaire, de veiller elle-même à quel régiment serait affecté Didier, et de la manière rigoureuse dont il serait traité. Elle avait assez de relations, assez d'appuis. Et de se mettre en manœuvres, de préméditer son plan de bataille, elle se sentait une nouvelle jeunesse. Ils verraient bien, tous, de quel bois elle se chauffait, de quel fer elle était faite.

En ce début de janvier, rien n'allait si mal, concluait-elle, un peu rassérénée. Henri ignorerait la catastrophe frôlée, et son dénouement, maintenant qu'il était reparti sur les routes, dans le Sud de la France, chez la vieille Mme de Galay, qui berçait sa sénilité dans les mimosas et les lauriers-roses. Blanche et Edmond se garderaient bien d'en faire circuler le bruit. Daniel courait à ses fantaisies, Pierre à ses affaires de science, et Sophie, si elle ne tombait pas aux bondieuseries, se tiendrait à carreau, avec ses maternités à répétition. Au Mesnil, les choses allaient leur cours, et Millie était en de bonnes mains. Et ce jeune Lewenthal était un garçon d'avenir, un gestionnaire moderne, qui dépoussiérerait les habitudes du brave Gillon, tout à sa dévotion, mais un peu dépassé. Quant au reste du monde, il pouvait bien tourner comme il voulait, avec ses menaces perpétuelles, ses accidents diplomatiques et ses rumeurs de guerre sans cesse alimentées par la presse, ses débats politiques dont elle se contrefichait, elle avait le sien à sa main, son monde à elle.

Au Mesnil, les choses allaient leur cours. Peut-être pas tout à fait comme l'entendait Mme Mathilde. Gabrielle y était revenue, après le séjour Chaussée-d'Antin, une parenthèse de dix jours sans répit, occupés par des courses harassantes dans les magasins où Mme Mathilde l'envoyait, avec pour mission d'habiller Millie de pied en cap, de renouveler son vestiaire pour toute l'année, profitant des soldes et des réclames du mois du blanc. En fille de paysan parvenu, la vieille dame avait gardé cette idée des bonnes affaires de janvier et, Gabrielle l'avait appris, elle faisait rituellement équiper sa maison et ses gens à cette époque de l'année, motif principal pour lequel elle avait tenu à faire venir la petite fille chez elle.

Le temps s'était passé à piétiner le trottoir glacé des rues où la neige laissait des tas de boue grisâtre, le chauffeur les attendant dans les encombrements de voitures stationnées devant les magasins, envahis par une foule surexcitée. La petite fille subissait sans mot dire les interminables séances de commandes et d'essayages, mais elle revenait si triste que rien ne la déridait. Ni les paires de bas et de chaussures neuves, ni les robes et les jupons, les rubans, les pantalons brodés, dont la collection ne lui semblait pas un cadeau si fameux ; ni le joujou envoyé par son père pour ses étrennes, une mécanique ingénieuse et comique qu'il fallait remonter avec une clé. Une servante d'auberge articulée s'avance et sautille, en jupe courte et petit bonnet, tenant une pile d'assiettes ; soudain la pile s'effondre, la marionnette se penche en arrière, marquant la stupeur, et elle poursuit sa marche jusqu'au bout du rail. On raccroche la pile à ses mains, et le jeu recommence. Millie s'ennuyait de cette pantomime automate, malgré le cercle des domestiques applaudissant à la prouesse, malgré les encouragements de Gabrielle. Elle se languissait de Tout Roux, des leçons de musique, des promenades à cheval, et de ses cahiers. Elle demandait tous les jours quand on rentrerait au Mesnil, et Pauline, elle aussi conduite par sa mère dans les magasins, dépérissait à vue d'œil, perdant l'appétit et se renfrognant chaque jour davantage. Si Gabrielle connaissait la raison de son humeur, elle n'abordait pas le sujet, se contentait de faire avec elle le compte à rebours de leur départ.

Finalement, elle avait avancé d'autorité le retour, arguant que, puisque les courses étaient finies, que nombre d'effets à la retouche ne seraient livrés que plus tard, il serait bien temps de les envoyer au Mesnil ensemble, et qu'il était urgent de retrouver le bon air et l'exercice pour la santé de tout le monde ; et elle avait décidé de prendre le train, refusant fermement la voiture et le chauffeur de Mme Mathilde, puisqu'elles partaient légères, avec peu de bagages. Ce retour dans le wagon fut très joyeux et Victor, venu les attendre à la gare, les trouva si rieuses, qu'il les embrassa toutes les trois comme bon pain, assez étonné lui-même de son effusion. Le ciel était de nouveau à la neige et, tandis qu'ils gagnaient la campagne, Gabrielle éprouva une émotion étrange à revoir le paysage de collines aux lourdes terres brunes coupées de champs ras en gros chaume gris, le vol bas de corbeaux muets à contre-vent, cherchant pitance, et les grands arbres solitaires plantés au milieu, en pure dentelle noire d'anneaux et de rameaux étoilés contre la pâleur du plein ciel, paisible comme mer d'huile avant les tempêtes. Car tout ce qui montait de l'horizon, ramassé en épaisseurs de brouillard, laissait l'environ très clair encore, transparent et propre, dans une atmosphère inquiétante de bonace qui promet les remuements d'orage. Contre ses flancs, elle sentait la chaleur de Millie et de Pauline, qui se calfeutraient sous la couverture, à l'abri de la bâche malmenée par la bise, et il n'y avait rien de plus réconfortant que le dos voûté de Victor, caressant du fouet la croupe de Loyal, que cette route verglacée du retour, sur laquelle ses sabots faisaient le tambour sourd.

Mais l'accueil réservait de sombres nouvelles. A leur arrivée, le Dr Ferrand était attablé dans la cuisine, s'attardant, avant de repartir dans le froid, devant un bol de bouillon fumant. On avait fini par l'appeler, parce que Mauranne était tombée malade, et que rien ne s'arrangeait depuis plus de trois jours. Elle avait été réveillée par un feu suppliciant l'enserrant de la taille sous le bras, une brûlure si atroce qu'elle avait appelé à l'aide, incapable de s'habiller, de quitter sa chambre. Et rien n'y avait fait, ni les bouillottes de glace ramassée dehors qu'on appliquait à son flanc, ni la pommade à l'huile de camphre dont Mme Victor, croyant bien faire, lui avait enduit la peau, si rouge qu'on aurait cru qu'elle avait couché sur des braises. Mais ce remède improvisé, dont elle soignait les rhumatismes de son mari, s'était révélé pire que le mal, il avait exaspéré la cuisson, des cloques étaient apparues, de petites vésicules translucides comme autant de dards torturant le corps de la pauvre Mauranne qui, dans sa fièvre, se disait possédée par le feu des ardents, réclamait qu'on éloignât d'elle le diable, jurant qu'elle le sentait, là, déchirant sa chair avec ses griffes et ses crocs chauffés au fer rouge. Elle ne tolérait le contact d'aucun linge, pas même d'un drap, et elle marchait nuit et jour dans sa chambre, tenant sa chemise retroussée, sans trouver un répit, pas un instant de sommeil, gémissant et jurant. Le Dr Ferrand diagnostiquait un zona. Ce n'était rien de contagieux, ni de mortel, il n'y avait rien à faire qu'attendre, attendre et endurer. Le zona vient par crise et il repart quand il veut, il passerait dans quelques jours, promettait-il, lampant tranquillement sa soupe.

Gabrielle, qui avait accompagné Mme Victor pour voir Mauranne, l'avait trouvée dans sa petite chambre sous les combles, assise sur une chaise basse, pitoyable, claquant des dents d'épuisement, les yeux rougis, le visage ravagé par l'insomnie et la souffrance.

— N'y a-t-il rien, vraiment, pour soulager ce mal ? avait-elle protesté, scandalisée par le fatalisme de ce médecin qui s'accommodait si bien du mal des gens.

— Bien sûr que si, disait Mme Victor. J'ai envoyé Sassette chercher Soubiran, le rebouteux. Il connaît les herbes pour chasser les maléfices.

— Maléfices ? Madame Victor, vous ne croyez pas à ces sornettes ?

— Bien sûr que non ! Je crois juste aux remèdes qui soulagent.

A peine le Dr Ferrand avait-il le dos tourné, qu'en effet était arrivé ce Soubiran en grande cape de drap noir. Une petite carcasse titubante qui semblait devoir se démanteler là-dessous et s'écrouler à chaque pas, et qui portait ses longs cheveux d'un gris poisseux en queue de cheval, tel un cavalier mongol. Avec sa tête aussi ratatinée qu'une pomme de terre de l'autre année, emmanchée sur un cou de vieille poule, c'était un personnage de carnaval, débarquant dans le crépuscule. Tout le monde s'était tu en le voyant entrer. On disait qu'il ne mangeait qu'une fois par semaine, et seulement des racines, des orties ou des glands, et qu'il savait prendre le mal sur lui, par une science apprise en Orient où il avait été militaire, autrefois, et que, si le curé et le médecin le dénigraient tant, c'est qu'il en savait plus qu'eux ; et il n'y avait que lui à pouvoir soulager le pauvre monde.

Au passage du gnome traversant la cuisine, Millie et Pauline, débarquant des trottoirs brillants de la ville, avaient cru tomber dans un conte à faire dresser les cheveux sur la tête, et elles se tenaient coites, saisies par l'événement. Aussi Mme Victor avait-elle expédié l'une avec Sassette à sa toilette, l'autre au rangement de sa valise dans sa chambre, jugeant plus sage de leur épargner la vue de cette créature étrange, et d'ailleurs lui-même exigeait qu'on le laissât seul avec la malade. Le fait est que le vieux avait tourné plusieurs fois autour de Mauranne en psalmodiant entre ses dents, puis réclamé de l'eau très chaude et de l'eau très froide, et du gros sel, du poivre, et des clous de girofle. Le reste, il l'avait dans son sac, une gibecière des anciens temps, tout en peau de chèvre aux longs poils barbus, dont le rabat était orné du vilain sabot de la bête. Après quoi, il avait chassé le monde, et mené là-haut un bal dont tremblaient les planchers.

— Voilà par où nous aurions dû commencer... Mais si Madame l'apprend, nous serons semoncés. Ce n'est pas tant qu'elle craigne Soubiran : il a soigné son père, dans le temps. C'est que M. Pierre a interdit qu'il revienne ici, depuis qu'elle s'est avisée de lui montrer la jeune dame, quand on ne savait plus quoi faire pour la sauver. Ses grands spécialistes de Paris ne l'ont pourtant pas mieux tirée d'affaire...

Au bout d'une heure, Soubiran était descendu, annonçant que, le mal traitant le mal, la nuit serait pire que devant, mais qu'ensuite il ferait jour. Que personne n'aille la voir avant la minuit. Et, disait-il de sa voix de crécelle, quelles que soient ses prières, ne lui donnez rien à boire de la nuit. Surtout pas de l'eau : l'eau attise le feu. Il donnait un petit pot d'onguent de sa confection et, n'acceptant qu'un paquet de tabac pour son salaire, il était reparti ; la nuit l'avait happé dès que passé le seuil.

Gabrielle n'avait jamais assisté à quelque chose d'aussi bizarre que la visite de ce petit homme hors d'âge, qui laissait derrière lui une odeur tenace, celle des pourritures de la terre, des humus gras poudrés de moisissure qu'on respire sous les champignons, odeur de mollusque ou de grenouille, de narcisse ou d'iris fraîchement arraché au fossé, une odeur de griotte, de résine ou d'encens ? Je divague, se disait Gabrielle : une odeur de sainteté ? On dit que des saints émanent cette odeur surnaturelle de fleurs, ou de miel sauvage, qui fait peur... Malgré le fumet de soupe aux poireaux, ses mains, qui n'avaient pourtant pas touché le vieil homme, en étaient imprégnées, mais elle s'abstint d'en faire part pour ne pas rajouter à l'atmosphère sulfureuse de cette soirée. Sassette avait encore plus que de coutume son air doux et gauche, son regard de petit animal souffreteux, n'osant interroger sur le sort de sa mère, paralysée par ces événements qui lui échappaient, pour lesquels personne ne la consultait ni se souciait de la rassurer.

Cependant, Mme Victor, satisfaite, veillait au couvert comme si de rien n'était, et pas plus tard que huit heures toute la maison avait rappliqué pour le dîner, y compris Meyer qui portait Tout Roux sous son bras. Millie s'était un peu roulée sous la table avec lui, fêtant leurs retrouvailles par une fricassée de museau, jappant dans son pelage et mordillant ses oreilles. Elle était bien la seule à s'amuser. On tendait anxieusement l'oreille, mais d'en haut rien ne venait, ni bruit, ni voix, et chacun semblait prêt à s'en tenir superstitieusement aux consignes de Soubiran : sous aucun prétexte ne monter voir Mauranne, au risque que mort s'ensuive. Et si elle était morte pour de bon, là-haut, dans ce grand silence ?... La pensée en traînait autour de la table, c'est pourquoi Mme Victor feignit l'enjouée, se fit raconter des nouvelles de sa fille, le train dont allait la maison, là-bas, et décrire les magasins de Paris, mais la conversation languissait. Alors elle s'était mise à donner des nouvelles du pays, à tort et à travers.

Et ç'avait été le deuxième drame de la soirée, posé sur la table, en plein repas : le Renaud des Armand avait reçu sa convocation pour repasser au conseil de révision au mois de mars, selon l'arrêté préfectoral. C'était une mauvaise nouvelle, parce que l'an dernier, au printemps, ses dix-neuf ans révolus, il avait déjà passé un conseil, qui l'avait classé "ajourné", en raison de sa légère myopie, et c'était de notoriété publique qu'aux Armand on avait pris l'ajournement pour cadeau, tant deux jeunes bras n'étaient pas du luxe à la terre. Mais, entre-temps, la loi des trois ans avait été votée, et l'enrôlement généralisé s'alignait sur l'armée allemande, qui augmentait ses effectifs, aussi tous ceux qui n'avaient pas été définitivement "exemptés" étaient-ils appelés à subir un deuxième tour. Cette nouvelle ranima la conversation, car il était bien ancré dans l'esprit paysan que si le beau principe de l'impôt du sang égal à tous, l'égalitarisme de la conscription universelle, avait mis fin au système ancien du tirage au sort et des bons numéros rachetés aux pauvres, aussi bien aux méchantes affaires du boulangisme, qui avait failli mener au coup d'Etat, le service obligatoire prenait leur pain aux travailleurs de la terre, encasernait toute sa jeunesse, pour des années, sans contrepartie. Voilà ce qui blessait. Et qu'on eût fixé le départ sous les drapeaux à l'automne, après les travaux des champs, et la libération en juin, avant les moissons, par souci d'épargner la classe rurale, majoritaire dans le pays, n'empêchait pas que le déficit de main-d'œuvre mettait les familles dans l'embarras. Surtout qu'on n'en avait pas fini pour autant : il y avait encore les périodes d'instruction de réserve dans l'active, et dans la territoriale... Comment payer des bras pour remplacer le fils parti, pendant tout ce temps-là ? Les Armand allaient devoir trouver un garçon de ferme, et ça ne faisait pas leur affaire. On avait beau dire qu'on n'est pas un homme si on n'a pas servi la patrie, et appris à marcher au pas, à jouer du flingot, si on ne ramène pas un prix de tir et l'indispensable "certificat de bonne conduite", c'était une mauvaise nouvelle. Elle l'était encore plus pour Pauline, vers qui Gabrielle avait aussitôt porté son regard. Celle-ci écoutait en silence ce qui se disait autour de la table, la bouche ouverte comme si elle manquait d'air, l'œil posé fixement sur la miche de pain, et quand soudain, n'y tenant plus, elle se leva, emportant la soupière avec brusquerie, du même mouvement, elle renversa son tabouret et son assiette, qui se fracassa sur le carreau.

— Voyez la sotte, gronda Mme Victor. En voilà une manchote ! Si c'est comme ça que tu faisais la vaisselle chez Madame, tu peux toujours courir avant qu'elle t'embauche !

Posant violemment la soupière sur un coin de la cuisinière, Pauline s'était retournée, toute blanche.

— Ah, c'est la belle vie dont tu rêves pour moi ? Jamais, jamais ! cria-t-elle, la voix étranglée.

Cette sortie laissa la tablée interdite.

— J'ai un autre avenir que souillon de cuisine, moi.

— Princesse des Cerises, peut-être ? railla Victor, tranchant placidement le pain de son grand couteau.

Mais Pauline n'avait pas fini, elle revenait au bout de la table, grandie par une colère démesurée qui faisait trembler sa lèvre, la face livide, au bord des larmes.

— En tout cas, je ne serai pas comme vous tous, culs-terreux, à mendier ma gamelle aux maîtres !

Mme Victor avait la main leste, mais cette fois elle partit plus vite encore, claqua si violemment la petite que celle-ci bascula, cogna la table et tomba contre Gabrielle, qui la reçut dans ses bras.

— Allons, allons ! Tais-toi...

— Des culs-terreux comme nous se saignent aux quatre veines pour ton bien, vaurienne ! Avons-nous besoin d'une pisseuse pareille ! Ingrate, misérable ! Je t'ai essuyé la morve au nez, je t'ai torchée gratis. File dans ta chambre, criait Mme Victor, hors d'elle. Que je ne te voie plus, ou je fais un malheur !

Et comme, d'un geste mélodramatique, elle s'était emparée du coutelas, Victor jugea plus prudent d'intervenir. Il administra deux taloches supplémentaires à l'insolente, pour faire bonne mesure, peut-être moins convaincues qu'il n'aurait fallu, et enleva le couteau à sa femme, qui ne savait plus qu'en faire. Gabrielle emmenait vivement Pauline, secouée de sanglots, laissant la compagnie dans la stupéfaction, parce qu'on n'avait jamais vu un tel esclandre, ni entendu de telles énormités. Dans l'instant, Sassette eut la présence d'esprit de s'esquiver aussi avec Millie, et Meyer fila chez lui, le chiot sous le bras, tandis que Victor réconfortait de tapotements débonnaires Mme Victor, affalée sur son banc, avec de grosses larmes immobiles plein les yeux, qui contemplait, au-delà du repas abandonné sur la table, on ne savait quel affreux spectacle.

— Rien n'est si grave, chuchotait Gabrielle, déshabillant Pauline, effondrée de chagrin. Renaud sera peut-être bien exempté pour de bon, cette fois. Et s'il part, ce sera seulement à l'automne. Tous les garçons de son âge font leur service militaire…

— Je ne veux pas qu'il parte. Je l'aime et il m'aime, hoquetait Pauline, enfouie dans sa chemise qu'enlevait Gabrielle.

Emue par cet aveu désespéré, elle l'attira contre elle, l'étreignit tendrement.

— Voilà une si belle chose, Pauline… Ne pleure pas, tout s'arrangera.

— Nous nous marierons ; personne ne nous en empêchera.

— Tu as bien le temps de te marier ! Tu es si jeune…

— Vous ne savez rien de la vie ! Vous n'aimez personne, vous !

— Qu'en sais-tu, Pauline ? J'ai eu un fiancé autrefois, et je l'ai perdu. Je peux comprendre ton chagrin…

Mais rien n'apaisait Pauline, qui s'abîmait de plus belle dans ses pleurs, y trouvant sans doute un soulagement à sa colère impuissante, à sa peur, mais aussi la consolation de parler enfin à quelqu'un de son grand secret, des rêves et des projets qu'elle ressassait seule, le soir dans son lit, rongeant son frein et nourrissant sa révolte enfantine. Gabrielle finit pourtant par la convaincre de se coucher, la borda et resta encore un peu à son chevet.

— Tu vas dormir, et demain, nous y verrons plus clair, promettait-elle. Demain, Mauranne sera guérie. Et tu demanderas pardon à ta grand-mère de ces vilains mots. Elle ne veut que ton bien. Elle se soucie tant de toi !

— Jamais je ne travaillerai chez Madame. J'apprendrai un métier. Renaud a le certificat d'études, il ne sera pas toujours valet de ferme chez son père, aux plus dures besognes et sans salaire. Nous partirons loin, loin d'ici. Il m'enlèvera et nous disparaîtrons, pour toujours.

Ses larmes épuisées, elle avait encore de gros hoquets, et Gabrielle bouleversée avait l'impression d'entrer dans un mystère, cette volonté entière, cette exigence d'absolu, cette impatience de vivre et de forcer le destin... Chacun cherche le bonheur, éperdument, s'y arrache les ongles, s'y casse les dents. Les soubresauts de passion, le refus sauvage des compromis, des renoncements, la faim animale du désir, de la liberté, et la vie est si cruelle, songeait-elle, ne sachant plus si elle pensait à elle-même ou à Pauline, à la fois attendrie et effrayée de rencontrer chez cette toute jeune fille une telle combativité pour défier la fatalité, échapper à sa condition et assouvir ses rêves.

Elle redescendit, le cœur brouillé par toutes ces violences et ces injustices, espérant apaiser le courroux de la grand-mère et préparer la réconciliation. Mais la cuisine était déserte, éclairée de la seule lueur de la nuit bleuissant les petits carreaux. Aussi se faufila-t-elle dans l'obscurité de la maison, maintenant retombée au grand silence, hésitant un instant, au bas de l'escalier, à l'idée de monter voir Mauranne, seule dans sa chambre sous les combles, condamnée à sa quarantaine par l'avertissement du rebouteux, que tous s'accordaient à respecter, et qu'elle n'osa transgresser, non par crainte d'aller contre ses recommandations, mais pour ne pas décevoir leurs croyances de braves gens. Quelles que soient ses médecines, Soubiran n'avait pu faire grand mal à Mauranne, pensa-t-elle, et elle était peut-être bien plus soulagée de ses manigances que des vains conseils du docteur.

Pourtant, au milieu de la nuit, elle se réveilla en sursaut, sortant d'un demi-sommeil plein d'angoisses. Mais qui dormait du bon sommeil, sous le toit de cette maison, après tant de drames ? Elle avait beau tendre l'oreille, elle n'entendait rien, que le bruissement familier du chèvrefeuille sec contre le mur, et le remuement nocturne des cèdres, le vent s'engouffrant dans les cheminées. Elle avait une soif dévorante, et elle but longuement dans le cabinet de toilette, baigna ses tempes, rafraîchit ses mains brûlantes. Dans quelle soif pouvait être Mauranne, interdite de boire et laissée seule à ses souffrances ? N'y tenant plus, elle enfila sur sa chemise une robe de chambre et quitta furtivement sa chambre. Elle remonta rapidement le corridor qui traversait l'étage jusque dans l'autre aile, guidée par la clarté faible des hautes fenêtres, de loin en loin, et escalada l'escalier étroit qui menait aux combles. Après tout, la minuit était passée, rien n'interdisait plus qu'elle rendît visite à la malade, et tant pis pour les croyances, tant pis pour les sorcelleries. Elle ne souhaitait que s'assurer de l'état de la pauvre femme, l'assister d'une parole amicale, pour trouver ensuite la paix, et le sommeil.

Dans la chambre mansardée, elle fut prise à la gorge par une odeur aigre de sueur, de bile amère, de relents acides, si puissante qu'elle piquait les yeux, irritait les narines. Elle ne vit d'abord que le rectangle de nuit pâle du vasistas, et son reflet sur la courtepointe, l'éclat d'un petit miroir accroché à un clou. Mais, apprivoisant l'odeur et l'obscurité, elle avança, distingua de plus en plus précisément la forme de Mauranne, tel un gisant sur son lit étroit, les mains en croix sur sa poitrine, dans la posture des cadavres qu'on a préparés pour le tombeau. Ce qui l'effraya le plus, ce fut sa bouche grande ouverte, dont la langue noire sortait comme un nœud de bois ligneux. Elle la crut sans vie et se précipita vers elle, d'un élan. A son contact, elle retira vivement sa main, comme si elle avait été brûlée. La femme brûlait, en effet, terrassée par une fièvre de cheval. Une fièvre inouïe qui se propageait à sa couche, et chauffait jusqu'à l'air confiné de l'espace exigu. On pouvait la sentir à distance comme un incendie couvant, émanant de son corps immobile, pourtant elle ne dormait pas. Elle tourna ses yeux vitreux vers la visiteuse, cligna plusieurs fois des paupières et sourit en la reconnaissant. Ce sourire dans sa face jaune, tirée au nez d'un pincement nerveux qui tailladait ses joues et dilatait deux narines noires de bête, était si hideux que Gabrielle étouffa un cri, faillit s'enfuir et appeler à l'aide. Mais, Mauranne la retenait, s'agrippant à son poignet d'une prise fébrile, le regard véhément. Elle avait inondé sa couche d'une transpiration prodigieuse, au point que les draps étaient mouillés comme au sortir du lavoir, comme s'ils avaient éponge toute l'eau de son corps, à présent parcheminé, plissé et d'une sécheresse de vieux cuir, macérant dans toute cette humidité. Sans un mot, Gabrielle se dégagea. Elle ouvrit la petite fenêtre pour chasser l'air vicié, puis elle chercha et trouva du linge dans un placard, et soulevant, poussant le corps inerte de la malade, d'un poids si lourd qu'il lui cassait les bras, elle entreprit de changer sa couche.

Au bout de ce travail, elle était rompue, mais l'action matérielle et l'atmosphère assainie avaient dissipé son angoisse. Elle poussa le tas de linges souillés dans un coin et s'assit, épuisée, ne sachant plus que faire, à présent. La malade, soulagée, reposait dans des draps frais, sa tête sur un oreiller propre, les bras détendus le long du corps. Reprise par la soif, Gabrielle pensait à celle de Mauranne, interdite de se désaltérer avant le jour, à sa bouche noire happant l'air, à sa langue flétrie. Elle ignorait s'il était bien ou mal de se conformer aux consignes du rebouteux, frappée par son absence de jugement. Le mal de Mauranne empirait-il ou les prédictions de Soubiran s'accomplissaient-elles, par un mystérieux exorcisme ? Elle se pencha vers la femme, guettant un signe. Mauranne marmonnait faiblement, elle roulait sa langue desséchée avec un suçotement pénible. Alors, dans ce silence nocturne, dans la solitude de la chambre misérable où la clarté de la nuit mettait des ombres fantastiques, l'oreille contre la bouche de la femme, Gabrielle recueillit sa confession.

Car Mauranne se confessait à elle, comme à une ombre miséricordieuse surgie dans sa tourmente. Elle en appelait à la méchanceté de Dieu, qu'elle maudissait, à la grâce du diable, qui l'avertissait par ce mal des tourments de l'enfer, je suis punie, gémissait-elle, je suis punie. Entre ses lèvres gercées par la fièvre, venue du fond de sa gorge incendiée, sa voix était méconnaissable, fluette et aiguë, comme si elle parlait d'un autre corps, d'une autre âme, et c'était bien ce corps d'enfant qu'elle évoquait, celui de sa jeunesse volée, saccagée par le viol, par les coups qui avaient eu raison d'elle, et plus que les coups, sa terreur du père bestial, ce qu'il voulait et lui prenait, dont il l'assassinait encore de coups, parce qu'elle était grosse de lui. Il la poussait sans sabots sur la route, la pourchassait en lui lançant des pierres, et elle aurait voulu, elle avait tenté, dans un fossé, de se défaire de cette horreur, d'empêcher que l'enfant ne vienne, fouaillant son ventre de ses ongles, tombée dans l'eau d'un fossé, et elle avait voulu mourir, se pendre ou se noyer, et elle l'aurait fait si elle n'avait trouvé le havre de cette maison. Mais dans cette maison, elle était encore et toujours rattrapée, violée et battue, battue et chassée, maudite, brûlant dans les flammes comme une damnée.

Gabrielle, épouvantée, posait sa main sur la bouche brûlante de Mauranne, pour conjurer l'aveu innommable, ne trouvant au fond d'elle-même aucun mot de compassion, aucun langage de secours, dévastée par cette déchirure que la nuit ouvrait, jusque dans ses entrailles. D'où aurait pu venir une quelconque réparation, une justice ? Qui dénoncerait le forfait, paierait la dette ? Rien au monde ne rendrait à cette femme son enfance saccagée par la saleté des hommes, entre tous par celle de ce père qui aurait dû l'en garder. Elle avait échappé à la misère, à l'indigence et à l'opprobre des filles-mères, accueillie par cette famille d'adoption, mais le temps ne passait pas. Elle n'était pas si vieille, malgré l'usure des labeurs, elle restait encore et toujours une petite fille perdue dans des ténèbres, amputée vive de son enfance, sacrifiée et souillée, la seule à porter la chose immonde, tue comme un mal dont elle prenait, seule, la faute sur elle. Seule à la voir, chaque jour sous ses yeux, dans son enfant, la douce, l'humble et gauche Sassette, l'héritière, sans le savoir, de ce crime. Quelle réponse donner à Mauranne, de quel don consoler sa peine ? Gabrielle obéit à son inspiration, fit ce qu'elle ne savait pas faire, que personne ne lui avait enseigné. Sauf peut-être en des temps très anciens, quand elle était ce nourrisson qui voulait la mort et que des bras d'amour avaient prise, la seule bonté qu'un corps puisse dispenser à un autre corps. Elle s'allongea près de Mauranne, la poussa un peu de la hanche pour se faire une place sur le lit étroit, elle glissa son bras sous sa nuque et creusa son épaule en corbeille pour y loger sa tête, tira la courtepointe sur elles deux et couvrit ses jambes de ses jambes, sa poitrine de la sienne, posa sa joue sur son front et ne bougea plus.

Gabrielle se réveilla soudain, gelée et meurtrie de courbatures. Elle ignorait l'heure, mais l'aube blanchissait la fenêtre. Elle dégagea doucement son bras ankylosé. Le visage émacié de Mauranne était paisible. Sa fièvre était tombée, son souffle régulier, tout son corps détendu. Elle ne se rappelait pas, plus tard, comment elle avait pu descendre l'escalier et traverser la grande maison endormie. Elle se souvenait seulement, sitôt atteint son lit, hébétée de fatigue, de s'être rendormie du même sommeil qui continuait, un sommeil étrange où des corps multiples s'emboîtaient, un corps qui n'était pas le sien contenant celui d'une femme inconnue, contenant lui-même une petite fille qu'elle n'avait jamais été, ni portée dans son ventre, et dans laquelle dormait une autre, jamais née.

XXIII

Comme aux orages succède l'éclaircie, qui donne aux paysages cette transparence atmosphérique et, au proche comme au lointain, une netteté trompeuse, les jours suivants ressemblèrent à une trêve. Au matin, les yeux encore rougis par ses larmes, Pauline fit amende honorable, demanda pardon à sa grand-mère devant tous. Et dans l'élan de la réconciliation, elle lui confia en aparté son grand secret d'amour, sans que Mme Victor osât protester contre l'aveu qui remuait en elle des souvenirs de sa jeunesse. Etonnée du temps si vite passé, et que devant elle se tînt soudain, non plus l'enfant qu'elle voulait toujours voir, mais la femme qu'elle devenait. Elle tremblait de ces rêves ingénus qu'on fabrique en veux-tu, en voilà, et d'entendre de nouveau la voix insidieuse qui sourd, de partout alentour, pour dire : tu as raison, le rêve a raison, le bonheur a raison. Jusqu'à ce que le réveil vous jette toutes les cruautés, en pleine figure. Mais, trop heureuse de redevenir la confidente de sa petite-fille tant chérie, de renouer le lien ancien par lequel elle était doublement sa mère, elle pardonna, consola et câlina. Au lieu de mettre en garde, de conseiller, menacer, elle consentit. Peut-être parce qu'elle se fiait au temps, à l'occasion, qui guérirait cette jeunesse de son engouement, la déprendrait de son sentiment. Aussi, peut-être, parce que l'urgence donne de l'esprit, aiguise la prudence.

Le fait est que tout rentra dans l'ordre, et que lorsque Pauline s'en allait, encapuchonnée, le soir à son rendez-vous du vieux hêtre, chacun regardait ailleurs. Forte de cette liberté toute neuve, elle filait doux ; d'autant plus qu'on avait livré au Mesnil, pendant leur séjour à Paris, une machine à coudre Singer, commandée par Mme Mathilde. Un événement que cet engin moderne, censé alléger les travaux de couture, mais que les femmes considéraient avec suspicion, et dont la jeune fille s'était emparée, après l'unique démonstration d'un représentant très fat. Elle s'appliquait à toutes sortes de points par exercice, tournant la manivelle comme elle l'avait vu faire aux cinéastes, et en quelques jours enfiler l'aiguille, régler le pied-de-biche, remplir la canette, tendre la courroie n'avait plus de secret pour elle. On entendait son roulement de mécanique emballée dans la lingerie, un bruit de train fuyant sur ses rails, qui devait s'accorder à ses rêves d'ailleurs.

Quant à Mauranne, en une nuit miraculeusement soulagée de ses maux, elle se remettait lentement, gardant encore la chambre. Mais souvent elle descendait à la cuisine et restait assise dans le vieux fauteuil à regarder s'agiter les autres, tricotait des chaussettes ou triait des lentilles dans son tablier. La potion de Soubiran faisait son effet, un onguent de valériane et d'ortie qui cicatrisait sa peau à grande vitesse, et Meyer lui avait procuré une grande bouteille de vin de quinquina pour son appétit, qui valait ce qu'il valait, en dépit de son amertume. Gabrielle ne sut si elle se souvenait de sa visite nocturne, de ses soins, et de sa confession. Peut-être cela s'était-il confondu à son délire, brûlé à sa brûlure comme les mots sur la feuille de papier, qui se consument et tombent en cendres, calcinés de douleur. Elle avait retrouvé sa figure revêche et austère, sa coiffe stricte sous le bonnet, sa manière bourrue de houspiller Sassette et de parler à sa place, ou de faire un geste avant elle pour lui en épargner la peine. Et même si elle restait assise, encore affaiblie, elle commandait les préparatifs de cuisine et dirigeait son monde.

Pendant ces jours-là, la neige était revenue. Cette fois, elle avait tout effacé, tout recouvert. Un matin, plus de formes, plus de bruits. Le papillonnement monotone voilait la lumière, et la terre disparut, le gravier de l'allée, et puis les buis ne furent plus qu'un tumulus blanc. A midi, il neigeait encore, les grands cèdres étaient tout emmantelés de blanc, plus de murs du jardin, plus de verger. Elle tombait encore à quatre heures ; on jouait du piano dans le petit salon et il n'y avait plus jardin, ni caisses d'orangers, plus de pré, qu'une mer immobile de blancheur perdue dans le nuage fourmillant. On alluma les lampes, on effaça la buée au carreau, pour voir, mais il neigeait toujours. Plus rien du ciel, de l'horizon, que la nuit et la neige. Plus de facteur non plus, de visite de l'abbé, ni du voisinage, seulement le chemin ouvert jusqu'aux Armand, le matin, dégagé au tombereau. Cela faisait une île de la maison, assiégée par toute cette blancheur, un peu oppressante de langueur et de beauté, dans un tel éloignement des villes et des villages qu'elle semblait dériver insensiblement vers d'autres places plus profondes de l'espace, les amarres larguées, tel un gros paquebot flottant dans le nuage opaque.

Ces quelques jours furent très apaisants. Gabrielle, derrière la vitre, avait l'impression que le temps s'était suspendu, que la réalité s'était ensevelie elle aussi, dormant sous toute cette neige. Si loin étaient Clarisse, et Jean, Marcus, comme les vagues silhouettes de passants hésitent sur la neige, s'enfoncent et disparaissent. Loin les menaçantes questions, sans réponse ; la malle cachée, subtilisée ; estompée, la photo des deux amis posant chez un photographe, dans cette brume dont meurent les images ; et les lunettes, oubliées rue Buffon, si loin, elles aussi. Si lointaine Dora, sa robe aérienne pliée dans une boîte… Et Michel Terrier, pâle fantôme dissous dans l'agitation de la ville, lui qu'elle n'avait même pas rappelé, malgré sa promesse, lors de son séjour prolongé à Paris, qu'elle avait relégué comme une vieille connaissance, dont on n'a plus besoin, que l'on perd de vue au coin de la rue… Et même son amour de loin, Endre, le bel amour enseveli dans son linceul d'oubli blanc, insensible, immatériel… Il s'absentait, ne paraissait plus nulle part. Elle en était étonnée. Se retrouver si transparente et absente, si blanche elle-même dans le reflet de la neige, qui illuminait la maison d'une clarté laiteuse, traversant les grandes fenêtres et nimbant la maison, lui donnait une sensation de sérénité irréelle, comme si la neige avait stylisé la réalité, l'avait ramenée à une épure dont seul émergeait le présent, dans son rituel inoffensif. La journée entièrement consacrée à Millie lui paraissait un cadre rassurant, l'heure comptée, les séances mesurées, de la bibliothèque au salon de musique, à la cuisine, aux chambres, des jeux à l'étude, comme si l'emploi de son temps, identique chaque jour, en avait arrêté le cours.

Le grand ciel bleu aidant, la neige fondit un peu ; les nuits continuaient de glacer la campagne, mais elles purent reprendre leurs sorties, et même les promenades à cheval. A leur passage dans l'espace silencieux, seul le crissement des sabots dans la neige faisait fuir un oiseau, qui s'envolait dans un bouquet de poudreuse scintillante, ou détaler un lièvre, soudain arrêté, les oreilles dressées, ouvrant son œil de verre aux grands cils. Et le soir, elle observait Millie dans ses menues activités, penchée sur un livre ou déshabillant une poupée, et s'étonnait de la connaître si bien, que le dessin de son visage lui parût si familier, l'ourlet de sa lèvre, l'arête de son nez un peu grand et l'arc de ses paupières, comme si de tout temps elle vivait près d'elle. Elle ressemblait à quelqu'un. Aucunement à son père, ni à personne de la famille. Elle possédait sa singularité propre, une physionomie autonome et rebelle, héritée d'un être qui, pour avoir disparu, n'être plus des vivants, vivait en elle, neuf, mais absolument semblable, et parfait, et Gabrielle aimait cette ressemblance mystérieuse, durable et secrète.

L'étude du matin, en se prolongeant, donnait toutes sortes d'occasions de la regarder à loisir, parce qu'elles étaient en face l'une de l'autre et que Millie levait toujours son visage vers elle pour y chercher confirmation, d'un air inquiet, et puis souriait, ou se renfrognait quand la difficulté résistait, si elle se trompait ou hésitait. Souvent indocile, elle manifestait pourtant une grande aptitude à la discipline et à l'effort, avec un sérieux désarmant. Elle avait de l'orgueil à réussir, un farouche besoin de se démontrer dans l'épreuve, très sourcilleuse du détail, avec cette exigence maniaque des petits. Retenant très vite ce qu'elle ne savait pas lire encore, elle savait de mémoire des livres entiers de contes ou de poèmes. Alors Gabrielle fascinée par cette jeune intelligence, par son ardeur à apprendre, contemplait la mobilité de ses traits, les variations de son expression, toutes ces mimiques enfantines dans lesquelles se livrent les mouvements de l'esprit et du cœur, si transparents qu'ils sont une énigme, interrogeant sur ce visage enfantin les promesses d'un avenir inconnu, pour lequel elle l'armait, sans savoir de quelle manière, et qui l'attachait passionnément à elle.

Cette trêve enchantée de janvier, dans le silence et la blancheur, s'interrompit ce matin-là, en pleine séance de lecture, lorsque retentit la sonnerie, loin à travers les murs. Gabrielle n'y fit pas attention, occupée qu'elle était à épeler un abécédaire avec Millie dans la bibliothèque. Le téléphone sonnait parfois, pour une livraison du village, ou par un appel de Mme Mathilde, qui s'entretenait avec sa gouvernante, une ou deux fois par semaine, donnait ses ordres et prenait des nouvelles. Une fois récente, c'était Sophie, heureuse de disposer du téléphone que Charles s'était enfin décidé à faire installer, qui promettait de venir bientôt, enfin valide, enfin libre… Aussi, lorsque Pauline fit irruption sur le seuil, claironnant que quelqu'un la demandait, vite, vite, que la demoiselle des Télégraphes attendait, ce fut un arrachement. En dévalant l'escalier, elle savait déjà que la rattrapaient et le temps, et la réalité, et les passants disparus dans la neige, tout ce qu'elle avait éloigné aux confins, derrière l'horizon des collines, et que le cercle venait de se refermer sur elle en étau. C'était Dora au bout du fil. La communication fut si brève, que, le combiné raccroché, Gabrielle resta un instant immobile, étourdie par ce coup de tonnerre. Dans deux jours. Vendredi après-midi, à deux heures, pour la séance du cirque, en matinée, quai de la Villette. Je viendrai avec toi, disait Dora. J'ai les consignes.

A très grande vitesse, le temps la rattrapait. Et la réalité. Elle était suffoquée par l'imminence de ce moment où l'homme chauve de la photo, l'homme sur le pont du navire, s'incarnerait enfin. Il voulait bien ; Clarisse le voulait. Et là s'achèverait la longue course. Les années d'attente, d'ignorance, d'angoisse exaspérée. Les mauvais rêves et les suppositions folles. L'obsession de cette quête aux détours si étranges. Elle le croyait et une joie montait en elle, si intense qu'elle faisait mal. Eblouie, elle regardait, par la porte-fenêtre du vestibule, s'encadrer avec une précision aveuglante, une portion du jardin enneigé, la fuite du pré, l'allée et la ligne du mur d'enceinte, le portail. Par où elle partirait, dans deux jours. Elle prendrait le premier train du matin. Elle reviendrait le soir même. Une seule journée d'absence, qu'elle annoncerait à Mme Victor, sous le prétexte... de n'importe quoi. Qu'il fallait inventer vite. Sous le prétexte du passage d'une parente lointaine, d'une cousine. N'importe quoi, qu'elle dirait avec conviction, avec détermination. Sincérité et fermeté. Et rien ne s'opposerait à sa décision. Aucun obstacle.

Ne serait surtout pas un obstacle l'arrivée subite du Dr Galay, le lendemain, en pleine après-midi. Il se trouve que Charles était là depuis près d'une demi-heure. Alors qu'il s'aventurait vers les étangs, pour un petit tour de reconnaissance, prévoyant de reprendre la chasse bientôt, il avait enfoncé son cheval dans une ornière, et la bête avait une esquille de bois coincée sous le sabot, qu'il n'avait pu enlever au couteau. Ne trouvant pas Meyer, qui était son recours en ces cas-là, il avait attaché la bête à l'anneau et laissé ses chiens s'ébattre pour se faire offrir un vin chaud à la cuisine. Mais on ne lui faisait pas vraiment fête, et le temps était si beau, sec et bleu, qu'il était ressorti pour attendre le palefrenier au soleil, devant l'écurie. Celui-ci était à la promenade avec Millie et son institutrice ; ils ne tarderaient pas, avait promis Mme Victor. Mais Charles s'impatientait à présent, soucieux de rentrer à Genilly avant la nuit, agacé de son contretemps. C'est alors que la voiture avait débouché de la route et passé la grille. Victor, qui revenait d'un tour d'inspection dans ses bois, le fusil en bandoulière, crut de loin que Madame débarquait au Mesnil, par une de ses lubies. Aussi hâta-t-il le pas, mais quel ne fut son étonnement de reconnaître la silhouette du docteur s'extrayant du véhicule, dans son gros manteau fourré.

— Vous voilà bien sportif, de venir en voiture, s'était exclamé Charles, avançant vers lui, la main tendue, d'un air réjoui de la rencontre.

— Ce n'est pas tellement une partie de plaisir... Comment allez-vous, Charles ?

Il ôtait ses gants, étirait ses membres fourbus.

— J'ai trouvé la neige et le verglas, dès que sorti de Paris. Les trains sont empêchés, depuis deux jours. La ligne n'est déblayée que jusqu'à Versailles...

Mme Victor, venue aux nouvelles, se tenait sur le seuil de la cuisine, mains aux hanches. Elle hochait la tête de cette arrivée inopinée. Comme d'habitude, Monsieur ne prévenait pas. Il prenait les gens par surprise, et ensuite, il fallait s'agiter en tous sens, improviser des arrangements. Elle tourna les talons, refermant pour laisser le froid dehors, et ces hommes, qui discutaient au soleil, sans se soucier des tracas domestiques. Avec Mauranne convalescente sur les bras, et les deux petites dans les jambes, elle savait qui serait à la peine, ce soir.

— Vous aviez donc fort envie de voir notre campagne, pour risquer de vous casser le cou, s'enquérait Charles, goguenard.

Ces visites de son beau-frère, pour être rares, le contrariaient confusément. Il sentait en lui une aversion d'homme de la ville pour les choses de la nature qui lui plaisaient tant, peut-être un certain mépris pour sa vie rustique. Pierre ignora la remarque et se tourna vers Victor.

— Il fait un temps splendide, aujourd'hui... Comment sont vos bois ?

— Ils sont encore impraticables, monsieur, dit Victor. Il faut Meyer pour s'y risquer avec mademoiselle et Millie. Je crois que les voilà, qui rentrent.

En effet, les trois hommes voyaient maintenant leur groupe à contre-jour, déboucher sur le chemin des Armand, les chevaux tirant du col. Ils allaient au pas, gardant soigneusement le milieu du passage, entre les congères glacées, et Meyer portait Millie avec lui, par prudence. De loin, Gabrielle avait d'abord reconnu Victor, et Charles, mais la voiture garée contre les communs, et cette autre silhouette, qui restait imprécise, l'intriguèrent, et comme elle interrogeait Meyer, son pressentiment lui donna la réponse avant qu'il ne confirme.

— C'est donc Monsieur, qui nous arrive... constatait Meyer, flegmatique.

— Mon père est venu avec la voiture de grand-mère ! s'écria Millie, se haussant pour mieux voir.

— Tiens-toi donc, étourneau. Tant qu'on n'est pas à l'attache, tu ne bronches pas.

Ils avaient poussé à travers bois jusqu'aux premières clairières, à présent que la neige, tassée et gelée, dégageait l'accès. Sur ce beau blanc drapé, nacré par la lumière rasante du soleil déjà bas, les buissons et les arbrisseaux jetaient autant de gribouillages sauvages, hérissés d'épines, mais des perles de glace scintillaient partout à leurs rameaux, et jusqu'aux plus hautes branches des pendeloques crissaient, tombant parfois en pluie, telles des flèches de cristal de mille couleurs, qui arrachaient des cris de joie à Millie. Et il n'y avait d'autre mouvement que, de temps en temps, le fléchissement d'une branche versant son poids de neige, comme glissé d'une épaule d'homme... Ils revenaient lentement en silence, Meyer n'étant pas d'un naturel loquace, ce dont Gabrielle lui savait gré, mais aussi parce qu'ils étaient encore sous l'emprise de ce spectacle magique, et l'apparition du groupe devant l'écurie avait saisi Gabrielle, comme le téléphone la veille, de son avertissement. L'étau s'était resserré à sa gorge, l'enchantement de la forêt s'était soudain volatilisé dans son dos, elle avançait maintenant vers la réalité. Son anxiété grandissait tandis que les silhouettes s'affirmaient, bien campées là-bas, au soleil du soir, de plus en plus distinctes. L'arrivée imprévue du docteur, et la menace obscure qu'il représentait, à présent que lui revenait tout ce qu'elle avait chassé de son esprit ces derniers jours, ne seraient pas un obstacle à son départ, demain, se disait-elle, furieuse, et effrayée. Rien au monde ne l'empêcherait de partir, selon ce dont elle était convenue avec Mme Victor. Selon ce qu'elle avait décidé. Même pas cette visite subite, cette manière qu'il avait de surgir et de s'imposer aux gens, pour sa convenance. Et même s'il trouvait à redire à son départ, elle ferait front, de toute sa volonté, au risque d'un éclat. Au risque d'être congédiée, peut-être. Irait-elle jusque-là ? Au risque de perdre Millie ?... Un essaim de pensées mauvaises, plus rapides que des guêpes, bourdonnait violemment dans sa tête, mais soudain, les voyant venir, les chiens de Charles s'étaient élancés vers eux. Ventre à terre, ils couraient à leur rencontre, en soulevant de petites gerbes de neige, s'excitant de leurs aboiements et, soit qu'elle fût à ce moment-là trop inattentive à sa monture, soit que Loyal, fatigué par la promenade, supportât mal l'assaut joyeux des chiens, il fit un brusque écart, dansa un pas espagnol tout à fait dangereux qui le fit monter sur le bord du chemin, et s'affaissa un peu, perdant son assise.

Puis il redressa sa croupe, se cabra haut, battant des sabots, hennissant de peur, brusquement fit demi-tour. A peine avait-elle eu le temps de voir Meyer sauter à bas, pour calmer les chiens, enlever Millie, les hommes accourir, que la bête l'emportait d'un galop fou à travers les taillis.

Impuissants, ils avaient vu la scène de loin, si rapide qu'aucun d'eux n'avait ni retenu les chiens, ni crié un avertissement. Et ce fut d'abord un grand désordre. Charles sifflait ses boxers, hurlant des menaces, et puis fouettant le plus jeune venu se coucher à ses pieds ; Meyer projetait violemment Millie sur le côté, retenant au mors sa bête effrayée, pour qu'elle ne la piétine pas, tant l'étroitesse du chemin les enfermait, et tandis que la petite fille s'enfuyait vers la maison en hurlant, trébuchant dans la neige, elle croisa son père, qui jetait derrière lui son gros manteau, courant vers Meyer, dont il enfourcha le cheval d'un saut, lui arrachant les rênes, et il se lança à la poursuite du cheval emballé.

Rien de plus sauvage que ces hachures d'ombre et de soleil couchant traversant les taillis, déchirant la forêt de rayons cruels, ces épaulements de combes et de vallons cachant soudain le jour, déjà plongés dans la nuit, et l'éblouissement soudain d'une pente à flanc. Il suivait et perdait de vue la bête emballée, fonçant à travers bois, aveuglé par les branches basses qui fouettaient sa face, par les paquets de neige envolée. Il n'y avait pas de mesure entre la solennité, le silence des bois, et la course lourde à gros sabots, la bourrasque qui secouait la terre gelée, alarmait l'alentour de son tremblement. Une ou deux fois, il dut bifurquer, arracher sa monture à l'élan, et basculer des reins sur un autre versant, perdant le fuyard de vue, et c'est aux brouillards de neige tamisée retombant sous la futaie qu'il retrouvait son passage, relançait sa poursuite, entrevoyait de loin à nouveau la tache sombre cavalant, et ce fut dans une combe qu'il déboucha subitement. Le cheval était à quelques mètres, immobile entre deux troncs luisants de givre. Sous la grosse fourche des chênes, dont les branches maîtresses faisaient une voûte d'église, c'était si surprenant, cette apparition du cheval solitaire, libre de sa cavalière, paisible et attentif, que sa peur en fut multipliée. Un crépitement de peur électrique hérissa ses cheveux, de la nuque au front. Il se prépara sans y penser au pire, car il était à ce moment-là très absent, très ignorant de lui-même, et même le rêveur d'un rêve monstrueux, où, dans un silence assourdissant, il se voyait sauter lestement de cheval, s'entendait longuement écraser la neige, le crissement feutré de ses pas rapides marchant en dehors de lui. Avançant vers la bête, il s'entendait haleter, et ne respirait pas ; il étouffait. Alors il vit, dépassant la croupe, la petite main gantée qui glissait, caressait, et la jeune fille était tout entière cachée par l'animal. Si elle l'entendait venir, elle ne s'en souciait pas. Elle se tenait collée au flanc frémissant, l'embrassant de toute l'amplitude de son bras, et aussi elle tapotait le cheval aux naseaux, lui parlait à l'oreille. Il penchait sa tête, opinait de doux assentiment, renâclant encore, comme les enfants endormis qui ont beaucoup pleuré. Elle caressait gentiment sa paupière, fermait son bel œil effaré, tout à fait humain et mouillé, et se tournant enfin vers Pierre, elle le regarda venir comme un passant naturel. Mais rien n'était naturel. Ni son calme effrayant, ni celui de la bête, ni tout ce silence des bois autour d'eux.

— Il a eu très peur, dit Gabrielle, d'un souffle.

Voilà pour le cœur, se dit-il ; elle est là. Les pensées, la peur, c'est une autre affaire ; on met du temps à se débarrasser de leur imagination. Elle n'est pas du tout couchée quelque part dans le bois, disloquée, déchirée. Elle est debout, sur ses jambes. Elle tient Loyal dans ses bras comme un homme, du mieux qu'elle peut ; car il est infiniment plus grand et plus gros qu'elle. Avec sa carrure de cheval, c'est un géant ; mais la petite main gantée lui parle avec beaucoup d'amitié et d'intelligence, et il la comprend. Malgré tout, Gabrielle était bien pâle. La neige réverbérait une blancheur terrible, qui buvait la vie de ses joues, de ses yeux sous les cheveux, toute sa chevelure dénouée barrait sauvagement son visage. Le bonnet de renard arraché pendait en travers de son corsage. Il vit une coulée de sang sur sa tempe, vers l'oreille.

— Vous êtes blessée, dit-il, plus pâle qu'elle encore.

— Je n'ai rien, dit-elle d'une voix distraite.

Il était soudain si près qu'elle crut qu'il faisait nuit et sa tête versa, heurta du front sa poitrine. Du choc, elle se redressa comme on se réveille, recula, étourdie. Mais c'était une vision louche et bizarre. Il y avait du sang sur la chemise blanche, ou bien c'était le contraire de la neige. Rien ne pouvait être plus rouge, dans tout ce blanc ; elle tomba. Elle tombait, il la prit, reçut contre lui le poids de sa mort. Elle glissait, elle fendait son corps, ses jambes s'ouvrirent sur sa cuisse ; de la force d'un lutteur, il soulevait sa taille à mains ouvertes, l'emportait d'une étreinte. Ils étaient de même densité, mais elle, grande le long de lui, déplaçait leur centre de gravité, les faisait basculer ensemble en un mouvement oblique, très dangereux ; il se sentait comme un tronc d'arbre arraché. Il était si serré contre elle qu'il touchait son ventre, et peut-être ses seins, il eut envie de brutalité. Alors il ferma les yeux, enfouit sa face dans son cou, où la peau est fine et transparente, chaude et sent l'anis, l'iris chaud d'été, qu'il respire, qu'il a dû connaître. Impossible de se défendre de cette fatigue, de cette brûlure, ni même de désirer s'en défendre, on a faim d'été, de brutalité, pensa-t-il, tout à fait perdu. Mais elle reprenait vie, se raidissait contre lui, sortant du bref évanouissement. Vivante, il la tenait encore, parce que ses jambes étaient trop faibles, et qu'elle respirait à peine, et sa bouche reprenait des couleurs, charnue et luisante, entrouverte sur l'émail mouillé des dents. Contre son épaule, il osa la regarder au visage, vit ses yeux grands ouverts, d'un bleu extrême, presque noir de bleu, cherchant au ciel une pensée intense, avec un ravissement navré. Il avait déjà desserré son étreinte, d'une secousse se jeta en arrière. Elle chancela, reprit son aplomb, le découvrit, éberluée.

— Oh ! dit-elle, vous êtes là ! Le pauvre Loyal s'est emballé, à cause des chiens. J'ai bien cru qu'il ne s'arrêterait jamais… J'en ai la tête qui tourne.

Il tendit son mouchoir, qu'elle prit sans comprendre. Alors il s'en saisit, essuya son front, chercha dans ses cheveux dénoués la blessure du cuir chevelu qui saignait. C'était une petite coupure, mais assez profonde, qu'il tamponna doucement. Par ailleurs, il n'osait plus la toucher qu'avec ce mouchoir.

— Incroyable que vous n'ayez que cette écorchure. Vous auriez pu vous casser le cou, vous briser mille fois les os. Vous auriez pu être désarçonnée dans la course, être couchée au fond des bois, sans qu'on sache où. Vous pourriez être morte. Vous avez mal ?

Il disait cela sur un ton de reproche et très en colère, avec la brusquerie des gens qui voient leur peur s'éloigner et prennent après coup revanche sur elle. Il avait aux reins un élancement douloureux, comme le frisson d'une maladie qui se déclare, qu'il accentuait en se cambrant, comme par plaisir de mieux le sentir. Sa colère ne cessait de grandir.

— Je n'ai pas mal. Je vais très bien. Loyal aussi. Il n'a rien, n'est-ce pas ?

— Il a qu'il est penaud. Le monterez-vous, pour revenir ?

— S'il veut encore de moi…

Le mouchoir n'étanchait pas la plaie, alors il tenta avec maladresse de caler ce pansement de fortune sous le bonnet de renard, qu'il ajusta sur sa tête ; mais il ne faisait rien de bon. Il ne pouvait plus la toucher du tout, tant il tremblait à présent. Elle releva ses cheveux elle-même, d'une torsion, et attacha les pattes sous son menton, d'un petit air résolu, tout à fait remise. Elle réajustait aussi sa veste fourrée, tirait sur les plis de sa jupe-culotte, comme si cette toilette avait beaucoup d'importance. Pendant ce temps, il la regardait, bras ballants. Il commençait à se rejoindre, à perdre de vue l'autre qui agissait sans lui, depuis tout à l'heure. La lumière du soir avait viré, une couleur surna-turelle rosissait la neige, faisait des traînées douteuses au ras des arbres, qu'on eût dits irrités de sang, sous la glace.

— Vous sentez-vous assez forte pour rentrer ? Voulez-vous que nous marchions un peu ?

— Je suis forte, dit-elle. Rentrons.

Elle prit appui sur ses mains, et il la hissa d'un élan sur la selle, qu'elle enfourcha hardiment. A peine Loyal broncha-t-il, avant de se reprendre, grattant doucement du sabot.

— Vous êtes une fameuse cavalière, remarqua-t-il.

Et il trouva, qu'avec de l'ironie, il allait beaucoup mieux.

Ne serait surtout pas un obstacle à son départ cette invrai-semblable équipée sylvestre, qui mettait la maison sens dessus dessous, tant l'événement semblait inouï, un scandale. D'abord, c'étaient les hommes partis à leur rencontre dans le soir, avec des lampes-tempêtes, et les chiens tirant sur leur laisse, que tenait Charles, bouleversé et furieux de se sentir responsable, furieux que personne ne lui reprochât rien, et de ce qu'il prenait du retard, que son cheval boiterait toujours, et que la nuit tom-bait. Mais il n'osait quitter le domaine sans connaître le dénoue-ment de cette cavalcade. Et Victor, avec son air placide d'homme qui connaît ses territoires, l'irritait plus que tout de donner des ordres, de les disposer en faisceau pour avancer de front dans les bois à la recherche des deux perdus. Mais quand Meyer aperçut les deux cavaliers revenant au pas sur le chemin, et héla ses compagnons, les mains en porte-voix, il se trouve que la demoiselle était montée tout à fait d'aplomb sur Loyal, et Char-les vit son beau-frère la suivant, l'air très correct, très maître de lui, comme à son ordinaire. Alors il bredouilla quelques excu-ses, salua en vitesse, et tourna vite les talons, sans demander son reste. Cette affaire tournait court, au soulagement de tout le monde. Sauf que cette fille, avec ses airs de ne pas y toucher, vous mettait le monde en l'air, comme une fleur.

Gabrielle ne se sentait pas très bien, cependant. Tout le temps de la chevauchée, elle avait eu le grand sang-froid de ne penser à rien, qu'à se laisser emporter. C'était un exercice périlleux et même scabreux, mais plein de charme, parce que, passée la première surprise du grand galop, elle comprenait dans une sorte de rêve au ralenti les improvisations du cheval, sa colère et sa volonté de bête, avec aisance et naturel, elle en voyait la beauté aérienne, comme si quelqu'un d'autre les regardait filer, mais à si grande vitesse qu'elle se perdait de vue à tout instant, et ne se rattrapait que par l'imagination ; l'air sifflait à ses oreilles, et elle ne sentait rien des chocs qui venaient à sa rencontre, des branches la giflant au passage ; elle ne sentait que ses dents, serrées comme sur un mors, et Loyal devait savoir qu'elle peinait avec lui, de tout son cœur. Elle n'avait pas eu peur du tout. Seulement qu'il tombât et se cassât une patte, parce qu'elle savait qu'alors, il mourrait. Aussi, quand il s'était arrêté sur place, brusquement, s'ébrouant et crachant son écume, elle avait été d'accord avec lui que c'était bien là qu'il allait, dans la petite combe de neige vierge que le soleil rasant illuminait de rose, et elle avait eu un moment de grande tranquillité, de bien-être parfait. Ses joues picotaient délicieusement, la tête lui tournait comme au manège. Du reste, elle se souvenait à peine de la course, et même du lent retour, des lampes dans la nuit tombante, parties à sa recherche.

Mais maintenant, assise dans la cuisine, elle n'avait plus ni bras ni jambes, entourée d'eux qui parlaient tous à la fois, en soupirs et exclamations, et elle se laissait flotter dans un demi-sommeil, si fatiguée qu'elle se serait bien allongée par terre pour s'endormir tout à fait. Pourtant le docteur ouvrait sa trousse sur la table, il lui cachait la lumière, et dans son ombre elle ne voyait plus que des bas, des jupes, des bouts de souliers piétinants, peut-être Millie, qui lui tenait les genoux. Mme Victor lui pinçait les joues, lui faisait respirer de l'alcool de menthe. On détachait son bonnet, et ses cheveux croulaient sur ses épaules. Mauranne triturait les boutons de sa veste. Pour rien au monde elle n'aurait bougé, même le petit doigt, dans toute cette agitation, qui lui tirait des larmes bienfaisantes, à en fermer les yeux de faiblesse. On était allé chercher des ciseaux pour découper ses gants, parce que ses mains avaient enflé, meurtries et cisaillées par la torsion des rênes sous le cuir. Mauranne les lui bassinait dans une cuvette d'eau salée au gros sel, alors elle reprit ses esprits, à cause de la douleur, et elle s'entendit pousser de petits cris d'animal, tout à fait ridicules. Ensuite, la tête renversée contre le dossier du fauteuil, elle mettait beaucoup d'application à ne pas gémir, juste un peu, du mal de chien que lui faisait le docteur. Il tamponnait son cuir chevelu, et lui enfonçait chaque fois un clou dans le crâne. Elle ne pensait qu'à endurer, regardant prudemment autour d'elle, de mieux en mieux réveillée, et lucide. Rien n'était bien précis encore, mais les choses approchaient ; elles étaient curieuses et pénibles. Tous les tiraillements de son corps n'étaient rien à côté de sa honte d'être comme une enfant entre leurs mains. Alors elle décida que cela suffisait, à présent. Elle allait on ne peut mieux, déclara-t-elle d'une petite voix, qu'elle voulait assurée.

— Encore heureux que vous ne soyez pas fracassée, gronda Mme Victor.

— Si Loyal ne vous a pas versée en route, disait Meyer, c'est qu'il vous aime bien, mademoiselle.

— Elle est bien guérie, à présent ? demandait Millie, accrochée à son bras.

— C'est la faute de M. Charles. Il ne tient jamais ses chiens courants, quand il vient ici. Il les lâche, comme au chenil.

— Quelle langue, mademoiselle jacasse ! A ton âge, on ne juge pas les personnes.

— A son âge, on n'a pas l'œil dans sa poche !

C'était la voix de Mauranne, et pour qu'elle prît la défense de Pauline contre sa grand-mère, c'est qu'elle en avait gros sur le cœur.

Au-dessus de sa tête, Pierre Galay se taisait. Il maniait les petites pinces et plaçait une gommette sur la plaie avec une dextérité de professionnel, mais Gabrielle sentait son souffle court sur son front. Elle redoutait ce silence, plein de menaces, ou de réprobation. Elle ne trouvait rien à dire d'une explication pour cette aventure, ni d'une excuse à ce grand dérangement, qui ne fût déplacée, ou n'aggravât sa situation. C'est que la mécanique de ses pensées s'était soudain remise en marche, comme le ressort des montres folles, et la frayeur rétrospective enflammait ses joues. Quelle infortune si elle ne s'était pas si bien tirée d'affaire, si elle s'était foulé une cheville, comme Sophie, ou cassé un membre… Immobilisée au Mesnil, dans l'impossibilité d'avertir Dora. Et manquant pour toujours la rencontre avec Jean Zepwiller, le perdant dans l'anonymat de la foule, sur les routes du Nord, où partirait bientôt son cirque… Elle s'accrochait, opiniâtre, à ce lendemain fatal vers lequel tendait toute sa volonté, que cet accident contrariait de manière catastrophique. Si elle restait là, abandonnée et docile, comme une poupée de son posée sur son fauteuil, qu'on pansait comme une grande blessée, tout était perdu. Si elle restait dans cette prostration, aux yeux de tous ces gens qu'elle avait inquiétés et qui prenaient soin d'elle avec tant de bienveillance, rien ne semblerait plus déraisonnable, plus choquant qu'elle maintînt sa décision de partir demain matin. Elle s'arracha au fauteuil, se redressa d'un élan et réalisa alors dans quel état lamentable elle était. Sa chevelure tombait sur ses reins, sa robe était déchirée, et ses mains marbrées de sillons bleuâtres, comme si elle avait reçu le fouet. Rien ne lui pressait plus que de se retrouver seule, de remettre de l'ordre dans sa toilette et de reprendre une allure normale.

— Dirait-on pas que je reviens de guerre ? plaisanta-t-elle bravement.

Au premier pas, ses jambes flageolaient un peu, mais d'ici la table, elle se raffermit.

— Merci à vous tous, reprit-elle, un peu émue. Vous êtes très bons. Tout va bien, à présent. Je vais monter dans ma chambre, jusqu'au dîner.

— Je ne vous conseille pas de tenter l'escalade, coupa Pierre, sèchement. Il sera plus sage de vous reposer dans le salon.

C'était en effet plus sage, car elle eut bien de la peine à franchir le vestibule, appuyée à l'épaule de Millie qui tint à l'accompagner, et dès que Mme Victor l'eut aidée à s'allonger, et couverte d'un plaid, elle oublia ses prétentions, épuisée par l'effort. Dans l'âtre, un grand feu flambait, la lumière tamisée des lampes creusait d'ombres le vaste espace silencieux, plein du miroitement de miroirs et de porcelaines. Elle se laissa glisser dans le sommeil accablant contre lequel elle résistait tout à l'heure, n'entendit même pas la gouvernante et la petite fille quitter la pièce à pas de loup.

Quand elle se réveilla, il faisait tout à fait nuit. Aux bruits de la maison, quelques chocs de vaisselle et de balai dans un seau, elle estima que le dîner était passé depuis longtemps, que seules Mme Victor et Mauranne s'affairaient dans la cuisine. Elle avait donc dormi plus de trois heures. Tout son corps était courbatu, mais elle avait les idées claires. Elle rejeta le plaid, s'assit et tâta son crâne, un peu sensible, palpa ses mains endolories, fit jouer ses articulations, si engourdies qu'elle ne sentait plus le bout de ses doigts. Elle aurait du mal à jouer du piano avant quelque temps. Elle était un peu abîmée. Mais tout compte fait, plutôt bien réparée. Ce qu'elle vérifia en se levant, faisant quelques pas devant le feu couvant sous les braises. Elle entreprit de se donner meilleure figure, tressa grossièrement ses cheveux défaits et les enroula sur sa nuque, tira les poignets de dentelle de sa guimpe jusqu'à sur ses mains. Elle n'était pas d'un naturel douillet, n'avait d'ailleurs jamais eu l'occasion de souffrir vraiment. En la circonstance, c'était peu de chose que ce cheval emballé, qui prenait le large comme un fou et s'arrêtait gentiment, tout soudain séduit par un joli coin de forêt, une clairière rose et blanche sous les branches. Sauf qu'il l'avait rudement secouée de sa course, assez pour lui rompre bras et jambes.

Maintenant, elle s'étonnait que Pierre Galay parût sitôt dans la clairière, alors que, l'instant d'avant, il était encore tellement loin, près de l'automobile, campé là-bas au soleil devant l'écurie, avec Victor, et Charles. Il était si loin que c'était magie qu'il fût transporté là, en un seul instant. Et même si près d'elle, qu'elle avait posé du sang de son front sur sa chemise, cogné du front sa poitrine. Cette sensation avait été très confortable. Ce n'était pas exactement le mot. Le mot était du bonheur, mais rien qu'à le penser, il mécontentait. Si bon et reposant de plonger dans cette odeur d'homme, entre les pans ouverts de sa veste qui sentait la fougère et la vanille, de laisser tomber sa tête contre cette blancheur chaude de chemise, comme on s'endort sur l'oreiller moelleux, les nuits d'été. Au réveil, il n'y avait que ses yeux au-dessus d'elle, immenses, rayonnants de rides minces, entre les cils la pupille sombre dilatée dans le blanc des yeux, bleu de lait comme la Voie lactée. C'était une vision céleste un peu troublante, au milieu de ces bois, le temps qu'elle se réveille de son étourdissement.

Maintenant, elle l'était tout à fait, et consciente de la mauvaise farce que lui avait faite Loyal. Plus mauvaise encore, celle du docteur. Il tombait comme mars en Carême ; il entravait son histoire. Il y a peu encore, elle avait espéré, attendu avec anxiété sa visite. Elle s'imaginait alors que, de lui, il fallait obtenir quelque chose concernant Endre, que de lui seul elle pouvait l'apprendre. A présent, que lui importait Pierre Galay, et ses sombres humeurs, pensait-elle, assez satisfaite de prendre sa revanche contre les beaux yeux de Voie lactée. La roue de la chance tourne follement. Elle distribue les voies à sa fantaisie, en ferme, en ouvre à son gré, s'arrête sur la plus imprévue de toutes... Depuis des années, la photo de Jean Zepwiller dormait dans une boîte, rue Buffon, à portée de sa main. Il avait fallu tant de détours capricieux pour qu'elle l'apprît. D'une autre, cachée dans un maroquin de cuir rouge, au fond d'un tiroir de cette demeure de campagne. Où elle ne serait jamais entrée, si elle n'avait heurté Michel Terrier par hasard, au bord d'un trottoir... La vie accomplit les choses les plus extravagantes avec un parfait naturel. Mais elle prend son temps ; elle va, comme le sommeil, à vitesse lente, de temps morts en lacunes. Pourtant si fantasque, si hasardeux semble son parcours, il va fatalement à sa destination, qui nous ravit ou nous épouvante, ensuite, de sa nécessité.

Elle en était là de ses songes, perdue dans la contemplation des braises sous la cendre, lorsque Pierre Galay entra dans le salon. Il y mettait quelque précaution, puisqu'elle n'entendit pas d'abord le bruit de la porte, mais dès qu'il la vit debout devant la cheminée, il s'empressa d'approcher.

— Dieu merci ! Vous voilà ressuscitée ! Toute la maison s'inquiète de vous.

— J'en suis désolée. Cela n'en valait pas la peine. En réalité, je n'avais besoin que d'un bon somme. Et d'une gommette sur le chef. Voilà tous mes lauriers pour cette aventure.

— Ne faites pas la fière. Vous vous en tirez à bon compte.

— Oui, sans doute. J'ai eu de la chance.

— Et de bons réflexes... Cependant Mme Victor me dit que vous avez le projet d'aller à Paris, demain ? Ce serait très imprudent. Vous y renoncez, bien sûr.

— Non, pas du tout.

— Vous devriez. N'importe quel médecin s'y opposerait.

Elle eut un petit rire.

— Je vous remercie pour cette consultation. Je ne suis pas malade.

— Pour autant, vous n'êtes pas vraiment rétablie de ce choc.

— Vous n'êtes pas moi, pour savoir ce qui m'est bon.

— Je ne suis pas vous. C'est pourquoi je vois mieux de quoi il retourne. J'ignore pourquoi vous tenez tant à cette escapade, mais elle défie le bon sens.

— Pour en juger, vous avez peu d'autorité.

— J'en ai quelque peu chez moi. Victor ne vous conduira pas. Je m'y oppose.

— Victor reçoit vos ordres. Pas moi. Je peux quitter cette maison dans l'instant si je le veux.

— En principe, oui. La réalité est moins évidente.

— La réalité ne se plie pas forcément à votre convenance, riposta-t-elle encore, à bout d'insolence.

Elle crut qu'il allait, comme l'autre fois, se précipiter sur elle et la brutaliser, tant il semblait hors de lui. Il se contenait pourtant. Quelle énormité venait-elle de proférer ? Le ton était si vite monté, qu'elle en avait le vertige. Rien qu'à reconnaître sa silhouette au loin, elle avait présagé qu'il serait l'ennemi en travers de sa route, elle avait pu s'imaginer des objections, des résistances, pas un tel affrontement. Le pire des cas de figure, le plus catastrophique. Elle mordait sa lèvre, furieuse contre elle-même, contre lui, qui campait devant le feu, dos tourné.

S'il lui dérobait sa face, elle sentait quel effort il faisait pour se dominer.

— Je constate que vous avez retrouvé vos esprits, concéda-t-il finalement d'une voix unie. Pas au point d'entendre raison, dirait-on… Cependant, vous ne partirez pas.

Il se retourna lentement. Non seulement, il avait repris son calme, mais il souriait.

— La réalité ne se plie pas à ma convenance. A la vôtre non plus, mademoiselle. La réalité est que les lignes sont fermées, pour cause de neige sur les voies. Ce qui m'a contraint à venir en voiture ; bien que cela ne m'amuse guère, figurez-vous. Il n'y a pas de trains. La question ne se pose donc même pas. Cela vous évitera de dire des choses désagréables. Et vous prendrez quelques jours de repos forcé, dont vous avez bigrement besoin.

Pas de train ! Pas de train pour aller à Paris ! Elle avait étouffé un cri. Le sol se dérobait sous elle, elle chercha un appui, tomba assise sur le premier fauteuil, le visage décomposé. Il eut la cruauté d'en faire la remarque.

— Voyez dans quel état vous met cette toute petite contrariété… Vos nerfs ont été mis à rude épreuve, ma chère.

Ce ton suffisant, volontairement blessant, la rendit à elle-même.

— Si vous aviez une once d'humanité, vous ne me parleriez pas ainsi. Quoi que vous en pensiez, il ne s'agit pas de mes nerfs. Je ne suis pas contrariée, je ne fais pas un caprice. Je dois absolument rencontrer une personne, demain, à Paris. Ne pouvez-vous comprendre que je sois malheureuse de ne pouvoir m'y rendre ?

— C'est ennuyeux, en effet, laissa-t-il tomber.

Soit qu'elle mît à ces paroles trop de véhémence, soit que sa grande pâleur l'émût davantage qu'il ne le laissait paraître, Pierre Galay semblait malgré tout ébranlé par cet aveu inattendu. Si elle compose son personnage, elle est grande comédienne, pensa-t-il, encore sur la défensive. Et comme il haussait le sourcil avec une ironie détestable, elle poursuivit, incapable de contrôler sa voix qui chevrotait :

— Pour des raisons personnelles, dont vous n'avez pas à juger, je dois la voir, seulement une heure, avant son départ définitif, pour une destination lointaine. Si je manque à ce rendez-vous, je la perds, pour toujours…

Gabrielle avait oublié le faible prétexte de circonstance, fabriqué pour Mme Victor. Dans sa détresse oubliant quel spectacle elle offrait, le désordre de sa coiffure et de son vêtement, ses yeux démesurément agrandis, voilés de larmes immobiles, elle ne trouvait un tel accent de sincérité que pour dire vrai. Elle se tut, honteuse de son discours pathétique, craignant d'en avoir trop dit, ravalant ses larmes. Lui aussi se taisait, déconcerté par ce rendez-vous pressant, cette personne inconnue, pour qui elle plaidait, et remué d'il ne savait quel dépit pour la passion qu'elle y mettait. Il se rappelait maintenant, vaguement, l'allusion à un parent, tragiquement disparu, bribes d'un passé, d'une famille, dont il ignorait tout ou presque, mais il répugnait à entrer dans ces choses intimes et sentimentales qui altèrent la relation. En raison même de ce qu'il voulait obtenir d'elle, en venant au Mesnil, maintenant qu'il avait pris sa décision, et du danger où il se mettrait, une stricte réserve s'imposait quant aux affaires privées, par un réflexe de discrétion autant que de prudence. Cette particularité rare de connaître le hongrois faisait d'elle un atout inestimable ; il voulait s'en servir de manière technique. La pensée l'en avait poursuivi, ces temps derniers, envahi jusqu'à l'obsession. Mais elle est une personne, pas un instrument ! disait Jules Bauer. Ce que vous voulez lui demander est très délicat, soyez prudent avec elle... L'imprudence était à son comble. Il ne savait même plus comment il en était arrivé à ce fiasco.

— Qu'importe si vous ne me croyez pas... Cela m'est égal, ajouta-t-elle, effondrée.

— Je vous crois, coupa-t-il vivement. Je peux entendre vos raisons.

— Si vous les entendez, s'écria-t-elle, alors épargnez-moi vos méchancetés ! Je vous en prie, laissez-moi partir. Je trouverai un moyen, je reviendrai demain soir, je m'y engage...

N'ayant plus rien à perdre, il alla au bout de l'idée folle qui venait de le traverser.

— Je vous conduirai à Paris, demain, en automobile. La route est un moindre mal.

Un instant, elle resta interdite. Que cédât soudain l'adversité qui s'acharnait contre elle était si incroyable, qu'elle se leva d'un bond, n'osant croire à ce revirement.

— Vraiment, le ferez-vous ?

— Calmez-vous, murmura-t-il, vaincu. Un aller-retour aussi insensé n'était pas dans mon projet. Je déteste conduire. Vous-même, après une telle équipée...

— Comment vous remercier, monsieur... balbutia-t-elle, avec un hoquet qui était aussi bien un rire qu'un sanglot.

— Allez manger un peu, et vous reposer. Et faites-moi plaisir : prenez dix gouttes de ce sédatif avant de dormir. A quelle heure devez-vous être à Paris ?

— A midi.

— Soit. Je vous ramènerai ici. Vous rentrez demain soir avec nous, n'est-ce pas ? Vous ne nous quittez pas ? plaisanta-t-il d'un ton forcé, pour dissiper l'émotion. Alors, rendons cette expédition agréable : j'emmènerai Millie avec moi, pour une fois. Je la conduirai au Jardin d'acclimatation, voir les ours et les loups, en vous attendant. Qu'en pensez-vous ?

XXIV

Depuis Boulogne, le paysage de banlieue étendait sa cohorte d'usines aux hautes cheminées fumantes, de fabriques aux toits de tuiles et de quartiers résidentiels aux petites maisons entourées de jardins, de guinguettes et de restaurants populaires au bord de la Seine. A partir de Versailles, la route était dégagée, et la voiture roulait à bonne allure désormais, projetant deux gerbes de boue noirâtre et glacée. Millie, aux anges de cet enlèvement, gardait un silence respectueux, les yeux ronds de l'aventure, impressionnée de voir son père conduire, observant Gabrielle, toute pâle dans son manteau noir à col haut, sa toque de feutre enfoncée sur le front, et les mains enfouies dans un grand manchon de vison. Au moment du départ, constatant que ses mains avaient encore enflé pendant la nuit, et qu'elle ne pourrait enfiler de gants, indispensables par ce froid, le docteur était allé sans un mot chercher la fourrure, et la lui avait imposée, d'autorité. L'air interdit de Mme Victor le suggérait, il y avait fort à parier que le luxueux accessoire faisait partie des cadeaux de Pierre à Jane. Malgré son malaise, en enfouissant ses mains dans la doublure de velours, d'y rencontrer celles de la morte, Gabrielle n'avait osé décliner l'offre. Le confort et la chaleur de ce manchon étaient très agréables, finalement, sa matière souple un soulagement pour ses blessures ; et le moment fort malvenu pour contrarier son chauffeur. Aussi, bon gré mal gré, avait-elle adopté la fourrure.

Il y avait peu d'encombrements, et ils atteignirent le centre de Paris sans obstacle, traversant la place de la Concorde et remontant la rue de Rivoli vers la place des Victoires, longeant le jardin des Tuileries, encore tout enseveli de blanc, où l'on voyait des enfants livrer des batailles de boules de neige. Gabrielle avait eu tout le temps de prévoir l'adresse où elle se ferait déposer, farouchement décidée à taire l'endroit où elle se rendait.

Elle devait retrouver Dora sur les boulevards. La galerie Vivienne n'était pas loin, un endroit commode pour s'esquiver. D'ailleurs, Pierre n'avait pas posé davantage de questions sur ce rendez-vous, observant un silence circonspect depuis le départ. Il conduisait avec aisance, en dépit de sa répugnance déclarée, et la belle voiture de Mme Mathilde se faufilait sans encombre parmi la circulation. Il était près de midi, lorsque Pierre se gara le long du trottoir. Il descendit de voiture et ouvrit la portière à sa passagère, avec une neutralité polie.

— Vous voilà rendue, mademoiselle. A cinq heures, donc.

Gabrielle embrassa Millie sur le nez, garda son petit visage dans ses mains.

— A tout à l'heure, chérie. Amuse-toi bien.

Et elle sauta de la voiture, s'éloigna rapidement, sans jeter un regard en arrière. Mais comme son père regagnait le volant, Millie s'exclama :

— Le manchon ! Papa, Gabrielle a oublié son manchon !

Pierre, emportant la fourrure que lui tendait la petite fille, se lança à la poursuite de la jeune fille. Celle-ci venait à peine de disparaître dans la galerie Vivienne, aussi pensa-t-il la rejoindre en quelques pas. Mais, dans la foule des passants qui s'attardaient aux vitrines, il ne la vit pas d'abord, puis distingua sa silhouette mince se faufilant rapidement vers le fond du passage. Il pressa le pas, bousculant quelque peu des gens restés en travers, n'atteignit l'angle qu'avec retard, l'ayant perdue de vue entre-temps. Lorsqu'il tourna le coin, encombré par un étalage de livres anciens qu'il manqua renverser, il l'entrevit, rendue plus loin et marchant à vive allure, courant presque, alors il eut le sentiment d'avoir franchi une invisible frontière. Il ne cherchait plus à la rejoindre ; il la suivait ; et cette filature avait quelque chose d'inconvenant. Où allait-elle, si vite emportée par sa course, et n'ayant visiblement aucune intention d'entrer quelque part, de chercher quelqu'un… Le sentiment troublant de la suivre ne freinait pourtant pas son élan. Au contraire, il accélérait son pas, aimanté par le profil alerte devenu très mystérieux, mais gardait soigneusement la distance à présent, craignant qu'elle ne se retournât et ne le surprît. Dans sa précipitation, elle conservait son maintien, une souplesse féline, que le balancement élégant de sa robe sur les hanches n'entravait pas ; elle semblait glisser, la nuque droite, sa petite tête fendant l'espace. Elle évitait les obstacles, avec un air de fière indépendance, qui piquait sa curiosité, l'aiguillonnait du désir contradictoire de la rejoindre, de l'empoigner par le bras, et de voir son embarras ; ou de la laisser filer encore, de prolonger cette chasse excitante. Elle avait atteint l'air libre, à l'autre bout de la galerie, et comme il débouchait dans la rue, il eut encore le temps de la voir sur la chaussée, héler un taxi d'un geste gracieux, et s'y engouffrer. Il resta une seconde cloué sur place, médusé par cette scène. Puis il tourna les talons, revint en hâte vers la voiture abandonnée, et la fillette, qu'il avait franchement oubliée. Mais cela n'avait pas duré plus d'une minute, et Millie ne s'impatientait pas. Derrière la vitre, elle salua son retour en agitant joyeusement sa main.

— En route pour la ménagerie, déclara-t-il, enjoué, un ton trop haut, jetant la fourrure à côté de lui.

Il était encore sous le coup de l'étonnement, remué de ce qu'il venait de découvrir, par le plus grand des hasards. Fût-elle partie avec le vison, Millie n'eût-elle pas réagi aussitôt à son oubli, qu'il eût ignoré par quel subterfuge elle se sauvait. Pas une seconde il n'avait douté qu'elle se rendait où elle avait dit, quelque part dans le quartier. Elle avait donné cette adresse, il le comprenait à présent, par un calcul habile, et de sang-froid. Elle connaissait la galerie pour ses deux entrées, un moyen idéal de s'éclipser. Très mécontent, il corrigea son jugement. Quoi de plus naturel qu'elle tînt à préserver sa vie privée ? Elle était bien libre d'aller où elle voulait, retrouver qui bon lui semblait, et que lui importait ! Mais il avait la très désagréable impression d'avoir été joué. Il se souvenait de son excitation à la poursuivre à son insu, à ne pas la rattraper, sans pour autant lâcher sa trace. Il s'était pris à ce jeu de la filature, le cœur battant de la chasser comme une proie, alors qu'elle s'échappait devant lui, ignorant sa présence, son regard... On peut croiser sur les trottoirs de ces inconnues séduisantes, que le hasard jette sur votre route ; à leur parfum ou leur allure, rêver de surprendre leur errance, feindre un instant de succomber à leur provocante énigme, sans jamais les aborder ni voir leur visage, seulement regarder leur dos, leur silhouette fuyante s'éloigner... Mais il avait voulu la rejoindre, l'empoigner et la reprendre, exaspéré par la liberté qu'elle prenait, son aplomb, son insolence... Millie, inquiète de son silence, s'appliquait à regarder la rue, le nez collé à la buée de la vitre.

— Mademoiselle aura froid à ses mains, dit-elle, au bout d'un moment.

— Tant pis pour elle. Ce manchon est pourtant très joli... Allons voir les ours, les zèbres, et les éléphants ! Toi et moi, nous déjeunerons au Bois, dans un restaurant près des cascades. Es-tu contente, Millie ?

Dora l'attendait. Dora était au rendez-vous, en manteau puce, avec des revers de velours brodés à la grecque, assortis à son turban et à son manchon, fraîche, délicieuse, avec son minois aigu et ses yeux perçants, si allurée que Gabrielle s'était sentie bien fade à côté de sa brillante amie. D'autant que celle-ci, remarquant aussitôt sa pâleur et ses cernes sous la courte voilette, s'était alarmée.

— En voilà une mauvaise mine ! Et tes mains ! Dans quel état sont-elles ? On les croirait d'une ouvrière d'usine, mon pauvre chat ! Ils te malmènent donc bien, là-bas !

Se forçant à rire de son aventure, tout en déjeunant rapidement d'une gaufre, Gabrielle lui avait raconté sa chevauchée malencontreuse, la veille au soir, et surtout sa grande peur d'être immobilisée au Mesnil, privée de train, dans l'impossibilité de la prévenir ; comment elle en avait à peine dormi, malgré le somnifère, anxieuse à l'idée de ce voyage en voiture, qui rencontrerait peut-être d'autres obstacles... C'était bien en vain, ils étaient venus sans encombre, et elle avait réussi à s'esquiver, comme elle l'avait prévu... Mais Dora écoutait à peine, préoccupée de ses contusions et des écorchures, qu'elle examinait gravement.

— Il te faut voir un médecin, Gabrielle ! La pire chose qui puisse nous arriver, à nous autres, pianistes, c'est d'abîmer nos mains. L'instrument de notre art et notre gagne-pain !... Vois cet œdème, c'est très dangereux. Bouge beaucoup tes doigts, ne les laisse pas s'ankyloser... Ne te sers surtout pas de la pommade de concombre, c'est bon pour les marquises. Masse-toi avec de la graisse de phoque. Les pêcheurs d'Islande s'en servent, c'est dégoûtant, mais souverain, je t'assure. Ce baume cicatrise et active la circulation...

Mais Gabrielle retirait ses mains, les cachait dans ses manches, réalisant seulement à présent qu'elle avait oublié le vison dans la voiture, et que cette indélicatesse froisserait peut-être son propriétaire... Mais elle avait d'autres inquiétudes, et l'insouciance de Dora la déconcertait, tellement elle contrastait avec sa grande angoisse. Elles passaient à présent sous les piliers en fonte du métro aérien de la sation Allemagne, longeaient la rotonde de Nicolas Ledoux, l'ancien pavillon de l'enceinte des fermiers généraux dont l'architecture classique, dans ce quartier populaire, avait une allure insolite, vestige d'une cité idéale disparue que seul le rêve avait pu planter là. Elles allaient bras dessus, bras dessous, vers le canal de la Villette, frileusement serrées l'une contre l'autre, et l'on voyait déjà, là-bas, au bord de l'eau, la pointe des chapiteaux aux fières oriflammes, et les toiles rayées d'orange et rouge du cirque, dépassant les arbres dénudés.

D'ailleurs, une foule éparse allait dans la même direction, des grappes d'enfants emmenés par des bonnes, des familles entières hâtant le pas. Des flonflons leur parvenaient déjà, rameutant le monde, trompettes et grosses caisses, accordéons, que portait le vent. Et aussi, comme elles approchaient, l'odeur sauvage des ménageries. Car derrière les caisses, on voyait les cages roulantes disposées en allées, la paille répandue sur le pavé, et derrière les grilles, les fauves, dont c'était le repas. Sous les yeux ébahis des visiteurs, un gorille géant dévorait un régime de bananes et les lions arrachaient des lambeaux de viande saignante, secouant leur crinière. Il y avait aussi des éléphants, emmenés par un cornac hindou très digne, en costume princier de soie rose, grimpé entre les oreilles du pachyderme le plus vieux, qui daignait prendre de sa trompe délicate les cacahuètes tendues par les enfants, par-dessus la barrière. Des cris fusaient dans la file où elles avaient pris leur place ; les enfants trépignaient, excités par l'atmosphère exotique du cirque, sa musique tapageuse, ses personnages loufoques aux costumes bigarrés, aux brandebourgs d'or sur la casaque rouge, passant furtivement sous les pans de toile, et les cris d'un M. Loyal splendide, grimpé sur l'estrade, en belle jaquette à queue-de-pie, et haut-de-forme, promettant à la cantonade de l'émotion, des monstres et des prouesses !

— Clarisse a dit que nous demandions les places 20 et 22, au premier rang. C'est là que Jean nous reconnaîtra. Il nous fera chercher à l'entracte. Ne t'inquiète pas, Gabrielle, tout est simple, tout est facile maintenant. Depuis quand n'as-tu pas été au cirque, toi ? Profitons de l'aubaine, ma douce. Heureusement que je suis là... J'ai l'impression que si je t'avais laissée venir seule, tu serais tombée dans les pommes avant d'entrer !

Les places 20 et 22 étaient réservées. Elles s'y installèrent, au bord de la piste sablée, où des employés finissaient d'ajuster les tremplins et les balançoires pour le premier numéro des équilibristes, qu'annonçait le programme. Dora s'amusait beaucoup à observer les préparatifs du spectacle, la foule des spectateurs prenant place sur les gradins, dans une cohue bon enfant, tandis que Gabrielle, le regard perdu vers les hauteurs de la tente, interrogeait cet étrange ciel de filins tendus, de poulies et de filets. Mais le petit orchestre chamarré de rouge et orange prenait place, cymbales et tambours, clarinettes, et tuba, jouant un air endiablé de parade, tandis que toute la troupe faisait un tour de piste, dompteurs patibulaires au torse nu, drapés de peau de léopard avec leur grand fouet, aux forts mollets bandés dans des bottes cloutées ; les acrobates en collants pailletés, et les écuyères en tutu de tulle, ravissantes et rieuses, une étoile sur le front, debout sur leur cheval faisant trois tours au petit trot ; le montreur d'ours qui tirait la chaîne du gros animal, un anneau au nez ; et les clowns roulant dans le sable pour des galipettes, et enfin, le clou annoncé, un couple d'équilibristes chinois en robes d'apparat brodées de dragons, les yeux excessivement bridés par un trait de khôl. Trois nains en jupette déboulèrent, traversant la piste en faisant la roue, et un roulement de tambour mit fin à la présentation. Rien n'était plus réjouissant que ce défilé, promesse de toutes les magies, mais dès son début, Gabrielle n'avait pu s'empêcher, avec un serrement au cœur, de chercher parmi tous les visages fardés, d'ocre et de blanc, aux pommettes rouges, aux faux nez et aux perruques vertes, roulant des yeux et déguisés de tous leurs oripeaux, tous masqués, dénaturés, grimaçants de jovialité factice, lequel pouvait être le jeune homme chauve de la photo, le frère en fuite de Clarisse. Sous quel habit de scène aux faux ors, aux fausses fourrures, aux soies criardes, se cachait Jean, qui les observait, à l'instant ? A moins qu'il ne fût un de ceux, garçons de piste, qui restaient en retrait, derrière les pans du rideau rouge de la coulisse, retenant des chevaux piaffants harnachés de plumes, ou bien cet autre, qui brandissait un grand sabre et passait sans cesse au fond, ou encore le grand échalas, au bicorne enfoncé sur les sourcils, qui surveillait du plus haut gradin la bonne tenue de la salle…

Elle ne vit pas grand-chose du spectacle, sur le qui-vive, éblouie par les lumières tournoyantes, assourdie par les cuivres et les percussions, les pétards, les applaudissements et les éclats de rire, sursautant à la corne de brume qui soulignait chaque envol des acrobates entre les mâts. Elle avait beau s'écarquiller, il lui semblait dormir les yeux ouverts, sans parvenir à s'arracher à l'illusionnisme de ce théâtre d'ombres et d'éclairs violents, sous lequel elle cherchait éperdument une figure, un visage, une silhouette, un signe. L'entracte survint sans qu'elle pût dire combien avait duré la pantomime. Les éléphants, se tenant la queue de la trompe, finissaient de sortir lentement sous les vivats enthousiastes, dans la trépidation des gradins que les pieds frappaient en cadence. Puis la foule se leva, s'écoula vers la sortie pour l'entracte, se dispersant vers les cages, les baraques foraines et les marchands de bonbons. Un peu étourdies, elles avaient attendu d'abord, puis avaient suivi le mouvement, et se retrouvèrent à l'entrée, dans le courant d'air glacial, qui gonflait les toiles de tente, peintes de sirènes et de Pygmées, enfourchant un monstre marin aux dents furieuses. Maintenant, d'un instant à l'autre, Jean allait venir. Un homme surgirait de cette foule d'adultes et d'enfants excités, il leur parlerait bas et les emmènerait à l'écart. Mais les secondes passaient ; les minutes passèrent. Elles ne se regardaient pas, Dora soudain grave, perdait ses yeux dans le vague, et Gabrielle, enfonçant frileusement ses mains dans les manches de son manteau, contemplait le bout de ses bottines, sentant battre ses tempes, et sa lèvre, que la pulsation de son cœur faisait tressauter. Vint le moment où le spectacle reprenait, et soudain, il n'y eut plus personne. Elles se consultèrent du regard, ne sachant s'il fallait regagner leurs places, ou attendre encore, quand un petit garçon surgit de sous une roulotte, passa entre elles.

— Jean ne viendra pas, dit-il d'une voix de fausset, sans s'arrêter. Partez, partez.

Il continuait sa marche dandinante, s'éloignait déjà, mais Dora le rattrapa prestement par le col et le tira à elle, sans ménagement.

— Attends un peu, toi ! Qui t'envoie ?

A sa volte-face, avec stupeur, elles virent, non un enfant, mais un nain ; peut-être un de ceux qui roulaient sur la piste, tout à l'heure. En tout cas, il ne portait plus sa jupette, et sa figure de gnome était celle d'un homme fait, replète et ridée. Jetant en tous sens des coups d'œil effrayés, il cherchait à se dégager de la prise, gigotait furieusement.

— Allez-vous-en, je vous dis. C'est fini, c'est fini…

— Pas si vite, mon ami. Qu'est-ce qui est fini ?

Très contrariée, la petite personne les attira sous un des pans de la tente, entre des cordages.

— Le cirque, c'est fini. Jean est parti.

— Parti où ? Depuis quand ?

— Parti avec les messieurs. Les deux là-bas, qui l'emmènent.

— Où, les messieurs ? Qui les deux ? Mais enfin, que nous chantes-tu, l'artiste ?

Dora le secouait brutalement, tirait sa tignasse poivre et sel, et il pleurnichait comme un mauvais gamin puni à l'école. En d'autres circonstances, cela aurait pu être cocasse, mais Dora ne riait pas, elle s'était penchée, son visage contre le sien.

— Ou tu nous parles clairement, ou je te crève les yeux.

La menace était si sincère, qu'il se mit à geindre.

— Je ne sais rien de rien. Il a juste dit : Qu'elles partent vite. Ils s'en vont là-bas, vous voyez bien…

Il agitait sa main courtaude, montrait la perspective lointaine du canal, ses quais déjà plongés dans la brume, où s'alignaient les péniches dans le crépuscule du soir. Le temps qu'elles regardaient sans comprendre dans cette direction, il se jeta d'un bond par côté, fila sous une roulotte et disparut, aussi rapide qu'un chat. Sans hésiter, Dora entraîna Gabrielle et s'élança vers le quai. On ne voyait personne sur les pavés bordés de neige sale, le long de l'eau aux faibles remous, où la lumière d'hiver jetait des reflets blêmes. Malgré tout, elles se mirent à courir à contre-vent, zigzaguant entre les flaques gelées et les tas d'immondices, tenant les pans de leur manteau d'une main, leur chapeau de l'autre, remontant vers là-bas où avait dit le nain. Au loin, un pont transbordeur enjambait le canal de son arche métallique, et elles virent soudain s'y dessiner, contre le ciel de plomb, qui traversait d'une marche saccadée, un groupe indistinct, le seul qui fût visible, dans toute cette solitude. Accélérant leur course, sans perdre de vue ce trio à la démarche bizarre de pantins, secouée de soubresauts, elles luttaient contre le froid et le vent qui leur gelaient la face, embuaient leurs yeux. Mais le brouillard tombait, fondant la perspective dans un scintillement morne et elles les voyaient, qui disparaissaient, descendus de l'autre côté.

— J'ai un point de côté, pesta Dora, hors d'haleine. Ce sont eux, Gabrielle, ne les perdons pas de vue.

— Dora, que faisons-nous ? Que se passe-t-il ?

— Il se passe que Jean nous file sous le nez, et que nous sommes des buses si nous ne le rattrapons pas. Cours !

Elles franchirent les derniers cent mètres, escaladèrent les marches de fer, que la glace rendait dangereusement glissantes, cramponnées à la rampe, et elles dominèrent l'étendue d'eau, le panorama des façades pauvres dont le gris se fondait à celui du ciel, et la fuite des quais bordés de hangars, de docks fantomatiques, vers d'autres ponts en enfilade lointaine. Tout là-bas, sur l'autre quai, les silhouettes furtives s'éloignaient rapidement dans les bandes de brume. Elles n'étaient plus que deux.

— Deux ! s'écria Gabrielle. Ils ne sont plus que deux, Dora…

C'était si étrange, bien plus que les prouesses du cirque, bien plus ahurissant que ses fantasmagories, qu'elles restèrent pétrifiées par ce tour de prestidigitation. Mais le brouillard avait déjà avalé les deux silhouettes imprécises. Evaporées. Si elles avaient jamais existé. Les yeux papillotants, les cils gelés, soufflant la buée de leur haleine, elles regardaient ce point où ils avaient disparu, et le temps qu'une pensée fasse son chemin, c'était la terreur qui passait sa main sur leur nuque, ployait leurs épaules. Elles avancèrent encore, se penchèrent au-dessus de l'eau visqueuse, qu'ici ou là des cercles noirs agitaient, s'élargissant en vagues molles et mourant contre les berges sans bruit. Dora prit la taille de Gabrielle.

— Viens, chuchota-t-elle. Partons vite, Gabrielle.

A reculons, d'abord lentement, elles s'éloignèrent de cet endroit louche, que pas un être humain, pas un animal ne semblait hanter, où même le jour semblait s'épuiser, de ces zones sinistres où l'on touche aux confins du monde réel. Puis elles tournèrent les talons et s'enfuirent en courant follement vers les halos du cirque, tout là-bas, vers la lumière électrique de la ville, vers sa foule, et les visages des vivants.

La mauvaise lumière de cette fin d'après-midi, filtrée par les carreaux voilés de poussière, laissait l'endroit dans l'obscurité. Le secrétaire tourna le commutateur de porcelaine, et les lampes électriques inondèrent de jaune la grande salle de la préfecture de Police, où venait d'entrer Michel Terrier, précédé par son guide. Un homme à la maigreur phénoménale, dont la haute taille semblait devoir se casser à chaque geste, comme une brindille sèche. Son col de celluloïd bâillait autour du cou, ses manchettes trop larges flottaient sur ses poignets de sauterelle, et ses doigts translucides, sa face de cire aux pommettes saillantes évoquaient le squelette sous sa peau parcheminée ; de même que sa denture d'ivoire magnifique, car il souriait. Il était affable et très doux, d'une onction d'abbé, pour conduire ce monsieur en civil, dont le sauf-conduit devait assez signifier l'importance, puisque les divers services avaient délivré sans délai son autorisation de consulter les archives du service d'anthropométrie judiciaire. Le secrétaire, glissant sans bruit sur le plancher, traversa la salle meublée de placards et de casiers en chêne, noircis par le temps, à tiroirs étiquetés munis de poignées de cuivre, et d'une longue table nue, sous une énorme lampe de bureau. L'endroit solitaire avait une austérité monacale, impersonnelle et sévère, de ces temples où s'exerce un culte profane, aussi rigoureux qu'une religion ancienne. Il s'arrêta devant l'un des casiers, s'inclina comme devant un autel, et son lorgnon pendu au cou se mit à se balancer, tel un pendule.

— Voilà, dit-il, d'une voix suave. C'est ici, monsieur.

Il observa un silence méditatif, prit une longue inspiration.

— Rappelez-vous le principe de notre service. Alphonse Bertillon, notre maître à tous, a conçu ce classement selon des critères constants, qui autorisent toutes sortes d'entrées. Nous l'avons perfectionné, à notre humble mesure, mais vous trouverez, de ce côté-ci, nos fiches d'identité classées par patronymes, dans l'ordre alphabétique. Là, selon les catégories criminelles ; ce qui n'est pas sans présenter quelque difficulté. Certains sujets sont multicriminels, voyez-vous ; il nous faut choisir une dominante, c'est délicat. Quoi qu'il en soit, chaque fiche comporte les mêmes indications. Outre la mention de ses caractéristiques physiques, chacun a déposé son empreinte digitale, que nous prenons scrupuleusement. Celle-ci est unique, voilà la merveille de la nature ! Songez que trois ou quatre bifurcations des neuf papilles identiques permettent, sans un doute possible, d'identifier par son empreinte un individu parmi des millions. Mais surtout chacun a une oreille unique ; sa taille, son dessin, ses circonvolutions. Monsieur, votre oreille n'a pas sa pareille. Vous pouvez toujours teinter votre coiffure, faire pousser vos poils de barbe, de moustache, vous pouvez maquiller votre physionomie de mille manières ; pas votre oreille. Sauf à la couper, la détruire. Qui aurait l'idée de se couper l'oreille, sinon un illuminé ? Hein ?

Michel Terrier ne semblait pas pressé. Il écoutait patiemment son guide, songeur. Il savait tout cela. En réalité, il pensait à autre chose, et le discours de l'inspecteur, dans son déroulement mélodieux, accompagnait agréablement ses pensées dissidentes.

— La photographie mise au service de l'identité judiciaire, a été d'un apport inestimable. De face, de profil, selon un protocole identique. A ce jour, nous possédons ici le portrait de près de soixante-quinze mille criminels, monsieur. Hélas ! La lie de la société est nombreuse, elle se renouvelle, elle se régénère. Le système de M. Bertillon nous a éclairés sur cette espèce. Car les stigmates du mal s'impriment sur le faciès de ces misérables. Mieux : ils y sont inscrits de naissance. Le grand Lumbroso traque ceux des individus sujets aux maladies, tuberculose et syphilis, et folie ! Nous, ceux du crime. C'est l'invention d'un grand esprit. Simple, scientifique, objective et morale. D'une absolue moralité ! Personne n'y a accès, que les représentants de l'ordre et de la justice. Et nous autres, qui dressons les fiches, et veillons au classement. J'ai moi-même dû en copier près d'un quart, précisa le secrétaire, avec une humble fierté. Pensez si je les connais !...

Terrier respecta son silence méditatif. Il ne devait pas mentir, le lustre de ses coudes en attestait. Il avait dû passer des années aux écritures tatillonnes, finement calligraphiées à l'encre.

— Figurez-vous que nous avons retrouvé, pour nos collègues italiens, la fiche de ce Perugia, qui nous avait volé *La Joconde*, en 1911 ! Il avait eu à faire avec nos services. Un dangereux activiste, un sinistre individu.

— Un amateur d'art inspiré.

— Un iconoclaste. Un anarchiste. La police italienne a été émerveillée par notre système. Elle en met un en route, sur notre modèle.

Terrier remercia le secrétaire, s'inclina avec déférence, pour le congédier.

— Je crois que je m'en sortirai. Si j'en ai besoin, je ferai appel à vous.

— Dans ce cas, veuillez sonner ici.

De son doigt de sauterelle, l'homme fit sonner un timbre, en écouta avec satisfaction résonner l'aigre vibration ; puis il le laissa. Sa longue carcasse disparue, Terrier s'étira, déploya ses membres d'animal nerveux. Il alla jeter un regard par la fenêtre, sur la cour intérieure de la préfecture de Police où stationnaient des fourgons, que des agents en pèlerine traversaient en tous sens, battant le pavé de leurs gros souliers. Puis il se mit au travail. Il tira deux tiroirs, un dans chaque classement, trouva très vite ce qu'il cherchait. La fiche en double exemplaire, un carton grisâtre. Au recto : face et profil photographiques, empreinte de l'index gauche. Nom *Zepwiller*. Prénoms : *Jean, Léonard*. Né à : *Strasbourg, en 1882*. Fils de : *Philémon Zepwiller* et de : *Virginie Coquet*. Profession : *courtier en colorants*. Antécédents : *aucun*. Motif de détention : *suspect de grivèlerie*.

— Suspect de grivèlerie !... murmura Terrier, secoué d'un petit rire. Bien, bien. Marques particulières et cicatrices : *calvitie*. Bien.

Il retourna la fiche. Toutes les mensurations : taille, envergure, buste... Tête : *large*. Zygomatique : *moyen*. Oreille droite : *médium auriculaire coudé*. Iris : *noir*. Etc. Empreinte de l'index droit. *Fiche dressée à Paris, 3 octobre 1909*. Tampon, signatures.

— Parfait, susurra Terrier.

Il glissa les deux fiches dans la poche de son manteau, rangea les deux tiroirs sur leur glissière. Ce geste, accompli en toute impunité, constituait sans doute une des forfaitures les plus graves que pût commettre un fonctionnaire d'Etat. A peine un muscle de sa mâchoire avait-il tressailli, à peine un rétrécissement de sa pupille froide. Ensuite, il chercha, mais c'était au hasard, dans des classeurs variés, extrayant quelques fiches qu'il aligna sur la table. Puis il appuya sur la sonnette de cuivre et attendit, mains croisées dans le dos. Le secrétaire ne tarda pas à reparaître.

— Voilà, dit Terrier, désignant du menton les fiches sur la table. J'ai trouvé mes lascars. On en est confondu d'admiration. Quel grand œuvre, quel génie ! Votre classement est magnifique.

— C'est que vous connaissiez les noms de vos sujets, monsieur. Si on cherche un inconnu, c'est moins facile. Là, vous auriez certainement eu besoin de mon aide. Par exemple, si la personne a un sobriquet, si elle a un pseudonyme, c'est plus délicat... Mais je vois que votre enquête est avancée... Je vous rappelle qu'aucune fiche ne quitte nos casiers, c'est un principe. Pas de dérogation. Vous comprenez, n'est-ce pas ? Toutefois, nous allons commander la copie, immédiatement...

— Je vous remercie. Je n'en ai pas besoin. J'ai pris quelques notes, elles me suffisent. C'était une simple vérification.

Une demi-heure plus tard, Michel Terrier quittait les locaux de l'identité judiciaire. La nuit tombait et seul l'horizon à l'ouest jetait encore sur la Seine une clarté jaune dans tout ce gris, celle d'une lame d'or rasant les flots, teintant la pierre des ponts et le toit des péniches. Il s'attarda sur le pont, regarda le fleuve, comme un passant que la poésie du crépuscule arrête, s'accouda au parapet. Puis, tranquillement, il sortit de sa poche les deux fiches, et les yeux perdus vers la perspective rêveuse des ponts, entreprit de les déchiqueter en tout petits morceaux, qu'il lâchait négligemment dans le vent, et jusqu'aux derniers dont il suivit la chute lente, leur mol envol repris par les rafales froides, et leur disparition sur l'eau noire. Il se frotta les mains d'un air frileux, remonta le col de son manteau et reprit sa marche de flâneur vers le boulevard Saint-Germain.

Le retour avait à peine pris une heure de route ; lorsqu'ils franchirent la grille du Mesnil, la nuit était tombée. Gabrielle avait retrouvé Pierre et Millie, qui l'attendaient, garés à la même place que le matin, devant la galerie Vivienne. Pierre lisait un journal du soir, appuyé au volant, et Millie jouait avec un pantin articulé que lui avait offert son père. Il l'avait d'ailleurs gavée de sucreries, et couverte de cadeaux. Un moulin en papier, des images à découper, et une boîte à musique qui faisait des cris d'animaux. A son arrivée, elle avait tout abandonné et sauté dans ses bras, tandis que Gabrielle s'engouffrait à côté d'elle, sur les sièges de cuir. L'obscurité grandissante à l'arrière de la voiture, les lumières de la ville tout autour, et les effusions de Millie avaient permis à la jeune fille de dissimuler son visage. Elle avait d'ailleurs enfoncé davantage sa toque et baissé sa voilette, sous laquelle ses traits pâles disparaissaient.

— Vous êtes ponctuelle, avait seulement remarqué Pierre.

Ensuite, Millie, très en forme, les joues vermeilles, avait raconté sa journée de plaisirs, intarissable sur la visite au Jardin d'acclimatation ; les ours tournaient dans leur fosse, les singes cherchaient leurs puces en famille. Elle avait aussi eu un sorbet pour dessert, avec des cerises confites, et des meringues au citron ; une séance de Guignol dans le petit théâtre du Bois, les coups de bâton pleuvaient sur le dos du diable. Et surtout une chose inouïe, c'est qu'ils avaient pu voir passer, vers deux heures, au-dessus du Bois et de la porte Maillot, un énorme dirigeable Zodiac à quatre hélices, une immense baleine blanche naviguant dans le ciel de Paris, et tous les patineurs, arrêtés sur le lac pour saluer le phénomène, secouaient leurs écharpes et leurs chapeaux vers elle ! Ignorant son silence prolongé, elle étourdissait Gabrielle de son pépiement insouciant et lui épargnait de parler. Celui de Pierre Galay était aussi durable. Gabrielle ne voyait que sa nuque, l'endroit où les courts cheveux laissaient place à un peu de peau brune que les tendons soulevaient, au moindre mouvement de sa tête. Ces attaches nerveuses et sensibles seules lui signalaient qu'il écoutait distraitement le verbiage de Millie, et restait tendu vers sa passagère. C'est seulement plus tard qu'il avait interrompu la petite fille.

— Vous êtes bien silencieuse, mademoiselle. Etes-vous satisfaite de votre journée ?

Il jetait des coups d'œil dans le rétroviseur ; en vain, car l'obscurité enveloppait la jeune fille et l'enfant, et comme aucune réponse ne venait :

— Cette personne n'est pas venue, dit-il doucement.

— Non, monsieur.

— Ah…

La voix qui venait de sous la voilette était méconnaissable.

— C'est fâcheux, avait-il ajouté, au bout d'un moment.

Ils avaient fait le reste du voyage sans plus échanger un mot, et comme Millie somnolait sur les genoux de Gabrielle, celle-ci avait rejeté sa tête contre le dossier et fermé les yeux, décidée à ne plus rien dire. Elle se demandait encore ce qui s'était passé, en ces quelques heures de l'après-midi, si celle-ci était réelle ou un cauchemar, de ceux dont on n'arrive pas à sortir, même en marchant dans la chambre, ouvrant la fenêtre et buvant l'air ; même en se mordant au sang, on ne se réveille pas. Jean Zepwiller avait disparu, entraîné sous leurs yeux par deux fantômes, dissous dans le brouillard. Jeté dans le canal, la gorge coupée sous les arches du pont, écrasé entre le quai et une péniche, noyé, assassiné. Tout cela était faux. Aussi faux que le faux nez des clowns, les faux Chinois équilibristes, qui n'avaient d'yeux bridés et de peau jaune que par l'artifice de leur fard. Aussi faux que les mensonges du nain geignard, qui leur avait désigné dans le lointain n'importe quel groupe, pour mieux s'esquiver. Une bande de gens avinés titubant sur un pont ; des mariniers rejoignant leur péniche. Etait seulement exact qu'elles avaient couru à perdre haleine, et atteint cette zone dangereuse où vivants et morts ne font qu'un, où plus rien n'est vrai. En quittant Dora, pressée par l'heure, tout en marchant vivement vers le métro, Gabrielle avait pourtant trouvé la force de raisonner. Mais c'était pour rendre à cette après-midi un semblant de logique, contre toutes les apparences conjurées de la folie.

— Nous sommes folles, Dora. Ce nain nous a jouées. Il avait seulement pour mission de nous éconduire. Jean Zepwiller a renoncé. Il nous a vues, toutes les deux, comme convenu, aux places qu'il fallait ; mais il a changé d'avis. Il s'est joué de nous, lui aussi. Oh ! Quelle cruauté ! Quelle lâcheté !

Effrayée par l'air hagard de Gabrielle, Dora n'en menait pas large. Elle-même, éprouvée par leur course, ayant déchiré le talon de sa bottine, boitait et s'appuyait au bras de son amie. Pour la première fois, Gabrielle la voyait hésiter, n'osant exprimer les affreuses pensées, qu'elles partageaient, que chacune repoussait pour épargner l'autre. Leurs mains se joignaient, mais leurs regards s'évitaient.

— Promets-moi, disait Dora, promets-moi qu'en mon absence, tu ne tenteras rien. Ma tournée dure trois semaines. Ne tente rien tant que je ne suis pas rentrée. Entends-tu ? Ne cherche pas à voir Clarisse, ne cherche pas à en savoir davantage. Je te l'interdis. Il sera bien temps à mon retour. Entends-tu ?

— J'entends.

— Ne te désespère pas, Gabrielle. Tout n'est peut-être pas perdu.

— Dans deux jours, le cirque part en voyage, sur les routes de Belgique, de Hollande. C'est fini.

— Peut-être Clarisse aura-t-elle encore un message. Peut-être quelque chose est-il intervenu, hors de la volonté des uns et des autres.

— C'est fini, Dora. Jamais je ne retrouverai Jean Zepwiller. Jamais plus il ne me parlera d'Endre.

Ce qui navrait le plus Dora, c'était l'immense déception de son amie, ce désespoir qui bouleversait ses traits d'un chagrin sans larmes, plus inquiétant qu'un éclat. Tant de force, d'énergie et d'obstination, de courage, de foi, tant de témérité pour remonter les pistes, forcer les obstacles, faire tomber les murs, attendrir la pierre des cœurs durs... Elle en aurait pleuré. Mais Gabrielle ne pleurait pas. Elle fermait son visage, devenu de marbre. Sa mâchoire crispée, le pli de ses lèvres, et son front buté résistaient à l'épreuve. Dora l'avait baisée à la bouche à travers sa voilette, dans un élan de tendresse, avant de la quitter, à l'entrée de la galerie Vivienne, rue de Richelieu, jusqu'où elle avait tenu à l'accompagner.

Dès que rentrée, Gabrielle s'était réfugiée dans sa chambre, prétextant sa grande fatigue, qui n'était pas feinte. Par Sassette, montée changer Millie, elle avait fait dire qu'elle ne dînerait ni ne redescendrait de la soirée. Cette chambre d'emprunt était bien le seul endroit au monde où elle fût à l'abri, une fois la porte fermée. Non pas chez elle vraiment, mais elle l'avait adoptée, au fil des mois, ignorant pour quelle jeune fille on l'avait habillée de cette jolie toile de Jouy, de ces meubles gracieux. Dans la niche du petit oratoire désaffecté, elle avait rangé quelques objets de toilette, un miroir de poche, le flacon de son parfum, la brosse au manche d'ivoire et la coupelle d'argent pour ses peignes ; sur le chevet ses livres d'élection, parmi lesquels le volume à la couverture élimée du *Capital*, ramené de la rue Buffon, qu'elle n'ouvrait pas, mais dont la présence lui était chère...

Avec des gestes d'automate, elle avait quitté ses vêtements de ville, la toilette enfilée le matin même, quand elle s'était apprêtée, dans la hâte du départ, pour ce rendez-vous fatal. Maintenant, ils étaient jetés sur le fauteuil, tristes épaves de son expédition inutile. Que tout cela était vain, et cruel ; ses affres de la veille, quand elle plaidait, lamentable, pour convaincre Pierre Galay de sa bonne santé, de la nécessité absolue d'aller à Paris ; et sa joie qu'il ait cédé, lui offrant l'aller-retour en automobile, comme une libéralité de la providence... Le matin même, elle courait, alerte, fervente, se faufilant aisément parmi les passants de la galerie Vivienne, qui semblaient s'écarter magiquement devant elle. Elle y avait vu le signe d'un destin propice, comme à ce taxi, débouchant rue de Richelieu au moment voulu ; et elle volait vers Dora, fidèle au rendez-vous, l'amie ponctuelle, et sûre. Tout s'agençait si bien, glissait si facilement et à folle allure, que cela prenait rétrospectivement l'aspect d'une farce, d'une bouffonnerie odieuse ; et cela s'achevait dans le spectacle illusionniste d'un cirque, ses pantalonnades, ses trompe-l'œil minables, sous les lampions d'une fête grotesque...

Même s'il lui tournait le dos, occupé à la conduite, la tension de Pierre Galay était palpable, son silence pesant. Tout le retour, par elle ne savait quel instinct défensif, elle avait caché son désarroi, mais à présent que plus personne ne la voyait, elle pouvait s'effondrer, se jeter en travers du lit, et enfouir son visage dans l'édredon, pour étouffer les cris qui montaient de sa poitrine, ce râle de détresse, trop longtemps réprimé. Elle ne pleurait pas, ses yeux étaient secs et brûlants, sa gorge aussi. Tout son corps s'arc-boutait de rage, de révolte, contre la traîtrise du destin, contre ce Jean Zepwiller. N'avait-il pas déjà trahi Endre ? Son histoire louche, son passé équivoque, son arrestation et ses affaires douteuses, sa clandestinité, sa fuite, tout témoignait de sa scélératesse. Il l'avait jouée. Il lui avait laissé espérer son aide, arrangeant ce rendez-vous retors, soigneusement mis en scène. Dissimulé, il l'avait observée, impunément épiée, aux côtés de Dora, bien sagement assise à la place assignée, éclairée par les lanternes de la piste, exposée comme sur un théâtre cruel. Il s'était repu du spectacle. Il en avait joui puis s'était défilé, expédiant cet acolyte grimaçant pour lui donner congé, d'une pirouette sarcastique. Plus que sa désillusion, l'indignation, l'humiliation la soulevaient de colère. Tant de malignité, de perversité… Un abîme s'ouvrait à elle, d'entrevoir des âmes aussi noires, l'insondable machination du mal. Qui étaient donc ces gens, d'où tiraient-ils leur méchanceté ? Dora elle-même en était confondue. Elle si avisée, si circonspecte devant les pièges de la vie, en était restée accablée, effarée par cet invraisemblable dénouement…

Peu à peu, Gabrielle se calmait. Elle apprenait lentement, elle peinait à comprendre de quoi était faite la vie ; et de chaque expérience, tirait si peu la leçon, se résignait si mal à l'échec. Mais n'abdiquait pas. Repartait chaque fois, réarmée, combative et résolue, prête à prendre les coups. Je suis coriace, pensat-elle, relevant le front, accoudée au bord du lit, et cela lui arracha un faible sourire. La fenêtre encadrait une portion du ciel d'hiver. Les nuages en charpie étiraient de longs filaments rouges. Ce crépuscule hivernal, désolant et d'une insolente beauté, était en accord avec le paysage intérieur de ses pensées, de ses tourments. Mais la beauté est indifférente aux états d'âme, aux soubresauts de joie ou de chagrin, aux rires comme aux cris.

Ce n'est qu'un ciel naturel, qui fait son intéressant, se dit-elle, le menton dans les poings. Il couvre la campagne comme n'importe quel soir d'hiver. Ce ciel ne me la fera pas, avec ses linges sanglants et sa mélancolie. Je ne suis pas sa dupe. Je tombe, mais je me relève ; ils n'auront pas raison de moi. Peu lui importait qui désignait ce "ils". L'armée des ombres, dont parlait Clarisse ? Les forces du mal que chassait le rebouteux ? Ni diable ni bon Dieu, sur ce théâtre des marionnettes ; seulement les chausse-trapes qu'on se tend à soi-même. On ne souffre qu'à proportion du mal qu'on se fait, à titre personnel, ou de celui qu'on laisse aux autres le droit de nous faire. L'espace de souffrance qu'on leur concède. Qui est aussi celui de l'amour. Parfois. Celui du don, de l'offrande, tellement tentants. Cette chose gratuite qu'on peut donner sans l'avoir, et qui ne vous rend propriétaire que de sa perte… Le Paradis terrestre ne vaut que pour être perdu. Sur le seuil, nous poussons ce brame de souffrance et d'épouvante, qui est notre récompense. Je peux souffrir de Millie, se dit Gabrielle. D'Endre, je souffre, si je veux. Cela me regarde. Mais pas de cette canaille de Zepwiller.

Cette conclusion la remit debout. Si fiasco il y a, je ne me reproche rien. J'ai tenté de mon mieux. Je croyais tirer les fils ; d'autres les tirent à ma place. Cela ne me donne pas tort. Moi aussi, je sais filer les gens, les observer sans me montrer. Un de ces jours, je surgirai au côté de Clarisse, marchant dans la rue. Je lui prendrai le coude, fermement, et je lui ferai un bout de conduite. Elle et moi, nous aurons une petite explication entre quatre yeux sur les tenants et les aboutissants de toute cette histoire. Gabrielle, en jupon, rangeait sa robe sur un cintre, quand on gratta à la porte, un bruit de souris. Sassette passa le nez.

— Mademoiselle… Monsieur demande que vous soyez à son bureau, tout à l'heure. Selon votre convenance, quand vous irez mieux…

— Je ne vais pas mieux, Sassette. Je vais me coucher, à présent…

— Je dois insister. Monsieur y tient, parce qu'il repart demain matin, et pour un certain temps…

Et je ne souffrirai pas non plus par ce Dr Galay, décida-t-elle avec emportement. Il demande, il veut, il ordonne. Il ne me fait pas peur. Qu'il ne s'imagine pas, pour m'avoir servi gracieusement de chauffeur, qu'il peut encore me parler sur le ton suffisant qu'il avait hier soir. Sa bonté est intéressée ; elle se monnaie, comme celle de sa mère. S'il veut que j'accompagne Millie en Suisse, voir les Alpes et le lac léman, son mont Blanc, ses horloges et son gruyère, il doit me parler posément. Et je ne lui lirai pas tous les soirs des poèmes d'Ady ou de Petöfi, pour sa fantaisie.

Elle se rhabilla derechef et remonta vivement le corridor. Son pas si décidé n'aurait pas laissé soupçonner qu'elle avait chevauché la veille un cheval fou dans les bois, poursuivi ce jour des mariniers en goguette le long d'un canal, et joué à qui perd gagne, depuis vingt-quatre heures.

Pierre Galay ne travaillait pas, il ne lisait pas. Il était assis à son bureau, tout à fait désœuvré, les mains à plat devant lui.

Peut-être n'attendait-il pas vraiment sa visite. Peut-être rêvait-il, ou réfléchissait-il, et les figurines inquiétantes sous la lampe ne semblaient pas résoudre les questions épineuses qui froissaient son front. A son entrée, il se déplia péniblement, se leva, comme pris au dépourvu.

— Très bien, dit-il. Vous êtes venue plus tôt que je ne l'espérais. Je vous en remercie. J'imagine que cette journée a été éprouvante. Croyez que j'en suis contrarié. Pour vous, comme pour moi...

Elle accueillit ces paroles de condoléances d'un mouvement de tête prudent, attendant la suite, et refrénant son humeur belliqueuse.

— J'aurais préféré que tout se passât selon vos vœux. Qu'il n'y eût pas de neige pour empêcher les trains. J'aurais préféré que le malheureux épisode d'hier soir n'eût pas lieu, que Loyal n'eût pas peur des chiens... Que Charles nous épargne sa malencontreuse visite... et rien de tout cela ne serait arrivé...

— Comme vous me le faisiez remarquer, la réalité ne se plie pas à notre convenance.

Il affecta d'ignorer son persiflage.

— Je repars demain matin, pour être à Marseille durant plus de quinze jours. Mon projet, en venant ici, était assez urgent. La neige s'y opposait. J'ai emprunté la voiture de ma mère, uniquement pour vous entretenir d'une question délicate et, depuis vingt-quatre heures, j'en suis empêché. Je ne vous dérange donc que forcé par le temps. Ces conditions ne sont favorables ni à vous, qui avez besoin de repos ; ni à moi, qui rencontre votre répugnance à m'entendre, ce soir. Cependant, je ne peux différer davantage. J'espère que vous pourrez faire abstraction de votre fatigue, et de votre déconvenue. Asseyez-vous, mademoiselle...

Il avait dit tout cela sur le ton convenable de la conversation, très maître de lui, et un peu las. Elle prit le fauteuil qu'il lui proposait, tandis qu'il allait vérifier que la double porte matelassée du bureau était bien fermée. Il revint s'asseoir de l'autre côté de la cheminée, approcha son fauteuil et s'accouda, allongea ses jambes. Il regarda le feu, y cherchant une inspiration.

— Ce que je vais vous demander est bien difficile à formuler... J'y ai beaucoup réfléchi. C'est une démarche assez grave pour que je m'en excuse par avance. Vous n'êtes pas n'importe quelle personne. Je vous ai infiniment de gratitude pour ce que vous avez démontré, depuis que vous êtes entrée dans notre maison. Ce n'est pas trop de dire que Millie est heureuse. Millie n'a jamais été heureuse. J'ai vu, cette après-midi, ce que vous avez fait d'elle. Une petite fille épanouie et drôle, pétillante de joie de vivre…

S'il continue comme ça, songeait Gabrielle, je vais bâiller. S'il m'entretient de mes talents, de ma pédagogie excellente, et de mon piano, je m'endors. Elle ne s'endormait pas, elle se tenait sur ses gardes. On ne va pas voir si la porte est fermée pour tenir des discours de remise des prix. On ne tourne pas autour du pot, si on est content de ce qu'il y a dedans. Elle ne savait où il voulait en venir, mais elle restait conciliante et prudente, les mains rentrées dans ses manches pour en cacher les contusions, ses pieds sagement rentrés sous le fauteuil.

— Millie n'a pas souvent l'occasion de passer une journée avec son père… Tous ces empêchements l'ont permis. A quelque chose, malheur est bon, dit-on.

— A quelque chose, malheur est bon… Ainsi, un soir, dans la bibliothèque, vous avez fait tomber des livres… Grâce à cette maladresse, j'ai appris que vous pratiquiez une langue étrangère fort rare. Vous avez bien voulu me traduire quelques vers. M'éclairer sur le contenu de ces livres dont je ne pouvais comprendre un traître mot, depuis qu'ils sont en ma possession. La poésie ne m'est pas familière. Je n'ai pas grand intérêt pour ces textes eux-mêmes. Seulement pour la personne dont je les tiens. C'est d'elle dont je veux vous parler.

Heureusement, Gabrielle était bien enfoncée dans le dossier, un vrai rempart, et sa tête calée contre l'oreillette qui s'imprimait à sa tempe, et ses bras morts, étendus sur les accoudoirs. Elle ne sentait plus rien de ses membres, ni de son visage. Il aurait pu arriver n'importe quoi à ce corps qui s'absentait, il était du plomb et lui faisait l'impression d'une plume ; entre les deux, elle n'était nulle part. Son sang avait reflué de ses joues, son cœur ne battait plus, elle ne respirait plus. Elle ferma les yeux. Mon Dieu, pria-t-elle, faites que je m'évanouisse. Elle savait très bien s'évanouir, quand il le fallait. Mais c'était juste un petit éblouissement ; il passa inaperçu. D'ailleurs, il n'avait pas souci d'elle, trop occupé de lui-même, à surveiller sa voix et son maintien. Quand elle rouvrit les yeux, il s'était levé et tournait le dos, comme quand il avait quelque chose de désagréable à vous dire.

— Ces livres lui appartenaient, je vous l'ai dit. J'ai fait sa connaissance lors d'un voyage. Nous avons lié amitié, dans des circonstances que je ne tiens pas à évoquer. C'était un homme d'une grande qualité.

Gabrielle regardait son dos, sa nuque, les yeux agrandis d'effroi. Il avait visiblement préparé sa causerie. Chaque mot mettait un pion derrière l'autre sur l'échiquier, pas de place pour l'improvisation.

— Il se trouve que des événements récents m'ont rapporté à lui. C'est-à-dire à un legs qu'il m'a confié, sous le serment de ne pas m'en défaire. Je l'ai conservé, bien que, paradoxalement, j'en ignore le contenu. Il s'agit d'un document rédigé en hongrois, sa langue maternelle. Vous comprenez que je suis dans l'impossibilité absolue de le lire. C'est un cahier...

— Un cahier, répéta Gabrielle, à voix basse.

— Un petit cahier d'une vingtaine de pages. Pendant toutes ces années, je me suis interdit de le confier à un quelconque traducteur.

— Un traducteur...

— Oui : il s'en trouve, dans des officines. J'y ai pensé, parfois, mais c'est un document d'ordre privé. Une sorte de testament, j'imagine. Impensable d'en donner lecture à un inconnu. Si invraisemblable que cela vous paraisse.

— Invraisemblable.

Il y a des moments où c'est très confortable de répéter comme un automate, avec des ressorts d'horlogerie mentale qui marchent sans vous, des mots qui s'articulent tout seuls. Le feu crachotte et craque. Les bûches brûlent. La nuit est contre les vitres. L'homme fait trois pas dans un sens, trois dans l'autre. Chacun son mécanisme. Il s'arrête devant vous. Il vous regarde aux yeux. Il est très pâle, mais calme.

— Il se trouve qu'actuellement, je dois absolument savoir ce qu'il contient. Peut-être rien de ce que j'en attends... Mais je dois m'en assurer. Voilà. Je vous demande de m'aider. Traduisez pour moi ce cahier. Le voulez-vous ?

Elle était déjà dans le couloir, en train de fuir, ou sur la route, dans la neige, la nuit. N'importe où pour ne pas être sous son regard, parce qu'elle était à deux doigts d'en mourir. Elle ne bronchait pas d'un cil.

— Ce que je vous demande est indélicat. Je ne m'y résous qu'en raison d'une nécessité impérieuse. Parce que je ne connais d'autre personne au monde à qui je puisse demander ce service. Je vous fais confiance. Quoi qu'il contienne, vous en garderez le secret.

— Le secret !...

— Ah ! Ne refusez pas ! Je vous en prie ! s'écria-t-il avec emportement.

Elle s'était enfin arrachée au fauteuil. Ses jambes étaient assez solides, elle tenait debout et le plancher résistait vaillamment sous elle. Elle pouvait même sourire, faiblement, certes, mais d'un air naturel, et même engageant.

— Vingt pages... C'est très facile, monsieur.

Il lui avait pris les mains, les serrait si fort qu'il lui arracha un cri.

— Oh ! Vos pauvres mains, pardonnez-moi… Vous êtes épuisée, vous venez de vivre une journée détestable, et je vous malmène… Mais vous acceptez, n'est-ce pas ? Vous voulez bien !

Elle fit oui, une chaleur violente envahissant sa face et elle était glacée ; elle tremblait de la tête aux pieds.

— Je reviens dans quinze jours. D'ici là, vous aurez traduit ce cahier, n'est-ce pas ? Demandez-le à Meyer. C'est lui qui le garde. Meyer m'est dévoué. S'il vous plaît.

Il avait des yeux véhéments, extraordinairement brillants de larmes suspendues au bord des paupières, qui ne coulaient pas ; l'air furieux des gens qui ne savent pas pleurer. Alors, elle tenta un geste étourdi, tendit à l'aveugle sa main vers son front et suivit la ligne de son sourcil, tomba le long de sa joue du bout des doigts et tout naturellement, atteignit sa bouche, qu'elle toucha légèrement, surprise de la pulpe chaude de sa lèvre.

— C'est une si étrange chose que vous me confiez ce cahier, murmura-t-elle. Une chose grave, monsieur, d'avoir attendu tout ce temps…

Elle retirait sa main, mais il la reprit. Cette fois avec précaution, la garda.

— Oui… Plus tard, je vous dirai… commença-t-il dans un souffle, puis il se tut.

— Plus tard, dit-elle.

XXV

A peine refermée sa porte, Gabrielle manque de défaillir. L'excès de son bonheur illumine la chambre. Par un enchantement, ses yeux percent l'obscurité, elle y voit comme en plein jour ! Endre n'a pu quitter la vie sans lui laisser un signe, elle l'a toujours su. Elle est bénie de l'avoir cru sans faillir. Que de nuits elle a cherché au firmament cette étoile, éteinte depuis longtemps et dont persiste pourtant la lumière, petite et toute blanche... De même que dans le silence la dernière note continue de résonner, la voix aimée lui parvient enfin, de si loin, de si longtemps, et par quel inconcevable chemin... Un cahier ! Il s'adresse à elle, évidemment, puisqu'il écrit en hongrois, dans la langue de l'enfance, de leurs jeux, de leurs lectures, celle de leurs confidences et de leurs serments, qu'il parlait tout bas autrefois dans ses cheveux... A cet instant, elle veut le croire, le souvenir de son souffle sur sa peau est si vivant, si vrai, qu'elle le sent là. Cette fois, il ne se tient pas à l'écart, dans quelque retraite d'ombre, mais pressé contre elle, en train de murmurer des choses délicates, tentantes et amoureuses, la bouche posée sur son lobe brûlant, comme alors... Entend-on mieux la voix des morts que celle des vivants ? On dirait que l'oreille en palpite encore, son onde se propage, de plus en plus forte, réveille son vibrato jusqu'au fond des entrailles... Alors ce cahier lui porte la voix disparue, dans la langue intime, la langue étrangère qu'eux seuls partagent. C'était donc l'aide que lui demandait Pierre Galay, dès leur première rencontre ! Par quel détour fatal de l'histoire accomplit-il à son insu le vœu de son amant, en lui portant sa missive, un cahier, des pages écrites de sa main ? Il *devait* les lui remettre. Il lui donne raison d'être dans sa maison, ce soir. De s'être tant donné de mal pour y parvenir. Elle ne se donne plus du tout raison à elle-même, pleine de honte et de colère, parce que, quoi qu'elle en proteste, son amour n'est plus si grand, ni la douleur de la mort. Si affreuse quelques mois plus tôt, elle s'est tempérée, atténuée en tristesse impure, ce soir mêlée à un sentiment nouveau, une sorte de remords, de gratitude navrée envers le messager élu par Endre, qu'elle trahira, bien sûr... Dès ce soir elle le sait : pour rien au monde elle ne traduira à Pierre Galay ce que cèleront ces pages d'elle et d'Endre, de leur histoire, de leur amour... Cela lui appartient, en toute propriété. Et il la supplie d'en garder le secret !... Elle le fera. Le traducteur insincère tourne et tord les langues, qui s'y prêtent, pleines d'écarts et de mensonges, infidèles par nature... Les hommes sont bien crédules de s'y fier... Elle a quinze jours devant elle, un délai suffisant pour inventer à sa guise... S'il lui avait demandé de s'exécuter devant lui, dans l'instant, comme pour les poèmes, aurait-elle eu la présence d'esprit nécessaire ?... Mais il lui laisse le temps... Il lui fait confiance ! C'est une langue rare. Une belle langue. On le dit. Voilà ce que, dès ce premier soir, il voulait d'elle ! Ne pense qu'à ça, depuis lors. Ah le beau hasard, la divine surprise de cette traductrice tombée du ciel ! Une nécessité récente exige, maintenant, dit-il, qu'il fasse traduire ce document... Un document ?... Comment nommerait-il autrement un écrit dont il ignore tout, incapable d'en interpréter un seul mot ? Tenu si longtemps dans l'oubli, par quelle négligence, ou volonté, ou par crainte d'en apprendre quoi ? Et pourquoi rapporte-t-elle soudain son urgence à le traduire à la disparition de Jean Zepwiller, à son subit escamotage de la scène... C'est qu'un lien existe entre eux deux, autrefois ligués contre Endre... Il a existé, puisqu'ils sont ensemble, sur le pont du navire. Alors peut-être ce cahier l'éclaire-t-il d'un jour implacable... Ah ! Pierre Galay, vous ignorez vraiment à qui vous vous adressez. Si habile que vous soyez, vous vous livrez à moi très dangereusement ! Mais elle ne se précipitera pas dans la nuit, pour réclamer le cahier à Meyer. Si près du but, ce serait folie... Quoi qu'il lui en coûte, elle ne perd pas la tête : elle rend service, s'exécute uniquement par obligeance... Mille pensées contradictoires se heurtaient ensemble, illuminantes et méchantes, calculs épuisants, conjectures, adversités et providence, ivre de ce bonheur qui venait si tard, dévalué dès que rencontré, furieuse envers elle-même, envers cet homme qui la prenait sans le savoir en otage de ses propres mensonges, et au fond de tout cela l'immense, l'amère tristesse, elle en chavirait de fatigue. Elle se jeta sur le lit, les jambes rompues, les yeux embués de mauvais sommeil. Comme elle aspirait à l'innocence, à la transparence, et elle en était si loin. Comme elle désirait la résolution des tourments, et la paix... et dormir, dormir...

Le lendemain matin, Gabrielle descendit un peu tard, mal réveillée du trop long et lourd sommeil qui assomme au lieu de réparer. Un courrier l'attendait, posé contre sa tasse, sur le couvert de son petit-déjeuner. La cuisine était déserte à cette heure. Millie devait être quelque part, avec Sassette ; le docteur reparti au petit matin, chacun vaquant à son ouvrage, et la maison avait retrouvé son atmosphère ordinaire, après les turbulences des derniers jours. Encore fourbue, assez malcontente et intriguée par cette écriture inconnue, aux caractères nerveux, crispés comme des insectes, elle décacheta l'enveloppe anonyme. Sauf Dora, et selon les dispositions qu'elle avait prises, personne ne lui écrivait ici. Quelle fut sa surprise, et sa contrariété, cherchant aussitôt la signature, d'y trouver celle de Michel Terrier ! Elle s'approcha de la fenêtre, et parcourut en diagonale la longue missive, partagée entre l'irritation et la curiosité. Comment osait-il, de quel droit... Mais il s'en expliquait, s'en excusait...

... Chère Gabrielle, etc. *cette disgrâce injuste dans laquelle vous me tenez... j'en comprends les motifs, ayant si malencontreusement heurté votre susceptibilité en me présentant à la gare Saint-Lazare... maladresse... mes excuses... consterné... etc. si j'en avais mesuré l'indélicatesse... Cependant, chère Gabrielle, cette légitime rigueur me désespère... quoi que je fasse, mes pensées inquiètes volent vers vous... l'indiscrétion n'est pas bien grande, il n'est pas si difficile d'apprendre que la demeure familiale des Bertin-Galay est au Mesnil, où je me permets... dans le grand silence où vous me laissez... et courant le risque de me compromettre définitivement à vos yeux... Blablabla... Car vous avez su, lorsque vous en aviez besoin, trouver en moi l'ami qui,* etc. *le malheur qui vous touchait... s'il est encore en mon pouvoir..., au nom de l'amitié que vous sembliez me porter... cette invitation... humblement votre pardon et votre confiance... si vous n'y veniez pas, j'y verrais alors le signe... votre très dévoué et fidèle ami...*

Quel discours ! Et il joignait une place pour un ballet, au théâtre ! Elle restait interloquée, gagnée surtout par le remords d'avoir chassé le jeune homme de ses pensées, depuis des semaines, de son ingratitude, et de sa désinvolture. Mais vraiment, il la poursuivait. Elle ne savait plus si elle devait s'offusquer de sa démarche, de sa hardiesse à la rechercher, au risque de se *compromettre définitivement*, disait-il... Ou bien y voir la preuve touchante, et toujours aussi maladroite, d'un réel attachement. La date de cette invitation, le 3 février, coïncidait avec celle de son congé, l'avait-il calculé ? Samedi, à la fin de cette même semaine... Irait-elle à son rendez-vous, encore une fois ?... Elle but debout sa tasse de café, la tête brouillée, protégeant son engourdissement pour ne pas se réveiller tout à fait. Le papier craquait dans sa poche. Il crépitait doucement, comme une étincelle électrique. Eh bien, pensait-elle, que vienne, dans tout ce brouillard, le signe amical d'un être que rien n'attache à vous, que rien n'oblige, et qui pourtant persiste à vous servir, voilà de ces présents du matin qu'il faut prendre en bonne part... Pourtant, presque aussitôt, elle oublia la lettre dans sa poche, reprise par son envie de traverser tout de suite la cour et de courir à l'écurie. De trouver Meyer dans la minute. Mais elle s'était juré patience et prudence.

Elle attendit donc jusqu'au soir. Différer le moment où elle emporterait le cahier dans sa chambre la remplissait même d'une jouissance étrange, comme d'hésiter au bord du précipice, d'y danser pour tenter son vertige, avec la peur au ventre, et l'exaltation d'en défier le vide. Tout le jour, elle joua avec cette idée, trompant le temps, feignant l'insouciance. Alors elle retournait vers Millie, lui lisait un conte, l'embrassait un peu trop fort. A quatre heures, elle jouait gaiement dans le petit salon de musique, et puis s'absorbait passionnément à chercher une pièce du puzzle avec elle, et l'aiguille de la pendule tournait si lentement... Le soir vint enfin. Avant de passer à table, profitant de l'inattention générale, elle parvint à dire à Meyer, d'une voix égale, ce qu'avait demandé le docteur, à quoi il acquiesça d'un bref hochement de tête en accrochant son manteau, comme si ce fût la chose la plus naturelle du monde. La plus miraculeuse du monde.

Alors imaginez qu'à la pêche miraculeuse, au fond du filet où vous attendez que scintillent les écailles d'or, se présente l'espèce la plus étrange, la plus monstrueuse, qu'aucun bestiaire n'imagine, qui ne répond, dans son immonde et délicate beauté d'animal marin, à aucune faim, aucune soif, ne figure aucune forme connue, et cependant vous regarde de son œil mort ; qui interroge et vrille votre cerveau de son regard d'outre-monde. Un cahier à couverture de toile rouge, fanée. Une vingtaine de pages, en mauvais papier ligné, tachées d'auréoles jaunâtres. Et rien, rien à comprendre ! Gabrielle s'y était jetée avec un fol espoir, mais quelle fut sa déconvenue ! Le manuscrit était bien de la main d'Endre, de cela elle avait la certitude. Rien n'était plus poignant : c'était bien son écriture couchée. A peine plus contractée qu'à son ordinaire. Cela lui tordait le cœur... Mais ces pages ne racontaient rien, absolument rien d'humain. Rien de sensible ou d'intelligible. Des vocables, un jargon absurdes.

Pourtant d'une implacable logique, articulés par des liaisons, des chevilles et des verrous, mais nulle part une clé, le mode d'emploi ou la règle. Un langage codé ? De ces langues forgées que parlent les illuminés... Le délire d'un dément, la farce d'un démon.

Gabrielle examinait la couverture nue, sans date ni titre. Nulle signature, aucun nom. Si elle n'avait si bien connu son écriture, rien n'aurait authentifié ce manuscrit anonyme. Le papier de trame grossière, pelucheux comme un buvard, provoquait, ici ou là, des pâtés d'encre ; le texte couvrait la page bord à bord, avec de rares paragraphes, sans marge. A toute vitesse, elle feuilleta ces pages incompréhensibles, dans un tel effarement que, si cruelle qu'elle fût, elle en oubliait sa déception. Elle lisait très bien cette langue. Assurément du magyar correct, avec ses accents suscrits et ses trémas, et sa syntaxe dérivante enchaînant les agglutinations composites, qu'elle devait articuler à voix haute pour les adapter à son oreille, sans que l'équivalent phonétique délivrât davantage la signification. C'était une telle fréquence de mots d'origine latine ou grecque, qu'elle crut y reconnaître un charabia scientifique. Celui du chercheur lancé dans ses élucubrations, résolvant au tableau une équation inédite devant ses étudiants stupéfiés, qu'il a oubliés en cours de route... Qui trouverait un sens à ce texte ? Car c'était un texte ! Mais pour la plus grande part des nombres, des formules chiffrées, des noms de substances inconnues tout au long et exclusivement rédigés dans l'écriture alphabétique. Ce qu'elle comprenait petit à petit, feuilletant les pages, égarée dans l'imbroglio de cette langue à la fois familière et étrangère, mais dont s'éclairait peu à peu la loi organique...

Le cahier est sur la table. Il est dix heures du soir, ou la minuit passée. Le monstre gît sous la lumière de la lampe. Le filet l'a remonté des profondeurs de la vase ; au jaune douteux de ses pages, on sent la saleté. A l'examiner sérieusement, c'est une machine de guerre au savant camouflage. Voilà ce qu'elle dirait à Pierre Galay, à son retour. Il le sait d'avance. Du moins il s'en doute, pour différer si longtemps la traduction. Pour s'entourer de pareilles précautions. Un tel objet se prend avec des pincettes ; à le toucher on a peur. Peur d'imaginer ce qu'il contient. Les raisons du procédé. Ce qui inspire à son auteur de masquer, dans l'écriture calligraphiée d'une langue naturelle, les symboles du mathématicien, du chimiste ou du naturaliste, qui passent les frontières des pays sans besoin de traducteur. L'initié y lirait à livre ouvert. Alors Endre camoufle les équations scientifiques, chiffres et formules au lecteur accidentel. Pour plus d'illisibilité encore, dans sa langue, le hongrois, qu'il sait une des plus rarement pratiquées. Sous la lampe, le cahier rouge a l'aspect ingénieux d'un journal intime ou de voyage. Il cèle un contenu alchimique. Opération intelligente, maligne, si elle n'est pas le délire d'un aliéné. Obéissant à de funestes raisons, d'impérieuses raisons. Que Pierre Galay connaît, assurément. Que Jean Zepwiller connaît peut-être. Cette chose sale et dangereuse, qui porte le malheur, la persécution, la mort.

Une fois admis son principe, à la fois obscur et lumineux, Gabrielle comprit que ce cahier corroborait les pires hypothèses avancées par Clarisse, ce qu'elle proférait de menaces occultes dans sa cuisine, dans la blancheur aveuglante de ce jour de neige, où tout s'était défiguré. Au point qu'en fuyant, épouvantée, Gabrielle les avait vouées, non à l'oubli, mais au déni. Refusant d'entendre, de comprendre un traître mot des avertissements. Dès lors, elle courait à sa perte. Elle courait déjà le long d'un canal avec Dora, vers ces ombres sinistres avalées par le brouillard. Jean disparaissait sous ses yeux, à cause de ce cahier. Et s'il ne le détenait pas, il en savait l'existence. Du moins, il en savait la signification. Il pouvait en mourir, comme Endre en était mort...

La maison dormait. La nuit était noire, sans lune, sans étoile. Une de ces impitoyables nuits d'hiver qui condamnent à la déréliction, au grand frisson de la nudité originelle. Gabrielle restait pantelante, frappée du coup qu'on donne à la nuque du supplicié sur le billot. Le noir soleil des tragédies vous éblouit de cette lucidité aveuglante. Que sert encore de s'arracher les yeux, de partir mendier sur les routes la clémence des dieux ? Entre les murs, elle pouvait tourner toutes les conjectures, se cogner à tous les coins, aucun n'offrait d'issue, que celle-là. Pierre Galay pouvait bien prendre ses airs souffrants, et Clarisse se tordre les mains, et Jean se cacher sous une perruque de clown, et elle à présent gémir en pensée, ils étaient tous dans la main du diable. Celui-ci soufflait sur eux son haleine pestilentielle, d'ordure et de mort... Dire qu'elle avait pris, l'autre soir, la nouvelle de ce cahier pour une grâce du destin, pour le geste de l'ange magnanime qui, de l'aile, rend justice, apaise les tourments ! Elle avait cru à une lettre d'amour, à un adieu miséricordieux, une bénédiction... Surgi de sous les plumes célestes, c'était l'affreux ricanement de l'archange, si beau dans l'arc-en-ciel de son plumage divin... La hideur de sa face véritable... Le cahier ouvert sur la table, les pages couvertes de l'écriture élancée d'Endre, ses hampes et ses jambages élégants, étaient une illusion d'optique, un leurre offert sous les espèces du visible, pour mieux anéantir. Ces pages brûlent qui les touche, comme autrefois le poison des princes imprégnait les linges, collait à la peau, dévorait les chairs et convulsait les corps.

Gabrielle mit du temps à se convaincre de rédiger méthodiquement la traduction, humiliée, et effrayée d'en tirer un texte plus hermétique, plus sibyllin qu'un oracle. Chaque soir, elle y revenait comme à un supplice, s'appliquant à trouver d'approximatives équivalences aux formules qu'elle déchiffrait, qu'il lui fallait le plus souvent énoncer à voix haute pour y reconnaître un hypothétique vocable. Exaspérée par son incompétence, incertaine du lexique, elle manquait d'un dictionnaire, d'une nomenclature, d'un index ; et de toute façon, ce qu'elle rédigeait était un galimatias, ne progressait vers rien. Elle se sentait dépossédée, gagnée par la rage de servir, à son corps défendant, un dialogue entre Endre et Pierre Galay, à elle inaudible. De bégayer cette langue scientifique d'eux seuls connue, qui scellait leur connivence, le lien puissant noué par cette aventure, dont venait tout son mal. Pas une ligne du cahier n'évoquait son existence, sa vie à elle. Pas un mot pour la petite fiancée, abandonnée à sa jeunesse, à ses illusions. Etait-elle encore assez folle pour le traduire ! Ce cahier portait sanction de l'oubli auquel elle n'avait pas voulu croire. Il l'excluait, définitivement. Le comprenait-elle, enfin ? Quand il avait rédigé ces lignes, Endre ne se souvenait pas d'elle, ne l'aimait plus, depuis longtemps... C'était si cruel, qu'elle ne savait ce qui la désespérait davantage. D'avoir cru que ces pages lui seraient destinées d'une quelconque manière ; de comprendre que Pierre Galay en était le seul destinataire. De lui avoir si étourdiment promis de le traduire – c'est facile, disait-elle ! –, et d'en garder le secret... Ou encore d'entrevoir que le contenu de ce cahier donnait raison aux mises en garde de Michel Terrier sur le passé criminel du docteur. Qu'il salissait, défigurait les derniers souvenirs d'Endre, et tournait en farce dérisoire son agitation pour préserver sa mémoire... Quand donc reviendrait Dora ? Quand donnerait-elle, ne serait-ce qu'un peu des nouvelles de Clarisse... Et la silhouette de Jean continuant de disparaître dans le brouillard obsédait ses pensées, hantait ses nuits du même cauchemar.

Le cauchemar continuait le jour, parce qu'il lui fallait malgré tout composer son personnage à chaque instant. Millie était là. Pour elle, il fallait trouver la force de s'étourdir, et de tromper l'inquisition, car toute la maisonnée voyait bien son humeur sombre, son air d'inattention, inhabituel. On s'inquiétait de ses mains convalescentes, de son petit appétit, de sa mine défaite. Alors elle éludait les questions, prétextait une indisposition passagère, sans doute le contrecoup de sa mauvaise chevauchée... L'escapade à Paris avec Millie et son père n'avait pas été commentée ; chacun évitait de revenir à cette journée détestable, sentant bien qu'un motif susceptible avait nécessité l'aller-retour bizarre, le séjour impromptu du docteur et son départ subit. Millie ayant raconté de long en large sa journée avec son père, personne n'ignorait que Gabrielle l'avait passée de son côté. La discrétion des domestiques envers les maîtres, leurs histoires et leurs caprices, lui épargnait les questions directes, mais elle sentait leur réprobation ou leur souci, irritée de ne savoir s'en protéger mieux. Seul Meyer n'en semblait pas affecté, comme s'il fût instruit de ses raisons, depuis qu'il avait remis le cahier entre ses mains. Cette semaine-là, les promenades à cheval étant suspendues, l'occasion d'échanger un mot avec lui à ce sujet ne se présenta pas. Elle préférait, d'ailleurs, éviter sa perspicacité et le laconisme incisif de sa conversation. La perspective de repartir pour deux jours à Paris, de s'éloigner du cahier rouge, rangé dans un tiroir de sa chambre, la rongeait d'inquiétude. Elle appréhendait aussi le face à face avec Agota et Renée, qu'elle souffrait chaque fois davantage de tenir dans l'ignorance de sa vie, de cette double vie dont le tourment dépassait toutes ses prévisions. Dans quel maquis de compromis, de contradictions et de mensonges avait-elle réussi à se perdre, pour faire des êtres chéris des adversaires, dont il lui fallait se méfier ; et d'elle-même qu'avait-elle fait, sinon sa propre ennemie, comme l'en menaçait Dora...

C'est dans cet état d'esprit détestable qu'elle prit le train, une fois de plus, et assise au coin de la fenêtre, regardant défiler le paysage hivernal de la campagne, puis de la banlieue, elle avait le sentiment de se débattre dans une toile d'araignée, les fils d'une trame inextricable ourdie par un ouvrier machiavélique qui tissait ses rets autour d'elle. Vers quoi se précipitait-elle, depuis l'automne, depuis cette rencontre fatale avec Michel Terrier au bord d'un trottoir, qui l'avait lancée dans cette aventure ?... Et maintenant obéissant à son invitation saugrenue, à cette lubie d'un spectacle de danse, si étranger à ses soucis – sans doute un malentendu de plus, une pitrerie du hasard –, vers quoi dirigeait-elle ses pas ?...

Parmi la foule qui envahissait le hall du théâtre du Châtelet, les escaliers tapissés de rouge sous l'or des lustres, et jusqu'aux galeries de déambulation, elle avait eu du mal à se frayer un chemin et à trouver sa loge, sur l'indication des ouvreuses, débordées. Doutant que Michel Terrier la rejoigne facilement dans cet embarras, elle ne l'avait pas cherché non plus parmi les innombrables visages, plus ennuyée que séduite par l'événement artistique où il la fourvoyait. *Le Lac des cygnes !* On annonçait pourtant la nouvelle chorégraphie, révisée par Fokine et que les Ballets russes avaient créée, à Londres, avec Nijinski. Mais Gabrielle se souciait peu du propos puéril, de ce conte romantique, et des fameux entrechats acrobatiques... Elle s'était frayé un chemin parmi le public mêlé de dames d'âge et de vieux messieurs, frémissants d'enthousiasme pour un triomphe qui semblait le leur ; de jeunes gens infatués, se lançant des œillades d'initiés, très affairés à protéger de la presse les belles élégantes. Le froufrou des toilettes, les effluves de parfums, la chaleur et le brouhaha lui avaient tourné la tête, et elle avait été soulagée d'atteindre enfin le relatif isolement de sa loge. La salle s'emplissait, dans cette effervescence factice qui prélude aux célébrations dévotes, où l'on s'épie d'un balcon à l'autre, d'où l'on se lance des signes de reconnaissance satisfaite, avant de communier dans la même extase de commande, avant d'applaudir à tout rompre, une fois la messe dite. Ah ! non, elle n'était pas contente de devoir assister à l'adage et au célèbre pas de deux, à la danse des petits cygnes du deuxième acte, et aux virtuosités du Cygne noir, de vibrer pour les malheurs d'Odette à l'unisson avec cette salle frivole, elle qui avait tant aimé découvrir les ballets de Diaghilev avec Dora... L'orchestre finissait de s'installer, les musiciens d'accorder leurs instruments, et la place de Michel, à côté d'elle, restait toujours vide.

Allait-il, comme au Louvre, lui fausser compagnie, se demandait-elle, moins inquiète que curieuse de voir s'il oserait vraiment ce nouvel et ultime affront... Car il jouait vraiment sa dernière carte ; et elle la lui laissait tenter. Avec une espèce de distance ironique, elle s'imaginait telle qu'il la verrait, s'il entrait à l'instant dans la loge, gracieusement accoudée au bord de velours, cherchant à la jumelle de théâtre d'entrevoir les musiciens dans leurs préparatifs, sa mince silhouette prise dans la robe de taffetas bleu de Prusse au col en pompons de duvet, les mêmes, comme une guirlande de flocons, bordant son petit calot, crânement posé sur le front... Elle s'amusait à composer son attitude, jouant à la désinvolte spectatrice, ravalant sa contrariété d'être là, d'attendre, et de subir le spectacle, bouillant de quitter la place sur-le-champ. Et pourtant, tellement agitée par les événements récents, dans l'expectative et dans l'incertitude, qu'elle ne pouvait s'offrir le luxe de manquer Michel, s'il venait. Elle doutait de tout, de ses intuitions, de ses élans et de ses rêves, de ses sentiments et jusque de ses sens… La réalité était aussi mouvante et changeante que les rêves, aussi absurde, aussi déconcertante. Si elle donnait sa dernière chance à Michel Terrier, par dépit, par désenchantement, peut-être jouait-elle aussi la sienne avec lui… Elle en avait une légère anxiété, un chagrin insidieux, comme de ces rêves naïfs qu'on dévalue avec le temps, ces ardeurs juvéniles qui révèlent leur insignifiance, leur insuffisance foncière, dont on s'enivrait pourtant des promesses, auxquelles on revient par intermittence, avec le désir inavoué de retrouver intact leur charme primitif… Voilà ce qu'elle pensait, tandis que les premiers accords de Tchaïkovsky succédaient au silence de la salle, enfin réduite à l'immobilité et à l'obscurité. C'est alors que Michel s'était glissé sur son siège, surgi de l'obscurité environnante, et comme il se penchait dangereusement vers elle, elle avait reconnu l'odeur d'ambre et de cuir, un peu fauve, qui émanait de ses gants, ou de son écharpe. Mais à peine s'était-elle tournée vers lui, n'offrant à son regard que son profil, contente que l'ombre dissimulât la légère rougeur montée à ses joues.

— Vous êtes venue, Gabrielle ! Vous me pardonnez donc !… chuchota-t-il contre son épaule.

Elle sourit, affectant d'être suspendue à ce que ses jumelles lui offraient de passionnant.

— Vous arrivez à point, mon cher…

— Le plus tôt que j'ai pu.

— Mieux vaut tard…

— J'espère que vous aimerez ce spectacle.

— Sûrement. C'est un événement !

— On l'annonce comme tel.

— Vous avez dû avoir bien du mal à vous procurer ces places…

— Aucun. Seulement le plaisir de vous complaire…

Des voisins protestèrent de leur bavardage. Ils se turent un instant, s'observant à la dérobée dans la pénombre, mais dès que débuta le ballet, la lumière de la scène illumina leurs visages. Dans la féerie du parc où Siegfried fête son anniversaire, le prince et ses compagnons entraînaient déjà tout le corps de ballet dans la première valse… Elle inclina la tête, plaça sa bouche près de son oreille, pour parler le plus bas possible.

— Quelle idée avez-vous eue de choisir ce ballet ?…

— Je ne savais quoi inventer pour vous tenter.

— Aviez-vous besoin de me tenter ?…

— Depuis notre dernière malheureuse rencontre, je me tords la cervelle pour trouver une occasion, et j'ignore tout de vos goûts !… J'ignore jusqu'à votre regard. Regardez-moi, Gabrielle… Vous me fuyez, vous m'évitez… Combien de fois êtes-vous revenue à Paris, sans me donner signe ?… Ah, si je ne vous avais pas manquée au Louvre…

— Oublions cela. Aujourd'hui, je suis là. Vous aussi…

Elle souriait sans effort, creusant sa joue de la fossette si rare, heureuse de le retrouver tel qu'en lui-même, gauche et inquiet, avec son air attendrissant de chevalier servant, qui la désarmait si bien. Entre l'obscurité et les feux de la scène où la reine venait de paraître, leur aparté avait pris un air de clandestinité charmante.

— Je suis contente de vous revoir, Michel, chuchota-t-elle encore, avant de se redresser.

Alors, il prit sa main, s'en empara avec une fermeté inattendue, si bien qu'après un instant de surprise, elle répondit longuement à sa pression.

Le temps que dura le spectacle, ils ne bougèrent plus, peu à peu fascinés par la beauté pathétique des figures qui stylisaient le drame, la chasse et le ballet des jeunes cygnes, le doux et langoureux pas de deux d'Odette et du prince, plus encore par l'élan du corps diaphane des danseuses dressées sur leurs pointes, leur nudité offerte… et lorsque le tonnerre d'applaudissements souleva la salle, ils se firent enfin face, un peu pâles, étonnés du long intermède silencieux qui les avait unis. L'entracte annoncé libérait les rires, les appels ; la foule les emporta et sans avoir échangé un mot, ils se retrouvèrent dans le foyer où l'on servait des rafraîchissements. Il s'éloigna, le temps d'obtenir un verre, et lorsqu'il revint près d'elle, à l'écart, près d'une statue dénudée de l'Aurore qu'abritait une plante verte aux palmes cirées, elle remarqua qu'il portait un habit bien coupé, et une écharpe de cachemire, fut touchée du soin qu'il avait mis pour elle à sa toilette. Ses traits durs, taillés au ciseau, s'adoucissaient sous les ors, et elle eut pour lui un grand élan amical, peut-être parce que, en dépit de sa sentimentalité, le motif du ballet, l'amour trahi d'Odette, ensorcelée par Rorbart qui la jetait à son destin de bel oiseau, éveillait en elle une affinité mélancolique, et que Michel avait peut-être choisi le spectacle pour cette raison secrète…

— Vous rappelez-vous ce premier jour, où nous nous sommes connus ?

— Vous vous êtes évanouie sur le beau tapis du commandant Feltin… Je vous ai tenue dans mes bras, quelques secondes…

— Non, non, coupa-t-elle. Notre vraie rencontre : notre collision au bord du trottoir, boulevard Saint-Germain…

— Etes-vous plus heureuse de cette rencontre que de la première ?

— Eh bien, oui. Vous étiez comme une apparition, mon bon ange, dans le soleil du soir. Le serez-vous encore ?…

— Ce n'est pas ce que vous sembliez penser, gare Saint-Lazare…

— Vous me rappeliez trop combien j'étais loin de réaliser vos vœux… Je mène une vie recluse, très différente de ce que vous imaginiez. Cette place d'institutrice est prenante, et je m'y consacre de mon mieux. Du coup, j'ai presque perdu de vue la raison qui m'inspirait… Souvenez-vous. Vous m'aviez engagée à approcher, par le détour, ce Dr Galay, supposé détenir tant d'informations sur mon fiancé…

— Eh bien ?… N'avez-vous rien appris qui vous contente ?

— Si peu… En réalité, plus que cela… C'est-à-dire beaucoup, et rien.

— Ah ! Gabrielle, racontez-moi tout. Je ne vous quitterai pas tant que je ne serai pas rassuré à votre sujet. Allons ailleurs. Cet endroit est tellement solennel que nous sommes comme des fantômes devisant entre les statues…

— Mais il reste encore deux actes !

— Qu'importe ! Nous savons bien ce qu'il advient de Siegfried, d'Odile ou d'Odette… La passion est dévorante. Elle tue, c'est entendu. Alors, lissons nos plumages et volons vers les réalités !

Ils s'enfuirent comme deux collégiens en rupture, quittant le théâtre pour la rue où tombait la nuit. Dans la brasserie des quais où ils entrèrent, ils retrouvèrent d'emblée la connivence autrefois nouée dans le petit salon de thé quand, se mesurant l'un à l'autre, ils avaient fini par accorder leurs voix et leurs regards. Un grand miroir entouré de plantes vertes renvoyait l'image de la chaussée, derrière les vitres, l'agitation urbaine et ses mille passants, ce fourmillement indifférent des êtres emportés chacun vers leur destination, quand eux, s'isolant du tapage du café, se penchaient l'un vers l'autre comme de vieux amis, et c'était tellement réconfortant qu'elle en eut un frisson de joie enfantine, d'un élan toucha du bout des doigts la main qui avait si longuement gardé la sienne.

— Voilà que vous êtes de nouveau mon ami, dit-elle, plus émue qu'elle n'aurait voulu.

— Et votre bon ange, n'est-ce pas ?

— Le serez-vous encore tout à l'heure ?… Car j'ai des choses à vous dire, qui vous fâcheront…

— Me fâche que vous abîmiez vos mains à je ne sais quels travaux ingrats...

— Non, non, c'est un stupide accident...

Sa peau ne pouvait encore supporter de gants, les contusions et les écorchures de ses mains restaient encore visibles. Elle les cacha sous la table.

— Alors, Gabrielle, quelle vie menez-vous ? Où en êtes-vous de votre enquête ?

— Rien ne se passe comme vous l'aviez pensé. Mme Bertin-Galay exige que sa petite-fille soit élevée à la campagne, où je reste avec elle. Au Mesnil, où vous m'avez écrit... Et je vous avoue que la liberté que vous avez prise m'a d'abord fort contrariée, car je me suis appliquée à ne rien laisser transpirer de ma vie privée, ni de mes relations. Même ma tante et ma nourrice sont interdites de m'y écrire ! Vous voyez de quelles précautions je m'entoure... En réalité, je les crois inutiles, car ces gens sont inoffensifs, et bons pour moi, très loin d'imaginer que je suis comme un loup dans leur bergerie ! La petite fille m'est attachée à présent, et moi à elle. Elle est si seule, si négligée de tous. Son père se soucie à peine de son éducation, et ne fait que de brèves apparitions là-bas. Je l'ai rencontré. Il est d'un abord difficile, distant, exclusivement occupé à ses recherches ; il n'accorde que peu de temps aux siens... D'ailleurs c'est une famille de grands bourgeois, des industriels, des notables, courant chacun à leurs affaires... Je pourrais vous les décrire comme des personnages disparates, aussi peu assortis que possible ; plus que tous, le père, M. de Galay. Un dilettante, un esthète, méprisant les siens, qu'il traite en étrangers ; pourtant un homme assez fascinant, apparu à Noël et aussitôt reparti... Mais cela n'est pas intéressant, vraiment... Cela explique seulement pourquoi, dans l'impasse où je me trouvais, j'ai soudain suivi une piste nouvelle qui s'offrait à moi...

— Une piste ? Vous avez donc trouvé, là-bas, quelque chose qui intéresse votre cousin ?

— Rien là-bas, coupa-t-elle vivement.

Sa gorge s'était serrée. Pour rien au monde, elle ne parlerait du cahier ! Déjà inquiète de paroles trop vite lâchées, elle prit le temps d'une inspiration.

— Non, Michel, pas là-bas, mais chez moi ! Rue Buffon ! La vaine attente de toutes ces semaines devait aiguiser mes sens, faire travailler ma mémoire, hors de ma conscience car, soudain, je me suis souvenue d'une photo d'Endre, qui était chez nous... Non de celles qui sont dans les cadres, à portée du regard... Une enfouie dans le vrac d'une boîte, à laquelle je ne pensais plus... Je l'avais oubliée, et je ne l'ai examinée que par un hasard... Comprenez-vous que j'aie si souvent contemplé ces photos, sans penser... Elle m'a intriguée parce qu'il y est en compagnie...

— Votre fiancé, en compagnie du Dr Galay ?

Elle secoua la tête, incrédule à cette idée, vraiment saugrenue, et presque stupide.

— Mais c'est impossible ! Réfléchissez : s'ils se sont connus, c'est là-bas... Et nous n'avons jamais reçu aucun courrier d'Endre, aucune photo !

— Alors avec qui ?

— Un ami, un inconnu, avec qui il pose chez un photographe, à l'époque de son départ : la date l'indique au verso... J'ai fait la supposition que, pour avoir fréquenté Endre juste avant de partir, il pouvait avoir su quelque chose de ses projets. Même si c'était improbable, si longtemps après, je me suis mise en demeure de retrouver cet individu... Par chance, j'ai réussi à connaître son identité, et son adresse. J'ai cherché à le rencontrer.

— Voilà une extraordinaire nouvelle, Gabrielle !

— Voyez, dit-elle, sortant la photo de son sac.

Du même geste, au photographe, à Cyprien, à Clarisse et à Dora, elle avait tendu le précieux bout de carton, cette pièce à conviction qui était de si grande conséquence, témoin unique qu'elle ne rêvait pas son histoire, le seul lien tangible, irréfutable... Michel Terrier s'en saisit d'un geste vif... Il scrutait la photo des deux hommes avec intensité, examinant les deux portraits avec une attention avide et pénétrante, le premier de tous à en faire si grand cas.

— Quelle étonnante calvitie... Vous avez donc rencontré cet homme ?... murmura-t-il, d'une voix altérée.

Gabrielle en fut remuée. Une crispation courut de sa nuque à ses reins. Qui commande, quelle pensée à la vitesse de l'éclair sonde le danger, hérisse soudain la peau de son avertissement ? Elle reprit la photo, d'un geste brusque la rangea, claqua sèchement le fermoir.

— Non, je n'ai pas pu... Cela pouvait lui nuire.

— Vous êtes trop mystérieuse, Gabrielle. Lui nuire en quoi ? S'il était l'ami de votre fiancé...

Il était un peu pâle et la regardait très curieusement, les yeux fixes, les prunelles rétrécies que troublaient ses demi-verres, où se reflétaient les éclats du jour, miroitant péniblement.

— Des amis, on en a, on en perd, dit-elle, les dents serrées, répétant les paroles de Clarisse. J'ai cru comprendre qu'il était en danger.

Elle aurait été incapable de soutenir son regard, alors elle plongea son nez dans son verre de bière. Le frisson glacé continuait de raidir sa nuque, ses épaules. Chaque mot lui semblait maintenant un de trop.

— En danger ? Enfin, Gabrielle, puisque vous avez trouvé son nom, son adresse, c'est qu'il a pignon sur rue, non ?...

— En réalité, j'ignore son nom. Il en a pris un autre... Laissons cela, Michel. Ma belle idée ne menait à rien.

— Bravo ! ricana-t-il. Vous qui vous vantiez de si grandes découvertes ! Vous n'avez rien appris, voilà la vérité.

— J'ai au moins appris une chose, qui va vous surprendre, cher Michel, rétorqua-t-elle, piquée au vif. Je vous avais fait la remarque que les vis de la malle livrée chez nous étaient bien mal assujetties, pour une caisse si longtemps restée en souffrance... Sachez qu'elle ne venait pas de Rangoon par le dernier bateau, mais directement de chez cet individu, à Paris. Qu'elle y a séjourné, dans sa cave, depuis son retour, car il a bien été du fameux voyage. Cette caisse n'appartenait pas à Endre, mais à lui. Je pouvais bien m'effarer de ne pas reconnaître les effets de mon fiancé ! Votre commandant Feltin, ou quelqu'un de son entourage, se l'est appropriée, par je ne sais quel moyen. On a voulu nous faire croire à un retour inopiné et récent du bagage d'Endre, cinq ans plus tard. C'est un coup monté, entendez-vous ? Me comprenez-vous, à la fin ? A présent me direz-vous, vous, quel rôle vous jouez là-dedans ? Qui mène cette machination, qui persécute cet homme, qui cherche à me tromper ? Pourquoi ?

Ils étaient en public, entourés de consommateurs proches, alors elle avait parlé bas, martelant les mots, s'emportant au fil de son discours, tandis qu'elle associait les faits, reconstituait leur enchaînement, portant son accusation sans prudence. Animée surtout d'une sorte de rage, pour sa peur de tout à l'heure, l'instinct qui l'avait avertie, pour prendre sa revanche contre lui. Inquiet qu'on pût les entendre, se retourner sur eux, il s'était rejeté en arrière, la considérant durement, de cet air ambigu et méchant qu'il avait parfois.

— Joué un rôle, moi ? siffla-t-il. Machination ! Coup monté ! Voilà bien du mélodrame ! D'où tirez-vous ces élucubrations ? Votre homme est un fabulateur de première, et vous...

Il se mordit la lèvre et d'un geste violent balaya l'air devant lui.

— Et moi, quoi donc ?... Je n'ai pas appris grand-chose, poursuivit-elle, fouettée par l'insulte qu'il avait retenue. Cependant plus j'avance, plus ce que je découvre est terrible. Endre est mort pour d'affreuses raisons, et aujourd'hui cet homme, qui l'a connu, et accompagné, est peut-être mort pour les mêmes. On l'a peut-être assassiné.

Elle se tut, étourdie par le gros mot qu'elle venait de lâcher, mais elle fut surtout sidérée par l'expression de Michel Terrier, devenu livide.

— Vous m'effrayez, Gabrielle, parvint-il à articuler.

D'un trait, elle vida son verre de bière, en eut un léger vertige. Où se trouvait-elle à l'instant, vers quoi dérivait-elle avec cet inconnu pour compagnon, de quel voyage ? Elle n'avait pas le temps de réfléchir à ce qui se passait et pourtant savait qu'il fallait fuir à présent.

— A force de retourner ces choses en tous sens, elles finissent par me faire perdre la tête… dit-elle faiblement.

— A qui vous êtes-vous ouverte de tout cela ?

— A personne ! mentit-elle avec assurance. A qui en parlerais-je ? Vous qui connaissez mon histoire, savez bien que je suis seule… Cette nouvelle piste, en laquelle j'ai cru follement, s'est avérée une impasse ! Il est dit que j'échouerai toujours… Quittons ce sujet, je vous en prie. N'avons-nous pas d'autres choses à nous dire ?…

Pourtant Terrier s'obstina. Cherchant sans doute à réparer l'effet désastreux de sa trop vive réaction, il posait des questions plus douces, mais pressantes, auxquelles elle se dérobait désormais, composant un autre récit, plus flou, atténuant son jugement, refusant de nommer, de préciser, si récalcitrante que c'en était inconvenant, à force. S'il avait eu un tant soit peu de délicatesse, il aurait cessé…

— Comment êtes-vous si sûre que cet homme a été du voyage ? Il a bien des parents, une famille, insistait-il. Vous êtes-vous enquise, vraiment, de ce que vous pouviez obtenir d'eux ?

Mais plus il plaidait, mendiait des explications, plus elle esquivait, de plus en plus hostile à ses avances, ne sachant comment mettre fin à cet insupportable entretien.

— Vous vous défiez de moi, constata-t-il enfin, amèrement.

Ce dernier mot la souleva de colère.

— J'aurais bien des raisons ! Que sais-je de vous ?… Par exemple : quel est votre travail au ministère de la Guerre ? Où vivez-vous, Michel ? Avez-vous une famille à Paris, des amis ? Ne me dites pas que je suis le centre de votre vie, cela suffit.

Décontenancé par cette attaque frontale, il évalua le risque considérable d'une rupture, lâcha alors, à contrecœur et bredouillant, qu'enfant unique, il vivait seul à Paris, loin de sa mère, ensevelie en province. Son emploi de bureau, enchaînait-il, pour être ennuyeux, répétitif et subalterne, avait l'avantage de lui laisser le loisir de passe-temps. Comme la collection de minerais, et des vieux livres, pour leur reliure, précisait-il platement. Je vais parfois au spectacle. Aux matchs de boxe... Il cherchait que dire de plus, contraint comme d'un pensum, contenant son agacement de tels aveux. Sa vie était-elle si vide, qu'il n'eût que cela à en dire ? songeait-elle, écoutant ce consternant autoportrait. Peut-être comprit-il qu'il perdait pied et se discréditait à ses yeux, car il eut une inspiration soudaine, changea brusquement de discours.

— Ah ! Gabrielle ! Quel hasard m'a mis sur votre route, et chargé de vous faire livrer cette maudite malle ? Je veux bien croire à une erreur, un odieux malentendu... Mais pas à un complot !... Si vous visitiez notre administration, vous n'y trouveriez que tâcherons obtus et timorés, sans envergure. Ils n'ont d'autre horizon que d'exécuter scrupuleusement des tâches paperassières. Je suis de ceux-là, sans doute... Je me suis offert à vous aider, mais c'était par présomption. J'ai si peu de pouvoirs, en réalité... Je voulais conquérir votre estime, votre amitié. Forcer la chance de vous avoir rencontrée... Mais quel piètre allié je fais... Encore aujourd'hui, je suis navré des risques que vous courez, et pourtant convaincu que vous avez raison. L'amour vous inspire. J'en suis jaloux, Gabrielle... Jaloux de cet Endre pour qui vous soulevez les montagnes. Quelles que soient vos déconvenues, vous vous obstinez, avec un tel courage que j'ai honte de ma frayeur, tout à l'heure... C'est peut-être, qu'enfant, j'ai frôlé de ces choses blessantes de la vie, ajouta-t-il... J'en ai gardé l'envie de fermer les yeux chaque fois qu'un cauchemar se présente. Cela ne sert à rien, n'est-ce pas ? Le cauchemar a lieu quand même. Justement parce qu'on ferme les yeux !...

— Il a lieu... N'importe quoi, à tout moment, peut en devenir un... Mais ne vous dépréciez pas, Michel, dit-elle d'un ton forcé, gênée par son accès de sincérité. Vous valez mille fois mieux que les gens que vous décrivez. Votre amitié m'est chère. Il me suffit, de temps en temps, de penser à vous, pour repartir plus sereine, et plus forte.

— A vous, cela suffit... Mais moi, quel espoir me laissez-vous ?

Elle perdit ses yeux vers la rue, qui l'appelait par son mouvement incessant, le flux anonyme et changeant dans lequel elle aspirait à se fondre maintenant, pour échapper à sa vue, à sa présence. Il n'avait pas seulement épuisé son crédit et cessé de la séduire. Il était devenu plus qu'importun : inquiétant, et menaçant. Elle ramena son regard vers lui, tentée par le mal qu'elle pouvait lui faire encore, pour venger la peur indistincte qu'il lui inspirait, exaspérée de ne lui trouver un objet précis, le cœur soulevé par l'aversion, mais peut-être cherchant une raison de revenir à plus d'indulgence. Or à ce moment il tournait un peu son visage, lui offrant un côté de son profil, qu'elle vit soudain, crochu et fuyant à la fois, une expression qu'elle ne put souffrir, où se dénonçait sa vraie nature de méchanceté sournoise, la cruauté d'un rapace sans noblesse, révélant sous son masque les muscles et les nerfs invisibles, tels les écorchés dont le scalpel a ciselé le rictus. Elle eut un frisson de cette vision fugitive, mais il se retournait déjà, de son air ordinaire, sans se douter de ce qu'il avait laissé voir. Il esquissait un sourire malheureux, effleurait le bout de ses doigts, d'un air si humble qu'elle en eut horreur.

— Laissons le temps passer, murmura-t-elle. Laissez-moi ensevelir mes fantômes...

Laissons le temps passer ! Vous valez mille fois ces gens, Michel ! Votre amitié m'est chère... Il marchait rapidement, secoué d'un énorme rire intérieur. Vous qui connaissez mon histoire, minaudait-elle... Il dut s'arrêter contre les grilles du Luxembourg, plié par un fou rire irrépressible, qui lui arrachait de brusques éternuements, des hoquets nerveux. Une hilarité féroce, mécanique et pénible. De longtemps il n'avait tant ri, et jamais n'avait été moins gai. Il dut inspirer un grand coup, se moucher énergiquement, pour retrouver son sérieux, sous le regard intrigué des passants. Quel outil, cette Gabrielle... Il en était plus ébahi, chaque fois. Un alliage surprenant, rouée et candide ; une enfant de chœur avec la malignité du singe. Elle devait être son instrument, elle se révélait une adversaire redoutable, à ce jeu inédit. D'autant plus excitant que risqué. De ces créatures qu'on croit pépiantes, moineaux ou perruches, et qui sont de superbes oiseaux de poing, surarmés. Plus raffinées, plus pénétrantes qu'aucun homme. Une manière de ployer le cou, de fermer à demi les paupières sous sa chevelure mousseuse, qui ombre ses joues. Son petit calot fanfaron aux pompons de duvet sur le front, et son regard de métal pur, insolent. L'aile soyeuse des cils, comme d'un papillon précieux... Il ferait baisser ces yeux. Des yeux pareils doivent pleurer et supplier. Il la soumit à sa manière, lui fit très mal et jouit de cette pensée. Il marchait vite, à présent.

Suffit, les amoureux transis, les soupirants éconduits, la comédie sentimentale. Il s'y risquait et n'en tirait rien ! Troublé, les nerfs encore aiguisés par la nudité des danseuses, offerte sur la scène ; par cette fille, imprenable. Offensive, guerrière qui monte en ligne par surprise, se replie, mène l'assaut tout en reculant, vous prend à revers. Serpent. Habile, susceptible. Il la voulait à sa merci, depuis... Il avait dit vrai, depuis cet instant où il l'avait eue dans ses bras, abandonnée contre lui. Avant qu'elle ne le congédie, comme un valet, à qui on commande son taxi... Il avait conçu ce plan irrégulier, jamais tenté. L'idée s'en présentait, opportune, croyait-il. Peu coûteuse, tentante. Il la détestait pour sa jeunesse, cette psychologie féminine, entreprenante et suave ! Voilà qu'il la croyait enfouie dans les grisailles de la vie campagnarde, bêtifiant sur des abécédaires, et attendant la bonne nouvelle tombée rôtie dans son assiette. Chipotant, papotant, intriguant comme font les enfants pour avoir du sucre. Elle lui damait le pion en beauté. Il en avait froid dans le dos, à présent, hâtant davantage le pas.

Passée son hilarité, la hargne le reprenait. Le ballet des nudités emplumées ne l'avait pas réduite. Au café, elle lui glissait entre les doigts, comme une danseuse experte. Il s'était tendu le piège à lui-même, piètre danseur au music-hall des sentiments. Plus lamentable qu'un débutant, une nullité, roulé dans la farine. Il pouvait bien briller dans le renseignement, donner des cours et des conseils ! Il en tremblait de fureur, à présent, excédé de son nouveau fiasco. Dire que, toute seule, elle débusque Jean Zepwiller, qu'on a traqué en vain, durant des années. Elle trouve son adresse, sa sœur, sa malle, et où il se cache. Pour un peu, elle le coiffait au poteau. D'une manière ou d'une autre, elle sait qu'il est liquidé, le comble ! Bravo, l'artiste, ricana-t-il, rendu à son alacrité. Mais il n'était plus temps de rire, vraiment. Non seulement elle brûle les étapes, se joue de lui, mais par-dessus le marché, il y va avec elle des émois, des souvenirs d'enfance ! Les cauchemars qui font fermer les yeux si fort aux petits enfants... Pas un être au monde n'aurait obtenu de lui qu'il évoquât sa vie privée. Sauf elle. Et même s'il s'en tirait avec des inventions, d'une si grande pauvreté qu'elle en était restée sur le flanc, elle avait quand même réussi à l'acculer à ces confidences imbéciles.

Il se retourna brusquement, l'idée subite lui venant qu'elle se trouverait derrière lui et, une seconde, il la vit réellement, à deux pas, sa mince silhouette marchant décidément à sa suite, fluide sur le trottoir du soir. L'illusion fut si forte qu'il en eut une commotion. Finie la plaisanterie, pensa-t-il, furibond. Si cette fille peut être partout où je ne l'attends pas, si je la vois où elle n'est pas, elle devient réellement dangereuse. Elle l'était depuis des semaines, sans qu'il le sût. Cette découverte l'électrisait étrangement. Il se réveillait, redevenait l'animal froid, le prédateur qui peut reprendre la chasse, une fois averti. Il en avait un frisson de plaisir à l'échine, et tout en marchant, il respirait avidement sur le dos de sa main le souvenir persistant du parfum de Gabrielle, de jasmin ou d'iris, cette odeur entêtante des jardins d'autrefois.

Il n'y avait, dans le compartiment, qu'une grosse dame somnolente, emmitouflée de châles superposés, qui couvait des deux bras un grand panier posé sur ses amples genoux, et sur lequel elle piquait du nez par intermittence. Dehors, un jeune soleil éblouissait la campagne, miroitant aux toits d'ardoises, aux façades claires et à la pointe des clochers, sur les plaques de neige résistantes au creux des vallons, qui aurait dû réjouir sa vue, mais Gabrielle rentrait au Mesnil avec de sombres pensées.

Certes, du côté d'Agota et de Renée, son souci s'était envolé. Celles-ci l'avaient franchement négligée, surmenées qu'elles étaient par les préparatifs d'une vente de charité, au profit des enfants d'émigrés de l'arrondissement. A peine s'étaient-elles avisées de ses mains blessées ; d'ailleurs celles-ci étaient en voie de guérison. Peccadille : pourvu qu'elle n'eût ni rhume ni grippe, tout allait bien pour elles, et elles se souciaient comme d'une guigne de ses aventures et de ses histoires, vérités ou mensonges. Gabrielle se félicitait de cette désaffection : au moins, sur ce front-là, elle avait la paix. Il n'en allait pas de même pour le reste. Elle rentrait, anxieuse de rouvrir le cahier rouge, de poursuivre sa traduction ingrate, oppressée par cette chose honteuse à laquelle elle touchait maintenant, et de son secret. Pierre Galay avait la clé mieux qu'elle, et même s'il la lui donnait, cela ne ferait qu'empirer sa détresse. Elle avait tant désiré découvrir quelque chose d'Endre : en place elle héritait de ce magma plein de menaces et de venins. Mais avait-elle le choix, à présent, de reculer, de vouloir recouvrir le cadavre hideux, une fois soulevé son linceul ?

Enfin et surtout, cette fois libérée de ses scrupules, elle révisait son jugement sur Michel Terrier. L'attrait qu'elle avait pu trouver à son empressement, à sa gaucherie touchante, la part obscure de sa personnalité, qui la tentait, n'étaient que le produit de son imagination. De ces accessoires séduisants dont on pare un être pour autoriser l'aimantation qu'il exerce, et se justifier d'y céder ; constructions magiques, dont on s'aveugle, pour mieux succomber. Elle aurait pu croiser mille fois cet homme dans la rue sans lui jeter un regard. S'il lui avait été présenté, en d'autres circonstances, il lui eût paru aussi ennuyeux que la pluie fine. Elle s'était emparée de cet allié d'occasion aux apparences avantageuses, quand il n'était qu'un faible instrument. Elle le surestimait d'emblée, par orgueil, par amour-propre. En réalité, se leurrait consciencieusement sur lui, plus conquise par la faveur qu'elle lui accordait que par ses qualités réelles. Son ingéniosité, son audace, quand il trouvait l'annonce du journal, la persuadaient de tenter sa chance ; voilà le seul bon point. Pour le reste, fadaises : n'importe qui aurait pu glaner ses informations au ministère, qui s'étaient d'ailleurs révélées fausses ; du moins inexactes. Un tissu d'approximations ou de médisances. Un tâcheron pusillanime, médiocre semblable à ceux qu'il décrivait si bien. Qui rêve, quand même, d'emporter le morceau de roi. Une belle fille comme moi, se moquait Gabrielle, il pensait n'en faire qu'une bouchée ; que je tomberais comme une petite caille dans sa gibecière. Quelle goujaterie ! Son irruption à la gare, sa lettre ampoulée adressée au Mesnil, impardonnables… Elle se donnait enfin le droit, avec mauvaise foi, avec méchanceté, d'accumuler ses griefs, de venger son désenchantement. Vengeant surtout son sentiment d'avoir failli, d'avoir reculé le face à face avec elle-même. Elle ne désaimait pas qui elle n'avait jamais aimé ; elle renonçait à une fiction.

Cette grande révision nourrissait sa colère et, sous sa colère, un autre sentiment qu'elle n'aimait pas s'avouer, nocif, très neuf et désagréable : sa peur de lui. Elle pouvait bien s'accuser d'avoir été frivole, superficielle, elle avait surtout été imprudente. Dora y voyait clair, qui la mettait si bien en garde. Ce dernier rendez-vous, commencé dans la séduction d'un spectacle brillant, s'était achevé à la lumière médiocre du jour, par le pas de deux miteux du café. Elle ne pouvait évoquer cette scène sans crainte, en revisiter les épisodes sans un malaise grandissant, peinant à se souvenir des termes exacts de leur échange, qu'elle recomposait de mémoire. Il lui semblait que l'échafaudage allait s'effondrer, que quelque part une pièce viciée en menaçait l'équilibre. Il s'agissait exactement de cela ! Une fraction de seconde, une sorte d'éblouissement… Quand cela avait-il eu lieu, l'instinct qui commande, plus vite que la pensée ? Ensuite, elle n'avait su que battre en retraite, affolée des conséquences… Ce sentiment de l'avoir échappé belle. Echappé à quoi ? De quels yeux jaloux dévorait-il la photo d'Endre !… Plus que cela, haineux. Une avidité de rapace. Son profil, soudain, l'angle cruel sous lequel elle avait pu l'entrevoir. Une vision fugitive, mais si effrayante… Je ne le reverrai pas, se promit-elle, sans se rassurer et, soudain, elle se souvint : sa remarque sur l'étonnante calvitie de Jean. C'est lui seul, Jean, qu'il regardait de cette façon… Or elle n'avait désigné personne, lui avait seulement tendu la photo. Alors, lui qui n'avait jamais vu un portrait d'Endre, comment pouvait-il, sans hésiter, identifier celui dont elle parlait ? Cette évidence la cloua d'une stupeur, vite muée en effroi. Et ce qui s'enchaînait, à une vitesse affolante, plus abominable encore : s'il connaît Jean Zepwiller, s'il sait d'avance sa calvitie, et à quel titre, il sait aussi l'origine de la malle ! Que sait-il encore ? Quel régisseur, quel montreur est-il, de quel théâtre de marionnettes ? Un tel abîme s'ouvrit sous ses pieds, qu'elle crut qu'elle tombait vraiment, poussa un cri étranglé.

La grosse dame endormie sursauta, serra très fort son paquet qu'elle crut menacé d'un attentat, lui jeta un regard furibond. Et comme, ensuite, pour se remettre, celle-ci se mouchait à grand bruit dans son vaste mouchoir, Gabrielle retomba brusquement dans la solidité matérielle, retrouva avec une sorte de ravissement son prosaïque voyage ferroviaire, le beau soleil qui inondait la campagne, et l'inconfort patent de la banquette de bois actuelle, et sa raison. Rien ne s'était effondré des murs, la réalité tenait bon, tangible, constante. Ce matin, elle revenait au Mesnil, remplir son office d'institutrice, subsidiairement traduire un cahier hongrois échoué entre ses mains, et qui ne la concernait en rien. Dora serait bientôt de retour et Clarisse, satisfaite qu'échoue la rencontre avec son frère, leur claquerait définitivement la porte au nez. Gabrielle éconduirait Michel Terrier, si jamais il osait encore se manifester. Un jour, bientôt, elle serait loin du Mesnil, loin de Paris, n'importe où dans le vaste monde, hors d'atteinte des fantômes du passé, des amours défuntes et des cauchemars, et des traquenards imaginaires.

Avec quelle légèreté chassait-elle les horreurs envisagées une minute plus tôt ! Entre les deux hommes de la photo, Michel Terrier n'avait pas hésité parce que, sans y prendre garde, elle avait pu lui désigner celui dont elle parlait, alors, avec tant de fièvre… On a de ces mouvements esquissés, à peine conscients. Si discrets soient-ils, un regard, un geste de la main suffisent à trahir ce qu'on ne dit pas. Cette explication sommaire la rassurait ; elle tombait à pic pour évacuer l'affreuse question. Du coup, son soupçon lui paraissait maintenant d'une extravagance rare, une énormité, qu'elle repoussa, de tout son courage. Assez de mirages. N'avait-elle assez de tourments pour obtenir, au sujet d'Endre, quelque lumière du seul Dr Galay, qui avait *réellement* partagé son aventure, le seul qui pouvait *réellement* en témoigner. Il suffisait bien que Michel fût, en réalité, cet être inconsistant et désagréable, à l'esprit retors, aux intentions équivoques, pour faire de lui l'importun dont elle se délivrait, définitivement. Et si le commandant Feltin avait trouvé cette malle, opportunément saisie, pour satisfaire deux femmes éplorées, les éconduire à bon compte en offrant cette relique à leur détresse, il suffisait. Il suffisait de la réalité pour avoir peur, et mal, sans aller chercher d'épouvantables chimères, qui défigurent le théâtre. Siegfried en meurt, pensa-t-elle. Il meurt de prendre les vessies pour des lanternes, son amour pour celui d'une autre, de laisser l'enchanteur se jouer de son désir… Gardons les pieds sur terre, au lieu de marcher sur la tête.

Puisqu'elle avait réussi, malgré les obstacles, même de cette détestable façon, à approcher le Dr Galay, à gagner sa confiance ; puisque de manière inespérée il lui donnait ce cahier, elle irait au bout de sa logique. Elle en achèverait la traduction, et en rendrait compte, fidèlement, strictement. Jamais elle n'avait été plus près d'une vérité. Maintenant passée l'immense déception de la première lecture, elle pouvait achever la besogne. C'était un manuscrit authentique, son écriture était celle d'Endre, dernière trace du mystère de son existence. Elle éprouvait dans la sienne le mouvement de sa main traçant les lettres et les mots… Même les espacements, les blancs étaient des respirations sensibles ; les pâtés d'encre, un accident de sa plume, dont elle ressentait le moindre tremblement, communiqué à tout son être. Elle accueillait cette présence intime de l'écriture avec une piété navrée, une ferveur sentimentale à laquelle se mêlait, douloureux et consolant à la fois, le souvenir des paroles de Pierre Galay. Que cet homme taciturne et abrupt, qui devait être son ennemi, mît tant d'intensité, et même de passion à évoquer sa mémoire, son image… Ce qui les avait unis différait-il de l'amour, et quel mot mettre sur ce qu'un homme éprouve pour un autre ? Elle-même, qu'éprouvait-elle, maintenant, pour le jeune homme tant aimé autrefois ? De lui, elle avait connu un profil, et peut-être ignoré l'autre… Avait-il eu, un jour, se détournant, le même que celui, affreux, de Michel Terrier, et qu'elle n'avait pas su voir ?

XXVI

Dans le taxi qui les conduisait à la gare de Lyon, Blanche avait pris la main de Didier et jouait avec ses doigts, comme lorsqu'il était enfant, son tout petit garçon aux boucles de fille, si docile et souriant, câlin, gourmand et facétieux, son adoration, son ravissement de chaque jour... La main du jeune homme d'aujourd'hui s'abandonnait, mais inerte, indifférente à la caresse. Assis près d'elle, il regardait dehors et observait le silence, comme depuis des semaines ; depuis ce jour affreux où elle n'avait su ni le protéger de son père, ni le soustraire aux foudres de sa grand-mère. Il ne lui pardonnait pas ce manquement, cette défaillance. Même s'il lui laissait ses doigts, elle sentait son hostilité, sa rancune. Toujours elle avait été son rempart, son bouclier d'airain, contre les mauvais enfants qui lui cherchaient noise, le taquinaient ou le contrariaient, contre les bonnes absurdes, les professeurs incompétents, la parentèle obtuse, contre les ennemis innombrables qui détestent d'instinct les fantaisies et les grâces de la jeunesse. Elle n'ignorait pas ses défauts, mais quelle vertu pouvait se targuer de lui en faire procès, dans ce monde d'hypocrisie et d'intérêt ? Qui avait légitimité à lui jeter la pierre, à le condamner ? La jeunesse est si brève, si vite livrée aux ingrates réalités de l'âge adulte. Elle, qui n'avait pas connu l'amour d'une mère, s'était engouffrée dans la passion maternelle avec une avidité d'affamée, possessive et jalouse, acceptant le désert conjugal et familial comme garant que rien ne jetterait d'ombre sur son lien exclusif avec Didier. Elle n'avait ni rival pour la menacer, ni juge pour l'asservir à d'autre loi que la sienne. Elle n'avait fait que préserver son enfance, laisser s'épanouir sa nature fertile, heureuse et frondeuse. Et même cette incartade, pour avoir quelque peu dépassé les bornes, relevait davantage de l'inconscience juvénile que de la délinquance. Elle avait entendu prononcer des mots énormes : vol, attentat, voyou, cambriolage, criminel ! Chacun la révoltait. Si scandale il y avait, il était dans la rigidité mentale, la hargne et l'égoïsme de sa mère, d'Edmond, de la société tout entière liguée contre Didier, et non dans son acte, un enfantillage, de si peu de conséquences... Didier était seulement trop faible, il cédait à la tentation, à l'occasion, avec une puérilité désarmante. Quand elle se trouvait là, comme il lui était facile de le dissuader, de le divertir et de canaliser son envie vers d'autres objets, de donner à son désir d'autres formes. Voilà ce qui la blessait le plus : qu'il ne se fût pas ouvert à elle des graves difficultés qui le poussaient à ces extrémités. Il s'était laissé entraîner par ce jeune fat, tête brûlée, son camarade de jeu, intimider par des usuriers sans foi ni loi, au lieu de chercher secours auprès d'elle. Elle aurait pourtant trouvé la solution, comme chaque fois remué ciel et terre pour le sortir de là. Pour la première fois, il l'avait trahie. Et la blessure de cette défection en ouvrait d'autres, plus intimes, l'angoisse de ce temps redouté, soudain venu, qui la détrônerait. Quelqu'un, les femmes, une femme, lui volerait l'enfant chéri, le séduirait, capterait son désir ; alors elle serait vieille, nue, et seule.

Ces dernières semaines, une fois remise de la crise nerveuse qui l'avait tenue alitée, perdant l'esprit et sanglotant à tout instant, elle avait tenté de se reprendre, de faire face à ses obligations, de continuer sa vie mondaine, ses réceptions et ses visites, affectant d'ignorer l'atmosphère étouffante de sa maison, dont Edmond s'absentait, méprisant et glacial ; où Didier, consigné dans sa chambre, dormait la plupart du temps, perdu dans de maussades rêveries, passant ses journées sans s'habiller ni paraître aux repas, dans l'attente de la date arrêtée de son incorporation dans une caserne de Lyon. Loin des siens, loin de sa mère et de sa vie de jeune homme. Blanche prenait sur elle, mais une lassitude ployait ses genoux, alanguissait ses membres. Elle abominait, au miroir, sa nouvelle teinture rousse, qui durcissait ses traits d'une jeunesse factice, le pli de son front, les rides palmant ses yeux, et le léger tic au coin de sa bouche, apparu ce jour fatal, qu'elle ne parvenait à empêcher, même en y portant sans cesse le doigt. Elle avait beau corseter son corps, draper ses épaules, redresser sa taille, elle sentait cette faiblesse insidieuse anéantir jusqu'à ses pensées, se surprenant à béer à l'angle d'une fenêtre, entre deux portes, la tête vide durant elle ne savait combien de temps, avant de sursauter, de se réveiller d'un long frisson. Elle avait cherché éperdument le moyen d'échapper à cette odieuse sanction de l'engagement militaire, infligée par sa mère, elle avait envisagé toutes les solutions, épuisé les rêves. Alors elle s'enfuyait avec Didier en Suisse, en Italie, pour un long voyage, le temps que sa mère oubliât ses griefs ; et si celle-ci ne revenait pas sur sa décision, elle s'installait à l'étranger, pour le garder hors d'atteinte... D'ailleurs, il tombait malade, gravement malade. Il était maigre et pâle, allongé sur un lit de sanatorium, dans les Landes, devant l'Océan, si touchant et pitoyable que tous les courroux tombaient, que ses ennemis repentants rendaient les armes. Elle l'avait rêvé agonisant, mort. La lividité de son cadavre étendu dans les linges d'avant le tombeau... Ces délires, qui la vengeaient de son impuissance, lui mettaient le feu aux joues, la tétanisaient de terreur. Où allait-elle chercher ces horreurs ? Pour le soustraire à la machination maternelle, de quoi était-elle capable ?

Mais comme ils approchaient la place de la Concorde, ils se trouvèrent pris dans un embouteillage inextricable. Ils n'avançaient plus depuis près de dix minutes, alors le chauffeur, parti aux nouvelles, était revenu, annonçant que les funérailles de Paul Déroulède provoquaient, depuis la Bastille, depuis le faubourg Saint-Antoine un embarras considérable. On estimait à cent mille la foule des ligueurs qui, débordant le service d'ordre, avait décidé de remonter la rue de Rivoli jusqu'à la Concorde, pour déposer des gerbes d'œillets rouges au pied de la statue de Strasbourg, en pèlerinage, en hommage au grand Français passionné, fondateur de la Ligue des patriotes, porteur de l'idée de revanche, qui avait été l'incarnation vivante de la protestation contre le traité de Francfort... On disait qu'en tête de la manifestation, venaient Maurice Barrès, Marcel Habert et Tournade, et Robert de Flers au nom des auteurs dramatiques, les fédérations d'Alsaciens-Lorrains, et derrière eux la jeunesse de l'Action française, et des Camelots, parmi les faisceaux et les drapeaux innombrables brandis au-dessus des têtes, et déjà l'on entendait, perçant la rumeur, les cris, les huées, les roulements de tambours : Vive la France, vive l'Alsace !

Blanche eut un tressaillement de joie, presque douloureuse. Jamais ils n'atteindraient la gare de Lyon à temps. L'empêchement providentiel surgi sur leur route était un signe miséricordieux du destin. Un instant, elle chavira d'espoir, imagina que la foule, surexcitée, peut-être par des provocateurs socialistes, tournant à l'émeute, s'en prenait aux magasins, défonçait les devantures, renversait les automobiles pour en faire des barricades, et molestait les passants ; alors ils étaient blessés dans l'échauffourée, emportés sur un brancard, dans une ambulance, et Didier, blessé, ne partait pas. Elle battit des paupières, réprima le tic de sa lèvre. Allons, ils manqueraient seulement le train, le départ serait différé de quelques heures, d'une journée. Mais rien que cela l'exaltait de bonheur.

— Rentrons, ordonna-t-elle gaiement au taxi.

— Prenez par la Madeleine, remontez par les boulevards et la République, ordonna froidement Didier.

Elle capitula, médusée par cette voix brève, ce timbre autoritaire, d'un inconnu. Aussitôt éloigna en pensée cette sensation désagréable, revint à son rêve comme une intoxiquée à sa drogue, prolongeant activement son espoir que l'embouteillage serait infranchissable, que des agents de police les contraindraient à faire demi-tour... Mais sitôt quittée l'avenue, le taxi put avancer de nouveau, suivre une file relativement fluide qui avait opté pour la même dérivation, et ensuite retrouver une circulation désespérément normale. Aux abords de la Bastille, ils furent encore ralentis par la queue du cortège, qui stationnait rue Saint-Antoine, mais la rue de Lyon était dégagée, et au loin on voyait déjà, à travers les arbres dénudés, la tour de la gare, ses toits d'ardoises et son horloge gigantesque, comme un œil dardé sur la ville.

— Quelle chance avons-nous eue, mon chéri... soupira-t-elle, le cœur déchiré. Nous avons encore le temps de prendre un thé au buffet, et de bavarder...

— Ne vous retardez pas. Gardez le taxi et rentrez tout de suite.

— J'ai tout mon temps pour rentrer, mignon. Je veux m'assurer de ton wagon, et de ta place, avant de te quitter.

— Epargnons-nous les effusions sur le quai. Cela vaut mieux pour vous, ajouta-t-il durement.

— Ah ! Ne sois pas cruel, encore un petit moment, je t'en prie !

— Et moi je vous prie de me laisser, à présent.

Il se dégageait de sa prise et sautait déjà du taxi, descendait lui-même sa cantine, hélait un porteur. Elle n'osa plus bouger, paralysée par la brutalité de cet inconnu, qui avait occupé le siège à son côté, voyagé en sa compagnie, par erreur ; un terrifiant malentendu lui avait fait prendre ce mauvais compagnon pour son fils, dont il avait les traits, l'aspect familier, le visage aimé, mais dont l'identité vampire l'avait littéralement absorbé, et remplacé, elle ignorait à quel moment, par quel tour.

— Didier, Didier, gémit-elle faiblement, implorant un absent.

Un fantôme ; un mort. Elle chercha autour d'elle, dans la foule des voyageurs, une aide, un secours ; ne reconnut ni l'endroit, ni le jour. Se redressa, hagarde. Tendit machinalement sa main au jeune homme qui passait la sienne par la portière, et la serrait poliment.

— Je vous écrirai, promit-il. Adieu.

Puis elle vit cet individu se détacher d'elle, se fondre dans la cohue.

La sonnette grelottait à l'intérieur, résonnait dans l'appartement de Dora. Pour la troisième fois, Marcus trouvait porte close et, cette fois, il ne pouvait repartir bredouille. Clarisse le harcelait, elle faisait le siège de sa chambre, chaque soir plus défaite, exaspérée d'angoisse. Aucune nouvelle de Jean, pas un signe. Non plus que de cette Dora, le seul contact avec la demoiselle. Avaient-elles rencontré Jean, pour finir ; et si oui, qu'en était-il résulté ? Rien n'était convenu de part et d'autre, mais il fallait bien à ce rendez-vous une suite, qu'elle en fût informée, par les uns ou les autres… Elle avait attendu en vain, deux jours durant, avant de se décider à aller rôder autour du cirque. Elle avait osé approcher, enfreindre l'interdiction impérative, se risquant jusqu'aux tentes et près des cages de la ménagerie, parmi lesquelles s'affairait la troupe, aux heures creuses, les femmes jetant des bassines d'eaux usées dans le canal, des enfants dépenaillés jouant sous les roulottes, tous ces gens inconnus que leur métier de saltimbanques, leur vie nomade cimentaient en horde inamicale et méfiante. Ils avaient fini par repérer son manège, lui lancer de loin des regards soupçonneux. Des étrangers, des gens du voyage ; qui avaient pourtant accueilli son frère, l'avaient admis parmi eux, et avaient protégé sa clandestinité de fuyard. Ils ne savaient pas qui elle était. Ils la prenaient pour une ennemie. Elle mettrait Jean en danger en traînant là. Elle s'était sauvée, désespérée de son impuissance.

N'ayant jamais cherché à savoir, selon leur pacte, comment il lui faisait parvenir les messages dans sa boîte à lettres, de loin en loin, elle ignorait qui servait de relais à Jean pour la prévenir chaque fois des haltes saisonnières, qui ramenaient le cirque, à Clignancourt, Bagnolet ou à Boulogne… Chaque fois, elle recevait un billet pour le spectacle. Elle s'y rendait, s'asseyait à la place sur les gradins et, à l'entracte, Jean surgissait derrière elle, dans la foule, au moment qu'il choisissait. Elle le suivait à distance, montait dans une des roulottes, une fois sûre que personne ne la voyait. Alors, pour une heure, dans le petit habitacle encombré de coussins, d'ustensiles et d'affiches anciennes, ils étaient ensemble, ils étaient seuls. C'était arrivé quatre fois en deux ans. Cela lui suffisait. Elle s'assurait vite à sa mine de sa santé, de son humeur. Pour l'avoir élevé, nourri, choyé comme son enfant, l'avoir vu grandir, devenir un homme, elle lisait sur son visage les pensées secrètes, devinait s'il était détendu ou inquiet ; il lui était transparent. Ils parlaient peu et se souriaient beaucoup, se prenaient les mains. Elle donnait des nouvelles de leur père et de leur oncle, des siennes. Elle lui portait de l'argent ; de celui qu'elle avait distrait de la faillite, placé sur un compte, au nom de Giovanni Sellerio. Son nom de cirque. Cette dernière fois, elle lui avait parlé de la photo, de la demoiselle et de son histoire d'amour. De cet Endre Luckácz, dont elle maudissait l'existence, et jusqu'au nom. Il l'avait un peu grondée, d'abord, sans colère, sans rancune. Mais quelle tristesse poignante, quel abattement, et soudain quelle fébrilité, sa gesticulation excessive dans le minuscule espace où il ployait son grand corps, ses épaules de lutteur. Et ce rire brusque, convulsif. Pour une fois, elle n'avait pu lire dans ses pensées. Il était ailleurs, emporté dans des images, des souvenirs qui ne lui appartenaient pas. Et il avait si vite accepté l'idée d'une rencontre, qu'elle avait douté d'elle-même, de ses craintes et des réticences, des mille précautions dont elle avait entouré son ambassade. Qu'elle vienne, avait-il dit. Cela semblait le réjouir, d'une joie mauvaise, comme d'une revanche sur quelqu'un, d'une vengeance.

De ce jour, elle ne l'avait revu. Plus entendu parler de lui ; ni d'elle, cette demoiselle, qu'elle exécrait. La semaine avait passé, le cirque avait plié bagage et disparu. Sur le bord du canal, le matin où elle était revenue encore, sachant le départ imminent, décidée à tenter l'impossible, elle n'avait plus trouvé que l'odeur fauve stagnant autour de tas de fumier, d'immondices que les balayeurs enlevaient déjà. Trop tard. Place nette, le pavé luisant, la lumière froide sur cette zone où se dressait, quelques jours plus tôt, la tente rouge et orange. Le sol s'était dérobé sous elle, elle avait dû s'asseoir sur une bitte d'amarrage. Il lui semblait flotter au fond d'un bassin d'eau trouble, où lui parvenaient les bruits d'un désastre. Le clapotement de l'eau faisait un froissement de tonnerre, l'envol d'un pigeon déchirait l'air. Dès lors, elle n'avait plus que Marcus pour appui. Le seul qui pût encore quelque chose. Parce qu'à nouveau l'idée torturante la reprenait, qu'elle était surveillée, suivie à tout instant, jusque dans le tramway, porte d'Italie, à la soupe populaire. Jusque dans les rues, où elle chantait avec les soldats de Dieu sous son cabriolet à brides, secouant la clochette, il y avait toujours quelqu'un dans la foule pour s'attarder anormalement, un passant l'écouter avec une attention suspecte, ou lire interminablement son journal, appuyé à une colonne Morris. Seul Marcus était libre de ses mouvements : il pouvait aller sonner chez Dora.

Il avait sonné, encore une fois, pour rien. Assis sur la dernière marche du palier, il griffonna un message, qu'il mit du temps à composer. *Quel jour me donnerez-vous une leçon ? Sans votre aide, impossible d'exécuter la fin de la partition... Le temps presse, Marcus.* Il plia le bout de papier, le glissa sous la porte. Il n'était pas mécontent de sa formule. Si la gardienne montait faire le ménage, si elle savait lire, si elle était curieuse, elle n'y verrait que du feu. Il descendit, frappa au carreau de la loge et s'enquit de l'absence de Mlle Dora Gombrowicz. Environ quinze jours... Encore une petite semaine... La femme grise, front d'ivoire sous les bandeaux clairsemés, mains rougies par les ménages, frissonnait dans l'entrebâillement de sa porte, d'où venaient des effluves de térébenthine ; et lui aussi avait froid, insistant pour obtenir une date précise, que l'autre ne savait lui donner, tapant de la semelle sur le seuil, soufflant son haleine sur ses doigts gelés dépassant les mitaines. Aussi, pressé de fuir le courant d'air du passage, de rapporter au plus vite à Clarisse le résultat de sa visite, et son initiative du billet, ignora-t-il tout à fait, en tournant au coin du porche et sortant dans la rue des Saints-Pères, l'homme en manteau et botté de cuir qui le croisait, pénétrait nonchalamment dans la cour de l'immeuble, à la manière dont un familier rentre chez soi. Mais ce dernier, après s'être assuré de son départ, au lieu d'escalader les étages, sembla se raviser, se dirigea tout droit vers la loge et y cogna du poing. S'il n'était pas un locataire de l'immeuble, du moins il n'était pas un inconnu : du même mouvement qu'il entrait, la concierge, sans hésiter, referma prestement sur eux sa porte.

Gabrielle déchira la page, d'un geste résolu. Elle avait pourtant hésité, retenue par une sorte d'effroi sacré. Soustraire cette page au cahier rouge était une profanation. Comme de voler un cadavre ? Pourtant, cette page lui appartenait. Elle se souciait peu que Pierre Galay eût compté les feuillets. Ce n'était pas exclu, mais très improbable... Une vingtaine, disait-il. Il n'avait aucune raison de remarquer, collées à la reliure de toile, les minuscules barbelures qui restaient de la feuille arrachée. L'ultime page manuscrite ne l'était qu'au recto, rien au verso. Ensuite les dernières, vierges : là finissait le texte. Cinq lignes de conclusion, isolées en haut de cette page, paraphe solitaire, point d'orgue. Elle ne les avait découvertes qu'en achevant la traduction, peinant jusqu'au bout à transcrire, ligne à ligne, mot à mot, et de l'un à l'autre était passée sans transition à ceux-là, sans comprendre d'abord qu'elle ne lisait plus une suite de chiffres ou de formules, mais une lettre, qu'elle entendait la voix oubliée, jaillir soudain dans sa gorge, dans son ventre...

... Je n'ai de ma vie engagé que ma foi, mon honneur. Je ne savais pas qu'il y eût pire ennemi que soi au monde, et qu'à le rencontrer il nous perde. A peine ai-je eu le temps d'apprendre, l'âge est bref au festin des barbares... ébranle... pour connaître mon cerveau de civilisation... Si cela sert de volonté... au déclin, horreur horreur... L'instant est proche où vont me réclamer les sulfureuses flammes et les tourments... Ceux que j'aimais, ma mère me pardonnent.

Lus et relus en saccade, ces mots en haut de la page brouillaient sa vue. Issus de l'inextricable magma kabbalistique surgissait, soudain sensée, intelligible, une parole articulée, une voix, suspendues au souffle d'une gorge exténuée, dont on entend le halètement, le hoquet, le râle... Et par-dessus tout cette citation du spectre de *Hamlet*, qu'ils se lançaient autrefois, pour rire, en grimaçant... *Les sulfureuses flammes et les tourments...* Dans quel état extrême, de délire ou d'atroce lucidité, trouve-t-on de ces mots, quand s'absente le langage ; quand plus rien d'un vocable ne s'énonce, qu'infirme, invalide ? Quand, impropre à traiter de l'âme, du cœur et de l'esprit, la langue échoue dans son enfer !... Depuis des années, son cri enfermé dans le silence des pages : amour, et pardon... Endre n'avait donc pu achever la litanie de formules sans libérer la pensée qui les dictait, sans convoquer les siens dans son désert d'agonie, avant de se taire tout à fait. Si près des affres de sa mort, touchant au mystère des ténèbres, Gabrielle n'en finissait pas de fermer le cahier, de s'en éloigner, objet funèbre, intouchable. De le rouvrir, au hasard des pages, comme pour mimer tout le temps passé avant d'atteindre celle-là, la miséricordieuse, déchirante page de l'adieu. Le souffle court, les paupières brûlées, ses doigts palpant la page à l'aveugle, elle lisait et relisait la lumineuse, miraculeuse lettre d'Endre, à laquelle elle ne croyait plus.

Elle aurait pu la recopier de sa main. Cette idée ne l'effleura pas. L'original lui appartenait. Elle avait détaché la page ; soigneusement, résolument. Il lui revenait de la transmettre à qui il s'adressait, en propre, comme ultime prière. A Agota. Pour que fût en paix l'âme d'Endre. Pour qu'il n'eût pas en vain tracé ces mots, dans l'obscurcissement de la mort. Elle n'avait pas même d'amertume, de regret qu'il nommât sa mère seule. Elle s'inclinait ; elle consentait. Ne priait ni ne pleurait. Sous la lampe, cette page détachée avait pris une valeur ineffable et, d'une certaine manière, bénissait tout ce qu'elle avait fait depuis des mois, des années, portée par la foi qu'Endre n'avait pu quitter la vie

503

sans laisser un signe… Elle posa pieusement ses lèvres sur la feuille, sachant ce qu'avait de vain ce baiser. Puis elle la plia, la glissa dans l'enveloppe, avec sa lettre.

Ma chère tante, écrivait-elle, *Endre était plus constant que nous ne l'étions, ingrates, qui avons cru en son oubli. Si cette page, dont vous reconnaissez l'écriture, ravive votre douleur, qu'elle vous console par sa fidélité. Je tiens que ces lignes furent rédigées près de sa mort ; en témoigne leur désordre, hélas ! Je ne puis rien dire de l'occasion récente qui les met entre mes mains, mais preuve est faite, en dépit des calomnies, qu'Endre resta jusqu'au bout celui que nous aimions. Chère tante, je me fie à vous pour garder le silence, ne faire état à personne de cette lettre, de si grande conséquence… Votre très aimante Gabrielle.*

Dès que confiée au facteur, la page perdit sa puissance de feu ; elle n'avait plus que la légèreté immatérielle des paroles envolées. Vraiment invisible, la minuscule frange du papier arraché bordait la pliure du cahier. Nul ne saurait sa disparition. Les choses étaient en ordre ; renoué le lien rompu, adoucie la vieille blessure. Et si Gabrielle imaginait Agota lisant sa lettre, ces lignes d'Endre, elle plaçait cette scène dans un théâtre hors du temps. L'ombre d'Endre surplombait la silhouette de sa mère debout près d'une fenêtre. Penché au-dessus de son épaule, il lisait avec elle. Ensemble ils communiaient, au sommet solitaire de leur chemin de croix, pacifiés, réconciliés dans leur filiation. Sans vouloir penser que le nuage saint-sulpicien, sur lequel elle les hissait, avait sous lui de sombres abîmes, que la réalité de cette lecture serait sauvagement différente de ce tableau idéal, elle trouvait, à réparer auprès d'Agota le souvenir chéri d'Endre, à les réunir une compensation inavouable à sa propre défection, à l'amoindrissement progressif de son amour, mué en tristesse vague, en rêverie attendrie, que ne traversaient plus comme autrefois les élancements déchirants de l'absence. A rendre le fils à sa mère, elle désertait la place élue, revendiquée et farouchement défendue, toutes ces années, contre celle-là même qui la lui avait laissée prendre. Et puisque Endre ne la nommait pas, sinon dans cette formule anonyme de *ceux qu'il aimait*, signifiant combien loin des yeux, loin du cœur, il l'avait reléguée parmi d'autres aux jeux lointains de son désir, elle abdiquait, du même mouvement.

A cause de cette page disparue, la traduction du cahier lui parut moins ingrate, et elle s'appliqua à en parfaire la rédaction, à en recopier au propre la dernière version, comme s'il ne s'agissait plus que d'un exercice scolaire, s'affermissant dans l'attente du jour prochain où le docteur réapparaîtrait, et réclamerait sa copie. Elle serait alors assez armée pour l'affronter sur son propre terrain. En dépit des bouleversements et des inquiétudes latentes, en dépit de son anxiété quant au sort de Jean Zepwiller, et de son revirement envers Michel Terrier, jamais elle ne s'était sentie aussi forte, aussi proche d'atteindre son but.

A travers les stores, Pierre Galay jeta un coup d'œil à la pente des jardins en terrasse sur laquelle donnait sa chambre, le vert pâle des oliviers émergeant des parterres plantés de cactus et d'amandiers, qu'il avait eu l'étonnement de trouver fleuris. Sur la gauche, une rangée de cyprès barrait la vue, cachant les arcades de l'hôpital où il logeait mais, en bas, l'étagement des toits se poursuivait jusqu'au panorama bleuté de la ville, surplombé de Notre-Dame-de-la-Garde et de son esplanade, contre les falaises rocheuses, au glacis d'or orangé par le crépuscule. La mer aussi avait cette teinte de vieux rose perlant à la surface des vagues, une matière huileuse pastillée d'étincelles, jusqu'à l'horizon. Il ne jouissait guère de ce spectacle somptueux, ne rejoignant que tard sa chambre, une résidence aménagée pour les hôtes de passage dans l'ancienne infirmerie, qu'il préférait à l'agitation des hôtels du centre-ville. Quelqu'un avait eu la louable intention d'égayer ce blanc déprimant des institutions de santé d'une frise artistique de capucines, dont le vermillon écaillé était encore plus désolant, et l'anonymat du placard métallique, le lavabo surmonté d'un miroir piqué, la petite table et la chaise bancale de pitchpin achevaient d'en faire un réduit monacal sans grâce. Mais il s'en accommodait sans désagrément, accoutumé à une vie spartiate, et se contentait chaque matin d'entrevoir le paysage méditerranéen, entre les lamelles du store cassé qu'on ne pouvait plus remonter.

Ce soir, il dînait en ville, chez Louis Le Secq ; autrefois son condisciple, à présent le directeur du service des maladies infectieuses, celui-ci organisait un colloque annuel de spécialistes. Pierre l'avait perdu de vue, après leurs études communes, et c'était Bauer qui les avait fait se retrouver ; lui qui gardait avec certains de ses anciens étudiants, un petit cercle choisi, des relations épistolaires suivies. Le Secq avait passé plusieurs années en Orient, en Chine et à Antananarivo, comme major de l'armée coloniale, avant de revenir se fixer à Marseille, sa femme ne supportant plus les climats tropicaux, et, sans doute, la neurasthénie chronique de ces petites communautés de Blancs expatriés. Il en avait ramené un teint cuivré, qui lui faisait, avec sa moustache et ses sourcils de maïs mûr, une tête flamboyante, posée sur un cou et des épaules de bovin. Son torse massif, ses jambes courtes et ses mains robustes traduisaient peu l'homme qu'il était, tout en finesse et délicatesse, d'un abord timide et d'un esprit pénétrant. Fort de son expérience de terrain, il s'était remis aux études fondamentales, rattrapant en quelques années son retard scientifique, et à présent réunissait autour de lui une communauté d'élite. Il se trouvait, en outre, que Le Secq avait épousé une amie de Blanche, que Mme Mathilde avait autrefois prétendu jeter dans les bras de Pierre. Une de ces jeunes filles fabriquées sur le même moule dans les couvents ou les pensionnats, gavées de romans bleus, confondant la première invitation à une valse avec une demande en mariage, mais ayant déjà appris, entre paroissien et livre de recettes, à spéculer et gérer leurs titres et bordereaux. Lors de son premier séjour à Marseille, Pierre avait refréné son aversion instinctive en apprenant que Mme Le Secq était cette Caroline d'autrefois, gêné de renouer avec ces épisodes fades du passé dont l'indifférence nous éloigne, et qui gardent pourtant une force terrible, auxquels leur ancienneté donne un prix illusoire. Aussi avait-il été bien surpris de rencontrer, au lieu de la matrone qu'il croyait, une femme enjouée, aux yeux pétillants, tout étourdie d'avoir survécu aux moussons et aux soleils dévorants, aux moustiques et aux scorpions, ravie de régner à présent sur l'appartement confortable de la Canebière aménagé en caravansérail orientaliste, plein de hamacs accrochés entre deux portes, de volières et de tentures indiennes, que traversaient à la course de grands enfants chahuteurs. Le Secq était heureux, Caroline aussi, et toute sa famille ; heureuse leur vaste maison, où ils recevaient, avec une libéralité bon enfant, les membres de sociétés savantes et d'instituts de toute l'Europe, qui résidaient à Marseille, le temps du colloque.

Pierre se laissait inviter, prenant à ces soirées animées un vrai plaisir, d'autant plus précieux que menacé, car s'il avait refoulé dans une zone brumeuse de sa conscience les réalités obsédantes qui l'attendaient à Paris, celles-ci ne manquaient pas de se rappeler à lui par accès. Mais il jouissait de cette parenthèse, plus spectateur qu'acteur du théâtre joyeux de la maison, de l'accueil de ses hôtes, et de l'occasion d'échanger avec ses collègues, un petit groupe fidèle de chercheurs que chaque année ramenait, dont Jules Bordet, le grand savant belge responsable de l'Institut Pasteur du Brabant, le découvreur génial, avec Octave Gengou, de la réaction dite de la "fixation du complément", ouvrant à la recherche immunologique des voies si fécondes. Il y avait aussi Metchnikoff, venu quelques jours de Saint-Pétersbourg, et Salimbeni, qui avait travaillé à Marseille, en 1911, lors de l'épidémie de choléra... On progressait si vite, en biologie, et en chimie, dans toutes les disciplines des maladies infectieuses, c'était une telle fermentation technique et intellectuelle, ce chantier permanent des travaux transformant l'exercice des professions de santé, jusque dans la réglementation hospitalière, diversifiant les disciplines, et pourtant nécessitant toujours l'aller-retour entre laboratoire et clinique, et le souci de la politique publique de santé, de la prévention et de l'hygiène sociale, l'assainissement urbain et la médicalisation rurale... La tuberculose, et les maladies vénériennes surtout occupaient les congrès internationaux. Mais Le Secq, revenu d'Orient, tenait à centrer ses colloques sur les questions épidémiques et immunitaires, les poussées de choléra du siècle dernier ayant réveillé le vieux fantasme, et inspiré, avec peste et typhus, quarantaines, isolements et contrôles sanitaires, aujourd'hui de mieux en mieux établis. Il était sans cesse informé des rapports qu'adressaient les bureaux de Tanger, de Constantinople ; et d'Alexandrie, depuis l'ouverture du canal de Suez ; et de Bucarest qui surveillait la navigation sur le Danube. Mais tous restaient persuadés qu'à trop s'attacher à l'hôpital, à laisser aux chercheurs des sciences fondamentales un rang inférieur dans la hiérarchie universitaire, derrière les cliniciens, la France perdait son rang face à l'Allemagne et la Grande-Bretagne, comme aux Etats-Unis. Aussi, à chacune de leurs rencontres, cette dérive les préoccupait-elle, en arrière-fond de leurs travaux sur la sérothérapie et l'immunité. Mais Pierre cherchait surtout, hors de ses pairs de l'Institut, à trouver un complément à ses recherches sur les diastases viscérales, et particulièrement du foie, impliquées dans tant de maladies infectieuses. Il avait emporté des notes, ses observations, pour sa communication, et s'était promis de rédiger durant ce séjour studieux ; mais les journées passaient sans qu'il trouvât le temps de s'y plonger, différant à son retour la rédaction d'un grand article de synthèse.

Ce soir-là, à son arrivée, Caroline recevait déjà dans le salon indien, servant aux quelques hôtes les premiers arrivés un vin de Samos avec des raisins de Corinthe, mais Le Secq avait aussitôt entraîné Pierre à l'écart, plus ulcéré qu'intrigué, pour lui montrer, dans un journal du soir, *Le Petit Marseillais*, une colonne qui reprenait un article, paru la veille, à Paris, dans *Le Petit Parisien* et *Le Matin*. C'était une nouvelle brève qui ménageait ses effets, titrée : "Un cas de peste rarissime étudié en grand secret à l'Institut Pasteur ?" La forme interrogative et les conditionnels du communiqué étaient de rhétorique, car le journaliste, s'il confondait dans ses lignes pestes bubonique et pulmonaire, ne laissait guère de doute sur sa conviction. On cachait à l'opinion publique d'alarmantes nouvelles, une des maladies mortelles les plus contagieuses, venue de l'étranger avec poux et rats, familiers de ces indigènes travaillant sur les bateaux, passant par les mailles distendues du réseau sanitaire de l'Office international d'hygiène publique... Et dans les laboratoires, certes d'élite, mais confinés de la recherche, on oubliait la prophylaxie de terrain, et tout simplement le droit à l'information du quidam... On gardait l'œil collé au microscope sans mesurer toujours de quelle conséquence était le bacille ou le microbe isolé sur les lamelles de verre... On menait, dans des laboratoires occultes, des expériences aventureuses... Notre société n'était-elle pas assez un corps malade, gangrené par les ferments et les parasites de tous ordres, sans courir le risque de manipulations explosives ?...

C'était si bête, si outrancier, écho de l'hostilité de certains milieux médicaux, ou d'une basse animosité politique, que Louis en était congestionné, l'indignation ajoutant à sa rougeur naturelle. Et si ses collègues, qu'il avait informés, traitaient par le mépris ce genre d'information, n'y voyant que la malveillance d'une opinion ignare, plus occupés de leurs discussions savantes que de ces faits divers tombés sur le trottoir, quant à lui, il prenait très mal cette rumeur imbécile. Pierre était de son avis : il restait stupéfait devant cet articulet, certes placé en bas de page, mais suffisamment virulent pour alerter l'institution, et alimenter les polémiques délétères auxquelles se complaisait la presse. Il se demandait, surtout, de quelle source pouvait bien provenir une information aussi approximative, aussi grossière. Pas de fumée sans feu, dit-on. De quel cas d'exception pouvait-il s'agir ? De quelle querelle interne, de quel règlement de compte cette information était-elle la partie émergée ? Rien ne filtrait d'ordinaire, règle d'or rigoureusement observée par tous, au-delà de leurs divergences ou esprit de concurrence, unis dans le même respect du secret scientifique, et plus voués à servir le progrès collectif que de médiocres controverses personnelles. Jugeant l'affaire assez grave, et ignorant quels échos on en avait à Paris, Pierre demanda aussitôt l'autorisation de joindre l'Institut Pasteur au téléphone, mais au bout d'une longue attente, seul un laborantin se décida à décrocher. Il était tard, la plupart des laboratoires fermés, et quant au directeur, le Pr Roux, il ne rentrerait que le surlendemain de Lille, où il s'était rendu pour rencontrer son ami, Albert Calmette...

Pierre en resta là, remettant au lendemain son projet d'obtenir des éclaircissements, par le téléphone ou par le télégraphe.

Mais cet incident contraria sa soirée, piquant sa curiosité et nourrissant un pénible pressentiment ; le rappelant surtout à cette place qu'il avait désertée en quittant Paris, soulagé, plus qu'il ne se l'avouait, de l'échappée belle qui se présentait à lui en venant à Marseille. Dans un coin de sa conscience, le tenaillait le souvenir des circonstances contraires qui avaient présidé à sa décision de confier à Gabrielle la traduction du cahier rouge. Il aurait pu, il aurait dû surseoir jusqu'à son retour, ne pas précipiter sa démarche. Attendre qu'elle fût remise de son accident de cheval, et de ce rendez-vous perdu, qui semblait si fort la contrarier ; dont l'incidence malencontreuse avait menacé son projet. Dans une confusion extrême, taraudé d'impatience, remué par les conseils de Bauer ; et peut-être, justement, parce que l'accumulation d'obstacles l'invitait à différer, il avait voulu plier l'occasion à sa volonté. Dans quelle précipitation, quelle fièvre, avait-il confié le cahier à cette femme, encore une inconnue quelques mois plus tôt... Justement parce qu'elle était inconnue, une étrangère à sa vie, à qui il n'avait pas de compte à rendre. Ignorant tout de son histoire, et que la providence, ou la fatalité mettait dans ses pas. Cette idée n'était pas venue tout soudain ; elle avait longtemps fait son chemin. Depuis que son image de cinéma traversait ses yeux, son corps, s'emparait de lui ; depuis que Daniel avait déclaré l'élire pour sa muse ! En réalité, depuis ce soir d'automne au Mesnil, où, dans la pénombre du couloir, la nouvelle institutrice de Millie disait connaître le hongrois... Elle avait trouvé ces livres de poème, elle lisait ces vers... Quel coup il avait reçu, alors, en pleine poitrine. Au seul son de cette langue, tandis qu'elle lisait, la vague soulevée en lui, le reflux de marée dévastant son esprit... Gabrielle n'avait plus quitté ses pensées. Elle venait à lui par ce hasard d'un soir, se présentait comme l'instance obsédante qu'il avait fuie, évacuée de son esprit. Une fois la sacoche confiée à Meyer, dont la fidélité à toute épreuve garantissait qu'elle fût préservée des aléas de sa vie, un accident, sa mort peut-être, il l'avait oubliée. Si peu oubliée... Comme si l'on pouvait mettre à la tombe sa propre mémoire, demander à un autre d'en être le fossoyeur, pauvre Meyer... En dépit de sa répugnance, de son refus d'apprendre ce que contenait ce cahier, opportunément illisible, ces bobineaux de film, dont il redoutait la provenance et le contenu, le poids de la sacoche lui restait au flanc comme une excroissance maligne. Au fond de la forêt birmane, il en avait passé la sangle à son épaule, une fois pour toutes. Il l'avait ramenée et sauvée, décidé à en ignorer le contenu occulte, par quel aveuglement criminel...

Le cahier maintenant extrait de son cachot, ses pages ouvertes à la lecture, et le temps suspendu de son retour étaient un risque considérable. Il se rongeait de sa précipitation et son séjour lui faisait l'effet d'un sursis lâche, de ces manœuvres dilatoires qui donnent l'illusion d'un temps protégé, d'autant plus précieux que compté, qui diffère l'épreuve de vérité. Il était pourtant heureux à Marseille, chez ses amis Le Secq, parmi ces intellectuels fraternels dont l'estime le réconfortait, repris par les spéculations qui lui importaient le plus ; jusque dans sa chambre monacale aux capucines fanées, il était heureux. Du moins, comme les malades jouissant d'une rémission qui conjurent la rechute par une feinte insouciance, il passait ces jours à ruser avec lui-même. Il y avait réussi, jusqu'à ce soir, où Le Secq venait de lui mettre sous les yeux l'article infect du journal local, une feuille de chou provinciale qui traitait de n'importe quoi, comices et cérémonies, faits divers et ragots.

A présent, il avait hâte de rentrer à Paris, d'élucider cette affaire choquante de l'article, et du même mouvement il volait en pensée vers Gabrielle, vers l'inconnue dont dépendait tout, à présent, entre les mains de qui il avait laissé ces pages. Là-bas, au Mesnil, en ce moment même, elle travaillait pour lui à élucider ce bourbier vénéneux... Suffirait-elle à la tâche, et que découvrait-elle en ce moment de confidences, d'aveux ou de renseignements dont Endre Luckácz avait pu noircir ces pages. Y trouverait-il, lui-même, réponse aux questions de l'heure ? Il avait rêvé d'elle, la nuit dernière. Un rêve étrange, comme tous les rêves. Elle marchait devant lui dans une foule compacte, agressive, une manifestation d'émeutiers, silencieux et dangereux. Il la voyait de dos, mais il était sûr que c'était elle, avançant sans difficulté, à une vitesse impossible, trouvant toujours la brèche, sa mince silhouette se faufilant entre les corps pressés, alors que lui les heurtait de plein fouet dans la bousculade, ralenti, étouffé par des bras musculeux, entravé par des jambes et des jupes lourdes comme du plomb ; il ne la perdait pas de vue, pourtant, dans sa progression laborieuse. Inexplicablement, il ne la perdait pas, si vite qu'elle allât, si lentement qu'il avançât, et d'une certaine manière ce rêve n'était pas oppressant. Malgré les obstacles, il ne la perdait pas ; il ne savait s'il la chassait ou si elle le guidait... Il s'était réveillé sans connaître le dénouement de sa poursuite absurde...

L'été dernier, Bauer lui avait donné à lire un ouvrage étonnant, récemment traduit, le livre d'un médecin viennois, qui abordait le rêve sous un angle nouveau. Le Dr Freud présentait cette activité psychique mal connue comme une manifestation de désirs refoulés, la satisfaction d'un besoin inconscient, s'aventurant à des hypothèses hardies, pourtant convaincantes... et la création onirique devenait une écriture hiéroglyphique à déchiffrer, comme le palimpseste d'un texte caché... Que signifiait son rêve de la nuit dernière, de quoi l'avertissait-il ? S'il avait rêvé de la traduction du cahier, alors il ne craignait rien : Gabrielle lui montrait comment pénétrer cette forêt hostile des corps, ouvrant la marche d'un pas aisé, altière, souveraine ! Ou bien, sans le semer vraiment, elle maintenait une distance infranchissable. Impossible de la rattraper... Dans la réalité, elle lui était bien cette femme inconnue, étrangère aux siens, à mille lieues de la communauté scientifique qu'il fréquentait. Elle se tenait dans une marge de résistance bizarre. Son état faisait d'elle une obligée, mais elle ne lui devait rien. C'était tant mieux, sans doute ? Elle tournait le dos, marchait dans la foule du rêve sans laisser voir son visage. Comme ce jour récent, dans la galerie Vivienne, quand il s'élançait à sa poursuite, tel un chasseur. Le mouvement de sa robe fouettait son désir, mais il évitait de la rattraper. Il la laissait fuir parce que, à cette distance, il pouvait la tenir, sans la toucher. A l'épreuve de l'étreinte, eût-il été à la hauteur ? Et qui était-elle, pour laisser flotter derrière elle ce parfum qui déliait ses forces comme un vent d'été ? C'est qu'il la voyait partout. Elle se tenait debout dans un couloir, mince et droite, une forme brumeuse, grandeur nature ; son visage et ses yeux perdus dans la pénombre. Elle posait ses mains nerveuses et sensibles sur le livre de poèmes. Elle était au piano, à contre-jour, nimbée par la lueur du soir, ses reins jaillissaient de la robe, sa nuque longue inclinée, creusée d'un sillon mystérieux. Elle ployait son cou, gonflé d'un rire, à l'envol des étourneaux. Et tandis qu'il était au-dessus d'elle, posant du taffetas gommé sur sa plaie, il sentait ses cheveux défaits irriter délicieusement ses poignets. Il aurait pu tomber rien qu'à tenir à pleins bras sa taille renversée, à la sentir peser sur sa cuisse. D'avoir chevauché ce cheval de rapt, elle sentait l'iris chaud des jardins, les soirs d'été. Il l'aurait battue pour ce parfum. Il ne la connaissait pas, et il lui avait livré le cahier !

Pierre prit congé. Caroline, qui l'avait accompagné jusqu'au vestibule, lui tendait son chapeau. Elle le querella de les quitter si tôt, et de son air soucieux, et, comme il s'excusait, annonçait son départ, dès le lendemain soir, elle le gronda franchement.

— Quel ours, vous faites, cher Pierre... Qui vous civilisera un peu ? On dirait toujours que mille pensées sombres vous occupent, qu'aucune compagnie ne vous déride. J'ai tant de plaisir à vous voir, et Louis m'avait promis que vous viendriez à notre maison de La Ciotat, passer quelques jours, avant votre retour… Nous avons pour voisins la famille Lumière, vous savez ? Que ne restez-vous ?

— Je l'avais envisagé, Caroline. Mais ce sera une prochaine fois. Louis vous a dit quelle nouvelle déplaisante circule dans la presse… Il faut que je rentre.

— C'est une mauvaise raison. Vous n'avez que de mauvaises raisons, comme autrefois de me fuir, comme si j'étais le choléra ! Vous êtes un sauvage ; mais bien aimable, en dépit de vos airs ténébreux. On n'arrive pas à en vous vouloir, méchant homme !

Elle riait, imperturbable dans son humeur joyeuse, caressante et moqueuse, rassemblant autour d'elle la faille crissante de sa robe.

— Au moins, promettez-moi de passer demain, avant votre train. J'ai un petit colis de navettes à l'anis et à l'amande, et des lavandes à vous donner, de notre jardin.

Il promit. Il regagna sa cellule de l'infirmerie. La traversée froide du jardin et le silence des couloirs déserts, où résonnaient ses pas, l'avaient un peu rétabli. La vague odeur d'éther, de camphre, montée dans les étages, effaçait tous les mirages de parfums, et par les fenêtres du corridor, on voyait la nuit pleine d'étoiles paisibles, un drap bien glacé, minéral et indifférent. Sa clarté jetait sur le plancher le quadrillage des croisées, une géométrie assez rassurante qui remettait la cervelle au carré. La veilleuse peignait de bleu fade le lit et les murs, stylisant l'austérité de cette chambre et calmait la fantaisie des sens. Il se crut aux abris, content d'avoir quitté à temps le salon exubérant de Caroline, ses ors et ses draperies indiennes, qui excitaient l'imagination. Il alluma un petit cigare.

D'ordinaire, c'était un exorcisme excellent pour retrouver son aplomb. L'odeur de la fumée était vaillante et pleine de bon sens, le grésillement du brûlot un compagnon agréable à l'oreille, un petit signal rouge dans l'obscurité bien tranquille. Mais le tabac, au lieu de chasser sa fièvre, l'enivra de nouveau. Ce soir, il était âcre et provocant, il faisait battre le sang aux tempes et aux poignets, une vibration continue qui donnait des envies de cogner quelque chose d'absent. Pourtant il avait été presque heureux, ici ; cette chambre était juste ce qui lui allait, anonyme, inoffensive. Mais maintenant elle était envahie par son rêve de foule, par la grande forme insaisissable d'une femme inconnue, dont le parfum imaginaire, plus fort que tous les camphres et les tabacs, faisait courir des frissons à ses reins. Entre les murs blancs aux capucines fanées, il n'y avait plus de place pour la tranquillité. Il n'était pas le sauvage que disait Caroline, mais un animal policé, plein de craintes et de remords. Chasseur d'aucun gibier, et pourtant l'instinct alerté. Prompt à la colère, qui est l'habillement de la peur. Dans le moment présent, on a l'impression que tout est simple et sans aucune menace. La chambre est baignée du bleu de nuit, le ciel clignote d'étoiles froides. On souffle de la fumée de tabac qui vous environne d'une brume. Mais une lente explosion de colère disperse la poussière de peur dans l'enfermement des quatre murs, qui vous habille et vous casque de fer, vous glace l'échine. La femme fuit devant vous. Vous ne la rattrapez pas, parce que vous ne voulez pas. Pas savoir qui elle est. Vous vous réveillez pour ne pas l'apprendre. Vous rouvrez les yeux avant que le rêve soit le cauchemar où la femme ploie sa taille capiteuse et, une fois contre vous, montre sa figure de plâtre abominable, qui se fendille et s'effrite. Entre les lamelles du vieux store, il regarda le ciel un grand moment. Les étoiles s'ajoutaient aux étoiles, toujours plus nombreuses, des poignées de gros sel étincelant qui ne donnaient aucune lumière dans tout ce noir, la poussière glacée d'un monde éteint.

A peine débarqué du lent train de nuit qui le ramenait de Marseille, Pierre Galay laissa sa petite valise à la consigne de la gare de Lyon, traversa la Seine et longea les quais d'un pas rapide. Il faisait un froid vif mais sec, et sur la Seine les longs panaches de fumée des péniches étaient dispersés vers l'ouest d'un vent aigre, arasant l'eau grise. Peu de passants, à cette heure, et quelques omnibus presque vides, qui le croisèrent dans un brinquebalement de ferraille. Il fut vite en vue des grilles et des toits d'ardoises de la fabrique Bertin-Galay, surmontant le mur d'enceinte en brique noircie. Il salua le portier et passa rapidement le porche, mais, comme il allait entrer directement dans l'immeuble, derrière lui, celui-ci cria, puisqu'il ne pouvait que chercher sa mère, évidemment :

— Madame est aux machines, avec ces messieurs !

Pierre n'avait que rarement pénétré dans l'enceinte de l'usine familiale. Il ne se rendait guère au siège de l'entreprise que deux ou trois fois l'an, pour les conseils d'administration, qui se tenaient à l'étage du bâtiment administratif, et il n'avait eu l'occasion, ni même l'idée de pousser plus loin. Au-delà de la vaste cour pavée que bordaient les entrepôts, devant lesquels stationnaient les camions de chargement, la façade sombre des ateliers s'étendait, avec son fronton majestueux et son cartouche de céramique bleu et or proclamant l'enseigne, ses hautes fenêtres grillagées aux vitres voilées de poussière blanchâtre. Passé le seuil des ateliers, Pierre hésita. C'était l'heure du repas et une équipe d'ouvrières déjeunaient sur leurs genoux au bout des travées, leurs gamelles posées à même le sol, une grappe de vieilles et de jeunes femmes au même visage poudré de farine ou de sucre, que leur uniforme empaquetait du même tablier gros gris. Leur tête couverte de fichus blancs, elles avaient l'air d'une colonie de nonnes, étalant leurs jupes dans l'abandon de la pause, tandis que, derrière elles, la fabrique continuait de tourner ; d'autres équipes, debout aux machines d'empaquetage, saisissaient les boîtes sortant de la plieuse et les tournaient d'un geste preste, les positionnant pour le passage sous la débiteuse, qui crachait à toute vitesse des jets saccadés de biscuits, aussitôt tassés par la secousse d'une plate-forme et, plus loin, en bout de chaîne, les colleuses rabattaient d'un coup de poignet machinal les côtés du carton imprimé enduits de gomme, poussaient le train de paquets Bertin-Galay vers les assortisseuses. Celles-ci les rangeaient par dix dans des caissettes arrivant sur un rail aux engrenages cliquetants. Une équipe, d'hommes cette fois, les réceptionnait et chargeait des diables, roulait les chariots vers l'entrepôt au rythme d'une rotation continue. C'était l'atelier d'emballage des petits-beurre ; mais, à droite et à gauche, d'autres chaînes travaillaient, à une cadence moins rapide, pour les boudoirs et les fragiles meringues, les spécialités de luxe nécessitant des manipulations délicates, incompatibles avec la chaîne mécanisée.

De ces machines-outils, Pierre avait entendu parler quand, deux ou trois ans plus tôt, il avait voté leur achat, dont Mme Mathilde faisait grand cas, mais il n'avait jamais vu leur installation ni leur fonctionnement. Il resta un moment interdit à ce spectacle, sous le regard curieux des ouvrières, bientôt narquois, pour ce nouveau venu dont le nom circulait de place en place. Il fut surpris du bruit roulant, réverbéré par les poutrelles métalliques et la verrière, comme un geyser de tambours et trombones, crissement et claquements au rythme d'une marche militaire ; mais surtout par l'atmosphère de l'atelier, à forts relents d'essences, d'orange ou de citron, où flottait une poussière très fine de farine en suspension, dont le voile épaississait l'air et poudrait les visages, les mains, imprégnait les vêtements et emplissait les narines. Sous ce parfum entêtant circulaient l'odeur épaisse des huiles de machine, de métal et de carton chauds, l'odeur des corps en sueur. Pourtant quelques principes de précaution étaient observés, les ouvrières qui touchaient aux gâteaux portaient toutes des gants de coton fin, et leur fichu serré enfermait leurs cheveux ; même les hommes, ceinturés du même tablier gris, tous avaient cette allure d'infirmiers méticuleux. Mais sous cette apparente propreté il y avait la crasse, le manque d'hygiène corporelle, la misère de cette population des faubourgs, le travail harassant de la chaîne épuisant les membres, vidant les esprits.

Pierre traversa rapidement l'atelier, se dirigea vers la guérite vitrée où logeait le contremaître, qui lui indiqua l'autre partie de l'usine, la fabrication et les fours, où il pourrait trouver sa mère, à ce moment en conférence avec M. Lewenthal, M. Gillon et les ingénieurs De Wendel, pour étudier une nouvelle installation de fours électriques, un nouveau brevet français en concurrence avec les brevets américains. Ce projet répondait à l'aspiration de Mme Mathilde à une meilleure organisation du travail, et son nouveau directeur l'y poussait, adepte de la modernisation inspirée des idées américaines. Il venait de lui donner le livre traduit de Taylor, *Shop Management*, mais Mme Mathilde répugnait à ces lectures ingrates. Elle obéissait à sa seule intuition que la manutention quasi artisanale, en petites unités, affaiblissait l'entreprise, alourdissait les coûts : il fallait accroître les gains de productivité et satisfaire aux attentes des actionnaires, maintenant que le capital leur était ouvert. A trois francs de l'heure, ses employés n'étaient pas les plus mal lotis de l'arrondissement, surtout à côté des bagnes industriels voisins de l'automobile et de la clouterie, et même de la chaussure. Chez Bertin-Galay on respectait la journée de dix heures, et le repos du dimanche imposé par la loi, et l'assurance vieillesse, même si les ouvriers répugnaient à cotiser... Mais la hantise permanente du chômage entretenait un état d'esprit déplorable, que Mme Mathilde tempérait par son paternalisme prudent. Elle l'avait hérité de son père, et se vantait qu'aucune grève n'avait jamais menacé sa fabrique ; c'est qu'elle tenait à l'œil les mauvais esprits revanchards, les fortes têtes syndicalistes, vite repérés et chassés pour l'exemple. Mais c'était sans compter la hargne des femmes, majoritaires dans l'usine, promptes à la revendication : moins payées que les hommes, c'était leur obsession, elles se heurtaient à l'hostilité de leurs camarades, voyant en elles des concurrentes qui faisaient baisser leur paie, et leur prenait le pain de la bouche, ce que soutenaient les syndicats. Mme Mathilde tablait là-dessus, entretenant une sourde division entre eux, jouant subtilement des inégalités de salaires, des primes adjugées à la mine, et des promotions arbitraires, à quoi elle consacrait une bonne partie de son temps, informée des uns et des autres, de leur tenue et de leur assiduité, des jalousies et des affaires privées. Des deux cents employés, pas un ne gagnait la même chose. Même si les variations étaient minimes, dérisoires, c'était un principe. Pourtant, l'installation des machines-outils faisait

maintenant tomber les rivalités. La menace d'une nouvelle mé-
canisation qui accélérerait les cadences et les mettrait au chômage soudait la solidarité entre eux, et ce jour-là, la visite des
ingénieurs n'annonçait rien de bon. Tout l'atelier les avait vus passer avec Madame, et ce jeune directeur qui, pour affecter dans sa
tenue une allure sobre, n'en représentait pas moins un vrai danger. On allait encore bouleverser les équipes, changer les postes
et licencier. En remontant les travées, Pierre sentait cette hostilité
larvée s'attacher à ses pas, comme s'il eût été le patron. Mais il
avait d'autres soucis, et la contrariété de tomber en pleine consultation d'affaire le rembrunissait davantage, encore plus la raison
de sa visite improvisée sur un coup de tête, qui lui apparaissait
d'une incongruité totale. D'ailleurs, quand Mme Mathilde l'aperçut, elle eut un haut-le-corps de stupeur.

— Pierre ! Toi, ici ! Mais d'où arrives-tu donc ? Que se passe-
t-il ?

C'était si inattendu pour elle, qu'elle en restait saisie. Malgré
tout, elle fit les présentations, déclina les titres de son fils, mais
Pierre regarda à peine ces messieurs et attira sa mère à l'écart.

— Je passais par là. C'était une occasion. Je ne serais pas
venu exprès, évidemment…

— Tu as très mauvaise mine !

— J'arrive de Marseille, par le train de nuit. J'ai très mal dormi. Je suis désolé de vous déranger…

— Nous avons fini. Nous partons déjeuner chez Robillard,
boulevard Saint-Marcel. Viens-tu avec nous ?

— Non merci.

— Alors ? Que veux-tu de moi ?

— Quand vous avez engagé Mlle Demachy, quelles recommandations a-t-elle fournies ? Je veux dire : quels sont ses antécédents ?

La vieille femme en resta éberluée. Ce sujet tombait comme un
cheveu sur la soupe, si loin de ses préoccupations de l'instant, de
la tension de son entretien, qu'elle dut dominer son agacement.

— Mais, aucun… Enfin, pas beaucoup. Elle est très jeune. Je
crois qu'elle a été garde-malade.

— Vous croyez ? Enfin, elle a bien produit un certificat !

— Absolument. Tu me le rappelles. Un certificat. Mais pourquoi me demandes-tu cela maintenant ? Aujourd'hui ? Tu t'en es
bien peu soucié, alors…

— J'ai eu tort.

— De quoi t'inquiètes-tu pour surgir ainsi, sans prévenir ?
Est-ce donc si urgent ? Es-tu mécontent d'elle ? Qu'as-tu appris
de grave ?

— Mais, rien ! s'écria-t-il aussitôt.

Soudain conscient de l'énormité de sa présence ici, de son interrogatoire, et de la stupéfaction légitime de sa mère, il se força à rire.

— Bien au contraire : il me semble qu'étant donné l'excellence de cette personne, nous devrions ajuster mieux son salaire. Voilà. Je songe à revoir votre contrat. Et je tenais à m'assurer de ses diplômes, de ses recommandations. C'est simple.

— A la bonne heure !

Elle restait quand même ébranlée, mais Pierre l'avait habituée à d'autres frasques, à ses yeux plus étranges.

— Tu as raison, sans doute... Il faut encourager cette petite. Elle nous tire une belle épine du pied, n'est-ce pas ? Mais fallait-il venir jusque-là, et en ce moment, pour trancher la question ?

— Quand me donnerez-vous ce document ?

— Enfin, Pierre, si tu l'exiges... C'est qu'en réalité, je ne sais plus où je l'ai rangé. Je te le ferai parvenir. Voilà, es-tu content ?

— Tout à fait. Pensez-y, s'il vous plaît.

Il s'éclipsa de son mieux, retraversant les ateliers de son long pas, songeant au passage à tout ce qu'il aurait pu opposer d'observations sur l'hygiène et la sécurité du travail, sur la prévention sanitaire, tuberculeuse et alcoolique... Les avancées scientifiques faisaient si lentement leur chemin, et les politiques de santé, d'assainissement urbain, en dépit des efforts, marquaient si peu de progrès, et l'éducation populaire faisait encore trop souvent défaut, quand il eût fallu un élan massif, une vraie conscience collective de ces enjeux. Il passa sans tourner la tête, assourdi par le vacarme et pris de nausée par l'odeur douceâtre des sucres. Il pensa qu'il n'avait rien pris depuis la veille au soir. Sur le quai, il sauta dans un omnibus pour aller à la gare récupérer son bagage et déjeuner en vitesse au buffet, avant de se rendre rue Dutot.

XXVII

Le Pr Roux avait écouté Pierre avec une exceptionnelle gravité, accoudé à son bureau directorial, les mains jointes posées sur ses lèvres minces. Dans le contre-jour de la fenêtre, sa silhouette haute et maigre se dessinait en arêtes vives, et sur son calot de soie noire, qu'il quittait rarement, la lumière d'hiver mettait une auréole froide. Pierre savait la réputation d'austérité du grand savant, que sa longue intimité avec Pasteur avait imprégné d'une conception quasi sacrée de son engagement. A lui seul il pouvait avoir recours, en ces circonstances déplorables. Car dès son arrivée, au laboratoire, en début d'après-midi, il avait eu l'explication qu'il redoutait : Grandrieux, rongé de remords, affolé par les effets de son inconséquence, n'attendait que son retour pour confesser sa faute.

D'emblée, il avait avoué qu'il était responsable de la fuite. Oui, il avait consulté le dossier, qu'il l'avait vu ranger avec tant de précaution dans le placard du laboratoire, intrigué qu'il fût si soucieux des conclusions de son expertise à Châlons, où il l'avait accompagné, et jusque chez cette femme du peuple, au petit matin ; tout ce mystère autour du cas atypique, des analyses complémentaires demandées à l'Institut médicolégal, et le silence exceptionnel de son maître là-dessus, lui promettant pourtant des éclaircissements… Oui, durant son absence, il avait ouvert le dossier. Mais si, quelque peu ébranlé par ses conclusions, il avait espéré son retour pour en saisir le sens, il n'avait pas cru entrer dans un si grand secret. Si peu, qu'il s'était ouvert étourdiment de sa découverte à des amis, lors d'une soirée ; mû sans doute, il s'en accusait, par la fierté, par l'orgueil de travailler dans un si prestigieux endroit, dans la proximité de si célèbres chercheurs ; pour briller, pour épater la compagnie de jeunes gens qu'il fréquentait. En réalité, pas de vrais amis ; un cercle d'anciens condisciples de lycée, étudiants comme lui installés à Paris, qu'il retrouvait pour des réunions joyeuses, où l'on buvait beaucoup. S'il se dissipait, c'était par désœuvrement, pour tromper sa solitude, et par besoin d'entretenir la camaraderie de sa jeunesse... Il en avait parlé avec faconde, fanfaronnant sur les dossiers qu'il avait en charge, en en rajoutant plaisamment pour effrayer son auditoire, n'imaginant pas une seconde que cela passerait les murs de la salle arrière de la brasserie *Au canon de la Bastille*, où ils avaient leurs habitudes... Or l'un de ces jeunes gens était journaliste stagiaire au *Petit Parisien*. A l'écouter évoquer ce cas horrifique, il avait cru tomber sur une nouvelle sensationnelle, trouver le moyen de se faire valoir, lui qu'on traitait en saute-ruisseau, en grouillot inexpérimenté, et il avait rédigé en hâte cet article, en termes assez sibyllins pour dissimuler son incompétence, son ignorance totale du cas précis dont il traitait, se gardant prudemment de donner trop de renseignements, que d'ailleurs Grandrieux avait tus, et la ville, et l'hôpital, et le nom du mort... Encore heureux ! disait-il, effondré.

— Misérable, coupait le docteur. Cette pauvre femme et ses enfants auraient payé cher votre méfait.

Mais le garçon ne se cherchait pas des excuses pour cette imprudence, ce crime, impardonnables. Il savait qu'il avait transgressé une loi absolue, mis en danger des êtres humains innocents. Qu'il venait de ruiner ses espérances de carrière, sa réputation, et celle de la maison illustre qui l'avait accueilli, et irrémédiablement trahi la confiance de son maître. Il était au désespoir de mesurer l'étendue de sa faute, mais, malgré les signes de son sincère repentir, Pierre n'avait pu lui accorder un mot de consolation, atterré d'avoir confirmation de ce qu'il avait immédiatement soupçonné, dès que Le Secq lui avait mis le journal sous les yeux. Il avait été glacial, intraitable. Horrifié d'imaginer que la vérité eût pu se trouver sur la place publique, découverte la véritable nature de ce poison mortel, et son origine, et que ce cas délictueux, ce brûlot politique eût pu transpirer sans recours... Par chance, dans toute cette terrible affaire, par chance Grandrieux était un débutant, encore trop incompétent pour déchiffrer le dossier et en évaluer les conclusions... Aussitôt demandant audience au Pr Roux, prêt à prendre sur lui cet acte infâme, Pierre avait laissé Grandrieux pantelant et était monté exposer l'affaire au directeur.

La nouvelle avait fait le tour de l'Institut, rencontrant ou l'incrédulité ou l'indifférence, tant chacun savait les abus d'une presse sans foi ni loi. Le concierge avait pour consigne d'évincer tout visiteur extérieur à la maison, mais il y avait eu, ces deux derniers jours, des appels divers. Des médecins alarmés, des donateurs de la fondation, quelques journalistes venus à la source, pour des précisions, et surtout une question écrite à l'Assemblée parlementaire, entraînant un rappel du ministre, que le Pr Roux avait trouvé, à son retour de Lille. Rappel bienveillant, certes, mais qui exigeait réponse. Le Pr Roux avait commencé de rédiger un communiqué laconique niant les faits, dans leur totalité. Voilà ce sur quoi il voulait, d'abord, l'avis de Pierre : fallait-il même démentir ? Tomber à ce niveau le plus bas, et avoir, en n'importe quelle circonstance, à se justifier ? D'une part, c'était faire beaucoup de cas de la presse, et donner du grain à moudre. Un démenti n'éteindrait pas la rumeur. D'autre part le silence serait perçu comme un aveu... Mais quitte à courir ce risque, Roux se disait prêt à couvrir les missions de l'Institut par son autorité.

— Il nous appartient de préserver nos recherches de toute intrusion publique. Nous n'avons de compte à rendre qu'à notre probité. A la haute morale qui a toujours inspiré notre maison. A notre honneur. Il suffira d'une note au ministre, pour mettre un terme au trouble public. Qu'en pensez-vous, Galay ?

Pierre acquiesçait, admirant la manière dont le professeur abordait l'affaire, en toute sérénité. En priorité, protéger la position institutionnelle ; ensuite, régler en interne les questions de personnes.

— Il reste que je suis responsable de mon service. Mon préparateur a commis une faute, qui m'incombe. J'ai autorisé celle-ci ; d'abord en ne veillant pas suffisamment sur mon dossier ; ensuite en échouant à lui inculquer l'esprit de notre maison.

— De quel dossier s'agit-il ?

Pierre exposa le cas dont il avait été saisi, la suspicion de peste, ou de choléra, qui avait justifié qu'on alertât l'Institut. Supposition abusive, tout à fait erronée, due à l'incompétence relative des cliniciens, peu entraînés, par les défaillances de leur formation, à ce type de diagnostic, tant le cloisonnement entre hôpital et recherche restait durable, et dommageable... Mais, quoi qu'il en soit, en l'occurrence, le Dr Denom avait eu le bon réflexe de solliciter la spécialité, et si lui, Pierre Galay, avait accepté en urgence cette mission, c'est qu'en ce jour d'anniversaire, bien peu étaient prêts à partir dans l'instant à Châlons... Quant au dossier, il avait pris du temps à l'établir : un cas d'empoisonnement rarissime. Un accident industriel, voilà quelles étaient ses conclusions, et celles de l'Institut médicolégal. Pas de peste, pas de maladie infectieuse ni de contagion.

— Je vous fais confiance, Galay. Ce jeune préparateur a seul la responsabilité de sa légèreté. Il a engagé notre réputation. Il n'a que sa jeunesse inexpérimentée pour excuse, si c'en est une. Nous vérifions combien une vie réglée, hors du monde, l'intégrité, le stoïcisme, et peut-être l'héroïsme de notre éthique sont la condition absolue de notre mission. Nous sommes des moines, des soldats, Galay, l'armée des temps modernes au service de la science. Cela ne souffre aucune infraction, aucune compromission.

Pierre savait combien le Pr Roux appliquait cette règle intransigeante à sa personne ; un saint laïque, disait-on, menant sa vie de célibataire sans famille avec une rigueur monacale, pour qui l'honneur de poursuivre l'œuvre pastorienne n'avait pas de prix, songeant même à quitter son appartement d'Auteuil pour venir vivre rue Dutot, dans le "pigeonnier", un réduit sous les toits de l'Institut, et seulement servi par les religieuses de l'hôpital... Il savait aussi qu'une part de l'estime que lui portait le grand homme, outre son excellence reconnue de spécialiste de l'immunité, venait de ce qu'il connaissait sa vie de célibataire, exclusivement vouée à sa passion pour la recherche. A l'instant, Pierre trahissait pourtant cette confiance, et cette estime. Il réservait la part occulte du cas de Châlons, il taisait son lien avec l'aventure birmane qui avait failli, à l'époque, le jeter hors de la communauté pastorienne, anéantir sa vie et son engagement scientifique. Il en payait encore aujourd'hui le prix. Encore aujourd'hui, il était l'otage de ce secret épouvantable, et rattrapé par la main du diable. Quel prix payait-il pour le geste fraternel, la parole donnée à un ami qui avait illuminé sa jeunesse, cet inconnu croisé sur le pont d'un navire et qui était devenu à la fois son éclaireur et sa part d'obscurité, sa part maudite...

— Nous répondrons au ministre, je le prends sur moi. Nous ferons silence sur le reste, poursuivait le Pr Roux. Vous me dites que ce Grandrieux a de grandes qualités, qu'il est prometteur. Mérite-t-il que nous nous privions de lui ? Nos collaborateurs du monde entier ne sont pas tous des saints. L'idéal n'est pas de ce monde, si fort que nous y tendions. Au Brésil, en Afrique, en Extrême-Orient, combien d'entre nous sont confrontés à de pénibles situations, et connaissent toutes sortes de tentations... Vous-même, mon ami, savez de quoi je parle. Vous avez rencontré cette épreuve, quand on est loin de tout, livré à soi seul. Vous qui l'avez rencontré, Galay, songez à la vie de Yersin, à Hong-Kong, seul dans sa case de bambou, en butte à l'animosité des Britanniques, à l'hostilité des microbiologistes japonais, quand il a isolé le microbe de la peste. Justement, de la peste, que ce jeune irresponsable met sur la place publique, comme un vulgaire épouvantail ! Or Grandrieux est chez nous, dans le sein de notre Institut, luxueusement protégé, pourrions-nous croire. Il a les meilleures conditions de travail. Il a pourtant rencontré la fâcheuse occasion de faillir...

Pierre n'était pas venu chercher une protection, ni se décharger d'une décision, qu'il lui incombait de prendre. Il était venu dans l'intention de présenter sa démission. A cette idée, le sol se dérobait sous lui, il chancelait d'effroi. L'épisode de sa vie, que son maître venait d'évoquer avec tant de mansuétude, sans savoir à quel point cette affaire y touchait de près, lui était la sanction la plus cuisante de sa légèreté, mais la sagesse, la pénétrante intelligence dont témoignait le Pr Roux écartaient cette éventualité, sans même l'envisager. L'affaire n'irait pas plus loin, disait-il. Le bruit en mourrait, de lui-même, éteint par l'autorité du savant irréprochable, honoré et respecté de tous, qu'il s'efforçait d'être.

— Il vous revient de prendre la décision que vous jugerez bonne, en votre âme et conscience, au sujet de ce garçon... Mais mon avis est que Grandrieux est, pour l'instant, moins dangereux pour nous dans l'Institut qu'au-dehors. Il a failli. Cependant, il est honnête, et très intelligent. Ce manquement est une expérience terrible pour lui. Mettons-le à l'épreuve de sa conscience. Prenez-en la responsabilité, Galay. Et reprenons sereinement notre travail.

En descendant l'escalier, Pierre eut un éblouissement. Il s'adossa une minute au mur, le front couvert de sueur froide, la poitrine oppressée, à en perdre le soufle. Le voyage en train, la nuit d'insomnie, le supplice des cahots des traverses et les interminables stations dans des gares nocturnes, les tensions cumulées de ces dernières vingt-quatre heures avaient raison de lui. Il passa pourtant par son laboratoire, informa Grandrieux, plus mort que vif, de son entretien avec le directeur de l'Institut, et ce qui en résultait. Il faisait effort pour garder son sang-froid, mais ses lèvres blêmes, ses traits tirés disaient assez son épuisement. Le jeune homme entendit la sentence les yeux agrandis par l'angoisse, éperdu de gratitude, de honte, mais en épargna au docteur une quelconque manifestation. Il se contenta de lui tendre la main, quémandant humblement réparation. Et si Pierre Galay prenait cette main, c'était aussi parce qu'un instant, il voyait en ce jeune homme celui qu'il avait été, à son retour de Birmanie, poursuivi par l'opprobre, sauvé par la mansuétude de ses pairs.

— Vous ne regretterez pas votre geste, monsieur.

Pierre quitta la rue Dutot. Il fuyait, assommé de fatigue, l'esprit en déroute, ne pensant plus qu'à retrouver le havre de son appartement, se jeter sur son lit et dormir, dormir.

Gabrielle réprimait mal son impatience et son irritation d'avoir à supporter, tout le déjeuner, la présence de Charles, qui trônait au centre et accablait la tablée de ses boutades sonores, de sa fausse gaieté, de son sans-gêne coutumier. Il avait pris prétexte du séjour de ses deux sœurs pour leur offrir galamment cette journée au Mesnil, pour s'inviter avec femme, enfants et chiens ; avec aussi son cheval, toujours boiteux depuis quinze jours, que Meyer avait la journée pour soigner, enfin. En réalité, seule et unique raison de son déplacement, parce que aucun maréchal-ferrant du canton n'avait le tour de main du vieux palefrenier. Mme Victor ne soufflait mot. Pas plus que le reste de la maison, elle ne se réjouissait de cette visite, déclarée la veille. On ne manquait certes pas de réserves pour improviser un repas au pied levé. Des pâtés, des gelées et des confits, il y en avait de pleines étagères à l'office ; du canard, du porc, et des gibiers, jambons et saucisses ; et des conserves de légumes ou des bocaux de fruits, en veux-tu, en voilà, tomates, haricots fins, cerises, poires et pêches au sirop, et des pommes, des noix sur les clayettes... C'était un tour de main que de rouler une pâte feuilletée ou une tourte au fromage. On n'était empêché de rien. Sinon du désagrément du notaire, voilà. Sophie, c'était du plaisir. Mais Charles, et ses sœurs, une corvée.

Celles-ci venaient de Rouen, tous les ans à cette époque, s'installer à Genilly, jusqu'à Pâques. L'aînée, veuve dès que mariée à un vieux pharmacien, avait arrangé sa vie avec sa cadette, irrémédiablement vieille fille, et ensemble elles partageaient un appartement sombre, confiné et sans équipement moderne, pas même l'électricité, au-dessus de la pharmacie du vieux Rouen, que faisait tourner un potard mal payé, mal logé, dont elles tiraient un revenu très confortable. Sophie n'était allée chez elles qu'une fois, jeune mariée, et elle se souvenait avec un frisson des deux sœurs de deuil vêtues, comme des béguines, la tête prise dans l'étroit bonnet de soie noire à tuyaux, la recevant dans le salon Empire aux housses grisâtres, enlevées devant elle pour lui offrir un siège, du reps violacé des murs, du globe sous lequel fanait la couronne de l'éphémère mariée, et des angelots terrifiants qui encadraient la pendule de marbre rose, arrêtée. Rien de plus mortuaire que ce salon, que cette salle à manger noire, éclairée à la lampe Pigeon dès trois heures de l'après-midi, tant l'étroitesse de la rue, la pente des toits confisquaient la lumière. Et même les miettes de boudoirs, sur la nappe empesée aux plis jaunis, le sirop d'orgeat dans le cristal terne, sentaient le moisi, le rance enfermement des boîtes de fer, des buffets et des tiroirs de la maison. Elles portaient les doux noms de Bertille et Angélique ! Elles terrorisaient une vieille servante sourde aux jupes douteuses, abrutie de travail ; elles vivotaient à l'écart du monde, sans lire d'autre journal que le bulletin paroissial, sans ouvrir jamais un livre, d'une ignorance phénoménale de tout, qu'il y eût des continents, des océans, des villes, des êtres et des animaux autres que ceux dont leur rue leur offrait l'exemple, des événements ou des aventures ; hypocondriaques au dernier degré, se soignant elles-mêmes en se servant à la pharmacie d'autorité, avalant n'importe quelle potion selon une science infuse, acquise dans le bref mariage ; et elles idolâtraient Charles, leur petit frère.

Sophie avait dû se trouver bien contente de l'aubaine d'échapper à leur tyrannique compagnie, d'embarquer avec enfants et bonnes, et les deux belles-sœurs, pour passer cette journée décrétée par Charles. Aussi, tout le temps du repas, tandis que pérorait Charles, que chipotaient les sœurs, réprimandant les enfants gavés par les bonnes, souriait-elle à Gabrielle d'un air d'extase, étourdie du bruit de la tablée, mais à l'abri de sa distraction ; à mille lieues de sa famille et de son assiette. Ce sourire délicieux accroché à ses lèvres, comme celles d'une poupée de cire, son teint diaphane, son air d'inattention et d'indifférence placide inquiétaient Gabrielle plus que tout, tant ils contrastaient avec les incidents de table, la conversation décousue, et la pénible atmosphère de désordre. Millie se tenait sous le feu continu des questions de son oncle, parce qu'elle avait osé raconter son exceptionnelle après-midi à Paris avec son père, en décrire tous les enchantements, mais c'était par-dessus sa tête que Charles s'adressait à Gabrielle pour attester de ceci, ou de cela, et celle-ci avait beau protester qu'elle n'était pas de la partie de plaisir, qu'elle en ignorait tout, et Millie le confirmer maladroitement, c'était devenu une antienne, tout le repas, que cette équipée parisienne, avec des sous-entendus pénibles, d'escapade avec Pierre, ce père prodigue accompagné de ses chaperons, et l'un de l'autre qui l'était, exactement ? Gabrielle avait fini par ignorer les allusions indélicates et, à peine le repas terminé, avait proposé une promenade collective, entraînant enfants, bonnes et belles-sœurs dans une marche de santé, pour la bonne digestion, insistait-elle, pendant que Charles irait s'occuper de son cheval. Capuchonnés, emmaillotés, bottés, gantés de moufles, les petits patauds trottinaient derrière, les deux sœurs, armées chacune d'un parapluie, suivaient à pas comptés, effarouchées par cet exercice périlleux en pleine nature, à contrevent, et malgré la menace de pluie, qui serait carrément glacée, bien entendu... Millie gambadait devant, avec Tout Roux ; ainsi Sophie et Gabrielle s'étaient-elles trouvées seules un moment, au bras l'une de l'autre, sur le chemin.

— Charles prétend que vous avez affolé tout le monde en piquant trop fort Loyal, l'autre jour... Que s'est-il donc passé ? Je me fie si peu à ses chansons...

En quelques mots, Gabrielle rapporta l'incident, évitant de préciser que les chiens avaient davantage effrayé le cheval que sa propre maladresse, puis elle montra ses mains, pour en rire. A présent qu'elles guérissaient, grâce à ce baume indiqué par Dora, elle se moquait bien de la mésaventure.

— J'ai aussi accroché une branche et déchiré un coin de mon crâne ! Voilà comment on se couronne à peu de frais ! Mais vous, votre jambe est bien remise, n'est-ce pas, que vous ne boitez plus du tout...

— Ah ! je *dois* boiter encore, vous me le rappelez... C'est mon bouclier, ma raison de feindre et de gémir, et d'avoir la paix. La peste soit du mariage. Gabrielle, ne vous mariez jamais ! A moins que vous ne sachiez quelle passion vous enchaîne à un homme, et pourquoi vous lui sacrifiez tout. Votre corps et votre âme.

Elles passaient près du vieux hêtre, dont le tronc fendu était devenu un jeu pour Millie, qui ne manquait pas d'y entrer et de s'y cacher avec Tout Roux à chaque occasion. Il était aussi le rendez-vous d'amour de Pauline et de Renaud, avec son écorce centenaire, sa peau et ses nodosités de pachyderme, sa charpente de branches maîtresses fourrées de mousse, sa carrure énorme de créature, robuste et follement vivace en dépit de l'hiver, jusqu'aux dernières ramifications de sa noble ramure jetée contre le ciel gris. Comme chaque fois, Gabrielle renversa sa tête et regarda cet immense écartèlement des branches aux traits entrelacés, multipliant sa force et sa beauté. Cramponné de ses mille racines au fond de la terre, agrippé au ciel de ses mille griffes, le hêtre lui faisait du bien et du mal ; il était le jaillissement même de la vie et l'obscure affirmation des menaces. Une créature surnaturelle en relation avec les dieux les plus anciens, les croyances ancestrales qui veulent voir partout au monde des signes. S'il protégeait l'amour des deux enfants, s'il accueillait le sommeil et les jeux, que redoutait-elle de lui ? Etait-ce parce que Sophie venait de lui lancer cet avertissement qu'elle levait les yeux avec tant de crainte...

— Allons, Gabrielle, ne soyez pas triste ! Voyez comme moi, qui suis tant à plaindre, j'ai de gaieté et de volonté. Je les supporte tous. Mes belles-sœurs, des poisons ; de pauvres poisons, empoisonnées d'elles-mêmes. Charles, pauvre garçon, encombré de sa personne encombrante ; un homme ordinaire comme en produisent notre société, notre temps, nos parents et nos lâchetés. Comment lui jeter la pierre ? Ces petits que j'ai faits sans les vouloir seront-ils meilleurs ? Que nous manquons d'amour, d'amour... D'audace, de force et de cruauté. Oui, de cruauté. Il faut être cruel avec soi, avec les autres, pour arracher un peu de notre vieille peau. Gabrielle, pour ne pas pourrir comme un vieux fruit, je ferai quelque jour une chose insensée...

— Vous en avez déjà fait une, Sophie, opposa doucement Gabrielle. Vous y avez risqué votre vie...

— Ce n'était rien, ça ! Parlez-moi de vous...

Mais Gabrielle n'avait pas beaucoup à raconter, rien qu'elle pût confier à Sophie, malgré la sympathie profonde que lui inspirait celle-ci, à présent. Rien de ce qu'elle était et faisait, de ce qu'elle espérait ou appréhendait ne pouvait se partager, pas même sa crainte du vieil arbre et de son déploiement sauvage. Mais Sophie, trop heureuse d'avoir une oreille amie, poursuivait sa conversation, rapportait que son neveu avait devancé sa date d'incorporation, et s'était subitement engagé dans l'armée à la surprise de tous, et surtout contre l'avis de sa mère, qui s'en désespérait. Il était à Lyon, et, aux dernières nouvelles, s'en portait fort bien.

— Ma sœur devrait s'en réjouir ! La voilà libre comme l'air, et Didier ne fera plus de ses folies d'enfant gâté. Il n'est pas si mauvais, vous savez. On le dit dissipé, mais c'est Blanche qui le tyrannise. Certes, il aurait pu trouver une autre sortie que la caserne... Mais au moins les hommes ont-ils ce prétexte du service militaire pour échapper à leurs parents. Nous n'en avons pas, nous autres...

Pourtant, comme les deux sœurs gémissantes se plaignaient de leurs bottines perdues, du rhume qu'elles prenaient, et que les petits battaient la campagne, tombaient et se barbouillaient, la troupe fit lentement demi-tour, en cohorte mélancolique, saluant au passage Mauranne et Mme Victor qui, profitant du vent, étendaient des baquets de linge sur les cordes du jardin. Sur le seuil de l'écurie, Meyer finissait de bouchonner le cheval de Charles, mais il ne se tourna pas à leur passage.

Cependant, dès le vestibule, dans le désordre du retour, comme les bonnes s'affairaient à aider les enfants et les deux sœurs à se défaire de leurs manteaux et capelines, chapeaux et bonnets, Gabrielle avisa Pauline toute pâle, toute raide, au bas de l'escalier. A sa mine, à son regard véhément, elle devina un appel muet, approcha. Des quelques mots qu'elles échangèrent rapidement à voix basse, personne n'entendit rien et sitôt la jeune fille s'éclipsa, escalada en toute hâte les étages, gagna les mansardes. Le corridor, un goulot étroit et de guingois sous la charpente, éclairé par l'œil-de-bœuf, était dans une pénombre grisâtre que les vieux paniers, les hardes accrochés aux poutres basses peuplaient de pantins fantomatiques. Gabrielle marqua un arrêt, retint son souffle et tendit l'oreille. N'hésitant pas davantage, elle poussa la porte du grenier, qui lui parut d'abord désert, l'air embrumé de poussière et l'entassement des meubles offrant le spectacle désolant des lieux de relégation ; mais l'espèce de bruit qu'elle avait perçu dès le corridor s'étant interrompu, couinement, frottement ou grognement, elle avança davantage et elle eut un haut-le-corps, porta violemment sa main à sa bouche.

Elle n'avait pas eu le temps, en grimpant quatre à quatre, d'imaginer la scène, si vite défaite sous ses yeux qu'elle l'enregistra à peine, mais ce qui en restait c'était la démesure carnavalesque, le dos énorme, sa gibbosité étrange, le raccourci bouffon des reins et la tête au toupet hirsute qui en dépassait, et derrière, renversé contre une commode bancale qui craquait, le corps bizarrement disloqué et gigotant de Sassette, menu, glissant comme une anguille, un corps à corps contre nature, et c'était si répugnant, si grotesque que Gabrielle, dans un cri de rage, empoigna ce qu'elle trouvait, une basque d'étoffe, un bras musculeux, tira de toute sa force en arrière, cogna à coups de poing et de pied sur cette masse de chair. Comme un ressort, Charles se redressait, soufflant, éructant, dans le désordre de sa chemise arrachée et, reculant, il heurta du front une poutre basse, jura, tandis que le petit paquet de jupons se froissait en tas dans un recoin de sacs avec des gémissements de souris.

— Sors d'ici, va-t'en d'ici, va, va ! ordonnait Gabrielle reculant elle aussi, ne quittant pas l'homme des yeux.

Sa voix sifflait, mais elle était d'un calme absolu, comme dans les grandes peurs ou les grandes colères. La petite ne bougeait pas, recroquevillée sous un fauteuil défoncé, alors elle l'empoigna, la remit debout et la secoua comme une poupée de son, toute molle entre ses mains. Elle entrevit sa figure rouge terrorisée, son nez qui coulait, la poussa dehors, d'une bourrade brutale. Sur le seuil, elle se retourna.

— Vos chiens se tiennent mieux que vous, jeta-t-elle, contenant son tremblement.

Charles lui faisait face, elle le voyait monter vers elle, du fond du grenier, les cheveux en bataille et défiguré, la face à la fois furibonde et enfantine, la bouche boursouflée de fièvre et de dépit, si laid, si lamentable que sa colère reflua et une nausée lui serra la gorge

— Mademoiselle des Vertus, grognait-il, mademoiselle Sainte Nitouche...

Son menton tremblotait, il balbutiait de haine en redressant son buste et reboutonnant rapidement sa veste, s'élançait vers elle. Elle amorça un geste de fuite, mais avant qu'elle ait pu se mettre hors de portée, il l'avait agrippée aux cheveux, tirait violemment sa tête en arrière, hors de lui.

— Pour qui te prends-tu, serpent ? Tu crois que je ne vois pas ton manège ? Qui te pelote dans les bois ? De quoi jouis-tu, toi ?

Il était si près qu'elle voyait ses lèvres tordues, l'écume de sa salive, qu'il lui crachait au visage, elle sentait son haleine mauvaise, l'odeur de sa peau, une vilaine odeur de sueur acide. Prise de panique, elle chercha à se dégager, en vain ; il poussait dangereusement son front contre le sien, la pressait contre le mur dont les aspérités lui meurtrissaient les épaules, alors elle mordit ce qui se trouvait à sa portée, son poignet, et sentit la chair craquer sous ses dents. Il eut un rugissement de douleur et lâcha prise. Mais elle était déjà loin, dévalait follement l'escalier, sans entendre ce qu'il lançait encore d'injures, d'insanités dans son dos.

Elle se retrouva dans la lingerie sans savoir comment elle avait atterri là, par un réflexe, pour éviter de se retrouver tout de suite avec les autres. Elle tremblait des pieds à la tête. Marchant en tous sens, elle frottait frénétiquement ses mains sur sa jupe pour en arracher l'odeur, et aux dents, à la langue, elle avait le goût du sang, un goût salin de mollusque ; un spasme de nausée lui tordit le ventre. Elle se précipita à l'évier, se rinça la bouche sous le jet d'eau, but avidement et se savonna les mains, lissa ses cheveux. Peu à peu elle se calmait, gagnée par l'ordre paisible de la pièce, ses piles méthodiques de draps et de serviettes, la table de repassage et les fers, les paniers rangés, et la douce lumière tamisée par les carreaux jaunes. Nul bruit ne venait ici, ni de la cuisine proche, ni du salon lointain. Pauline surgit soudain, dans l'entrebâillement de la porte, les yeux écarquillés d'interrogation anxieuse.

— Où est Sassette ? demanda Gabrielle, se reprenant aussitôt.

— Dans ma chambre. Je l'ai vu l'emmener, mademoiselle. Je les ai suivis. Je n'ai pas osé l'empêcher, hoquetait Pauline. Mademoiselle, ne dites rien !

— Dire quoi à qui ? Que sais-tu ? C'est la première fois ? Il y en a eu d'autres ? Réponds !

Pauline secouait la tête, mais on ne pouvait savoir ce que signifiait sa dénégation.

— Pauline, regarde-moi !

— Il nous tourne autour, mademoiselle. Grand-mère nous défend de nous laisser approcher, nous chasse dès qu'il vient. Il fera renvoyer Sassette... Ne dites rien, s'il vous plaît !

— Renvoyer ! Il ferait beau voir ! Il faut tout dire, Pauline. Taire ces saletés est trop grave. Va chercher ta grand-mère, tout de suite. Va !

— On vous cherche, mademoiselle. Mme Sophie demande après vous, et Millie aussi. Elles sont au salon, avec les tantes...

Gabrielle parvint à faire bonne figure, écoutant les sœurs égrener leur chapelet de doléances, l'une se plaignant d'une acidité gastrique, d'une migraine commençante, l'autre de ses genoux rompus par la marche, et de sa sinusite réveillée, à présent. Elles agitaient leurs doigts secs d'insectes qui papillonnaient autour des tasses, suçotant leur thé du bout des lèvres aigres, le trouvant trop noir, trop épicé, et l'agitation des petits n'en finissant pas, elles gémissaient de leur vacarme, tançaient Sophie pour son peu d'autorité, tandis que celle-ci, inattentive et souriante, contemplait le désordre d'un air de fatalisme béat. L'irréalité de cette scène domestique avait quelque chose de stupéfiant, succédant si rapidement à celle du grenier, que Gabrielle en restait désarmée, incapable d'une parole cohérente. Incapable de raccorder ce qui se passait ici, et là-haut, la tête perdue à imaginer où se trouvaient les uns et les autres à présent ; Charles, disparu ; Sassette réfugiée dans une chambre ; Pauline, avec elle peut-être, et Mauranne desservait sans mot dire, emportait les plateaux... Impossible, impensable de dire quoi que ce soit à Sophie, de quitter le salon, écartelée entre ailleurs et ici, elle ne pouvait empêcher que se représente l'image abjecte du gros mâle, affolé de son rut, du tyran qui se sert en chair fraîche, traite comme viande la valetaille, aussi bien sa femme, et toutes celles du canton qu'il peut trousser dans un coin, tout à l'heure impunément assis en maître, le cul épaté, sur sa chaise en bout de table, pérorant, salace, puant du bec, infect. Elle en suffoquait de dégoût, et pourtant se tenait coite, gracieusement assise sur le bout du sofa. Elle entendait d'une oreille Bertille, ou Angélique, recommander en chœur la mélisse, l'eau des Carmes, les pastilles de soufre et le sirop d'hémoglobine Deschiens, contre la faiblesse et l'asthénie, sans fatigue d'estomac ni constipation... et de l'autre elle entendait un grondement continu, la note basse d'une gueule d'ombre qui les recouvrait tous, les avalait d'un claquement de mâchoires. Et les ancêtres des tableaux accrochés au mur, avec leur pose impavide de spectateurs dédaigneux, leurs bouches et leurs yeux éteints, leurs joues blafardes, en leurs habits d'un autre siècle, tout luisants de soie et dentelles, contemplaient la réalité contemporaine comme un théâtre d'animaux sauvages qu'ils étaient tous, sous leur masque. Elle en avait un grincement des dents, aiguisées comme des poinçons. Elle mordrait encore, arracherait sa figure de singe lubrique. Cette laideur, cette bêtise épaisse. Sophie croisa son regard trop fixe, dilata un peu le sien, demandant d'un petit coup de menton intrigué : qu'y a-t-il ? Mais Gabrielle détourna son visage, plongea au hasard vers un des enfants roulé à ses pieds. Et Mme Victor vint enfin la délivrer, annonçant que M. Charles attendait, que la voiture était attelée, le cheval prêt, et qu'on partait dans l'instant.

— S'il t'a pas abîmée, rageait Mauranne, c'est qu'il a pas eu le temps, ce chien. Que l'as-tu suivi, lope ! Que l'as-tu pas mordu, comme mademoiselle ? Qu'as-tu pas crié et griffé ? Tu en voulais donc ?

Elle tarabustait Sassette, lui arrachait ses nippes, la claquait au vol, et sitôt nue dans le tub, elle l'astiqua à la brosse en chiendent, à lui arracher la peau, pour la décrasser, la désinfecter, la venger et se venger de sa peur, de sa colère impuissante, de tout ce qui remontait en elle des horreurs enfouies. Manches retroussées, dans la buée, elle étouffait de hoquets.

— Le diable ait sa queue, qu'il la lui mange. Ou moi je la lui couperai. Tu crois que je serai toujours là, que mademoiselle sera toujours là, gaupe, pour te tirer d'affaire ? Tourne-toi. Tu entends ?

Sassette debout dans la bassine, couverte de mousse de savon, claquait des dents, poussait de petits cris lamentables, cachant ses petits seins de ses bras croisés, tandis que sa mère frottait ses fesses au gant de crin.

— Au pain sec, huit jours. Tu apprendras à te défendre ? Maudite sois-tu, si tu n'entends !

De la cuisine, Millie, médusée, entendait ces bruits d'eau et de voix, ces jurements terribles. Mme Victor tira la porte de la buanderie, laissant Mauranne régler son affaire avec Sassette. Gabrielle n'avait eu besoin de rien dire, Pauline avait tout raconté, palpitante de frayeur. A peine éloignée la voiture sur l'allée, ç'avait été des cris dans toute la maison, des pleurs, des dégringolades d'escalier, des portes claquées, Mauranne extrayant Sassette, terrorisée, du cabinet de toilette où elle s'était cachée, giflant Pauline au passage, traînant et secouant la petite si fort que Mme Victor avait dû la lui enlever. Comme Millie, effarée, contemplait ce spectacle rocambolesque, Gabrielle l'avait emmenée dans la cuisine, le seul lieu rassurant de la maison, parce qu'elle n'avait pas la force de monter toute seule avec elle dans la bibliothèque, ni d'aller au salon de musique, ni au salon, dévasté par le goûter. Elle était tombée assise au bout du banc, les jambes faibles, la tête vide. Mme Victor allait et venait, le visage marbré de rouge, agité de mouvements nerveux, comme si elle régnait sur un hôpital de campagne, parmi des blessés et des moribonds, des fractures ouvertes, des os brisés, ne sachant où donner de la tête, par qui commencer pour faire le chirurgien d'urgence, panser les plaies ou couper des membres, parce que, pour tout le monde, il était trop tard. L'attaque avait été foudroyante, elle arrivait après la bataille, impuissante à réparer le mal, maintenant qu'il était fait.

— Mais bon, finit-elle par déclarer, accablée, il n'y a pas mort d'homme, hein ?

Pourtant, il fallait encore qu'elle se passe les nerfs sur quelqu'un, alors elle tomba sur Pauline.

— Baisse les yeux, mauvaise graine, ou je te mets chez les filles de la Charité !

A cette suprême menace de l'orphelinat, que sa grand-mère n'utilisait que dans les pires occasions, Pauline plongea dans son tablier et y alla de son sanglot et comme Millie, très impressionnée, la câlinait, Mme Victor fit de très gros yeux.

— Elles ont fait une grave bêtise, expliqua-t-elle. Il ne faut jamais désobéir, Millie. Jamais.

Cependant, elle avait au bord des paupières de grosses larmes retenues, et elle vint s'asseoir près de Gabrielle, au bout du banc.

— Sainte Justice, gémit-elle, qui lui cassera les reins, à celui-là ?...

La scène du grenier avait été si rapide que Gabrielle était obligée d'y revenir lentement, ne sachant plus démêler le simple du difficile ; ce qui fait vomir de ce qui met l'esprit en déroute. Pour vomir, c'est simple, on a tous ses boyaux pour dire non. Le procédé lâche de violence, l'abus du mâle, ses humeurs, glandes et venins, sales fièvres d'après-midi qui vous font culbuter une petite sur les sacs du grenier, c'est facile à dire non. On s'en tire comme on peut, à coups de pied, de poing, à coup de dents. Quitte à grelotter, rétrospectivement, et à en vomir. A se rincer les gencives agacées de sang. Le romantisme des baisers au clair de lune en prend un coup tout soudain, barcarolles et couronnes de mariées sous le globe de la cheminée. Mais le reste, ce qui reste une fois passées la nausée, la colère ? Elle voyait là-derrière quelque chose de plus difficile à apprendre. On ne connaît que de soi-même. De ce qui vous arrive et de l'expérience qu'on en fait. Après les nerfs et les muscles secoués, les boyaux révulsés, il faut un temps énorme pour apprendre quelque chose de soi qui ne soit pas déformé à la loupe de l'instant. La scène du grenier faisait sa révolution d'organes instantanée, mais elle cachait une leçon plus terrible. A présent, elle avait lieu dans un temps distendu qui en déformait la perspective, approfondissait la soupente en une gorge d'ombre où Charles se tenait tapi. Cela n'était rien. Gabrielle n'avait pas peur de lui. Ni de sa force ni de sa méchanceté. D'autres images la secouaient, les yeux durs, la bouche crispée d'effroi, allongée dans son lit où il faisait froid. Elle ne savait rien de la bestialité. Ni par son éducation, ni par ses lectures, pourtant si libres. A peine Zola lui en avait-il donné l'idée, une fois, et elle avait fermé le livre. Non par pruderie : par incompétence, comme on tombe sur une leçon d'algèbre de la classe supérieure…

A cause de la saleté de Charles, le délire de Mauranne lui revenait, sa confession arrachée aux tréfonds de sa mémoire ; et aussi l'étreinte sordide de l'homme, dans l'escalier de la rue Tiquetonne… Mais ce n'étaient que fragments lui semblait-il, faibles répétitions d'un acte plus épouvantable qui s'accomplissait à la hache, démembrant la pensée. Outrepassant son imagination, une éclaboussure rouge recouvrant tout. La tumeur tentaculaire au ventre, quelque chose comme une méduse convulsée de ses mille ventouses béantes, ce n'était pas le désir, cette absence de forme, hideuse et matérielle, dévorante. Mais que connaissait-elle du désir ? Elle connaissait la nudité. Elle avait eu un peu mal, un peu peur, mais Endre était doux et craintif, c'était oppressant et imprudent, et laissait une impression de hâte ; on entendait palpiter le cœur dans la cage de la poitrine, il battait aux lèvres et cette chose un peu triste du sexe n'était que cédée, contre l'illuminante tendresse de l'étreinte, la corbeille des bras et les jambes entremêlées, le ravissement des caresses qui endormaient de langueur. C'était son souvenir, mais il s'était embaumé d'oubli, noyé de confuses réminiscences. Que serait-il arrivé à Sassette, si elle n'avait surgi, cogné et mordu ? Fendue comme on ouvre les lapins, quand leurs viscères tombent sous le couteau, en lourdes grappes violine et de nacre. Dans le déchirement du ventre, il y a tous ces organes mous, les tripes, le foie et le cœur qui éclatent, poisseux de sang. Elle en avait mal aux cuisses, mal au fond de son ventre, à l'angle aigu de son sexe qu'elle prit dans sa main, enferma à travers sa chemise et serra si fort qu'elle eut un long tressaillement étonné. Elle enfouit son visage brûlant dans l'oreiller. Les mots orduriers de Charles résonnaient au fond du corridor, dans le labyrinthe de son oreille. De quoi jouissait-elle, au fond des bois ?

Elle se redressa, dans l'obscurité. Dans les clairières de lune, au crépuscule rose, il y a de ces bêtes affamées et maigres reniflant la trace des femelles, tremblantes de saillir, roulant leur ventre en feu dans la neige, râpant leur flanc aux fougères glacées. Elle attendit sans bouger et de grandes pelletées de silence enfouissaient sa pensée. Elle ne pensait plus, elle écoutait. Cela se déplaçait sur une étendue considérable de temps, cela venait de loin. Elle écoutait venir cet animal froissant la neige et l'attendait, allongeait sa tête et ses bras vers lui, creusant ses reins d'impatience, tendant ses seins arrogants. Le plaisir était-il cette chose ressemblant à la méduse aux ventouses béantes, ou à l'éventration du lapin qu'il faut regarder, sans battre des paupières. Cette chose rampante et sauvage qui pouvait longtemps traverser des bois sous les étoiles, disparaître furtive sous les buissons, l'échine basse, et soudain surgir comme un homme debout, avec sa poitrine blanche qui sent férocement la fougère et la vanille, à en gémir de faim, alors le comble de l'ivresse était de fondre angéliquement dans cette blancheur de poitrine, et de rester là, stupéfiée, écarquillée, jusqu'à se fendre, s'ouvrir, lentement se déchirer de jouissance. Sans battre des paupières.

Elle se réveilla, étourdie de son rêve. Mais ce n'était pas un rêve. Tout le temps de son sommeil, elle se parlait clairement, l'esprit réveillé. Dans le sommeil, la conscience explore les fonds de greniers. Vous tient des discours abrupts, aigus, sans ménagement ; au scalpel de l'autopsie, met à nu les faux-semblants. D'où part la nausée, à quoi elle arrive. Elle n'avait eu ni plaisir ni désir d'Endre, l'avait toujours su. S'il l'avait désirée, elle ne savait ; ni s'il avait joui d'elle. De lui, d'elle, elle n'avait pas appris ce que son sommeil lui enseignait.

L'aspirant qui était au rapport mettait à l'exercice l'application du meilleur élève qui monte au tableau. Tandis que les journaux circulaient, ses condisciples les consultaient, mais le bruit des pages froissées ne perturbait pas son exposé ; il poursuivait la revue de presse hebdomadaire. Il avait classé, selon la règle, les sujets par thèmes de politique intérieure et extérieure, les affaires coloniales, les informations techniques, industrielles et commerciales. L'attention s'était relâchée, les bavardages faisaient ce bruit de fond des classes indisciplinées. Il venait de passer trop de temps à commenter les événements de Chine, et le réveil du nationalisme annamite ; l'ouverture de la nouvelle ligne de chemin de fer reliant le port de Cam Ranh en Annam à Saigon, et la visite au Cambodge du gouverneur général d'Indochine, M. Albert Sarraut ; son exploration en pirogue, à cheval, en automobile, et à dos d'éléphant du territoire du Battambang, récemment rétrocédé à la France par le Siam ; sa visite, en cette occasion, des ruines prestigieuses d'Angkor Vat et Angkor Thom, accompagné de M. Maynard, délégué à l'Office colonial, de M. Outry, résident supérieur au Cambodge et du conservateur...

— Etc., etc., coupait Terrier. Ce qui nous intéresse, messieurs, ce n'est pas l'information. C'est l'angle sous lequel elle est donnée. Les commentaires auxquels elle donne lieu. Les termes employés. Comment les échotiers la traitent-ils dans *Le Petit Parisien, Le Matin, L'Humanité, Le Journal, Le Gaulois, Le Petit Journal, La Croix, L'Etendard, Le Radical...* ? Nous n'avons pas besoin d'eux pour apprendre que des essais de mitrailleuses sur aéroplanes sont conduits à Villacoublay ; que *le monoplan a évolué devant le capitaine Destouches attaché à l'établissement de Chalais, pour voir si la stabilité est compromise par l'effet de tir en avant-poste, et l'hélice mieux protégée que sur le type Nieuport, avec tir à l'arrière...* C'est de savoir si les efforts d'armement et d'équipement sont présentés comme favorables ou discutables. Les journaux rappellent-ils, en cette occasion, que les Allemands installent sur leurs grands croiseurs une artillerie puissante, avec nacelle blindée, des plates-formes de tir qui en font des forteresses volantes, capables d'anéantir nos aéroplanes et zeppelins ?... Le pacifisme se berce de nouvelles lénifiantes. De même : *le projet du ministre concernant le renouvellement de notre flotte de guerre, cette année, nos torpilleurs et sous-marins, nos cuirassiers neufs, le Jean Bart, le* Courbet... Comment cet investissement pour une escadre moderne est-il accueilli ? Passons sur *La campagne des sifflets, au Havre...* Briand et Barthou ont raison de hurler aux "ploutocrates démagogues", cette initiative imbécile des petits négociants est perçue comme une provocation. Qu'elle est, d'évidence... Pour le renseignement, nous avons nos sources. La revue de presse nous sert d'abord à filtrer ce qui peut nous échapper, par d'autres voies, et surtout à nous tenir au courant des mouvements d'opinion.

— L'opinion est à l'attentisme, en vue des législatives, synthétisa l'un des jeunes gens, désabusé. Le programme de la

Fédération des gauches est opportuniste et vague : "républicain", laïque, démocrate… La réforme électorale est sans précision, mais maintient la loi des trois ans. Voilà qui agite les échotiers ! La loi militaire et l'impôt…

— Les funérailles de Déroulède… Grand froid, vignoble gelé à Montpellier…

— Passons, passons…

— *Des sous-mariniers victimes d'empoisonnement par les vapeurs d'anhydrides arséniés, dégagés par les accumulateurs… Mort d'Alphonse Bertillon, directeur de l'identité judiciaire…*

— Grand homme, laissa tomber Terrier. Paix à son âme. Nous n'avons plus besoin de lui, nous avons ses fiches, plaisanta-t-il, féroce.

Il y eut quelques rires, mais la séance s'achevait et quelques groupes informels traînaient entre les tables sous les globes électriques ; les discussions particulières prenaient le pas sur la séance studieuse. Terrier prit à part un des jeunes officiers, l'entraîna près d'une fenêtre. La pluie avait cessé, mais les trottoirs mouillés de l'avenue luisaient dans la grisaille du soir.

— Alors, Morisse, où en sommes-nous de notre dépêche ?

— Le ministre dément. Il couvre le Pr Roux. Nous n'aurons plus rien de ce côté-là. J'ai fait ce que vous préconisiez. Au *Petit Parisien*, j'ai retrouvé l'auteur du papier, un grouillot qui fait des piges. Je l'ai flatté, je l'ai invité au cabaret. Il s'est mis en mauvaise situation, son directeur l'a menacé. Surtout qu'il a porté son billet à la concurrence, au *Matin* le même jour : pas malin, pour un petit malin. Il fait machine arrière, il nie tout. Il refuse de donner ses sources. La seule chose que j'ai pu obtenir, c'est qu'il n'y a jamais eu de peste, ni bubonique, ni pulmonaire, et qu'il n'y a ni bateau, ni indigène qui tiennent. Pure invention pour se faire mousser, prétend-il. C'est un cas d'intoxication chimique. Un particulier. Voilà comment il se défend.

— Chimique, dites-vous ? Pas infectieuse ? Alors, à quel titre l'Institut Pasteur en est-il saisi ? Ce qui vous a alerté, Morisse, c'est le libellé de cette dépêche. L'allusion à des *laboratoires occultes*… des *manipulations explosives*… Faisons un peu de sémantique. Cet individu manie le verbe en apprenti. Il brouille son message, mais il laisse passer des mots qu'il n'a pas trouvés tout seul, dont il ignore peut-être la portée. Ces formules sont hors contexte. Elles sont prises à la source.

— A l'Institut Pasteur. Retour à la case départ. Porte close, motus et bouche cousue. C'est un bastion imprenable.

— Débrouillez-vous. Allez plus loin. Ce type a forcément un défaut de cuirasse. Un bluffeur, mais petit malin, comme vous le dites. Faites-lui peur.

— Il est déjà mort de trouille de s'être grillé et de perdre son emploi.

— Très bien. Qu'il le perde. Affolez-le, mettez-le sous contrôle, faites-le suivre. Vous avez carte blanche. Qui voit-il, quelles sont ses habitudes ? Vous finirez par savoir qui le renseigne rue Dutot. Qui a permis la fuite.

Le jeune homme était étonné d'observer de si près le visage de son instructeur, cette face glabre et pâle à la mâchoire osseuse, le nez pincé où les lunettes creusaient deux petites marques bleues. Et les prunelles fixes sous le reflet des verres, cette manière de parler entre ses dents, un peu sifflante.

— Bon exercice pratique, Morisse. Sous peu, j'attends votre rapport.

XXVIII

Le docteur était arrivé vers cinq heures, à pied et sans bagage, alors que l'abbé finissait sa leçon du jeudi. Millie l'avait accueilli, comme souvent les enfants, plus ravie qu'étonnée de son apparition. Il avait jeté négligemment son manteau sur un fauteuil et feuilleté avec elle son livre d'histoire sainte sans plus de façons, et il était resté un moment avec eux dans le grand salon, pour une conversation affable, comme s'il était là de huit jours, questionnant obligeamment l'abbé sur la manière dont celui-ci s'accommodait de sa vie rurale, après ses grands voyages… Alors que celui-ci partait toujours en coup de vent, il s'était attardé un peu, cette fois, répondant à cet interlocuteur inconnu, ce père toujours absent dont Millie faisait grand cas. La maison était silencieuse. On entendait juste Victor couper du bois derrière la maison, les coups de hache dont il fendait les bûches, qui éclataient en craquant sec. Ce rythme régulier, continu, ne s'interrompait que de temps en temps ; alors, il devait repousser les copeaux du sabot, ou arranger le tas, puis les coups reprenaient, monotones. Mais à part ce bruit, c'était grand silence, dans lequel le vent prenait toute sa place, rebuté contre le coin du mur, à gros flappements rudes qui secouaient le volet. L'abbé avait volontiers évoqué son séjour au Brésil, et le travail qu'y menaient les missionnaires, sans marquer de contrariété, avec cette réserve polie et cette liberté de parole qui donnaient à ses propos un tour si pénétrant. Sans doute les questions ajustées de Pierre Galay s'accordaient-elles à son laconisme, car il avait accepté l'échange, puis pris congé, avec le même naturel. Le docteur l'avait raccompagné jusqu'au seuil, restant encore avec lui, flattant l'échine du chien jaune qui attendait comme toujours son maître à la porte, et c'est là, au milieu du vestibule, que l'avait trouvé Mme Victor, estomaquée de sa présence.

— Ne protestez pas, Victor, je repars demain matin. J'avais besoin de voir l'abbé, avait-il plaisanté, presque taquin. Et aussi de quelques documents, que je dois vérifier ce soir. Ne vous dérangez pas pour moi. Bonsoir monsieur l'abbé, bon retour. Millie, allons à ta musique…

La nouvelle de l'arrivée du docteur, sitôt portée à la cuisine, avait surpris Gabrielle en pleine démonstration de couture, car Pauline tenait à lui exposer l'excellence de sa machine à coudre, qu'elle maîtrisait maintenant, la seule de la maison. Gabrielle soupçonnait bien qu'elle ne mettait tant d'application et d'enthousiasme à cet apprentissage que pour servir en quelque manière ses projets d'avenir, aussi s'était-elle prêtée de bon gré à cette séance, en attendant la fin de la leçon de l'abbé. Sans doute d'être penchée sous la lampe à son côté, et de suivre les explications lui avait-il épargné de trop marquer une quelconque émotion, à la nouvelle que Pierre Galay était dans les murs, et elle avait même réussi à lancer une petite mimique entendue à Pauline, parce que Mme Victor faisait sonner les clés à sa ceinture, par goût du tapage, pour faire entendre ses raisons.

— Il était à converser avec l'abbé comme de rien. Nous ne sommes pas chez les bohémiens, pour passer la porte sans dire quoi ni mais. Il vaudrait mieux que Monsieur mette une bague à sa serviette une fois pour toutes, s'il a l'intention de revenir prendre pension ici.

— Ce ne serait pas grand dommage, disait Mauranne. Du temps qu'il restait chez nous, autrefois, on n'avait pas d'embarras avec lui.

— Je veux bien tourner en bourrique, mais qu'on me le dise.

— Ne vous désemparez pas, se moquait Mauranne, on vous le dira bien.

— Tête d'âne. Il est ton préféré, tu mangerais l'avoine dans sa main !

— C'est pas la pire des nourritures…

De ces réparties, Pauline riait dans sa main. Mme Victor se tourna vers Gabrielle.

— Il est à la musique avec Millie. Ils vous attendent, sans doute, lança-t-elle, moitié furieuse, moitié contente de l'être, ce que commençait de connaître Gabrielle.

— J'irai tout à l'heure. Je n'en ai pas fini avec Pauline, dit-elle doucement.

Elle traîna assez pour se reprendre, et de toute façon elle était prête. Elle avait assez tourné cet instant, tordu les circonstances pour arriver juste à l'angle du moment dangereux. Elle ouvrit les tiroirs de la couseuse et passa tranquillement en revue la collection de bobines de fil, l'assortiment des petits ciseaux et des dés à coudre, les canettes, les pieds-de-biche de rechange et le sachet d'aiguilles de machine. Elle n'avait qu'à rester muette en elle-même, comme quand on est rendu à cet endroit, coin de rue ou de couloir, et qu'il ne reste plus qu'un pas à faire pour tourner de l'autre côté ; où il y a l'inconnaissable. L'enfer tout entier peut être derrière ce coin qu'on n'a pas encore passé. Il y fait un noir de tous les diables. Le tout est de franchir le pas. Elle finit par se lever et quitter la cuisine, sa chaleur, sa lumière, traversa la pénombre grandissante des pièces et du vestibule. On entendait les coups de hache de Victor comme un tambour lent résonner dans les murs. Le bruit montait, emplissait jusqu'aux greniers ; il repoussait les cloisons, élargissait les chambres vides, haussait les plafonds ; il faisait entendre exactement l'ampleur de la maison, et Gabrielle sentait venu cet instant où l'on entre en scène, où il faut tenir son rôle, occuper l'espace du plateau comme un champ de bataille dont on sait les confins, et le centre, mais pas d'où surgira l'ennemi.

L'ennemi était-il cet homme penché sur l'enfant, qu'elle découvrait du seuil, à la place précise d'où lui l'avait vue, le premier soir. Il était à sa place à elle, au piano sur la banquette, près de Millie qui chantonnait en suivant les notes d'une ronde, de sa voix flûtée, assez fiérote de se démontrer. La silhouette de l'homme se détachait sur l'or gris du ciel, plaqué aux carreaux, elle enveloppait celle de la petite fille, blottie contre lui avec la même confiance que si ce fût Gabrielle. L'ennemi avait-il cette tête de père bienveillant, si fin, si droit, le menton posé sur le front de Millie. L'ennemi, quelque part tapi dans l'ombre sonore de la maison, aurait un visage silencieux et froid, et il valait mieux tout de suite faire un bel éclat de musique pour le tenir encore aux lisières. Ce qu'elle proposa gaiement, dans le mouvement dont elle entrait, et se déclarait. Ce qu'il admit, se retirant du piano, et ce fut une leçon de musique très plaisante, enjouée et pas du tout infernale. D'ailleurs il portait, sous son veston de tweed, un pull-over de fine laine qui désorientait le jugement, et ses cheveux avaient poussé, moins ras et drus que d'habitude, et on voyait une fatigue, une lassitude pas ordinaire à ses yeux. Il voulait juste rester assis là, autant que possible oublié, ignoré au fond du fauteuil, pendant que Millie faisait des gammes, ce qui est un exercice absorbant pour tout le monde. A la fin, Gabrielle s'était retournée, tout naturellement.

— Puisque vous êtes venu, monsieur, il faudra regarder ce cahier, ce soir.

La longue table luisait sous la lampe, la vaisselle était rangée et les torchons suspendus au-dessus de la cuisinière, et la cuisine prête pour la nuit, déjà déserte. Seule Mauranne fourgonnait encore. A elle, Gabrielle avait expliqué qu'elle aiderait ce soir Monsieur à trier des papiers, comme il le voulait, et qu'ils seraient peut-être un bon moment dans le bureau, alors qu'elle venait préparer un peu de café. Mauranne avait tout laissé tomber et avait vite tourné au moulin une poignée de moka.

— Ne vous inquiétez pas : pour le moment, Mme Victor a besoin de paraître fâchée ; mais c'est sans rancune... Si vous avez encore besoin de quelque chose, dites-le-moi. En attendant, emportez toujours ça, pour tenir le temps.

Elle avait préparé prestement les tasses et les petites cuillères de vermeil, le sucre et la cafetière bouillante sur sa chaufferette. Et puis ne sachant plus que faire, elle était restée les bras ballants. D'un élan, Gabrielle l'avait embrassée d'un baiser rapide sur la joue et sans attendre s'était éclipsée avec le grand plateau.

Elle avait, de plus, le cahier rouge sous le bras. Aussi avait-elle cogné du pied, doucement, et puis plus fort. La voix disait d'entrer, alors du coude, du genou, elle avait poussé la porte. Sans le vouloir, le plateau de Mauranne se révélait une belle invention, qui vous ménageait une entrée en matière avec des façons et des civilités, pleine de courbettes bienvenues, parce qu'il s'était précipité à sa rencontre pour le prendre, et qu'elle ne pouvait le lâcher sans courir le risque qu'il ne penche, et le mélange des mains faisait le reste.

— Attention, c'est très chaud. Mauranne vient juste de le passer...

Pendant quoi, il perdait son air de suivre un nuage à travers les murs et de vous considérer au travers. Il avait pris le plateau et, sans un mot, l'avait posé sur le bord du bureau. Le temps du transport offrait un délai raisonnable pour retrouver une contenance. Malgré tout, il était encore embarrassé pour verser le café ; surtout que, maintenant, le cahier rouge aussi était posé sur le bureau, bien en vue sous la lampe, à lui tout seul une chose énorme au milieu de rien ; que l'encrier, le plumier et les statuettes méchantes pour compagnie. Elle prenait un sucre, lui aussi, et les petites cuillères tintèrent contre la porcelaine. La flambée de bois avait bonne allure dans la cheminée. Comme elle était déjà beaucoup venue là, elle ne craignait plus les recoins d'ombre ni les grands tableaux de naufrage, les portraits de famille, ni la jolie dame rieuse aux joues de pastel. Elle n'avait que lui à craindre, et elle l'observait du coin de l'œil, sa haute stature, sa tête penchée, si grave. En attendant, elle gagnait du temps à boire de petites gorgées, s'efforçant de ne penser qu'à ce délicieux moka. Il l'était, vraiment ; et elle trouva aussi que ses mains étaient belles, rigoureuses et délicates autour de la tasse, pensa qu'il pouvait la casser tout soudain entre ses doigts. Cela laissait du silence. Sommes-nous des chiens de faïence pour éviter ainsi de nous regarder, pensa-t-elle. Presque amusée que, une fois passé l'angle, rien ne parût si infernal.

— Ce ne sont pas des poèmes, dit-elle prudemment. Cette fois, ni Grand Chariot ni Voie lactée, ni grilles muettes des prisons... Pour moi, c'est du chinois.

— Ce n'est pas du hongrois ?

— Bien sûr. Mais vous serez bien plus adroit que moi à le traduire.

Que pouvait-elle avancer de plus, qui ne serait tout de suite une explosion rouge au milieu du bureau ; et s'il fallait mettre le feu aux poudres, qu'il le fît, de sa propre volonté. On avait fermé tous les volets et toutes les portes, la maison était une île environnée de nuit, avec des collines et des plaines autour, un très vaste évasement d'espace qui comprenait des bourgs et des villes ignorant naviguer sur une poudrière de guerre, et ce n'était pas valable pour eux seuls, plantés au milieu du bureau, au centre de cette maison, ça l'était pour toutes les maisons nocturnes refermées autour de leurs lampes avec leurs gens dedans. Qu'un simple cahier de toile rouge enferme de quoi déchirer les poumons, arracher les yeux des orbites et dissoudre en sanie gluante la viande d'homme, c'était une telle merveille qu'elle voulait en entendre l'énoncé de sa bouche, qu'il en articulât lui-même le principe et la raison.

Tout bonnement, ils s'étaient assis au bureau, l'un à côté de l'autre, et suivant du doigt les lignes du cahier, elle avait commencé de lire sa traduction, d'ânonner la litanie des formules qui lui avaient tant donné de mal, les soirs, dans sa chambre, sans dictionnaire ni catalogue de sciences. Mais, impatient, il l'avait interrompue et, obéissant à sa demande, elle avait tout repris, depuis le début. Il s'était mis à transcrire sous sa dictée d'une écriture rapide, la faisant répéter et corrigeant ce qu'elle écorchait, emplissant des pages de chiffres et de noms en listes fabuleuses : sulfure d'éthyle dichloré ($S = (C_2H_4Cl_2)$), dichlorure d'éthylarsine ($C_2H_5 - As - Cl_2$), dibromure de méthylarsine ($CH_3 - As - Br_2$), et chlorure de phénylcarbylamine ($C_6H_5N = C = Cl_2$), brome (Br_2), acroléine ($H_2C = CH - CHO$)... et encore acide cyanhydrique (HCN), iodure, chlorure de cyanogène... Toutes ces substances avaient des noms de femmes chimères, de déesses opulentes à face de harpies avec des hanches grasses et des yeux d'odalisques, leur couronne de chiffres et de lettres hérissées de serpents, mais les commentaires qui suivaient étaient bien plus attrayants encore... Inodore à retardement, viscosité, volatilité, variations de température et degrés de concentration, dosages de toxicité, méthode d'extraction et de traitement, affinités réciproques, conditions de stabilité et d'instabilité, compatibilité avec matières organiques et biologiques, avec divers supports métalliques, densité et mélanges, chaînes de décomposition et de synthèse, volumes d'emballage, capacité de concentration, de projection, de diffusion... Ils prescrivaient des diagrammes, des tableaux, avec des flèches et des griffonnages en marge, des pyramides renversées contenant trois sous-parties triangulaires que le Dr Galay traçait rapidement...

Tout le temps qu'il écrivait, elle ne pensait pas à grand-chose, seulement fascinée par la métamorphose de ce qu'elle ânonnait, déchiffré par la grâce de sa main nerveuse, si belle tout à l'heure, et qui courait sur la pelure du papier, dessinant les arbres géométriques, une architecture à visages inhumains, comme des masques de tragédie à la peau blême, qui vous regardent de leurs yeux crevés, vous parlent à travers la caverne du trou mort, bouche endentée des spectres. *L'instant est proche où vont me réclamer les sulfureuses flammes et les tourments...* Elle sentait sa concentration à la tension immobile des muscles, entendait son souffle court. Il cherchait sa respiration. Peut-être lui non plus ne pensait-il pas encore à grand-chose, attaché à dessiner avec grande précision, et scrupule, ces figures hideuses. La nuit autour d'eux avait la lenteur géante des anciens temps, et rien à faire pour empêcher que, dans ces ténèbres, se dressent les dieux aux faces de bêtes, lançant en pâture leurs noms d'épouvante aux hommes, que ceux-ci attrapaient en claquant de la mâchoire, bavant de leur sang, ivres de meurtre. Que ce masque fût là, sur la page, remonté de si loin...

— A quoi cela ressemble-t-il ? murmura-t-elle quand ce fut fini.

Mais c'était à peine une question, et posée en aparté. Il avait rejeté le crayon, rassemblait les feuillets et les froissait, machinalement. Il considérait le cahier, resté fermé sur la table, où elle l'avait posé. Il finit par relever la tête et la regarder violemment au visage, et si elle lui avait vu, une fois, elle ne savait où, ces yeux immenses, rayonnants de rides minces, entre les cils ces pupilles veloutées qui font fermer les paupières d'endormissement, c'était déplacé d'y penser, car tout autour des yeux extraordinaires, le visage silencieux et sombre pouvait bien être celui de l'ennemi qui attend à l'angle vif, au coin du bois ou du couloir. Si proche qu'elle ne pouvait se soustraire à son examen. Elle supporta vaillamment qu'il prît connaissance d'elle, ne cilla ni ne fléchit. Le premier, il céda, s'éloigna. Déployant son corps longtemps resté immobile, il fit quelques pas indécis, puis d'un geste de dépit ou de rage, s'empara du cahier, le tordit en faisant défiler le feuilleté des pages, le rejeta sur le bureau et s'appuya au bord, plongeant vers elle.

— Bien. Vous avez intelligemment travaillé, dit-il avec une colère contenue. Je dois vous en remercier. Evidemment, vous êtes assez instruite pour supposer ce dont il s'agit. Est-ce que je me trompe ?

— Devez-vous le regretter ?

— Vous ne m'avez pas répondu.

— Vous non plus. Je ne sais pourquoi vous teniez tant à cette traduction. Je vois qu'elle vous contrarie. Assez pour me reprocher de l'avoir faite. En aviez-vous mesuré le risque ?

— Je l'ai pris.

— Moi aussi, dit-elle durement. La chose effrayante de ces pages, c'est qu'elles vous contaminent comme un venin. Vous m'avez laissée seule avec elles, et je vous ai maudit pour votre absence. Vous ignorez par où j'ai passé, soir après soir, pour faire cette traduction. J'aurais mille fois voulu que vous soyez là pour me l'interdire. Pour me confisquer ce cahier. J'en connais la langue, mais voilà le beau paradoxe : je n'entends rien de ce texte, que des bribes. Votre ami hongrois parle à vous mieux qu'à moi. Je suis entre vous deux comme un souffleur de théâtre. Vous vous êtes joué de moi.

Tout en parlant, elle s'emportait, laissait remonter le grief de ces jours d'angoisse, et se payant de la déception, qu'elle croyait passée, du silence d'Endre, de sa cruauté, de son oubli, et de l'abomination de ces pages qu'elle entrevoyait. Le docteur avait envisagé n'importe quoi, sauf cette attaque. Fallait-il de surcroît qu'il fût mis en accusation ?

— Je n'ai rien trouvé de ce que j'imaginais, avoua-t-elle, exaspérée.

Elle aussi était restée immobile, elle aussi était engourdie de froid. Elle réchauffait ses mains aux flammes, tremblant de son excès.

— Qu'aviez-vous donc imaginé ?

— Au moins un roman ! Que votre ami raconterait ses états d'âme et ses scrupules d'aventurier, que je lirais un livre exotique plein d'épisodes flamboyants, de sentiments chevaleresques et de nobles pensées. Une histoire d'amour, peut-être ? Vous m'avez assez dit quel bel ami il était, quelle grâce, quel charme vous lui trouviez !

Elle parlait vite ; elle en aurait pleuré de rancune. Depuis plus d'une heure, elle dictait comme une sotte, et lui trouvait encore à redire qu'elle comprît de quoi il retournait ! La belle découverte !

— Vous me prêtez assez d'instruction pour entendre ce dont il s'agit ? Mais il me suffit du bon sens ! Votre romantique ami a l'esprit de calcul. Ses petits secrets sentent l'opération chimique, la décoction d'arrière-boutique. Cela vous intéresse donc tant ? Vous vous contentez vraiment de ces restes ?

S'il voulait garder son sang-froid, il lui fallait ne considérer dans ces mots que la protestation du souffleur dont elle parlait, cette position intenable où il l'avait mise, et de la méprise, humiliante. Mais il se réveillait à peine d'une commotion terrifiante. Terrifiante, l'abondance des feuillets dispersés sur la table. Le cahier ouvert, sa liasse de schémas, qu'il avait froissée, et son brouillon à elle, toutes les étapes de l'explosion lente dont l'étourdissante expansion emplissait la pièce, réverbérée par les murs. C'était donc ce grand souffle de silence qu'il entendait, à présent, celui qui suit la déflagration et désintègre tout sur son passage. Il tomba assis dans un fauteuil, prit sa tête dans les mains.

— Pardonnez-moi, balbutia-t-il.

Elle laissa le silence étendre ses ondes jusqu'au fond de son cœur, jusqu'au point de grelotter dans sa solitude. Il se rejeta contre le dossier. Il était livide, mais très paisible soudain.

— Je vous ai mise à l'épreuve sans ménagement. Pardonnez-moi. Je ne me suis pas joué de vous. Je vous ai au contraire infiniment de reconnaissance… Asseyez-vous, Gabrielle.

Elle s'assit parce qu'elle grelottait vraiment et qu'elle avait peur, même d'entendre son nom.

— Je vous dois des explications… Voulez-vous un peu de café ?

Il servit deux tasses. Le café fit intermède, et comme il fallait aussi chicaner les bûches un peu effondrées, il eut le temps de composer avec lui-même. Il faisait effort contre son émotion, et il y mettait tant de soin qu'il atteignait une sorte de douceur insistante, un air de rêverie pénible qui lissait ses traits et alourdissait sa paupière.

— Je ne pouvais savoir ce que contenaient ces pages. Si j'avais de fortes présomptions, cela dépasse mes pires pressentiments. Non, Gabrielle, ce n'était pas un roman d'amour et d'aventures. Ou alors, malgré les apparences, s'il l'est, il faut que je vous en traduise la langue à mon tour. Je vous le dois bien. M'entendrez-vous ?

— Il le faut, s'écria-t-elle. Quel monstre cet homme est-il pour laisser derrière lui ces choses pestilentielles, et vous, pour vous dire son ami ?

Il la regarda au visage, surpris par les larmes qui brouillaient ses yeux, ébranlé par la véhémence du reproche. En homme qui se résout mal, il se détourna, se mit à faire les cent pas. Elle suivait ses allers et retours de l'ombre vers le feu, ravalant la révolte qui lui avait arraché ce cri, et la douleur d'avoir pour la première fois nommé Endre en ces termes, mais elle ne sut quand il avait commencé de parler, d'une voix sourde qu'elle peinait à entendre, tant il semblait se parler à part soi.

— Il y a quelques années, je suis parti en mission en Extrême-Orient, pour une campagne scientifique. Lors de mon voyage, j'ai rencontré l'auteur de ce cahier. Alors, il était un homme libre, de grande intelligence. De ce charme rare, que vous raillez. Ingénieur chimiste, intéressé au progrès scientifique, ambitieux, intrépide, prêt à forcer l'occasion pour élargir le champ de ses compétences. Assez idéaliste, et aventurier. Pourquoi m'a-t-il fasciné ? Comment a-t-il tenté en moi le pacte de ces amitiés qu'on ne délibère pas. Qui se font dans l'adhésion de l'instant, comme si tout ce que nous sommes ne suffisait pas. N'attendait que cette grâce de reconnaître en l'autre la part de soi inconnue... Peu importe, il ne s'agit pas de moi. Lui, est entré dans le cercle infernal. Cela se fait vite, sans doute. On le dit. De ces engrenages où, une fois engagé l'ongle, on est pris tout entier, et broyé sans recours. Il a eu accès à des recherches menées par des puissances étrangères. Je ne vous dirai pas en quelles circonstances. Vous les trouveriez peut-être romanesques. Elles sont tragiques. Il n'était pas le monstre que vous imaginez.

Ces mots cruels et bénis, pour lesquels elle aurait baisé ses mains, ses yeux, et sa bouche, elle ne pouvait les entendre enfin, enfin, que parce qu'il donnait à son récit le tour étrange d'un procès-verbal, désaffecté de sentiment, observant entre chaque phrase un silence, pesant mentalement chacune avant de la prononcer.

— Il a réussi à soustraire ce que ce cahier rapporte. Il s'agit de substances toxiques, fabriquées à des fins militaires. Vous l'avez compris, n'est-ce pas ? Elles sont connues, pour la plupart, et font l'objet d'expériences secrètes, fort bien gardées. Parce qu'elles contreviennent à nos lois. Et aux conventions internationales. Qui y a accès est en danger de mort. J'ai eu quelque ennui, à mon retour, parce qu'on me soupçonnait d'en avoir eu vent. Lui en est mort, traqué jusqu'au fond de la forêt birmane. Ce qu'il avait réussi, cela s'appelle sans noblesse : espionnage industriel. En réalité, la finalité de ces substances est de tuer. De tuer en masse. Dès lors, il était perdu. Non seulement pour la communauté des hommes, mais pour lui-même. Il m'a confié ce cahier pour que ces choses affreuses ne tombent pas entre les mains de n'importe qui, prêt à les négocier sur le marché du crime. J'essaie d'être clair. Me suivez-vous ?

— Je vous suis très bien, parvint-elle à articuler. Jetez ce cahier, jetez toutes ces feuilles dans le feu.

— Je le ferais, si les brûler anéantissait ces horreurs. Mais deux choses. D'une part, il y est fait état d'une invention inédite, de si grave portée que j'ai cru tout à l'heure en perdre la tête. D'autre part, j'ai des raisons de croire qu'en ce moment, en France, se mènent des expériences semblables. Mon Dieu, Gabrielle, de quoi suis-je en train de vous entretenir ?

Il eut un mouvement de révolte impuissante, balaya les feuillets de la main, qui s'éparpillèrent sur le sol. Elle était secouée tout entière d'un frisson nerveux devant la perspective qu'il ouvrait, dont elle n'avait pas le temps d'explorer la laideur.

— L'ironie est que je ramène des vers, des livres de poésie, en même temps que ce cahier. Illisibles au même titre, et ils enferment aussi bien la beauté du rêve que l'ordure, l'ordure ! Cinq ans passent, et je me garde de rien savoir. Les livres de poèmes sont inoffensifs, ils se déclarent tels, n'est-ce pas. Mais le reste ! Je l'enfouis, j'oublie de mon mieux. Dois-je en rendre compte, à qui ? Dois-je maudire mon ami ? Il m'a mis sur une voie que je n'ai pas choisie. Mais à laquelle j'ai consenti. Je suis son otage et son frère. Sentiments chevaleresques et nobles pensées. Une histoire d'amour peut-être ! Moquez-vous bien !

— Ne m'accablez pas. Je suis épouvantée de ce que vous dites.

Elle ne pouvait quitter des yeux le front plissé de Pierre qui portait les marques du cheminement de sa pensée sans repos, de la lutte et du travail incessant qu'elle faisait en lui, et jusqu'à sa bouche mincie, ses yeux rétrécis, sa manière d'acquiescer avec un rire amer au mot qu'elle venait de prononcer.

— Vous le pouvez. N'importe qui le serait. Nous, hommes modernes qui voyageons sur les mers sur nos flottes armées, laissant derrière nous le panache arrogant de nos vapeurs, contemplant en esthètes la beauté des mers et les ciels d'océan, nous oublions toujours que nous sommes esquilles voguant sur des abysses, que dans les grands fonds des Léviathans naviguent avec nous, de colossales et monstrueuses créatures suivent notre sillage de sous l'eau, des banquises à l'équateur. Ils ne nous quittent pas, ils n'attendent que de percer, de crever la surface soudain de leur geyser furieux et de nous anéantir. Au moins voyons-nous les tempêtes, les typhons venir. De ces monstres, rien ne nous prévient. Au contraire, ils paraissent le plus souvent quand la mer semble une douce prairie assoupie. Et quand nous sommes face à leur effroyable mâchoire, nous sommes aussi désarmés, aussi nus que le premier des hommes. Voilà comment je me souviens de mon voyage, de mon départ de jeune homme insouciant et enthousiaste, et de ce que je suis devenu depuis mon retour. Mon ami lui-même a fait cette expérience. Voilà l'aventure que retrace son cahier.

— Cependant, dit doucement Gabrielle, votre ami n'est pas mort en mer… Et il n'était pas seul à affronter ce Léviathan dont vous parlez. Il avait des compagnons, n'est-ce pas ?

— Non. Il voyageait seul. Ou plutôt, il avait un comparse, un associé… Je ne sais comment on nomme ces gens à qui vous appareille l'occasion… Quelque industriel, plus occupé des bonnes fortunes de son commerce que de scrupules ; un homme d'affaires à toutes mains, vite dépassé par la situation, ignorant sans doute dans quel milieu interlope il tombait, des groupes de pression qui dominent ces petites sociétés coloniales, dont les intérêts, loin de leurs pays d'origine, s'exacerbent et pourrissent les cœurs. Cet individu ne pouvait que l'entraîner plus bas, et le compromettre. Peut-être le trahir. Je ne sais son rôle exact. Je l'ai à peine connu, à l'aller, et s'il a été du retour, sur notre bateau, c'est par la complaisance du capitaine, qui a bien voulu, pour l'embarquer, fermer les yeux sur ses démêlés avec les autorités portuaires. Quoi qu'il en soit, il n'était pas de taille.

— Votre ami n'avait-il donc une famille, des parents, à qui vous adresser… demanda-t-elle, à bout de souffle.

— Il en avait, sans doute, mais n'en parlait pas… Ou bien il était trop tard, dans sa disgrâce, ou il voulut les épargner, je ne sais… Il est difficile de décrire l'épuisement, le désordre extrême de ces jours… Je ne pensais pas, alors, le presser de questions à ce sujet. Nous étions à des hauteurs, ou des bassesses qui interposaient entre nous et le monde une sorte de muraille d'irréalité… Si loin de penser qu'à l'autre bout des mers, lui ou moi, avions encore liens ou devoirs, famille et amis… Je suis encore incrédule devant ce détachement puissant, la dissolution de ce qui nous lie à la vie. Moi aussi, j'avais oublié les miens, mes collègues, mes maîtres… Si j'avais su, à mon retour, à qui porter la nouvelle de sa fin, je l'aurais fait. Mais c'était quelqu'un d'étrange. Vous savez, il avait une haute nature, de celles qui vous portent au-devant du malheur. Un peu moins haute, il eût transigé, il se serait moins aveuglé. Je crois que par orgueil de ce destin qu'il cherchait, il a choisi la solitude, et le silence, et ne m'a fait le dépositaire de ces objets que par un ultime sursaut d'espoir qu'en les sauvant, je le sauverais, lui.

Il aurait fallu qu'il continuât encore et encore, elle avait tant attendu ces paroles qui rendaient justice à son amour perdu, sonnaient au diapason de son cœur, mais plus encore lui donnaient à voir l'intime tourment de Pierre Galay, la nébuleuse et douloureuse nécessité intérieure de son être inconnu, dont l'effrayait la vision, l'âme inconsolable qui avait fraternisé avec celle d'Endre, qui l'avait contaminé de son mal et blessé sans remède, alors il se perdrait si elle ne le retenait au bord des ténèbres, si elle ne faisait pas obstacle à ce qu'il s'efforçait d'atteindre : la même perdition, le même désespoir.

— Que grâce vous soit rendue, balbutia-t-elle, pour parler ainsi de cet homme, de sa mémoire...

— Si peu, si mal... Ah ! Evoquer ce passé me désespère. Je ne l'ai pas aidé. Je n'ai pu qu'assister, impuissant, comme on se laisse entraîner dans le naufrage, comme on prête les mains à la ruine, laissant la foudre meurtrière frapper celui qui vous est un frère. Que faire à des milliers de kilomètres de tout secours civilisé, quand vous tenez dans vos bras un agonisant, debout encore, avec toute sa conscience, mais qui a déjà choisi la mort. Moi non plus, je n'étais pas de taille.

— Choisi la mort...

Il entendit à peine cet écho, poursuivant :

— Je n'étais pas de taille parce que je ne suis pas forgé aux épreuves de la réalité. Il faut quitter parfois le petit espace provincial où l'on mène sa vie, à l'abri des Léviathans, pour apprendre que de tous les outils inventés par l'homme, le seul sur lequel il puisse compter c'est lui-même ; l'outil le plus fragile, le plus vite déréglé, le plus improbable des outils et cependant le seul qui serve de compas à sa vérité. Nous pouvons faire dix fois le tour du monde sans apprendre cette leçon, que nous nous emportons dans nos bagages... Vous me l'avez cruellement rappelé, un jour. Qu'ai-je été, là-bas, que je ne suis ici, ce soir ? Impuissant à l'action. Condamné par ma formation, par mon travail de chercheur, à davantage penser le monde qu'à le changer... Des temps nouveaux s'annoncent, Gabrielle. Tout nous montre, autour, l'ivresse d'une civilisation en extase devant elle-même, ses prouesses, ses inventions mirifiques... J'entrevois la suite avec épouvante. Nous saurons mieux nous servir de notre connaissance balbutiante du typhus, du choléra, de la peste, pour les diffuser que pour les enrayer. Et toutes ces substances aux noms ravissants, que nous avons listées tout à l'heure, qui doivent servir le progrès matériel, le confort et la paix des hommes, sont déjà en passe de permettre leur destruction massive. Ce déni de justice, ce crime abominable ! Quel compas suis-je à moi-même, si je ne sais agir !

Le docteur s'était jeté sur le fauteuil, les mains à ses tempes, si bouleversé qu'elle se précipita à ses pieds, dans un élan de compassion, et elle-même, ne trouvant plus de mots, resta effondrée contre ses genoux. Il lui laissa détacher ses mains, pour finir, découvrant son visage dévasté, presque enfantin à force de nudité, penché vers le sien levé, et elle buvait au bord de ses yeux, de sa bouche, le don qu'il en faisait, étourdie par cette nouvelle façon de se tordre le cœur.

— Vous deviez seulement vous occuper de Millie, et voilà ce que je vous somme d'entendre... dit-il, et sa voix sembla se briser.

Vaguement, elle repensa à l'exécrable portrait que Michel Terrier faisait de cet homme, en un lointain jour de septembre, à l'opprobre et la déchéance qui avaient sanctionné son passé... Un autre se trouvait devant elle, à l'instant, en proie aux affres de ce même passé, lui ouvrant sans calcul, avec une dangereuse sincérité, les déchirements de sa conscience, quand elle, continuant de lui dissimuler ses véritables motifs, lui extorquait à son insu des confidences qu'il n'aurait jamais faites s'il avait su qui elle était ! De remords, de honte, elle cacha à son tour son visage dans ses mains.

Il se méprit sur ce geste, et se redressa vivement. Du même mouvement, l'avait relevée. Il la releva, alors ils se trouvèrent à même hauteur et même vertige, rendus au moment où semblent naturellement s'emboîter l'épaule et la joue, la taille appeler le creux du coude, le lit de la poitrine ployer sous le front, où la peau touche la peau dans l'odeur d'iris et de fougère. Alors il lui était parfaitement égal qu'il fût, Pierre Galay, l'ennemi annoncé, qu'il fût peut-être celui que prédisait un Michel Terrier, et que tout son récit fût le mensonge qu'on arrange à part soi, parce que, perdue dans l'odeur grisante de son pull-over qu'effleurait sa joue, elle laissait l'ébriété légère, inconséquente, dissiper toute pensée ou sentiment, libérer la sensation magiquement déliée, la jouissance des nuances et des pulsations que le grand silence de la maison recueillait. Cela donnait des images déroutantes de sous-bois, d'un blanc étincelant rosi d'un gros soleil bas, un crissement feutré de la neige sous des pas, aussi troublant qu'un glissement de plumes sur la peau. Elle eut un sursaut pénible pour s'arracher à cette vision, mais il retint son épaule, la ramena plus près.

— Je ne peux exiger de vous que vous soyez comme moi fidèle à lui... dit-il très bas, mais au moins à moi ! Ce que je vous ai dit ce soir ne passera pas les murs de ce bureau. A personne vous n'en parlerez, n'est-ce pas ?

Elle baissa le front, un flot brûlant envahissant ses joues. La lettre à Agota ! La page arrachée... Elle secoua la tête, éperdue, dans sa dénégation repoussant à la fois le serment et sa violation, le mensonge et la promesse qu'elle faisait, en même temps s'absolvant follement, parce que cette page en rien n'attestait qu'il y eût un cahier, des pages avant elle ou après, en rien ne prouvait, ne trahissait... Elle aspira avidement l'air, suffoquant, ferma les yeux parce que dans ses cheveux, elle sentait son souffle, la chaleur de sa bouche faisant de chaque mot une caresse insupportable.

— Je me dois de trouver une issue. A vous aussi, je le dois... Pour vous avoir exposée. Je ne vous ai pas épargnée, mais je ne me suis pas joué de vous. Pas plus que vous de moi. Vous avez été loyale, quoique étrangère à cette affaire, et je ne sais comment vous remercier d'y prendre cette part... Vous en savez assez pour me perdre...

— Je n'ai personne auprès de qui vous perdre.

— Cependant, soyez prudente : on ne sait à qui l'on parle.

Elle s'écarta brusquement de lui comme s'il venait de dire cette fois une chose énorme, à quoi la clarté du feu donnait une proportion indistincte et peut-être menaçante Ces mots pouvaient la désigner. Dits avec un accent de conviction et de tristesse, ils la frappaient en plein visage et aussitôt ce fut un chagrin immense, de la vie gâchée, du mensonge et de l'imposture, de cette ironie extrême de l'amour en allé, de l'amour perdu, par la fidélité de qui elle était là, conspirant contre celui-là qui, au même, avait juré aussi sa fidélité. Et c'était surtout l'amertume de ce fantôme maintenant dressé entre eux, debout et presque matériel, à cause de qui elle devait rester masquée, et armée, qui interdisait de prendre le visage attirant et les mains tentantes de l'ennemi, sa poitrine vivante où poser son front. Elle ravala ses larmes, et la vindicte qu'elle ressentait contre l'autre, le mort qui avait choisi la mort, elle la destinait à celui-là qui la considérait, alarmé par cette manifestation soudaine, n'osant plus bouger de peur de la faire fuir, comme l'autre fois.

— La pire imprudence est de vous écouter, lança-t-elle, le dévisageant, les yeux dans les yeux, le regard brillant. Je vous en donne ma parole, j'ai bien cru que ma tête allait éclater de toutes vos histoires !

— Je suis une triple brute. Je ne vous demanderai plus rien désormais, je vous laisserai en paix...

— Maintenant que j'ai servi votre traduction, je peux me retirer...

— Allez au diable avec vos sottises ! Que ferais-je sans vous ? Je ne trouve pas les mots qui conviennent. J'ai besoin de vous...

— Moi, je n'ai besoin de personne ! s'écria-t-elle.

— Vous mettez assez de soin à le laisser croire...

Avec colère, il tendit les mains vers son visage. Parce qu'elle ne le défendait pas, le prit, encercla son cou de ses paumes, glissa sous ses cheveux, attira rudement sa nuque, d'un geste qu'il inventait, qu'aucune femme avant elle ne lui avait suggéré. Et elle, personne n'avait mis à son cou cet étau de mains qui fait céder, dont la prise étroite interdit de résister, la même qui subjugue ou étrangle, pensa-t-elle sans effroi ; pourtant il parlait contre sa bouche, dangereusement.

— Si vous n'avez besoin de personne, après qui courez-vous dans la foule ?... Qui fuyez-vous ou rejoignez-vous ? D'où venez-vous pour être celle à qui je dis ces choses jamais dites ?

— Ce n'est pas moi qui fuis, c'est vous qui partez. Vous partirez, n'est-ce pas ? souffla-t-elle.

— Partir !... Oh, ce projet... La Suisse, la paix, la neutralité !... C'est une chose à laquelle j'ai rêvé... Je n'y pense plus. Je dois... Maintenant, il me faut agir.

Comme s'il se réveillait, d'une secousse, il desserra ses mains, recula. Puis soudain marchant sur les pages éparpillées, allant dans un sens et dans l'autre avec l'agitation d'un animal en cage.

— Bon sang ! Sommes-nous des enfants, Gabrielle ? Il faut que nous prenions le temps de nous entendre... Je vous expliquerai tout, je répondrai à vos questions Vous me donnerez votre avis. Vous êtes de bon sens, quoique tête de mule, et casse-cou... Quel capharnaüm, tout votre travail, et mes notes ! s'écria-t-il, commençant à ramasser les feuilles... Aidez-moi à les reclasser, s'il vous plaît... Encore demain, je rentre à Paris. Par le premier train. Mais un jour prochain, je viendrai. Ou vous, vous viendrez à Paris, vous me direz... Nous reparlerons de tout cela, calmement. Calmement. Gardez le cahier. Maintenant, gardez-le bien. Jusqu'à ce que je vous le demande. Est-ce trop ? Vous êtes très fatiguée. J'abuse de vos forces, et de votre serviabilité. C'est miracle, que vous lisiez le hongrois ! Comme je vous ai de reconnaissance ! Vous tombez de sommeil... Moi aussi, je suis fatigué...

Sur le bureau, elle refaisait docilement les liasses, le laissant à son éloquence, son autorité et ses beaux discours.

— Gardez vos notes, votre traduction. Nous en aurons peut-être encore besoin. J'emporte les miennes. Allons dormir. Cela suffit pour ce soir. Cela suffit, n'est-ce pas ? Répondez-moi.

— Oui, monsieur. Cela suffit.

XXIX

— Si Pathé a supprimé ses productions de Nice, de Montreuil, c'est que le coût de nos films de trois mille mètres ne peut plus se négocier à proportion du prix de revient. Il faudrait doubler le nombre de salles ! Ou alors que notre nouveau public accepte de payer sa place au prix d'un fauteuil de théâtre. Il veut du luxe, des ors et du velours pour ses fesses de bourgeois. Et même avec ce public-là, on ne rentabilisera pas ! Quand nous ferions le plein, nous serions encore loin du compte ! Voilà la réalité ! Pathé tient encore le coup, mais le marché américain lui échappe. Sa société Pathé-America, hier encore bénéficiaire à soixante-dix pour cent, accuse un déficit croissant. La General Film pratique le boycott de sa production, là-bas, elle le contraint à louer ses studios aux indépendants, qui sont devenus aussi puissants que le trust !... Pour éviter la faillite, il va lui falloir mettre ses studios et ses usines en participation, et surtout organiser ses agences de diffusion. Parce que voilà l'avenir : le système américain des nickelodéons, les petites salles à trois sous, à la portée de la poche la plus pauvre ! Vous avez compris ? Non seulement cela accélère la rotation des films, mais surtout cela attire le public de demain. Ceux qui nous feront vivre, qui feront du cinéma un art de masse : la foule des migrants, le peuple, qui ne demande qu'à se divertir de sa condition de paria et à s'instruire pour y échapper ! Nous avons besoin, besoin, besoin de cet argent des spectateurs, qui est notre liberté à nous, de créer, d'inventer. Pour que les banquiers soient nos larbins, et pas nos maîtres ! De l'argent, de l'argent !

Daniel sortit en coup de vent du bureau, la face rouge et les cheveux en bataille, laissant ses associés médusés, et le comptable, méditer son coup d'éclat. Il était d'autant plus en colère que plein de remords. Le matin même, il avait reçu le télégramme de New York qui scellait son accord de vente à la Fox, préparait la liquidation de la société et précipitait son projet de départ. Il n'en ferait état qu'une fois dûment signé le protocole, mais ce coup de couteau dans le dos pour eux tous, cette trahison, le rendait malade. La brutalité heurtait son goût de la concorde. Il aurait préféré persuader, séduire, et emporter dans sa grande conviction ceux qui travaillaient avec lui, depuis plus de deux ans. Pour certains, des gens avisés, et talentueux, qu'il avait enlevés à Eclair, et même à Pathé. Mais le suivraient-ils à New York ? Et encore plus loin, là-bas, dans l'Ouest ? Il faudrait bien, d'ici un mois, leur mettre le marché entre les mains ! Alors qui d'entre eux sauterait le pas, qui le suivrait ?

En attendant, Daniel courait à son rendez-vous, chez son banquier ; puis chez sa mère, à midi, à qui il avait promis de signer un pouvoir pour quelque investissement nouveau de machines. Ensuite, il irait sentir l'air du temps, sur les boulevards où l'on projetait *Les Mystères de Paris*, selon son contrat avec Bony, le secrétaire général de l'Omnia, alléché par le succès de son feuilleton ; avant encore d'aller ce soir, aux Mathurins, applaudir Dorothée dans *Les Plaisirs d'Archibanipal*, le nouveau spectacle à grands effets où elle jouait, à guichets fermés, une princesse assyrienne voluptueuse. La voilà lancée, s'amusait-il, la fille du marchand de vin lyonnais, que s'arrachaient les agents, depuis son triomphe en Fleur-de-Marie. Elle défrayait la chronique, par sa liaison tumultueuse avec la vieille Liane de Pougy, qui l'affichait partout comme sa dernière conquête et voulait la mettre, toute nue, sans collants ni voiles, sur scène au Moulin-Rouge, qui disait l'enlever un de ces jours et la séquestrer dans sa maison de Roscoff ! Si elle s'amuse avec les dames, grand bien lui fasse, songeait-il, pincé au cœur par cette émancipation saphique qui le disqualifiait, lui et ses semblables. Avaient-elles donc tant de dons à jouir et plaire, et leurs caresses tant de sel, ces femmes, dans leur nouvelle indépendance affichée comme un défi aux hommes ?

Mais il oublia son grief, une fois au volant, fuyant vers ses rendez-vous, se souvenant soudain qu'il lui fallait encore retrouver Pierre, avant le théâtre. Celui-ci avait insisté au téléphone, prétendu une urgence telle qu'il ne pouvait différer, refusant d'en exposer le sujet. Cette requête pressante de son frère était si inhabituelle qu'il était plus curieux que tout d'en savoir la raison... C'était bien une première ; jamais Pierre ne lui avait demandé quoi que ce soit ! Aussi n'avait-il pu alléguer sa journée surchargée, ses soucis et ses affaires, pour refuser, comme il le faisait souvent avec les importuns. Seulement, il pensait déjà à ses déplacements anarchiques dans la ville, courant de

Boulogne à la Chaussée-d'Antin, aux boulevards et retour à Boulogne avec Pierre, avant d'échouer au théâtre ! Quelle vie menait-il, tambour battant, s'abrutissant de travail et de plaisirs, d'échanges et de négociations d'affaires ou de cœur, toujours entre deux rencontres, deux intrigues et deux projets, jamais installé, jamais apaisé, avec cette boulimie d'action qui faisait de ses journées des navires fous près du naufrage. Car, au bout du compte, il ne tenait rien, ne gardait rien ! Ni les kilomètres de films qui s'enchaînaient, mis bout à bout comme un train d'enfer remorquant des rêves à peine esquissés que déjà oubliés ; ni les femmes à peine prises que perdues ; ni les sourires, les regards, ni les amitiés ou les compagnonnages, convoqués derrière et devant la caméra, qui filaient entre ses doigts, enfuis selon leurs propres aiguillages vers d'autres destinations... De chez lui, il n'avait guère, couchant le plus clair de son temps au studio, où il avait un mauvais lit et un lavabo de campagne pour sa toilette, quand son bel appartement du quai Malaquais restait un hôtel de passage, soudain envahi pour une fête tapageuse, dont il retrouvait, huit jours plus tard, les reliefs abandonnés, les bouteilles vides et, dans les coussins crevés, une fille installée là, qu'il reconnaissait à peine...

Voilà ce dont il était étreint, ce matin, après la discussion orageuse dans son bureau : un besoin infini de douceur et de lenteur. De cette lenteur qu'on connaît dans le sommeil, dans l'eau languide des rivières d'enfance, cette vitesse lente qu'ont les nuages à se déployer et à passer dans le vent... Un besoin de paresse et de bonté. D'amour, s'avoua-t-il soudain, pris à la gorge. Une femme aimante et douce, une compagne. Un vrai compagnon d'aventure qui comprendrait ses désirs, ses faims, les apaiserait avec constance, intelligence et bravoure ; avec humour, avec passion. Une créature d'avenir, loyale, solide et entreprenante, sans mignardise ni perversité, affranchie des préjugés de son sexe. Voilà ce qu'il appelait de ses vœux : une camarade, une égale, qui annonce les temps nouveaux, où l'homme et la femme sont à parité, par contrat librement consenti, avec les mêmes talents, les mêmes désirs en concurrence ! S'il en existe une, qu'elle se présente ! Et la figure rayonnante de Gabrielle lui parut, comme l'incarnation de ce rêve. Il ne savait comment elle s'était présentée à lui, tandis que défilait le paysage urbain, son agitation électrique et brouillonne. Mais sur ce fond d'actualité moderne, pleine d'espérances et de menaces, elle régnait, géante, sur grand écran en couleurs, comme l'affiche d'un film inouï que personne n'avait encore conçu, le film de sa vie à venir. Elle était l'Eve future, la muse et la partenaire

de l'homme nouveau qu'il appelait, loin d'ici, loin des marécages de cette vie qui épuisait son énergie et sa virilité en vains
combats...

Elle était au Mesnil, dans le confinement de cette vieille maison de campagne, de la vieille bibliothèque, à l'étage. Sage et
distante, et elle pouvait vous donner aux reins ce vibrato du
désir, rien qu'en s'asseyant au piano, rien qu'en vous effleurant
du regard. Mais il l'avait vue aussi jouer la comédie, s'aventurer
à faire ce qu'elle n'avait jamais fait, en toute liberté, adhérer
avec gaieté à ses inventions. Examiner avec sérieux ses plans,
son scénario. Elle comprenait vite, elle était curieuse, et audacieuse, et sérieuse. Une gravité rare, et profonde, voilà ce qu'il
avait senti. Il avait l'intuition des êtres. De celle-là, il émanait
une force peu commune, une détermination, une passion
secrètes, qui ne devaient rien à la revanche sexuelle ou sociale.
C'était la génération de ma mère, pensa Daniel, ces femmes
éternellement mineures, nées dans l'ombre des pères, passées à
celle des maris, et qui ne s'émancipent, quand elles y parviennent, que dans l'aigreur ou la haine d'elle-même, avant que
celle des mâles, au prix de leur propre négation. Cette puissance féminine surarmée s'épuisant à une conquête vaine, qui
ne résout rien du vieil antagonisme, de la fatale subordination.
Ma mère est un homme en corset et jupons. Elle a pour sceptre
le phallus du vieux Bertin ! décida-t-il, très joyeux. Et toutes les
autres ! Des oies blanches ou des cocottes, vénales, et bêtes...
Gabrielle a d'abord l'orgueil de s'aimer elle-même, de se choisir
et de se préférer, de désirer l'autre qu'elle n'est pas encore. De
cette chrysalide, personne ne voit les promesses. Je l'appellerai
ce soir, décida-t-il, enivré par la violence de son engouement. Je
veux la revoir, et qu'elle parte avec moi. Je veux qu'elle m'aime.
Je l'aime bien, moi !

— Te marier ! A ton âge ! Tu as encore du lait au museau !
Dans quel paroissien as-tu appris cette messe, péronnelle ? Ah !
Mais j'y mettrai bon ordre !

— A quel âge étais-tu donc mariée, toi ?

— On était d'un temps qui n'est pas le nôtre, ça ne se com-
pare pas. Et j'ai bien attendu dix ans pour avoir ta mère, Dieu
merci !

— Et ma mère, quand a-t-elle épousé mon père ? Je le sais, je
le sais ! Elle a trente-deux ans, et moi j'en ai seize !

— Quinze !

— Seize ! Et Renaud en a vingt bientôt !

— Tu crois que vingt ans font un homme ?

— S'il l'est assez pour servir l'armée, et faire la guerre, assez pour mourir, il l'est pour savoir s'il me veut. Il me veut !

— Ah ! Il te veut, ce va-nu-pieds ? Moi, je ne veux pas, et les Armand non plus, et personne ne veut. Ni ton père, ni ta mère, ni la terre entière.

— Grand-mère ! Grand-mère !

— Finis, les rendez-vous au vieux hêtre ! Finie, la plaisanterie. Que ta mère apprenne ça ! Tu entres en condition, ou elle te place au couvent, jusqu'à tes vingt ans ! Nous verrons qui aura le dernier mot !

— Je sais ce qu'on fait pour se marier quand les parents refusent : on fait un enfant, voilà. C'est comme ça que ma mère t'a obligée de dire oui !

— Veux-tu te taire, poison ! Dévergondée ! Assez, Pauline, ou je te claque à en rester par terre !

Mais Pauline était hors de sa portée, elle tournait autour de la table et Mme Victor n'avait plus l'âge de ce jeu. Exaspérée, elle prit une pomme dans le compotier et la lui lança, que l'autre esquiva, et la pomme alla éclater contre le mur. Sur ces entrefaites, Gabrielle entra dans la cuisine avec Millie, rentrant de leur promenade à cheval.

— Ah ! s'écria Mme Victor, vous voilà ! Vante-toi de tes inventions à mademoiselle, maraude !

Cette fois, Pauline pleurnichait dans son tablier, continuant prudemment de mettre la table entre elle et sa grand-mère menaçante, grandie par son courroux.

— Quoi que vous fassiez pour nous séparer, je l'aimerai toujours, toujours !

— Faut-il Soubiran pour lui enlever l'envoûtement, à cette drôlesse ?

Les derniers mots de Pauline avaient saisi Gabrielle. Ils lui rappelaient l'illumination d'un printemps, où elle avait chanté la toute-puissance de ces mots, montés à sa bouche comme un hymne céleste. Elle comprit de quoi il retournait, sans besoin d'explication. Elle chassa Pauline devant elle, la poussa avec Millie vers la porte, et elles s'éclipsèrent ensemble.

— Voilà le beau résultat de mes accommodements, gronda Mme Victor. Ils se seront tourné la tête, ensemble. Lui qui n'a que ses deux bras, pas un sou de fortune, et cette gamine… Par ma faute ! Tous les saints me damnent ! Mademoiselle, comment lui faire entendre raison ? Elle fera quelque bêtise, avez-vous entendu ? Se marier ! A-t-on pas eu assez de folies, par ici ?

— Elle est si jeune, convint Gabrielle, encore remuée par l'écho réveillé au fond d'elle-même, d'amertume et de désolation de ce temps où elle avait eu seize ans, qui semblait si ancien.

Elle avait seize ans, et elle marchait sur les nuages, séduite par le prince charmant, emportée dans le char des rêves bleus que la négligence, l'assentiment coupable d'une mère adoptive avaient favorisés, parce que ce charme la protégeait de l'éloignement de son fils. L'émerveillement du premier amour donnait tant de force, tant d'empire sur le monde et sur soi, galvanisait la puissance, dévastatrice, de la volonté. Rien ne l'aurait empêchée alors, de suivre Endre, s'il l'avait voulu, de défier toute autorité, tout interdit. Elle l'avait fait. Elle était allée au-devant, sans attendre que soit formulée la demande. Elle avait mendié le don de soi, qu'il ne voulait peut-être pas, dont il n'avait que faire, le don entier, frivole et grave, cette grâce, cette folie des seize ans... Peut-être Mme Victor devina-t-elle son émotion, car elle hésita à poursuivre, fléchit dans sa colère.

— Cela a-t-il du bon sens, mademoiselle ? Ce garçon n'a pas d'espérances. C'est un paysan, sans terre, sans bien. Notre Pauline n'a que faire d'un tel parti. On ne sort pas de la terre pour y retourner ! Et elle ne sait rien faire de ses dix doigts. Elle n'a pas seize ans ! Ah ! Quel malheur !

— L'amour n'est pas un malheur, madame Victor, vous le savez bien. Pauline est habile, elle sait coudre, et elle est loin d'être sotte. Renaud a le certificat d'études, un vrai diplôme, et le projet d'échapper à sa condition.

— Ils seront ouvriers ! La pire des calamités. Des indigents, des miséreux. L'alcool, la nécessité. On n'est pas à soi, ouvrier. On est aux patrons des fabriques, à la grève et à la révolte.

— On n'est guère à soi, nulle part. Mais ce n'est pas forcément ce qui les attend. Avec le certificat, on peut passer des concours, aux Postes, aux Chemins de fer. Avec la couture, on peut se former, se spécialiser, entrer dans des maisons, et même se mettre à son compte, ouvrir un atelier... Non, madame Victor, ce n'est pas de leur avenir, dont il faut s'inquiéter, mais de ce que Renaud va partir au service militaire, pour trois ans, et qu'il sera longtemps loin d'ici. Se souviendra-t-il d'elle ? Gardera-t-il la patience d'attendre ? Et elle ?...

— Il l'oubliera. Elle pareil. Je vais prier Madame de la prendre tout de suite chez elle, à Paris. Sa mère saura bien la soumettre. Et de ce pas, je vais aux Armand leur dire de tenir leur garçon. S'ils veulent garder leur fermage, ils trouveront le langage.

— Attendez demain. La colère nous emporte. D'ici là, je parlerai à Pauline, si vous voulez bien...

— Je ne sais qui elle écoutera !

— L'abbé, peut-être ? Il vaut mieux que Soubiran... L'amour est sorcier, mais les sorciers n'y entendent rien !

— Les curés non plus ! Et s'agit-il d'amour, à cet âge ?

— Peut-être est-elle plus amoureuse de son amour que de Renaud... Mais cela ne résout rien, et le danger est grand, qu'aux obstacles, elle ne trouve davantage de charme.

— Parlez à l'abbé, mademoiselle ! Demandez-lui conseil pour moi, vous qui savez dire ces choses...

Jules Bauer jeta un long regard sur le panorama de la ville, dont il ne se lassait pas, quelle que fût son humeur. Aux jours sombres, quand ses douleurs le torturaient, dans sa solitude il y trouvait réplique à sa mélancolie de vieil homme, il lisait ce texte de l'histoire urbaine écrit en palimpseste, tissé de réminiscences, si ténues au regard du temps long, propice au recueillement et à la méditation. Certains jours, la vision de la ruine s'imposait à lui, l'effondrement des murs, l'éventration des avenues, la béance des perspectives, son réseau de circulation et d'évacuation mis à nu, ses impasses et ses places, forums et jardins, portes et enceintes, rendant lisibles les assises oubliées, comme celles de son enfance, si lointaine, et le passage de sa vie, si rapide... Il y voyait, dans un précipité d'espace et de temps, le cycle des saisons, des intempéries dont l'érosion invite à penser le passage du visible à l'invisible, de la présence à la disparition, entre jouissance et effroi de ce qui, sous les apparences de la pérennité, se délite et périt... Plus souvent, parce qu'il était d'un tempérament heureux, l'entreprise de haute culture que constitue l'érection des cités, sacrées ou profanes, lui offrait un rêve de pérennité, résistant à l'irréversibilité du temps, comme si la carrière minérale, tel un monument pour les temps futurs, dressait devant lui les promesses de vingt siècles de civilisation, d'architectes illustres et de bâtisseurs anonymes, abritant sous les toits et les dômes l'intelligence, la science, l'esprit des lois et l'invention du droit, l'art et la beauté... Mais il savait que rien de cela n'était réalité, seulement construction de son vieux cœur, de ses pensées, selon les aléas du jour.

— Aussi bien effets de la centrale chimique qui commande nos nerfs, nos hormones et nos cellules ! disait-il, sa tête blanche appuyée au carreau. Pierre, gardons-le à l'esprit, cela relativise bien des choses. Nous sommes bâtis à chaux et à sable, et même de marbre, mais nous sécrétons les acides pour nous dissoudre nous-mêmes en cendres.

Pierre s'éloigna de la fenêtre où il était resté près de son vieux maître, pour contempler avec lui les toits de Paris, visibles ce matin jusqu'à l'horizon bleuté, au-dessus desquels couraient de petits nuages guillerets. Sur une table basse, flacons, fioles et potions, boîtes pharmaceutiques disaient la crise que venait de traverser Jules Bauer, encore mal remis de ses douleurs et de ses nuits d'insomnie. Suzanne avait protesté et grondé pour empêcher la visite, mais, au son de la voix de Pierre, il avait crié du fond de l'appartement qu'il interdisait à Suzanne d'interdire, qu'il deviendrait gâteux, à force d'oppression !

— Bah ! Les horreurs que tu me rapportes sont-elles vraiment nouvelles ? protesta-t-il sombrement.

— Elles le sont. Vieilles de cinq ans, elles le sont encore, s'écria Pierre.

Et il expliqua longuement comment la liste exhaustive des substances qu'inventoriait le cahier témoignait d'une avancée décisive, qui n'avait rien d'anachronique, hélas. Certes rien ne prouvait qu'on fût allé beaucoup plus loin, depuis, car leur formule nécessitait encore de vraies mises au point pour stabiliser ces produits de manière opératoire, la plupart étant les dérivés précaires de composants non standardisés, et les chaînes difficiles à reproduire sans installations spécialisées. Les équipements manquaient pour en fabriquer en grande quantité, et de manière continue. Du moins dans les bâtiments industriels observables au grand jour. C'était une activité de laboratoires, clandestins et limités. Pour autant, l'inventaire était complet de ce qui existait en matière de toxiques. Mais, plus grave, la deuxième section du cahier abordait la question pratique de la concentration et de l'emballage, de la compatibilité avec les projectiles conventionnels, données balistiques et stratégiques. C'est-à-dire que, dès 1908, ces gens se posaient, au moins en théorie, la question de l'usage militaire généralisé…

— Ils ne l'ont pas résolue, que nous sachions…

— Non. C'est difficile. Irritants et incendiaires, aussi bien que gaz, sont malaisément compressibles en charges efficaces pour les obus unitaires, et même les balles de nos fusils. Sauf à les projeter tels quels d'aéroplanes ou de zeppelins. Mais le risque est trop grand pour les opérateurs. En bref, il y a trois obstacles au développement de ces toxiques : pas de contenants adéquats ; matières premières rares et instables ; production à grande échelle. Il reste que des expérimentations se poursuivent aujourd'hui.

Le cas de Châlons le révèle. Combien d'autres "accidents" ignorons-nous...

Pierre s'étonnait lui-même de sa pondération, de formaliser en termes aussi neutres la synthèse de ce qu'avait révélé cette soirée de traduction, dans le bureau du Mesnil. Sous le choc d'une explosion mentale, sa raison avait d'abord vacillé, les retombées dévastatrices l'avaient empêché de penser. Il lui avait fallu un effort intellectuel pénible pour en raccorder la réalité au présent, se l'approprier vraiment. Pour accepter le lien d'évidence avec le cas de Châlons. Avec la mort d'Endre Luckácz. Pour coordonner, sans plus s'aveugler, la logique dont le cahier rouge était le chaînon manquant. C'était un vieux cahier, relatant un de ces contes barbares dont on épouvante les enfants. Il n'avait que cinq ans d'âge et il parlait d'aujourd'hui. Des ressortissants anglais, allemands, et français – quelle autre nationalité ? – pouvaient converger dans ce port d'Extrême-Orient – quels autres ? –, loin des capitales européennes et des institutions civilisées, pour mener, sous quelle autorité, grâce à quelle impunité, des recherches interdites par toutes les conventions internationales, les lois et la morale. Ce ne pouvait être le fait que d'un petit nombre, une minorité de cerveaux sophistiqués, de savants à la pointe de la connaissance. Non pas une communauté soudée, mais en rivalité, au nom des nationalismes. Un ramassis de fanatiques s'épiant les uns les autres, se volant leurs découvertes. Tout cela ne valait pas la peine d'être exprimé. Jules Bauer le savait autant que lui.

— Quel que soit le niveau de responsabilité de ces criminels, leur visage, leur histoire, leurs motifs ne m'intéressent pas. Je n'ai pas envie de me pencher sur leur cas d'espèce, de leur consacrer une minute de réflexion pour tenter de comprendre. Il n'y a rien à comprendre, à théoriser de ces horreurs. Elles ne sont pas nouvelles, vous avez raison. Le rêve remonte aux temps antiques : annihiler, empoisonner l'ennemi et l'intoxiquer par des armes subreptices, plutôt qu'à la loyale... Plutôt qu'au corps à corps, à forces et armes égales. La bravoure, le cœur ! Les siècles ont inventé l'idéal héroïque qui nous y oblige, mais quelle noblesse y a-t-il à s'éviscérer, s'ébouillanter, et se déchiqueter à la loyale ! Voilà ce que je découvre, à mon âge : une haine personnelle, sur fond de mon épouvante pour ces faux-semblants de notre culture. Me voilà comme une faible femme à gémir en pensée contre l'ivresse virile de la guerre, sous toutes ses formes. Et il ne suffira pas de circonvenir les quelques fous qui l'organisent, l'anticipent, avec l'exquise ingéniosité de notre science...

— Il ne suffira pas.

— Ni de vomir de dégoût, de peur. Nous armons. Demain, nous envoyons les troupeaux à la tuerie. Chacun ira en chantant, la fleur au fusil. Munitions conventionnelles ou sulfure d'éthyle et cyanure, même carnage, même saignée. Qui l'empêchera ?

— D'évidence, ces activistes travaillent dans l'ombre, hors des lois communes. S'ils sont protégés, c'est par une poignée de décideurs, qu'ils soient militaires ou civils. Cela ne relève même pas d'un complot d'Etat, d'une conjuration. Juste de ce que produit une société à ses marges, dans ses basses-fosses. Ce n'est pas de ton ressort ni du mien. C'est celui des hommes politiques, des élus de la Nation. C'est aussi celui des juges. Pierre. Sinon, nous désespérons du genre humain et de ses institutions.

— Je désespère. Ces images me hantent. Elles sont l'horreur à l'état pur. Pire encore que les effets de la barbarie qu'elles montrent : celle des gens qui les ont filmées !

Pierre avait jeté sur la table les bobineaux qu'il avait visionnés, deux jours plus tôt, seul à la table d'un atelier de montage, avenue du Bois, à Vincennes. Daniel, à qui il était venu demander de projeter ces films, était resté perplexe devant son ignorance. Mais d'où sortait-il ces pellicules, au format caduc, avec leur perforation unilatérale ? Au moins ces films avaient-ils été développés ! Parce qu'il aurait été bien en peine de le faire aujourd'hui : ils n'étaient même plus compatibles avec les enrouleuses et les bobineuses automatiques en usage aujourd'hui dans les ateliers de tirage. Aucun des projecteurs non plus, dont il disposait au studio, ne pouvait admettre ces films périmés. A moins de retrouver chez quelque amateur le projecteur adéquat, il lui faudrait les visionner image par image, en défilement manuel, sur une monteuse mécanique ! Et qu'étaient donc ces vues, pour justifier son impatience, ses airs de conspirateur ? Des scènes polissonnes, des acrobaties érotiques, des orgies contre nature, comme il en circulait sous le manteau ? Daniel connaissait des collectionneurs, des amateurs fortunés, prêts à mettre le prix pour ces curiosités...

Pierre avait ignoré ces questions déplacées, insistant pour que son frère trouvât le moyen de lui procurer au plus vite cette table dont il parlait. Une semaine avait passé avant que Daniel lui fît savoir qu'il pouvait se présenter à Vincennes, aux usines Pathé, où il avait obtenu qu'une ouvrière lui montrât comment s'y prendre, après sa journée de travail, pour regarder ses précieuses bandes de celluloïd. La femme qui l'attendait, une des innombrables employées spécialisées dans le pochage des films, qu'on avait longtemps colorisés image par image, aujourd'hui teintés en série, avait une inflammation virulente aux mains, la peau desquamée, le derme rongé, les ongles dissous jusqu'à n'être qu'une pellicule de corne dégénérée. Pierre, de son œil de clinicien, avait aussitôt identifié les ulcérations caractéristiques dues aux acides et aux pigments chimiques, une maladie de ce travail des colorants pratiqué sans protection. Parce qu'elle voulait partir vite, elle avait expliqué le principe simple de l'embobinage sur les axes et de l'entraînement, du déroulement devant la loupe, et laissé Pierre seul dans le grand atelier.

Il avait passé là une des pires heures de son existence, à découvrir les vues de cinéma qu'il avait prises comme un voleur au Mesnil, dans la sacoche que gardait Meyer. Car il les avait d'abord longuement regardées image par image, comme des photos dont la succession ne délivrait pas l'évolution d'une scène, dont les variations restaient imperceptibles à l'œil jusqu'à ce qu'il les animât soudain d'une rotation saccadée. Trois prises brutes de cinéma primitif, sans coupure, sans identification ni titre d'aucune sorte. Trois fois une minute d'hallucination visuelle, distendue à l'éternité de l'image fixe. Images détériorées, d'avoir souvent passé par les roues dentées, ou par les mauvaises conditions de conservation, au fond de la sacoche. Rayées de pluie, sous-exposées et crevées de bulles, d'un noir et blanc épais, à la limite du brouillage, ces images n'enseignaient rien, ne renseignaient sur aucune circonstance, situation de guerre ou de paix, de représailles, d'accident ou de catastrophe naturelle ou chimique, sur aucun processus, aucune étude, ni un avant, ni un après. Celui, ceux qui les avaient faites, ou commandées, n'obéissaient à aucun motif de science ou d'information, aucune intention de les transmettre. Rien qu'à la sidération abjecte pour le spectacle de la mort.

Un village, plutôt un hameau de montagne tropicale, des huttes de bois dans le fond d'une place de terre nue, des dizaines de corps étendus, majoritairement de femmes, d'enfants, quelques hommes. Des animaux, chien, mulet, des poules. Cadavres grotesques, désarticulés, tels que les avaient laissés les dernières convulsions. Une vue immobile, sans tremblement du cadre. Caméra sur pied, installée. Tranquillement installée. Rien autour ne menaçait l'opérateur, ne compromettait sa prise. L'autre vue basculait, tanguait, une poursuite hésitant le long de corps alignés cette fois, étendus les uns contre les autres le long d'une palissade, qui montrait des têtes, des faces, mâchoires décrochées par la béance, bouches pleines d'une mousse gluante, yeux exorbités, faciès mêmement distordu qui abolissait âges et sexes. Elle ne tanguait ni de peur, ni d'incertitude, seulement par incompétence, amateurisme. La dernière filmait en plongée un homme au sol, jeune, asiate, vêtu de hardes, pieds nus, étendu sur le dos contre un mur de terre sèche ; son supplice n'avait ni commencement ni fin. Ses yeux blancs de révulsion papillotaient, il suffoquait. Il bavait abondamment. Le seul film où il y eût un mouvement de la vie, et c'étaient ces soubresauts de pantin. Le seul qui vivait encore agonisait sous l'objectif impassible. Quarante secondes, cent mètres de pellicule, quelques centaines d'images de suffocation sans bruit de suffocation, de halètements ; de toux, sans bruit de toux. Pierre observait ce corps surgi du néant, de l'oubli, surgi des marécages de mémoire. Monument. Le silence monumental de ces films, dans la solitude de l'atelier l'avait assommé de sa rumeur basse, un grondement tellurique venu du fond des temps, par-delà les océans, inaudible aux oreilles humaines. Ces images ne démontraient pas, ne prouvaient pas, n'apportaient pas une connaissance, ne constituaient pas une expérience. Elles provenaient seulement de la sacoche d'Endre. Elles étaient avec le cahier. Elles l'illustraient. Pierre avait eu beau les décrire à Jules Bauer, c'étaient des mots. Lui seul les portait, comme une pointe de feu vrillant son nerf optique.

— Voilà ce qu'il faut projeter sur tous les écrans des cinémas ! Ces trois bobines de films multipliées et montrées dans toutes les salles, comme l'annonce des temps futurs. Voilà les vraies actualités ! Voilà la réalité en direct, au vif du sujet ! Si le cinématographe est une invention des temps modernes, qu'il empare nos pensées de ces images. Mon frère dépense des millions pour fabriquer ses fictions en carton-pâte, des rêves qui endorment et étranglent l'imagination. S'il y a une imagination utile, c'est celle de la cruauté.

— Utopique. Pour être probatoires, pour être pédagogues, il faudrait que ces films précisent date, lieu, commanditaires, contexte, et encore… A eux seuls, ces documents ne disent rien. Toi seul les rapportes à une réalité. Et s'il s'agit de quelques indigènes d'un pays lointain, personne ne s'en scandalisera. Souviens-toi des massacres de la colonne Voulet-Chanoine au Soudan, l'ivresse de boucherie, l'extermination systématique, souviens-toi. Nos forces coloniales pratiquent partout ce genre d'exactions, sans faire frémir quiconque. Au contraire, Pierre ! Il est excellent de soumettre par tous les moyens les peuples primitifs, rebelles à notre grande civilisation pacificatrice…

— Bauer, nous avons les moyens de nouveaux charniers, plus vastes, plus nombreux et ambitieux, plus horribles que ceux-là. Sous nos microscopes, nous isolons microbes et bacilles. Nous observons leurs composantes moléculaires et leurs mœurs étranges, pour comprendre comment ils provoquent ou annihilent nos résistances immunitaires par les leurs. Nous les cultivons pour mettre leur activité au service du malade. Mais le malade, c'est-à-dire nous tous, vivants, sommes semblables molécules létales, plus coriaces, plus virulentes, en guerre permanente les unes contre les autres. Nous ne combattons l'infection bactérienne que sur de minuscules territoires, au milieu d'un champ de guerre généralisé, fermentation et pullulement pathologiques, qui sont la loi du vivant. Résistance, résistance ! Mais entre l'offensive et la défensive quelle différence ? Peut-être commençons-nous de l'entrevoir, il s'agit d'une guerre biologique sans pareille. Ces virus tueurs de bactéries pourraient aussi bien en engendrer d'autres, non moins dévastateurs…

— Oui, Pierre, murmura Bauer. Nos têtes sont pleines d'anciens charniers. Nous construisons gaiement un monde moderne, électrique, mécanique, motorisé et militarisé. En réalité, nous fomentons la prochaine guerre.

Ils laissèrent s'installer le silence, chacun enfermé dans ses pensées, accablés d'impuissance. Et le rayon de soleil qui inondait le bureau, ce faisceau de lumière vive et blonde qui caressait les vieux livres, le cuir des fauteuils, le cuivre des lampes et le tapis à ramages, rendait plus amer le constat désabusé de Bauer.

— Que veux-tu, Pierre ? finit-il par demander. Soulager ta conscience ? Trouver l'épilogue à ton aventure ? Venger ton ami ? Obtenir justice ? Tout à la fois, hein ? Seul, tu n'en as pas les moyens. A porter ce cahier, ces films à un juge, un homme politique, tu attireras la foudre sur toi et mettras fin à ta carrière. C'en sera fini de toi. Et cela ne changera rien…

Bauer était tombé assis sur son fauteuil, grimaçant de douleur et furieux que se rappelât à lui son corps infirme. Il tapotait le bord du bureau avec nervosité, repoussait factures, papier à lettres et fascicules.

— Je ne vois qu'un procédé pour, au moins, déranger ces manipulateurs. Ils aiment l'ombre, la discrétion. Le silence est leur garantie. La presse, quels que soient ses abus et sa licence, touche l'opinion publique, alerte les pouvoirs, les accule à prendre position. L'attaque, la diffamation sont ses armes ordinaires, nous le voyons tous les jours. Mais c'est aussi une force démocratique et légitime. Si tu communiquais ce brûlot à un journaliste de choix, un bon polémiste, expérimenté, intelligent et droit, un humaniste… Un homme de métier, animé de vraies convictions. Nous avons vu avec Bernard Lazare, avec Zola, quelle force, quelle puissance représente ce levier. Ni Esterházy, ni l'armée et ses complices, ni les politiques et les juges dévoyés, ni l'éloignement du colonel Picquart en Tunisie n'ont réussi à enrayer la vague de fond du scandale porté par eux sur la place publique...

— Existe-t-il de ces hommes, aujourd'hui ?...

— Nous en trouverons un. Laisse-moi y penser. J'ai quelques relations encore. D'ici là, que rien ne filtre. Il faut que le petit engin que nous avons rangé, toi et moi, l'autre fois, sur notre étagère, fasse une vraie bombe. Neutralise ton préparateur impénitent. Ne lui donne plus une miette d'information. Mets ton dossier en lieu sûr.

— Il y est.

— Tes films avec. Es-tu sûr de ta traductrice ?

La question lui fit l'effet d'une pointe effilée fichée en plein cœur. Elle touchait si bien son souci lancinant, ses doutes, que Pierre dut faire effort pour dissimuler, chasser la mise en garde d'un revers de main négligent.

— Elle est étrangère à tout cela, affirma-t-il avec une conviction qui lui fit peur.

— Tant mieux. Parce que les femmes sont redoutables, Pierre, s'écria Bauer en riant. Nos plus grandes espionnes, nos meilleurs poisons. Mieux vaut les avoir pour alliées que pour ennemies. Vois comme Suzanne m'asservit et me ligote de son dévoue-ment : c'est elle qui a le pouvoir, ici ! Allons, Pierre, haut les cœurs ! Je te vois si abattu, si sombre, ces temps-ci que tu me désoles. Comment se porte notre ami Le Secq ? Et Metchnikoff, et Salimbeni ? Donne-moi de leurs nouvelles !

L'abbé Saulun ferma doucement le livre, lissa de ses grandes mains nerveuses l'image d'Epinal de sa couverture, comme s'il caressait l'entrée de Jésus sur l'âne à Jérusalem, et les palmes de légende agitées vers lui, avec une ironie indulgente. Il avait fait une très belle toilette, pour un homme qui ne portait que du rustique à son ordinaire. Son manteau de drap léger à bou-tons de cuivre, qui n'était pas fermé jusqu'au cou, laissait voir sa soutane au petit rabat, avec un évasement émouvant de laisser-aller, qui parlait directement au cœur féminin et disait un grand dérangement personnel. Gabrielle avait exceptionnellement assisté à la leçon, comme il l'en avait priée, car c'était la der-nière. Il voulait l'annoncer lui-même à Millie, avant de la quit-ter. Tout le temps que l'abbé Saulun expliquait l'épître de Paul, l'apôtre incrédule cheminant avec le passant, le ressuscité semblable et méconnaissable, le même et un inconnu, présent en son absence, Gabrielle songeait à ce désir éperdu de réalité qui, quand celle-ci se présente, ne sait rien voir, rien entendre ; à cette réalité du monde et de soi inaudible, invisible aux sens, et peut-être à l'entendement... Elle-même avançait ainsi dans sa vie, si peu armée pour démêler la réalité de ses ombres. En même temps, elle tournait en tous sens cette nouvelle abrupte de son départ, pour en interroger les causes, tout en le regardant librement, tantôt debout, tantôt assis près de la petite fille, tout en écoutant sa voix pondérée et basse, que rien ne semblait altérer, se demandant quel homme il était sous ses apparences. Depuis six mois, elle s'était habituée à ses visites, aux brèves conversations dont il les concluait, quand elle venait chercher Millie sur le seuil du salon, et qu'elle le raccompagnait dans le vestibule.

C'était la seule promenade qu'elle eût faite en sa compagnie, moins de dix pas et quelques minutes chaque fois, mais ce bref espace était peuplé de souvenirs ténus, de tel accent, de telle remarque, ou d'un de ses silences, des regards aigus qu'il perdait vers le dehors à certains moments. Surtout, elle se rappelait ce soir où il lui avait confié le petit livre de prières et la lettre cachée pour Sophie, la rudesse et la droiture de sa supplique scabreuse, et le naturel qu'il y avait mis. Jamais plus il n'en avait été question de nouveau entre eux, pas même un merci. Cela restait comme de ces gestes qui nous échappent et nous trahissent, mais que par bonté, par délicatesse, leur témoin oublie de remarquer, et qui lient à lui plus sûrement qu'une élégance, soit que son consentement tacite nous oblige, soit que son silence en aggrave la faute. Il aurait pu mettre tous les masques de velours, tous les habits d'Arlequin, malgré son beau manteau du jour, l'abbé gardait pour elle cette figure soudain nue d'un homme en proie à une détresse que sa vocation, son grand dévouement pastoral rendaient plus pathétique. Elle n'avait aucun remords, aucun scrupule d'y avoir accédé, d'en avoir entrevu les dommages, et lui sans doute non plus, puisqu'il continuait à s'adresser à elle de ce ton égal et sans équivoque. Elle ne pouvait donc le considérer à l'instant que comme cet homme, et non ce prêtre, un être entier et mystérieux, dont la gravité amicale, tandis qu'il se penchait vers Millie, recouvrait d'autres élans, d'autres émotions, qu'il ne lui appartenait pas de connaître, mais qu'elle acceptait.

— Je ne reviendrai pas, Millie, disait-il. Je dois repartir en voyage. Garde ce livre, en souvenir de moi. Mais surtout en souvenir de toi. Quand tu sauras lire tout à fait, tu y retrouveras bien des choses que nous avons racontées et expliquées. Tu les liras avec d'autres yeux, mais tu t'y retrouveras, toi.

— Partez-vous très loin ?

— Loin n'est jamais très loin. Mais assez pour ne plus pouvoir venir te voir. Adieu, Millie.

Il la baisa au front et y dessina un signe de croix rapide. Avec l'insouciance des enfants, Millie réclama son chocolat et tourna les talons, les laissant seuls.

— Ainsi vous nous quittez… murmura Gabrielle, saisie par l'imminence de la séparation. Vous nous manquerez !

— Je vous remercie, dit-il sobrement, reboutonnant son manteau.

— J'avais pourtant bien des questions à vous poser… C'est Mme Victor qui m'en charge, dit-elle vivement, parce qu'il s'était brièvement rembruni.

A l'exposé qu'elle fit de l'histoire de Pauline, Gabrielle mit plus d'ardeur qu'elle n'aurait cru, comme s'il fallait justifier davantage de l'ambassade, ou laisser le temps à l'abbé Saulun de se rasséréner, le retenir encore par des détails dont la vacuité la blessait. Ils avaient marché jusqu'à la porte et se trouvaient à présent derrière les vitres, d'où l'on voyait le soleil frais de mars inonder le jardin et la prairie. Il l'écoutait avec une sorte de distraction inquiète, ses yeux aiguisant le regard qu'il portait loin, au-delà du mur d'enceinte, de la route et des collines, du cercle étroit de ce vallon comme s'il était déjà parti, déjà le même et un inconnu.

— M'appartient-il plus qu'à quiconque de décider si raison ou passion doit l'emporter, au sujet de la petite Pauline, soupira-t-il… Qui s'assure du sérieux ou de la frivolité de l'amour, sinon à l'aune de ses propres jugements, toujours contingents. Si on y pense, c'est bien déraison et folie de croire en l'amour du Christ, en la douce pitié de Dieu, au tragique mystère du salut… A l'aube de Pâques, même les pécheurs, les criminels et les réprouvés entrevoient l'hypothèse de la grâce ! Seul l'injuste livré aux puissances de l'argent discrimine la face du Mal, et même celui-là a l'espoir de sa rédemption… Je n'ai pas de conseil à vous donner, mademoiselle. Pauline ne fait aucun mal… Je suis le dernier à pouvoir résoudre votre dilemme. Il est plus social que sentimental, il me semble.

— Vous avez raison, sans doute…

— Même si j'ai tort, surtout si j'ai tort, je prierai pour elle.

— Nous vous aimions, monsieur l'abbé. Quel choix faites-vous, de nous quitter ainsi !…

— Ce n'est pas mon choix, mademoiselle. Mon évêque me l'ordonne. Il a ses raisons de me rappeler, que je crois contingentes, elles aussi.

Gabrielle saisit vivement son châle, le jeta sur ses épaules et sortit avec lui.

— Je vous en prie, dit-il, la voix plus rauque. Ne le prenez pas en mauvaise part, mais il vaut mieux me laisser, à présent.

— Je veux aller sur ce bout d'allée, où je vous ai vu si souvent partir seul. Aller avec vous jusqu'à la grille, comme on raccompagne un ami.

François marchait avec eux, frottant son museau à la main de l'abbé. Ils s'éloignèrent en silence, avec le seul bruit des graviers sous leurs pas, et les passages brusques du vent, qui mêlaient la jupe de Gabrielle aux pans de son manteau. Pourtant, tant de questions, d'objections se pressaient à ses lèvres, qu'elle n'osait formuler, intimidée par sa réserve, et elle se disait que, puisqu'il n'avait pas choisi lui-même, appelé par des Brésil ou des Colombie, il ne s'agissait pas d'un décret des dieux. Ni même de ces décisions aveugles qui jettent Œdipe sur les routes, ni du caprice d'un prélat qui s'ennuie au fond de son évêché, et déplace les pions sur son échiquier paroissial, pour tromper le temps. Pas une fatale combinaison du hasard, juste une petite combine. Juste une machination d'arrière-comptoir, cousue de gros fil blanc, qui vous ligote poings et chevilles ; un traquenard. Pourquoi pensat-elle que Mme Mathilde n'y était pas étrangère ? Ils étaient arrivés au portail sans dire un mot, parce que la séparation avait déjà mis entre eux sa distance pleine d'ombres et que leurs voix ne pouvaient plus aisément la franchir d'un bord à l'autre. Pourtant il lui tendit la main avec la brusquerie des timides, fronça le sourcil, s'empourprant comme s'il manquait d'air.

— Vous avez été bonne. Extraordinairement. Malgré tout... Cela n'empêche pas qu'on soit responsable, déclara-t-il résolument, comme se parlant à lui-même, et soudain il l'observa, tel un oiseau de proie. Ils n'en veulent qu'à moi, j'espère. Mme Guillemot aura besoin de vous, quelque temps.

Elle soutint son regard de tout son cœur. A qui avait-elle vu ce visage grave et lisse, inexplicable, accroché à quelque pensée profonde et désespérante ?...

— Adieu, dit-il, puis il partit, sans se retourner, de son grand pas énergique.

En remontant l'allée, Gabrielle entrevoyait la façade de la maison, derrière les branches bleues des cèdres où le soleil mettait des aiguilles joyeuses. Si familière demeure, à présent, où elle se réveillait tous les matins. Où ce qu'elle cherchait continuait de la fuir et de se dérober, aussi bien de surgir à l'improviste et de la désemparer par tant de proximité, avant de disparaître encore... C'est peut-être bien qu'elle ignorait ce qu'elle cherchait vraiment. Qu'en dehors de son but avoué, elle en avait un autre. Elle s'était dit : Je veux la vérité sur la mort d'Endre, j'y mettrai le prix. Elle s'était dit : Je veux ma liberté de mouvement et de décision, et je n'aurai peur de personne. La réalité en prenait à son aise, avec ses libertés et ses décisions ; elle l'entravait, l'enchevêtrait aux poignets et aux chevilles, beaucoup plus que de raison, et elle ne savait plus à quel prix elle y consentait. Et maintenant, où en était-elle de son but avoué ? Il était loin derrière. Elle en avait le sentiment tout frais en revenant vers la maison. Elle avait entendu ce qu'elle n'espérait plus entendre, la bénédiction des mots qui réconcilient et pardonnent. Le cadavre, le spectre en est embaumé, il dort, dirait-on ; pour la première fois il repose. Dit-on mieux la vérité quand on la dit à son insu, quand on parle à qui on ne connaît pas ? Quelle vérité d'Endre détenait Pierre Galay, qu'il proférait dans cette fièvre ? Et au lieu de s'enfuir, de disparaître avec cette vérité-là, si fragile, menacée, elle restait ligotée sur place. Elle prenait fait et cause pour les uns et pour les autres, faisait ce qu'elle s'était juré de ne pas faire. Maintenant, elle craignait pour Millie, qui aurait dû ne lui être rien, jamais. Elle s'inquiétait des amours contrariées de Pauline, et des soucis de sa grand-mère, se désespérait pour Sophie du départ de l'abbé Saulun, qu'elle avait regardé s'éloigner, le cœur étreint d'un pressentiment funeste. Ces gens devaient être accidents de rencontre, rester des inconnus et ils occupaient sa vie. Et elle écoutait encore Daniel lui chanter à l'oreille des fêtes de lanternes magiques et de carrousels, la presser de venir à Paris visiter ses studios, enregistrer des airs de ragtime ! Et que faisait-elle, l'autre soir, avec à son cou ce collier de mains chaudes, qui fait ployer la nuque, appelle à respirer l'odeur du pull-over, la figure enfouie dans la laine. A vouloir l'étreinte étroite de bras refermés, et aussitôt à la fuir, honteuse comme si elle volait quelque chose... Les papiers étaient éparpillés sous leurs pieds. Le grand désordre du bureau, le désordre absolu des sentiments et des pensées qui fait se perdre de vue, avec la trahison, avec le remords au bord des yeux, des lèvres, d'être déjà infidèle au mort qui a choisi la mort. Le trahir déjà en prenant les mains de l'autre, en l'attirant à soi, en se laissant prendre dans ses bras, lui qui ne sait à qui il parle, qui le dit, sans savoir qu'il parle justement à celle-là, et c'était inespéré.

C'était inespéré, le contraire du but avoué, de se trouver là au moment où il a besoin d'une langue étrangère pour se parler à lui-même, pour s'entendre raconter ce qu'il ne s'est pas encore raconté, dans cette langue hongroise du mort qui a choisi la mort, qu'elle traduit pour lui, alors il commence à comprendre. Très menaçant et très menacé Pierre Galay, qui se fie à elle. Oh Pierre, gémit-elle. Elle se trouvait toute seule au milieu de l'allée.

XXX

Le bureau de l'agence des Artistes Associés ne désemplissait pas et, pour finir, lasse d'aller ouvrir à chaque coup de sonnette, Mlle Adèle avait fini par laisser la porte ouverte, se résignant à voir piétinés ses beaux tapis, bousculées ses plantes vertes, écornées ses affiches de concerts classiques, son salon d'attente coquet transformé en hall de gare, en salle d'assistance sociale. Maintenant les gens restaient debout, il y en avait jusque sur le palier, c'était à perdre la tête. Depuis huit jours, l'assistante de Francis Carroll croulait sous l'affluence, depuis que celui-ci avait pris la décision d'ouvrir son agence, jusque-là réservée aux artistes lyriques, à la foule des chanteurs et musiciens de music-hall, de cafés-concerts et cabarets. Avec sa robe stricte, sa montre à chaîne d'or sur le plastron et son chignon sage, elle s'éberluait de recevoir cette faune venue du Quat'Zarts, de la taverne des Truands ou de l'Araignée, du Moulin-Rouge ou de la Galette, qui prenait ses aises, comme chez soi. Les filles se poudraient devant les miroirs, relevant leurs jupons jusqu'en haut de leurs bas, et les messieurs portaient des crans gominés et des gilets rouges. Chacun se prenait pour Mayol ou Yvette Guilbert ! Puisque le grand agent proclamait qu'il élargissait son empire aux spectacles de variétés, il fallait bien accueillir ces saltimbanques, attirés par l'annonce parue dans la presse... Des chanteuses et des danseuses de revues, des chansonniers de barrières, pitres de foire, accordéonistes ou trompettistes, se pressaient pour vanter leurs titres de gloire, connaître les tarifs et les pourcentages, et obtenir un contrat d'exclusivité. Les dames n'étaient pas les moins âpres à défendre leur place dans la file, à provoquer des querelles, avec leur voix haut perchée. Adèle en était choquée, elle qui ne fréquentait que l'aristocratie, les compositeurs et les instrumentistes distingués, les vrais artistes, le dessus du panier. Francis lançait la révolution, et il disparaissait trois semaines, la laissant aux prises avec ces hurluberlus. Pour sélectionner les candidats, évincer les importuns, Adèle avait bien embauché deux contractuels en soutien des demoiselles du bureau, derrière leur machine à écrire, mais ils n'y suffisaient pas, effarés par cette bousculade, ignorants des démarches, et on ne pouvait quand même pas repousser les murs, ni chercher un agent pour faire la circulation !

— Mesdames, messieurs, me voici !

Francis Carroll fendait l'attroupement, soulevant son chapeau. Il débarquait avec Mlle Gombrowicz, encore en toilette de voyage, arrivant directement de la gare d'Orsay, à deux pas, et c'était une bonne chose qu'ils tombent dans cette cohue, pour voir quel calvaire elle vivait, depuis huit jours ! Mais Francis saluait à gauche, à droite, plus émoustillé que contrarié de se frotter au passage à cette engeance, et d'un mot il avait apaisé les plaintes, promettant de recevoir chacun personnellement avant le soir, pourvu qu'on le laissât reprendre ses esprits et boire un thé. Adèle ravala ses récriminations, domptée par le charisme et l'autorité de son patron, qui arrivait en sauveur, comme Phileas Fogg. Etrange couple que celui-là, avait toujours pensé Dora. Le rejeton d'un diplomate grec et d'une cantatrice anglaise, entreposé dès son jeune âge dans un luxueux pension-nat français, sans qu'aucun de ses parents courant le monde s'in-quiétât de son existence, il réalisait pourtant la parfaite synthèse de ses géniteurs accidentels, avec qui il n'avait pas échangé dix mots dans sa vie, ne parlant ni le grec ni l'anglais. De son père, il tenait son charme levantin, son teint bistre, qu'il poudrait et fardait de rose aux joues, comme la poupée anglaise dont il por-tait le nom. Il avait la passion des arts, du demi-monde, et un sens aigu des affaires. Lui qui savait un peu la danse et le vio-loncelle, assez lucide pour s'éviter les revers d'une carrière per-sonnelle, s'était jeté avec fougue dans ce métier d'entremetteur des arts, et il avait la hardiesse d'afficher, en toute sérénité, ses goûts d'inverti, ses excès vestimentaires et sa gestuelle équi-voque, qui séduisaient plus qu'ils ne choquaient, tant il y mettait d'esprit et de délicatesse.

Rien, absolument rien, ne devait l'attacher à Adèle, fille d'un célèbre égyptologue, une des premières à passer l'agrégation de grammaire. Mais celle-ci était tombée amoureuse de Debussy, un soir de concert. Non pas de l'homme, mais de son art, grâce et illumination. Francis, qui débutait sa carrière, avait recueilli au coin d'un salon l'extase de la demoiselle, l'avait enlevée comme une vierge au couvent, et introduite dans la coulisse où il com-mençait de promouvoir les grands artistes de son temps. Cette conversion était son œuvre et, depuis plus de dix ans, Irène excellait à ses côtés en femme d'affaires, ayant diversifié ses passions musicales et appliqué la rigueur de la grammaire à la gestion comptable. Du même mouvement, elle avait acquis une science exacte de cet homme, de ses moindres humeurs, de ses jardins secrets, l'adoptant à la fois comme un frère et un mari, sans en avoir les soins, épousant et même anticipant ses goûts, ses élans, ses décisions, tant elle était en symbiose avec lui, le servant comme une vestale et le défendant comme une tigresse. Mais, cette fois, elle était déroutée, indignée, révoltée, au bord de la crise de nerfs. Malgré la fatigue de son voyage, Francis avait compris la situation et, entraînant Adèle avec Dora, il avait fermé la porte de son bureau sur eux.

— Voyons, Petite, pas de cris ! Pas de pleurs, Petite, pas de scandale !

Il l'appelait ainsi depuis le premier jour et ce surnom la désarmait toujours, mais il resta sans effet, pour une fois. Adèle sanglotait à petits cris étranglés dans son mouchoir.

— Seule avec ces apaches ! Tu ne les connais pas ! Ils mettent tout à sac ! Ils fument des pipes, ils mettent leurs cendres dans mes gardénias ! Ils sont si mal élevés…

— Petite ! Petite ! Me voilà ! Nous sommes sauvés !

Il l'avait prise contre lui et la consolait, si grand qu'elle aurait passé sous son bras, disparaissant dans les pans de son manteau de voyage à gros carreaux orange. Dora les laissait à leurs effusions, observant de loin leur couple insolite, lui en hidalgo un peu canaille et elle si correcte petite caille, dans ses rondeurs frileuses, chastes et troublants dans leur célibat hors norme, amoureux, à n'en pas douter par leurs caresses. Elle s'étira, les membres rompus par le voyage de nuit qui les ramenait de leur tournée, de Perpignan à Montpellier, Arles et Nice, et puis Aix, Lyon, Clermont-Ferrand, et encore Vichy, un périple de chemins de fer torturants, d'hôtels miteux en palaces, de concerts en réceptions dans les petites villes de province qui fêtaient leur passage depuis trois semaines, et si Francis était un compagnon parfait, professionnel et grand seigneur, elle ramenait beaucoup d'amertume et de dérision d'aller ainsi par les routes vendre son art, pour gagner sa vie. Mais c'était sa vie. Elle avait hâte d'un bain, de dormir vingt heures d'affilée ; de retrouver son petit appartement sous les toits, ses coussins et son lit. Elle n'était passée à l'agence que pour complaire à Francis, inquiet sans le dire de ce qui l'attendait, alerté qu'il était depuis huit jours par les télégrammes d'appel au secours qu'Adèle envoyait dans leurs hôtels.

— Je prends les choses en main, à présent. Toi, tu vas te reposer. Fais-nous d'abord un bon thé ! Je vais nous faire livrer des croissants et des pains au chocolat de chez Limonnier.

— Je les ai déjà fait porter, renifla-t-elle. Je t'attendais, méchant.

— Petite !

Et il l'embrassa de plus belle, mettant à ses démonstrations une emphase théâtrale, qui au lieu de les dévaluer leur donnait une allure dramatique très émouvante. A qui se donnaient-ils en spectacle, sinon à eux-mêmes, tout à leurs retrouvailles dans la lumière claire du matin qui venait des quais, à travers les hautes croisées, sous le regard ému de Dora. Longtemps Adèle s'était méfiée de cette jeune pianiste polonaise dont Francis faisait grand cas, de ses airs affranchis, de sa sensualité de chatte et de ses yeux de biche, qui provoque pour mieux se garder. Mais, à l'usage, Adèle avait appris qu'elle n'avait rien à craindre, que Dora n'aimait tant Francis que parce qu'elle pouvait avec lui être femme et garçon sans risquer le séduire. D'une certaine manière, Petite la considérait comme la complice qui protégeait Francis de lui-même quand elle n'était pas là pour le faire.

— Mes bons, je vous laisse à vos croissants, bâilla Dora, tapotant sa bouche des doigts gantés. Mais si tu n'offres pas trois secrétaires de plus à Adèle, je ne donne pas cher de ta peau ! Et quant à moi, prends garde ! Je ne supporterai pas beaucoup que les donzelles de ton antichambre me fassent de l'ombre. D'accord ?

Cinq minutes plus tard, elle était sur le quai Voltaire, marchant vivement vers la rue des Saints-Pères, vers son immeuble où l'attendaient ses malles et ses cartons à chapeau sur le palier, et son courrier, chez la concierge. Elle s'arrêta au kiosque à journaux pour acheter un peu de presse, depuis trois semaines celle de la province l'ayant sevrée des nouvelles de la mode, des spectacles, et des potins parisiens. Et c'est en remontant la rue plus lentement, tout en parcourant distraitement les pages de titres, que le supplément du *Petit Journal*, paru du matin, la cloua sur place. Le dessin de la une illustrait, comme chaque semaine, une scène sensationnelle de l'actualité, et cette fois, c'était horrible. On y voyait un jeune bandit en chemise, hirsute et les yeux exorbités, tenir à la gorge une femme en cheveux, à moitié nue, renversée sur son lit misérable et, de son autre bras levé, brandir le coutelas rougi qu'il avait déjà plongé plusieurs fois dans la poitrine ensanglantée de sa victime. "Un jeune anarchiste enragé poignarde sa voisine de cinq coups de couteau et disparaît, son forfait accompli !" commentait la légende. Elle disait aussi que le drame avait eu lieu dans un immeuble pauvre de la rue Tiquetonne, que la victime était une zélatrice de l'Armée du Salut et que la police recherchait activement le sanguinaire assassin.

Arrivé sur le palier, Pierre Galay marqua un temps d'arrêt. Il avait monté les étages d'un pas assuré, mais, sur le point de sonner, il se donnait quelques dernières secondes de réflexion. La fenêtre de l'escalier donnait sur la façade d'un des bâtiments du Muséum d'histoire naturelle, et dans le crépuscule les gros bourgeons d'une branche de marronnier tachetaient de vert phosphorescent le rouge de la brique, enflammée par le soleil du soir. Il se laissa absorber par cette vue. Sur les indications de la concierge, il savait où il allait, mais se trouver dans cette demeure inconnue l'embarrassait, de s'y rendre ainsi, sans s'être annoncé ; ce qu'il avait résolu de faire. Même si la manière abrupte contrevenait aux usages, elle avait l'avantage de la surprise. Avait-il besoin de surprise pour venir chercher, auprès de son ancien employeur, quelques assurances supplémentaires sur une personne, depuis six mois l'institutrice de sa fille ?... Pierre hésitait, moins par scrupule que par crainte de bien mal déguiser son dessein. Il venait à l'insu de Gabrielle, et chercher auprès de tiers un renseignement sur elle le troublait plus que de raison. Comment avait-il pu si longtemps négliger de s'informer, d'interroger sa mère à ce sujet ? Mme Mathilde elle-même avait oublié qu'elle détenait une lettre de recommandation. Elle avait tant tardé à la lui envoyer, ayant d'autres soucis en tête, qu'il avait dû la lui réclamer, assez fâché qu'elle avoue l'avoir égarée, au fond d'un tiroir... Les jours passant, il s'irritait d'avoir à insister, d'attacher tant de prix à ce document, taraudé par la question expresse dont Bauer avait formulé cruellement son doute : es-tu sûr de ta traductrice ?

Sur le moment, il l'avait écartée, mais elle avait attisé son rêve de Marseille, l'obsédante silhouette de la jeune fille fendant la foule, répétition onirique de la scène où, la poursuivant dans la galerie Vivienne, il l'avait surprise en fugitive, le trompant avec quelle adresse, quel aplomb ! Depuis longtemps, le sombre présage, venu du songe autant que de la réalité, doublait la lumineuse jeune fille d'une ombre dissidente. Cette ombre la devançait lorsque, portant le plateau de café, et le cahier rouge sous son bras, elle était entrée dans le grand bureau du Mesnil, à la fois frêle et souveraine, accompagnée de son aura de traductrice qui détient le secret des langues et en distille les mensonges, qui a pouvoir de sentence et d'absolution. D'où venait-elle, alors, surgissant de l'obscurité des couloirs, où allait-elle, se dérobant à sa prise ? Comme pour conjurer son rêve, il l'avait tenue. Dans la réalité, vengeant son rêve, il avait serré son cou tiède entre ses mains, la colonne gracile de chair, flexible et robuste, dans le geste équivoque que lui inspiraient les révélations du cahier, son angoisse soudain muée en cette tentation, ce besoin exaspéré de toucher sa peau, son corps, d'en éprouver la résistance charnelle et de la plier à son désir. Etait-ce du désir, cette convoitise brutale et pleine de crainte, qu'à la toucher, comme alors dans la neige, il oubliait tout de son rêve, de ses doutes et de sa peur d'elle...

Ce document, dont il attendait tant, était la banale et succincte lettre que rédigent tous les employeurs complaisants. Quoique élogieuse, elle était si laconique qu'il avait fallu que Mme Mathilde, elle si tatillonne, fût bien aux abois pour recruter la candidate sur ces seuls bons mots.... *Mme A. Kertész, rentière, atteste avoir employé Mlle Gabrielle Demachy comme dame de compagnie. Instruite et musicienne, de bonne éducation, expérimentée, elle a donné toute satisfaction durant deux années. Nous ne nous renonçons à son service que par obligation personnelle.* Suivaient signature, et adresse. Le nom de Kertész l'avait d'abord ébranlé ; par sa consonance, il rencontrait l'origine maternelle de Gabrielle, pour le peu qu'elle en avait laissé entendre. Mais cette coïncidence, après son premier mouvement, lui était parue moins surprenante : n'était-il pas assez prévisible, et même naturel, qu'une ressortissante étrangère prît chez elle quelqu'un issu de son pays, du moins de même culture, par ce jeu des protections que tissent entre eux les exilés, garantie d'assurance et d'entraide qui, même si l'on ne se connaît pas, scelle une communauté d'intérêts et de sentiments... Aussi bien cette dame Kertész n'avait elle-même rien de hongrois, de moldave, ou de slovaque, mais tenait son nom d'un mari, ou d'un père ! Quoi qu'il en soit, assez d'hésitations, il n'est plus temps de tergiverser, décida-t-il brusquement, chassant ses derniers scrupules, et il sonna à la porte de Mme A. Kertész. Une vieille servante vint ouvrir, petite et noiraude, la tête prise dans un fichu à l'ancienne dont s'échappaient des cheveux blancs. Elle frottait ses mains bosselées de rhumatisme à son tablier, venant tout droit de sa cuisine, où l'on entendait rissoler un plat.

— Mme Kertész aura-t-elle l'amabilité de me recevoir ?

Et il tendit sa carte, s'excusant :

— J'aurais dû m'annoncer, madame. S'il n'est pas trop tard, ce soir...

Renée inspectait sans aménité l'allure de ce monsieur sur le seuil, dont elle ne voyait, dans le contre-jour du palier, que la haute stature et le manteau noir épaulé, ses gants, son écharpe, sa face glabre au front osseux. Elle jeta un coup d'œil perplexe sur la carte de visite et fronça le sourcil.

— Vous êtes un nouveau docteur ? s'enquit-elle, suspicieuse. Puisque le nôtre vient de passer, qui donc vous envoie ?

— Personne ne m'envoie. Mme Kertész réside bien ici, n'est-ce pas ? C'est elle que je souhaite rencontrer…

Renée disparut dans le couloir sans répondre et le temps qu'il attendait sur le seuil, il entendit au fond de l'appartement un conciliabule furtif, des portes refermées.

— Vous venez pour quoi, exactement ? demanda Renée, revenue soudain s'encadrer.

— Exactement : je viens au sujet de Mlle Demachy, l'ancienne gouvernante de Mme Kertész. Celle-ci peut-elle me recevoir, s'il vous plaît ?

— Qui êtes-vous ?

La femme qui venait de poser la question était derrière sa servante, et le docteur fut surpris par son apparition dans l'ombre du vestibule, par son noble et triste visage aux bandeaux tressés, la dignité de son maintien, par l'atmosphère mélancolique qui entourait sa mince silhouette endeuillée. Seul son col de dentelle jetait un trait de blancheur sur tout ce noir, et son visage en était comme décapité, tels les portraits flamands des régentes d'hospices.

— Excusez-moi, madame. Ma carte ne le dit pas. Je suis l'actuel employeur de Mlle Demachy, qui a été à votre service. Ou plutôt c'est Mme Bertin-Galay, ma mère, qui l'emploie. Je viens en son nom.

— Que lui voulez-vous ? demanda la servante, ahurie de frayeur.

— Retourne à ta cuisine, Renée, coupa la vieille dame. Je vais recevoir monsieur. Bien que je ne sois guère dispose, ajouta-t-elle, d'une voix traînante.

Le Dr Galay la suivit, réitérant ses excuses de se présenter à cette heure, sans s'être annoncé, mais comme il pénétrait dans le vestibule, il eut un pincement au cœur à l'idée de découvrir le décor où Gabrielle avait vécu. Pour la première fois, il inscrivait la jeune femme dans un temps antérieur, une réalité tangible où elle avait évolué au quotidien ; même si ces rayons de livres, ces objets n'étaient pas les siens, ils avaient appartenu à sa vie et attachaient mystérieusement sa présence à ces lieux. Ils pénétrèrent dans un petit salon où le soleil oblique et bas n'entrait plus, et que la grande clarté crépusculaire du dehors rendait par contraste plus obscur, encore assombri par les meubles massifs. Il distingua des tapis et des tentures, un piano droit, fermé, de nombreux fauteuils chargés de coussins aux teintes qu'on devinait chatoyantes mais qu'éteignait la demi-pénombre, comme celles des bibelots nombreux, exposés un peu partout, et des innombrables gravures, tableaux et photos tapissant les murs et remontant des profondeurs comme si leur nimbe flottait dans l'air de la pièce. C'était de ces pièces embaumées d'un parfum suranné, ordonnées avec la méticulosité de reposoirs, qu'on habite peu, attenante à une autre plus grande, éclairée à l'électricité, où l'on devait se tenir d'habitude, car il entrevoyait, par l'entrebâil d'une porte, la table couverte d'une étoffe tissée à motifs rouges vivement éclairée, chargée d'objets de couture et de linge en désordre. De la place, que la vieille dame lui désigna, il voyait tout cela à la fois, laissant errer son regard sans peser, soucieux de ne pas indisposer davantage son hôtesse, dont il sentait palpable l'anxiété.

— Vous êtes donc médecin... Voilà de ces quiproquos ! Le nôtre sort d'ici ; c'est pourquoi Renée était si inquiète. Il est vrai que je ne me porte pas très bien...

Autour de ses épaules, elle serrait de ses mains fébriles un grand châle brodé dont les soies luisaient, et dodelinait d'un air souffrant, aussi fut-il aussi bref que possible, insistant sur la circonstance récente qui motivait sa démarche... Sur le point de prendre une décision d'avenir, disait-il, il avait ressenti le besoin de s'enquérir de Mlle Demachy auprès de la personne qui l'avait eue précédemment à son service, car sa lettre de recommandation, certes favorable, restait bien évasive sur ses antécédents... Et comme il avait un poste à l'hôpital voisin, il lui était bien naturel de rendre cette visite, plutôt que sa mère, fort occupée, qui pourtant avait elle-même recruté Mlle Demachy, pour prendre soin de cette enfant qu'il avait, et que son travail ne lui laissait guère le loisir de voir beaucoup... Tout le temps qu'il parlait, s'enhardissant maintenant qu'il était introduit, il ne voyait, de la femme placée à contre-jour de la fenêtre, que la tête fine et tenue droite sur son col de dentelle, auréolée par la clarté déclinante de la rue. Elle ne pensait pas à donner de la lumière, tandis qu'elle écoutait son discours avec une attention excessivement polie, ses yeux un peu fixes ne quittant pas les siens, interrogateurs et, s'il ne se trompait pas, dilatés d'une sorte de fièvre. Ses mains, qu'elle avait maintenant jointes sur ses genoux, s'agitaient de menus frissons, tremblotaient ou frottaient un sable invisible.

— Vous, qui avez employé Mlle Demachy, pouvez-vous m'informer davantage sur elle ?

— Que puis-je vous apprendre de plus, que cette personne ne vous dirait elle-même, si vous l'interrogiez ? demanda-t-elle brusquement, et sa voix parut si ferme qu'il en fut surpris.

— Certaines questions sont sensibles.

— Si elles le sont, il ne faut pas les poser... A-t-elle de mauvaises fréquentations ? Est-elle voleuse ? A-t-elle une vilaine maladie, de vilaines pensées ? Sont-ce les questions sensibles auxquelles vous pensez ?

— Je crains que ma mère, qui ne s'embarrasse pas de finesse, ne les ait posées pour son compte. Il s'agit d'autre chose. Il s'agit de ma fille. Mlle Demachy est admirable avec elle, mais cette enfant fragile, orpheline de mère, n'a pas beaucoup connu de tels soins, jusqu'ici...

— Que craignez-vous monsieur ?

— Je crains qu'elle ne pâtisse beaucoup si son institutrice nous quittait, un jour ou l'autre, pour quelque raison. Comme celle qui l'a fait partir de chez vous, par exemple...

— Elle n'est pas partie. Une parente, que vous avez vue, s'occupe de moi à sa place.

— Ou pour d'autres, qui touchent à sa personne...

— J'ignore ces raisons.

— Je vois, madame, que vous répugnez à m'aider... Quel portrait feriez-vous de Mlle Demachy ? Est-il vraiment indélicat, vous qui avez écrit cette lettre élogieuse, de plaider en sa faveur, de me convaincre de lui accorder toute confiance ?...

Jusque-là sur la défensive, au point qu'il crut un instant devoir se lever et prendre congé, Mme Kertész avait tendu son cou vers lui, intriguée, et presque amusée, d'elle-même ou de lui, comme si cette supplique rencontrait une drôlerie d'elle seule connue.

— Plaider pour Gabrielle ?... C'est facile, vous savez... Elle est attentionnée, dévouée, instruite. Elle a le brevet supérieur, que je sache. Elle est très bonne pianiste. Elle pourrait en vivre, si elle voulait. Elle est gaie. Elle est généreuse. Mais elle est impatiente, impétueuse. Imaginative à l'excès, et très têtue. Ah ! Opiniâtre, tête de mule. Excusez-moi : une vraie bourrique.

— J'ai cru le comprendre, sourit-il, surpris par cette déclaration.

— Alors vous avez pu voir aussi qu'il ne faut pas lui faire de mal.

— Du mal ?

Agota resta bouche bée, étonnée de son propre dérapage.

— La vie… commença-t-elle, et elle se tut.

— La vie, je crois, n'a pas épargné Mlle Demachy. N'est-ce pas ?…

Agota hocha la tête et regarda ailleurs, chercha au plafond une inspiration, sur le dos de ses mains qu'elle tendit devant elle, dont elle observa le réseau bleu des veines sous sa peau ridée, et puis renonça.

— Elle a perdu ses parents, puis un fiancé… souffla-t-il.

— Un fiancé ?… Oui, un fiancé, c'est ça. Ses parents… Ils sont tous morts.

— Cela fait beaucoup, pour une jeune personne…

— Beaucoup. C'est la vie. Des jeunes personnes, comme des vieilles personnes. N'y a-t-il pas de morts, dans la vôtre ?

— Il y en a…

— Vous êtes veuf, ai-je cru entendre ?

A son tour Pierre hocha la tête sans répondre. L'obscurité grandissante l'engourdissait peu à peu, mais il différait le moment de réclamer un peu de lumière comme si cette atmosphère qui l'affaiblissait favorisait aussi l'échange avec l'étrange vieille dame et leur garantissait l'un et l'autre une sorte d'intimité propice.

— Que faisait-elle, avant d'entrer à votre service ? demanda-t-il encore, désespérant du cours de cet entretien.

— Des études, de la musique. Je suppose.

— Oui. Ses parents étaient musiciens… D'origine hongroise, m'a-t-elle dit. Elle parle hongrois, c'est très étonnant !

— Etonnant.

— Vous aussi, peut-être ?

— Moi aussi ?… Oui, un peu. Un peu de musique…

Elle parut se réveiller, se pencha soudain vers lui, l'œil rond d'un oiseau alerté.

— Cela vous rassure-t-il, monsieur Galay ? Cette question linguistique plaidera-t-elle en la faveur de Gabrielle Demachy, ou bien non ?

Il haussa les épaules, pris au dépourvu par l'attaque.

— Que voulez-vous savoir de plus ? poursuivit-elle du même ton sarcastique.

— Je vous demande pardon. Lire le hongrois est plutôt rare pour une institutrice… Qu'elle soit bonne musicienne, et de surcroît *tête de mule* la rend exceptionnelle. Assez pour susciter l'intérêt qu'on lui porte. Mais il semble que vous souhaitiez en rester là… Je vous remercie bien, madame.

Ce ton d'ironie lasse mettait Agota au supplice. Elle n'avait tenu bon que par une sorte de vertige qui galvanisait son courage, se rappelant, au milieu de son tournis, qu'elle ne devait pas lâcher un mot que Gabrielle pût lui reprocher. Et pas seulement pour tenir cette fiction de la recommandation à laquelle elle avait consenti pour l'aider, mais parce qu'il s'agissait de sa propre sauvegarde, du vieil instinct d'autodéfense devant les menaces qui la hantaient, ce cauchemar permanent où toutes sortes d'inconnus louches la jetaient hors de chez elle, hors de la ville et des frontières, la chassaient sur des routes nocturnes, parmi des hordes d'exilés. Et la dernière lettre de Gabrielle ravivait son angoisse, cette page d'Endre qu'elle y joignait ! Si bouleversante et désespérante page dont l'écriture la crucifiait... D'où Gabrielle la tenait-elle, par quel chemin lui était-elle parvenue, quels buts poursuivait-elle pour l'avoir trouvée, ou se l'être procurée ?... Auprès de qui, par quel moyen ? Cela avait agité ses nuits, et loin de l'apaiser, de la consoler, comme le souhaitait Gabrielle dans sa lettre, ce retour du passé, cette vague qui revenait encore s'échouer et la recouvrir entière, l'accablait. Endre encore, et encore Endre, pour son malheur... Qu'il se taise, enfin, qu'il ne soit plus jamais question de lui, de ses horreurs, de ses pardons, de sa mort ! Qu'avait-elle, cette enfant folle, à poursuivre toujours ce fantôme, détestable, haïssable fantôme, à le lui imposer pour compagnie du soir, quand elle ne pensait qu'à l'oublier, à oublier tout ! Et voilà que ce monsieur très correct, très insistant, venait insinuer, questionner... Elle avait fait de son mieux, mais elle ne tiendrait pas plus longtemps. Renée, reléguée par précaution dans sa cuisine, ne viendrait pas la secourir maintenant, et il fallait trouver le moyen d'éconduire cet homme enveloppant, et menaçant, qui menait la danse, comme chez lui.

— Moi, je suis née en Hongrie, déclara-t-elle, subitement d'un ton catégorique. Pas elle. Moi, j'ai de l'argent, et j'emploie du personnel. Elle, elle n'en a pas, dirait-on. Elle travaille chez vous. Tant mieux pour elle. Tant mieux pour vous, peut-être. Si elle vous contente, cela me contente. Je ne me fais pas de souci pour elle. Ne vous en faites pas non plus. Je suis fatiguée, monsieur Galay.

Transportée par son soudain coup d'éclat, elle s'était levée, et lui du même mouvement, prêt à se retirer, avait quitté son fauteuil. Il la dominait de toute sa taille, mais si frêle et petite dans la pénombre, elle lui faisait l'impression d'être bien plus forte que lui, chargée d'un passé ou d'une expérience de la vie qui lui donnait cette pugnacité, et comme il prenait la main tendue, une main moite et tremblante, peut-être de fièvre, songea-t-il, puisqu'elle avait dit être souffrante, la vieille parente surgit. Elle était entrée sans bruit, soudain elle était à côté de la femme, comme son chien de garde, sévère et mécontente de la trouver dans cet état d'exaltation.

— Vous aurez encore votre migraine, maugréait-elle. Le docteur a dit que vous vous reposiez !

Pierre prononça encore quelques mots d'excuse, s'inclina, tandis que Renée, par vengeance, bousculait une chaise, tapait quelques coussins, et soudain, donnait de la lumière. Elle avait allumé une lampe, sur un guéridon. La nuit recula, les murs parurent, les rideaux, la dentelle d'une nappe, et la couleur des coussins chamarrés, le bois luisant d'une commode, d'un accoudoir, et sur le piano, il vit la photo. Il ne la vit pas. C'était une apparition. Parmi tous les cadres et tableaux, les images nombreuses que portaient les murs, les meubles, seule celle-là se présenta avec une netteté frontale et du choc, il chancela, agrippa un dossier. Les deux femmes écarquillaient tellement qu'il se reprit, d'un sursaut, prit une longue inspiration.

— Excusez-moi. J'ai cru reconnaître cette personne, dit-il d'une voix blanche.

— Quelle personne ?

— Ce portrait... Qui est-ce ?

— Quelqu'un de chez nous, dit Renée, la plus prompte à la réplique.

— De chez vous ?

— Chez nous. Vous ne pouvez pas le connaître, il n'est jamais venu en France, expliqua encore Renée, durement. Et d'ailleurs il est très malade.

— Malade. Le poète Endre Ady, confirma Agota, d'une voix inaudible.

— Pardonnez ma confusion. Cette lumière, soudain. Cette ressemblance...

— C'est une chose qui arrive, coupa encore Renée, et elle tendit son manteau au docteur, son écharpe et ses gants.

Une minute plus tard, il dévalait les étages dans la pénombre, le cœur battant, il s'enfuyait. Dans le Jardin des plantes, où il échoua sans savoir comment, ne restaient aux plus hautes branches que les derniers rayons sanglants du soleil. Il tomba assis sur un banc, chercha son souffle. Il se ressouvenait du petit salon avec une précision hallucinante. Il aurait pu en décrire, dans l'instant, tout ce qui avait jailli de l'obscurité quand la vieille parente avait allumé, la broderie ciselée des coussins, les variations du motif floral, des coquelicots et des liserons tourmentés de vrilles, et les bagues de bronze de la commode Empire, le marbre veiné gris laiteux de la cheminée, l'or écaillé au cadre du miroir, le velours usé de l'accoudoir, à la place où

Agota Kertész posait sa main… Tant de détails superflus occupaient vainement sa vue, quand la petite photo perdue dans un halo brumeux, la seule, restait inaccessible, elle qui avait sailli pourtant avec tant de violence, et cette partie se détachait à tort, dans une partie ensommeillée de son souvenir récent, comme si elle n'avait pas encore eu le temps de monter à sa conscience et ne s'y trouvait que par accident. Pourtant il en savait, sous la brume, la netteté plus grande encore que tout le reste, qui donnait à ce reste sa plus-value illusoire de réalité, et qui faisait qu'il ne pouvait considérer, sans une épuisante émotion, sa vision comme certaine alors même qu'elle refluait, ne tenait plus qu'à sa pensée, éperdument accrochée à sa survie.

Cet Endre Ady, s'il était un quelconque jeune homme de Hongrie, et même un poète, et même très malade, avait le visage, il était le sosie, ou la réincarnation illusionniste – ou bien il n'y avait ni poète ni illusion, seulement l'évidence que, pour une raison inconnue, ces femmes gardaient chez elle le portrait d'Endre Luckácz, mort en Birmanie dans ses bras. Et l'on ne garde pas chez soi le portrait d'un inconnu. On ne lui donne pas cette place de culte, ou de mémoire, sans vouloir par là sa survie contre la brume de l'oubli. Et Gabrielle, pour avoir vécu là près de deux ans, pour avoir eu tous les jours son visage sous les yeux, n'avait pu être là si longtemps sans une fois ou l'autre interroger sur son identité, son histoire, et peut-être sur sa disparition, et même si elle ne l'avait jamais fait, si ces femmes ne nommaient jamais l'homme de la photo, Gabrielle en connaissait les traits et l'existence pour avoir été dans les parages de son image, et celle-ci, assimilée à sa substance, à sa chair, avait migré et mué pour se réfugier dans son âme.

Dora et Gabrielle se tenaient un peu à l'écart du maigre groupe rassemblé frileusement au bord de la fosse, contre le mur du cimetière. Il y avait là deux femmes sans âge, en uniforme de l'Armée du Salut, la face cireuse encadrée de leur bonnet à bavolet, qui ne se quittaient pas d'une semelle, leur bible sous le coude, et leur fanion à la main, marmottant des prières en hommage à leur sœur ; et puis quelques autres, des pauvres gens en vêtements de travail et casquettes, cherchant une contenance, épiant les uns chez les autres quel geste, quelle attitude prendre. Ils restaient bras ballants, furieux et intimidés, gagnés par une gravité pleine de rancune pour cette cérémonie à laquelle ils s'étaient fait un devoir d'assister, par quelle solidarité, ou curiosité de voisins. Seule une grande, avec une tête de chèvre pas commode, sanglée de corsages, tournures et jupons enveloppés de pèlerine, une marchande de quatre-saisons, sans doute, les mains calleuses et grises emmêlées d'un chapelet de jais, et qui portait un énorme chapeau avec un oiseau noir empaillé du plus terrible effet, avait l'air de savoir à quoi s'en tenir ; et de mener la bande, avec une autorité revêche, l'œil furibond jetant des éclairs en même temps qu'elle lançait de tonitruants amen.

La petite troupe cernait de près le prêtre en surplis brodé et l'enfant de chœur entravé dans sa robe rouge, arrêtés au bord du trou pour le dernier rituel d'inhumation. Un office rapide avait été célébré dans la chapelle humide du cimetière, sous la clarté filtrée des vitraux et à la lueur filante des cierges, soufflés dès qu'expédiés les quelques prières, le coup d'encensoir et les trois gouttes d'eau bénite, et puis, au son du glas, la petite troupe avait suivi d'un pas traînant les deux croque-morts de service, qui avaient porté, si léger qu'il dansait au bout de leurs bras, le cercueil de bois blanc aux rudimentaires poignées de fer-blanc, jusqu'au trou creusé dans le coin, la fosse commune des nécessiteux, dont montait l'odeur mouillée de terre, de cendre et d'humus. Ils l'avaient descendu avec les cordes, et sitôt laissé choir au fond, attendant d'un air d'ennui sinistre la dernière bénédiction. Rien de plus poignant que cet enterrement expéditif, que ce cortège funèbre sans fleurs, sans proche parent, ni famille, seulement la compagnie baroque que le hasard des voisinages, l'accident de rencontre rassemblaient pour conduire l'infortunée Clarisse à sa tombe. Par là-dessus, c'était un crève-cœur qu'il fît un si joli soleil, perçant entre les nuages turquoise et violets, une éclaircie pimpante de printemps, et les bourgeons des arbustes, gorgés de sève et de miel, commençaient de crever en huppes de tendre vert. L'herbe jeune jaillissait en touffes vivaces, entre les pavés, il y avait même quelques pâquerettes le long des allées du Père-Lachaise.

Gabrielle avait suivi la petite cohorte jusqu'au bord de la tombe, dans une sorte d'anesthésie, incapable de réaliser que c'était vraiment la fin, le dernier bout de chemin, qui finissait là, dans ce trou creusé à même la terre, sans même une croix ou un nom. Deux jours plus tôt, Dora avait fini par la joindre, Chaussée-d'Antin, où elle était avec Millie pour la semaine, parce que Daniel avait conspiré auprès de Mme Mathilde pour obtenir leur séjour, au prétexte qu'il avait des entrées pour toutes sortes de spectacles enfantins, et même pour une croisière sur la Seine, avec des surprises. Ce soudain intérêt pour sa nièce n'aurait pas convaincu sa mère si l'invitation n'avait coïncidé avec un rendez-vous chez son dentiste personnel, parce que Millie se plaignait d'une carie, et que Mme Victor la soignait en vain au clou de girofle. Elles étaient donc arrivées de la veille quand Dora s'était présentée et l'avait fait demander dans le vestibule, puisque, à son appel au Mesnil et sur ses insistances, on l'avait informée qu'elle la trouverait là, exceptionnellement. Ce jour-là, Daniel devait passer les prendre à midi, après le dentiste, pour les conduire au cours de Vincennes, visiter la foire du Trône, voir les attractions, surtout un extraordinaire limonadier venu d'Amérique, avec des automates fabuleux, des danseuses à cymbales, des singes accordéonistes et des licornes flûtistes.

De si bon matin, Dora était apprêtée pour la ville, en toilette fière et beau renard sur le bras, mais elle avait baissé son grand béret de velours sur les sourcils, et le fard ne dissimulait pas ses traits tirés, son teint pâle. Elle faisait front, mais n'en menait pas large, encore malade d'avoir appris, comme ça, tombant du train sur le trottoir, ce dimanche, en ouvrant le journal, que Clarisse était morte, poignardée, avec tous les détails ! L'entaille béante de son cou, son ventre ouvert, ses mains tailladées, les traces de lutte, les meubles renversés, les linges ensanglantés et les traînées sur les murs, les éclaboussures jusque sur la cafetière ! Et on disait que le meurtrier avait laissé assez de signes pour qu'il n'y eût aucun doute : c'était son jeune voisin qui avait fait le coup, une canaille d'anarchiste, un étudiant illuminé. D'ailleurs le monstre affichait sur ses murs le portrait de ses inspirateurs, Marx, Engels et Bakounine, les révolutionnaires qui allumaient au cœur du peuple l'esprit de vengeance et de meurtre, la haine des patrons, la passion de l'émeute, et démoralisaient le travail ! On avait assez vu de quoi étaient capables un Ravachol, un Bonnot et sa bande… La pauvre voisine, dame de charité, vouée aux bonnes œuvres, pieuse et solitaire, était la victime expiatoire de ce fanatique, de son ire, de sa convoitise sensuelle, peut-être. Peut-être lui devait-il de l'argent ? On disait d'autres choses, plus sordides, le voisinage de filles de plaisir, chez qui montaient des hommes, et des plus huppés, qui venaient s'encanailler… Voilà sur quoi Dora était tombée, à peine descendue du train, quittant juste l'agence de Francis, sur les quais, insouciante, et fourbue de sa tournée. Elle avait cru s'en trouver mal, à neuf heures de ce matin dominical qui vidait la rue, toute seule, sans âme qui vive pour lui porter secours.

Comme elle débitait cela tout à trac, Gabrielle l'avait entraînée dans un salon, loin des gens qui traînaient, dans cette maison qu'elle connaissait mal, pleine de domestiques plus ou moins malveillants. Et à son tour, il lui avait fallu s'asseoir, les oreilles bourdonnantes, le cœur au bord des lèvres. Clarisse ! Marcus ! Tout ce sang, tout ce sang ! Mais Dora n'en était plus là, elle raisonnait, du moins elle essayait. Elle était allée aux nouvelles, rue Tiquetonne, dès le lendemain. Oh ! pas en beaux atours ! Elle avait mis sa plus vieille jupe, sa casaque de nankin et de vieilles bottines, enfin elle avait fait au mieux. Impossible d'approcher : il y avait des agents partout, sur le trottoir, dans l'escalier, qui gardaient l'immeuble, et des attroupements. Pourtant, c'était déjà le lendemain de l'article, trois jours après le meurtre... Le quartier en était encore sens dessus dessous, les esprits s'échauffaient, jusque sur le carreau des Halles, parmi les maraîchers venus de banlieue, de la plaine de Nanterre ou de Saint-Denis, on ne parlait que de ça, avec des détails horrifiques, des insanités. Les voisins disaient qu'ils avaient bien entendu, vers la minuit, un peu de remue-ménage, là-haut, des coups dans les murs, une bagarre. Mais ils avaient l'habitude : il montait sans cesse du monde au dernier étage, des beaux messieurs en goguette sortant des tavernes, venus trousser la gueuse dans le quartier, que ramassaient les deux ou trois filles gîtant là, au bout du couloir. Mais, par exception, aucune ne recevait, ce soir-là. Elles étaient de sortie au café Quéron, au coin de la rue Montorgueil et de la rue Bachaumont, où l'une d'elles arrosait un héritage : c'était leur plus bel alibi. Avec ça, la veinarde allait quitter Paris et acheter un tabac, s'établir à Concarneau ! C'est en remontant, sur les trois heures du matin, que la première rentrée, une certaine Louison, avait vu la porte entrouverte, et de la lumière, qu'elle s'était avancée, avait passé la tête, et alors, quel spectacle ! Elle avait réveillé tout l'immeuble de ses hurlements ; on l'avait emportée à l'Hôtel-Dieu, quasi folle, voilà. Dora avait fui à tous ces discours, écœurée par ces racontars qui mêlaient faits véridiques et fantasmes, tout ce dont se repaît à bon marché l'imagination populaire, alléchée par les crimes de sang. Mais hormis la une sensationnelle du *Petit Journal*, il n'y avait eu ensuite que de brefs articles sur le meurtre, des entrefilets. L'affaire serait vite classée, puisque l'assassin était connu, et recherché. Disparu, on ne savait comme, mais pour sûr en fuite. Le corps de Clarisse est à la morgue, disait Dora. L'enterrement est après-demain. Que faire, Gabrielle ? Que faire ? Rien, plus rien à faire, quand la fatalité s'acharne à frapper les malheureux.

— Ah ! s'écriait Gabrielle, ce jeune homme si serviable... Il espérait un monde de justice ! Dire que je me suis assise à côté de lui, dans sa chambrette. Il m'a donné une collation de confiture de mûres de sa maman.

Au souvenir de la confiture et de la maman, elle avait éclaté en sanglots.

— Il t'aurait peut-être étranglée, si tu avais dit un mot de trop ! Figure-toi qu'il est venu chez moi !

— Chez toi !

— J'étais à Nice ou à Clermont-Ferrand, dans mes provinces. Il voulait une "leçon" de musique. Il voulait "exécuter la partition", parce que le temps pressait, disait-il. Un papier glissé sous ma porte. Signé Marcus. Je n'ai jamais vu cet olibrius de ma vie, mais j'en ai froid dans le dos. Te rends-tu compte ?

Le tragique épilogue de leur rencontre avec Clarisse les laissait effondrées d'horreur, de révolte, d'impuissance, avec ce tremblement intérieur du mal qui les frôlait, sa présence ténébreuse qu'aucune imagination ne représente jamais vraiment. Elles avaient décidé de se rendre à l'enterrement, au Père-Lachaise, par un dernier geste de solidarité ou de commisération, imaginant se perdre dans la foule compatissante des nombreux voisins ou des curieux. Mais le crime était oublié, et une semaine plus tard il n'y avait que cette troupe d'une dizaine de personnes effarées suivant la cérémonie funèbre en ordre dispersé. Elles se sentaient déplacées, absolument étrangères, et pourtant une part infime d'eux tous communiait dans la pensée de la pauvre, de la pitoyable Clarisse.

A peine finie sa prière, le prêtre s'en était retourné, à grands pas cette fois, suivi du garçon de chœur trottinant, trébuchant, qui balançait gaiement le seau et le goupillon entre les dalles mortuaires. Alors la chèvre au grand chapeau avait pris la suite en main. Avec un sanglot rageur qui faisait trembloter son menton, elle avait ramassé une poignée de terre pour la jeter en gerbe sur le cercueil ; à son exemple, ils s'étaient succédé, empressés et comme soulagés de faire quelque chose d'utile, quelque chose de bon. Son tour venu, Gabrielle, avec la terre, avait lancé au fond le petit bouquet d'œillets rouges, acheté à l'entrée, et Dora sa branche de mimosa, toutes deux enlacées un instant au bord de la fosse avec un vertige de chagrin, tandis que les deux salutistes entonnaient un chant aigrelet de gloire, éparpillé par les coups de vent. Déjà le fossoyeur versait les pelletées de terre lourde, se hâtant parce que l'averse s'annonçait, une de ces giboulées subites qui tombaient depuis le matin, et dont la menace dispersa la troupe aussitôt, chacun tournant les talons dans une fuite morne. Gabrielle et Dora hésitaient encore, bouleversées, navrées par la solitude du cimetière et son silence, maintenant que la cloche s'était tue, désemparées par la rapidité de ce service misérable et ne se résignant pas à s'éloigner tant que le cercueil n'était pas tout à fait enseveli, achevée la besogne. Debout au bord de l'allée, elles écoutaient le coup des pelletées retentir, de plus en plus assourdi et mou, le raclement de métal de la pelle sur un caillou, à en grincer des dents, les ahanements du fossoyeur, attendant elles ne savaient quoi encore. Et puis ce fut fini. L'homme donna un dernier coup du dos de sa pelle pour tasser la motte et il s'éloigna aussi, haussant les épaules, laissant à leur pieuse station les deux petites dames coquettes dans leurs habits de deuil, apeurées sous leur voilette. Si ça leur chantait de rester là jusqu'à la fermeture et de se faire saucer...

— Mon Dieu, Dora, murmura Gabrielle, est-ce possible ? Est-elle là, vraiment, morte...

— Elle est morte. Viens.

Gabrielle jeta un regard alentour sur tous ces monuments solennels gravés et sculptés, ornés de statues, de bustes austères, d'angelots et de palmes, sur les petites maisons des morts dont les portes de bronze laissaient entrevoir des reposoirs.

— Cette fosse commune est horrible. Je veux qu'elle ait une sépulture convenable.

— Tu ne feras rien. Tu n'as aucun droit pour réclamer une tombe en son nom.

— Crois-tu ? C'est ce que je saurai.

Dora l'entraîna. D'un seul coup, la pluie se mit à tomber à verse. Serrées l'une contre l'autre sous le petit parapluie élégant de Gabrielle, elles descendaient les allées désertes d'un pas pressé, encore un peu abritées par le couvert des branches dénudées. Mais à un carrefour, une bourrasque subite enleva leurs robes, retourna le parapluie et les premiers grêlons se mirent à crépiter sur les tombes alentour, rebondissant sur les croix, les épaules nues des statues, sur leurs visages affligés. Effarées par la violence inattendue de cette giboulée, elles tournoyaient, fouettées par l'averse, se battant avec les baleines brisées, cherchant désespérément un refuge, quand soudain elles se trouvèrent à l'abri sous l'aile miraculeuse d'un ange, l'immense et robuste parapluie noir d'un ange noir, surgi d'entre les tombes et sur leurs têtes tambourinait la colère de Dieu. L'apparition les avait empoignées chacune par le coude fermement.

— Mesdemoiselles, vous êtes sous ma protection.

Comme il n'était pas temps de s'offusquer ou de minauder, elles filèrent vers la sortie, ainsi remorquées, presque portées par le valeureux sauveteur dont la vigueur peu commune leur fit traverser la place d'un bond, jusqu'à l'auvent enchanté d'un petit café qui résistait vaillamment à l'averse. Derrière la vitre, des visages se pressaient pour admirer la belle grenaille tombée du ciel, et les éclairs qui zébraient à présent le bleu d'encre, et les giclées de glace irisant la chaussée.

— Rentrons là, mesdemoiselles. Vous me devez bien un remontant.

Encore abasourdies, elles obtempérèrent et se retrouvèrent à l'intérieur, dégoulinantes, frissonnantes, découvrant leur archange providentiel sous les traits d'un homme austère et fort séduisant, aux moustaches de soie fine sous deux trous de narines gourmandes, et elles remarquèrent l'importance de sa poitrine, sanglée de drap fin, ses belles mains blanches d'assassin qui secouaient le parapluie sans ménagement.

— Trois cognacs, commanda-t-il au patron, sans s'enquérir du goût de ses protégées.

Il allongeait déjà ses bottes et prenait ses aises à une table écartée, mais il n'avait pas l'air d'un à qui on marche sur les pieds, non plus son regard celui d'un galant qui cherche fortune dans les cimetières. Il le plaçait avec beaucoup de rigueur sur les choses, comme pour faire des trous dans celles qui l'intéressaient. Par exemple le minois piquant de ces deux brunettes trempées, en toilette chiffonnée, le laissait assez indifférent. Il contemplait ses ongles impeccables avec sévérité.

— En voilà une idée d'enterrer les gens par ce foutu temps, dit-il d'un ton de velours.

Et comme le garçon portait trois petits verres mordorés, il leva le sien, cavalier.

— Santé et prospérité !

Elles restaient silencieuses ne sachant à quoi s'en tenir avec leur bienfaiteur, ébahies de l'enlèvement et de la grâce qu'il y mettait. Les buveurs de la salle, un instant intrigués par leur entrée intempestive, s'étaient détournés, revenus à leur conversation de comptoir. L'homme avait choisi, par quelque délicatesse, le coin près du poêle qui ronflait, et elles si pâles tout à l'heure, l'alcool aidant, se réchauffaient, le sang leur remontait aux joues et aux lèvres.

— Ce n'est pas tout ça, dit-il, ramenant ses yeux de loup sur elles. Expliquons-nous. Je ne ramasse pas les demoiselles sous l'orage par philanthropie. Que faites-vous, malheureuses, sur la tombe de Clarisse Zepwiller ?

A ce nom, Dora eut un mouvement de recul, mais Gabrielle, que l'alcool électrisait, pointa son doigt droit sur le gilet de drap fin.

— Et vous, qui êtes-vous, monsieur du parapluie ?

— Commissaire, mademoiselle. Commissaire…

— De police !

— Certainement. Je ne dois pas avoir l'air d'un roussin, puisque vous ouvrez des yeux ronds. Mais n'empêche, je suis vieux cheval à cette mangeoire. Dites-moi : on ne vient pas inhumer une fauvette des faubourgs, en voilette et dentelles, sans quelque idée derrière la tête. Vos petits bouquets étaient très gentils. Vous l'aimiez bien, cette assassinée ?

Elles furent saisies, hésitant encore à croire en la déclaration, mais le ton badin du commissaire cachait des grognements de dogue, et comme il attendait en suçotant son cognac, outrageusement satisfait de son effet, Dora se risqua à la riposte.

— Y a-t-il délit à être là ? Et vous-même, que faites-vous, à nous espionner, monsieur… ?

— Louvain. Pleurer aux enterrements : pas d'infraction, c'est légal. Et je ne vous espionne pas : je reste derrière une tombe, pour ne pas gêner le recueillement. Je m'assure juste des personnes affligées. Routine. Rien que de l'ordinaire, au demeurant. Piétaille et voisinage, j'ai la liste. Mais vous deux, c'est intéressant. C'est inopiné.

— Qu'avons-nous à voir là-dedans ?

— A vous de me le dire. Mettons cartes sur table. J'enquête. Fait divers. Voilà qu'on meurt de coups de couteau, vilainement adressés. Le couteau est grand. On l'a trouvé sur place. Il appartient au suspect, qui s'est absenté. C'est signé. Vous êtes au courant, non ? Comme tout le monde. Ne me dites pas non, je ne vais pas vous croire.

— Nous connaissons à peine Clarisse Zepwiller…

— A peine, c'est beaucoup, en cette circonstance. Ce qui m'aiderait bien, c'est de savoir à quel titre…

Louvain s'était accoudé de chaque côté de son verre, et tout rapproché qu'il était d'elles, si près, à sentir leur parfum, il n'avait pas besoin de forcer la voix pour être persuasif. Rien de son visage impassible n'invitait à la cordialité, pourtant, dans sa manière bourrue, il faisait tout pour faciliter les choses : s'il lissait sa moustache, c'était par correction, et pas par intention matamore. Il avait même une rêverie au coin de l'œil qui noyait son air méchant.

— Allons, pas de mauvaise humeur. Je vous aborde sans y mettre les formes, parce que le temps presse. Entre gens de bonne volonté, on peut aller vite. Vous n'êtes prévenues de rien. Nous ne sommes pas au commissariat et le planton ne prend pas note de vos déclarations. Je vais vous dire entre quatre yeux deux trois choses que je sais, ensuite à votre tour. Donnant, donnant. D'accord ?

A folle vitesse, Gabrielle tentait de calculer, de comprendre ou d'anticiper. Lui revenaient à l'esprit les jours précédents, comment elle avait retourné en tous sens ces affreuses nouvelles, hantée par Marcus qu'elle ne pouvait imaginer dans son geste de tueur, par Clarisse et son épouvante face au fou qui la massacrait. Cela s'interposait à tout instant devant ses yeux, brouillant sa vue, défigurant les visages qui lui parlaient, dont elle n'entendait pas ce qu'ils disaient. Elle en avait été malade, elle aussi, tout à fait malade, au point qu'avant-hier, en attendant Millie chez le dentiste, elle avait eu un malaise, seule dans la salle d'attente, une angoisse insurmontable à se trouver entourée de ces épouvantails de grand guignol, et qu'elle s'était retrouvée glissée du canapé, affalée sur le tapis, sanglotant à petits cris. Toute l'après-midi, elle avait suivi Daniel au milieu du champ de foire, des manèges et des baraques, en automate somnambule, hébétée, sursautant aux cris, aux coups de cymbales, aux pétards, tremblant au moindre mouvement de foule, et tout ce carnaval de fête criarde lui semblait un cauchemar sans fin. Millie elle-même était saoule de bruits et d'odeurs de friture, perdue dans tous ces artifices violents, et seul Daniel s'entêtait à passer d'une attraction à l'autre, agacé du fiasco de son expédition, jusqu'à ce qu'elle le suppliât de rentrer, alors il avait compris, à son visage décomposé, qu'il fallait rentrer, en effet. D'ailleurs, le lendemain, elle avait décliné l'offre de la partie de plaisir sur l'eau, ou du palais des Glaces. D'ailleurs, elle ne voulait voir ni lui, ni personne. A quoi, sentant le litige trop fort, il avait consenti pourvu qu'elle promît de venir à son studio, le dernier jour, voir les lanternes magiques. Mais tout cela refluait, se perdait dans un passé flou, jusqu'à ce moment au bord de la fosse, où elle avait jeté les œillets rouges.

— Par exemple, disait le commissaire, j'établis que Clarisse Zepwiller n'est pas la pauvresse qu'on enterre à la fosse commune. Elle n'est pas condamnée à vivre dans un galetas de la rue Tiquetonne, ni à fréquenter le prolétariat de la porte d'Italie. Elle est la fille d'industriels alsaciens, qui ont connu quelques revers, mais se sont refaits joliment en Angleterre. Ils prospèrent actuellement dans le commerce du carton. En outre, de son frère, elle aurait hérité d'un magot raisonnable, si la succession avait pu avoir lieu. C'est une riche assassinée que Mlle Zepwiller. Elle aurait droit à une jolie tombe avec angelots et couronnes de perles.

— Pourquoi nous racontez-vous ces choses privées ?... Cela ne nous concerne pas, souffla Gabrielle.

— Pourquoi la succession n'aurait-elle pas eu lieu ? poursuivait Louvain, imperturbable. Parce que, jusqu'à hier – les notaires sont sourcilleux –, on ignorait que son frère était mort. Ou plutôt, moi, j'ignorais que le mort, dont nous disposons à l'Institut médicolégal, était le frère Zepwiller. Y sommes-nous ?

— Pas du tout, dit Dora. Vous parlez chinois, et nous sommes attendues.

— On vous attendra. Je ne peux pas vous parler polonais, mademoiselle Gombrowicz. Vous qui connaissez le meurtrier, dans quelle langue dois-je m'exprimer ?

— Je ne l'ai jamais vu de ma vie, s'écria Dora, se levant brusquement. Viens, Gabrielle. Cet individu est un imposteur.

Louvain avait pris le poignet de Dora et l'avait remise sur sa chaise, comme il aurait tordu un jonc.

— Tuutt, tuutt… Doucement les basses. Ne nous énervons pas. Vous ne l'avez jamais vu, soit. Cependant il vient chez vous, il dérange la concierge, il vous laisse un message sous la porte. *Exécutons la partition.* D'ailleurs, ce Marcus n'a estourbi personne. Je l'ai sous les verrous depuis quinze jours. Nous contrôlons les excités qui vendent *Le Cri du soldat* et chantent à la sortie des usines… Attendez… *En nos mains de semeurs de blé / On a mis des outils de haine / O fusils qu'on nous mit en mains / Fusils, qui tuerez-vous demain ? Puisqu'on vous tient, fusils de haine / Tuez ! S'il faut tuer demain / ceux qui vous ont mis dans nos mains !…* C'est envoyé, non ?

Louvain avait une belle voix, *a capella* et en sourdine, penché au-dessus de la table.

— Vous ne connaissez pas *La Chanson des fusils* ? C'est de Gaston Couté. De temps en temps, on perquisitionne un peu, on rafle ces antimilitaristes militants, des agités, qui agacent nos généraux. On les met à refroidir au bloc, surtout quand on a des visites d'augustes étrangers, qui aiment la paix et la tranquillité. L'ambassadeur d'Angleterre, par exemple, reçu l'autre semaine par notre président. J'ai mon motif pour coffrer le petit Marcus : il diffuse une brochure de la Fédération communiste anarchiste du plus mauvais effet : appel à la grève générale en cas de mobilisation, et plan de sabotage de la guerre, avec croquis. Entre nous, c'est pas méchant, du verbiage. Mais ça fait désordre. Provocation publique, apologie de la désobéissance militaire, propagande anarchiste, c'est prévu par la loi du 28 juillet 1881 modifiée du 12 décembre 1893, article 25. Ça va chercher de trois mois à deux ans de prison. Je l'embarque. C'est comme ça que, par anticipation, j'innocente l'assassin présumé de Clarisse Zepwiller. Quand je m'en avise, j'ai un problème, mesdemoiselles. J'ai un assassin en surnombre. Maintenant, j'ai aussi un cadavre de trop sur les bras. C'est déraisonnable.

Gabrielle claquait des dents.

— Je voudrais un autre cognac, gémit-elle.

— Trois cognacs de plus ! cria Louvain, sans la quitter des yeux. Vous n'allez pas tourner de l'œil pour si peu, vous qui frappez hardiment à tous les étages de la rue Tiquetonne, dès potron-minet ! dit-il, affable.

Il laissa le silence planer là-dessus, jusqu'à ce que le garçon revînt avec son plateau sur le coude, et qu'il se fût esquivé, preste et discret. Elles ne disaient plus mot, mais Louvain les entendait réfléchir, ou plutôt il entendait la cacophonie de leurs pensées affolées fusant en tous sens, les pétards qu'il avait allumés dans leurs jolies petites têtes ; c'était ce qu'il voulait. Routine. On sème la zizanie, on abat son jeu, en vrac et brutal, on ramasse le pli, au petit bonheur. Il en savait moins qu'il n'en disait sur leurs déplacements et leurs manigances. Dans son filet, il ne tenait vraiment que la pianiste de l'immeuble des Saints-Pères, où il avait ses entrées personnelles. Pour l'autre, c'était au signalement qu'il s'en remettait, d'intuition. Les voisins parlaient tous d'une visiteuse matinale qui les avait bien dérangés en cherchant Clarisse : une jeune dame aux yeux bleus. Bleu de quoi ? Il y en a des bleus, pervenche, azur, violette, turquoise. Ces gens n'avaient pas la palette en tête. Bleu tout court. Une élégante gantée à voilette. Allez donc trouver, avec ça. Mais il l'avait prise avec la pianiste, sous son parapluie : bonne pêche. Elle avait de ces yeux bleus dont on se souvient. Plus jeune que son amie, moins défendue, avec des ivresses et des vertiges, travaillée par des tempêtes à soi qui vous secouent jusqu'à déborder des yeux bleu roi. Il sentait ça, avec son nez aux larges narines, qu'il tapotait gentiment. D'ailleurs, cette Gabrielle torchait proprement un deuxième petit verre de cognac pour se donner du courage, une manière qui lui plaisait bien.

— Ah ! Mesdemoiselles, j'enquête, j'enquête... soupira-t-il, bon enfant. Vous ne pouvez savoir ce que c'est fastidieux de suivre les gens à la trace, au lieu de discuter avec eux, comme on est là, tous les trois, à la bonne franquette. Si vous me disiez, vous, de quoi il retourne ? Aidez-moi un peu, sacrebleu... Que lui vouliez-vous, à cette Clarisse ?

Il jouait à l'improviste, il improvisait en artiste, pour les décider si oui ou si non, et voilà qu'il lissait sa moustache pour les aider. Elles s'étaient une dernière fois consultées du regard, alors, d'un élan, Gabrielle s'était décidée. Elle racontait le pourquoi et le comment de leur course après Clarisse. Une histoire pathétique de fiancé mort, de photo perdue retrouvée de ce Jean, l'ami supposé ; de photographe et d'adresse, et la persécution de ladite Clarisse, récalcitrante et revêche, pour les mener à son frère ; l'entremise du voisin serviable, et un rendez-vous pris manqué dans un cirque, une apparition disparition, le long du canal de la Villette...

— Dites donc ! Un quidam disparaît sous vos yeux, et vous rentrez tranquillement chez vous ?

Comment, à qui raconter, sans preuve ni témoin, la course au bout du quai, l'improbable trio de fantômes dans la brume ? Et puis Clarisse semblait si inquiète de protéger la clandestinité de son frère... Sous quel motif alerter quiconque, alors qu'elles n'étaient sûres de rien, qu'elles n'avaient jamais vu cet homme, de leurs yeux vu, pour témoigner qu'il s'agissait seulement de lui... D'ailleurs, elles n'avaient rien vu du tout, au bord du canal, que des ronds dans l'eau... Elles se relayaient dans leur récit, davantage pour se contenir l'une l'autre que pour en rajouter. Il sentait bien qu'elles lui servaient une version minimale, et qu'il restait des ceci-cela dans l'ombre, mais maintenant que les vannes étaient lâchées, Louvain buvait du petit-lait. Elles l'époustouflaient un peu, ces deux oiselles en velours et dentelles, par leur audace et leur entregent. Les filles d'aujourd'hui sont des garçons, pensa-t-il, fataliste. Il n'attendait pas tant de son coup de parapluie, venu qu'il était, routine, routine, voir qui accompagnait la victime à son dernier repos, et voilà qu'il avait un bon morceau sous la dent. Gabrielle était la meilleure dans le genre. La rougeur émouvante de ses joues sous le teint clair, cette fossette qui pointait et ses yeux de biche, la lèvre gonflée de larmes le touchaient énormément. Le museau de belette de l'autre, son nez retroussé, pas mal non plus, son œil aigu noir grain de café. Et son petit accent timbré dans les graves. Le spectacle le payait de bien des saletés. Il faillit flancher tout de go, les embrasser franchement. Mais il avait trop de métier, voilà l'inconvénient. Il se contenta de hocher lentement, d'un air profond.

— Eh bien, en voilà, des nouvelles... C'est gentil de m'éclairer. Vous voyez, ajouta-t-il, songeur, on a un cas tout simple, si je puis dire... Et puis tout se complique. Ce coutelas qui dénonce est trop aimable. On rêve ce genre de preuve qui épargne le casse-tête. Mais voilà, j'ai déjà mon assassin à l'ombre, c'est très embêtant. Non seulement je me dis : tu as frôlé l'erreur judiciaire ; mais je me demande : qui me colle ce coupable sur mesure, emballé, vendu ? Et puis, autre chose : le frère. Je ne savais pas qu'il y eût un frère, moi ! J'ai un noyé, chauve de surcroît, dans ma morgue depuis un mois. Ni papier ni rien. L'anonyme complet. Qu'est-ce qu'on fait d'un cadavre sans nom, même chauve ? On est en république : on s'inquiète. Je vous passe le détail de l'autopsie. Il s'avère que mon noyé n'a pas bu la tasse : il a piqué une tête dans le canal seulement une fois salement égorgé. Bon, je prends l'empreinte, c'est l'usage. Nous avons un service d'anthropométrie judiciaire impeccable. Bertillon, Bertillon, mesdemoiselles. Un grand homme. Des fiches de suspects enregistrés en veux-tu, en voilà, mais ça prend du temps, en recherches. Pour finir, mon chauve est inconnu au bataillon. Mais je suis un sérieux, moi, un vétilleux, je m'obstine. J'ai le double, en copie, de tout ce qui nous passe entre les mains depuis... Depuis que je suis en poste au Quai, hein ? Ça fait lurette, n'épiloguons pas sur ma carrière. Le fait est que j'ai la fiche de mon bonhomme, empreintes et photo. Grivèlerie, dites donc ! Broutille, mais enfin. Voilà que mon faux noyé du canal, que vous avez vu disparaître, reparaît chez moi en Giovanni Sellerio, et qu'il a un compte en banque, avec sa sœur pour légataire, une nommée Zepwiller. On m'assassine la sœur, après avoir liquidé le frère, et on distrait sa fiche au dossier central. Il y a du désordre. Tiens, voilà le soleil !

Dehors, il y avait la belle lumière des fins de pluie, pur azur et nuées en pompons d'ouate, le pavé en miroitait. A travers les vitres, l'éclaircie illuminait leurs visages. Louvain avait eu l'air de penser à voix haute, de parler au hasard en homme qui s'abandonne, mais c'était pour sonder et voir jusqu'où aller avec elles.

— Nous n'imaginions pas ces circonstances tragiques, dit Dora d'une petite voix. Dire que nous avons peut-être assisté à la mort de cet homme. Que nous n'avons pu l'empêcher. Ni empêcher celle de Clarisse, en la prévenant...

— La prévenir de quoi ? Là est la question... Il commence à me venir l'idée qu'une fois blanchi l'anarchiste de service, j'ai du pain sur la planche. Remettez-vous, mademoiselle Gombrowicz. L'affaire incombe au commissaire Louvain, pas à vous. Et même je vous conseille, à toutes les deux, de vous tenir tranquilles désormais. Cela dépasse vos moyens, si je puis me permettre. Mais si vous aviez oublié quelque détail, on ne sait jamais, pensez à moi... Il va quand même falloir que je prenne vos noms et vos adresses. Pour la bonne cause, s'entend.

Ni l'adresse du Mesnil, ni le nom des Bertin-Galay, pensa aussitôt Gabrielle, accablée par les conséquences imprévisibles, qu'elle n'osait imaginer, d'une inquisition du commissaire de ce côté-là. Le visage avenant lui sembla pourtant trahir une implacable aptitude à la double vue quand elle donna l'adresse d'Agota, rue Buffon, ajoutant qu'elle souhaitait que sa tante ignorât tout de cette affaire, qu'il fallait épargner à la vieille dame tout souci à son sujet.

— Parce que la contrarierait beaucoup que vous cherchiez avec tant de passion les amis de ce fiancé défunt, n'est-ce pas ?… ajouta-t-il, paterne.

Gabrielle rougit excessivement.

— Eh bien, oui.

Il était debout, rajustait son gilet avec souplesse et consultait sa montre au gousset. Il souriait à l'aigu, mais sans ostentation. Il tendait entre deux doigts un billet au garçon. Il s'emparait de son grand parapluie et le calait sous son bras.

— Et puis elle se demanderait pourquoi diantre vous teniez tant à retrouver ce monsieur chauve… Lui, en particulier, ajouta-t-il distraitement en jetant un regard vers le ciel dégagé, l'air ravi de qui entrevoit des paysages nouveaux.

XXXI

Elles arrivaient à Châtelet, où elles devaient se quitter, mais Dora ne renonçait pas. Elle descendit avec Gabrielle sur le quai de la station. Jusque-là, le bruit les avait empêchées de se parler vraiment, et d'ailleurs, depuis qu'elles étaient dans le métro, Gabrielle ne répondait que par monosyllabes, le regard perdu au fond de la rame, l'air buté et hostile. Elle la fit s'asseoir sur un banc de la station, à l'écart des voyageurs qui allaient et venaient. Ce n'était guère un endroit propice pour une vraie discussion, et le temps pressait, car Dora était attendue, réellement, pour une audition de ses élèves au Conservatoire. L'heure passée avec Louvain l'avait retardée, mais elle se refusait à laisser partir son amie dans cette disposition d'esprit. Elle retenait ses mains, les pressait et l'attirait à elle, malgré sa résistance.

— Gabrielle, regarde-moi. Que se passe-t-il dans cette tête ?

— Et toi, dans la tienne ? Es-tu si contente de ta rencontre ?

— Ma foi… Je n'en suis pas mécontente. Ce commissaire Louvain a ouvert son parapluie au bon moment. Je ne serais pas allée le chercher, mais il s'est présenté opportunément. Pour toi et pour moi.

— Parle clairement.

— Il était temps que quelqu'un comme lui prenne la relève, si tu veux mon avis. Laissons-le s'occuper de tout cela, à présent… Assez de jouer les détectives amateurs ! Cela suffit, Gabrielle. Tu as pris assez de risques. Et dire que je t'ai suivie, comme un étourneau !

— Alors, tu le trouves formidable ! Il soudoie ta concierge, il lit ton courrier. Il nous suit, comme des criminelles ; il arrête les syndicalistes, à titre préventif. Il fouille dans la vie des gens…

— Tu y fouilles bien, toi ! Au moins, lui, c'est son métier ! Ce commissaire pense vite et il n'a pas froid aux yeux. La pauvre Clarisse savait bien ce qu'il résulterait de tout cela. Pauvre femme… Nous ne l'avons pas crue, insensées que nous étions. Un double crime, Gabrielle ! Que veux-tu encore ? Tu veux donc finir égorgée toi aussi !

— Vraiment, tu es sous le charme !

— Il s'agit bien de cela !… As-tu un brin de jugeote ? Cesse de jouer avec le feu. Oublie Endre ! Oublie tes chimères ! A quoi te sert de remuer cette boue qu'il a laissée derrière lui ? Oui, c'est de lui que vient tout le mal, tu le sais bien ! Il y a là-dessous des choses effrayantes, des intérêts et des passions qui nous dépassent.

— Je suis responsable de ce qui est arrivé. J'ai une dette envers Clarisse, et son frère. Ils seraient peut-être encore vivants si j'avais cru en ce qu'elle disait. Peut-être Endre le serait-il aussi, si ceux qui les poursuivent avaient été mis hors d'état de nuire. Je sais bien que je suis faible, et ignorante, sans appui, sans moyens…

— Tu l'es. Et de plus, une femme !

— C'est toi qui me le rappelles ? Justement, parce que je suis une femme, je ne me laisserai pas intimider, je ne céderai pas.

— Céder à qui, à quoi ?

— A l'injustice, à l'ignominie.

— Grand Dieu ! Les grands mots ! Te prends-tu pour le chevalier blanc, à sauver la veuve et l'orpheline, à batailler avec l'adversité ? Retombe un peu sur terre. Et en parlant d'orpheline, toi qui dis tant aimer cette petite fille, pense un peu à elle. Qu'adviendra-t-il d'elle, si tu te mets en danger ? Ah ! J'en ai assez de tes folies ! As-tu compris que ce Louvain ira chez ta tante, si tu ne te tiens tranquille ? Qu'il ira la tourmenter et qu'auras-tu gagné, à la fin ? Quel démon t'inspire ? Hélas, je ne le sais que trop ! Ce champion des aventures, ce don Juan magyar t'a envoûtée, ma parole ! Soit-il damné !

Dora était à bout d'arguments, désespérée du temps compté, excédée de sentir que rien n'entamait quelque obscure résolution de Gabrielle. Elle chuchotait pour ne pas attirer l'attention, mais sa voix véhémente submergeait la jeune fille dont les larmes ruisselaient sur ses joues, sans qu'elle fît un geste pour les essuyer. Depuis qu'elle avait appris la mort de Clarisse, quoique atterrée par cet épilogue tragique, la colère ne la quittait pas, l'exaspération de sentir, tout près d'elle, la présence occulte du mal, sa puissance sournoise et surarmée, au travail dans l'ombre, et confusément elle la reconnaissait dans ses actions. La même inspirait les formules du cahier rouge, la même hantait le Dr Galay, avait empoisonné le cœur d'Endre. Elle ne voyait pas sa vraie face, les traits sous lesquels elle s'incarnait forcément, pour semer le désespoir, la terreur et la mort. Car Gabrielle n'avait aucune croyance en une force surnaturelle, en un prince des ténèbres acharné au malheur des créatures. Elle pensait que le mal est le fait des hommes, et qu'il a un visage très ordinaire, d'autant plus abominable que banalement humain. Il ressemblait à n'importe lequel de ces passagers du métro, de ces gens de la foule du soir, à celui-là qui traîne devant la vitrine du coutelier, achète une sucrerie au marchand de ballons pour tenter un enfant, qui prend un cognac en sifflotant à la terrasse du café, derrière les plantes en pot. A celui qui salue sa brave logeuse, en sortant acheter son journal. Il a le visage des mendiants, des malfrats de la pègre, comme celui bien rasé de l'ingénieur, du notable des beaux quartiers qui vide son verre de bière à la brasserie, et celui du donneur de leçons en gants de cuir fin, celui du magistrat qui mène le condamné à la guillotine. N'importe qui pouvait, s'il était fanatiquement convaincu de son bon droit, de sa bonne raison, par cette passion dévoyée accomplir les méfaits les plus horribles, attenter à la vie et ruiner les âmes. Voilà ce qu'elle savait. Et elle ne s'en remettait pas, comme Dora, au premier venu, au parapluie d'un quelconque commissaire, pour la protéger galamment, ni surtout pour s'occuper seul de traquer le mal. Elle n'aurait pas dit un mot de tout cela à Dora, d'abord parce qu'elle ne le formulait qu'obscurément pour elle-même, ensuite parce que les larmes l'étouffaient, et puis parce qu'elle voulait être seule, seule, maintenant.

— Tu es bouleversée, ma pauvre chérie, murmurait Dora, attendrie par son chagrin. Rentre te reposer. Repense à ce que je t'ai dit. Laisse venir la vie, Gabrielle, laisse passer le temps. Dans ta campagne du Mesnil, tu es loin de tout cela, c'est une bonne chose. Reviens-y vite, et écris-moi. Je t'en prie…

Gabrielle cédait, elle se laissait embrasser, tout alanguie et meurtrie. Dora y vit un signe, peut-être un début de capitulation, mais elle était trop en retard, à présent, pour s'en assurer. D'ailleurs, mieux valait ne pas insister, laisser les arguments faire leur chemin. Une dernière fois, elle baisa la joue mouillée de son amie et sauta dans le premier métro, agita encore la main derrière la vitre, laissant sur le quai la silhouette de Gabrielle immobile au milieu de la foule.

Mme Mathilde arpentait son bureau d'une fenêtre à l'autre du pas d'un général en déroute. De cet observatoire, elle dominait le quai de la Gare d'un côté, et la cour de la fabrique de l'autre, et c'était le même spectacle indécent qui s'offrait à sa vue : l'attroupement des ouvriers en grève qui occupaient une partie de la chaussée, dehors, et campaient sur le pavé à l'intérieur, installés comme pour un bivouac guerrier. Depuis le matin, il y avait des calicots suspendus aux grilles : "Non aux machines qui tuent l'ouvrier", "La journée de huit heures", et il y avait des pancartes avec ce sigle menaçant de la CGT, qui proclamait : Vive la charte d'Amiens ! et même un garçon qui portait cousu au dos de sa veste "A bas le patronat, à bas le salariat !". Elle en suffoquait d'indignation, rendue muette d'un tel désordre, d'un tel forfait. Dans son usine ! Jamais, jamais une chose pareille n'avait eu lieu chez Bertin-Galay, depuis la fondation, par son père, en 1873, quand il avait transféré sa biscuiterie de Nevers à Paris ! Jamais un tel attentat !

Simon Lewenthal avait averti Mme Mathilde, vers les huit heures du soir, qu'à la sortie de l'usine, des agitateurs s'étaient rassemblés sur le trottoir, empêchant les ouvriers de rentrer chez eux en lançant des harangues hostiles, montés sur une carriole à bras tirée pour l'occasion. C'est que, dans l'après-midi, un camion avait livré la première machine-outil De Wendel, un prototype ingénieux annonçant la série commandée, et la rumeur avait aussitôt couru dans les travées de la fabrique qu'il y aurait des mises à pied, du chômage, qu'il fallait débrayer. Mais le travail des chaînes avait continué. Les livraisons partaient au rythme habituel, jusqu'au quai où le chargement des péniches s'était déroulé sans anicroches, pour le transport vers Boulogne. Il n'y avait eu que ce début d'émeute, les groupes de femmes en cheveux, et de quelques hommes s'attardant sur le trottoir, un coup de fièvre, que Lewenthal estimait sans suite. En tout cas, qui ne justifiait pas dans l'instant une intervention de la force publique. Il ne jugeait pas bon d'attiser les passions, de risquer ce qui passerait pour une provocation, ni même de paraître accorder à cette manifestation d'humeur une importance excessive, d'autant qu'une giboulée subite avait dispersé la troupe en un clin d'œil. Il suffirait de la nuit pour refroidir les têtes brûlées. D'ailleurs, il avait repéré les meneurs, il proposait à Mme Mathilde de les convoquer, dès le lendemain. Et elle avait été d'accord avec lui sur tout.

Mais à l'embauche, dès l'ouverture des grilles, les ouvriers étaient arrivés en cohortes, équipés de draps roulés sous le bras, de cordes, et même d'affiches imprimées, qu'ils avaient collées aussitôt aux murs, sur le quai : Grève aux usines Bertin-Galay ! Huit heures pour tous ! en grosses lettres, bavant l'encre fraîche. L'assemblée générale avait eu lieu dans la cour, grossie par les retardataires, et aussi par des étrangers à la fabrique qui entraient là comme dans un moulin, des maris, ou des amants, des hommes de peu, hommes de rien aux airs patibulaires, venus soutenir les camarades. S'il y avait des récalcitrants au mouvement, ils étaient rares, vite résorbés dans le mouvement et ralliés bon gré mal gré, sous les quolibets. La grève avait été votée à main levée, avec une unanimité que personne ne dénonçait. C'étaient les femmes, majoritaires, qui étaient les plus déterminées, qui excitaient les hommes. L'une d'elles surtout criait beaucoup, que l'outil de travail appartenait aux ouvriers, que l'occupation était le droit des travailleurs ! Elle était applaudie, fièrement ceinte d'une étoffe rouge barrant sa poitrine, un œillet rouge sur l'oreille. Une nommée Dahlia, qui avait ses enfants avec elle, deux petits mal réveillés, en sarrau gris, les mollets nus et en galoches, par ce froid de la mi-mars que le soleil vif ne réchauffait pas, et qu'elle traînait, accrochés à sa jupe.

Elle n'était pas la seule, d'autres avaient amené leur marmaille, certains au maillot, qu'elles tenaient sur le bras, enroulés dans des fichus. Et aussitôt, ç'avait été le campement, des tréteaux tirés dehors, des planches jetées pour faire des tables de fortune. On avait dressé une sorte de tente de bâches, nouées aux grilles des fenêtres, sous laquelle on faisait réchauffer un chaudron de soupe sur le brasero, et le pain était arrivé, des miches odorantes, portées encore chaudes de la boulangerie proche ; du café fumant dans des brocs. Ils s'installaient, décidément. Un camp de bohémiens, si vite organisé qu'il ne pouvait être improvisé, obéissant à une sorte de discipline invisible, la plus inquiétante, parce qu'elle dénotait un savoir-faire, un dessein et une expérience redoutables. Voilà où l'on en était, ce matin. Mme Mathilde ne décolérait pas d'avoir débarqué sans comprendre ce qui lui arrivait, d'avoir subi, à peine descendue de sa voiture, le comité d'accueil qui l'avait accompagnée de sifflets et de slogans. Elle avait dû passer, digne et blême, grandie sous l'offense, parmi les grévistes qui lui faisaient une haie d'honneur. Au moins, encore heureux, l'avaient-ils laissée entrer sans difficulté, s'était félicité Gillon, congestionné par les événements, près de l'apoplexie.

— Encore heureux s'ils nous laissent ressortir, avait corrigé Lewenthal, glacial.

Lui-même venait d'arriver, trop tard pour la prévenir, pour lui conseiller de s'abstenir de se présenter quai de la Gare. Maintenant, ils étaient dans la pire des situations, enfermés dans le grand bureau de l'étage, acculés à constater l'irréparable.

— Appelez la troupe et les fusils, qu'on vide la cour de cette engeance, qu'on les arrête tous !

— Et qu'on les fusille, c'est ça ? avait conclu Lewenthal, qui gardait un sang-froid total. Madame, nous ne sommes plus en 1906, à Vigneux ou à Villeneuve-Saint-Georges, du temps de Clemenceau, avec son "complot antirépublicain". Un peu partout il y a des grèves tournantes. Le mois dernier, c'était à Boulogne-Billancourt, aux usines Renault ; en ce moment, les terrassiers du métro parisien réclament les huit heures ; et les boulangers de la Seine ont leur Chambre syndicale, pour distribuer les cartes de grève et organiser l'arrêt du travail. Le mouvement est diffus, mais cohérent, l'agitation sociale, chronique, ici et là, mais pacifique. Il suffirait d'une provocation malheureuse, de leur offrir un martyr, pour mettre le feu aux poudres.

— Vous leur donnez raison ! s'écria Mme Mathilde, outrée.

— Je ne leur donne pas raison, je raisonne. Vous aussi, d'ailleurs, dès que vous aurez bu votre café.

Que lui portait le gardien, à l'instant. En vingt-cinq ans de service, il n'avait jamais assisté à pareil spectacle que ce caravansérail dans la cour et sur la chaussée, ce grand chambardement des ateliers aux mains des ouvriers, les machines arrêtées, les piquets de grève postés sous le porche, et les badauds matinaux attroupés sur le trottoir d'en face. Il en tremblait en posant le plateau sur la table, avec le bol de faïence rose, que le chauffeur avait déposé dans la mallette, comme chaque matin. Dans son émotion, il avait tellement craint de le renverser en montant l'escalier, pire encore, de le faire tomber et qu'il se casse, qu'arrivé à son but, les genoux faibles, il tomba assis sur un des beaux fauteuils de cuir, et essuya son front en sueur. S'asseoir là était une anomalie extraordinaire ; encore plus que personne ne lui en fît la remarque. Preuve que le monde marchait vraiment sur la tête.

— Que font-ils ? demanda Lewenthal au dernier venu, qui pouvait avoir recueilli des nouvelles.

— Ils blaguent. Ils mangent, ils boivent. Ils discutent.

— Que boivent-ils ? Ont-ils de l'alcool ?

— Point encore, à ce que j'en vois. Du café au lait ou de la chicorée.

— Et les secrétaires, les employées du bureau ?

— Dame, elles ne travaillent pas non plus. Elles regardent par la fenêtre en rigolant. Elles n'ont même pas enlevé les housses à leurs machines à écrire.

— Elles rejoindront bientôt la canaille, prophétisa Mme Mathilde, écœurée, en s'éventant avec le melon de Gillon.

— Non. Les cols blancs ne sont pas solidaires de la classe ouvrière. Elles observent. Ceux des ateliers ; et nous, les patrons.

Elles attendent de voir notre réaction, pour compter les points, estima Lewenthal, en versant le café calmement.

Le gardien hochait la tête d'un air incrédule, dépassé par ces événements inimaginables, mais, au fond de lui, de plus en plus curieux de voir, lui aussi, comment les patrons réagiraient. Pas une seconde il n'avait envisagé de faire le gréviste, de rejoindre les autres, c'était hors de ses représentations, et de son intérêt. Mais depuis plus d'une heure qu'il les voyait aller et venir, qu'il les écoutait, et qu'il laissait les femmes réchauffer les bouillies des petiots sur son réchaud, il commençait de trouver farce la situation d'en bas et d'en haut.

— Merci, mon bon. Redescendez et tenez-nous au courant s'il se passe quelque chose de nouveau, soupira Mme Mathilde.

La vieille femme buvait enfin son café, debout, les deux mains autour du bol. Ce n'était pas tant la chaleur de la boisson, qu'elle aimait, ni son effet roboratif, qui la réconfortaient, que de tenir ferme cette forme ronde et robuste dans ses paumes, ce solide bol rustique dont la faïence s'écaillait en fin réseau capillaire, aux bords usés doux à ses lèvres, et dont le compagnonnage quotidien était devenu une partie d'elle-même, de ces objets prosaïques qui, sans qu'on puisse démêler quelle affinité les assigne à recueillir le passé, sont plus attachants qu'une demeure, plus émouvants qu'une caresse, et font de leur substance grossière une matière plus précieuse qu'une pierre rare. Elle ne savait de quand datait son attachement au bol rose, pas plus qu'on ne sait comment naît l'amour, à quel moment il instille en nous son essence volatile et la répand au plus secret de l'être, inconnu, indolore, jusqu'au jour où nous nous réveillons épris à la folie, et cette chose ridicule, elle n'en aurait soufflé mot à personne. A personne elle n'aurait avoué qu'au monde rien ne comptait plus pour elle que le vieux bol de faïence. Les domestiques, ses proches s'étaient bien avisés de sa lubie, à force ; ils en riaient. Elle laissait rire, comme de ces fautes de goût ou de ces manquements qui révèlent trop de soi si on les défend, qui vous mettent à nu, insupportablement. Pourtant, jusqu'à l'hallucination, le bol évoquait, irréel au sein de la réalité ambiante, un monde détruit, un monde enfui où il était une fois une petite fille dans le jardin de son père, au soleil d'avril sous les lilas le regardant venir vers elle, ignorante d'un passé comme d'un avenir, dans ce seul présent miraculeux de l'enfance dont elle gardait l'ensoleillement éternel au fond des yeux, auréolant la tête adorable du père au front massif, aux tempes blanches, et son poignant sourire d'autrefois. Il était arrivé, en une ou deux occasions, qu'à cette pensée, elle dût baisser les yeux, pour qu'on ne vît pas qu'ils étaient pleins de larmes. De cela elle se souvenait, non des circonstances, et elle se méfiait au plus haut point d'elle-même, d'être prise soudain par cette émotion désastreuse, dont rien ne la défendait. Elle reposa le bol sur le plateau, comme si de rien n'était et s'assit en face de Simon Lewenthal, qui occupait sa place au bureau, avec un naturel excluant toute objection.

— Alors, raisonnons, mon cher. Je vous écoute.

— Je vous l'ai dit, le contexte social s'y prête. La revendication court la place, à Paris comme en province. Nos ouvriers sont apparemment relayés par la CGT, soutenus et organisés. L'arrivée de notre machine a déclenché le mouvement, mais il couvait déjà. Prenons acte.

— Prenons acte. Cependant on ne va pas renvoyer la machine à l'usine. Les autres seront livrées dans quinze jours.

— Justement, nous avons quinze jours devant nous.

— Pour licencier.

— Pas du tout. Pour débaucher et rembaucher, avec un nouveau contrat, qui bon nous semble. Nouveau contrat veut dire négociation.

— Négocier ! Nous n'allons pas discuter avec ces Ravachol !

— Bien sûr que oui. Mais nous prendrons notre temps ! Nous avons quinze jours. Ils vont devoir tenir. Dans quinze jours, ils seront mûrs pour accepter les conditions que nous dicterons. Nous allons devoir lâcher. Un peu. Et pas tout de suite. Comprenez-vous ? Nous allons lâcher, madame Bertin-Galay. Et nous aurons ce que nous voulons : moins de salariés, et nos nouvelles machines. Et même nous garderons, magnanimes, certains meneurs. Justement eux. Ils seront nos otages, pour la reprise. Nous tiendrons quinze jours. D'accord ?

Mme Mathilde ouvrait de grands yeux, le regard perdu dans le gilet de M. Bertin, le tableau qui lui faisait face. Son père ne lui avait enseigné que le combat frontal. Il ne lui avait enseigné que la force, la rudesse implacable, la main de fer. Il ne lui avait donné qu'une cuirasse et un casque, pas un équipement moderne. Elle était au bord d'entrevoir qu'un monde basculait, que quelque chose avait tourné de la planète, des étoiles. De sa vie. Elle comprenait parfaitement la logique de Lewenthal, l'intelligence de sa tactique. Seulement, pour la première fois, elle n'avait pas pensé plus vite que quiconque. Elle n'avait pas anticipé ce qui se passait, et encore moins les solutions. Ce jeune homme sobrement élégant, au visage sérieux et avenant, aux mains soignées, au langage bref et châtié, était plus fort qu'elle. Il incarnait un avenir dont elle n'était pas. Pourtant, elle se reconnaissait en lui, mieux qu'en aucun de ses enfants, aucun de ses collaborateurs. Il était de sa trempe. Elle l'avait choisi. Distingué entre vingt autres. Là était sa force, encore intacte. Son discernement, son instinct. Elle s'inclina lentement.

— Que lâcherons-nous, mon garçon ?

— Nous l'estimerons au mieux. Ecoutons-les. Il va falloir, madame, recevoir une délégation.

— Une délégation ?

— Je vais descendre leur transmettre votre invitation. Les engager à se consulter, à rédiger leurs revendications. Ils ne s'y attendent pas. Ils s'attendent à l'épreuve de force. Ils auront du mal à écrire, à formuler. Ils iront s'informer dehors, ils calculeront. Ils écriront, sous la dictée, des phrases convenues. Ils reviendront présenter ça aux autres, qui ne comprendront pas tout, qui trouveront à redire, comprenez-vous ? Avant qu'ils ne se mettent d'accord, cela prendra... un certain temps. Alors, vous les recevrez poliment. Pas un froncement de sourcils. Pas un mot plus haut que l'autre. Et puis nous demanderons à réfléchir. Et puis nous ferons de nouvelles propositions. Et puis nous attendrons.

— Je les recevrai seule ?

— Seule. Mais je serai dans la pièce à côté. J'écouterai. De toute façon, ce n'est pas pour aujourd'hui. Vous avez le temps de retrouver vos esprits.

— Je ne les ai pas perdus, dit-elle vivement, piquée.

Il marqua sa faute, en écartant les mains, d'un air conciliant.

— J'admire, madame, votre grande expérience. Il est rare de rencontrer quelqu'un comme vous, qui a une telle culture d'entreprise, et qui sait s'adapter aux temps nouveaux. C'est ce que j'ai jugé en acceptant le poste que vous m'avez offert. Je le vérifie aujourd'hui. Je vous remercie de votre confiance.

Ils avaient oublié Gillon, tout rouge et très abattu, qui ne bougeait plus de son coin, accoudé sur ses genoux. Il n'en perdait pas une miette, il était dépassé. Il était d'accord. Avec Madame. Avec ce jeune directeur, surtout, dont il pressentait obscurément qu'il était maintenant le vrai patron. Dont dépendait son travail, de la volonté de qui même son maintien dans la maison dépendait. Qu'il ne fût pas emporté dans le coup de balai qui se préparait. Il opinait et regardait sur le bureau le bol de Madame, le bol rose qui portait à son bord une petite coulée de café, une minuscule saignée noire et luisante dont le dessin lui serrait le cœur, inexplicablement.

A quelques jours de là, Dora patientait dans une petite salle de l'accueil, sous le porche de l'hospice de la Salpêtrière. Elle avait d'abord attendu dehors, allant de la place plantée d'arbres à la cour d'honneur dominée par le dôme de la chapelle, revenant, pour passer le temps, stationner sous la statue de Pinel, le grand aliéniste, dont elle contemplait la belle face, ce masque de bronze à quoi se résumait l'intensité d'une vie... Un jeune infirmier, intrigué de la voir, depuis un moment, faire les cent pas en plein vent, s'était approché pour s'enquérir du motif pour lequel elle restait dans le courant d'air. Lorsqu'elle lui avait dit qu'elle attendait le Dr Pierre Galay ; que, personne n'ayant le temps de la guider, on l'avait prévenue qu'elle se perdrait dans le dédale des innombrables bâtiments et couloirs ; et qu'il sortirait bientôt, qu'on lui indiquerait alors la personne, il lui avait alors promis de l'avertir lui-même, de la venir chercher dans cette salle un peu sommaire, mais où elle serait mieux que dehors, en grand danger d'attraper une fluxion de poitrine. En disant "poitrine", il avait laissé glisser un regard appuyé sur la sienne, mi-goguenard, mi-sérieux, et n'eût été sa reconnaissance pour l'offre de service qu'il faisait, elle l'aurait vertement remis à sa place. Mais il n'avait pas insisté. D'ailleurs, il n'avait guère le temps de marivauder, car elle le voyait derrière la vitre, par intermittence, accueillir des malades ou des visiteurs, emporter des dossiers, ramener des petits paniers de fioles au dispensaire, sa blouse blanche flottant au vent dans le passage où les gens n'arrêtaient pas d'entrer et de sortir. Elle n'avait jamais vu le Dr Galay. Elle ne le connaissait pas. Lui non plus, ne la connaissait pas, évidemment. C'était la chose épineuse, inconfortable et même choquante de son entreprise. On ne tombe pas sur les gens à l'improviste, surtout un éminent professeur de médecine, le gratin de la faculté. On prend rendez-vous. Trois semaines de délai, lui avait-on répondu. Trois semaines ! Si c'est pour une consultation urgente, voyez la permanence du service des maladies infectieuses. Vous avez une infection urgente ? Pas du tout ! Mais un besoin urgent de rencontrer le docteur, oui. Alors, il va sortir bientôt. Attendez.

Dora attendait ; et elle n'en menait pas large. Elle avait pris sa décision, au bout de trois jours de tergiversations et d'anxiété, tourmentée par la tournure que prenaient les choses, de plus en plus convaincue de l'énormité de l'aventure dans laquelle l'avait entraînée Gabrielle, confirmée par la rencontre avec ce commissaire, au Père-Lachaise, qui découvrait d'autres dessous effrayants, sous son ton badin ; surtout alarmée par la réaction de Gabrielle, quand elle l'avait laissée sur le quai de la station Châtelet.

Cette silhouette arrachée par le départ de la rame, cette solitude, et ce visage chiffonné de détresse, de détermination farouche lui restaient à l'esprit comme une image prémonitoire. Elle s'était rassurée à bon compte, parce qu'il lui fallait la quitter, vraiment, mais jamais elle n'avait senti la jeune fille aussi refermée sur ses démons intérieurs, prête à elle ne savait quel excès. Elle croyait assez la connaître, depuis tant d'années…

Depuis le jour où elle était venue, accompagnée par sa tante, à sa première leçon de piano, rue des Saints-Pères. Gabrielle avait alors douze ans, et Dora vingt. Celle-ci commençait juste à donner des leçons particulières chez elle, pour payer son appartement, pour se nourrir et s'acheter des bottines. Si précoce dans son art, elle avait été d'emblée accueillie au Conservatoire et retenue pour un des meilleurs espoirs, distinguée par Saint-Saëns lui-même, son maître depuis lors. Mais si elle voulait travailler, travailler encore, et réussir, et percer parmi ses rivales, il lui fallait de l'argent, parce qu'elle était pauvre, avec pour seul pécule une petite rente héritée de sa mère, qu'elle commençait juste d'avoir le droit de toucher, tant son père avait mis d'obstacles pour contrarier sa vocation, empêcher son départ de Pologne. Gabrielle quittait un ancien professeur de son quartier, vieille dame de talent, à qui sa surdité, longtemps niée, interdisait désormais d'enseigner. Ce jour-là, la petite fille avait une ravissante robe d'été à fines rayures rouges, des volants au corsage, un ruban de même étoffe noué dans ses lourdes tresses tombant sur sa nuque, l'allure d'une enfant sage mais précocement émancipée, un tel air de sérieux qu'il en était impertinent, une telle réserve qu'elle en était provocante. Dès ses premiers essais, Dora avait senti la justesse rare, en dépit des maladresses, l'intuition, la finesse de son toucher, et dans son inquiétude d'avoir à perdre tant de temps en leçons ingrates, avec des élèves médiocres, celle-là l'avait consolée, et encouragée, l'avait enthousiasmée par ses promesses.

Amies, elles l'étaient devenues au fil des saisons, des années. De vraies amies, que lie, plus que l'estime ou l'affection, une affinité élective, une connivence intime, au-delà même de la passion partagée de la musique. Et de sa part à elle, Dora, une attirance sensuelle, qu'elle s'avouait sans trouble, la fascination pour cette féminité en éveil, en train d'éclore, dont la séduction touchante mêle corps et esprit, à quoi la morale s'oppose, et qui pourtant est de ces élans profonds par lesquels s'épousent les femmes en secret. Parfois, et encore cet hiver, Gabrielle dormait chez elle. Alors, elles partageaient son lit, alors elles avaient dans la nudité, à travers les linges légers de la nuit, une telle

608

tendresse, un tel abandon confiant que Dora en perdait le sommeil. Gabrielle tombait brusquement endormie, comme les enfants. Elle pouvait parler longtemps, discuter avec volubilité, dans la demi-obscurité, et puis se taire soudain, emportée par l'ensommeillement si vite qu'elle restait comme une statue dans la posture qui l'avait surprise. Dora entendait son souffle régulier, le lent et doux va-et-vient fluide de la vie gonflant sa poitrine et la fléchissant, un souffle si léger qu'il semblait musical, qu'elle pouvait modifier d'un simple effleurement de sa main ou de sa joue, tirant de cet instrument charnel des modulations discrètes et délicieuses, comme si était en son pouvoir un appareil sensible vibrant à l'unisson, répondant à sa caresse dans un langage qui n'était ni la parole, ni le silence, un murmure chantant plein de nuances qu'elle ignorait pouvoir produire, et lorsque, à son réveil, qu'elle avait aussi rapide, et d'une grâce enfantine à bâiller et s'étirer pour vite sauter du lit, Gabrielle redevenait elle-même, la femme qu'elle avait quittée pour l'autre, la belle endormie, alors Dora s'émerveillait, non peut-être de connaître par l'insomnie dont elle la veillait une vérité d'elle, mais de participer au secret qu'à elle-même elle était, sans le savoir...

Une seule fois, elle avait recueilli, au bord de ses lèvres, un de ces balbutiements du sommeil qui sont comme le babil de la toute petite enfance, et Dora avait cru deviner le nom d'Endre. Ou plutôt elle en était certaine, comme on a la certitude de ce qu'on redoute le plus, et c'était une si cruelle douleur, mauvaise douleur, qu'elle s'était maudite de l'avoir recherchée, étouffant ses pleurs dans l'oreiller. Avant de lui pardonner sa trahison, durant des semaines elle avait boudé son amie, la heurtant de ses brusqueries ; celle-ci désolée d'une fâcherie dont elle ne comprenait pas la cause, et dont jamais Dora n'aurait dit le motif ; ç'avait été sa première dispute avec Gabrielle. Il y en avait eu bien d'autres, parce qu'elles étaient d'humeur susceptible, et vives à s'emporter, avec cette liberté de parole qu'on acquiert dans l'amitié ; aussi bien, la dernière fois, elles s'étaient vraiment fait du mal l'une à l'autre. Toujours à cause d'Endre, Endre entre elles, dont Dora était jalouse, sans doute, comme d'un rival. D'autant plus invincible qu'absent, disparu ! Comment lutter contre un spectre, comment guérir de lui... Car cet amour d'adolescence, cette passion aussi vivace que durable, relevait pour elle d'une maladie, qu'elle s'exaspérait de voir incurable. Ah ! comme elle aurait voulu voir à Gabrielle ce cœur vainqueur de toute adversité, des revers et infortunes qui minent les forces, et l'élan vital ! Comme elle aurait voulu réveiller

Gabrielle de l'enchantement puéril, du mauvais sort jeté par ce fantôme, la sortir de ce sommeil de cent ans et ouvrir ses yeux à la vraie vie. La guérir du poison du faux amour, qu'elle devînt enfin une femme libre, entière !

C'est tout ce qu'elle avait retourné depuis trois jours, de plus en plus convaincue que, telle qu'elle l'avait vue disparaître sur le quai du métro, semblable à ce fantôme qui la poursuivait, hantée par son idée fixe, Gabrielle ne serait réveillée que par un électrochoc salutaire. Puisqu'elle avait commencé par là, avant de courir vainement après Clarisse et son frère ; puisqu'elle avait d'abord décidé d'approcher, par un moyen absurde, irréaliste, extravagant, ce Dr Galay qu'elle supposait responsable de la mort d'Endre, et à qui elle ne posait pourtant pas la question, à qui elle avait renoncé de demander tout de go s'il en était vraiment, de ce fameux voyage, ce qu'il savait de cet aventurier inconséquent, lui, de quoi et comment ; elle, Dora, irait le trouver, et poserait la question. Ou plutôt, elle lui demanderait de parler à Gabrielle. Elle lui raconterait tout, le plus simplement du monde, et ce professeur, si célèbre et inabordable qu'il fût, ne la mangerait pas, peut-être. Et même s'il l'éconduisait, au moins aurait-elle tenté de crever l'abcès... Elle tapotait la vitre avec agacement, rongée de toutes sortes de pensées adverses, qui lui soufflaient de faire attention, de réfléchir encore, de bien savoir quel risque elle prenait. Non d'aborder ce médecin, mais de trahir son amie en prenant une initiative que celle-ci ne lui pardonnerait peut-être pas, cette fois. Mais, au fond d'elle-même, c'était à un autre adversaire qu'elle se mesurait, au diabolique archange dont le rayonnement continuait de consumer Gabrielle, et elle, Dora, et combien d'autres encore : c'était lui l'ennemi, lui contre qui elle œuvrait, à présent. A ce moment, l'infirmier surgit en hâte, sa blouse toujours gonflée par le vent.

— Dépêchez-vous, mademoiselle. Le docteur s'en va ! J'ai failli ne pas le voir passer... Pas que ça à faire, moi...

— Où ? Où est-il ?

— Là-bas... Le monsieur en pardessus anthracite, avec l'écharpe noire et le parapluie... Rattrapez-le, vite !

La silhouette s'éloignait déjà sur l'allée, vers le boulevard de l'Hôpital. A peine Dora prit-elle le temps d'un merci, et elle s'élança sur les pas de Pierre Galay.

Il avait belle allure dans son long pardessus élégant, avec son chapeau qui découvrait la nuque nerveuse, et sa marche élastique, énergique, d'un corps vigoureux qui fend l'espace avec détermination. On sait, à la manière dont marchent les gens, beaucoup de choses d'eux, de quoi sont faits leur être, leur caractère ou leurs sentiments, mieux parfois que d'un regard échangé, et même de dos, surtout de dos, peut-être, par cet angle où l'on s'ignore soi-même. Elle avait le temps de l'examiner tout en pressant le pas pour le rejoindre, se demandant déjà comment elle l'aborderait, en pleine rue, fléchissant un peu dans son entreprise, et se disant qu'après tout rien ne pressait tant, qu'elle reviendrait demain, ou après-demain, pour le rencontrer de manière plus favorable, plus correcte. Tout en calculant, elle avançait, et devant elle avançait aussi un passant, qui marchait du même pas. Il s'était élancé en même temps qu'elle, elle ne savait d'où exactement, ou bien il était sous le porche de l'hôpital, ou bien dehors, quelque part sur le côté. Elle avait perçu sa présence, parmi les passants sur l'allée, l'élan singulier d'une silhouette, épousant le sien à la frontière extrême de l'œil, comme ces mille accidents marginaux qui interfèrent dans le champ de vision et s'évacuent sans cesse, qu'enregistre à peine la conscience avant de les oublier. Mais maintenant il allait à quelques mètres devant elle, sa gabardine brune battant ses mollets, et comme Pierre Galay s'arrêtait brusquement devant la gare d'Orléans pour acheter un journal au kiosque, il s'était arrêté aussi, frottant soudain son genou, comme s'il se fût avisé d'une tache, d'une éclaboussure. Comme elle-même avait d'instinct cessé sa marche, pour laisser au docteur le temps de prendre sa monnaie, elle fut alertée par cette synchronisation étrange, que rien, dans le mouvement de la rue, n'aurait signalée si ses sens en éveil ne la lui avaient restituée, avec une singulière acuité. Pierre Galay s'était remis en marche, il traversait vers le pont en courant à moitié, se faufilant entre les voitures, nombreuses à cette heure dans le carrefour. Alors l'homme à la gabardine s'était élancé à son tour, mais il prenait par le côté opposé, l'autre trottoir du pont, restant au même niveau, refrénant son allure, un peu en arrière de celui qu'il suivait. Car à présent, Dora en avait la certitude, la gabardine suivait le pardessus. Et sans hésiter, par une espèce d'amusement, ou d'excitation, sa curiosité piquée, elle leur emboîta le pas, sans trop savoir jusqu'où la mènerait ce petit jeu. Juste pour vérifier son intuition, se disait-elle, oubliant désormais ce qui l'avait conduite jusque-là, oubliant Gabrielle et Endre, et ses intentions premières. Juste pour savoir où ils allaient, ensemble.

Elle gardait soigneusement l'écart avec la gabardine, à vingt mètres derrière, sur le même trottoir. Car si elle avait pu repérer, de manière aussi intense que discrète, le manège de cet étrange accompagnateur, il pouvait aussi bien la repérer, elle, suivant Pierre Galay sur le trottoir d'en face. D'autant qu'il avait l'air à son affaire. De manière de plus en plus précise, elle en percevait les signes, il s'accordait au pas de l'autre, ralentissait si le docteur perdait de la vitesse, accélérait s'il prenait de la distance, avec un naturel confondant. Oh, comme était amusante, et engageante, cette chose insolite, que dans le mouvement anonyme de la ville, perdues parmi les cent personnes allant en tous sens, trois d'entre elles, ignorées de tous, s'ignorant les unes les autres, ajustent leur déplacement, invisibles en plein jour, unies par un même dessein, ou plutôt que des desseins inconnus lient entre elles. Et c'était si facile ! D'évidence Pierre Galay était à mille lieues de se soucier d'être suivi. Il allait vite sans jeter un regard à la Seine, au paysage des ponts et de Notre-Dame au loin, nimbée par le soleil déclinant, son journal sous le bras qui portait le parapluie, l'autre allant librement. Sans se retourner une seule fois, il marchait d'un bon pas, en homme alerte et dégagé, qui sait où il va, pressé d'y arriver. Et l'autre était un bon marcheur, très ordinaire, très insouciant aussi. Il était si content de lui, si sûr de son affaire, qu'il ne se retournait pas non plus. Comme il était confiant, et vulnérable, ce maître en filature ! Tellement sûr de lui, tellement absorbé par son projet qu'il ne soupçonnait pas une seconde être lui-même l'objet d'une quelconque surveillance ! Ce dont elle s'assurait, elle, en revanche, se retournant une ou deux fois brusquement, comme si elle avait senti sur ses talons la présence d'un autre. Mais ç'aurait été vraiment farce qu'il y eût une procession en enfilade !

Elle improvisait, emportée par la physique subtile du déplacement, ce mécanisme d'horlogerie qui se déréglait et se réglait à chaque instant, lui commandant de s'adapter au rythme, comme dans la danse, ou dans l'amour, pensa-t-elle, quand s'assemblent les corps, se cherchent et s'agencent, si seuls dans leur illusion de s'épouser. S'il y avait une érotique à cette poursuite, elle en était le voyeur absolu, la dernière de la file contrôlant les deux autres, devant elle, et c'était devenu si fluide, si agréable qu'elle pouvait, tout en gardant sa vigilance, flâner en laissant flotter son attention, remarquer la lumière du soir, l'orange doré sur les façades, la brume blonde des jeunes feuilles aux arbres de l'Arsenal comme un nuage accroché dans les branches, et la colonne de Juillet au loin, d'un vert cuivré contre le ciel violet, cette beauté urbaine renouvelée, si prodigue en bonheurs. Tellement facile de les suivre, d'une ondulation animale de se glisser entre deux ou quatre passants, en trois sauts par-dessus les rails du tramway d'atteindre le trottoir de la rue Saint-Antoine, de saluer au passage la statue de Beaumarchais, et le Bazar de la Bastille, "Brosserie, paniers et mobilier en paille", et de l'autre côté la pharmacie des Deux-Mondes, elle s'amusait énormément à ce jeu léger. Si aisé qu'une petite angoisse lui venait à présent de l'équipée scabreuse, de sa lubie soudaine, à laquelle elle s'était spontanément pliée, sans autre but que de se laisser entraîner dans les rues par deux hommes inconnus, à son corps défendant, ou par sa volonté propre. Et ce qui la troublait n'était pas tant d'être arrimée au lien mystérieux qui les encordait, que d'éprouver en imagination l'ignorance de l'un, son intégrité virile et sa fragilité d'homme épié, et le désir occulte de l'autre, sa volonté ou son calcul malfaisant, car enfin, on ne file pas sans raison, et quelle raison ai-je de les poursuivre, moi-même ?

Mais elle oublia ses réflexions, parce que la filature s'arrêtait soudain. Ils étaient rendus rue de Turenne, et Pierre Galay s'engageait sous le porche d'un immeuble ouvert sur la rue, d'où l'on entrevoyait une cour pavée. Chez lui, apparemment, car il avait salué au passage en soulevant son chapeau le commerçant d'une papeterie voisine, prenant l'air sur le pas de sa porte. Et la gabardine s'était arrêtée aussitôt, pour contempler la vitrine d'un bijoutier, et Dora aussi, sur l'autre trottoir, celle d'une modiste. Dans le reflet de la vitre, elle contrôlait l'envers de la scène, le dos immobile de la gabardine, la silhouette du docteur, disparaissant dans l'immeuble. Alors, elle eut un découragement. C'était si ridicule, et vain. Deux à raccompagner le professeur chez lui ! Quelle escorte luxueuse ! Elle fut tentée d'entrer chez la modiste, dont les chapeaux étaient pimpants, de s'accorder cette petite récompense pour la promenade inutile. Mais derrière son épaule, sur le trottoir d'en face, l'homme s'ébranlait. Il rebroussait chemin, vers la rue Saint-Antoine. Comme quelqu'un qui sait où il va, et non plus en filateur, et tout en marchant il allumait une cigarette, lâchait une bouffée de fumée bleue derrière lui, qu'elle suivit, aimantée par l'aventure. Qu'elle suivit, de nouveau intriguée. S'il rentrait chez lui, comme le docteur, si elle le raccompagnait à son domicile, quel exploit idiot ! Mais cette fois, c'était plus dangereux, d'autant plus excitant peut-être, parce que, libéré de son objectif, il pouvait devenir attentif et méfiant, retrouver son instinct endormi. Le charme était là, dans ce défi absurde, et aussi la démangeaison qu'elle avait de voir le visage de cet homme, au moins une fois, avant de laisser tomber, se promit-elle.

Seulement, il monta dans le premier tramway, et elle derrière lui, ne pesant plus ses raisons, se trouvant par brusque décret embarquée pour elle ne savait quelle destination plus lointaine que prévue. Il y avait beaucoup de monde, des gens pressés sur les sièges, et elle debout, gardant sa proie tout près dans son champ de vision, séparée de lui par deux ou trois personnes. Elle croyait sentir encore l'odeur de son tabac, mais c'était une illusion. Elle croyait deviner son profil, mais il lui échappait. C'était la ligne de la Concorde, et de l'Arc de Triomphe. Où allait-il descendre, et elle se perdre, loin de son quartier ? Quand se sent-on épié à son insu, quand a-t-on l'intuition qu'un s'attache à vos pas, à votre ombre, et devient un intrus dans votre espace privé, jusqu'à coller à votre être, s'en emparer du regard, par cette inquisition ardente et cachée du regard qui brûle la nuque, le dos, qui pénètre vos chairs et s'en empare, vampire ? Elle avait ce sentiment de grande puissance et de grande prudence qui conditionne la filature, le contrôle de soi, du moindre geste qui peut vous dénoncer, qui exige patience, extrême vigilance et abandon total, fluidité, plasticité, simulacre absolu du naturel ; le comble de l'artifice, cet art de la feinte naturaliste, qui donne le change, vous confond dans l'environ, vous dissout et vous absorbe. Je te tiens, pensait-elle, très gaie.

Il descendit au carrefour du Grand Palais, et cette fois dissimulée dans la foule de ce nouveau quartier, plus mondaine, électrique et frivole, elle lui emboîta le pas, désormais très expérimentée, ravie de ce qu'il ne se retournait toujours pas, de ce qu'il filait droit à son but à présent, sans retard, et lorsqu'il s'engouffra dans un café bruyant et nombreux, elle entra aussi, quelques secondes après lui, vit de loin qu'il suspendait sa gabardine au portemanteau, comme un habitué. Il s'installait au zinc, juché sur un haut tabouret, familier des lieux, cela se confirmait, puisque le garçon lui serrait la main en prenant sa commande. C'était un bar américain, ce genre de café luxueux un peu canaille, enfumé, jonché de tickets, où quelques couples et une ou deux femmes solitaires consommaient en chuchotant sur les banquettes profondes, à la lumière sourde de lampes ornées de verroterie en couleurs. Mais au comptoir c'était beaucoup d'hommes, la plupart en pantalons de gros velours et pullover, ou en bras de chemise et gilet, certains en étrange tenue d'athlètes, collants élastiques et bottines lacées haut, un peignoir de bain jeté sur les épaules, ou une cape de drap éponge leur tombant sur les jarrets, qui discutaient ou complotaient de manière louche, penchés sur des feuilles imprimées de colonnes de chiffres. Alors, s'installant à une table écartée, elle découvrit les affiches au mur, des combats de boxe annoncés, des photos de boxeurs en plein pugilat, le portrait de Jack Johnson, le célèbre Noir champion du monde, invaincu à ce jour, qui jetait un méchant regard par-dessus ses gants tenus au menton. Il devait y avoir une salle d'entraînement attenante, ou une salle de spectacle non loin, dans la cour de l'immeuble peut-être, car, par une porte du fond, deux de ces hommes en tenue de sport sortirent en se tapant sur l'épaule. Bon, mon détective est un amateur de rings, pensa Dora, soudain très lasse. Je bois mon cocktail, et je rentre chez moi.

Tandis qu'elle sirotait un gin carotte assez bizarre, et consultait d'un air absorbé son petit agenda pour se donner une contenance, elle jetait de brefs coups d'œil vers l'homme, commençant à détester cet individu dont elle avait assez admiré le dos, depuis près d'une heure. De là où elle était, dans la salle, l'angle du miroir lui dérobait ses traits. Entre les bouteilles, elle ne voyait que son front jeune, un peu dégarni, et le départ des cheveux blonds et ternes, peignés en arrière. C'est alors qu'un nouveau venu entra, en manteau et gants de cuir noir. Il jeta un regard circulaire un peu absent qui l'effleura à peine, passa près d'elle et tandis qu'il accrochait lui aussi son vêtement à la patère, l'autre se retourna enfin. Enfin, elle vit sa tête, et fut si déçue qu'elle eut un petit gloussement. Visage mou, banal, et même vulgaire, longues joues poupines, une moustache fadasse et un léger strabisme, et il souriait en coin. Très fat, le sourire, satisfait. Seigneur, que ce garçon était laid ! Cependant c'était non à elle qu'il souriait, mais au nouveau venu, qui le rejoignait au bar, maintenant délesté de son gros manteau. Ce dernier était d'une tout autre espèce. Il avait la taille bien prise, et de l'élégance, un je ne sais quoi de raideur militaire, de quant-à-soi hautain, et le profil aigu d'un vautour, un peu inquiétant. Celui-là devait être moins facile à filer dans les rues que son acolyte. Bon, pensa-t-elle, posant des pièces sur la table, je vais les laisser papoter de boxe, de coups de poing directs du droit et du gauche, et rejoindre de ce pas mes pénates. Et ce disant *in petto*, elle se dirigeait droit vers les toilettes.

Quelques minutes, elle resta très immobile dans la petite cabine, en face du miroir, à se considérer sous la lampe. Sa mine allurée, petite dame de Paris délurée, son chapeau crâne et la dentelle à la mauresque qui lui faisait un bandeau mutin sur la bouche et le nez. Très fine mouche, très femme de l'ombre. A considérer le regard noir qui soutenait fixement le sien. A considérer ce que celle-ci allait faire tout de suite subrepticement, inconséquemment, mais irrésistiblement : glisser sa main dans les poches de ces gabardine et manteau de cuir, suspendus fort imprudemment à la patère, tout près du chambranle, et dont le volume même l'abritait de la salle. Ce qu'elle fit très vite, magnifiquement vite, par l'entrebâil de la porte à la largeur de son poignet, de sa petite main dégantée et sensible, sans un battement de cœur, sans sourciller ni rougir, et si vite elle trouvait à tâtons et retirait, preste, féline, elle ne savait trop quel butin qu'elle expédiait illico au fond de sa pochette, grâce à Dieu assez profonde, la mode le voulait ce printemps. Et elle ressortit toute droite, nonchalante et résolue, enfilant ses gants, naturelle, naturelle ! traversa la salle en concédant au passage un signe de tête négligent au garçon, qui l'ignorait, ignorée elle-même des deux individus en conversation au bar, et de tous les autres, se retrouva dans la rue sans savoir comme, et sauta dans le premier taxi.

Alors seulement, elle avait eu chaud, mais chaud, à en étouffer. Maintenant qu'elle était sauvée, sauvée ! La face brûlante, les mains moites. Un tremblement la secouait tout entière. Mais que lui était-il passé par la tête ? En ces quelques minutes, où elle n'était plus elle, mais une autre. Où une autre s'était emparée d'elle, déchaînée, endiablée, démoniaque. Epatante. Elle riait, nerveusement, mais elle riait, renversée au fond du taxi. Voilà bien un nouveau talent, que de faire les poches aux messieurs ! De les suivre dans la rue, et de les détrousser ! Quel plaisir malin avait-elle eu à se suivre elle-même, à s'écouter sans penser, à agir d'instinct, mue par cette force, cette volonté qui n'étaient plus les siennes ! Se pouvait-il que surgisse ainsi une part inconnue de vous, qui commande et vous entraîne sans débat ? Dans cet état, on accomplit des actes héroïques, ou des crimes de sang, des choses sublimes ou ignobles, c'est la même inconscience puérile, implacable, insensée. On ne s'appartient plus. Peut-être, modérait-elle, avait-elle seulement voulu se payer de la poursuite imbécile le long des rues, de cette filature inepte commencée, il lui semblait des heures plus tôt, à l'hôpital de la Salpêtrière, quand elle avait fait le premier pas sur les traces du Dr Galay. Dès ce premier pas, elle avait glissé, par dérapages successifs, hors de la réalité, hors du sens commun, comme si ce Dr Galay était doué pour vous attirer dans son sillage vers des rives inconnues, troublantes et dangereuses…

Mais non, le danger, elle l'était à elle-même. Au fond d'elle-même, il y avait une Dora, exilée et migrante, autrement que de Pologne ! Sous son visage un autre, qu'aucun miroir ne lui renvoyait. Au miroir, elle savait farder et composer ses traits. Mais ceux-ci recouvraient d'une infime pellicule, toute de laque et de vernis, d'autres traits, modelés selon une physique différente. Si soigneusement fabriqué qu'il fût, à l'usage des jours, son visage naturel habillait savamment un autre, qu'elle connaissait, mieux qu'elle ne se l'avouait. Elle avait porté les mains à ses joues, à ses paupières, à ses lèvres, les palpait avidement. On ne se voit pas, voilà. Sauf quand on soutient son propre regard, comme tout à l'heure dans le miroir des toilettes : alors on sait que c'est celui d'une vieille connaissance, qui vous défie, du fond des arcanes où elle campe.

Et ce n'était rien, dans le taxi. Ce fut bien pire lorsqu'elle se retrouva seule chez elle, la porte refermée, la clé tournée. Sans se défaire de son manteau, fiévreusement, honteusement, elle renversa sa pochette sur la table, et fit l'inventaire de ce qui était si vite passé des poches à son sac. De quelles poches, de la gabardine ou du manteau de cuir ? Un paquet de cigarettes vide, chiffonné, un sachet d'allumettes. Deux billets pour un combat de boxe, à Vincennes, le 18 mars. Dans deux jours. Une place coûtait donc la journée de travail d'un ouvrier... Une carte de restaurant, au mess du ministère de la Guerre, boulevard Saint-Germain. Tampon du mois de mars. Ce genre de laissez-passer ou d'abonnement anonyme qu'on se procure sur titre. Lequel ? L'homme à l'allure martiale, sans doute, vêtu en civil. Une petite boîte métallique, pas plus grosse qu'un porte-cigarettes, un peu plus épaisse. Sertie de caoutchouc gommé. Un stylo à plume d'argent, peste ! Une loupe miniature, élégante, féminine. Pour examiner des timbres, ou des bijoux ? Et des élastiques en pelote. Dora contemplait sa récolte, tout en déboutonnant lentement son manteau, dégrafant ses gants et dénouant sa voilette mauresque, qui tombaient à ses pieds en dépouilles, étreinte par une sorte de tristesse amère devant le dérisoire revenu de son larcin, ces objets dont elle ne voulait pas, qui en rien ne la payaient de son aventure du soir. D'intuition, elle attribuait à la gabardine cigarettes et élastiques, peut-être la loupe ; au cuir noir, raffiné, offensif, les autres, plus intéressants... Mais quels qu'ils fussent, détachés de ces corps d'hommes, des inconnus, un peu répugnants dans ce qu'ils avouaient, ou cachaient de leur intimité, de leurs pensées et de leurs desseins divergents, de leurs actions, de leurs désirs ou de leurs passions, ils avaient voisiné avec les accessoires de son sac, ses objets intimes, à elle, qui en étaient comme contaminés.

Elle eut un mouvement pour enfermer son butin dans un sac, afin de le jeter dès demain quelque part, de l'abandonner sur la voie publique, dans une poubelle. Pour s'en défaire, au plus vite. Mais une dernière curiosité la poussa à ouvrir la boîte métallique, dont la gomme se détacha sans trop de mal. Dans un écrin de coton, deux ampoules de verre étaient couchées. Cela miroitait faiblement. A travers le verre, on voyait une substance séreuse, jaunâtre, avec de très minuscules flocons brunâtres en suspension. Elle porta une ampoule devant la fenêtre pour l'examiner mieux, en transparence, la tenant entre deux doigts avec précaution. On aurait dit des brindilles de tabac, mais plus légers, translucides, et un peu frisés, tels des filaments délicats de safran. Une énigme matérielle, instable et résistante. Un instant, son attention fut captée par le rapport de ses doigts délicats, de ses ongles roses avec ce mélange aqueux, le contact dont la protégeait la seule mince paroi de verre, puis son regard s'égara au-delà, sur les toits bleu-gris de la ville qu'un dernier rayon touchait, faible et doux, sur les cheminées aux drôles de chapeaux en zinc... L'échappée familière, qu'elle aimait tant, l'emplit d'une nostalgie déchirante pour le temps enfui de ses débuts, de sa jeunesse, et c'était hier...

Soudain la fatigue l'envahit, une immense faiblesse rompit ses genoux. L'ampoule faillit glisser de ses doigts. Elle la rattrapa d'un geste machinal, un petit pincement au ventre, et la déposa soigneusement contre l'autre, sauve, dans sa boîte de métal. Stable. Sur la table. Dans le coton. Elle eut un vertige. D'horreur. Un pressentiment lui faisait voir dans ces deux ampoules une menace d'épouvante. Dans cette substance, une méchanceté à dresser les cheveux sur la tête. Elle les sentait se hérisser sur son crâne. Ce frisson horripilé dont tout homme, toute bête, a l'expérience rare, venu du ventre, de l'âme. Elle tomba, comme une poupée de chiffon sur le sofa, resta hagarde, jambes écartées, les bras coupés, devant la petite nature morte aux ampoules de verre.

XXXII

Au moment où, dans son appartement sous les toits, Dora, paralysée, les yeux dilatés d'une frayeur sans nom, contemplait les deux petites ampoules posées sur sa table, à l'autre bout de Paris, Chaussée-d'Antin, Gabrielle rentrait d'une épuisante journée de récréation enfantine. Millie, elle-même repue de plaisirs, s'était à moitié assoupie sur ses genoux, dans la voiture qui les ramenait à l'hôtel. Gilbert devait être tout aussi harassé, lui qui, obéissant au programme festif, avait passé son temps à les transporter d'un bout à l'autre de la ville, et à les attendre, sans perdre son flegme apparent. C'est que, depuis trois jours désœuvré, depuis que la grosse affaire de la grève avait éclaté là-bas, à la fabrique, assignant Madame à son domicile, son chauffeur s'était trouvé libre pour conduire Millie et son institutrice partout où leur bon vouloir, ou le caprice de M. Daniel, le commandait.

Gabrielle ne s'était résolue à cette journée que pour accéder au vœu pressant de celui-ci, à qui elle devait cette concession, à cause de la journée de la foire du Trône, gâchée par sa faute ; mais surtout pour Millie, que les longues journées dans le vaste hôtel de la Chaussée-d'Antin semblaient plonger dans un ennui d'autant plus désolant qu'elle ne le manifestait guère. Au contraire, Gabrielle était touchée de voir comme elle se conformait aux rituels de la maisonnée, à sa règle domestique tout entière au service de Mme Mathilde. Son lever, son déjeuner, son départ à son bureau, et l'après-midi sa sieste et son dîner, son coucher exigeaient maintien, ponctualité et discipline ; il fallait du silence pour son sommeil menacé, de la correction à table, dont les menus étaient composés pour elle, et surtout n'entraver en rien ses déplacements ou ses habitudes. Millie s'y conformait avec une grande docilité, une obéissance de tout instant, et à la voir aussi sage, résignée, Gabrielle souffrait que sa vie fût si étroitement contrainte, comparée aux libertés du Mesnil, et surtout d'imaginer, à travers sa soumission exemplaire, la vie qu'elle avait pu mener là, du temps où elle était entre les mains des bonnes, confinée dans sa chambre spacieuse de l'étage, solitaire parmi ses innombrables et luxueux joujoux, et dont elle ne descendait que sur ordre, quand on se souvenait de son existence. Par la démesure de ses pièces d'apparat, ses couloirs drapés, et ses chambres sans personne, son mobilier imposant et guindé, autant que par l'atmosphère feutrée dont s'entourait la vie monotone de la vieille dame, qui recevait peu et exécrait la compagnie bruyante, l'hôtel était un cadre inadapté à sa petite personne, on s'y sentait exilé en un territoire hostile à toute enfance, peu à peu pénétré de cette tristesse insidieuse qui est comme l'antichambre du cimetière.

Millie n'endurait d'être là que parce que Gabrielle y était, et qu'il s'agissait d'un séjour provisoire, avec la promesse bientôt de s'en retourner à la campagne, chaque jour rapprochant l'échéance, maintenant que sa dent était soignée. En réalité, c'était une dent de lait qui ne se décidait pas à tomber, qu'il avait suffi d'arracher pour la guérir ! Et la bonne affaire avait été que, Gabrielle lui conseillant de la déposer sous son oreiller, une souris fée était venue la subtiliser dans son sommeil, contre un sifflet en sucre d'orge. Aucune de ses deux autres dents tombées n'avait obtenu ce prodige, personne n'ayant pensé à lui en enseigner le tour, et Millie, qui commençait à douter quelque peu du pouvoir des fées, avait feint d'y croire pour rattraper le temps perdu, s'enquérant de combien de dents encore elle pouvait espérer des cadeaux. Hormis la journée à la foire, plus pénible que joyeuse, ç'avait été le seul rayon de soleil, et ces derniers jours, l'atmosphère s'était alourdie par la présence de Mme Mathilde à qui son directeur enjoignait de s'absenter par principe de l'usine, de n'y pas paraître tant que la situation n'aurait pas évolué, autant pour marquer auprès des grévistes un éloignement de rigueur que pour éviter tout débordement, et s'il se souciait par là d'épargner sa personne, il préférait surtout garder les coudées franches, affronter seul l'épreuve.

Sa belle détermination satisfaisait Mme Mathilde. Elle la soulageait surtout, parce que, bien qu'elle en eût protesté, elle avait vacillé, elle avait perdu pied. Elle s'était finalement ralliée à son conseil, convaincue par ses bonnes raisons, mais aussi parce que, elle se l'avouait mal, le désordre majeur qui attentait à l'œuvre de sa vie l'entamait plus qu'elle ne l'aurait cru. Elle avait beau faire front, adhérer à la stratégie du jeune Lewenthal, et s'en remettre à lui pour conduire ce qu'il appelait *la négociation*, le coup porté l'avait ébranlée. Négocie-t-on, en temps de guerre ? Les armées se déplacent, la guerre de mouvement met les forces en présence ; qui recule ou avance, qui bat en retraite, qui conquiert du terrain, par surprise et par violence : voilà comment se décident les batailles, et les victoires. C'était la vieille loi militaire, la démonstration de force du plus rapide, du plus mobile, du plus armé. Offensive et agressive, et non cette guerre de positions, que préconisait Lewenthal, où l'on observe l'ennemi de sa tranchée, où l'on spécule sur ses intentions. Cette guerre d'attente et d'usure ne correspondait pour elle à rien de connu. En 1870, son père avait ainsi estimé que la défaite de Sedan, l'encerclement et le massacre tragique dans la cuvette ardennaise, toute l'armée acculée, prise au piège dans la ville, et sa reddition ignominieuse, étaient certes dus à la bêtise, l'impéritie, la lâcheté des généraux, à l'incompétence de l'empereur, mais certainement davantage à la loi d'airain du plus fort. Les Prussiens étaient les plus forts, c'était simple. Il ne criait pas trop haut ce constat antipatriotique, mais restait convaincu qu'il y avait justice à la défaite française. Et les désordres de la Commune lui avaient donné raison. Le peuple avait perdu ses chefs, le respect de l'ordre et de l'autorité, on tombait dans l'anarchie, l'insurrection criminelle, aussi avait-il salué la répression de la Semaine sanglante de mai 1871 comme un sursaut salubre.

Elle ne pouvait s'empêcher de sentir, dans cet affront de la grève, une sorte de sanction paternelle pour son impréparation à la crise. Elle avait failli. N'avait pas vu venir, pas assez armé son bras, contre la révolte prévisible de ses ateliers. Vieillissait-elle donc tant qu'elle se trouvait aujourd'hui en faute, comme une coupable, esseulée au milieu d'un champ de bataille noyé de brouillard, sans plus rien voir de l'ennemi, d'où viendraient les coups, d'où tonnerait le canon ? Obligée de s'en remettre à ce jeune chevalier d'industrie, jailli du brouillard en question, tacticien mathématicien, rompu aux armes nouvelles. Elle aimait mieux, en effet, éviter d'aller quai de la Gare, de se trouver dans le grand bureau directorial, sous le tableau en pied de son père, et de subir la réprobation malheureuse de son regard, la sentir peser sur ses épaules. Où qu'elle soit dans ce bureau, ces yeux la suivaient. Par quel maléfice du peintre avaient-ils cette mobilité immobile, qui la torturait ? Et même loin de ces yeux, elle souffrait. Elle traînait comme une âme en peine dans son bel hôtel, malcontente, irritée d'un rien, avec des impatiences lui courant le long des bras, une pointe lancinante au côté, et cet essoufflement de toute heure que rien ne soulageait, ni les stations prudentes dans son fauteuil du salon, où elle s'obligeait à lire la presse, qu'elle lisait si peu d'ordinaire, ni ses siestes prolongées dans les coussins de son lit, ni surtout le lent, lent endormissement de ses nuits, ses invincibles insomnies.

Au moins, il y avait, pour la distraire, la présence providentielle de Mlle Demachy qui, depuis deux soirs, lui faisait complaisamment la lecture. Mme Mathilde se moquait bien de la lecture des *Mémoires* de M. de Saint-Simon, même s'il elle y avait eu autrefois du plaisir, un des rares ouvrages de littérateurs auquel elle trouvât intérêt, pour sa méchanceté, son esprit caustique et sa lucidité féroce. Mme Mathilde, qui n'en supportait aucune, voulait seulement la compagnie de Gabrielle, et si cet accaparement contrecarrait les projets de l'institutrice, impatientait Millie, livrée à elle-même, étonnait les domestiques, elle s'en contrefichait : elle était maîtresse chez elle. Il émanait de cette jeune fille quelque chose de plus vaste que l'attrait d'une expérience ou une qualité d'être, si rares à son âge. Elle avait, sous ses manières de bonne éducation, sa retenue et son humeur égale, une identité puissante, affranchie des conformismes de son sexe, et peut-être de la morale étriquée qu'on croit naturelle aux femmes ; une sorte d'indépendance ombrageuse prête à se manifester, mais domptée, et canalisée, témoignant qu'elle était connue, et cultivée. Cela lui faisait une ombre accompagnatrice dont l'aura pouvait vous toucher, comme le rayonnement d'une pierre dont on ne sait d'où elle sourd, et qui est son eau, son essence visible et cependant mystérieuse, tant elle concentre une opaque vérité.

Avec une certaine jouissance, Mme Mathilde expérimentait le bienfait de sa compagnie, écoutait sa voix, examinait, sans dissimuler sa curiosité, avec cette brutalité qu'elle appliquait à tout rapport humain, la physionomie de sa lectrice dont les paupières baissées ombraient la joue, et lui dérobaient opportunément le regard. Ainsi, elle pouvait tout à loisir détailler ses traits, sa taille et son air, comme si celle-ci fût statufiée devant elle ou endormie par un enchantement, et que, hormis ses rares et brefs mouvements, comme de tourner la page, ou de rajuster le livre sur ses genoux, elle se retirât dans cette immobilité magique de la lecture uniquement pour lui concéder le droit de l'observer. Avec une sorte d'irritation amusée, Mme Mathilde combattait cette impression, cherchait un défaut à cette surface irréprochable, l'accident pelliculaire, la faille ou le travers discret qui la trahiraient en dénonçant un déficit. Mais comme on s'émerveille de ne déceler aucune tare à l'ingénieux mécanisme de l'horloger, elle se félicitait de ne trouver aucune raison pour dégrader son objet, justifier une défaveur, ou contrarier sa jubilation secrète d'avoir recruté cette perle. Non qu'elle s'imaginât que cette fille fût parfaite, grand Dieu ! La seule lecture de Saint-Simon, qu'elle écoutait fort opportunément, vous apprenait quels ressorts secrets animent les créatures, quelles passions les meuvent et pervertissent leurs actions, ou les subliment. Elle admirait seulement l'apparence de Gabrielle Demachy, confinant à l'impertinence, en quoi elle estimait qu'elle était d'une belle force de caractère. Cela lui suffisait, la contentait extrêmement. Rien de plus détestable que la transparence, que la débilité de ces êtres qui promènent, affichés en toutes lettres sur leur front, les motifs de leur comportement et leur faiblesse d'âme, qui étalent leurs tripes et boyaux sur la place publique. Voilà qui la consolait de ses graves soucis, qui la divertissait et l'apaisait. Et elle s'endormait presque, somnolait vaguement à la lecture, ne dormait que d'un œil, évidemment, mais c'était un bien agréable moment.

Ce soir-là, elle attendait impatiemment le retour de Gabrielle, justement, pour sa lecture d'avant le dîner, quand Blanche se fit annoncer. C'était un crépuscule que le beau temps tiédissait, comme une promesse du printemps. La lumière encore vive déclinait, tombant des hautes croisées et Mme Mathilde, descendue vers cinq heures de sa sieste laborieuse, trouvant que Gabrielle et Millie tardaient beaucoup à rentrer, s'était mise en devoir de trier quelques vieilles correspondances, et maintenant, en guise d'apéritif, savourait un café noir, calée dans sa chauffeuse, avec près d'elle, sur le guéridon, les journaux du matin, qu'elle n'avait pas encore ouverts. L'entrée de Blanche, non seulement dérangeait son programme de la soirée, mais elle lui supposa un calcul, informée qu'elle devait être de la grève. Ou par Fleurier, qui s'était enquis aimablement au téléphone de la situation, offrant son conseil, et ses services, lui qui sortait d'une semblable épreuve de force aux usines Renault. Ou bien par la presse, qui s'était fait un malin plaisir d'annoncer l'événement, avec même, dans *Le Matin*, une photo où l'on voyait les ouvriers alignés en rang d'oignons, la mine grave devant les murs couverts d'affiches, brandissant sur le ventre les calicots de leurs revendications : A bas les machines ! Les huit heures pour tous ! D'avance, Mme Mathilde s'interdit d'aborder le sujet avec sa fille, dont, non seulement elle n'attendait aucune idée valable sur la question, mais qu'elle soupçonnait de venir chercher quelque satisfaction personnelle au spectacle de sa déconfiture. Blanche ne lui avait pas pardonné sa rigueur, lors de la déplorable histoire du cambriolage, l'engagement forcé de Didier, au mépris de toute solidarité familiale, à défaut de compassion grand-maternelle. Du moins, elle imaginait sa rancune rampante, car celle-ci, depuis janvier, n'avait pas remis les pieds à la Chaussée-d'Antin, ni donné de ses nouvelles, et Mme Mathilde n'aurait pas eu la bonne et diligente Manon pour la renseigner, elle aurait ignoré les désordres de santé de Blanche, par lesquels celle-ci manifestait le choc de ce départ.

Migraines, vertiges et palpitations, et toute cette sorte de vapeurs qui sont l'attirail ordinaire des femmes ordinaires. Déjà, jeune fille, Blanche ne savait que s'alanguir sur les sofas, porter une main molle à son front et gémir dès que se présentait le moindre désagrément, réclamer les sels, par quelque scénario puéril appris au pensionnat, ou dans les romans. La peste de ces feuilletons sentimentaux ! A son âge, Blanche n'avait toujours rien inventé de nouveau, s'entêtait à ce théâtre des malaises féminins pour émouvoir son monde. Hystérie, disait un médecin, un certain Dr Charcot, rendu célèbre par ce terme, qui plaisait bien à Mme Mathilde, par le bruit qu'il faisait : il y avait de quoi rire, rien qu'à l'entendre. Quant à émouvoir, ni elle, sa mère, ni son mari, ni même Didier ne s'y laissaient prendre. Car, aux dernières nouvelles, il paraissait que Didier battait froid sa mère ! Qu'il n'écrivait qu'une fois par semaine, et des cartes postales, d'un laconisme frisant l'insolence : des vues de la ville, ses ponts sur la Saône et le Rhône, ses quais, sa cathédrale, sa gare ! *Bon souvenir de Lyon. Meilleures pensées de Lyon. Le bon salut de Lyon. Sincères salutations de Lyon...* signé : *deuxième classe Fleurier 5e régiment d'infanterie.* Cela s'égrenait dans ce style. Manon les avait lues en cachette, elle pouvait témoigner. Et aussi que Blanche accablait son fils de lettres interminables en retour, mouillées de ses larmes, comme le font les donzelles énamourées...

Mme Mathide savait tout cela. Aussi l'apparition de Blanche, en superbe robe grenat surpiquée de dentelles noires, sous le mantelet d'astrakan, avec un chapeau orné de groseilles et de framboises en perles de verre, la fit se tenir sur ses gardes. Mais Blanche, à peine dégantée et déchapeautée, s'affala sur le sofa, très excitée par la nouvelle toute fraîche qu'elle apportait d'un scandale arrivé, dans l'heure : Mme Caillaux avait tiré des coups de revolver sur Gaston Calmette, le directeur du *Figaro* ! Elle l'avait tué ! Emporté en voiture ambulance à la maison de santé du Pr Hartmann, à Neuilly, il était déjà agonisant sur la civière, déjà mort avant d'arriver, peut-être. Mme Caillaux, la femme du ministre des Finances, une meurtrière !

— Tout Paris en est bouleversé ! Il paraît qu'elle s'est présentée rue Drouot, portée par l'automobile du ministère, et conduite par son chauffeur avec la cocarde au revers ! Elle a demandé à être reçue par M. Calmette, sans donner son nom, dit-on. On la fait patienter, car il est encore sorti. Elle attend, dans un petit salon, plus d'une heure. Elle cachait son revolver dans son manchon : elle préméditait son geste, évidemment. Elle a eu tout le temps de préparer son coup ! Car pensez qu'elle a été, tout ce temps-là, en compagnie de la photo du roi de Grèce, assassiné il y a un an à peine ! Et comme elle allait manquer Calmette, qui repartait avec Paul Bourget, elle fait passer sa carte. Il la reçoit : elle tire, à bout portant. En pleine poitrine ! Tous accourent à la détonation : les coursiers, le personnel, les rédacteurs du journal, mais, dans la bousculade, elle garde un calme absolu, se laisse désarmer. Les gardiens de la paix la conduisent au poste et, seulement au commissaire Carpin, elle décline son identité, que personne encore n'avait entendue : Je m'appelle Henriette Rainouard, femme divorcée de M. Léo Claretie, épouse de M. Caillaux, ministre des Finances. Il n'y a plus de justice : seul le revolver peut arrêter cette campagne, a-t-elle déclaré !

— Quelle femme ! Calmette est donc mort ?

— Il l'est, assurément. J'arrive de là-bas. J'étais dans le quartier pour voir mon médecin et, en sortant, j'ai trouvé un rassemblement dans la rue, une effervescence incroyable : des voitures de police, des agents ! Le bruit courait déjà d'un drame abominable. C'était à n'y rien comprendre. On parlait d'attentat anarchiste, d'un complot politique. J'ai pu voir sortir Mme Caillaux, comme on l'emmenait. Tout à fait femme du monde, comme si elle partait au théâtre. Un peu pâle, mais très digne, très chic. On se demandait si ce n'était pas une formidable erreur sur la personne, tant elle dénotait, parmi tous ces gens survoltés ! J'ai tout appris, enfin, d'un jeune journaliste du *Figaro*, qui a soutenu Edmond par de bons articles, pendant la grève de Billancourt. Il m'a reconnue, et m'a tout raconté, les détails affreux qu'il venait d'avoir en direct, par les témoins eux-mêmes. Le sang répandu, le désordre du bureau...

— Cela semble t'émoustiller, ma fille...

— Ah ! Comme vous en parlez ! J'avoue que cette femme m'a impressionnée. D'un calme, d'une sérénité ! C'est ainsi que les grands criminels montent à l'échafaud, dit-on. Emile Henry avait l'air d'un Christ, avec son air fou, sa face affreusement pâle semée de poils rouges, implacable. D'un regard circulaire, il a regardé autour et, dans un rictus, il a crié, d'une voix rauque : Courage, camarades ! Vive l'anarchie !

— Tu y étais, dirait-on !

— A l'époque, j'ai lu l'article de Clemenceau, dans *La Justice*. Et celui de Maurice Barrès, dans *Le Journal*. Je crois bien que j'ai gardé ces coupures. Je ne suis pas sûre que Bonnot, Carrouy et Garnier se soient aussi bien comportés, l'an dernier. Mais j'ai pensé à eux en voyant cette femme, que son fanatisme transportait au-dessus du commun. Elle m'a donné un frisson de peur, je vous assure.

— Cela n'a rien à voir, Blanche ! Mme Caillaux n'est pas une anarchiste.

— Elle se sert d'une arme d'apache !

— Les apaches, maintenant ! Quelle confusion ! Les apaches jouent du couteau, du surin, pas du revolver. Ils tranchent les gorges derrière les palissades des terrains vagues. Et ne confonds pas ces voyous de barrières, qui se fichent de changer la société, avec la bande à Bonnot, toute la clique des anarchistes révolutionnaires antimilitaristes qui veulent abolir l'ordre et la hiérarchie, qui réclament la mort du bourgeois, et même de la classe ouvrière, parce que, par son allégeance et sa soumission, elle est l'alliée des patrons ! Oui ma chère, l'alliée des patrons. C'est ce que je suis en train d'apprendre, avec nos ateliers en grève, conclut-elle, contente de son ironie, et de devancer Blanche sur ce terrain sensible.

Mme Mathilde étalait sa science toute neuve, récemment instruite par Lewenthal, qui y était allé d'un petit exposé politique, pour sa gouverne. Elle n'aurait guère continué dans l'analyse, pas très sûre de distinguer les anarchosyndicalistes des radicaux illégalistes, qui revendiquent le droit au vol, au cambriolage, ni en quoi l'ouvrier était l'ennemi de la révolution, et le bon ami des patrons, aussi revint-elle à l'affaire sensationnelle.

— Le revolver est une arme de femme moderne, très bien adaptée, dit-elle d'un air songeur. Cette femme en avait par-dessus la tête des insanités répandues sur elle et sur son mari. Elle est allée se venger, par le plus simple moyen, le plus direct, le plus propre.

— Mais, ma mère !... M. Calmette est mort !

— Ah ouiche ! Qu'allait-il fouiller dans les tiroirs, imprimer des lettres privées, étaler devant le monde les secrets d'alcôve ? Où allons-nous, si nos affaires familiales, et conjugales, sont la proie de ces aigrefins, qui ne reculent devant aucun moyen pour démoraliser la famille, et toute la société avec ! Ils valent bien les coquins dont tu parles ! Cette femme a bien agi. J'aurais fait comme elle !

— C'est monstrueux ! Vous perdez le sens commun !

— Ah mais ! Je ne me pâme pas, moi, devant les Christs montant à la guillotine ! Je ne vais pas me rincer l'œil avec la beauté tragique des assassins ! Chacun son dû. Calmette a eu ce qu'il méritait, en bonne justice, l'ordure.

Gabrielle entrait dans le salon à l'instant, menant Millie, moitié endormie, embrasser sa grand-mère avant de monter avec sa bonne. Elle entendit la sortie de Mme Mathilde et resta sur le seuil, interdite.

— Vous voilà, ma chère. Entrez ! Savez-vous la dernière nouvelle ? Une femme de ministre a tué un directeur de journal, et ma fille s'en étouffe d'indignation.

Elle avait tendu le front de biais à la petite, sans lui jeter un regard, comme si elle était un animal familier, et Gabrielle, sentant l'orage, s'empressa de pousser Millie vers la sortie, prête à se retirer elle-même.

— Ta ta ta ! s'écria la vieille dame, très en forme. Venez donc là. J'ai bien besoin d'un chapitre de Saint-Simon, tout de suite, pour me remettre de ces sottises. Et toi, Blanche ? Tu n'es pas venue uniquement pour me raconter ce fait divers croustillant, non ? Quel vent t'amène ?

Et elle se penchait dangereusement vers sa fille, avec un sourire si méprisant que celle-ci, blême, se leva comme un ressort, dressée par le ton insultant, du geste accrocha avec sa robe le plateau posé sur le guéridon et renversa violemment le pot de café, le sucrier en porcelaine, la petite cuillère de vermeil, et le bol de faïence rose ; qui roula d'abord avec une étrange lenteur jusqu'au marbre de la cheminée ; contre lequel il se brisa, net. Le silence qui suivit fut foudroyant. Immobilisée dans son mouvement, Blanche se transforma en statue de sel. Gabrielle porta les mains à sa bouche, sans trouver un cri. Mais c'était Mme Mathilde, surtout, qui offrait le spectacle le plus étonnant. Restée encore penchée, son sourire de mépris figé sur les lèvres, elle contemplait, à deux pas d'elle, les morceaux de son bol brisé comme si la pensée ne lui en venait pas au cerveau, errait longuement dans un obscur dédale mental, hésitait dans des impasses, et l'on voyait presque sur son visage la progression de la chose impensable que chacune avait déjà réalisée, et qu'elle ne trouvait toujours pas, avec cette expression incertaine et pathétique de ceux qu'une horrible nouvelle concerne, et qui ne l'ont pas encore apprise. Elle ouvrit soudain une bouche de poisson hors de l'eau, happa l'air avec une avidité de nouveau-né, et se rejeta en arrière, d'un coup de reins, emportant cette fois dans sa chute guéridon et journaux, éparpillant la boîte de vieilles lettres et ses bésicles sur le plancher.

627

La suite fut assez confuse, comme si, succédant à ce suspens de stupeur, le temps précipitait sa course, rattrapait son retard d'une secousse. Blanche, revenue à elle, s'arrachait d'un bond au spectacle et sortait, appelant à l'aide, emplissant la maison de ses hurlements stridents, tandis que Gabrielle, encore encombrée de ses vêtements de ville, s'élançait au secours de la vieille dame arquée en travers du fauteuil, tentait en vain de la soutenir, de dégrafer son corsage, soulevait sa tête renversée à deux mains sans parvenir à la redresser, éperdue de voir ce masque livide, aux yeux blancs rétractés sous les paupières, ce filet de salive gluant glissant des lèvres exsangues. Mais déjà on accourait des étages, du sous-sol, déjà Blanche revenait, tirant de son sac un flacon de sels qu'elle pressait sous le nez de sa mère, et comme toute la maisonnée affluait, Gabrielle recula, resta parmi ceux qui se tenaient au bord du théâtre, tétanisés par la scène.

— Appelez son médecin, ordonnait Blanche, soudain très maîtresse d'elle-même. Le Dr Pluton. Allongez-la par terre. Un coussin sous sa tête. Ecartez-vous ! Laissez-lui de l'air. Appelez mon frère. Cherchez des linges, voilà qu'elle vomit, mon Dieu !

Gabrielle recula encore, se trouva dans le vestibule, au moment où Millie descendait en jupon, ébahie, échappée de la salle de toilette moitié dévêtue, avec sa bonne, pour voir quel événement valait ces cris et cet affolement. D'autorité, elle l'emporta, remonta avec elle.

— Grand-mère a eu un accident. Elle est malade, dit-elle d'une voix égale, étonnée de son grand calme.

Mais tandis qu'elle assistait la bonne pour achever la toilette de nuit de Millie, accomplissant machinalement les gestes, elle revoyait, dans un ralenti hallucinant, la course du bol, sa propulsion autonome, comme mue d'une énergie libre, comète s'acheminant à travers l'espace, qui semblait démesuré, vers sa destination fatale, que dans sa vision il ne finissait pas d'atteindre, on eût dit par une sorte de complaisance à cheminer, à déployer sa trajectoire logique et enfin éclatant à vitesse lente, les morceaux propulsés dans l'air en gerbe somptueuse, avant de rebondir sans fin parmi les éclats minuscules de faïence, étincelles brillantes, poudre d'étoiles… Millie posait des questions, peu émue, comme les enfants, des accidents qui surviennent aux adultes, mais curieuse d'en savoir le détail, si grand-mère avait mal ; si elle saignait de sa tête, comme Gabrielle, tombée du cheval ; si elle aurait un pansement et des médicaments, ou si elle mourrait.

— Mourir ! s'écriait la bonne. Dieu garde, mademoiselle !

— On va la soigner bientôt, disait Gabrielle, la tête ailleurs.

Elle expédia la bonne aux nouvelles. Des bruits montaient d'en bas, claquements de portes et courses diverses, mais ce n'était plus la grande agitation de tout à l'heure. Elle sécha les cheveux de Millie, enturbannée d'une serviette éponge. Puis elle lui fit la lecture d'un recueil d'Andersen. Elle lisait de manière automate, sans prêter aucune attention au conte dont Millie raffolait, celui de l'empereur qui parade nu, par orgueil et crédulité, et qu'un enfant ignorant du mensonge tire de son aveuglement. Et tandis qu'une part d'elle-même articulait, de manière dissidente elle s'échappait en pensée, meurtrie par cette journée interminable à la poursuite des plaisirs, poursuivie par Daniel, poursuivie par ses hantises, dont la course haletante s'achevait dans la lente explosion du bol de faïence rose...

Cela avait commencé par le Carré Marigny, au castelet de Guignol, où affluaient les enfants installés sur les petits bancs, tandis que les adultes restaient debout, à l'écart. La marionnette en jaquette et gilet, avec son éternel sourire, son bicorne ciré et sa queue de cheveux tressée, bastonnait copieusement le gendarme idiot, en compagnie de l'ami Gnafron, l'ahuri au nez vermillon, sa bouteille de vin sous le bras, et de Madelon, la mégère jacasse en fichu et robe fleurie, qui y allait aussi, armée de sa poêle à frire et de ses jurons, sous les rires jusqu'à ce que le diable rouge horrifique intervienne, dans le dos de Guignol, chacune de ses apparitions faisant alors trépigner et hurler les petits, qui s'égosillaient pour le prévenir, riant trop fort, et pleurant pour certains, d'autres pétrifiés de terreur. Millie gardait son quant-à-soi, examinant sérieusement autour d'elle la réaction des petits enfants pour y accorder la sienne, plus captivée par les variations de leur expression que par ce qui se passait là-haut, dans la fenêtre du castelet, et s'ils riaient, elle voulait bien rire ; s'ils pleuraient, elle calquait sa mine consternée sur la leur, s'initiant à la comédie qu'on se joue à soi-même pour être admis au théâtre du monde.

— Elle a compris les ficelles et les rouages... Et vous ? chuchotait Daniel, debout derrière Gabrielle.

Elle s'amusait de savoir s'il était, dans son dos, semblable à ce diable rouge, et qui la préviendrait de sa menace, par des cris et des trépignements ? Car elle sentait, à la chaleur qui se propageait à ses épaules et sa nuque, qu'il était un peu plus près qu'il n'était nécessaire, un peu trop empressé, et lui soupçonnait, derrière son visage franc et ouvert, son regard brillant de malice, un peu trop enjoué, presque fiévreux, quelque autre face de Janus. Pas très redoutable, sans doute... Pas plus que celle de la marionnette qui arrachait des cris aux enfants. Car il était bien enfant de se conduire ainsi, de sacrifier sa journée, comme l'autre jour, à des divertissements puérils, à courir la ville pour amuser Millie, à déployer cet excès d'attentions, et inventer mille tours, soi-disant pour sa nièce. Il était bien enfant de si mal déguiser son dessein, et assez touchant, par cette espèce d'innocence bravement assumée, dont le semblant n'était que pour habiller un désir dont il la chauffait, par jeu, inquiet de son effet et prêt à l'exacerber en n'importe quelle folie. Ce qu'elle devinait, de plus en plus, en feignant de s'y prêter, alors qu'elle ne le suivait que par un effort, pour complaire à la petite fille, pour s'acquitter de sa dette envers lui.

Ensuite, tandis que Millie faisait un tour à dos d'âne, mené du licol par un vieux bonhomme malodorant, qui embaumait le crottin autant que ses bêtes, il l'avait entraînée sous les arbres frissonnants de leurs premières feuilles et qui filtraient des pastilles de soleil sur leurs visages. Alors il lui avait fait la cour, très drôle, avec une verve étincelante, moquant, pour la provoquer, sa sagesse de jeune fille sortie du couvent, énumérant ses vertus et ses talents comme s'il fût un maître d'école très sévère, lui décernant les prix d'excellence, les seconds, et les accessits, et les blâmes, pour son manque d'assiduité aux rendez-vous, pour son dédain cruel. Quelle punition lui infliger, qui la ferait bien souffrir ? Quel gage lui donner, qui l'embarrasserait pour de bon, et le paierait de ses chagrins ?

La marchande de bonbons passait, alors il lui acheta une brassée de cornets, des pralines, des berlingots, des réglisses, et à une fillette pauvre qui suivait, un bouquet de fleurs en papier ravissantes, frisottées dans le crépon et montées sur des tiges de laiton enrubanné ; puis un moulinet aux ailes de papier huilé à gros pois rouges qu'il faisait tourner pour elle, lui faisant observer que, par un effet optique, la vitesse empêchait de voir le rouge et qu'on n'y voyait plus que du blanc. Voyez-vous au-delà des apparences, Gabrielle ? Et puis, au marchand de mouron il acheta du mouron, à la baraque des fantaisies des lacets de soie, des crayons Caran d'Ache, riant de sa prodigalité absurde. Aussi, Millie les retrouvant, s'enchantat-elle de cet oncle farceur, encombré de tous ces cadeaux saugrenus. Il venait juste de dénicher un godet de savon et de la paille, soufflait des bulles énormes que la brise dispersait, emportait par-dessus leur tête en panache irisé de toutes les couleurs de l'arc-en-ciel et comme Millie voulait s'initier avec lui à ce prodige, il mit un genou au sol et la prit par la taille, lui enseigna l'art de la paille avec une gentillesse déconcertante. Cependant, tandis que la petite fille s'évertuait à souffler, il levait vers Gabrielle un regard véhément, si grave et enveloppant qu'elle ne put le soutenir.

Ils avaient déjeuné au bois de Boulogne, une dînette de gaufres mangées au bout des doigts, tout en marchant dans les allées où passaient les vélocyclistes, avant de se rendre au studio proche, comme convenu, où les attendait une autre merveille. Daniel avait donné des ordres, car la dame en tailleur gris qui les accueillit avait préparé, dans une petite salle obscure, les appareils de sa collection privée, récupérée dans les théâtres d'ombres tombés en désuétude, des lanternes magiques aux noms fabuleux. Un phénakistiscope percé de petites ouvertures par lesquelles on voyait, dans un miroir, le disque couvert de figures peintes s'animer, dans la rotation, d'un mouvement propre ; un zootrope à rotation horizontale, dont le disque est remplacé par un tambour de métal, et dont le cylindre, actionné à la main, faisait défiler des sujets tressautant, un cheval au galop, un envol d'oies sauvages ; et encore deux praxinoscopes de Reynaud l'enchanteur, dont le prisme à douze pans de miroirs engendrait une image virtuelle au centre de son cercle, un petit être automate, sauteuse à la corde, acrobate, jongleur, danseuse sur ses pointes, plongeur en maillot, surgi dans la luminosité stable de l'espace, avec une fluidité de mouvement qui tenait de la sorcellerie pure, parce que certains étaient animés jusqu'à froncer les sourcils, battre des paupières ou sourire, leur mimique se répétant par intermittence au gré des gesticulations. Et par l'effet des lentilles, des loupes, la figurine devenait cristalline, poudrée de reflets soyeux sur les fonds de décor pastel d'un miroir sans tain, jardins à frondaisons, rues nocturnes et bords de mer. Millie allait de l'un à l'autre, collant son œil écarquillé aux fentes, médusée par ces mirifiques théâtres d'ombre et de lumière dont le clignotement chatoyant l'éblouissait, l'épuisait de leur dispendieuse féerie.

— Des propriétés des impressions produites par la lumière sur l'organe de la vue... chuchotait Daniel, en confidence. Si plusieurs objets, différant graduellement entre eux de forme et de position, se montrent successivement devant l'œil pendant des intervalles de temps très courts, et suffisamment rapprochés, les impressions successives produites sur la rétine se lient entre elles sans se confondre, et l'on croit voir un objet changeant graduellement de forme et de position. Court-circuit magnifique entre ce qui persiste sur notre rétine, et l'inertie du cerveau à enregistrer les phénomènes visuels en temps réel. Désynchronisation de nos organes, et synchronisation illusionniste de nos sens. C'est la préhistoire du cinématographe. Gabrielle. Ah !

quelles drôles de machines nous sommes ! Quels fabuleux instruments de fiction ! Et nous vivons de ces rêves, nous en avons besoin, au-delà de toute raison…

Il l'avait attirée dans l'obscurité loin de Millie, la tenant fermement au coude ; à travers l'étoffe de sa robe, cette main la brûlait. Il parlait près de son oreille, son souffle pénétrait le labyrinthe sensible du pavillon auriculaire, y déposait la liquide vibration de sa voix, méconnaissable.

— Nous avons tellement besoin d'histoires, de croire en nos histoires, qui sont plus vraies que la réalité. Parce que la réalité ne tient debout, elle n'est vivable que si nous lui inventons une beauté. Bâtisseurs d'histoires, à nous en déchirer le cœur. Je vous aime, je vous aime, Gabrielle. Partez avec moi. Je ferai de vous une reine.

Il se tenait derrière elle et avait embrassé sa taille, enfoui son front dans le creux de son cou, respirant le parfum enivrant de sa peau, cambré de désir et n'osant approcher davantage de peur de se trahir tout à fait.

— Oh ! Ne dites rien, chérie !

Au comble du malaise, elle fléchissait, étourdie de fatigue, ou d'une ébriété artificielle qui faisait s'alanguir tout son corps dans cette étreinte volée et lui, trouvait à cette caresse une amertume déchirante, comme de comprendre soudain qu'il n'avait jamais tenu dans ses bras, et manié, que des enveloppes de pauvres mannequins, quand celle-là, cette femme, contenait un monde plein, sa chair une densité de substance captive touchant à l'infini par toutes ses propriétés, inaccessible, impénétrable. L'Eve future qu'il voulait, dont il savait dans l'instant qu'il ne l'aurait pas, parce qu'elle détachait doucement ses bras, ses mains, glissait hors de l'enveloppement amoureux de sa poitrine, cherchant la lueur des lanternes loin de lui, le souffle court.

— Je vous en prie, mendia-t-il, resté dans l'ombre. Donnez-moi une chance…

Que cette scène dérobée eût pu avoir pour témoin l'enfant, et la dame en tailleur, si dans l'ombre elles en avaient perçu la nature, empourprait son visage davantage encore que la déclaration imprévue. Moins imprévue qu'elle ne se l'avouait, sentant monter depuis le matin cet instant périlleux ; mais elle s'était tant persuadée, par cette mauvaise foi qui conjure ce qu'on veut ignorer, qu'il ne tenterait rien, que tant qu'elle ne se laisserait pas séparer de Millie, son bouclier, sa sauvegarde, rien n'aurait lieu d'irréparable, et qu'il eût osé s'affranchir de cet obstacle, trouver l'instant favorable au risque de les découvrir ensemble, portait son trouble au plus haut point. Car elle devinait encore que, s'il avait employé justement ce moyen pour donner à son aveu une précarité telle qu'il s'épargnait un véritable tête-à-tête, et à elle l'embarras d'une réponse, c'est qu'il était peut-être moins assuré de lui et d'elle qu'il ne le semblait, et que ce qui pouvait passer pour une brutalité ou une grossièreté était en fait une timidité à se déclarer ouvertement, une manière de se garder d'un démenti, de ne pas compromettre définitivement la chance qu'il mendiait si humblement. Aussi n'avait-elle pas trouvé le courage, ni cherché l'occasion, de lui signifier son désaveu, de décevoir son attente, et l'avait-elle quitté sans qu'ils eussent un autre aparté, le cœur étreint de tristesse. Comme elles montaient dans la voiture où Gilbert attendait, impassible, il avait seulement serré sa main gantée, l'avait longuement retenue dans sa paume en amusant Millie de ses compliments facétieux, et elles étaient rentrées.

Aussi Gabrielle avait-elle beau s'appliquer au conte d'Andersen, à en faire une lecture correcte pour distraire Millie, elle repassait en pensée cette journée épuisante, tendait l'oreille aux bruits de la maison, jusqu'à ce que la bonne remontât avec un plateau de bouillon et de croquettes au fromage.

— Je ne veux pas, dit Millie, cramponnée à son livre.

Au Mesnil, elle avait oublié cette formule, qui lui revenait machinalement, pour manifester son ennui, mais Gabrielle l'ignora, enfilant sa chemise de nuit à la petite fille qui bâillait.

— Une main devant la bouche, s'il vous plaît ! Tu t'es tant gavée de sucreries que tu n'as plus faim, à présent. Laissez-la manger ce que bon lui semble. Ensuite, au lit, l'hirondelle ! Tu es très fatiguée. Quelle journée, nous avons eue !

A l'écart, elle s'enquit des dernières nouvelles. Le Dr Pluton était arrivé depuis un instant et examinait Madame, revenue à elle, à présent. Et il avait donné des ordres pour qu'on installât une chambre de fortune dans le billard attenant, car outre qu'il excluait dans l'immédiat que la malade montât un escalier, son installation au rez-de-chaussée offrait toutes sortes d'avantages domestiques pour ses soins. On s'affairait donc à descendre un lit confortable, matelas et sommier, linges et couvertures, et coussins, pour improviser cette chambre, et ensuite y coucher Madame. Ils n'étaient pas trop d'eux tous pour y satisfaire. Huit gens de maison pour le seul service de Mme Mathilde, pensait Gabrielle, c'est bien le moins... Rien ne la pressait davantage que de se réfugier dans sa chambre, d'y être seule, enfin seule, libérée de toute présence, mais elle n'y passa que pour y ranger son manteau et faire un peu de toilette, contrainte de redescendre, par souci d'accomplir une obligation envers la vieille femme.

Le grand salon était vide, laissé en l'état du désastre, comme une scène de théâtre désertée après la représentation. Journaux et correspondances éparpillés, guéridon renversé et linges souillés poussés en tas, vêtements jetés de tous côtés, témoignaient de la confusion générale. Non loin, derrière une ou deux portes, on entendait voix et bruits étouffés. Gabrielle n'osa s'immiscer dans ce qui était sans doute une scène intime de consultation ou de soins et entreprit de redresser les meubles, de ranger un peu, tomba aussitôt sur le bol brisé, dont les éclats abandonnés signaient le drame qui venait d'avoir lieu. Si dérisoires morceaux, si pitoyables reliques qu'on ne pouvait concevoir comment ils avaient pu provoquer un tel effet. Et si tout un chacun s'attache à de tels objets, par quel dévoiement sentimental leur laisse-t-on le pouvoir de vous précipiter dans le malheur, dans la mort peut-être ? Elle repensait pourtant au moment où elle avait retrouvé, dans la poche de la veste en haillons, ce qu'elle avait cru être les lunettes d'Endre, ce moment d'éblouissement amoureux où elle avait concentré en ce petit objet toute sa piété, l'avait nettoyé et poli avec ferveur, et par quelle erreur, par quel aveuglement ! Elle ramassait machinalement les morceaux, imaginant qu'il ne serait pas si difficile de les recoller, quand se présenta sur le seuil le groupe qui quittait la chambre, entourant le grand vieux monsieur aux cheveux rares, que sa pondération et sa gravité désignaient pour le médecin de Mme Mathilde. Blanche suivait, ayant repris toute sa raideur, et son masque hautain, quelques domestiques, qui s'éclipsèrent vite, avec linges, brocs et bassines. Derrière eux, Gabrielle reconnut Pierre Galay, en resta saisie ; et lui-même à sa vue marqua un temps d'arrêt, d'un bref haut-le-corps. Celui-ci passa inaperçu, tant Blanche occupait l'attention générale, interrogeant le médecin sur son diagnostic, et celui-ci, penché vers son confrère, quêtant son approbation, délivrait par bribes ses recommandations.

— L'auscultation révèle certaines anomalies sévères. Il faudrait un examen plus poussé. Mais mon phénandoscope est au cabinet... Je reviendrai demain matin. Il faudrait mesurer mieux le cœur et la circulation, n'est-ce pas ? Et puis mener des analyses, le sang, l'urine, dès demain, qu'en pensez-vous ? Et puis cet asthme rampant, il y a longtemps que je m'en inquiète. Cependant, elle ne veut rien entendre. Trop de travail trop de tracas. Une vie réglée mettrait de l'ordre. Allez donc lui en parler !

— On ne peut lui parler de rien, il est vrai. Elle n'écoute qu'elle. C'est son tempérament, acquiesça Blanche, pincée.

— Cœur fatigué. Le pouls est rapide, la pression haute. Normal à cet âge, n'est-ce pas ? Cependant… Voilà une femme qui mène la vie de travail d'un jeune homme. Elle ne sait y mettre une mesure. La complexion féminine n'est pas faite pour cette vie…

— Enfin, la jugez-vous sortie d'affaire ? coupa Blanche avec une affliction compassée.

— A condition d'un repos total, pour quelques jours. Nourriture légère, fruits et tisanes.

— Pas de café noir, dit distraitement Pierre Galay. C'est un tonique trop fort pour un cœur fatigué.

— C'est pourtant ce qu'elle prenait, quand je suis arrivée. Son sacro-saint bol de café ! s'exclama Blanche, avec un rire nerveux

— Ni café, ni aucun excitant. Aucune contrariété non plus. Du calme, du repos. Où puis-je rédiger mon ordonnance ?

Tout ce temps, Gabrielle n'avait plus bougé, debout près de la cheminée, surprise dans ce coin de la pièce qu'elle ne pouvait quitter sans signaler sa présence, que semblait ignorer le groupe ; et cependant, au comble de la confusion, elle aurait fait n'importe quoi pour disparaître sous terre. A la demande du Dr Pluton, cherchant des yeux un endroit convenable, Blanche affecta de découvrir qu'elle était là.

— Eh bien, ma fille ! Dégagez donc une place !

Gabrielle ébaucha un geste pour s'exécuter, mais Blanche était lancée, visiblement exaspérée que la jeune fille eût assisté à l'échange, qu'elle eût surtout assisté à l'accident du guéridon renversé, plus encore : surpris les mots blessants de sa mère.

— Est-on aussi empotée ! Où vous a-t-on apprise ?

— Ne parle pas sur ce ton, demanda Pierre, vivement.

— Sur quel ton dois-je parler aux domestiques, mon Dieu ? Est-on si susceptible ?

— Mlle Demachy n'est pas une domestique. Passe tes nerfs autrement.

— Mes nerfs ! Pierre, surveille donc les tiens…

— Tout cela t'a éprouvée… Notre mère est en de bonnes mains, rassure-toi. Je pense que tu peux rentrer chez toi, à présent. Ici, je vous en prie, proposa aimablement Pierre, tirant une petite table de trictrac. Restez, ordonna-t-il sèchement, sans la regarder, à Gabrielle qui amorçait un mouvement de retraite.

Et ce faisant, il tournait le dos à sa sœur, qui remettait vivement son chapeau, au miroir de la cheminée. Le médecin sembla ne pas s'émouvoir de cette joute, sans doute rompu aux tensions familiales, et à en ignorer le spectacle, autant pour minimiser ces mouvements d'humeur que pour épargner la vie privée à laquelle sa clientèle lui donnait accès, parfois avec une impudeur choquante. Il s'installa, logeant ses maigres jambes sous la petite table de marqueterie, et se mit à rédiger sa liste de médicaments d'une écriture soignée.

— Voyez le beau stylographe dont je me sers ! Avec un réservoir d'encre à pompe ! Ma fille me l'a offert pour le Jour de l'an ! C'est un bijou moderne, mon cher !

Il badinait pour détendre l'atmosphère, mais Blanche ne décolérait pas, piquant ses épingles comme des banderilles, et Gabrielle, au supplice, demeurait au milieu du salon, tenant toujours entre ses mains les morceaux du bol.

— Je vais rester chez ma mère, pour cette nuit. C'est plus sûr. J'attendrai votre visite, demain matin.

— Parfait, parfait, cher confrère. On ne sait jamais, après une telle attaque… Voilà : laudanum et valériane, antipyrine. En attendant d'autres examens…

— Puisque notre mère est entre tes mains, je pars tranquille, ironisa Blanche, tout à fait prête.

Pierre la raccompagna avec civilité, sans rien manifester de sa méchante humeur, et comme le médecin avait fini, il sortit pour s'assurer que le chauffeur le reconduirait chez lui, et pour envoyer en hâte quelqu'un à l'officine de pharmacie de l'avenue, porter les prescriptions. Restée seule, Gabrielle hésitait entre son envie folle de fuir et celle, qu'elle raisonnait, de prendre des nouvelles de la malade. Elle approcha à pas de loup de la porte entrouverte et y jeta un œil. Au-delà d'une antichambre étroite, elle vit, par une autre issue, la chambre de fortune qu'on avait installée à la hâte en poussant les meubles, sauf la grande table de billard, recouverte d'un plateau de cuir damasquiné, les fauteuils, et la tête du lit, d'où la voix de Mme Mathilde lança :

— Qui est là ? Entrez donc ! Suis-je à l'article de la mort qu'on marche sur des œufs !

Elle était calée dans ses coussins de dentelle, en robe de nuit à plis de religieuse et ses cheveux blancs défaits, torsadés en couronne autour de sa tête impériale, ses mains replètes étendues sur la courtepointe de soie bleue. Telle, Gabrielle ne l'avait jamais vue, dans cet abandon intime qui ôte à l'alité sa superbe et rappelle cruellement combien la représentation sociale habille le corps d'apparences trompeuses. Mais dans cet appareil, et si affaiblie qu'elle parût, ses vastes joues, ordinairement de marbre, anormalement rouges, les paupières tombées sur un regard las, elle gardait une sorte de noblesse offensive qui inspira à la jeune fille un sentiment de respect, pour tant de dignité, de volonté et d'orgueil.

— Approchez ! Je ne suis pas contagieuse, que diable ! Alors ?
Vous les avez entendus me condamner à l'oisiveté forcée, n'est-
ce pas ?

— A un peu de repos. A la diète. Biscottes et bouillon, sourit
faiblement Gabrielle.

— Ce qui me remettra sur pied, c'est de ne plus voir ma fille !
Chaque fois qu'elle me visite, j'en ai les sangs tournés. Approchez ! Que tenez-vous dans les mains ?

Désolée de son imprudence, prise en flagrant délit, Gabrielle
hésita, ouvrit les mains. A la vue des morceaux de son bol, la
vieille femme eut un sursaut pénible, et se rejeta dans les coussins, ferma les yeux, sa rougeur brusquement disparue, si anéantie
que Gabrielle crut avoir déclenché une nouvelle crise catastrophique. Mais Mme Mathilde, d'une profonde respiration, reprenait son empire, et elle rouvrit les yeux, ardents, les planta droit
dans ceux de Gabrielle.

— Et qu'espérez-vous faire de ces débris ? demanda-t-elle,
goguenarde. Vous aimez les reliques, petite ?

— Je vais essayer de les recoller, dit Gabrielle, dans un
souffle.

— En voilà, une idée ! Lisez-moi donc Saint-Simon, comme
nous l'avions entendu. Faut-il que je sois punie d'être là, comme une
baleine échouée... Au billard, de surcroît, moi qui n'ai jamais
poussé une boule de ma vie...

Gabrielle s'exécuta, assez rassurée de lui voir revenu tant
d'énergie, et même si Mme Mathilde simulait la gaillardise,
qu'elle en eût l'esprit et la volonté, au moins pour le témoin
qu'elle élisait, dans sa solitude. Elle s'installa à son chevet et lut,
avec autant de soin et de détachement qu'elle avait lu Andersen,
tout à l'heure, mais cette fois la tête vide, désertée du souci de
la journée, des émotions qui l'avaient jalonnée, seulement appliquée à donner à sa voix le timbre assourdi que commandaient
les circonstances, pas très sûre de faire ce qu'aurait recommandé le Dr Pluton, craignant que le ton acerbe du chroniqueur
n'agite la malade. Mais, soit que celle-ci, dans la lumière déclinante du jour, et dans le silence, loin de l'agitation de la maison,
s'abandonnât enfin au confort de sa couche après cette commotion, soit que sa lecture eût un effet somnifère miraculeux, auprès d'elle qui trouvait si difficilement le sommeil, Gabrielle
observa, levant brièvement les yeux une ou deux fois, que Mme Mathilde s'assoupissait, ou le feignait, et lorsqu'une bonne passa le
nez, portant une tisane fumante, elle fit le signe de la main
qu'on ne les dérangeât pas. Si bien qu'au bout d'une demi-
heure, Mme Mathilde dormait pour de bon, sa large face détendue

et ses mains ouvertes sur la soie bleue. Gabrielle reposa le livre sur ses genoux, considéra un instant ces mains mortes, puissantes mains aux doigts courts et vigoureux, aux ongles ras, où seule brillait l'alliance d'or, et sentit la fatigue l'envahir, une si grande lassitude qu'elle se renversa contre le dossier du fauteuil et ferma les yeux, elle aussi. Ne pouvait-elle être à elle-même cette dispensatrice de paix, elle qui savait si bien donner à Millie, à sa grand-mère, le bercement de sa voix, délier les inquiétudes, les angoisses... Qui la bercerait, veillerait son sommeil et chasserait ses pensées épuisantes ?... Elle se leva, posa doucement le livre sur le chevet et reprit avec précaution les débris du bol, sursauta violemment en découvrant, près de la porte, Pierre qui se tenait là, immobile dans la demi-obscurité.

— Elle dort... C'est très bien, chuchota-t-il sèchement.

Depuis quand était-il là ? Avait-il à son insu écouté sa lecture, surpris son abandon au fond du fauteuil ?

Ils passèrent en silence dans le grand salon, qui avait retrouvé à présent son ordre habituel, toute trace effacée du grand chambardement et du capharnaüm qui en avait résulté. Les lampes étaient allumées dans les coins, jetant des cônes jaunes sur les tapis. Il tombait une averse soudaine derrière les vitres. Le ciel avait viré à un étrange vert soufré, un grondement rampant monta au loin, comme si cette journée de trop grande tiédeur printanière ne pouvait s'achever que dans l'orage.

— Bonsoir, mademoiselle Demachy... J'ignorais que vous étiez à Paris, chez ma mère. Elle ferait mieux de vous y garder. Vous semblez avoir sur elle le meilleur effet... Ou peut-être M. de Saint-Simon ? Posez donc ces morceaux de vaisselle quelque part. C'est agaçant de vous voir les transporter partout.

Gabrielle obtempéra.

— Que vous laissez-vous traiter ainsi par ma sœur ? Je vous ai connu la langue mieux pendue.

Elle ne cilla pas, comme si l'averse dehors la fascinait.

— Voilà que vous l'avez tout à fait perdue...

— Bonsoir, monsieur.

— Mille grâces. Que faites-vous ici ? On dit que mon frère vous promène à la foire ?

Il était tombé dans un fauteuil, ses jambes croisées, mains aux accoudoirs, dans un faux abandon qui n'augurait rien de bon, l'examinant de la tête aux pieds d'un regard ennemi qui la glaçait.

— Et qu'il vous montre ses collections d'ombres chinoises ?

— De lanternes magiques.

— Bien, bien... Que ne ferait-on pas pour amuser Millie, n'est-ce pas ? Regardez-moi, s'il vous plaît.

Elle fit front, pleine de colère pour cette agressivité déclarée, qu'elle ne comprenait pas. S'il lui fallait, à lui aussi, passer ses nerfs sur quelqu'un, elle n'avait pas l'intention d'en faire les frais. Et d'ailleurs, depuis l'instant où il était paru sur le seuil, elle avait senti son hostilité, du moins sa contrariété qu'elle fût là, témoin de cette scène familiale, et si elle se maudissait d'avoir obéi à un élan de compassion en redescendant voir Mme Mathilde, il était trop tard pour le regretter, mais non pour se retirer sans délai. Elle soutint pourtant son examen, prise par une dangereuse envie d'en découdre plutôt que de se dérober, et tout ce qu'elle avait enduré de cette journée, l'effort pour faire bonne figure et refréner ses émotions, s'accumulait en vague rageuse, montant comme le grondement d'orage, qui ne voulait que déferler et s'assouvir.

Il dut percevoir ce changement à un imperceptible redressement de sa taille, et même si elle était à contre-jour de la clarté d'orage tombant des fenêtres, il distinguait ses traits à l'ombre des cheveux, ce front bombé par la rancune, le pli dur de sa lèvre plissée comme si elle se mordait les joues à l'intérieur, et le regard résolu, noir à force de sombre bleu, dont elle soutenait le sien. Elle se tenait droite dans sa mince robe de ville, ceinturée d'une large boucle en argent, luisant au creux de sa taille comme un gros scarabée menaçant, un peu cambrée et prête à il ne savait quelle course à l'abîme, quand lui-même se préparait à s'y jeter, tiraillé par son grief, ses soupçons et sa crainte, encore furieux du tressaillement douloureux que sa vue avait suscité, et des questions soudain réveillées, qu'en bourreau il s'acharnait à lui infliger dans ses insomnies, effrayé d'une vérité pressentie qu'il aurait préféré mille fois arrêter sur ses lèvres que de l'entendre. S'il ne pouvait occuper tous les points d'espace et de temps où elle avait été, au moins qu'elle dît qui elle était, à cet instant, sans mentir, qu'elle se déclare et cesse de le tourmenter ! En homme qui n'a que d'inavouables motifs de se fâcher, il se grisait, moins de son ressentiment que de le contenir, alors il lui fallait tout de suite un sujet de querelle, davantage pour se faire du mal qu'à elle, et s'éprouver dans cette punition, parce que la torture qu'elle lui causait était dépassée par la curiosité d'en connaître les causes. Par une inspiration subite, qui éteignit sa colère, il se résolut à courir à l'abîme avant elle.

— Eh bien, puisque les circonstances nous mettent en présence, abordons le sujet dont je voulais vous entretenir... Je suis allé chez Mme Kertész, dit-il, détachant fermement les syllabes, d'une voix égale. J'avais besoin de quelques assurances sur vos antécédents, comme dit ma mère. Mademoiselle Demachy, vous qui avez vécu durant deux ans avec cette personne, dans cette maison, connaissez-vous l'homme dont la photo est sur le piano, dans le petit salon aux coussins fleuris ?

Il semblait que le coup avait porté exactement à l'endroit du scarabée, parce qu'elle y avait porté les mains, comme à l'impact d'une balle. Elle ployait un peu en avant, ouvrant sa bouche en forme exquise d'O, fermant à demi les paupières à la manière des annonciations, d'extrême douleur ou de ravissement, dans ce sommeil rapide des révélations violentes.

— Vous ne pouvez l'ignorer... Vous vous souvenez de cette photo, n'est-ce pas ?

— Me souvenir ?...

Sa voix se fêla, elle se tut. Il aurait pu bondir du fauteuil et la prendre. Arrêter tout de suite sur ses lèvres l'aveu plutôt que de l'entendre, sauver encore ce qui pouvait l'être. Mais il ne bougea pas, la tenant à bout de regard, pantelante. Elle restait, souffle suspendu, comme on écoute une douleur traverser le corps. Enfant, il avait pu capturer des animaux et les faire souffrir, les regarder se débattre avec ce plaisir rongeant le ventre, qui venge ou nourrit on ne sait quelle peur, mais ce qu'il faisait là était d'un homme, et pas d'un enfant ; et il connaissait la peur nouvelle qui tenaillait son ventre, le clouait sur ce siège, lui-même insecte transpercé par la souffrance. Elle tourna le dos, ébaucha deux pas vers la fenêtre, en rien une issue ; resta sans appui, par il ne savait quelle pathétique résolution refusant d'en chercher, toute sa silhouette fléchissait et tanguait. Il voyait l'envergure délicate de ses épaules, l'évasement de ses reins creusant la jupe et toutes ses veines brûlèrent d'un désir importun. Si elle n'avait parlé enfin, il aurait volé vers elle pour l'empêcher de tomber, comme elle tombait, là-bas, dans la neige, et glissait le long de lui, mais elle parlait déjà, jetait les mots par saccades.

— Vous leur avez fait peur, n'est-ce pas... Oh ! comme elles ont dû avoir peur...

Un grand frisson l'interrompit, mais elle reprenait, sur un ton incrédule, hésitant comme si elle récitait un texte absurde.

— Cet automne... C'était si long, d'attendre... Si longtemps... Nous avons appris sa mort. Cet automne... Je suis la nièce d'Agota Kertész. Ma tante... Endre Luckácz est son fils. J'ai su que vous aviez voyagé avec lui, là-bas. Alors je me suis présentée chez vous. J'ai cru... Par ce moyen, il fallait... Endre m'a aimée. Je l'aimais. Je l'aime !

640

Elle fit volte-face à ce cri, les yeux si grands qu'ils mangeaient tout son visage. Quel malheur de plus pouvait advenir à présent ? Mais ce n'était rien sans doute que sa stupeur en regard de celle de Pierre, qui s'extrayait du fauteuil, lentement levé, et lentement marchait sur elle, livide. Elle ferma les yeux.

— Lui ! L'aimer ? Mais de qui parlez-vous ? tonna-t-il avec une sorte d'égarement.

Et pour ne pas la frapper peut-être, il la saisit aux poignets. Du même geste que l'autre fois, dans le bureau, l'entraîna il ne savait où. La poussant vers le mur, à reculons, près de la fenêtre, contre le bras du fauteuil, heurtant un meuble, cherchant où l'acculer, la réduire. Mais elle se laissait emporter sans résistance, les yeux toujours fermés, aspirée par une ivresse noire, dents serrées pour ne plus laisser échapper un cri, un mot, contre la folie qu'il mettait à sa brutalité, dont le déchaînement l'ensommeillait, comme si elle touchait enfin à l'abîme espéré et s'y précipitait avec lui, du même vertige. Mais ils ne tombaient pas. C'était devenu une espèce de danse trébuchante et barbare, qu'ils apprenaient ensemble, et qui ne pouvait finir que dans la mort. Quand ils sauraient cette danse, la mort les clouerait quelque part, dans un dernier tournoiement. Mais ils ne mouraient pas non plus. Ils s'arrêtaient, hors d'haleine, contre un mur, une porte, peut-être.

— Ah ! Mais qui êtes-vous donc ? s'écria-t-il, d'une voix si rauque qu'elle rouvrit les paupières.

Elle découvrit l'immense plage du plafond, ses moulures illuminées par les éclairs. Il l'avait empoignée aux cheveux, renversait son visage, cherchant son regard, et elle vit près des siens ses yeux étincelants.

— Vous devez me dire, à présent ! Vous le devez. Maintenant. Parlez ! Que me direz-vous, pour votre défense ? Endre Luckácz, mon Dieu ! C'était bien lui. Sa photo. C'est à devenir fou. Comment cela est-il possible ! Vous avez traduit le cahier !... Enfin, c'était miraculeux : vous saviez le hongrois ! Mais qui êtes-vous donc, misérable ? Que me voulez-vous ? Vous l'aimez ! Qui aimez-vous ? Mort ! Il est mort, entendez-vous ?

Elle cacha son visage dans ses mains, anéantie, et lui, qui la lâchait enfin, arpentait la pièce, comme si de toutes parts c'étaient glaces, crevasses, abîmes et nuit et qu'il dût se tenir en équilibre sur une crête périlleuse, sans assise pour le prochain pas, alors qu'il voulait un adversaire à la mesure de sa fureur.

— Grand Dieu ! Ne restez pas ainsi, comme une pierre ! Réveillez-vous ! Le ciel nous tombe sur la tête ! J'avais confiance en vous, je m'en suis persuadé ! Vous m'avez trompé ! Que ne me disiez-vous votre dessein ? Ne vous ai-je pas donné ma confiance, moi, ouvert mes pensées, et donné ce cahier, qui est le malheur de ma vie ! Qu'y lisiez-vous, malheureuse ?... Seigneur ! Fallait-il qu'à vous je le donne à lire ! Qu'en savais-je, moi ? Insensé, que je suis... Et vous, misérable ! Venez ici ! Qui êtes-vous, Gabrielle Demachy, pour me traiter de la sorte ? Comme un chien, ma parole ! Vous m'avez trahi, abusé de quelle façon ! Parlez !

Elle s'effondrait sur place. Il la releva, la tira violemment vers lui.

— Jusqu'où êtes-vous allée ? Jusqu'où iriez-vous si l'on ne vous arrête ?

Elle se redressait et le chassait des deux bras tendus, si pâle qu'il voyait à sa tempe palpiter une petite veine bleue en transparence, les lèvres battant dans le vide sans qu'un son en sortît et, devant cette femme muette, tétanisée d'effroi, qui le repoussait, il eut un cri d'exaspération. A ce moment, on frappa à la porte. Ce coup, plus terrible que ceux de l'orage, suspendit leur geste. Une femme d'âge, corpulente et lente, en tablier de linon blanc, pénétra à pas comptés dans la pièce, étonnée de les voir arrêtés, comme des automates dont la mécanique est épuisée. Un petit édredon de duvet sous son bras, elle portait un plateau avec les fioles tintinnabulantes, et les cachets, l'ordonnance du médecin.

— Le potard les a portés à l'instant, balbutia-t-elle. La pharmacie était fermée... Il y en a juste assez pour la nuit. Ils fourniront le reste demain...

— C'est bien, Manon. Laisse cela sur la table, parvint-il à articuler, la voix si altérée que la femme obéit, avec circonspection posa le plateau, on aurait dit par dévotion sur un autel, et sortit à reculons, effarée, vers le salon de billard, fuyant l'étonnant groupe immobile.

— Je garde Madame, cette nuit. Je vais m'installer dans le fauteuil près d'elle. S'il fallait, je viendrais vous chercher... Le dîner est servi, monsieur.

— Ah ! Le Dîner !...

— Bonne nuit, monsieur.

L'intermède avait suspendu la scène en son milieu et ils restaient étourdis, décontenancés tels les acteurs d'un théâtre où viennent de se rallumer les lumières par accident. Alors toute l'impudeur mise à jouer, prodiguée en pure perte, pour porter à son point d'incandescence l'illusion tragique, met à nu leur dépense et leur don, humiliés comme d'un sacrifice vain. Nus étaient leurs mains, leurs corps désemparés, quand résonnait encore la voix passionnée de Pierre, ses accents véhéments

montés dans les cintres, et, avec une sorte de honte, ils s'interrogeaient du regard, cherchant où les personnages qu'ils incar-
naient avec tant de vérité avaient disparu tout soudain, les
avaient désertés pour rejoindre leur monde fantomatique, et ils
ne se reconnaissaient pas. La première, Gabrielle osa rompre le
silence, et dans son désarroi, balbutia humblement les faibles
phrases qui se présentaient, ne trouvant pas de mots à hauteur
du désastre.

— Ma conduite… C'est indigne, honteux…

— D'autres qualificatifs ? Cherchez bien.

— Je ne peux rien en racheter…

— Vous renoncez bien vite, ma chère. Allons, courage ! Si
près du but ! Et moi si près de vous connaître un peu ! Vraiment,
vous valez d'être connue !

— Vous n'aurez plus à souffrir…

— L'ange de notre maison. Pédagogue ! Musicienne ! Polyglotte !

— Oh pardon, pardon, monsieur ! Je ne voulais pas vous
faire de mal…

— Un peu seulement ! A faible dose ! Votre poison est exquis,
ma charmante.

— Votre colère est juste. Je vous demande pardon !

— Répétez-le encore. C'est très doux à entendre.

Leurs voix pressées se heurtaient et se chevauchaient, à peine
s'écoutaient-ils l'un l'autre, mais chuchotant, ensemble avertis
que les portes, là-bas, n'avaient peut-être pas été très bien refermées par Manon.

— Je quitterai votre maison…

— Quitter ! Ah ! la belle esquive ! Vous payez de petite monnaie !

Sous ses sarcasmes, elle devenait livide, et dans cet état,
presque insensible. Après le déferlement de violence, elle se
voyait se noyer, s'engloutir dans les eaux visqueuses du naufrage
au milieu des épaves de la réalité, à quoi pourtant elle s'accrochait encore, d'un faible effort : les bésicles de la vieille dame
dont les verres luisaient, près de leur étui, la statuette en albâtre
d'un berger tenant un bouquet sur son cœur, le reflet d'opale d'un
pied de lampe, les morceaux du bol rose posés sur le guéridon,
la rosace ocre et rouge d'un tapis… Autant de fragments ou
débris échoués et dénués de vie, que rien n'attachait plus
ensemble, n'offrant à sa vue pas plus de prise que des souvenirs
flous. D'ailleurs, cela lui était devenu indifférent, elle oubliait,
glissant dans une sorte d'anesthésie éveillée, comme dans ces
moments où l'on ne pense plus à rien, où sombrer est préférable

à se débattre, la lutte moins délectable que le renoncement. Avait-il entendu qu'elle partirait ? Partir ! Il l'aurait assommée pour ce mot.

— Je vous interdis de quitter cette maison, l'entendait-elle marteler, hors de lui. Je vous l'interdis. Vous n'irez ni au Mesnil, demain, ni nulle part.

Peut-être avaient-ils atteint cette zone d'impuissance absolue, quand on sait que ce n'est plus un cauchemar, que le cauchemar est la réalité et qu'aucun réveil ne nous sauvera, et les tentations violentes qui le secouaient, sa peur de lui-même, d'elle, donnaient à sa voix ce timbre métallique, effrayant.

— J'exige, j'exige que, demain, vous soyez libérée de Millie. Toute la journée, entendez-vous ? J'exige que vous m'attendiez dans le vestibule, à dix heures. Tenez-vous prête. A dix heures. Entendez-vous ?

Il ne savait à quelle volonté cet ordre, ni cette heure obéissaient, mais trouvait à l'imposer une ivresse noire, et cette rage le contentait plus que l'éclat de tout à l'heure. Elle ne sut comment elle se trouvait soudain dehors, seule dans le vestibule désert, montait en courant dans sa chambre et refermait sa porte. Il ne sut non plus combien de temps il resta immobile dans le salon, maintenant noyé d'obscurité, à contempler, hagard, les morceaux du bol posés sur le guéridon, dans le bruit morne de l'averse. Comme la nuit était lente à venir, le monde lent à s'éteindre, et blessants les objets inertes accrochant encore des reflets de lumière. En automate, il alla encore sur le seuil du salon de billard s'assurer du repos de sa mère. Manon dormait, sa mère dormait, et ce tableau des deux femmes assoupies lui sembla aussi poignant qu'une veillée funèbre.

XXXIII

Gabrielle ne pleurait pas. Elle était au-delà des larmes, de la souffrance. De ces dernières heures, ne restait que le sentiment presque indolore d'une ruine, dont la perfection enfin atteinte interdisait toute pensée. Où était-elle donc rendue, en cette soirée où tout s'était précipité en avalanche ? Il lui semblait que l'effondrement avait commencé cette lointaine après-midi de septembre, quand, dans le bureau du commandant Feltin, à entendre la nouvelle de la mort, elle avait perdu connaissance. Mais le bref éblouissement où s'écroulait sa vie n'était le commencement de rien. Seulement la fin d'un âge, où elle était jeune et vivante, où elle croyait qu'attendre ressemblait à la vie. Ensuite, comme les grands malades qui ignorent de quel mal ils sont atteints, pour tromper l'horrible absence, ce vide béant, elle n'avait plus fait qu'errer en tous sens, ourdir elle-même sa perte ; avec l'entêtement insensé des condamnés s'enfoncer à chaque pas dans un chaos, qui préparait la catastrophe inéluctable. Elle y était rendue. Pierre Galay était allé rue Buffon. Il savait tout à présent, ses mensonges, l'ignominie du mensonge reconduit, ce long temps de la trahison, et elle était perdue, perdue. Est-ce cela qu'avait ressenti Endre, quand il avait touché ce point de non-retour, quand plus rien n'est réversible ? Loin, loin exilé, depuis longtemps égaré, sans plus savoir où l'on a passé la frontière. Alors aucun espoir ne subsiste. L'idée même en est absurde, et dérisoire... Perdus la nostalgie, le regret ou le remords de quoi que ce soit. On entre dans une sorte de paix, de silence et de nuit, de pureté noire à laquelle tout l'être consent. Elle se déshabilla, peigna ses cheveux, accomplit sa toilette comme si cela concernait une personne connue autrefois, qu'elle quittait, avec cette méticulosité rituelle qui donne aux gestes familiers une exactitude irréelle, tant ils sont vidés de sens, et puis s'engloutit, terrassée par un sommeil de brute.

Peut-être pas vraiment le sommeil, parce que, dans sa torpeur, elle entendait, avec une grande précision, l'engouement de l'eau dans une gouttière engorgée par le ruissellement de l'averse, qui lui semblait pleurer à sanglots à sa place. Elle entendait s'abattre la pluie sur des pavés, dont la cataracte trépidante malmenait son corps rompu, et c'était elle, peut-être, qui s'écoulait dans cette inondation, qui fuyait de toutes parts, se vidait sans fin, écrasée de chagrin. Elle ne dormait pas vraiment, parce qu'elle finit par percevoir, au milieu de ce tumulte, les coups sourds d'un tambour, qui semblaient d'abord ceux de son cœur, cognant sa poitrine, mais répétés si fort qu'ils la tirèrent de sa léthargie. Une porte, ou un volet battait, quelque part, dont l'écho oppressant, douloureux, lui parvenait à travers les murs, et parce qu'elle était ivre de fatigue, dans un état d'hébétude elle se leva, sortit dans le couloir, sans rien penser que remonter à la source de ces chocs obsédants, et s'égara à tâtons loin de sa chambre, guidée par le bruit ; ou bien elle rêvait qu'elle marchait pieds nus, à la rencontre de ce battement venu d'un endroit ignoré de son corps. Il se trouve qu'à une fenêtre, le vent rabattait par intermittence un volet mal fixé. Quand elle l'ouvrit, la pluie lui jeta à la face son eau noire. Pourtant, avec la détermination des somnambules, elle se pencha excessivement au-dessus du vide, saisit le volet dans son mouvement et se battit contre la résistance du vent. Son geste fut trop fort, ou bien le vent tournant le repoussa soudain et, déséquilibrée, elle bascula avec le battant de la fenêtre, qui cogna le mur. A ce choc, la vitre se cassa, dans un bruit assourdissant, qui dut retentir dans toute la maison endormie. Elle eut l'impression de se réveiller subitement, abasourdie de se trouver là, au milieu des morceaux de verre qui jonchaient le plancher, et au même moment, une porte s'ouvrait. Prise dans le pinceau de lumière, éblouie, elle amorça une fuite, mais une douleur aiguë transperça son talon, l'arrêta net.

— Ne faites plus un pas !

Du même mouvement qu'il se précipitait, elle le vit, sa chemise ouverte, Pierre, l'enlevant hors du cercle de verre brisé et, la soulevant à bras-le-corps, il la reposa à l'écart. Sous ses pieds nus, elle sentit le tapis moelleux, amorçant un mouvement de fuite, mais déjà le couloir s'éclairait violemment, une voix interrogeait. Quelqu'un montait, en courant ; d'en haut en même temps, penchée sur la cage de l'escalier, une silhouette appelait. On venait, et, dans quelques secondes, elle était, dans cette demi-nudité, loin de sa chambre, devant ces gens de la maison, dans l'indécence d'une situation que rien ne sauverait. Peut-être le sut-il avant elle, prévenant son affolement. Il improvisa, eut la présence d'esprit de la pousser sans ménagement dans l'entre-bâil de la porte, qu'il tira sur elle, au moment où, ahuris du vacarme, et en comprenant aussitôt la cause, surgissaient à la fois des étages et du rez-de-chaussée les domestiques tirés de leur sommeil. Elle resta clouée sur place, claquant des dents dans l'obscurité, de froid parce qu'elle était trempée, autant que d'être prisonnière de cet espace d'entre deux portes, qu'une lampe éclairait à peine du fond de la pièce, condamnée à ne tenter aucun geste qui trahît sa présence, le dénonçât, lui qui l'avait soustraite aux regards, n'osant pas même s'éloigner de cet endroit au risque de trébucher ou de faire grincer une lame du plancher, debout derrière la porte dont seule l'épaisseur la séparait des gens qui allaient et venaient, des appels et des conciliabules. D'autres avaient dû arriver à retard, qui commentaient l'accident de la fenêtre ouverte par le vent. Pierre donnait des consignes, la voix brève et fâchée, puis il les laissa s'affairer, déblayer les débris de verre et assujettir le volet.

Du geste qu'il refermait sa porte, stupéfait de la trouver dans ce coin, encore blottie contre le mur, avant qu'elle ne dît un mot, il la bâillonna de sa main, et eut aussitôt dans sa paume la chaleur de sa joue, de sa bouche. Ils restaient immobiles, à l'écoute des bruits tout proches du couloir, du péril à peine conjuré, trop tendus pour s'aviser que l'exiguïté du réduit les tenait l'un contre l'autre, si étroitement serrés qu'ils ne pouvaient bouger sans se toucher. Ce qu'ils comprenaient de manière différée, dans un dangereux étirement du temps, frôlant des places distinctes qui, une à une, s'aimantaient de leur brûlure, et tandis que diminuait leur attention au dehors se communiquait l'un à l'autre la pulsation désordonnée de leur cœur. Il continuait d'avoir dans sa paume la chaleur de son souffle, y sentait à présent ses lèvres encore entrouvertes d'effroi, telles qu'il les avait prises ; qu'elle ne dérobait pas, qu'elle abandonnait à ses doigts.

Alors, parce qu'elle ne défendait rien, et qu'il la tenait captive, contrainte au silence, il approcha, pressa son corps du sien, d'un élan brutal l'emprisonna et l'étreignit tout entière. A travers le linge humide de pluie, il pressait la chaleur de ses épaules, de son ventre, forçant du genou la résistance de ses jambes il s'emparait d'elle, mais du même effort elle cherchait des bras, des mains fébriles où s'attacher à lui, à la courbe mince de ses reins, à sa nuque, heurtant du front sa poitrine, là où la chemise échancrée découvrait de sa peau, et c'était si silencieux, si rude qu'ils chaviraient, tantôt l'un ou l'autre, contre le mur se renversant et luttant, arc-boutés, tirant les vêtements dont l'obstacle exaspérait leur hâte, dans cette âpreté qui jette entre eux les sangliers ou les loups, les bêtes de la forêt écorchant leur flanc pour la saillie. Et ce n'était rien que la danse continuée de ce soir dans le salon, le tournoiement titubant dont ils apprenaient le pas ; elle ne se cambrait et ployait que pour achever ce qu'ils avaient commencé, dans une clairière de neige, où tout au long de lui elle glissait. Alors cette fois l'empoignant, il la souleva d'une poussée contre le mur ; s'arrimant à lui, elle nouait ses cuisses à ses hanches et le chevauchait, s'ouvrait tout à fait et il entra en elle, du même spasme assommés ensemble, suffoquant du même cri étonné. Ils ne bougeaient plus, rivés l'un à l'autre, écoutant gonfler en eux la note sombre, propagée par vagues jusqu'à l'insupportable aigu, et à peine plongea-t-il en elle, à peine eût-il à s'enfoncer plus loin pour que déferle la transe du plaisir, son onde de choc inouïe.

Quelle partie de la nuit avaient-ils atteinte, dans ce grand silence où s'étaient tus l'orage et l'averse, absentés les remuements de la maison, dans ce recul extrême du monde où l'on peut être sans pudeur ni calcul, dévasté sans souffrir, où l'assouvissement excède le désir. Quelque peu effrayé du séisme sensuel qui vengeait si parfaitement son rêve, maintenant il la tenait. Enfin la tenait, et elle lui, par la même passion attachés, comme s'ils ne pouvaient se déprendre sans en mourir ; à peine dénouant leur étreinte, haletants, ils migraient à l'aveugle vers le fond de la chambre, cherchant une couche, un accueil à leurs corps rompus, où reprendre haleine et s'échouer ; cherchant au visage de l'autre ce qu'il en était de leur nudité, et pour le reconnaître, ne pas le perdre tout de suite, apprivoisant l'être obscur qu'ils possédaient ensemble. Exultant de sentir l'odeur et le goût salin qu'ils se donnaient aux lèvres, ils se cherchaient encore, avides, impatients, s'irritant des caresses inachevées, et apprenant la lenteur venait l'étonnement nouveau de se toucher partout, de s'approprier ces places intimes, de baiser le creux inconnu de l'aisselle, l'attache sensible des seins, le flanc, et en repentir du corps à corps brutal, de son oubli, de donner son temps à la jouissance, et le droit d'être rois. Comme ils tremblaient, attentifs à l'emprise adorable des mains, il refit son passage profond en elle, gémit de la posséder si bien et elle de le prendre. Mais être aussi nu ne suffisait pas, n'achevait pas le ravissement, dont ils emportaient le souvenir dans un sommeil rapide, que la fatigue leur volait, et si, tout en dormant, leurs bouches se perdaient, d'un sursaut, ils se serraient pour ravoir cette part de l'autre, que donnait la nuit, dont l'insatiété les tenait embrassés, et tant que rien n'était dit entre eux, ils pouvaient rester dans ce retranchement de beauté intime et sauvage, que les mots ne dévaluent ni ne menacent, où il n'y a que les sens amoureux pour langage.

Il y eut pourtant, une fois, la très pâle lueur d'avant le jour, filtrant des volets. Gabrielle se redressa, rendue d'un seul coup à la réalité de la chambre, de ses meubles et ses murs émergeant de l'obscurité. Elle vit le désordre du lit, leurs vêtements jetés sur le plancher, et, plus encore que des corps, la nudité de leur visage, leurs traits altérés et la brûlure des yeux. Dans une commotion, elle revint tout à fait à elle, atterrée d'être là, si loin du sommeil confus dont l'avait tirée l'appel nocturne des coups dans la maison. Qu'éprouvait-il ? Quelles étaient ses pensées, dans son immobilité et son silence, maintenant réveillé, ses bras encore autour d'elle, et qui la contemplait, méditatif, avec quelque chose de retiré, ou de blessé qu'elle ne pouvait comprendre, tandis qu'à grande vitesse elle s'éloignait de lui. Avec, plus grande que son retirement à lui, la détresse incomparable de sa perte, qu'elle n'avait pas atteinte quand elle le croyait, dans la première partie de la nuit ; maintenant elle était consommée. Alors, pour conjurer sa cruauté, sa trivialité peut-être, quand il serait lui aussi rendu à la réalité, dans l'inspiration que lui dictait sa conscience revenue du désastre, avant qu'il ne les prononce, elle dit les mots qui abîment et séparent. Ils se précipitaient en foule, avec une méchanceté, un désespoir si grand qu'il la fit taire, jetant crûment les siens à son oreille, parce qu'il ne pouvait souffrir ce qu'elle lui opposait de mal, ni d'entendre le nom d'Endre à cet instant.

— Que nous importe ! Vous avez été à lui… Cela n'interdit rien, à vous ni à moi, dit-il âprement, la bâillonnant de nouveau et l'attirant à lui.

Mais son emprise lui faisait peur, et tout ce que l'étourdissement du désir avait chassé déferlait à présent, l'accablait. Elle se leva, emportant le drap, pour n'être pas vue de lui, prête à fuir ce lit, cette chambre. Mais à peine posa-t-elle le pied, qu'à son talon, elle sentit un élancement, cette douleur locale oubliée depuis le lointain instant où elle avait marché sur les éclats de vitre. La coupure du verre avait cessé de saigner, mais la petite entaille restait béante. Effarée, elle vit la trace de son sang sur le linge, qui défigurait tout en basse comédie, et cette chose eut raison d'elle. Elle se cacha le visage dans les mains, sanglotant sans bruit, le cœur brisé. Découvrant la cause de ses pleurs, sans paraître s'émouvoir de ses raisons, il arrachait le linge et le jetait en boule sur le plancher :

— Du cran, que diable ! Qui vous demande raison ? Personne au monde n'a à juger de nous, que je sache.

Maintenant debout, séparé, il rajustait rapidement ses vêtements, mais comme elle restait dans ce désordre désolant, il
regretta sa brusquerie, mit sur elle sa chemise, la malmenant, avec
une maladresse qui le sauvait de l'émoi au contact de sa peau.

— Je me serai coupé, hier soir. J'ai saigné en dormant, voilà.
Cela vaut-il la peine de pleurer ? dit-il plus doucement. Montrez-
moi votre pied.

Il prenait son talon blessé, enveloppait sa cheville de la paume chaude, infiniment calmante, rassurante, si douce qu'elle ne
sentait plus rien de la blessure, tandis qu'il raillait encore :

— Si vous boitez un peu, rien n'oblige d'en rendre la cause
publique...

Il noua un mouchoir autour de son talon, et toujours penché,
baisa soudain ses doigts de pied avec une ferveur muette, qui
désarma ses dernières forces.

— Faut-il que je sois là toujours pour panser vos plaies et
bosses... reprochait-il, la voix enrouée. Pourrez-vous mettre le
pied par terre ?

Elle le pouvait tout à fait, et marcher, traverser les couloirs,
mais en cette tenue, humiliée devant lui d'être si lamentable,
d'avoir à quitter cette chambre dans la défaite des sens et de la
raison. Sa lèvre battant de fièvre, et l'esprit tout à fait perdu, elle
reculait devant l'ennemi qu'il serait tout à l'heure, demain, dès
que lui reviendraient les violents reproches et sa colère du soir,
pour la faute sans pardon, mais comme elle dirait encore quelque chose d'irréparable ou d'absurde, il la devança, posant ses
doigts sur ses lèvres.

— Ne dites plus rien, je vous en prie. Allons. A la guerre comme à la guerre.

Il sortit avec elle dans le couloir plein d'ombres, avec une
assurance qui semblait assigner la maison au sommeil, interdire
magiquement que quiconque surgît ; ni Manon pour chercher
une aide, ni un domestique insomniaque. Leurs pas sur les tapis
ne faisaient aucun bruit, et elle voyait bien qu'elle aurait pu
retrouver seule son chemin, qu'elle n'avait pas tant erré ni ne
s'était égarée, et qu'il ne prenait le risque de l'accompagner que
pour s'acquitter envers elle. A sa porte, il s'arrêta.

— Je descends voir le sommeil de ma mère. Pour le reste de
cette nuit... Demain, tout à l'heure, nous...

Il renonça à dire davantage, parce qu'il l'interrogeait au visage,
aux yeux, à la fossette de sa joue, à la tempe et au menton
comme s'il calculait anxieusement les distances entre ces places,
et demandait : mais qui êtes-vous donc ? Puis il s'en fut brusquement. Une fois seule dans sa chambre, elle ressentit l'immense

lassitude qui ployait ses genoux. Il faisait froid. Elle avait froid à ses jambes, ses bras nus, son lit était froid et pitoyable. Et ce jour qui venait, gris et laid, elle ne pouvait l'envisager sans effroi. Alors transie, meurtrie de toutes parts, elle s'enfouit sous les couvertures, se recroquevilla et referma ses bras sur elle, dans ce retrait puisa l'odeur vivante et chaude, l'amande amère, la fougère qu'il laissait à sa peau. La palpitation profonde dont elle prenait connaissance, les yeux noyés de larmes, la baptisait à cette part d'elle-même, au mystère des bras et jambes noués, là où l'on se renonce dans le secret, portes ouvertes du corps. Elle n'avait jamais été pénétrée ainsi, auparavant, cela était à elle. A elle et à personne au monde. Et même lui, qui lui en donnait la nouvelle, n'avait rien à prétendre pour ce don, rien à réclamer pour la terrible et parfaite convulsion du plaisir. Déjà elle se raidissait contre l'idée que, dans cette intimité extrême, elle eût concédé quoi que ce soit, en rien une victoire, en rien une propriété. La hâte insensée de la possession, l'affolement de passion imprudente, qui ravissait à soi, et même la révélation étourdissante d'en avoir joui la rendaient libre, libre, sans savoir quelle liberté elle revendiquait si farouchement, ni contre qui, l'homme qui l'avait prise tout à l'heure, ou celui à qui elle s'était donnée autrefois, le mort qui avait voulu la mort, plus fort qu'il ne l'avait jamais désirée.

Encore mouillée par la nuit d'orage, la campagne s'éclairait sous la lumière oblique du matin. De jolis éclats dorés et bleus embuaient les berges de l'Oise, les vapeurs stagnaient bas entre les saules, et même sur le plateau flottaient, dans les champs de blé vert, tout un lac de brume dont émergeait ici ou là le toupet d'un pommier. Contre le ciel pur, un bosquet de trembles agitait son écume légère, lâchant un vol d'étourneaux virevoltant soudain. De cette beauté matinale, Michel Terrier souffrait comme d'une injure ; il aurait tué un homme avec plaisir.

Il allait d'un pas rapide sur la route qui, montant d'Auvers, conduit à travers les prés jusqu'au hameau de Geilles, à cinq kilomètres de là. S'il avait renoncé à prendre une voiture à la gare, c'était bien pour s'offrir cette marche de santé, forcer son pas, comme à l'exercice, battre du talon la terre rude de la route, où les flaques de la nuit reflétaient le ciel clair. Une petite heure de marche le remettrait d'aplomb, après la très mauvaise nuit, la détestable nuit qu'il venait de passer. Il n'avait guère fermé l'œil, et les trombes d'eau dévalant le toit, les grondements de l'orage n'y étaient pour rien. Ils ne faisaient qu'orchestrer son humeur noire, les bouffées de colère froide qui le suffoquaient, réduit qu'il était à tourner en rond dans sa chambre, en proie à une de ces rages impuissantes qui le submergeaient parfois, pour le laisser rompu, comme au sortir d'un duel de brutes. Il ferraillait contre un adversaire invincible, dont le treillis du casque lui dérobait le visage, et dont les coups irréguliers le mettaient hors de lui, parce que pas un arbitre n'était là pour en dénoncer la traîtrise, et lui, était-il condamné à poursuivre le combat, jusqu'à ce que mort s'ensuive ? Jusqu'au réveil, hébété. C'était peut-être le cauchemar qu'il avait fait, ou bien l'image que prenait maintenant sa nuit, entrecoupée de sommes épais, que le tonnerre interrompait.

Il aurait vraiment assommé un homme avec plaisir. Il fallait que la route fût bien déserte, car il se sentait d'humeur à chercher querelle au premier passant croisé. Il espérait, avant d'atteindre Geilles, s'être assez échiné et arraché d'efforts pour évacuer et sa colère, et sa fatigue de la nuit. Il venait là deux fois par an, à date longtemps fixée d'avance ; le seul rendez-vous qu'il se donnât pour inévitable, quelles que soient les circonstances. En ce matin de mars, il honorait cette obligation, alors qu'il aurait mille fois voulu être ailleurs, mille fois s'éviter cette corvée. Mieux valait ravaler sa contrariété, puisqu'il allait là, de toute façon et que rien ne l'en détournerait. D'ailleurs, plus il se rapprochait du hameau, plus sa fureur semblait en effet se dissoudre. La veille au soir, rentrant chez lui, il avait trouvé ses poches vides. Volé, dévalisé, cambriolé comme un notaire de province en goguette. C'était aussi inouï, aussi énorme, et incompréhensible que ça. C'était bête, à en pleurer. Qu'on pût lui faire les poches dépassait l'entendement. Avec une sueur glacée aux reins, il avait repassé ses faits et gestes, le film rapide de son après-midi, depuis l'instant où il avait glissé, non dans une poche intérieure, mais dans l'une extérieure de son manteau, il n'aurait même su dire laquelle, de la droite ou de la gauche, négligemment, avec une prodigieuse, scandaleuse légèreté, l'échantillon précieux livré par son agent de Cologne. Il ne revoyait même pas le geste dont il le fourrait dans sa poche, la droite ou la gauche ? Et résoudre cette énigme négligeable l'empêchait de passer à la suite, de revoir ses mouvements, les déplacements au cours desquels un voleur à la tire, un pickpocket virtuose avait pu l'approcher, assez pour une fouille au corps et vider, sans l'alerter le moins du monde, le contenu de ses poches. Car son stylo et sa loupe avaient aussi disparu, sa carte de restaurant, et puis quoi encore ? Etait-il seulement capable de recenser ce qu'il avait de plus, au fond de ses poches ?

Lui, dont la machinerie mentale était réglée au millimètre près, une vraie montre de bijoutier, avec des roues dentées fines comme des aiguilles, il ne savait plus le compte ni le total, ni la soustraction.

A force de réfléchir, le seul instant logique lui paraissait le bar américain, le rendez-vous avec Morisse. Le seul moment où il se séparait de son vêtement. Il pendait son manteau au mur du fond. Il avait eu chaud de sa marche pressée, d'avoir traversé la Seine à la hâte. C'était un moment de relâchement impardonnable. Dangereux moment d'oubli. Rendez-vous connu d'eux seuls. Qui l'aurait suivi, sans qu'il le sût, qui l'aurait frôlé, bousculé ? Impossible. Quiconque aurait visé Morisse ne pouvait prévoir leur rencontre, encore moins ce qu'il portait dans sa poche – laquelle, bon Dieu ? Morisse lui-même ignorait ce qu'il détenait alors, depuis moins d'une heure, ignorait même à quelle heure exacte Terrier le rejoindrait. La seule hypothèse raisonnable, humiliante, accablante, était le voleur d'occasion, en chasse, aux aguets, attendant le pigeon. Le voleur qui pique au hasard, au petit bonheur la chance. L'idée en était effarante. Les conséquences, catastrophiques. Il aurait bien tué quelqu'un, parce que se maudire ne suffisait pas. La seule chose qui sauvait le scénario, c'était qu'un voleur à la tire ne garde que le butin négociable, il se débarrasse du reste en vitesse. Le stylo l'intéressait, peut-être ? Un objet coûteux. La loupe, éventuellement. La boîte de fer, il l'aurait jetée dans une poubelle. A la Seine, aussi bien. S'il l'ouvre, s'il l'écrase du talon... Epidémie de typhus foudroyante, cinq cents personnes contaminées dans les vingt-quatre heures, un cataclysme. Terrier ricanait. En comparaison, le petit coup de revolver bien propre de Mme Caillaux, dont parlait toute la presse du matin, faisait figure de plaisanterie. Un pet-de-nonne dans la déflagration d'épouvante. Le typhus à Paris !

Terrier s'arrêta sur le bas-côté, saisi par cette vision de catastrophe. Ce faisant, il considérait à ses pieds la terre spongieuse, les touffes d'herbe charnue qui débordaient, toutes gorgées d'eau et luisantes, et, au milieu de tout ce vert, il fut frappé par une étrange minuscule fleur aux délicats pétales pourpres qui se haussait, vibrante de sa jeune vie, arrogante et vaine. Il y avait entre la catastrophe qu'il venait d'imaginer, et cette petite étoile rouge, une si grande analogie qu'il en fut remué, comme d'une anomalie majeure par laquelle se dénaturait un ordre de grandeur, de cause ou de fonction, une démesure naine ou une dérision géante qui affectait, non seulement les choses visibles de l'environ, mais lui-même. Il réprima son envie d'écraser la fleur du talon, retenu par il ne savait quel soudain effroi panique, certain qu'en la détruisant il provoquerait un désordre majeur, comme de voir basculer l'horizon, ou sa raison. Il s'ébroua, mal à l'aise et fâché du léger vertige que cette vue de la fleur continuait de lui procurer. Il se remit en marche. D'ailleurs, il était en vue des grilles de la maison de santé du Dr Blanchet, la première bâtisse du hameau, dont il longeait maintenant le mur d'enceinte en briques et pierres, envahi par le lierre. Cependant, avant de sonner à la cloche du portail, il s'arrêta de nouveau, vérifia les boutons de son gilet, de son veston, tira sur ses poignets de chemise, sur son col, et rajusta sa cravate, ferma soigneusement son manteau, rajusta son chapeau. Qui eût vu cet homme, correct et austère, rectifier sa toilette sur le bord de la route, et encore nettoyer d'un mouchoir la boue de ses bottines, avec une enfantine et furtive minutie, eût cru au rendez-vous d'un amoureux matinal. Michel Terrier rendait visite à sa mère.

Il eut vite fait de remonter la petite allée sous la treille de glycines noueuses, bordée d'iris dont la fleur commençait de pointer son bourgeon vert acide, et de jacinthes tout à fait emboutonnées de rose, fleurant le sucre si fort, qu'il en fut mécontent. En haut du perron, l'attendait sœur Mélanie, la douce, la coquette sœur à cornette qui, depuis cinq ans, deux fois l'an, et donc dix fois l'avait accueilli à la porte vitrée, qui, dès passé son seuil, vous enveloppait d'un cocktail de formol, d'éther et d'eau de Cologne à enivrer un bataillon d'estropiés. Mais ce parfum médical avait l'air de la conserver, parce que son teint de cire, ses yeux d'agate dorée et son grand sourire blanc ne vieillissaient ni ne fanaient. Elle avait pour lui la même obligeance tendre et discrète de lui prendre les mains froides de ses mains, translucides et tièdes mains, de l'emmener tout de suite aux cuisines, boire un chocolat. Et là, l'ayant assis sous la fenêtre, et pris son manteau, elle le regardait chauffer ses mains à la tasse fumante, couvait sa personne de son regard bienveillant, et lui donnait des nouvelles de Mme Terrier. Les mêmes nouvelles, rassurantes et désespérantes, entrecoupées de bénédictions et d'actes de grâce qui reposaient Michel de sa terreur à envisager les retrouvailles avec la femme qui dormait encore, quelque part dans la grande maison de santé, où il y avait si peu de santé.

Pour le consoler, il y avait les sourires miraculeux de sœur Mélanie, enfantins et miséricordieux, puisqu'elle était enfant du miracle, elle qui ne devait pas vivre au-delà de quinze ans, selon la prophétie d'un bon docteur, et qui en avait trente-cinq à présent. Ce qui lui donnait de l'espérance pour l'avenir de Mme Terrier, en son état de morte vivante. Elle disait : Nous sommes créatures, c'est une formalité de vivre. Et aussi : Cachons nos péchés aux mécréants, seul le bon Dieu les voit, qui les pardonne. Le chocolat est aux Indiens : pour ce nectar, ils y gagneront une âme. Et encore : Gloire aux milices célestes qui nous gardent de l'orgueil. Michel Terrier ne venait peut-être là, deux fois l'an, que pour l'entendre, dans le grand réfectoire, sous l'amidon immaculé de sa cornette, égrener ses professions de foi ingénues, et la voir surveiller son confort, après sa marche solitaire sur le plateau désert. Dieu merci, il n'avait rencontré personne, il aurait tué un homme avec tant de plaisir. Ensuite, silencieuse sur ses chaussons, elle le conduisait chaque fois dans les couloirs blancs du Dr Blanchet, jusqu'à la chambre de l'aliénée, et le laissait jusqu'à midi s'entretenir. Elle le conduisit.

Dans la chambre monacale, sur le lit fait au carré, la femme allongée était tout habillée et préparée comme pour la promenade, en robe de laine noire avec des petits volants de soie, et une petite cape brodée très délicate, coiffée à bandeaux avec des peignes de nacre, lavée, poudrée, parfumée excessivement à l'eau de Cologne, comme un cadavre embaumé. Elle regardait le plafond. Elle frottait doucement ses doigts comme les mouches s'aiguisent les pattes. Elle était d'une grande beauté, paisible et souveraine, à peine un réseau de rides au coin de l'œil qui semblait sourire, et des cils de jeune fille, sa peau très lisse par ailleurs, caressée par la lumière de mars, comme d'une statue de marbre. Elle ne bouge plus que les doigts, disait la sœur, et elle sourit parfois. Elle est sage dans son pays intérieur. Elle a des cheveux opulents et drus, très noirs encore, les cheveux sensuels d'une femme entièrement enfermée dans sa vie intérieure. Son regard aussi est tourné vers le dedans. Elle contemple. De quoi jouit-elle, solitaire ? Son fils faisait effort pour la défigurer. Il cherchait le cadavre, sous le front, la mâchoire nette, l'os, la denture du squelette. Il voulait voir sous la peau la boîte jaune et bosselée, le crâne, l'orbite creuse, l'orifice béant du cartilage nasal, qu'elle avoue enfin en quel état elle campe ! Mais elle n'est pas morte ; elle songe. Elle s'est absentée avec l'intense jouissance, la volupté des gisants. Michel vient en reconnaissance, deux fois l'an.

— Notre Père, qui êtes aux cieux, que votre volonté soit faite, dit sœur Mélanie, taquinant son chapelet. Vois comme elle est mignonne. Elle est contente de ta visite.

Et elle vira prestement sur ses petits talons de feutre, disparut. Michel Terrier s'assit au pied du lit. Sa tête et son cœur étaient parfaitement vides. Il se sentait tout petit et seul, tout petit enfant, tombant de la lune, tombant d'un long puits noir à cette place au bord du lit de sa mère. Dans l'ivresse de sa fatigue, tout soudain il s'endormit sur sa chaise. Il s'endormait souvent. Chaque fois des dix fois, il avait passé la moitié du temps dans le sommeil, ou la somnolence, abruti par le silence de la chambre, en compagnie de la femme très belle, très noble et bienveillante qu'elle avait été, de la femme aimante d'amour unique, qui l'avait dévoré des yeux, la prunelle de ses yeux, pendant plus de vingt ans, et maintenant c'était lui qui la mangeait des yeux, dans l'hypnose vide de ces heures vides. Une fois, un été, il l'avait promenée sur une chaise roulante, sanglée au dossier, toute droite et la tête renversée vers le ciel d'azur vide. Sur l'allée aux glycines, le long des iris. Comme elle dodelinait, il croyait qu'elle acquiesçait. C'était juste la secousse des graviers. Elle mange bien, trois biscottes dans du lait, de la compote d'abricots à l'anis, un demi-boudoir, disait la sœur, attendrie. Elle se vide bien. Elle est propre. Le jour du Jugement dernier, il faut qu'elle soit propre.

A midi, il descendait au réfectoire, et sœur Mélanie le faisait déjeuner sur un coin de table, après le service des pensionnaires, qu'on rangeait pour leur sieste devant la maison, sur les bancs le long du mur, l'été ; aux jours froids, dans le jardin d'hiver, parmi les caisses d'orangers. Mélanie lui gardait des plats réchauffés sur la grande cuisinière à bois. Elle picorait dans son assiette, par jeu, jusqu'à la dernière miette de pain qu'il laissait sur la table.

— Saint François mangeait ce que lui laissaient les oiseaux, disait-elle, dans le ravissement.

Jusqu'au dernier morceau de fromage, elle le regardait manger, avec gourmandise, et même son verre d'eau fraîche, elle le buvait en pensée. Elle communiait. Comme il l'avait vue, une des premières fois, couver avec la même convoitise le petit cigare qu'il allumait pour finir, il lui avait présenté sa boîte, par provocation.

— Pas un entier, avait-elle dit, de son grand sourire blanc. Mais un petit coup du tien, par-ci par-là, je veux bien.

Il lui tendit son cigare et elle posa ses lèvres de vierge où il avait mis les siennes, sans une rougeur tira une brave bouffée, d'une inspiration, et soupira, bienheureuse. Sœur Mélanie croyait qu'il voyageait pour le commerce. Elle croyait qu'il était amoureux de filles lascives, qu'il faisait des choses un peu sales dans le monde, mais c'était naturel et sans conséquence pour sa vie d'ici. La malice ne lui faisait pas peur. Une fois, il lui avait dit que Mélanie veut dire noir. Elle avait ri de cette farce. Ensuite, il remonta dans la chambre pour la deuxième station de sa journée à Auvers. Bernadette Terrier sommeillait, ses doigts ne bougeaient plus, ses paupières étaient tombées. Longues paupières en amande ombrées de bleu, drapées sur le globe oculaire. Sa bouche sensible tirée d'un vague sourire. Il pensait parfois qu'un homme l'avait possédée sur un lit, avait baisé cette bouche. Un seule fois. Son père. Un magistrat de la ville de Charentes, où elle était jeune fille. L'obscénité de cette scène, intolérable, lui était paru tard dans sa vie. Ici, à Auvers. En la voyant étendue. Jamais auparavant. Elle avait élevé l'enfant avec sa mère veuve et sa tante veuve, à Paris, loin de la ville où l'homme vivait avec sa famille et rendait des jugements. Il n'avait jamais vu son fils. Il payait. Il était mort. Les vieilles femmes étaient mortes. Maman était bonne et douce. Ni malheureuse, ni douloureuse, absente à tout. Maman ne vivait que pour lui. Elle n'existait pas dans le monde réel. Elle le menait par les rues, elle l'habillait, le déshabillait, le lavait, le nourrissait. Elle lui lisait des livres, lui enseignait le latin et le grec. Ni Dieu ni diable d'église. Elle le menait au kiosque à musique, aux revues militaires, au Louvre. Voir le *Baptiste* qui montre du doigt, quelque part hors du monde. Elle parlait peu. Elle l'adorait. Elle dormait. En pension, il l'avait oubliée. Elle venait au parloir. Elle avait un parfum de vanille, de jasmin ineffable. Il la haïssait généreusement ; de tout son cœur. Ce qui était sa façon de lui rendre la monnaie de sa grande bonté, de sa grande beauté, trop grandes pour un enfant, pour un homme. Depuis qu'elle avait un sexe, elle était monstrueuse, dans son monde intérieur. Il n'avait pas envie d'y penser. Aujourd'hui, il était lavé, habillé, nourri par ses propres moyens, une machine parfaite pour se tenir hors de portée de la femme, de son indignité magnifique.

A une seule personne, une fois, il avait parlé d'elle. A elle, avait donné un rendez-vous, étourdiment, devant le *Baptiste* de Vinci. Elle en avait ri. Pour cela, et d'autres choses encore, il avait d'elle une haine intense, féroce, enivrante, qui mettait au ventre une douleur. Contre laquelle il n'avait pas assez de l'action, de la rigueur et de la volupté de l'action, secrète et froide, de l'intelligence mathématique, de son cerveau d'acier pour se protéger. Contre toute son engeance. Les femelles et les mâles qui vont par les rues, qui font des enfants sur les lits, et les aiment. Il tirait leurs ficelles de pantins, il déplaçait les pions de leur existence, il calculait leur poids et leur fonction, il contrôlait en masse. Il écrasait du talon les fleurs rouges arrogantes. Il avait tué des hommes aussi facilement que des fleurs. Il était las et somnolent. La lumière baissait doucement. Il se leva, fit le tour du lit.

— Au revoir, maman, dit-il tendrement.

Sœur Mélanie le raccompagna jusqu'au portail à pas feutrés, les bras croisés dans ses larges manches, sa cornette au petit vent du soir. Il lui baisa les mains translucides. Elle glissa dans les siennes un sachet, qu'il ouvrit sur la route. Des caramels ; qu'il jeta dans un fossé. Ils lui agaçaient les dents. Gabrielle lui était revenue en souvenir, dans l'après-midi. Non qu'il ne pensât souvent à elle, maintenant qu'il avait repris le Dr Galay en chasse. Mais il avait pensé précisément à elle en veillant sa mère. C'était un rapprochement désagréable. Comme de penser à la femme du café qui lui avait fait les poches. Cela lui était venu tout doucement, dans sa somnolence de l'après-midi. Le dispositif d'espace, le comptoir en étain mat, les verres, le garçon et derrière celui-ci les bouteilles. Il aurait pu énumérer les marques sur les étiquettes. Quels hommes étaient accoudés au zinc, et derrière lui, dans la salle, les trois couples, homme et femme ; deux de femmes ; trois femmes seules. Une assez proche, de profil. Avec ce sixième sens ordinaire qui fonctionnait tout seul, sa faculté d'enregistrement autonome, de perception aiguë quand l'œil semble sommeiller. Epuisant parfois. Excitant. Qui lui restituait à volonté l'état des lieux et la mécanique des corps, l'ensemble et le détail. Elle va aux toilettes. Elle ressort, droite, nonchalante, ce je ne sais quoi d'un peu trop dégagé, elle glisse entre les tables. Voilette à la mauresque. Parfum poudré, un zeste acide de sueur suave : elle a beaucoup marché, elle a chaud, elle a peur. Disparaît. Son voleur est une voleuse.

Il marchait vite sous le ciel du soir enrubanné de nuages violets, descendait dans le bourg vers la gare d'Auvers. La psychologie d'une voleuse élégante est une autre affaire que celle d'un voleur artisanal. Femme du monde, demi-mondaine, une croqueuse. Une fille en voilette ne tire pas le chaland pour la galerie, elle a d'autres revenus. Elle ne va pas aux toilettes pour un butin de hasard. Elle sait ce qu'elle cherche, elle le prend où elle sait qu'il se trouve. L'agent de Cologne est grillé. Il a pris des parasites sur sa ligne. Autant s'en assurer vite. Changer les aiguillages. Rompre le contact. Une voleuse de ce calibre ne jette pas le stylo à la poubelle, ni la loupe. Elle les garde, en sus de son butin principal, en prime de charme. Pour la beauté du geste. Elle n'écrase pas du talon les ampoules, ne fout pas Paris dans la pagaïe gratuite. Elle a ses commanditaires, bon Dieu. Des femmes comme ça, il les éventre, il les égorge. Michel Terrier attendait son train, les poings dans les poches. Très dépité, il avait allumé un deuxième petit cigare. Il faut faire notre deuil, songeait-il, avec un certain plaisir amer au bord des dents, l'envie de mordre. Il regrettait les caramels de sœur Mélanie. Attention.

Cette fois, ne pas louper le grand professeur de l'Institut Pasteur, son jean-foutre d'assistant, leur dossier d'analyses sous le coude. Ni la petite institutrice fouille-merde, qui vous file entre les doigts. Il avait des tiraillements dangereux aux poignets, la douleur au ventre. Dès que débarqué du train, gare du Nord, il remonta la rue jusqu'au claque de Mme Souris. Elle le connaissait, comme de ces habitués irréguliers, qui viennent pour un besoin spécial ; ils n'ont pas la même tête que les autres. Ils ont un contrôle de la nuque et les mains sèches, la lèvre retroussée aux gencives d'un sourire fixe. Ils abîment vilainement les filles et gâtent le linge. Elle fit des manières sous sa lampe juponnée de rouge, froissant le nez qu'elle avait fort et secouant ses bracelets.

— Plus une ne voudra monter avec vous. Soyez un peu gentil, cette fois…

— Dédommagements compris, dit-il brièvement, poussant les billets sur la table.

Non, Dora n'avait absolument pas écrasé du talon les petites ampoules. Ni jeté le stylo et la loupe miniature. Les objets étaient alignés avec les billets du combat de boxe à Vincennes, l'abonnement au mess des officiers du ministère, la pelote d'élastiques, le sachet d'allumettes, et même le paquet de cigarettes froissé, sur le buvard du commissaire Louvain, comme pièces à conviction de son délit. Elle venait de lui raconter tout de go comment ce larcin se trouvait en sa possession.

— Et vous pratiquez ce sport régulièrement ? demandait-il, aimablement.

Dora se tenait bien droite, les fesses au bord de la chaise, rouge cerise. Ce qui seyait fort bien à son teint, plutôt pâle depuis qu'elle était enfin entrée dans ce bureau du quai des Orfèvres. Elle avait eu tout le temps de pâlir, et de rougir, de pâlir encore, durant les heures qu'elle venait de passer dans la salle d'attente. A vrai dire, une pièce vide, avec un seul banc, scellé au mur, ce mur marron dont la peinture écaillée laissait voir les couches superposées de couleurs plus laides les unes que les autres, avec une ampoule électrique pendue au fil, et un plancher douteux qui gardait les traces de choses dégoûtantes sous la sciure. Des messieurs en civil ou en uniforme la traversaient sans cesse, parce que pas moins de quatre portes donnaient là-dessus, un carrefour à courants d'air chaque fois qu'une s'ouvrait, et les messieurs jetaient à cette jeune dame des regards étonnés, des regards émoustillés ou sévères, mais ce n'était jamais le commissaire qui paraissait, et les heures passaient. Elle avait épuisé les dessins curieux que faisaient les écaillures de la peinture, des îles, des archipels sidéraux, des côtes déchiquetées de continents barbares, avec des estuaires et des golfes d'ombre, des lichens de soleil et des morves d'azur. Et lu dix fois l'affiche du règlement de police urbaine. Ce qui l'autorisait à ne pas penser à autre chose.

Elle avait assez pensé, toute la nuit, grelottante dans son déshabillé japonais, sursautant aux coups de tonnerre, aux éclairs qui zébraient l'obscurité, éclairant par intermittence la table où scintillait méchamment le verre des ampoules, dans leur écrin de coton. Elle avait vraiment réfléchi. Sous son front glacé, la tête lui en bouillait de fièvre. Puis ç'avait été le contraire : elle était moite de chaleur, et son cerveau marchait de sang-froid, tirait des pensées raides comme la justice, droites et diagonales, abscisses et ordonnées. Elle avait envisagé toutes les conclusions tordues, pour parvenir à la seule orthogonale, selon laquelle, cette fois, elle s'était fourvoyée sur un terrain de guerre, tellement miné qu'il allait lui exploser à la figure dans la seconde. Il y aurait une grande gerbe rouge, et elle ferait un fameux hachis de petit soldat. Ce n'était rien, en comparaison, les courses derrière Clarisse et Jean, la promenade le long du canal, l'assassinat en direct sous un pont. Le contenu des ampoules devait être rien moins que de la nitroglycérine ou ce genre d'abomination. Une goutte tombe et la route saute, la falaise saute, le paquebot saute. L'immeuble de la rue des Saints-Pères pareil. Elle avait lu dans un journal les terrifiants effets de cet explosif instable. Raisonnablement, un quidam ordinaire ne se promène pas dans Paris avec un tel détonateur dans la poche de son manteau, à moins d'être un fou, un illuminé. Un révolutionnaire suicidaire qui prépare au moins un complot, un attentat, un coup d'Etat. L'homme en question n'avait pourtant pas la tête d'un illuminé. Mais sait-on ce qu'habillent les visages, qui l'on croise dans la rue, dans le métro, sur l'impériale de l'omnibus, qui l'on frôle de sa jupe sur les boulevards ? Sait-on qui file le Dr Galay, avant de rejoindre cet individu à tête de loup civilisé ? La conjonction des deux hommes dans ce bar sportif n'avait rien de fortuit. L'un attendait l'autre, qui arrivait à point nommé. Le manteau de cuir avait rendez-vous avec la gabardine, qui venait de suivre méthodiquement le docteur. La logique n'était pas limpide, mais assez explicite. Sur quoi tombe-t-on, de fil en aiguille, quand on attend un monsieur, bien sous tous rapports, à la sortie d'un grand hôpital parisien, un soir de mars, à qui un filou file le train, et dont on a la diabolique inspiration, pour en avoir le cœur net, de faire les poches, carrément.

— Carrément, disait Louvain. Vous n'y allez pas de main morte. Et une fois cette main-là prise dans le sac, vous avez des sueurs froides. Vous venez me trouver pour quoi, exactement, ma petite dame ?

Elle avait tant attendu. On ne savait même pas si le commissaire repasserait à son bureau d'ici ce soir. Si elle voulait le voir, lui, et pas un autre, autant valait revenir demain, non ? Non. Elle était décidée à s'en remettre à lui, et tout de suite. Elle avait cherché toute la nuit, parmi tous ceux qu'elle connaissait, lequel non seulement la sortirait de son guêpier, mais serait en position de dominer la chose d'un promontoire d'envergure. En vain. Aucune de ses amies. Aucun de ses amis, artistes, peintres et musiciens, poètes tous charmants, intrépides et généreux, mais par trop fantasques. Ni Francis, ni son maître Saint-Saëns, grand Dieu ! Ni les parents de ses élèves, respectables magistrats ou enseignants, et même un attaché de l'ambassade de Pologne qui la protégeait beaucoup. Mais à qui avouer la peur panique qui l'avait saisie, vraiment à dresser les cheveux sur sa tête, et surtout, surtout les vraies circonstances de son vol. Personne d'autre que ce policier aux manières cavalières, qui prenait le risque des giboulées et cirait ses bottes en gentleman. Il avait un beau toupet, mais l'œil fameux et l'expérience des guets-apens, aussi résolu qu'un bandit italien. De plus, une moustache taillée aux petits ciseaux.

— Vous comptez rendre au monsieur sa propriété ? Avec vos excuses, je suppose ?

— Je ne saurais à qui présenter mes excuses. Je l'ai à peine vu, et de profil encore. A part son manteau de cuir noir…

— Déposez votre larcin aux objets trouvés. Faites passer une annonce : voleur repentant restitue à qui de droit son bien, mal acquis, qui ne lui profite pas. Avec liste des objets subtilisés. On ne sait jamais, il vous offrira peut-être une récompense ?

— Assez raillé, monsieur. Ouvrez la petite boîte en fer.

Les sourcils en accents circonflexes, il daigna s'exécuter avec un gros soupir.

— Attention ! s'écria Dora, toute blanche. Doucement ! C'est un explosif.

— Enfer et damnation ! eut-il la bonté de plaisanter.

Mais dans les mains fermes du commissaire la petite boîte ne tremblait pas, et comme il saisissait délicatement entre deux doigts une des ampoules et la levait au niveau de son nez, assez intrigué, elle parut soudain à Dora très inoffensive et ridicule. Louvain louchait un peu et faisait avec sa bouche ce bruit de qui cherche la petite bête.

— Tuttt tut tuttt… Votre explosif m'a l'air très médical. Un fortifiant ? Verrerie de pharmacie, filage grossier, artisanal. Un stupéfiant ? Plutôt un sérum, non ? C'est assez moche à regarder, j'en conviens. C'est ça qui vous donne le frisson ?

— Ne brisez pas l'ampoule !

— Je m'en garderais bien, mademoiselle. Mais on ne va pas casser trois pattes à un canard, avec votre pétard mouillé. Un explosif ! D'où tirez-vous cette idée ? Du fait que le monsieur se sustente au ministère de la Guerre ? Vous allez un peu vite en besogne.

Penaude, Dora se mordait les lèvres d'indécision. Elle n'en avait pas assez dit pour convaincre et trop pour s'en tirer d'une pirouette, laisser tout sur la table et filer à l'anglaise.

— Ecoutez, mademoiselle. J'ai fait votre connaissance en de bien funèbres circonstances. J'espérais vous revoir. Mais pour une affaire que nous avons ensemble, n'est-ce pas, et qui me cause pas mal de soucis en ce moment. Et voilà que vous me mettez sur les bras une rapine relevant de la délinquance mineure, avec vos remords d'écolière, et vos extravagances romanesques en prime. C'est beaucoup charger la barque.

Alors elle décida de la charger pour de bon, parce qu'elle ne s'en sortirait pas autrement. Cette idée de visiter les poches du monsieur ne lui était pas venue au café, où elle ne buvait pas du tout par hasard un gin carotte, voilà. Il se trouve qu'elle attendait une personne, à la Salpêtrière, et qu'elle n'était pas la seule. C'est une situation équivoque, n'est-ce pas, une bizarrerie piquante : on commence à faire trois pas, et puis dix, et ensuite c'est plus fort que vous. Elle s'empêtra beaucoup à raconter son itinéraire urbain accidenté, et toutes les circonstances qui en avaient découlé, le goût autant que la peine qu'elle avait pris à s'entêter, dans le tramway et dans les rues, pour ne pas lâcher d'une semelle la gabardine, pour aller jusqu'au bout et en avoir le cœur net, disait-elle. Parce que les messieurs qui suivent les gens si habilement en pleine ville n'ont rien de passants ordinaires. Du coup, ce qu'ils transportent non plus. Qu'ainsi, elle avait eu de bonnes raisons de s'en emparer, et maintenant de remettre entre les mains d'un agent assermenté le résultat de son petit prélèvement suspect, résultat de cette filature non moins suspecte. Cette fois, Louvain siffla d'admiration.

— Peste de la petite peste ! Ce sport-là aussi, à vos heures ? Mais d'où sortez-vous, mademoiselle Gombrowicz ? Je vous croyais concertiste ?

Il couchait l'ampoule dans son lit douillet, refermait posément la boîte.

— Ainsi donc, cette personne, dont vous suivez qui la suit, vous la connaissez ? Parce que, enfin, il nous faut établir la cause des effets, maintenant.

— Pas vraiment. Je voulais faire sa connaissance.

— Tiens donc. Son nom ? Adresse ? Profession ? Fin limier que vous êtes, vous avez appris tout ça en cours de route, n'est-ce pas ?

On peut toujours trahir pour la bonne cause, on n'en est pas moins traître. Livrer l'identité des gens à un policier qui a pour métier de mettre son nez dans leur vie, même au nom de la loi, est un embarras de conscience. Et si elle avait jamais imaginé aborder Pierre Galay, c'en était bien fini. Elle ne pourrait même pas le regarder à vingt mètres, et de dos encore, sans s'empourprer jusqu'à la racine des cheveux.

— Galay ? Des Bertin-Galay, biscuits fins et petits-beurre ? C'est donc aussi un biscuitier de la rue de Turenne, cet oiseau-là ?

— Un médecin de la Salpêtrière. Spécialiste des maladies infectieuses. Tropicales, je crois.

— Vous croyez. C'est fou le nombre de gens inconnus que vous poursuivez... Vous aviez besoin de le consulter à titre professionnel ou pour des raisons plus privées ? Excusez-moi, la question est délicate, mais elle se pose.

— Merci pour vos délicatesses. Je ne suis pas malade.

— Au fait, c'est peut-être à lui qu'ont été empruntées les petites ampoules, ma poule ?

Louvain pouvait être grossier sans tomber à l'insulte, et même trousser la vulgarité avec galanterie. Il faisait juste chanter la langue pour se passer l'envie, la tête ailleurs. Il considérait Dora avec une curiosité non dissimulée. Des deux, au troquet du Père-Lachaise, c'est celle qui avait le moins parlé. Il savait bien comment se distribue la parole : si loquaces que soient les gens, c'est souvent celui qui se tait qui en dit le plus. L'autre demoiselle tenait le crachoir, mais elle ne disait que ce qui lui chantait. Elle laissait, à droite, à gauche, sur le bas-côté, les car et les si à sa discrétion. Celle-là en avait lourd sur le cœur, et même un certain air de désespoir qui fait trembler le coin de la lèvre, qui vous la blanchit jusque dans la petite gouttière sous le nez, juste au moment où c'est le plus grave. Mais c'est justement le pire moment pour tirer les vers de ces nez-là. C'est quand on tremble de la lèvre qu'on est le plus coriace. Tandis que la demoiselle concertiste vous gardait son sang-froid et son quant-à-soi de grenadier, l'œil noir de café à couver sa petite amie comme le lait sur le feu, et sûr qu'elle voyait la lèvre trembler, et tout le reste, et elle prenait le relais juste quand il fallait pour lui éviter les ornières. On ne peut être plus amoureux. C'est ce genre de déclaration d'amour qui est la plus vraie. Quand on paie vaillamment de sa personne le prix exorbitant pour sauver l'autre sans qu'il le sache, et il ne vous rendra même pas la monnaie, vu qu'il n'imagine même pas ce que ça a coûté. C'est aussi comme ça qu'on se trahit. Dans les raccords de parole trop vite recousus.

— N'empêche, murmura Louvain. A moi, vous direz bien pourquoi le petit Marcus faisait le siège de votre domicile. Ne me dites pas qu'il vous harcèle de ses assiduités, ce Cupidon ?

Décontenancée par le changement abrupt de sujet, et encore transie par ce qu'elle pensait de sa trahison, Dora n'avait pas le temps de calculer où poser son pied. De toutes parts, c'étaient marécages et sables mouvants où elle s'était avancée à ses risques et périls. Elle fit non de la tête, secoua joliment son chapeau à plume de paon.

— Pas un amoureux. Un élève de piano ? Non plus. Ne me la faites pas, Gombrowicz.

— Je ne veux pas déposer contre lui, protesta-t-elle, pianotant nerveusement le bord du bureau.

— Déposer ! Où voyez-vous que nous déposons, vous et moi ? Il faisait le messager de Clarisse Zepwiller, hein ?

— Il ne l'a pas tuée.

— Evidemment que non ! Je suis bien tranquille à son sujet. Et même, voyez comme je suis bon père : je garde mon Marcus sous clé, parce que, là où il est, il a quelques chances de rester en vie. Je vous fais un dessin de la situation, mademoiselle Dora ? Donc, il fait le messager entre la sœur et vous. Il y a urgence à vous rencontrer, parce que Clarisse sait qui a refroidi son frère, hein ? Peut-être avez-vous aussi une petite idée là-dessus, vous qui en avez tant ?

— Nous n'en avons pas.

— Nous mettons quand même un fameux coup de collier pour alpaguer cette anguille, qui échappe à des gens bien mieux entraînés que nous à la pêche au gros. Voilà des années qu'il est fiché, et personne ne peut lui mettre la main dessus. Nous lui voulions quoi, exactement, à ce Jean Zepwiller ? Finissez de m'entortiller, la question est là.

— Gabrielle vous l'a dit. Il a connu son fiancé, il a été son ami, un collègue, je ne sais.

— Collègue ? C'est quoi, collègue ? Dans quel zinzin ?

— Je l'ignore.

— Vous ne savez rien de personne… C'est fatigant. Il l'a connu, et alors ? Ils faisaient quoi, ensemble ? Cela intéresse donc tant votre amie, leurs affaires de collègues ?

— C'est une relation sentimentale, pouvez-vous le concevoir ? Qu'on ait l'envie terrible de retrouver ceux qui ont été proches d'un être aimé, autrefois ?

— C'était quand, autrefois ?

— Il y a des années...

— Pas tant que ça, que diable ! Elle n'était pas fiancée au berceau, votre amie ! Elle travaillait pour eux ? Fiancée duquel, dites-vous ? Je m'y perds...

— Ah ! Vous êtes odieux ! Ce que vous suspectez est abominable ! Gabrielle est innocente !

— Vous le criez bien vite. Innocente de quoi ? Innocent, coupable ! Si vous saviez à quoi ça tient...

— Commissaire, nous vous avons dit ce que nous savions, l'autre jour. Le dénouement de tout cela nous accable assez, croyez-le.

— Tiens donc, vous êtes accablée ! Alors vous vous consolez avec vos petits jeux de société. Il court, il court le furet des bois, mesdames, hein ? La main chaude et colin-maillard ? Et vous venez me voir quand ça dérape un peu ? C'est très gentil à vous, vraiment.

La moutarde lui montait au nez, terriblement.

— Je vais voir ce que je peux faire avec vos ampoules. Je vais les faire porter à l'Institut Pasteur, mais sachez...

Il secouait la petite boîte d'un air menaçant, faisant cliqueter les ampoules au-dedans.

— Attention ! Ne les brisez pas !

— Ah ! Mais, c'est vous qui commencez à me les briser ! tonna-t-il. Je sais ce que j'ai à faire. Uniquement par acquit de conscience, foutre Dieu !

Dora resta saisie par ces jurons, battit des paupières et renfila rapidement ses gants.

— Foutre Dieu, monsieur, balbutia-t-elle, vous me les brisez aussi. Bien le bonsoir.

Et avant qu'il ait fait un geste, elle quitta le bureau dignement, claqua la porte. Se perdit un peu en ouvrant les trois autres, avant de trouver la bonne sortie.

XXXIV

Dans les jours suivants, Pierre Galay fut suivi partout où il allait ; ce qui était assez fastidieux pour les ombres qui le prenaient en chasse. Ses itinéraires étaient monotones, de la rue de Turenne à la rue Dutot, de l'Institut à l'hôpital et retour ; une fois à la salle d'escrime du faubourg Saint-Antoine, deux fois à l'Académie des sciences, et chaque soir Chaussée-d'Antin, pour une visite. Il avait des parcours réguliers, rarement agrémentés d'un détour, comme passer par le port des Célestins, pour regarder la baignade des chevaux sur la grève du pont Marie, ou s'offrir un détour par la place des Vosges pour rentrer chez lui. Il allait à pied le plus souvent, parfois en omnibus. Il achetait régulièrement *Le Temps* sur le boulevard de l'Hôpital, ou au kiosque de la rue Saint-Paul. Il lisait quelques titres au coin de la rue, s'arrêtait au débit de tabac, au bureau des Postes ; toujours seul. Cet homme pressé, peu soucieux de sa personne, ne se dérangeait pas, il dormait chez lui. Ni maîtresse, ni fréquentations, ni mondanités. Ce laps de temps de la filature ne donnait qu'un aperçu, évidemment. Il aurait fallu approfondir, mais ce n'était pas le sujet prioritaire. A se demander en quoi un type aussi banal, réglé comme un métronome, méritait une telle surveillance. Traversant la ville en somnambule, il se contrefichait d'occuper tant de monde – si deux individus font du monde, à vingt mètres l'un de l'autre, dans la foule bigarrée des avenues ou des allées de jardins publics.

D'ailleurs il n'était que l'appât, puisque le deuxième couteau s'intéressait uniquement à son chasseur. A la gabardine, sitôt repérée que disparue, remplacée par un paletot qui avait pris sa place. Un jeunot à melon et badine ; canne d'apparat, dont il faisait mauvais usage. Comme d'écarter sans nécessité les chiens ou les enfants d'un petit coup nerveux ; dont il tapotait sa paume au coin des rues, d'un air fat. Comme de repousser son melon du pommeau, avant de s'éponger le front du poignet. Un agité. Un débutant. Pas de la police, ce perroquet-là. Pas un amateur non plus, ni un détective privé. L'inspecteur Grelot, que Louvain avait mis en piste, connaissait sa volaille, et les espèces apparentées. C'est fou ce qu'à suivre les gens on devient intime de leurs petites manies, leurs tics et leurs trucs, leurs mœurs et leur nature. Quoi qu'il en soit, de la psychologie du paletot, Grelot se souciait peu, seulement de ne pas le lâcher quand celui-ci lâchait le docteur, qui pouvait bien aller se faire pendre de son côté. C'était là que commençait vraiment sa partie.

L'itinéraire du jeunot était encore moins varié. Une fois déposé le docteur chez lui, il ne flânochait guère. Il allait droit au même café de boxeurs, que fréquentaient les managers et leurs champions, entre deux entraînements, à qui il tapait sur le ventre ; et à un autre café, boulevard Saint-Germain, plus galonné. Tout le personnel ministériel, militaire ou civil, s'y donnait rendez-vous, à certaines heures. Le paletot melon y jetait systématiquement un coup d'œil général, cherchant visiblement quelqu'un, avant de s'engouffrer sous le porche du ministère de la Guerre, sans être contrôlé par les gardes. Trois soirs de suite, parce que stationner à découvert est bien la pire des misères, Grelot avait planqué jusqu'à pas d'heure sous la bâche d'un chantier providentiel, de l'autre côté du boulevard, mais il ne l'avait pas vu ressortir. Ou bien l'oiseau avait filé par la rue Saint-Dominique, ou bien il avait là son lit. Et lui n'avait pas le don de se dédoubler pour planquer dans deux rues à la fois. Mais ce soir, alors qu'il allait laisser tomber, parce que le chantier avait été enlevé et qu'il ne se voyait pas prendre racine au milieu du trottoir, sans un café, une librairie en vue, le paletot était soudain ressorti, en compagnie d'un manteau de cuir noir à lunettes. Il leur avait collé aux fesses, tant bien que mal. Les rues commençaient d'être désertes, et dans ce cas il vaut mieux être plusieurs à se relayer, et il était tout seul, mais enfin, vieux de la vieille, il avait suivi de loin, au risque de se faire semer à un coin de rue. Eh bien, ça se finissait tout bête à l'Ecole militaire, voilà. C'est ce que rapportait Grelot, avec son petit carnet cartonné, chiffonné entre les mains, qu'il n'ouvrait même pas, parce qu'il savait par cœur son rapport.

— Tiens donc, un manteau de cuir noir, dis-tu ? C'est celui-là qu'on agrippe, à présent. Laisse tomber le paletot. Tu prends qui tu veux avec toi, carte blanche. Tu le cernes sans le serrer. Du tact, hein ? On a du feu sous les doigts, mais foutre Dieu, je n'ai pas peur de me brûler. Ils commencent à me chauffer, ces messieurs de la Muette. Tu sais ce qu'il promène, ce zigoto, dans sa poche, comme toi ton mouchoir ? Un concentré de culture typhique à envoyer la moitié de Paris au mouroir. Je ne blague pas. Ils sont formels, les savants. Du premier coup d'œil. Même réponse à notre laboratoire de toxicologie. En voilà une machine. C'est à se demander quel métier on fait, nous autres. Nous sommes polis, nous avons du savoir-vivre, mais ça aide comme de servir la messe au choléra. N'empêche, on va la servir, mon pauvre Grelot. De ce pas, je m'en vais au rapport, rue des Saussaies, chez Pujalet, à la Sûreté générale. Mouton, notre directeur de la police judiciaire, veut son avis. Tu comprends, ça dépasse la préfecture de Police, tout ça… Il ne m'enlèvera pas l'affaire, ou je lui colle mon congé. Je blague, Grelot, je blague… En attendant, inspecte un peu ce que c'est que ce Dr Galay, s'il est ou non des biscuitiers du quai de la Gare. Mais en douceur, en douceur, fils. On ne sait à quoi on touche, en ce moment.

Qu'il fût suivi importait peu, en effet, à Pierre Galay. Il se déplaçait dans Paris comme dans une ville étrangère dont les trottoirs tenaient du rêve puisqu'ils le transportaient d'un bord à l'autre, d'un glissement continu, particulièrement silencieux malgré le trafic, malgré la foule et les embarras. Il entendait même son pas, parfois, sous le tintamarre lointain, le bruit de sa marche et celui de son souffle, comme s'il allait plus vite que les sons de la ville, plus vite que les klaxons du carrefour de la Madeleine, et même plus vite que son ombre allongée le soir devant lui, rue Saint-Antoine. Ou bien beaucoup plus lentement, en retard sur celui qui quittait la rue Dutot, entrait à l'hôtel de la Chaussée-d'Antin et parlait déjà avec sa mère, à la table de trictrac, tandis qu'il remontait encore l'avenue de l'Opéra. Cette sensation n'était pas désagréable, cela ne signifiait pas qu'il était malade. Au contraire, cette faculté de dissociation le reposait du tracas matériel qui mobilise tant d'attention pour de futiles effets, et c'était rassurant de voir qu'en réalité tout, gestes et déplacements, avait lieu sans qu'il s'en soucie, comme si, par inertie, l'habitude prenait le relais, le laissait vacant pour s'absorber en lui-même, aussi loin que possible de ces obstacles importuns, gens et choses. Il avait connu cet état autrefois, lorsqu'il rédigeait sa thèse. Pendant des mois, plusieurs saisons peut-être, il avait traversé sa propre vie en automate, son esprit et son corps d'une rentabilité merveilleuse, d'autant plus actifs et disponibles qu'ils flottaient dans un vide atmosphérique infiniment reposant.

Ainsi pouvait-il, tout en pensant à autre chose, faire sereinement la conversation à Mme Mathilde, chaque soir, l'entendre lui rapporter les nouvelles de l'usine, toujours en grève, où Lewenthal menait très hardiment la négociation, certain d'aboutir dans la semaine à un compromis favorable, dont il lui rendait compte, deux fois par jour ; commenter le séjour de Sophie, débarquée par surprise, qui, d'après elle, avait pris prétexte du malaise de sa mère pour s'échapper de Genilly, que ses deux belles-sœurs, enchantées de l'occasion, menaient d'une main de fer, chiens, bonnes et enfants. Voilà cinq jours qu'elle était là. Bien inutilement, puisque dès le lendemain de son attaque, sa mère était sur pied. Enfin, pas vraiment remise ; mais valide et la tête claire. Aussi, Sophie, désœuvrée, passait-elle le plus clair de son temps à courir soi-disant les magasins, dont elle ne ramenait d'ailleurs rien, sinon le teint allumé, les yeux brillants, une espèce d'ivresse de provinciale. Elle n'a donc pas le sou pour dépenser à sa guise ?

— Charles la ruine, et elle se contente de lécher les vitrines : voilà à quoi cette sotte en est réduite. Elle n'est toujours pas rentrée, comme tu le vois. Elle sait pourtant bien que tu viens chaque soir. Tu m'écoutes, Pierre ?

Pierre hochait aimablement et la félicitait des bouquets d'arums, d'orchidées, de tulipes magnifiques, disposés dans le salon. Elle en avait reçu à profusion, avec des vœux de prompt rétablissement. Croient-ils tous m'enterrer, là-dessous ? se moquait-elle, pourtant secrètement flattée de ces attentions. Et surtout des envois quotidiens de Daniel, un même petit bouquet de violettes, arrivées de Nice dans la nuit, qu'un livreur portait, car Daniel était à Londres, pour vendre ses films aux Anglais… Mais elle poursuivait, ironisant sur les prévenances de Blanche qui dépêchait tous les matins un de ses gens prendre de ses nouvelles, comme si le téléphone n'existait pas ! Ce procédé n'était que pour lui signifier qu'elle ne se déplaçait pas elle-même, et qu'un domestique y suffisait. Aussi expédiait-elle Manon, boulevard Malesherbes, chaque soir, porter ces fameuses nouvelles, pour lui rendre la pareille et lui couper l'herbe sous le pied. On n'apprend pas la grimace aux vieux singes, mon garçon. Mais surtout elle ne tarissait pas sur l'affaire qui occupait tous les titres, depuis huit jours : l'assassinat de Gaston Calmette, révolvérisé par une épouse de ministre. Ses obsèques en grande pompe, toute la gent journalistique portant les gerbes, et les discours, et les dithyrambes ! Ah ! le grand homme, ah la noble victime ! La polémique enflait, le scandale. La démission du ministre des Finances, Gaston Doumergue consultant pour son remplacement, et l'instruction en cours, Mme Caillaux en prison, de qui le bâtonnier Labori préparait la défense. Mais quel déchaînement d'indignation, de vertu haineuse contre cette femme, traînée dans la boue. Et sa campagne électorale, que Caillaux menait contre vents et marées, à Mamers, en tribun enflammé... Un homme pareil, pour qui une femme se fait justicière, ça a du chien, sacrebleu ! Du coup, on parlait à peine de la visite des souverains d'Angleterre et de leur suite, prévue en avril, des préparatifs pour fêter l'Entente cordiale, du défilé militaire à Vincennes, du gala à l'Opéra. Il n'y avait plus de guerre du Mexique, plus de désordres au Tonkin. Maintenant qu'elle avait du temps pour lire la presse, Mme Mathilde en faisait chaque soir la revue à Pierre, calée dans ses coussins, avec une tisane de menthe pour apéritif. La privation de café était sa seule désolation, finalement, et elle ne s'y résignait que dans le projet d'y revenir bientôt en douce, petit à petit, dès que les uns et les autres auraient relâché leur surveillance, et qu'elle aurait repris ses activités. Mais son contentement suprême, dont aucun n'avait l'idée, c'était qu'elle buvait, fût-ce cette insipide tisane, dans son bol de faïence rose, miraculeusement reconstitué. Pierre sembla s'apercevoir du prodige, levant un sourcil.

— Crois-tu que Mlle Demachy a de la suite dans les idées ? Elle s'était mis en tête de recoller les morceaux, et elle y est parvenue. Vois. Ce n'est pas si mal fait ?

Pierre considéra le bol poliment, acquiesça d'un sourire distrait.

— J'aimerais mieux qu'elle fût encore là pour me faire la lecture, soupira-t-elle. Elle me calme, elle me plaît... Eh bien, as-tu augmenté ses gages, pour finir ?

— Son salaire. Non.

— Qu'attends-tu ! Tu avais tellement l'air d'y tenir...

— Je ne suis pas sûr qu'elle, y tienne.

— C'est le monde à l'envers ! En voilà une lubie !

— Il ne semble pas que son ambition soit de rester institutrice.

— Que me chantes-tu ? Elle ne pense pas à nous quitter, au moins ?

— Je l'ignore.

Il feuilletait distraitement un journal, qu'elle lui arracha des mains.

— Enfin, Pierre. Parlons un peu sérieusement. Nous ne pouvions espérer mieux pour Millie, pour nous tous. Il nous faut la retenir jusqu'à ce que Millie ait l'âge du pensionnat. Lui offrir des gratifications, des encouragements, la garder par tous les moyens. Avons-nous besoin de son accord pour l'augmenter ? N'est-elle pas bien traitée ? S'ennuie-t-elle, au Mesnil ? Donnons-lui plus de congés, des libertés, je ne sais… Que veut-elle ? As-tu au moins des relations convenables avec elle ?

— Convenables ? Mais, certainement, dit-il, avec une légère ironie.

— Ah ! J'aurais dû l'interroger moi-même. Tu n'y entends rien. Je vais m'en occuper.

Comme d'habitude, s'occuper de tout, prévoir et pourvoir à tout. Mais si elle en faisait la règle de sa vie, plus qu'un devoir, une nécessité, depuis presque une semaine qu'elle gardait la chambre, du moins qu'elle ne quittait pas son hôtel, le chantier lui semblait accablant, les forces lui manquaient et son humeur s'aigrissait. Elle attribuait son affaiblissement insidieux à ce repos domestique, à ces menus allégés et à son oisiveté forcée, bouillait d'impatience de reprendre le collier, disait-elle, de reprendre le combat, sur tous les fronts. Ce Dr Pluton était une buse. Un médecin pour perruches des beaux quartiers. Ne lui conseillait-il pas les eaux ? Vichy ou Baden-Baden ! Une semaine au Mesnil, à la rigueur, voilà ce dont elle avait besoin.

— M'y conduiras-tu ? Prendre quelque repos ne te ferait pas de mal non plus. Tu as une tête épouvantable, mon garçon.

Comme les mauvais malades, que les soins agacent, elle prenait plaisir à détecter sur le visage des autres les signes de santé moins bonne que la sienne. Depuis deux ou trois jours elle ne voyait que mines de papier mâché, pâleurs et maigreurs autour d'elle, avec une certaine satisfaction.

— Sophie de même. Elle a un air de belette affamée. Sans parler de Blanche, qui jaunit à vue d'œil. Il n'y a que Daniel qui semble à peu près prospère. Mes enfants se portent moins bien que moi, finalement !

Pierre la laissa sur ce bulletin clinique familial. C'était un des derniers soirs de mars, et après l'épisode orageux, la vigueur nouvelle du soleil, allongeant les crépuscules, jetait tard à la rue les passants qu'alléchait l'arrivée précoce du printemps, remplissant, en dépit du fond de l'air encore frais, les terrasses des cafés d'une effervescence heureuse, dont les boulevards offraient le spectacle, entre l'heure des sorties de bureau et celle des théâtres. Il décida de rentrer chez lui à pied, tenté par l'émotion revenue de cette présence de la ville qui le fuyait depuis ces derniers jours. En réalité, il sortait à peine d'un séisme mental dont l'ébranlement le laissait exténué. Il ne s'en serait ouvert à personne, tout simplement parce qu'il n'en mesurait pas lui-même la portée. Un désordre effrayant qui tenait à ce qu'il avait appris de Gabrielle, ce soir de l'orage, par quoi était bouleversée sa vie. Plus encore à la passion charnelle, cet élan ancien, auquel il avait renoncé, ou qui avait renoncé à lui. Il avait chassé l'importune agression des sens par laquelle il s'était tant dispersé et amoindri, ce détraquement nerveux du sexe que cherche la jeunesse avec vanité, et puérilité, cet exercice sportif voué à la prouesse, qui n'a pour conséquence qu'amertume, et division, d'avec soi, d'avec l'autre, l'homme ou la femme ; jamais n'assouvit, jamais n'accomplit l'union idéale, le rêve d'harmonie promis par l'utopie romantique ; que saccagent d'avance mensonges et faux-fuyants, tyrannie des sentiments, la morale sociale, son puritanisme aigri. Il y avait peu de femmes dont il avait eu plaisir, tant elles se condamnent aux simagrées, par nature ou par éducation, par refus jaloux de leur corps, ne cherchant que l'énervement des jeux de séduction, ou le mariage. Le mariage ! Les femmes mariées qu'il avait eues, les seules à se prêter, à se concéder, donnaient plus de complications que de jouissance, et c'étaient faibles conquêtes que les pauvres épouses insatisfaites trouvant dans la sentimentalité le substitut au défaut de leurs sens. Elles n'étaient coupables de rien, et lui non plus, les femmes et les hommes, jouets les uns des autres à ce commerce... Il croyait en avoir fini avec tout cela, avoir liquidé le besoin futile de s'exercer, de se démontrer, et être seul avec lui-même, dans ce compagnonnage austère de l'abstinence, qui lui coûtait si peu, au demeurant. Cette paix chaste conclue avec soi qui le déliait de l'encombrement de la relation – relation, disait sa mère ! Une relation convenable !

Solitaire, il marchait parmi les couples du soir, frôlant tous ces êtres enlacés qui allaient au bras les uns des autres, que l'intime lien arrimait sur les trottoirs, comme dans les chambres. Savaient-ils mieux que lui se contenter de leurs piètres élans ? Ou étaient-ils mieux doués pour jouir d'eux-mêmes, plus rusés, plus armés ; et moins méfiants ? Il ne voulait plus de contact avec la femme, plus de lien ! Et voilà qu'elle était là, un soir d'automne, dans le petit salon de musique. Il l'avait regardée sans être vu d'elle, sa nuque émouvante, l'attache fragile et pourtant si robuste de ses épaules, la longue courbe de son dos, tandis que sans le connaître, elle jouait. Cette scène paisible dont il était exclu le bouleversait encore, comme une annonce occulte du bonheur impossible. Et sa main sur l'interrupteur, en même temps que la sienne, le contact électrique de leur peau, avait-il suffi de cela, pour que le frisson ancien le reprenne aux reins, inquiet et vivant ? A Marseille, il avait fait ce rêve. Plus étrange, et pénétrant, plus mystérieux qu'une possession érotique. Sa résistance, sa fuite exaspéraient sa peur, et son désir. Mais rien, rien ne serait advenu de plus si elle n'avait été, remontant les couloirs d'ombre, de si loin venant dans la pénombre avec le secret du passé enfoui, du passé oublié, que les années avaient obscurci à force d'amnésie volontaire, celle par qui son aventure birmane, l'ami perdu, l'amour unique dans sa vie d'homme pour un homme, le lien illuminant et cruel que le destin avait noué, lui était rendu, torturant, et intact. Il l'avait su, peut-être, dès l'instant qu'elle avait fait tomber les livres de poèmes, dès qu'ils en ramassaient la jonchée de feuilles dispersées, mêlant leurs mains fébriles. Et fantôme elle-même, sa longue silhouette tanguant dans les limbes rendait sa présence au fantôme d'Endre, le convoquait, installait sa puissance entre eux dans la maison, l'introduisait dans les chambres, les corridors, jusque dans les bois où ils allaient à cheval. Il était avec eux, en cette après-midi d'automne où, renversant sa gorge, elle avait ri à l'envol des étourneaux. Il lui avait vu ce visage d'extase de l'amour, du bonheur d'être habité par un autre. Mais par quel sacrilège avait-elle ramené Endre où il ne devait être ? Quelle passion cet homme lui inspirait-il pour concevoir ce plan, par lequel elle l'approchait en silence, masquée d'apparences, oh si séduisante, ravissante apparence ! A ces questions, elle n'avait su répondre que par la protestation de son amour, son amour ! Au nom duquel elle s'autorisait la trahison, la mystification la plus basse, par lequel elle se donnait impunément le droit de mentir, de tromper, d'abuser les gens. Pierre avait honte de son propre excès, des mots de colère qu'il lui jetait à la face, invoquant une morale dont il n'avait que faire. Et elle, suffoquée de pleurs qu'elle retenait, endurait ses reproches, si pâle qu'il se maudissait de sa violence.

L'explication avait eu lieu chez lui, dans son appartement de la rue de Turenne. Après la nuit de tous les orages, et comme il l'avait exigé, exigé, Gabrielle était dans le vestibule, à dix heures, et lui n'en finissait pas d'écouter le Dr Pluton lui confier ses craintes et ses hésitations, quant au traitement, quant aux dispositions à prendre, quant aux séquelles que laisse une telle attaque, sans qu'on mesure tout de suite quels dégâts ont pu affecter les fonctions vitales... Il fallait d'autres examens, n'est-ce pas ? La faculté pouvait se saisir du cas de sa mère, si Pierre intervenait... Ce médecin de famille de la vieille école, qui auscultait encore à travers un linge, qui allait en consultation en oubliant chez lui les instruments dans leurs étuis, avait seul la confiance de Mme Mathilde, malgré ses railleries. Il avait soigné son père, c'était dire son excellence ! Pierre avait fini par échapper aux discours du vieux monsieur, mais il lui avait encore fallu donner des ordres, dans la maison secouée par les événements, s'assurer d'une garde, répéter les consignes, et Gabrielle attendait toujours, près de la sculpture d'une Diane chasseresse grandeur nature, qui faisait la vigie depuis des lustres dans l'entrée. Pauvre Gabrielle, pâle et stoïque, qui restait debout, en compagnie de la déesse frondeuse qu'un chien musculeux gardait, bravement campée comme un petit soldat prêt à monter au feu, prêt au sacrifice, à qui il lançait un glacial : attendez-moi ! à chaque passage…

Pour finir, il l'avait empoignée rudement au coude, et entraînée dehors. C'est alors qu'il avait réalisé qu'il ne savait où ils allaient, où il voulait aller, pour avoir l'explication sévère, définitive et claire, de cet imbroglio insensé. Pas sous le toit de sa mère, c'était sa seule conviction. Mais dans quel lieu public, quel café, quel jardin se réfugier ? Où, dans la ville, était cet endroit écarté, où il voulait entendre d'elle la raison de tout cela. Elle le suivait, le visage fermé, mais dès leurs premiers pas dans la rue, elle n'avait pu travestir à ce point sa claudication. Troublé de ce rappel importun de la nuit, il avait hélé le premier taxi en maraude, donné son adresse, sans qu'elle bronche. Et comme il saluait le fourreur en train d'arroser ses bégonias dans la cour, un peu interloqué de le voir à cette heure, et en compagnie, elle aussi avait donné un petit signe de tête, en guise de bonjour, si docile qu'il se demandait jusqu'où elle le suivrait, à présent.

Car avant même de refermer la porte sur eux, il avait réalisé combien était déplacée cette idée, combien elle ajoutait d'équivoque, et son irritation de n'avoir rien trouvé de mieux l'avait aussitôt emporté sur son trouble. Il ne savait si elle avait préparé sa défense, si la fin de la nuit lui avait laissé le temps de prévoir cet instant, mais il semblait que non, que le désordre de ses pensées valait le sien, au point qu'elle ne paraissait pas réaliser combien se trouver ainsi chez lui pouvait être imprudent, sinon inconvenant. De toute façon, elle restait debout, sans songer à se défaire de sa veste et de ses gants, ni même à ôter son petit chapeau drôlement planté, aussi avait-il fini par les lui prendre froidement, les jeter sur le bras d'un fauteuil.

— Je voudrais un verre d'eau, avait-elle prié.

Quand il était revenu, elle était assise au bord du canapé, mains jointes entre ses genoux comme une écolière. Dans la lumière du matin que renvoyait une vitre entrouverte dans la cour, juste à cet angle de la pièce, elle lui avait paru si défaite et humble qu'un remords l'avait pris, et avec le remords la pensée crue de sa nudité, de son corps dont il avait le souvenir à ses mains, à ses bras, et la colère lui revenait, de cette situation intenable. Il ne la toucherait pas, n'approcherait pas. Elle mettait trop de temps à boire :

— Eh bien ! Je vous écoute, à présent, avait-il lancé, agacé par ces atermoiements. Mes murs n'ont pas d'oreilles, comme ceux d'hier soir. Nous ne serons pas dérangés. Nous avons notre temps.

Alors, de même qu'on prête les mains au supplice que rien n'évitera, pour que le bourreau se lasse et finisse plus vite, d'une voix mal assurée, elle avait fait le récit de son adoption par la tante de Hongrie, des soins de son enfance enchantée par l'omniprésence chérie, même en son absence chronique, du beau cousin, de cette famille d'exil en pleine ville qu'ils faisaient, tous quatre, les deux femmes, et eux, les enfants. Elle y mettait bonne volonté et sincérité, mais c'était si sommaire, si insuffisant, qu'il l'avait pressée de questions.

Quoi du passé hongrois, des princes de Budapest, de la famille d'Agota, ses sœurs et ses oncles, et encore de ses parents, dont Gabrielle ne connaissait que la tombe. Mais toujours il revenait à Endre, à sa jeunesse, à son adolescence, à sa formation, ses goûts et ses jeux, ses plaisirs. Le cheval, le cinéma, les livres. Il s'exaspérait de ses mots balbutiés, des mots misérables de son amour. Il voulait encore et encore qu'elle dise quelles lettres, quels cadeaux, quelles photos de lui elle avait, avec quelle méchanceté ! Et comme il avait rapproché sa chaise, pour mieux la harceler de ses questions ineptes, éperdue de ne savoir que dire encore pour le satisfaire, elle avait voulu se lever, respirer, reprendre haleine, mais il l'avait rudement repoussée au fond du dossier.

— Non, vous ne vous déroberez pas encore. Je veux tout savoir. Tout. Comment entrez-vous chez nous ?

— L'annonce, dans *Le Matin*... balbutia-t-elle, terrifiée.

— Ah ! C'est vrai ! L'annonce ! Alors vous vous présentez. Alors vous mentez. A ma mère, à tous. A moi !

— Je ne mens pas ! La lettre de ma tante dit vrai...

— Dit vrai ! Quelle merveilleuse institutrice vous faites ! D'où savez-vous, pour me poursuivre, que j'ai connu Endre Luckácz ?

— La liste des passagers, votre nom... mentait-elle, éperdue. Oh monsieur, à quoi sert de me torturer de questions... J'ai fait mille choses folles, c'était très mal. Vous avez raison de me condamner. Mais il fallait... Je devais à Endre de savoir... Cinq années ! Je n'ai attendu que lui, pensé qu'à lui. J'avais juré, il me jurait... C'était mon amour ! s'écria-t-elle avec tant de passion qu'il blêmit.

— Juré ! Quel engagement a-t-il pu prendre envers vous ? Etait-il homme à s'entraver, vraiment !

— Je ne l'ai entravé ni empêché de rien, murmurait-elle, vaincue, baissant le front sous l'humiliation.

Exaspéré, il l'empoigna à sa guimpe, la tira violemment à lui, sitôt honteux de son geste et s'éloignant, comme s'il s'était brûlé.

— Ainsi donc, la belle, la pathétique histoire des amants séparés ! railla-t-il encore, hors de lui.

Ce fut un mot de trop sans doute, parce qu'elle sortit enfin de la docilité désarmée des aveux auxquels il l'obligeait, faisant front avec une dignité désolée, tremblant de l'empire qu'elle prenait sur elle.

— Puisque vous disiez tant l'aimer, dit-elle, puisqu'il était votre ami, pourquoi moquez-vous ma peine ? Je ne vous ai pas moqué, moi, de l'aimer. Je vous en avais tant de gratitude... Dix fois j'ai failli dire que l'homme dont vous parliez avec tant de ferveur, c'était pour lui que j'étais là... Pour lui que je faisais cette chose insensée d'être chez vous. Mais vous étiez sombre, et froid. Je n'en ai pas eu le courage. Je ne vous ai pas fait défaut, pourtant, quand vous me demandiez de traduire le cahier ! Quel mal vous ai-je fait ? Ah ! je vous en supplie, parlez-moi de lui, vous qui savez tout de ses derniers jours ! Soyez bon !

Il avait cédé, trop ému pour tenir davantage sa rigueur injuste, et de même que certains bonheurs se présentent trop tôt, avant qu'on soit prêts à les reconnaître, la souffrance aussi, trop neuve pour être sondée comme telle, insensible dans l'instant, ne se révèle qu'ensuite. Voilà ce dont il souffrait vraiment maintenant, arpentant de son pas pressé les trottoirs illuminés. D'avoir confessé à cette femme dont il instruisait le procès, et de quelle ignoble manière, ce qu'il ne lui avait pas dit d'Endre dans le bureau du Mesnil, ni à Bauer, sous cette forme ni dans ce langage. Sa fascination pour le jeune ingénieur, le magnétisme mystérieux, envoûtant, de toute sa personne, son penchant pour l'obscure tentation des bassesses ou des grandeurs, comme si, à travers vous, il s'adressait à un adversaire invisible, qui était vous, peut-être, une part inconnue de vous, à la fois son allié et son ennemi, avec qui il était à tu et à toi, et qu'il défiait, jusque dans les gestes de la vie ordinaire. Cette qualité d'être virile, dédaigneuse et humble, parce que le combat est peut-être bien perdu d'avance, et l'ironie d'une moitié du visage ne sert que de parade, quand l'autre hémisphère est terrifié du dénouement.

— Il se jouait, bien sûr. Il aimait le spectateur que j'étais, qu'il avait élu pour sa dernière partie, vraiment, et je me laissais

676

circonvenir, tenter et séduire, intimider sans doute, mais captiver par ce qu'il m'offrait de vivre d'aventureux et de dangereux avec lui, ce cadeau par lequel déjà il faisait de moi le témoin qui rapporterait du voyage les reliques de son combat. Qui serait chargé de dire au monde qui était Endre Luckácz. Qui était-il, Gabrielle ? De vous ou de moi, qui le sait le mieux ? Il était transparent, habité d'un idéal, de sentiments nobles et d'aspirations sublimées qu'on pouvait lire à livre ouvert dans ses yeux. Pourtant opaque, à lui-même et aux autres. Je dirais hanté par l'infortune, une inquiétude pleine de noirceur pour quelque chose de fatal, qui le détachait de tous, et peut-être avait-il une sorte de jouissance noire à devenir le maudit, l'épave qu'il était lorsque je l'ai retrouvé... Pourtant il était innocent, j'en atteste. De cette monstrueuse innocence des enfants, dont les faux-semblants, les mensonges sont des vérités essentielles, vraies comme la vie et la mort, et qui ne tiennent qu'à l'assentiment de ceux qui les accueillent. Le menteur est moins coupable que celui qui aime son mensonge et l'encourage. Et moi, qui vous accable, peut-être ai-je mieux voulu ignorer qui vous étiez, que l'apprendre...

A quelle pente cédait-il en lui faisant confidence du plus secret de son cœur ? A qui confessait-il ces choses, à qui parlait-il, accoudé au petit bureau, le front dans ses mains, livrant son malheur d'avoir rencontré Endre Luckácz, de s'être rencontré, lui, Pierre Galay ? D'apprendre, humilié, que l'aventure, la séduisante, l'attirante aventure, dans sa griserie n'est que le leurre par lequel se falsifie la réalité, par quoi elle se défigure et avoue son défaut, dégrade celui qui n'est pas à hauteur de son rêve. Cet aveu ravivait celui auquel il avait acculé Gabrielle, et qui avait déchaîné sa fureur, et sans doute abattu ses dernières défenses, pour qu'au milieu de cette nuit il l'emportât au fond d'une chambre, avec quelle faim de revanche !

— Il était aimable, puisque vous l'aimiez, plaidait-elle humblement. Et si grand soit le malheur de l'avoir aimé, vous et moi savons qu'il le méritait, n'est-ce pas ?...

Et parce que encore à cet instant elle revendiquait, mendiait cette reconnaissance, il sentait à ses poignets la colère impuissante de l'aveu où ils étaient rendus, n'en finissait pas de la dévisager, d'interroger ses traits altérés par l'insomnie et l'épreuve, d'une pâleur qui lui disait quel tribunal il avait arrêté en la traînant ici, auquel elle se soumettait maintenant sans plus résister. Plus que tout, cette capitulation l'exaspérait. Qu'elle n'y mît pas plus de pugnacité, qu'elle s'y résignât avec la tristesse, et même le soulagement des vaincus, qui n'ont plus rien à perdre. Par quel artifice l'effraction de leur secret affecte-t-elle si peu l'apparence des êtres ? On voudrait qu'à se mettre à nu les âmes déshabillent sauvagement le corps, et la face, comme les écorchés exhibent, leur dépouille à la main, nerfs, muscles et viscères ; qu'une mue change simultanément l'aspect physique à proportion de ce qui s'est révélé d'elles, et qu'enfin elles dénoncent leur fausseté en pleine lumière. Mais la jeune femme avait toujours ce visage pur sous le poids sombre des cheveux, que creusait l'émouvante fossette, les pommettes hautes allongeant la joue, et elle pouvait ouvrir si grands ses yeux désolés, où il lisait tant d'émotion sincère ! Il ne savait de quoi il souffrait le plus. De l'acharnement vil qu'il mettait à la réduire, ou du désir qu'il avait d'elle, lui en faisant le grief, comme d'une duplicité supplémentaire, dont la déloyauté lui semblait le comble de sa trahison, et se maudissant de sa mauvaise foi, gagné par une faiblesse, une lassitude infinie d'avoir à combattre et discuter sans issue.

— La réalité, reprochait-elle timidement, est qu'il avait une famille, une mère, qui l'attendaient, et que personne n'est venu leur dire sa mort. Imaginez-vous ces années, dans l'ignorance où nous étions ? Vous qui me reprochez justement de vous avoir recherché, que ne vous êtes-vous soucié, à votre retour, de nous chercher, nous. De savoir qui, à Paris ou ailleurs, pouvait se désespérer de son long silence ?

— Et vous, imaginez-vous dans quelle situation j'étais alors ? Déserteur de mon poste, accusé de trahison. Assigné à résidence et accablé d'un procès… Ceux qui m'attendaient m'ont harcelé pendant des mois. Jane était mourante. J'ai eu tort, rien ne m'excuse. Mais, à moi, jamais Endre n'a dit mot des siens et peut-être avais-je besoin de tout en ignorer, pour mieux lui garder son prestige d'ange maudit… Pourtant, dans cette période si mouvementée, j'avais le vague espoir que ce compagnon, qui le connaissait, qui rentrait avec nous, s'obligerait à trouver sa famille, s'il en avait une, peut-être pour réparer la part qu'il avait pu jouer là-bas. Je me payais de peu, parce que enfin il n'a pas donné grand signe de loyauté. Il a profité de ma protection pour son retour, fuyant toute explication : il ne savait rien, ne comprenait rien, se méfiait de nous comme si nous eussions voulu sa perte. Il a disparu dès le port, et je n'ai aucunement cherché à le revoir, tant sa pensée m'était odieuse. Tant je voulais oublier tout de cet épisode, le conjurer comme un cauchemar…

— Je l'ai cherché, moi, cet hiver, parce qu'il y avait cette photo chez nous…

Et elle sortait encore une fois le petit carton de son sac, le lui tendait.

— C'est bien lui, n'est-ce pas ?

Pierre, décontenancé, avait examiné la photo. A peine avait-il entrevu le comparse minable, qu'il s'abîmait dans la contemplation d'Endre. Depuis tant d'années, son image s'était dissoute dans les sables de la mémoire. Dans son souvenir, elle ne remontait que fourmillant de réminiscences confuses, dans la ressemblance d'une figure instable, décevante, et il lui fallait un effort mental pour combattre l'oubli, rassembler le puzzle de ses traits dispersés par quelle faiblesse, quel épuisement, et jamais il ne pouvait tenir entier devant lui le visage d'Endre, sinon comme un astre évanoui dans l'obscurité. L'autre soir, dans le salon d'Agota, soudain illuminé, l'image s'était rendue à lui si violemment, qu'il en avait été aveuglé. Dans le jardin, il croyait encore à une hallucination, à l'apparition d'un spectre. La photo qu'il tenait maintenant entre ses mains prenait valeur probatoire. Mais sa puissance de simulacre effaçait tout du souvenir, balayait l'indécision chronique qui avait hanté son esprit. Plus qu'un bonheur, c'était la douleur qui nouait sa gorge, embuait ses yeux, comme si le portrait, enfin tangible, confisquait la si pauvre, si imparfaite figure imaginaire enfouie au fond de lui, dont le deuil lui serrait le cœur. Et que ce fût par Gabielle, qu'il la retrouvât, y ajoutait une souffrance nouvelle.

— La réalité est que ce Jean Zepwiller est mort, il y a quelques semaines. Peut-être pour avoir été de ce voyage. Peut-être, à des années de distance, pour avoir connu Endre…

— De quelle mort parlez-vous ? Gabrielle, qu'avez-vous fait ? Qu'avez-vous appris de lui ?

Et tandis qu'elle rapportait l'enquête par laquelle elle retrouvait Jean Zepwiller, et son épilogue sinistre, il s'effarait de l'entendre exposer l'implacable logique de son projet, les risques encourus, sans paraître mesurer à quoi elle touchait par son imprudence folle, inspirée par la seule passion de cet amant à qui elle ne renonçait pas, pour qui elle bravait tous les obstacles. Moins par ce qu'elle en disait que par la manière de le dire, la force de ce qui la liait à Endre paraissait à Pierre une énigme plus effrayante que tout. Qui était-il donc, Endre Luckácz, pour prendre et rendre si peu ? Pour qu'à tant d'années de distance, ils en fussent, elle et lui, à commettre ces folies à cause de lui, à se combattre en son nom, au lieu de trouver la paix ? Qui étreignait-il, cette nuit, dans l'obscurité, qui possédait-il dans le spasme d'un plaisir qu'il n'avait eu d'aucune autre ? La jeune femme qui, en face de lui, les yeux étincelants de larmes, offrait son visage nu, dévasté de chagrin, ou bien, à travers elle, l'autre, le fantôme du mort qui voulait si voluptueusement la mort, qui les quittait sans retour ? Et elle-même à qui donnait-elle ses caresses et ses baisers si elle était encore capable de pleurer rien qu'à prononcer son nom ? Il la fit taire, d'un geste, parce qu'il n'osait plus la toucher.

— Où vous êtes-vous égarée ? Quels dangers courez-vous, dans quel but ? Que ne m'avez-vous posé les questions que vous vouliez ! Si j'avais su votre malheur, j'y aurais répondu de mon mieux. Que de temps perdu ! D'où tirez-vous que je suis ce monstre froid ?

— L'ai-je imaginé ? La réputation qu'on vous fait...

— Qui est-ce, "on" ?

Elle se troublait soudain, détournait vers la fenêtre un regard éperdu.

— Les bruits qu'on rapporte sur vous, dit-elle, à bout de souffle.

— Ah ! Vous deviez pourtant savoir, par tout ce que je vous confiais de moi au Mesnil, que je ne pouvais vous vouloir de mal... Ne luttons plus l'un contre l'autre, Gabrielle, ne nous épuisons plus en vaines disputes... Cette nuit, j'ai cru... Cette nuit, avons-nous été ennemis ?

Il s'était levé, allait vers cette fenêtre, ce jour au zénith déjà, qui tombait dans la cour en rayons solides et francs perçant les nuages, et de cette réalité extérieure du jour il ne tirait qu'amertume.

— Regrettez-vous cette nuit ? demanda-t-il si bas qu'elle entendit à peine.

Il revint vers elle qui restait assise près du bureau, se tint debout au-dessus d'elle sans voir son visage, seulement la masse de sa chevelure dont la tresse, les mèches rebelles échappées des peignes le bouleversaient.

— En un sens, je croyais en avoir fini avec cela... murmurat-t-il. Et vous, en avez-vous fini ?

Comme elle ne répondait pas, il osa poser le bout de ses doigts sur sa nuque ployée, là où le col de sa robe laissait une place de peau nue, là où la dépression sensible creuse le cou et s'enfonce sous les cheveux, et ce contact fut doux et pur, un doux chatoiement de tendresse sans contrepartie. Si calme, si consolant, parce que du mouvement qu'elle faisait, inclinant sa tête d'une lente torsion, elle mettait sa joue dans sa main, et puis ses lèvres, et restait là, sans plus bouger, et qu'il accueillait contre lui le poids de tout son corps.

Au-delà des longues toitures d'ardoise, les frondaisons du parc déployaient leur feuillage naissant, et au-delà on voyait la campagne presque rose, que la brume végétale d'avril forcissait chaque jour de tous les verts de pastel, mollement ondulés sur les faîtes, poudrés aux taillis des orées. Victor avait si bien taillé les glycines qu'elles commençaient de fleurir le long de la serre, en grappes timides de mauve, et ici ou là le jaune des forsythias crépitait en buissons. Par là-dessus, il y avait le plein ciel bleu, couru de grandes baleines ennuagées, que chaque matin Millie contemplait de la fenêtre avec Gabrielle ; là où, le premier soir, elles avaient cherché une étoile pour y être ensemble...

Jamais Gabrielle n'était revenue au Mesnil avec ce sentiment bienheureux d'être chez soi, de retrouver sa maison, sa chambre, et de se déplacer dans un logis dont chaque place l'accueillait comme si elle y avait toujours vécu. C'était une impression nouvelle et assez étrange puisqu'elle se donnait au contraire pour ancienne. Alors qu'elle n'avait jamais vu un printemps au Mesnil, celui-là semblait lui en rappeler d'autres, de même que les couloirs et les pièces emboîtaient naturellement leur espace à l'amplitude de ses pas, couraient à son devant et s'ouvraient jusqu'au jardin, d'une porte ou d'une fenêtre, dont le cadre découpait un angle de lumière et de paysage familiers, ainsi que des tableaux, qu'on a toujours vus pendus aux murs, et dont la longue fréquentation s'est confondue aux autres sensations, aux bruits et aux odeurs qui les entourent, incorporés à eux par l'habitude, donnent une impression de liberté, d'intimité avec les choses, avec soi. Du séjour à Paris, des émotions violentes et du bouleversement de sa vie qui en était résulté, elle ne rapportait qu'un souvenir confus, que Le Mesnil mettait à une distance irréelle, enfermé sous un globe de verre onirique, comme le sommeil transforme la perception du monde extérieur et le tient à l'écart. Le petit monde du Mesnil, que le séjour avait éloigné dans sa conscience, tels des figurants au fond du théâtre, non seulement avait repris corps et consistance, mais ceux-ci se révélaient les personnages essentiels par lesquels l'ordre invisible des contingences se raccordait. Ils avaient continué de vaquer, non en machinistes subalternes, mais comme les êtres par qui tenaient ensemble trame et chaîne de la réalité, son tissu matériel. Ainsi, au retour d'un voyage étourdissant, on retrouve ceux qui n'en ont pas été, étonné que, pendant ce temps où on les oubliait, ils aient tenu sans nous leur rôle, aimé, souffert, dormi et mangé, alors avec remords et gratitude on les dévisage, eux dont la constance a gardé notre place parmi eux. Mme Victor et Mauranne, Pauline et Sassette, et le vieux Meyer, même Victor si taciturne, avaient fêté avec sympathie la bienvenue à Gabrielle et Millie, peut-être informés qu'à Paris les désagréments avaient été plus nombreux que les plaisirs, car on savait déjà l'attaque de Mme Mathilde et les contrariétés de la grève aux usines, pas besoin de faire un dessin.

D'ailleurs la maison était comme une ruche, avril étant le mois du grand ménage de printemps. A l'aide de filles embauchées au village, parce qu'on n'y suffisait pas, les opérations avaient commencé, mettant la maison sens dessus dessous. Il s'agissait de tirer dehors toutes les literies, de donner au matelassier celles dont la laine nécessitait un cardage, qu'il était venu chercher en charrette, et les autres de les laisser s'aérer au soleil sur les tréteaux. Aussi les tapis et les rideaux décrochés, tendus sur les cordes, qu'on battait au balai de toute leur poussière d'hiver, et ceux de mousseline blanchis à l'eau bleue, qui gonflaient au vent du verger. Et dedans, il fallait poncer, encaustiquer de cire fraîche les planchers, et les meubles, raviver les miroirs, laver les marbres à la brosse ; nettoyer et fermer les cheminées qu'aucune cendre ne salirait plus jusqu'à l'automne ; et encore inspecter les penderies, les ravages des mites ou des souris, renouveler les boules de naphtaline jusque dans les armoires. Gabrielle observait ce travail ingrat, pénible, harassant des domestiques, dont la condition ne voyait pas d'améliorations, qui éreintait les filles, les bras rompus par les charges, d'une tâche à l'autre déployant leur force, et que Mme Victor houspillait sans cesse. Celles-ci ne se délassaient qu'à la pause du déjeuner, les jambes étendues, en prenant le café sur le banc, devant la cuisine, pour un bref moment de repos. A ce grand chambardement, Mme Victor présidait en général d'active, faisant sonner ses clés dans les étages, menaçant et tonnant pour que tout soit fini quand Mme Mathilde viendrait, comme elle l'annonçait, "prendre ses eaux" au Mesnil. Elle y serait à la fin du mois tenant à son rang et à figurer à son banc de l'église, le dimanche, par tradition et principe ; aussi sa chambre avait-elle été la première à subir un ménage en règle.

Réfugiées dans la bibliothèque, ou dans le petit salon de musique, Gabrielle et Millie entendaient tout le jour le tapage des allées et venues, des ordres et des contrordres, fuyaient l'après-midi la grande demeure pour le silence des bois où les conduisait Meyer à cheval, maintenant que les promenades étaient possibles de nouveau, et même une fois il les avait laissées partir seules, trop occupé à la sellerie qu'il maintenait dans un ordre militaire, quand si peu de monde montait à présent. C'était un enchantement que cette campagne où commençaient les travaux de printemps, les labours au cheval dont les charrues prenaient les petits chemins, et ç'avait été une de ces rencontres, à une fourche des champs, qui avait mis Renaud sur la route de Gabrielle. Elle avait arrêté Loyal et lui, la saluant, s'était approché, laissant souffler sa bête au bout du pré. Le jeune homme était en chemise de toile et suant de son effort, le cou nu poudré par la poussière de terre, la face hâlée sous les cheveux drus qui frisaient son front, sillonné par les coulées de transpiration. Du revers de la main, il s'était essuyé les joues, tendant à Millie un coquelicot qu'il avait cueilli en venant vers elle.

— Vous voilà donc revenues, mademoiselle. Eh bien, moi, je pars tantôt.

— Tantôt ?

— Dans la quinzaine. Bon pour le service armé, mademoiselle.

— Es-tu content, Renaud ?

— Qu'ils m'aient trouvé bon, on se contente. Mais de la fête des conscrits, avec les camarades classards, je suis exclu, comme ajourné de la dernière révision. Je m'en fiche pas mal. Ils se déguisent, ils s'enrubannent de cocardes, ils vont gueuler par le bourg, et boire avec le maire comme cochons. Le lendemain, c'est tambours et clairons, jusqu'au cimetière, et au monument aux morts de soixante-dix, pour hisser le drapeau de la classe. Qu'est-ce que ça peut me faire ? Mon grand-père y est mort, à Bazeilles. Il n'a ni chaud ni froid des drapeaux qu'on lui plante sur le ventre. Figurez-vous que cette année, on n'attend pas septembre pour nous incorporer, voilà. On encaserne tout de suite. Sont-ils pressés de nous mettre le flingot entre les pattes ! Mais puisque j'en ai pris pour trois ans, autant commencer tout de suite…

Il parlait vite sans quitter son cheval des yeux, et à sa précipitation, Gabrielle entendait toutes sortes de chagrins dans sa gorge. Mais il ne montrait rien qu'une ironie méprisante et l'envie de reprendre son travail tout de suite.

— Pauline ne vous en a donc rien dit ? demanda-t-il pensivement.

— Non… Mais je rentre juste au Mesnil, et il y a tant d'ouvrage…

— Alors c'est convenu, voilà qui nous contente. On fera le mariage fin août, quand je reviendrai en permission de mes classes.

— Convenu ! Personne ne m'en a soufflé mot !

— Parce que personne n'y trouve son compte, que nous.

— Allons, Renaud, s'ils ont consenti, c'est qu'ils trouvent leur compte aussi.

— Ah, ouiche ! Mme Sophie vous en dira long, de comment elle nous a acheté le droit. Elle dote Pauline et paie une aide à mon père, trois ans de salaire pour un homme de peine. Nous ne sommes pas des mendiants. Nous lui rembourserons tout, un jour, jura-t-il sombrement, et il cracha dans la terre.

La nouvelle illuminait Gabrielle d'un rire intérieur. Sophie ! Sophie dévalisée par Charles, qui plaçait le restant de son argent pour faire du bonheur ! Cette affaire la réjouissait tant qu'elle laissa Loyal faire un écart de danseuse.

— Alors, gai ! Marions-les ! s'écria-t-elle joyeusement.

— Il n'y a bien que vous que ça rend heureuse, mademoiselle.

— Et Sophie, je m'en doute ! Et Pauline ! Et toi, Millie ?

Il haussa les épaules et la regarda au visage.

— N'allez pas trop crier ça par les toits. Mais on leur en remontrera, à eux tous, qui ne voulaient pas. Le bonjour, mademoiselle.

Et il la planta là, reprit sa place à la charrue, montant vers l'horizon haut du pré, ses deux bras solides arrimés aux poignées de bois, comme s'il enfonçait son soc dans les flancs d'un destin contraire, terre et ciel.

Sophie vint en visite le lendemain, échappée de Genilly, seule avec le tilbury. Rentrée depuis quelques jours de Paris, elle arborait une mine rieuse, dont elle gratifia ceux de la maison, jusqu'aux servantes du bourg qu'elle appelait par leurs prénoms avec une gentillesse confondante. Et ravie de l'occupation générale qui les laissait tranquilles, ayant distribué à tous de bonnes paroles, elle prit des mains de Mauranne le plateau d'osier avec le service de thé et le roula elle-même sous la charmille, là où elle avait accueilli Gabrielle, en automne, à sa première visite. L'accident de l'automne était bien loin, qui avait tant inquiété les uns et les autres, en cette nuit de veillée où, avec Mauranne et Mme Victor, Gabrielle avait cru la jeune femme morte de sa chute. Sophie se trouvait tout à fait remise, amincie et alerte dans sa robe de dentelles, si fraîche et gracieuse que rien ne restait des mauvais jours. Elle avait offert un cerceau de bois à Millie, qui courait sur l'allée en s'efforçant de le fouetter bravement, ainsi se trouvèrent-elles seules, installées dans les fauteuils de jardin, sortis de la serre pour l'occasion. S'étirant au soleil, d'une volupté de chatte, elle regardait Gabrielle d'un air de confidence si complice à travers ses cils, que la jeune fille l'avait embrassée aux joues avant de s'installer près d'elle.

— J'ai confessé Pauline, hier soir ! Ainsi, vous avez fait ce miracle de mettre tout le monde d'accord !

— Pas de miracle : il s'agissait d'argent ! J'ai vendu une petite terre qui me restait, là-derrière.

Elle pointait son pouce sur son épaule comme un charretier.

— Charles a dû signer. Rien ne m'aurait empêchée... Plus rien ne m'empêche à présent... Mais le plus joli, Gabrielle, sera d'asseoir dans le bureau de Charles les Armand, et Mme Victor, avec Renaud et Pauline. J'ai la procuration signée des parents, que je ramène de Paris. Ce monde s'y rendra à la baguette, avant le départ de Renaud. Hein, c'est enlevé ? Plus joli encore, c'est que l'idée m'en est venue par l'abbé Saulun, qui me l'a soufflée avant son départ, en guise d'adieu à toutes ces bonnes gens. L'argent ne sert qu'à ça, Gabrielle, quand nous en avons. A servir nos volontés, bonnes ou mauvaises. Les gens s'achètent si facilement, que c'en est écœurant. Mais rien ne m'écœure de cette affaire ; elle m'enchante. Vous marierez Pauline en août !

— Nous la marierons ! Vous serez bien son témoin !

— Oui, bien sûr, coupa Sophie, plongeant vers l'ourlet de sa robe où s'était accrochée une herbe folle.

— Ce départ de l'abbé nous a tant désolés, murmura Gabrielle.

— Ah ! Oui... Il vous a désolée... Moi aussi, évidemment...

Le front de Sophie s'était assombri, mais comme d'un sentiment léger qu'elle s'efforçait d'apprivoiser, d'en comprendre la forme et la cause pour y ajuster son attitude.

— Il m'a laissé entendre qu'il repartirait loin, n'est-ce pas ? Dans un de ces pays d'Amérique du Sud, où il était autrefois missionnaire... Mais que ce n'était pourtant pas de sa volonté propre.

La jeune femme prit le temps de boire sa tasse de thé, perdit un instant ses yeux dans les branches de glycine, délicieusement fleuries, dont le parfum entêtant tombait sur elles.

— Le bras de ma mère est long, long, Gabrielle ! Le sera-t-il jusque chez les Indiens, pour l'atteindre encore, au-delà des mers. On se le demande, vraiment... Nous verrons bien.

— A-t-elle vraiment obtenu ce départ elle-même ?

— Vous l'entendez bien : elle-même, en personne. Avec l'appui du cousin Vergeau, qui est le bon ami de l'évêque, et soucieux de mon bien. Au nom des meilleures intentions du monde, évidemment : la réputation de sa fille, surtout la sienne, la paix des familles et la morale publique. Le bruit a couru que je ramenais l'abbé à sa cure, qu'il me prêtait des livres, que je l'avais en amitié ! Toutes choses scandaleuses, dont Charles s'est ému. Il s'émeut de peu, cher homme. Mais cela ne m'a pas dissuadée d'aller visiter ma mère sur son lit de douleurs. Au contraire ! Il vaut mieux qu'ils sachent tous, avant qu'il soit trop tard, quelle bonne fille je suis.

Les paroles amères de Sophie ne rassuraient pas Gabrielle. On y sentait une colère contenue, une blessure, et pourtant comme feintes, peut-être moins intenses qu'elle ne le manifestait, ou d'une autre nature, qu'elle habillait de ces mots. Elle jeta à Gabrielle un regard d'excuse.

— Allons, ma douce, laissons cela. Dites-moi plutôt ce qui s'est passé Chaussée-d'Antin ? On dit que c'est Blanche qui a mis notre mère dans cet état ? Ma sœur ne m'aime guère, mais nous partageons à part égale sa détestation. A ses fils, elle réserve le peu de cœur dont elle dispose. Que s'est-il donc passé entre elles ?

— Un bol cassé. Le petit bol auquel Mme Mathilde tient tant. C'était une maladresse qu'elle l'ait renversé, je vous assure...

Sophie souriait, de l'air de celle qui sait les réalités sous les bonnes paroles.

— Bien sûr !... J'ai vu Daniel, retour de Londres, dit-elle changeant brusquement de sujet. A moi, il s'est confié : c'est mon frère le plus proche, je suis sa préférée... Il m'annonce qu'il part bientôt à New York, c'est décidé ! Il a des projets pharaoniques, un appétit à dévorer le diable ! Mais, au milieu de son excitation, il semblait bien malheureux, malgré tout... Il s'enquérait de vous comme s'il avait perdu le nord, ma parole ! L'avez-vous ensorcelé, Gabrielle ? Ah ! ne rougissez pas. Cela m'amuse et m'attendrit de le voir si chien battu. L'aimez-vous comme il vous aime ?

Gabrielle ne rougissait pas, c'était une invention de Sophie pour la troubler. Elle lui répondit avec une sincérité sereine, à peine émue au souvenir de l'étreinte furtive dans la lueur des lanternes magiques.

— Je ne crois pas qu'il m'aime.

— Mais vous, Gabrielle ?

Elle eut un petit haussement des épaules et sourit en regardant Millie au loin sur l'allée.

— Je le trouve charmant. Sympathique et généreux. Il est homme à embrasser tout ce qu'il rencontre ! Il aime être amoureux, il aime ses rêves et ses projets plus que quiconque.

— Qui aimez-vous, alors, mystérieuse que vous êtes ? Je vois bien votre vie, ici. Pas une seconde je n'imagine qu'elle vous comble ! Vous n'êtes pas de celles qui se résignent d'être au coin de la cheminée, dans les livres de la bibliothèque, et même votre piano ne vous contente pas. Millie non plus, allons donc ! Je vous vois des cernes, mon amie, d'un très joli bleu, très attendrissant, et la paupière alanguie, un air de distraction intéressant, comme si vous suiviez le vent dans les arbres... Oh ! N'ayez crainte ! Personne d'autre que moi ne s'en avise... J'ai quelque don de voyance, en ce moment, pour des raisons que vous connaissez. Si je n'avais trouvé votre compagnie, cet hiver, je ne sais ce que je serais devenue : alors je m'attache à vous voir, à lire votre cœur sur votre visage... Et puis non ! Ne me répondez pas ! Il suffit que je vous voie cette faim, cette petite sauvagerie au coin de l'œil pour me rassurer. Vous n'irez pas aimer n'importe qui, vous. On ne vous vendra pas un beau parti au marché des familles !

Gabrielle se taisait, surprise de cette sortie, et son visage, sur lequel riaient les rayons de soleil, avait tant de grâce que Sophie, émue, s'empara de ses mains.

— Toujours vous serez dans mon cœur. Toujours je vous emporterai avec moi. Qu'il ne vous advienne rien que de bon, Gabrielle ! La vie est si méchante, si vite défigurée... Tenez ! Gardez cela de moi, en souvenir. Souvenez-vous de moi avec amitié.

Elle décrochait de sa robe une petite broche et la lui mettait dans les mains, et comme Gabrielle se défendait, réticente à cet étrange cadeau :

— Elle me vient de ma grand-mère de Galay, ma marraine. Elle l'a eue, jeune fille, de sa propre grand-mère ! Cadeau de marraines entre elles, ma chérie. Qu'il vous porte bonheur... Ne me la refusez pas !

C'était un camée d'opale, un visage d'Orphée avec sa lyre, que l'orfèvre avait ciselé ; d'une précision exquise, serti de petits diamants. Dans le creux de sa main, le bijou captait la lumière liquide, et ses reflets bleuâtres, irisés, donnaient au profil tourmenté une carnation irréelle de créature captive, dans sa corbeille de pierres étincelantes.

— Je ne saurais...

— Vous saurez très bien. Portez-la. Je signifierai ce legs chez mon notaire personnel, riait Sophie avec une sorte de sombre gaieté.

Ce cadeau improvisé plongeait Gabrielle dans un grand embarras. Certes en raison de sa valeur, et de son origine familiale, cette intimité organique des bijoux avec les corps qui les ont portés, dont la mort fait une sorte de talisman funèbre. Mais plus encore pour l'ombre qu'il jetait sur ce jour ensoleillé. On ne sait jamais tout à fait ce qui s'achète dans le don, dans la démesure de sa dépense ce qu'il attache, quelle faveur il noue, d'autant moins libre qu'elle est consentie, et peut-être cette part d'ombre qui l'accompagne paie-t-elle le prix de l'éblouissement de recevoir. Gabrielle, remuée par la spontanéité de ce cadeau, ne pouvait s'empêcher d'y accorder un pressentiment plein de tristesse, comme s'il fût un arrachement plus qu'une offrande. Sophie l'accrocha elle-même, d'autorité, à la robe de Gabrielle. Tandis qu'elle se battait avec la petite épingle, leurs cheveux, leur front se touchaient, et pour finir, elle lui jeta les bras au cou.

— Ah ! J'aime vous embrasser, vous !

L'élan de sa caresse, l'excès de son émotion achevèrent de faire céder Gabrielle qui l'embrassa aussi, la gorge serrée, et comme Millie revenait de sa course, les joues rouges, elles ne parlèrent plus de rien, perdues ensemble dans la contemplation silencieuse du jardin où pleuvait le grand soleil d'avril, si pétillant et neuf qu'il serrait le cœur de trop de promesses, et aussi, parfois, comme balançaient les souples branches bleues des cèdres, il semblait qu'une ivresse noire venue de sous leurs ailes, rampante et froide, lançait son ombre vers elles, comme montées des cavernes de la mort.

XXXV

Mme Mathilde vint au Mesnil, avec son train de bagages, ses coussins favoris, sa mallette et son bol rafistolé, ses fioles de potions, son régime et ses récriminations. Elle se félicitait d'être là, pestant contre le Dr Pluton, qui voulait à tout prix la clouer sur la chaise longue d'une station thermale, à quoi elle avait échappé de justesse ! Et puis la grève était finie, l'ordre revenu quai de la Gare : les ouvrières n'y tenaient plus, l'argent manquait, en dépit des caisses de solidarité. Mais il avait fallu lâcher, comme prévu. Pas les huit heures, quand même ! Un aménagement horaire réservé aux employés chargés de famille, et c'était tout un imbroglio, parce que les couples n'étaient pas tous passés devant le maire, et qu'il y avait des filles-mères, dans des situations impossibles. Au moins cette mesure moraliserait l'usine. En sus, Lewenthal avait eu l'idée originale d'une installation sanitaire pour les femmes, avec des lavabos et des lieux d'aisances, et leurs vestiaires séparés d'avec les hommes ; et même d'une infirmerie, qui faisaient vraiment social. Mais le directeur avait tenu bon sur les licenciements, trié son monde fort subtilement en augmentant les quelques meneurs qu'il gardait, compensant les mis à pied avec des indemnités forfaitaires, des bonus au rendement pour tout le monde ; et les machines avaient été livrées, la veille de la reprise. Une fête à la grimace, cette reprise, arrosée de vin mousseux de Saumur, offert par Mme Mathilde, qui avait dû descendre dans la cour trinquer à la santé du prolétariat ! Les ouvrières avaient repris le chemin des ateliers avec des ceintures rouges sur leurs tabliers, en chantant *Le Temps des cerises*, le poing levé ! Cela valait quand même mieux que *L'Internationale* ! A présent, il fallait rattraper le retard de quinze jours de chômage, les commandes accumulées, l'embouteillage des chaînes qui tournaient à plein régime. Lewenthal ne ménageait pas sa peine. Il couchait sur place, sur pied dès cinq heures pour tenir, avec les contremaîtres, la feuille de route qui, d'ici mi-mai, selon ses calculs, remettrait la maison à flot. Alors, voilà, Mme Mathilde sortait triomphante de l'épreuve, et remise de son malaise. D'attaque, proclamait-elle, jubilant de se venger sur les mots. Elle était d'attaque. Rengorgée dans la cuirasse de sa robe violine, ourlée de soie rouge, elle pouvait revenir et soutenir, royale, le regard de ses gens, des paysans du bourg, et de tout le canton. Elle pouvait assister à la messe, la tête haute. Et comme le grand ménage était achevé, elle pouvait inspecter les travaux avec la maniaquerie d'un huissier, se payant sur le dos des uns et des autres de l'autorité qu'on avait failli lui contester, là-bas.

Une chose pourtant lui donnait assez de contentement, c'était le mariage de Pauline. Elle n'y voyait, pour sa part, qu'une fatalité naturelle aux gens de ces milieux, qui se marient vite, copulent à l'étourdie sans penser à l'avenir. Mais par amitié pour Mme Victor, tant affligée de l'affaire, elle avait pris les choses en main, gouverner la situation l'amusait. Comme d'arranger la fête des accordailles le jour du contrat, qui devait se tenir chez la promise, par tradition. Cela aurait lieu dans la grange, arrangée par Meyer pour l'occasion, un vin d'honneur avec accordéon. D'autorité, elle avait mis Pauline à son trousseau, des nappes et des torchons, dont elle payait le lin, par caprice. Elle avait fait venir du village une brodeuse, et lui avait commandé des initiales enlacées sur le revers des draps, les taies d'oreiller, et les mouchoirs par douzaines, un joli travail rustique qu'elle offrait, dispendieuse, avec un rien d'ironie. En contrepartie, Pauline devait coudre les ourlets à la machine sans lever le nez de la journée : il faut payer de sa personne pour mettre du linge dans ses armoires, ma petite. Quant à l'arrangement de Sophie, qu'avait rapporté Mme Victor, pour se dédouaner de la décision prise contre son gré, Mme Mathilde l'avait trouvé farce. Elle moquait surtout la façon dont Charles avait dû prendre la chose, lui qui ne laissait pas un sou de sa dot à Sophie. Il avait bien dû prélever sa dîme, au passage, rat qu'il était !

Tout cela lui donnait énormément d'occupation. Finalement, ce séjour au Mesnil était plus récréatif que prévu. Sauf que le temps avait brusquement changé. Le froid était revenu, les vilaines journées de pluie balayant les vitres, maussade, monotone, grisaillant la maison du matin au soir et le ciel couvert bouchant l'horizon du jardin. Si c'était bon pour le semis des jardins, pour le trèfle et l'avoine... En dépit de la règle qui voulait qu'on ne fît plus de feu en avril, Mme Mathilde avait exigé chaque soir une flambée dans le grand salon, où elle prenait son campement, et sitôt finie la leçon de musique de Millie, elle avait sa séance à elle, de lecture, que Gabrielle lui faisait, pendant une heure.

— M. de Saint-Simon a un assez gros ventre pour nous tenir la semaine. S'il vous ennuie, sautez des pages, disait-elle. Je n'ai besoin que de la chanson.

Pierre avait cédé à sa demande de l'accompagner. Il avait à finir de rédiger un grand article sur ses travaux, en vue d'un symposium à Venise. La tranquillité du Mesnil convenait à sa tâche. Il s'enfermait dans le bureau de l'étage, n'en sortait que pour une marche solitaire sous la pluie, et le soir pour dîner avec sa mère, impénétrable et poli. Il s'exprimait avec mansuétude, interrogeait Millie sur sa journée, et sa mère sur sa santé.

— Suis-je un homard bouilli, qu'on m'inspecte sous toutes les coutures pour voir si je suis à point ? Je vais très bien, une fois pour toutes.

A Gabrielle, il s'adressait avec une sorte de distance douce et neutre, comme si elle avait été transparente, et c'était peut-être la meilleure des choses. Elle avait l'impression que des milliers de radicelles et de filaments de sa conscience s'enchevêtraient en un écheveau confus, dont elle ne démêlait pas le fonctionnement, mais dont les terminaisons mentales s'étaient dangereusement ramifiées ici, enracinées de leurs sensibles extrémités jusque dans la conscience de ces gens dont elle partageait la vie, et qu'à chacune de ses émotions, ils en ressentaient, chacun à leur manière, l'écho au fond de leur être. Comme d'un flux nerveux propagé, ils en percevaient les vibrations intimes, prévenus de ses pensées ou de ses sentiments. C'était blessant, et alarmant ; il lui semblait à tout instant transmettre aux autres les péripéties de son histoire intérieure par cet épanchement involontaire, au péril de sa vie. Millie elle-même, dans l'innocence de son âge, avertie par elle ne savait quel signal invisible que Gabrielle lui échappait, venait parfois sur ses genoux, réclamait une câlinerie, une histoire, l'interrogeait sur de futiles sujets qui servaient de diversion. Et Mme Victor ou Mauranne lui jetaient des regards entendus, lourds de quelle connivence, de quelle effusion indiscrète ? Mme Mathilde elle-même la traitait avec une sorte de considération inquiète et protectrice, comme si elle était une porcelaine.

Etait-ce une réalité, ou l'imaginait-elle parce que, d'une susceptibilité à fleur de peau, elle captait le moindre frémissement, le moindre regard ? C'était si différent du temps qu'elle jouait son rôle et déguisait ! Dire qu'elle souffrait alors de trop bien composer son personnage, d'aller et venir impunément parmi eux tous. Maintenant, ce qu'elle avait tant redouté était advenu. Pierre, le seul d'entre eux, savait qui elle était vraiment. Non seulement l'avait démasquée, tenait à sa discrétion la vérité sur son identité, et sa raison d'être parmi eux, mais il avait accès à la part la plus obscure, l'aptitude sensuelle qu'on ignore de soi, et elle croyait qu'on ne peut que mourir de cette nudité concédée à une autre créature, de cette déprise ultime au-delà de laquelle rien n'est plus à donner ni prendre. Elle s'était pourtant défendue contre lui, au petit matin, retirée au fond d'elle-même, en cette région de propriété mentale qui refuse de céder au désir. Parce que les hommes font de l'acte sexuel une emprise physique hideuse, et répugnante, le moyen de coloniser le corps féminin, comme ils le font sur tous les territoires de la planète, en seigneurs arrogants et vandales, pour intimider, asservir et soumettre, se glorifiant de mettre le pied sur l'épaule de l'esclave accroupi, qui penche la nuque et endure. Elle s'avouait enfin ce qu'avait été faire l'amour avec Endre, ce qu'elle avait donné et qu'il avait emporté d'elle, à l'autre bout du monde, comme trophée de sa possession, cette impudence du pénis planté au fond de vous, comme ils plantent leurs drapeaux de guerre à la victoire, ridicule, grotesque arrimage physique par lequel passe l'amour, dit-on ! Durant cinq ans, elle s'était tu cela ! Cinq ans à enrubanner de poésie, à faire couiner les violons sentimentaux pour donner quelque valeur héroïque à ce coït imparfait ; le secret de son corps, son petit exploit physique ! Elle se raidissait, résistait, lovait au fond de l'écheveau de son cœur un nœud vengeur et mauvais, tel un noyau plein de venin qui irradiait ses veines et son âme, et elle était si malheureuse, par moments, si humiliée qu'elle aurait bien jeté à la tête de tous les mots amers, les mots méchants qui lui montaient aux lèvres. Voilà le bouleversement qui résultait de cette nuit d'orage où elle avait perdu la tête, vraiment, il lui semblait un de ces instants de la vie où l'on ne s'appartient plus, mannequin pitoyable, marionnette agie par des forces maléfiques. Elle en voulait à Daniel de l'avoir poursuivie de ses assiduités tout le jour, à Blanche pour son mépris de classe, à Mme Mathilde qui vous accaparait comme s'il n'y avait qu'elle au monde, et qui tombait en convulsions pour un bol brisé, tout ce drame qui l'avait poussée à l'affolement, harcelée par tous, autant qu'ils étaient. Elle en voulait au ciel, à son grandiloquent orage. Elle en voulait à sa stupide émotivité, à ce qu'elle lui découvrait de sa faiblesse.

Grâce à Dieu, Pierre ne la voyait pas. Il l'effleurait à peine du regard. Il la saluait à deux pas, d'un signe de tête aimable, convenable. Il lui adressait la parole parce qu'il le fallait, pour respecter les convenances, toujours en présence de sa mère, de sa fille, les meilleurs remparts. Quand elle l'observait à la dérobée, elle sentait pourtant palpiter un élan inquiet et tendre dans sa poitrine, avec la peur d'être surprise à le regarder, s'il tournait brusquement la tête. Il avait maigri, grand et mince dans son costume de laine claire qu'il portait à la campagne. Il émanait de lui quelque chose de physique, une tension et une plénitude qui lui en imposaient. Il temporisait avec l'existence, avec les aléas du moment, et il y avait en lui une connaissance large, profonde et peut-être destructrice, de la vie, la sourde présence d'une expérience ; qu'elle avait si peu, ballottée et meurtrie, à la dérive. Les années qui les séparaient l'avaient instruit de quelque chose qu'elle n'apprendrait jamais, parce qu'elle n'était pas un homme, certes, mais surtout parce qu'elle tirait si peu d'enseignement des épreuves. Il était solitaire et concentré, patient, et silencieux, et chacun de ses gestes lui semblait dicté par la conscience de sa solitude, et de sa patience, ses mains calmes posées au bord de la table, isolé et disponible. Qu'adviendrait-il d'elle, à présent ? Ce après quoi elle courait était si décevant. Le récit tant espéré de la mort d'Endre, que Pierre lui avait fait, ne lui apportait rien. En réalité, elle savait tout déjà, d'une prescience obscure, les conditions affreuses et désolantes, la mélancolie, la vanité de sa fin dans cette région inconnue, dont la description habillait de quelques détails facultatifs la scène qu'elle avait imaginée, et même vécue au fond d'elle-même, en cette région où l'on communie avec les êtres aimés. Elle était lasse, et vide, et devant elle c'était une vie sans direction, soumise aux circonstances, qui l'enracinait là, auprès de Millie, la toute petite, la seule Millie qui la retînt encore. Mais jusqu'à quand, et le fallait-il vraiment...

Ils allèrent au cimetière du Mesnil, une après-midi, sur la tombe de Jane. Par ce que lui en avait dit Mme Victor ou Mauranne, Gabrielle savait que, d'ordinaire, Pierre Galay s'y rendait seul chaque année. Aussi qu'on s'abstenait de fêter son anniversaire à Millie, en raison de la tristesse attachée à cette date, si proche de celle du décès de sa mère, et chacun se conformait à ces dispositions reconduites sans les commenter. A la fin du dîner, une fois l'enfant partie se coucher, au moment où Mme Mathilde quittait la table, Pierre annonça soudain sa décision. Dont elle se rassit.

— L'occasion ne s'en était pas présentée encore, mais il semble que Millie soit assez grande, à présent, pour observer ce culte filial, et savoir qu'elle fait ses années à cette date.

— En voilà, une idée nouvelle !

— Non, non. Assez ancienne… Il est temps que Millie apprenne qui elle est, et où est sa mère. Elle aura à vivre avec ces circonstances de sa naissance.

— Mais toi, Pierre ! De quelle fidélité à cette tombe as-tu besoin ?

Comme Gabrielle se levait pour les laisser à ce débat privé, il lui fit signe de n'en rien faire.

— J'aurai besoin de vous, pour cette visite, un peu délicate. Je suis sûr qu'à accompagner Millie, vous lui serez de grand secours. Mieux que moi.

— Sur moi, ne compte pas, mon garçon. Une fois à la Toussaint me suffit.

— Je ne comptais pas sur vous. Seulement pour veiller à ce que sa famille marque désormais l'anniversaire de Camille Galay. Autant que celui de ses autres enfants.

— Bien, bien, murmurait Mme Mathilde, un peu décontenancée, tapotant le verre de sa petite cuillère.

De l'expédition, Millie ne parut pas s'émouvoir, plus curieuse de l'arrangement de ce curieux jardin aux allées de sable ratissé, des croix et des petits reposoirs fleuris, que de la plaque tombale nue, devant laquelle on la menait. Davantage encore de l'étrangeté de cette réunion dont ni Gabrielle ni son père ne semblaient se réjouir, et du recueillement de celui-ci, qui observa un long silence en lui tenant la main, chose assez rare pour l'intimider ; mais il devait mettre à la pression de sa main une bonté inhabituelle, puisqu'elle la lui laissa patiemment.

— Ta mère repose là, Camille, dit-il doucement. Pensons à elle.

Penser à sa mère non plus ne semblait pas éveiller grand-chose en elle, et comme elle avait pris pour habitude de placer les absents dans une étoile, ce que seules quelques nuits claires permettaient, elle opina farouchement, avec cette bonne volonté dont les enfants admettent les propositions bizarres des adultes. Il s'était baissé à son niveau, entourant tendrement ses épaules.

— Elle n'a pu te le dire, mais tout le temps qu'elle t'attendait, elle t'aimait.

— Vous aussi ?

Il hocha gravement et se releva. Il faisait frais, entre deux averses, le ciel charriant de vifs nuages frangés d'argent qui couraient vers l'est à grande vitesse, cachant et libérant le soleil. Gabrielle ignorait en quoi elle était utile à cette cérémonie, sinon à garantir à Millie qu'elle y prenait sa part. Mais quelle

694

part prenait-elle à la dévotion de Pierre, à ce rendez-vous intime avec une femme aimée, jalousement arrachée aux siens par celui qui l'avait ramenée ici, soignée et vénérée jusqu'à la mort, dont il portait le deuil avec une passion exclusive, vouant depuis sa vie au célibat, à la chasteté. S'il voulait lui signifier par là en quelle place il la tenait, il ne s'y serait pas mieux pris, et comme ils remontaient lentement les allées, à quelques pas l'un de l'autre, elle refrénait un chagrin qui n'avait pour objet ni la défunte ensevelie, ni la rigueur muette de cet homme, mais sa propre déréliction, elle que la tombe d'aucun amour n'attendait. Millie s'était égaillée parmi les stèles, sautillant de l'une à l'autre pour regarder les Christs, les Vierges et les angelots sous le nez, alors il avait pris brusquement le bras de Gabrielle.

— Ce que j'ai à vous dire valait que nous venions ici... Millie n'est pas ma fille.

Elle pesa soudain terriblement à son bras. Il s'arrêta, prit une longue inspiration.

— Elle porte mon nom, mais je ne suis pas son père. Millie est l'enfant d'Endre.

Elle vacilla lentement, tournoya sur elle-même, et trouva sous son visage la manche de sa veste, y étouffant un cri de souffrance animale.

— Aimez-la, Gabrielle, s'écria-t-il, comme elle s'agrippait, pantelante à son bras.

Elle abîmait son visage dans l'étoffe sombre, l'y enfouissait pour ne pas crier encore.

— Oh ! Il fallait que je vous le dise enfin. Y avait-il une autre manière, un autre endroit... Elle est votre parente, plus qu'à moi.

— Jane... hoqueta-t-elle. Elle est votre femme...

— Si peu, en vérité. Sinon pour la sauver. Pour avoir donné ma parole qu'elle ne resterait pas là-bas, condamnée à nous ne savions quel destin. A la mort peut-être. Qui l'attendait ici, aussi bien... Ce fut si affreux, abominable. La vérité...

— La vérité !...

Qu'elle voulait, poursuivait, acharnée, dans cette jungle des faux-semblants, des labyrinthes de la ville aux couloirs ombreux, pour laquelle elle descendait aux enfers afin de l'y chercher, tapie, la tirer au grand jour, la regarder enfin, dans son implacable exactitude, la vérité monstrueuse surgissait de là où elle n'avait pu penser, imaginer qu'elle fût, dans cette allée de sable mouillé, au milieu du champ des morts.

— Il l'a aimée ! Et vous ! Vous aussi !...

Il eut un rire amer.

— L'aimer ! Pauvre Jane… Qui a été moins aimé qu'elle ?…
Qu'elle l'ait aimé, elle, sans doute. Du moins, elle l'a cru, assez
pour se jeter à sa tête, acheter sa personne, son désir, en lui
vendant son père, en volant chez lui les documents qu'il voulait… Ensuite elle était condamnée à lui, et lui à elle, enchaînés
dans leur fuite. Est-ce cela, l'amour ? Ce qu'on entend par là…
Ah ! je ne sais, Gabrielle, vous le dire en mots assez justes. Que
sait-on des êtres ? Ce qui paraît sordide peut être sublime, selon
l'angle dont on l'envisage… Que s'est-il passé entre eux pour
qu'elle devienne son ombre damnée, son esclave, cette pauvre
chose hagarde, qu'il regardait à peine ? Quand je les ai retrouvés, elle était perdue, perdue. Pour lui, pour elle-même, dans
cette déchéance, cette solitude. Et elle attendait un enfant. Je ne
crois pas qu'il l'ait su. Si elle le lui a dit, il n'en a rien entendu, il
n'entendait plus rien des vivants. Il était trop loin déjà dans son
agonie, hors du monde. A moi elle l'a dit, une fois enseveli
son corps. Cela a prescrit mon devoir de l'épouser, de la ramener avec moi. Je lui ai donné mon nom, à son enfant un père.
C'était facile à faire. Cependant il y a ces réalités, les contingences, la société. Et la famille, qui expulse le corps étranger,
telle une greffe… Pauvre Jane… Elle était ma femme, pourtant.
Ai-je su si mal les en convaincre, étant si peu un père pour Millie ?
Vous-même me l'avez justement reproché, souvenez-vous…

Gabrielle avait lâché son bras. Elle écoutait le vain discours
par lequel il cherchait à l'étourdir, luttant pour tenir sur ses
jambes chancelantes, comme il semblait qu'elle le fît chaque fois
qu'un coup la frappait, cherchant son équilibre et son assise.
Tandis qu'il parlait, il observait l'effet de cette nouvelle, par quel
effort solitaire elle y résistait, tétanisée, lèvres blêmes, son front
de marbre. Il eut un élan de tendresse navrée, non de pitié ou
de compassion, mais de solidarité impuissante, la souffrance
rompant ses membres comme s'il se fût battu.

— A nul au monde je ne l'aurais dit, jamais, murmura-t-il…
Ce que vous m'avez appris, l'autre soir, m'oblige envers vous.
Devais-je me taire encore, vous épargner cette vérité cruelle ?…
J'imagine ce que vous éprouvez…

— Que vous importe ce que j'éprouve ! s'écria-t-elle, avec
violence, s'éloignant de quelques pas.

Il suspendit son geste, renonça à la rejoindre parce que Millie
revenait vers eux, avec une provision de perles échappées des
couronnes mortuaires, qu'elle tenait à pleines poignées, ravie de
sa provision. Cela fit diversion, les obligea à sortir d'eux-mêmes
pour lui expliquer ce larcin : qu'on ne pille pas ainsi les sépultures.
C'était si dérisoire, et leur émotion si grande, qu'ils mettaient à

leurs remontrances une infinie douceur, ensemble accroupis près d'elle, défaisant ses poings, caressant sa joue, baisant ses mains, avec un tel excès d'attentions qu'elle en rosissait, autant de déception que de contentement. Gabrielle interrogeait avec passion son petit visage pointu, y cherchant éperdument ce que jamais elle n'aurait pensé trouver en un seul être au monde. La survivance, le souvenir du visage d'Endre, cette empreinte charnelle par quoi se perpétue un être à travers la mort, la mémoire du corps plus puissante que celle de l'esprit, qui modèle et régénère la vie en une créature nouvelle. Mais elle ne voyait rien, rien que sa carnation claire, ses yeux gris striés de vert aux longs cils drus, et la ligne courte du nez, la bouche petite et fruitée, cette moue... L'assemblage composite des traits enfantins, façonnage étonnant de fragments dissociés et pourtant solidaires dans leur unité, mais inachevés, une esquisse, la promesse du visage futur, qui peut-être un jour libérerait le modèle enfoui au secret du corps ; ou non, ne rendrait jamais ce qui résidait malgré tout au fond d'elle, sous quelle forme, quelle nature, le fantôme de son père... Gabrielle la serrait légèrement dans ses bras, craignant de l'effrayer, n'osant la toucher vraiment, comme si elle risquait de la blesser, de briser d'une étreinte trop forte la créature nouvelle qu'elle lui était à présent.

Au retour, sans savoir où elle en trouvait la force, Gabrielle accomplit les activités ordinaires du soir. Ils s'étaient tus en présence de Millie, et leur dialogue interrompu laissait en suspens tant de questions qu'elle en était assommée, à tout moment au bord de s'effondrer, mais retenue par l'obligation des gestes pratiques, trouvant un dérivatif aux menus accidents qui exigeaient son attention. D'autant que, par exception, Pierre était resté pour la leçon de musique, qu'il suivit, accoudé au piano, et ensuite dans le salon, pour la séance de lecture devenue rituelle, comme s'il lui interdisait par sa présence de céder à son émotion, surveillant son air sans le manifester. Son grand calme lui intimait par contagion de le feindre aussi, et parce que, à force de simuler un sentiment, celui-ci finit par dompter les autres et paraître vrai, elle éprouvait maintenant un soulagement à se contraindre, redoutant au contraire le moment où il n'y aurait plus personne autour pour la défendre d'elle-même. Extraordinairement sage, peut-être gagnée par l'atmosphère de gravité, Millie s'appliquait à découper des figurines de mode dans un magazine, assise sur le tapis aux pieds de Mme Mathilde qui, ayant beaucoup voyagé dans la maison tout le jour, d'armoires

697

en greniers, se renversait à présent dans ses coussins, au plus près des flammes, accaparant de son ampleur toute la cheminée. Gabrielle, installée derrière elles à la table, ployant sa nuque sur le livre, les poings à ses tempes, s'appliquait à lire le portrait du duc de Vendôme, dont raffolait la vieille dame. Que le mémorialiste y laissât aller son acrimonie envers l'arrogance aristocratique, en de mesquines anecdotes, la réjouissait, rencontrait sa détestation des airs de classe, si naturels à Henri et à ses semblables. Mais surtout ragoteur, papoteur, le chroniqueur lui plaisait de montrer des dessous méconnus ; au demeurant, informations de seconde main, qu'il devait le plus souvent tenir de la valetaille. Si elle en avait le génie, sa fidèle Manon ferait un bon Saint-Simon, frissonnait-elle, un peu troublée du rapprochement... Mais Gabrielle lisait mal, elle n'y mettait aucun esprit, et à plusieurs reprises l'enrouement l'obligea à s'éclaircir la gorge.

— Vous aurez pris un rhume à votre promenade ! protestait Mme Mathilde, sans se retourner. N'allez pas me manquer, à présent !

Gabrielle n'était pas enrhumée, mais en dépit de l'empire qu'elle prenait sur elle, ou à cause de lui, la voix lui manquait, étranglée par le chagrin refoulé. Comme elle poursuivait malgré tout, y mettant tout son courage, Pierre fut soudain près d'elle. D'un geste paisible, il encerclait son poignet. Et ce contact délicat et gauche était si secourable, le bracelet de ces doigts si méricordieux que tout son être fondit, dans la débâcle de douceur emportant ses défenses, et pour rien au monde il ne devait lâcher sa main, se retirer. Toujours il devait la toucher ainsi, avec ce respect, cette paix tendre et pénétrante, si cruel s'il les lui refusait à présent ! Il s'éloigna cependant, parce que d'un lourd élan, Mme Mathilde s'arrachait à ses coussins et les tapait avec humeur.

— Vous ne valez rien, ce soir, ma chère. La chaise percée de M. de Vendôme ne me fait pas rire du tout... Allons dîner, puisque vous êtes un bonnet de nuit.

Mais encore, comme ils traversaient le vestibule à la suite, au profit de l'obscurité il posa de nouveau sa main sur elle, effleura brièvement son flanc et sa taille, y imprima fugitivement sa chaleur, sombre et muette chaleur de son corps propagée au sien, sans obstacle envahissant son buste jusqu'à sa gorge. Alors, ils passaient déjà à la lumière de la salle à manger, à l'éblouissement des lampes au-dessus de la table, sur laquelle Mauranne et Sassette finissaient de mettre le couvert.

— Dînerons-nous, enfin ? Je suis plus fatiguée que d'aller à mon bureau : je veux me coucher tôt. Servez, vous autres !

Et durant le repas, pour pallier le silence, elle ne tarit pas de plaintes contre tout ce qui marchait de travers, les plats, trop chauds ou trop tièdes, le carafon qu'elle détestait à cause de son bec trop court, qui laissait des gouttes sur la nappe, la crème trop vanillée, ce qui gâchait le goût, décidément, et puis cette pluie qui gâchait le plaisir du séjour. Elle ne mettait à son humeur tant de vivacité que pour combattre l'atmosphère tendue, car à l'expédition sur la tombe de sa bru, dont elle n'avait pas eu le compte rendu, elle attribuait la cause du dérangement de son rituel, la lecture ratée, l'air absent de Pierre, l'éberluement persistant de Millie et la pâleur préoccupante de Gabrielle.

— Cette promenade ne vous a pas réussi. Quelle mine, ma fille !

— La vôtre est superbe. Vous vous portez de mieux en mieux, riposta Pierre avec agacement.

— Il le faut bien. A ma santé ! A la vôtre !

Elle levait son verre de vin, et considérant la couleur ambrée avec une ostensible satisfaction :

— Mlle Demachy s'ennuie ici, dit-elle, sentencieuse. Je le vois. Elle dépérit à vue d'œil. Que diriez-vous d'un voyage ?

— Un voyage ?

— Pierre, je veux dire : une escapade touristique. Une expédition plus drôle que celles qu'on fait au Mesnil, certaines après-midi. A Deauville, en Bretagne, au Pérou, est-ce que je sais ?

— Je ne veux pas voyager, madame.

— Que voulez-vous, alors ? Un congé ?

— Rien, rien, balbutiait Gabrielle.

— Etes-vous maltraitée ici ?

— Ma mère, il suffit.

— Ai-je la berlue, Pierre ? Que se passe-t-il, enfin ?

— Je vous remercie, intervint Gabrielle, n'y tenant plus. Je crois que j'ai pris froid, en effet. Je ferais mieux de me retirer.

Elle se levait, refoulant ses larmes, posant son couvert et elle sortait, avant d'en obtenir l'autorisation. La place vide laissa Mme Mathilde sans voix. Millie, interdite, attendait la suite de cette scène surprenante, et Pierre vidait son verre de vin, impassible.

— Sassette, emmène Millie ! ordonna-t-elle. Puisque nous nous couchons avec les poules, maintenant.

Une fois seuls, ils s'observèrent un instant en silence. Elle jouait avec son couteau, mécontente.

— Je ne suis pas si vieille belette pour avoir la vue basse. Mlle Demachy veut nous quitter, n'est-ce pas ?

— Il ne me semble pas.

— Je détesterais cela. L'as-tu interrogée sur ses intentions ?

— Je n'ai pas à l'interroger. Vous non plus, je pense. Elle a seulement besoin d'un peu de repos, vous avez raison. Je lui en parlerai. Bonne nuit, ma mère.

Ce qui s'effondre des derniers murs laisse à la ruine une certaine beauté, une perfection dans l'ordre du ravage. Ce dernier coup parachevait l'ouvrage, et plus que la révélation qui décapait sa vue, sa souffrance fascinait Gabrielle, comme si elle lui fût un spectacle extérieur. Un champ de ruines, vraiment, dans son ordre inédit, plein d'étrangeté lumineuse ; et peut-être les dieux féroces de la tragédie n'aiment-ils rien tant que cette grande clarté, absolue et cruelle clarté jetée à la face des héros pour les aveugler, quand tout est consommé. Qu'Endre l'eût oubliée, qu'il eût aimé, mal ou bien aimé une autre femme qu'elle, en eût un enfant, et que cet enfant lui revînt de si loin... Les années d'attente finissaient là, dans ce don en retour d'un enfant qu'elle ne porterait pas, jamais de lui n'aurait à porter. Qu'elle porterait pourtant le reste de ses jours, comme une sanction de sa disgrâce, de sa défaite ! Millie, la toute petite, l'innocente Millie, ignorante du sceau qu'elle avait à son front... Camille Galay, la fille de Pierre ! Il y avait là une ironie si subtile et méchante qu'une ivresse la soulevait, loin du ressentiment, et même du désespoir, une sorte d'éblouissement noir dans lequel elle plongeait, où se perdait sa raison. Insensible, désertée de sentiments ou de pensées, elle dut se regarder dans le miroir pour vérifier qu'elle n'était pas disparue, effacée, en cendres, et elle se vit, seule. Une qu'elle ne reconnaissait pas, mais qui la connaissait. Assez bien pour la haïr dans un hérissement de toute sa peau, des cheveux horripilés. Sa figure de jeune fille convenable, coiffée et vêtue de dentelles comme un épouvantail de théâtre, masquée et fardée, barbouillée d'apparences. Sauvagement, elle arracha ses vêtements, ces oripeaux, ces guimpes et ces bas, défit ses cheveux, se mit nue. Se serait arraché la peau pour être plus nue encore, mais nue elle n'était pas nue. Dans les dédales de son corps, il y avait une nudité plus grande, une capacité plus grande de dépouillement que son corps n'avouait pas, où elle était seule, désaimée et seule.

Elle se regardait comme de longtemps elle ne l'avait fait. Peut-être depuis un de ces matins, après son départ, où elle avait admiré et convoité dans le miroir la chrysalide de son corps, ses seins menus et ses hanches de garçonne, sa peau mate, fluide et soyeuse à la lumière du matin, sa grâce juvénile en majesté, sa beauté qu'Endre emportait dans son cœur ! Fière et amoureuse d'elle-même, sans crainte, sans pudeur ! Ce soir, comme celle-là était loin ! Son corps avait grandi et mûri, les courbes plus pleines, ses seins plus lourds à l'attache fine des clavicules, son ventre mince évasé des hanches à l'aine, un peu renflé en son centre, que le nombril creusait étrangement. De sa toison brune aux mamelons de café, cela semblait un visage au triangle étiré, mystérieuse expression pleine d'étonnement. Elle toucha avec crainte l'intérieur de ses cuisses, la longue plage de peau douce jusqu'au creux du genou, remonta à ses épaules, son cou, sa bouche qu'elle palpait sans la sentir sous ses doigts. Elle était femme, mais en vain ; en vain avait cru se garder neuve à lui comme alors, mais celle-là était morte. Elle enfila vite sa chemise de nuit et se coucha, ivre de nostalgie pour la jeune fille perdue, pleura l'amour perdu qu'elle n'aimait pas, n'avait aimé que de sa nudité d'enfant, pleura de se séparer d'elle, si seule à présent.

Il y eut les accordailles, le lendemain, le départ en carriole au bourg, en début d'après-midi. M. et Mme Victor endimanchés escortaient Pauline en robe bleue et joli chapeau de myosotis en soie pour la signature chez Charles. Par chance, mai offrait un jour d'éclaircie, de rayonnant soleil qui faisait étinceler la campagne, la fraîcheur mouillée des haies d'aubépines. Depuis le matin, c'était une effervescence de préparatifs dans l'écurie, où Meyer avait débarrassé dès la veille la grande salle attenante à la sellerie, et balayé le plancher, dressé une table sur des tréteaux, dont le couvert était mis sur une belle nappe damassée. On avait porté des chaises et des bancs, des verres dans les paniers, et les bouquets d'iris, de lilas cueillis au jardin, les corbeilles de biscuits, meringues et madeleines Bertin-Galay, les tonnelets de cidre et de vin. Meyer et Victor avaient tendu des guirlandes et des lanternes de papier aux poutres ; tout cela en cachette de la promise qui devait feindre de ne rien savoir, ce qui excitait beaucoup Millie, courant derrière Sassette avec des mines de mystère, jouant les utilités, et d'autant plus ravie qu'on soufflerait les bougies de son anniversaire, à cette occasion. Mme Mathilde en avait eu l'idée, afin de donner à cette première fois un peu de cérémonie, selon le vœu de Pierre. L'atmosphère de fête laissait peu de place aux tristesses, et Gabrielle y prenait sa part, trop heureuse d'aller et venir, de faire oublier son humeur triste aux uns et aux autres.

Quand la carriole passa le portail, à son retour, suivie d'une cohorte qui ramenait les invités du bourg, toute la maison courut vers eux, et ce fut une belle invasion de la cour, d'attelages et de bêtes, des rires et des appels pour débarquer les filles, les amies de Pauline en robes claires, trop légères pour la saison, de qui le vent découvrait les mollets forts, que les garçons enlevaient, empressés de saisir ces volants et ces jupons à pleins bras ; et descendaient aussi les parents de Renaud, le couple des Armand, tout empesés d'amidon et d'émotion, graves, affichant le quant-à-soi qui convient, la réserve de fierté qui était leur dignité de fermiers pauvres ; elle maigriotte au bonnet de soie noire, entortillée dans son fichu d'indienne, et lui sec, noueux comme sarment, son menton haussé par le col de celluloïd dont l'étrenne l'étranglait. Il y avait une petite parentèle, une tante Léonie Armand, de Genilly, porteuse de pain, et un cousin venu le matin de Paris, où il était en maison, que connaissaient les Victor pour lui avoir trouvé la place. Les camarades de Renaud, classards comme lui, arboraient au revers des cocardes fleuries, prêts à chanter fort quand il le faudrait. Cela faisait dans la cour une assemblée bon enfant de fête paysanne, et comme pour tous ces gens passer chez le notaire était un événement, cela donnait une importance aux promis, héros de ce jour, intimidés de leur prestige et des égards qu'on leur manifestait, car tous voulaient baiser aux joues Pauline et donner l'accolade à Renaud.

Les hirondelles, dérangées de leurs nids à l'écurie par le tapage, passaient par l'encorbellement des poutres et sortaient en gerbes d'envols piaillants pour saluer de leur feu d'artifice noir la bienvenue aux fiancés. Alors qu'on commençait de percer les tonneaux et d'emplir les verres, Sophie était arrivée à son tour, ravissante en robe abricot à volants et capeline drapée de mousseline, accueillie de hourras, parce que chacun savait peu ou prou son rôle là-dedans, qu'elle jouait sans fanfaronner, émue de la réussite de son entremise. Comme Pierre, escortant Mme Mathilde, les rejoignait aussi, traversant la cour en allongeant le pas, elle s'était jetée à son cou avec effusion, reportant sur lui une exaltation nerveuse trop visible. Pierre en riait, surpris de cette caresse, enveloppant sa sœur d'un bras tandis qu'il embrassait Pauline. Enfin, avant de trop boire, on avait entouré Millie et son gâteau, porté par Mauranne, un énorme baba piqué d'ananas confit, que la petite personne souffla sous les bravos, se réfugiant aussitôt dans les bras de Gabrielle, avec un grand frisson d'émotion. Mais l'accordéoniste enfilait ses bretelles et entamait son répertoire, mêlant chansons des villes et des campagnes, que reprenaient à l'unisson les jeunes gens, plus prompts à s'égosiller que les anciens, assis sur les bancs : *Alouette, gentille alouette*, et *Nous irons au bois, Cueillir les* lauriers, *La belle que voilà Les a tous ramassés !*... Pourtant les filles préféraient les mélodies à la mode, *Froufrou, La Valse brune* et *Je cherche fortune*, les airs de Bruant ou d'Ogeret passés à la rue parisienne, vendus en partitions sur le trottoir, dont la sentimentalité leur plaisait mieux que les chansons rudes des garçons, vite égrillardes.

Il y eut un grand moment lorsque le père Armand, sortant soudain de sa réserve, un verre à la main, entonna *J'ai deux grands bœufs dans mon étable, Deux grands bœufs blancs marqués de roux*... qu'il chanta en son entier, repris au refrain par la compagnie, soudain grave : *S'il me fallait les vendre, j'aimerais mieux me pendre*... Ils chantaient tous ou fredonnaient, même Mme Mathilde, et Millie, montée sur un banc, joignait les mains d'adoration, extasiée de ce chœur unanime. Gabrielle ne la quittait pas des yeux, portée vers son émotion enfantine, par ce que la petite fille apprenait à l'instant d'une communauté humaine et de la force des chants populaires pour unir les cœurs dans leur poésie intemporelle, et son propre cœur s'ouvrait en corolle, riait de ce bonheur ingénu tombé du ciel. Alors, tandis qu'elle restait à l'écart, depuis le début, elle applaudit joyeusement au finale, enleva Millie et l'emporta dans la farandole improvisée de *La P'tite Hirondelle*, passa avec elle sous le tunnel des danseurs qui permettait d'attraper les tailles au passage, celle de Sophie, jetée dans la ronde, ou de Mauranne, d'un cousin, un garçon rougeaud et suant... Et soudain, elle fut au bras de Pierre pour un tour, enlacée à son coude sous l'arceau des bras, si fermement tenue qu'elle en chavirait, sans plus rien voir, dans l'endiablement de la ritournelle, que sa poitrine blanche, sa chemise froissée contre sa joue jusqu'à se retrouver, rouge, hors d'haleine, plongeant son nez dans un verre de vin que lui tendait Meyer, très en gaieté. Maintenant, Pierre, ayant posé son veston, avait enlevé Millie dans ses bras, et dansait une polka avec les autres, en gilet et bras de chemise, si gai et jeune dans l'emportement des corps, qu'à cet instant, par cette ivresse qui illumine l'instant d'exactitude, il lui sembla voir sa beauté pour la première fois. Elle pensa qu'il n'aimait pas Jane, ne l'avait jamais aimée, en eut une telle douleur de bonheur qu'elle vacilla. Maintenant, elle distinguait tous ces visages, les uns après les autres, cette férocité allègre du jeu qui vernit les faces, empourpre les joues et gonfle les lèvres, soulève les poitrines, donne au jarret le ressort des sarabandes, et dans tous, dans le sac des beaux vêtements, les corps, jeunes ou usés, la verdeur, la fringale de vie, aimante, jubilante, glorieuse, l'amertume ou les regrets, les choses perdues, celles qu'on n'a pas encore trouvées, de plaisir et de douleurs, et ce qu'il y a de belliqueux, de hargneux dans la possession, des terres, du bien, ou de rien, fierté du métier, rage des mains nues, impatience d'avenir, mélancolie du passé, orgueils, envies et cruautés, poisons et secrets, vertiges noirs... Elle en avait le cœur étreint, plus que tout à l'heure de regarder Millie, alors, refusant le retrait que donne cette conscience des destins, elle se jeta de nouveau dans la fête avec une joie entière, comme si fêter Pauline et Renaud lavait tout de sa détresse. Eux deux, grisés du droit tout neuf d'aller au bras l'un de l'autre, étaient si beaux, si tendres, émerveillés d'eux-mêmes, qu'ils étaient contagieux à tous ceux qu'ils touchaient de la main, des yeux.

Mme Mathilde avait disparu ; avec elle Sassette, déléguée à son coucher, en remplacement de Pauline. Sophie restait en marge de la fête, maintenant pâle et sérieuse, observant sous les lampions peut-être ce qu'avait vu Gabrielle tout à l'heure, mais avec une expression si lointaine et résolue qu'elle semblait déjà partie, à mille lieues d'ici, les abandonnant tous à leur histoire parce que la sienne l'attendait, rétrécissant ses traits d'une perdition intérieure, si poignante expression de perte que Gabrielle se glissa près d'elle, passa son bras sous le sien. Elle sursauta, comme si elle se réveillait.

— Oh ! Chère Gabrielle !

— Sophie ! souffla Gabrielle. Tout ce bonheur...

— Chérie... Je vais partir. Je pars à présent. Vous direz à tous adieu de ma part.

Gabrielle la raccompagna, profitant de son départ pour s'éclipser. Il y avait assez de monde pour s'occuper de Millie qui profitait de la fête, éblouie d'en être, ayant élu Tout Roux pour compagnon de danse. Sur le seuil, elles furent saisies par le serein qui tombait, alors que la nuit était venue. Tout près, des bêtes renâclaient dans l'ombre, perdues dans les attelages, et, au moment de remonter dans le tilbury, Sophie la prit étroitement dans ses bras.

— Dites bien à mon frère que je l'aime.

Et puis, brusquement :

— Vous l'aimez, n'est-ce pas ? Dites-le-moi, ce soir.

Comme Gabrielle restait muette, saisie d'un grand tremblement, elle la serra davantage contre elle, d'une prise nerveuse.

— Je le sais. Je l'ai vu. Ce n'est pas sorcier, à vous voir ensemble. Honni soit qui mal y pense !

D'une dénégation farouche, Gabrielle recula dans l'obscurité. A deux pas, les rires et l'accordéon, le pas lourd des danseurs résonnaient péniblement.

— Ah tant pis pour vous, si vous ne savez le dire ! Adieu ! s'écria Sophie, avec un petit rire.

Et d'un coup de fouet, elle lança son cheval sur l'allée. Gabrielle traversa rapidement la cour, frissonnant du froid et de l'humidité, mais à peine était-elle entrée dans la cuisine plongée dans la pénombre qu'il surgit derrière elle, Pierre, l'enlaçant aussitôt, l'attirant à lui tout entière d'une étreinte impérieuse et muette, et moites encore de leurs danses ils mêlèrent leurs bras, parce que, surprise de sa présence soudaine, elle s'abandonnait contre lui, respirant l'odeur de sa peau et de son vêtement, pareille à un parfum capiteux, abîmée dans l'enchantement de cette chaleur de l'homme sans visage qui la prenait contre lui, l'enfermait étroitement, tendrement la gardait. Elle se sentait une forêt nocturne pleine des remuements de printemps, où bruit l'invisible éclosion des bourgeons pleurant de miel, ce grand frisson naturel de suave adoration, si douce et neuve que ses genoux tremblaient sous elle, tandis qu'avec une ferme assurance, un fébrile besoin de certitude amoureuse il s'emparait de sa bouche. S'ils étaient ivres de vin et de bruit, c'était ici un si grand silence, et un si grand danger qu'à tout instant vienne quelqu'un, que le baiser palpitait à leurs lèvres de hâte, de l'intime, chaude et vibrante beauté furtive des instants volés et il la poussa devant lui. Sans se quitter des mains brûlantes, ils traversaient la cuisine, les couloirs obscurs, montaient l'escalier à tâtons, retenant leur souffle dans la quiétude solennelle de la vieille maison et, sur le palier, elle entoura sa taille sous la veste, l'enserra pour sentir contre son ventre le sien et cette part de lui étrange, un peu effrayante, qu'elle voulait reprendre.

— Oui, oui, supplia-t-elle, attachée à ses reins.

— Viens, dit-il dans ses cheveux, dans son cou, viens.

XXXVI

Pierre Galay remontait à grands pas le couloir de l'hôpital. Comme il portait la grande blouse blanche et la calotte réglementaire des médecins, ni les infirmières, ni les religieuses qu'il croisait ne pensaient lui demander qui il cherchait, à cette heure interdite aux visites, loin de son service. Sur sa demande, Grandrieux avait été transféré dans une chambre isolée, d'abord parce qu'il y était plus confortable que dans la salle commune, ensuite parce que, au bout de ce couloir, il était en sécurité, à deux pas de la salle de garde, où se tenait l'interne, que le docteur interrogea avant de se rendre à son chevet.

— Les contusions sont importantes, mais relativement superficielles. Finalement, aucune fracture, aucune lésion interne. Aucun organe vital n'est touché. Sauf cet hématome oculaire inquiétant, parce qu'il nous interdit de l'examiner au fond.

— Est-il en état de quitter le service ?

— Il le pourrait, mais il vaudrait mieux qu'il reste en observation quelques jours de plus.

— Vingt-quatre heures ?

— Si vous le prenez sur vous…

Sous la haute fenêtre qui jetait la lumière crue de midi, Grandrieux somnolait, engourdi par les antalgiques et la dose de morphine que Pierre avait ordonnée. A son entrée, il ouvrit un œil, le seul qui fût valide, et un sourire faible tira sa bouche boursouflée. Il tendit la main à Pierre, l'autre était bandée de gaze.

— Comment vous sentez-vous, mon pauvre ami ?

— Comme si un bataillon m'était passé sur le corps, plaisanta-t-il en haussant les épaules, et ce mouvement le fit grimacer.

La veille, Pierre avait été prévenu par le service que son assistant venait d'être interné à la suite d'une rixe sur la voie publique et qu'il le demandait. D'abord très contrarié de cet avatar

706

par lequel Grandrieux se compromettait de nouveau, il n'était passé que le soir, après ses visites, prêt à tancer cet écervelé qui dépassait les bornes, mais ce qu'il avait alors appris était d'une tout autre nature. Le jeune homme ne s'était pas battu. On l'avait proprement rossé, systématiquement assommé de coups, jusqu'à le laisser inconscient dans les immondices et les gravats, derrière une palissade de la rue Popincourt. Et ce n'étaient pas le fait des apaches, de ces jeunes voyous prompts à tabasser le bourgeois pour le dévaliser, mais le fait de deux individus qui l'attendaient à la sortie de chez lui, l'avaient empoigné par force et traîné là, dans ce terrain vague entre deux immeubles vétustes en démolition. Sans un mot, ils l'avaient sauvagement passé à tabac, cognant des poings et des semelles cloutées, tailladé aux mains et au visage, simulant même un scalp en lui arrachant au couteau le cuir chevelu et le pauvre garçon, croyant sa fin venue, s'était évanoui de peur. Ce qui lui avait peut-être sauvé la vie, les brutes le laissant pour mort. Il avait dû rester là un grand moment avant de reprendre conscience, de pouvoir se traîner jusqu'à la rue, et appeler à l'aide, dans un état si effrayant que les policiers ne savaient par où le prendre pour le transporter à l'hôpital.

Grandrieux était encore trop mal en point, la veille au soir, pour donner des détails, mais l'œdème n'avait pas encore envahi son visage, il pouvait articuler, et il avait si anxieusement attendu la visite de Pierre, qu'il avait tenu à lui confier tout de suite ce qu'il n'avait pas déclaré à la police : ce n'était ni un accident, ni une agression fortuite. Depuis une semaine, il était harcelé par un individu. Celui-ci l'avait abordé une première fois dans la brasserie de la Bastille, où il retrouvait ses camarades, l'avait pris à part au zinc pour l'interroger, le menacer, en réalité : son petit ami journaliste avait fini par cracher le morceau, par le désigner comme sa source, dans la fuite de l'Institut, qui avait fait ce bruit dans la presse et fort mécontenté en haut lieu… Un haut lieu sur lequel il restait muet. Mais il promettait des représailles si le jeune homme ne collaborait pas, et comme Grandrieux redoublait ses dénégations, refusant d'entendre ce que l'autre appelait "collaborer", bien qu'il le comprît fort bien ; celui-ci avait précisé sa menace.

— Il avait le moyen, disait-il très placidement, de me compromettre, dans une affaire de mœurs ou de crime. Je pouvais faire une croix sur ma carrière. Je ne suis pas retourné à la brasserie, je n'ai plus vu aucun de mes camarades. Je m'enfermais chez moi et me méfiais dans la rue. J'attendais votre retour avec une telle impatience ! Impossible de me fier à quiconque ! Mais l'homme est réapparu, à la fin de cette semaine. Il m'attendait à la sortie du laboratoire, rue Dutot, et s'est mis à me suivre, par intimidation, sans doute. Il ne m'a pas lâché d'une semelle, jusqu'à ce que, par un sursaut de courage, ou de frayeur, je rebrousse chemin et lui demande, en plein boulevard ce qu'il me voulait. C'est un individu très correct, d'un blond fade, à la figure poupine assez ordinaire et un peu bigleux, mais il m'a fait peur, disait Grandrieux. Sa face contre la mienne, il m'a dit deux ou trois choses qui m'ont médusé : il sait tout de ma famille, de mes fréquentations, de mon travail. Il sait que nous avons un dossier sous clé, au laboratoire. Votre dossier. Dont il me commande copie. Avec des menaces très précises. Un accident est vite arrivé, un vitriolage de femme jalouse, une voiture imprudente... Je l'ai cogné, en pleine rue ! Il a pris la fuite. Mais hier, ce sont ces deux types, des boxeurs, des brutes, qui m'attendaient en bas de chez moi. J'ai bien cru qu'ils allaient m'achever...

L'état du jeune homme, encore pantelant des coups, ne laissait aucun doute sur son récit. Il ne délirait pas, il ne fabulait pas, hélas. S'il était maintenant en sécurité à l'hôpital, il n'en restait pas moins terrifié par l'agression, et Pierre le considérait avec pitié, et effroi, mesurant soudain quel danger, pour avoir tant soit peu eu à connaître ce dossier, il avait couru en son absence, et par sa faute ! Pas un seul instant il n'avait imaginé que ce garçon risquait quoi que ce soit... Quel danger courait-il lui-même à présent ? Quels que fussent ces gens, hommes de main, exécuteurs de basses œuvres, ils agissaient impunément, couverts par une autorité qui ne reculait devant aucun moyen, le bras armé de quelle puissance occulte... Et ce que lui avait rapporté Gabrielle de la mort de Jean Zepwiller prenait une singulière actualité, trop grave pour être désormais sous-estimée. Tandis que le pauvre Grandrieux lui faisait ce récit, Pierre était déjà en pensée chez Bauer, pour trouver un moyen d'agir, à présent, de toute urgence. Le dossier de Châlons était en sécurité dans le coffre-fort du laboratoire, mais quelle sécurité, et jusqu'à quand ? Et les documents de cette archéologie du mal, la traduction du cahier d'Endre, les films, qui en constituaient le fondement ancien, chez lui, rue de Turenne. Et le cahier rouge, au Mesnil ! La légèreté de cette dispersion géographique le terrifiait à présent. Il lui fallait rassembler en un seul lieu sûr, et transmettre à quelqu'un les pièces de cette affaire sinistre, dont les conséquences le dépassaient, selon le jugement lucide de Bauer. Quelle folie ç'avait été de croire qu'à lui seul il instruirait un tel procès, et qu'il avait du temps devant lui ! Il fallait que Grandrieux fût sous ses yeux à présent, étendu sur ce lit de fer d'une chambre d'hôpital, pour que les adversaires de l'ombre, à peine pressentis, devinés plus qu'imaginés, deviennent enfin des êtres réels, contemporains et puissants, d'une redoutable malfaisance. Il en avait les mains glacées, une griffe de fer le serrait à l'échine.

Depuis le voyage en Birmanie, depuis la poursuite d'Endre, et le retour, le long retour sur le vapeur qui le ramenait de là-bas, et tout au long du procès, il n'avait jamais rencontré ceux dont parlait Endre. Ils étaient des chimères, des ombres. Des figures théoriques, des ectoplasmes, qu'il dissipait à volonté dans l'atmosphère, dès qu'il y pensait. Le Dr Pierre Galay, la personne sociale, le savant, l'homme réel, n'avait pu concevoir qu'il se mouvait dans le même monde que ces créatures. Par orgueil, par suffisance. Par instinct de protection. Comme on évite de laisser les odeurs répugnantes, les remugles trop abjects mettre en danger notre intégrité physique. Il savait, pour pratiquer les autopsies, que cette odeur méphitique, épouvantable, qui émane du corps ouvert, des viscères déballés, doit être niée absolument, oubliée, repoussée hors des sens, pour que soit possible la dissection. Et maintenant il la sentait, réelle, autour de lui, matérielle et présente. Une odeur laide, ignoble, qui imprégnait sa peau, entrait par les narines, les pores, la bouche, suffoquait de sa puanteur, concoction de larves, de lémures qui grouillent dans la chair en décomposition des cadavres. Il en était atteint, contaminé jusqu'à la moelle, tout en tenant la main blessée de Grandrieux, plus pour se rassurer, lui, que pour réconforter son assistant, dont le regard déjà embué par les narcotiques l'implorait, pitoyable...

Ne pouvant plus exclure une effraction de son domicile, ou du coffre, au laboratoire, Pierre était allé le soir même porter chez Bauer tous les documents rassemblés. Seul l'original, le cahier rouge, restait au Mesnil, à la garde de Gabrielle. D'elle, il n'avait plus peur. Le puissant revirement qui bouleversait sa vie le faisait au contraire trembler pour elle, à présent. Tout aussi conscient du danger qu'il ferait courir au vieil homme, il raisonnait ses scrupules, en montant quatre à quatre ses étages. Mais Bauer l'avait accueilli avec la sérénité et la force de son caractère, trempé aux aléas de l'existence. Il avait mis en acte ses paroles : il avait pris contact avec un journaliste, chroniqueur politique au *Temps*, par l'intermédiaire d'Adrien Hébrard, son directeur, qu'il estimait plus haut que tout. Leur amitié datait de juillet 1880, quand, pour son admirable discours sur l'amnistie des condamnés de la Commune, Bauer l'avait remercié avec ferveur, et depuis il avait souvent nourri les pages de son journal d'informations scientifiques de première main. Pour cette occasion, Bauer était sorti de chez lui, par extraordinaire avait descendu les étages et pris un taxi, chaperonné par Suzanne qui s'était farouchement refusée à le laisser partir seul, et qui l'avait attendu, assise dans l'antichambre, rue des Italiens. Le retour avait été plus périlleux, la lente ascension de l'escalier, avec une station à chaque étage sur le tabouret pliant, emporté par la gouvernante. Mais, de cette équipée, Bauer ne se portait pas plus mal, au contraire. Elle lui avait fouetté les sangs, avait revigoré ses mollets de chiffon, disait-il, et donné l'idée de quelque autre aventure, au moins jusqu'au square du Sacré-Cœur, un jour de beau temps.

— On ne vieillit que de vivre en vieillard. Cette affaire me rajeunit, ma parole, s'écriait-il avec bonhomie, pour dérider Pierre.

A Hébrard, Bauer avait exposé en termes délicats la raison de sa visite, sans rien dévoiler de son objet, avec suffisamment de conviction pour que, son exceptionnel déplacement aidant, celui-ci prît très au sérieux la démarche du vieux savant. Et que Zola eût choisi le grand journaliste pour modèle du personnage de Fonsègue, dans son *Paris*, accomplissait secrètement son vœu de trouver à Pierre un allié, sinon de l'envergure, du moins digne du sauveur de Dreyfus. Après réflexion, Hébrard avait recommandé un de ses collaborateurs, éditorialiste de son journal, socialiste convaincu, avocat de formation et un temps chroniqueur parlementaire auprès de la Chambre. Un certain Max Jamais, en ce moment mobilisé par la campagne des législatives qui s'achevait le 10 mai. Le rendez-vous, chez Bauer, que devait confirmer Hébrard à quelques jours de là, serait l'épreuve de vérité, et avec Pierre, ils avaient entendu leur stratégie, face à un homme qu'ils ne connaissaient pas, calculé de quelles précautions se garantir, que dire, et ne pas dire. De Châlons, il fallait parler, à présent, et quant à protéger cette femme Mesnard, la veuve de la victime, réviser les positions morales, très nobles, mais inopportunes désormais. Tout dépendait de ce journaliste, de son métier et de sa maîtrise intellectuelle.

— Il est avocat, Pierre. Il devrait savoir sur quel terrain il met les pieds. Il n'est plus temps de tergiverser. S'ils en sont à assommer ton assistant, que feront-ils, la prochaine fois ?

Ce "ils", prudemment dépersonnalisé par Bauer, peuplait le bureau d'une présence oppressante et, descendant la rue Lepic, Pierre s'était surpris à se retourner plusieurs fois pour s'assurer qu'il n'était pas suivi, une idée qui ne lui avait jamais traversé l'esprit auparavant. Impression pénible, et basse, que de craindre, que d'envisager l'espace anonyme de la ville où il allait si librement, et parfois très distraitement, à peine attentif au trafic et à ses dangers, comme un territoire menacé, rétréci par le doute, et la peur, oui, la peur, entre les omoplates, de n'importe quelle silhouette surgissant brutalement par-derrière, ou d'une autre, subreptice, venant en face sans visage, qui aurait le visage de n'importe qui, du plus banal passant du soir. Mais la colère qui prenait le pas, une colère froide dans ses veines, serrant ses tempes et ses mâchoires, crispant ses poings, parce que cela suffisait, et contre son tempérament méditatif enclin à la spéculation, il lui fallait agir maintenant.

Ce matin même, il avait pris la première décision d'urgence, exposé à mots comptés, au Pr Roux, de quelle nature étaient les conclusions de l'autopsie du cas de Châlons, étayées par toutes les vérifications d'usage, qui éclairaient la fuite déplorable due à Grandrieux, et les menaces dont celui-ci était présentement l'objet. Pierre ne pensait pas bouleverser à ce point le grand homme, réputé pour son extraordinaire philosophie de l'existence, sa foi en la mission scientifique pour purifier la société de ses maux. Pourtant, l'hypothèse de recherches insanes, mettant en danger la santé publique, au service de quelque monstrueux projet de destruction humaine, l'avait précipité dans un abattement profond, dont son long, très long silence était la marque douloureuse.

— Mon cher Galay, avait-il soupiré pour finir, les hommes sont des anomalies naturelles. Une animalité pervertie par la civilisation, qui est pourtant leur plus haute conquête. Mais que sommes-nous de plus, vous et moi ? Le cycle de ma vie s'achève… Si bref ! Toute vie est un laps infime, un spasme de la grande vie universelle. Nous ne valons que de transmettre. Passants, nous avons à transmettre. Je me demande quoi, au seuil du tombeau… Sanie, poussière, cendre. Parfois une étincelle, peut-être !

Pierre avait acquiescé par respect à ces considérations désabusées, mais il ne pouvait en rester là :

— Je ne sais où, dans les bas-fonds de notre société, ou dans les plus hautes sphères du pouvoir, des hommes agissent mal. Mon devoir de scientifique, de citoyen, est de l'empêcher, par les moyens dont je dispose.

— Ce faisant, vous n'êtes pas seul. Vous appartenez à la communauté pastorienne. Cela vous oblige à la réserve.

— Si elle transmet quelque chose, l'étincelle dont vous parlez, notre communauté consentira à dénoncer ce forfait. A le couvrir, elle se trahirait.

— Nous ne devrions pas avoir à juger des usages de la science... C'est déjà un si lourd fardeau, un si grave engagement, que d'élargir la connaissance... Les autres hommes devraient nous épargner d'en rendre compte, nous protéger comme des enfants fragiles, et nous tenir quittes de ce terrible travail. De ce fardeau, je le sais, Marie Curie désespère certains soirs : que feront les hommes de ce qu'elle met entre leurs mains... Et nous tous ici, Galay, que leur livrons-nous ?...

— Nous sommes des hommes parmi ces hommes. Cela nous regarde.

— Cela nous regarde, hélas. Tenez-moi au courant. J'ai l'appui du président Poincaré, vous le savez. Mais si nous pouvions éviter d'aller jusque-là...

Une si grande tristesse accompagnait ses paroles, que Pierre avait eu scrupule, ensuite, de lui soumettre son idée, concernant Grandrieux. Une mission partait au Siam dans quelques jours, poursuivre le travail de Yersin sur la peste, implanter une nouvelle antenne de l'Institut dans ces régions déshéritées. L'éloigner de Paris, le mettre hors de portée, et lui donner une opportunité de se former au terrain, voilà à quoi il avait pensé cette nuit. Dans son affliction, peut-être soulagé d'accomplir un geste qui ne fût pas d'impuissance, le Pr Roux avait accepté de signer immédiatement l'ordre de mission. C'était ce que Pierre venait présenter au jeune assistant, sur son lit d'hôpital. Un départ immédiat, un voyage lointain, à des milliers de kilomètres des miasmes parisiens. Pour en affronter d'autres, tout aussi redoutables. Mais à armes égales. Avec le zèle de son intelligence, de sa jeunesse.

— La traversée sera assez longue pour vous remettre... Vous serez en compagnie de médecins, qui vous soigneront. Etes-vous libre, Grandrieux ? Partiriez-vous dans trois jours ?

Sous ses bandages, et malgré son visage tuméfié, Grandrieux avait tenté un sourire, assez grotesque pour faire sourire Pierre.

— Libre. Et dans mon état, pas près d'en séduire une ! Trois jours !

— Ainsi, vous ne remettrez pas les pieds chez vous, ce qui est très bien. Demain soir, vous quitterez la Salpêtrière, en ambulance. Vous rejoindrez nos missionnaires à la gare Saint-Lazare, en partance pour Le Havre. Ils vous aideront à mettre un pied devant l'autre, estropié comme vous l'êtes. D'ici là, je m'occupe de tout, de vos effets, de votre équipement, et de vos papiers.

— Ah ! Monsieur ! Quelle chance la vie m'offre-t-elle, de vous avoir rencontré ! Je serai à la hauteur, vous verrez !

Au Mesnil, la nouvelle de la disparition de Sophie tomba comme la foudre. On était à table, on finissait de déjeuner. Par la porte grande ouverte de la cuisine, une cascade de lumière blonde éclaboussait les carreaux, une place miroitante dont la réverbération baignait les visages. Il entrait par moments des souffles tièdes comme des soupirs, chargés des odeurs du jardin, des arbres fruitiers en fleurs, des narcisses qui bordaient la cour, et du gros buisson de menthe près du seuil. Cela se mêlait à l'acide fumet des rhubarbes, cuisant en confiture dans le cuivre, que tournait Mauranne, levée à tout instant, et qui ramassait l'écume caramélisée pour les tartines du goûter. Tout ce bouquet de senteurs grisait de son exotisme printanier, caressant le cœur et les sens. Pauline montrait des yeux immenses et mouillés, affectant une langueur intéressante, qui agaçait Mme Victor. Mais comme celle-ci filait doux, l'échine souple, travaillait avec une ardeur inusitée, sa grand-mère ne trouvait pas de prétexte à querelle. A part ce petit litige latent, qui procurait toutes sortes d'énervements, l'atmosphère était à la gaieté amicale de la fin du repas, avant que chacun s'en retourne à ses tâches. Le téléphone avait sonné, et comme Mme Victor ne revenait pas, on s'était mis à débarrasser les couverts. Meyer et Victor étaient déjà sur le pas de la porte, quand elle avait surgi, tragique :

— Mme Sophie est partie. Partie !

Elle en bégayait d'effarement, ne pouvait que répéter ce que venait de lui apprendre Mme Mathilde. Cette chose énorme, ahurissante, qu'on avait du mal à comprendre. Mais quoi, quoi partie ? Partie où ? Partie quand ? Mais rien, on ne savait rien ! Sinon que, ce matin même, après une nuit d'insomnie, Charles s'était résolu à appeler sa belle-mère, inquiet de savoir si Sophie serait à Paris, chez elle, où elle avait passé un séjour prolongé, quinze jours plus tôt. A son fort mécontentement, et à celui de ses sœurs, qui avaient repoussé leur départ à Rouen, pour la Pentecôte, afin de pallier ses absences... Mais non, Sophie n'était pas à Paris, protestait Mme Mathilde, sur le point de partir à l'usine, furieuse des lubies de son gendre qui courait après sa femme dès potron-minet. Partie ? De la veille au matin, en tilbury. Qu'on venait de retrouver attelé, derrière la gare. Le cheval proprement attaché à la palissade d'un jardin abandonné. De tout le jour, personne ne s'était vraiment alarmé ; quoique, de manquer au déjeuner, elle choquât ses belles-sœurs. Sophie en avait pris le pli, depuis quelque temps, soi-disant retenue dans le canton par des œuvres de bienfaisance, dont nul ne voyait la couleur. Bienfaisance ! Elle court, disait Angélique. Du vent, disait Bertille, les yeux au ciel. Mais Charles, piteux des effets de ses plaintes contre elle, de la diligence de Mme Mathilde à y satisfaire, et de la rancune froide que Sophie lui montrait, n'osait protester de ces courses. Le soir venu, il n'avait osé non plus appeler à droite, à gauche, très inquiet qu'elle ne rentrât pas, mais paralysé à l'idée de son ridicule, d'un esclandre de Sophie rentrant tard, et lui jetant à la face ses reproches. Elle découche, à présent, remarquait Bertille, aigrement, mais Charles l'avait fait taire. Sophie était à Paris, assurément, elle avait raté le dernier train. Mais il n'avait osé s'en assurer en téléphonant, trop tard pour déranger. On se moquait, peut-être, de ses craintes... Alors, ce matin, il s'était résolu à le faire, n'y tenant plus, trop abattu par sa nuit blanche, et comme il raccrochait, rabroué par la vieille dame, sonné par la très mauvaise nouvelle que sa femme n'était pas où il le croyait, où il s'était persuadé qu'elle serait, on avait ramené l'attelage abandonné. Derrière la gare ! Et un commis déboulait en même temps dans le salon, accouru de l'étude, béant de stupeur : le coffre est vide, monsieur ! Vide, le coffre ? Deux cent mille francs ! Toutes les transactions du mois en dépôt ! Dévalisé. Bien refermé, avec son code de sécurité. On en était là, de cette horreur.

Mme Victor tenait son assistance en haleine, aussi démontée qu'elle par ces nouvelles. C'était, à Genilly, une crise terrible. Entre l'hébétude et la fureur, Charles s'était précipité dans la chambre de Sophie, où elle ne l'admettait plus, avait d'abord tangué, comme ivre, renversant quelques meubles dans son agitation, puis s'était mis à fouiller avec rage, vidant les commodes, l'armoire et les tiroirs, faisant voler autour de lui les dessous, les linges, jetant à bas toutes les robes et les parures, arrachant la literie, retournant le matelas, déchirant les rideaux. Puis, sans plus rien chercher, il avait tout détruit, lançant contre les murs les vases, les bibelots, peignes et brosses, miroirs, livres, tout ce qui lui tombait sous la main, ivre de ruine. Dans un si grand emportement, que ses sœurs, lui voyant la raison perdue, avaient fait chercher en hâte le Dr Ferrand. Et le maire, dérangé d'un banquet de comices agricoles ! Les bonnes avaient emporté les petits chez une voisine, tellement on croyait Monsieur capable de folies. Il avait fallu pas moins de trois personnes pour maîtriser le forcené, le garrotter, pour ainsi dire, et à présent, il restait prostré sur une chaise, comme un petit garçon, hagard et muet. Le maire ne savait que faire, en la circonstance. Appeler les gendarmes, affoler le canton ? Ah ! non, criaient les sœurs, surexcitées. Assez de scandale ! Voilà. Mme Mathilde était hors d'elle, évidemment, mais refusait de se déplacer. Attendait la suite. Et tous restaient atterrés. Victor et Meyer s'étaient éclipsés, en silence. On ne commente pas les frasques des patrons. On laisse ça aux femmes, entre elles. En effet, eux disparus, elles se rassirent à table, autour d'un café neuf. Pauline avait prestement emmené Millie à la machine à coudre, pour lui faire des poupées de chiffon, montrant par là son âge de raison, qu'il n'était pas nécessaire de lui faire un dessin pour savoir comment se comporter.

— Ni chez ses frères, ni chez sa sœur. Aucun d'entre eux. Mme Mathilde a fait le tour. Partie sur la Côte d'Azur, chez sa grand-mère ?... Si c'était un enlèvement ?

— Enlevée ? Un enlèvement très préparé, avec une pareille rançon, payée d'avance ! Envolée, plutôt !

C'était Mauranne qui tirait la leçon. Et s'il traînait dans la cuisine un doute sur cette disparition, elle le balaya de ces mots. Elles étaient trop instruites, toutes les trois, sur le mariage de Sophie. Les non-dits, toutes ces choses qu'on sait sans les savoir, circulaient entre elles, électriques, survoltés par le drame, prêts à franchir leurs lèvres du trop-plein débondé. Envolée, enfuie, et avec quelle détermination. Sans un seul bagage. Une fortune dans son sac. A peine le quart de sa dot, il est vrai...

— Mais les enfants ! Les pauvres petiots, Seigneur ! Laisse-t-on les enfants derrière soi ?

— Qui dit qu'elle les laisse ? Elle reviendra, allez... Où va une femme seule, aujourd'hui ? Où va-t-on, quand on est une Bertin-Galay ? On n'est pas pauvresse sur les chemins, à mendier son aumône...

— A-t-il assez couru le jupon, le gredin, et défait ses aiguillettes ? Jusque dans nos greniers ! Sainte Justice, c'est bien fait, soupirait Mme Victor, sans vergogne, au souvenir de cette après-midi d'hiver. Madame en aura encore les sangs tournés, mais nous, nous savons de quoi il retourne, au fond !

Elle s'éventait violemment avec le livre de recettes, la face vermeille de sa grosse émotion. Mauranne fronçait, d'un ongle vengeur, de minuscules plis à son tablier. Gabrielle était la plus pondérée. Non que cette nouvelle ne l'atteignît pas, en plein cœur. Mais, venu peut-être de la grande flaque de soleil jetée sur les carreaux, au centre de laquelle était un trou aveugle de pure blancheur, un éblouissement lui découvrait ces derniers temps, tous les signes discrets, et pourtant lumineux, qu'avait donnés Sophie de sa résolution. Le cadeau de la broche, accrochée à sa robe... Avant qu'il soit trop tard... Gardez-la, en souvenir. Toujours, je vous emporterai avec moi... Adieu ! Et le dénouement de l'idylle de Pauline, ce dernier cadeau d'un mariage d'amour, qu'elle arrangeait par sa volonté, pour la première fois imposée à tous... Son apparente indifférence au départ de l'abbé, ce détachement affiché contre la cruauté de sa mère, ses basses manœuvres... Aura-t-elle le bras assez long pour le poursuivre, jusque chez les Indiens ? ironisait-elle... Gabrielle frissonnait d'une étrange prémonition, osant à peine s'avouer ce qu'elle entrevoyait alors, qui s'ouvrait large, vaste comme la mer, l'horizon tumultueux des vagues plié vers un autre monde, où disparaissait Sophie. Si radicale rupture du lien, de tous les liens, que c'en était assourdissant de perfection. Mariage, maternité, patrimoine, héritage et famille, une liquidation sauvage des devoirs, principes, jurements et pactes de toutes sortes. Cette explosion frénétique avait quelque chose de vandale et d'apaisant à la fois. La table rase, dont rêvaient Marcus et ses amis anarchistes... Un monde nettoyé, une plage d'aurore, sans une ombre encore, pâle et vide de son premier soleil, pour recommencer la vie.

Mais Sophie ne rêvait pas ! Elle ne voulait pas refaire le monde ! Seulement sauver le sien, se sauver, elle. Cruelle, avait-elle dit, une fois, comme ses belles-sœurs geignardes les suivaient sur le chemin mouillé, en ce jour du rapt de Sassette, au moment même où Charles l'emportait dans le grenier : il faut savoir être cruelle... Se préférer, se choisir, soi ! Etre assez sauvage, et féroce, pour opposer, à la soumision prescrite des filles, aux lois, sociale et morale, à l'obligation de l'instinct maternel et de la fidélité conjugale, même pas une volonté, peut-être, ni un dessein, seulement le désir, l'absolu décret du désir. Non, Sophie ne rêvait pas. Elle organisait sa fuite. Et elle ne volait pas. Elle prenait ce qui lui revenait, son dû, distrait par l'époux à qui la loi inique donne tout pouvoir, à discrétion. De détrousser sa femme, de parler et penser en son nom, de décider de son corps et de son esprit, tyran. Tyrannie du mariage, aliénation odieuse des femmes, éternelles mineures, passant des mains des pères à celles des maris. Objets de transaction entre mâles, vente et achat, avec plus-value de la descendance. Pondeuse décorative, ornementale. Saccage physique et mental des femmes. On avait interné Camille Claudel, l'an dernier ! Dora en pleurait de rage, de révolte. L'illustre Rodin encensé par tous. Paul, le frère coureur, confit en sainteté révélée, la belle-sœur haineuse, tous, famille, société, acharnés à réduire celles qui résistent, quand monte leur voix étranglée... Gabrielle ne pleurait ni ne riait de ce que venait de faire Sophie. On ne l'internerait pas, elle, comme folle. Elle ne serait pas étudiée comme un animal de foire, devant les assemblées mondaines friandes des séances de M. Charcot. Elle s'absentait. Barbare et magnifique.

Et soudain, elle lui manqua, affreusement. D'intuition, Gabrielle savait soudain que jamais elle ne reverrait Sophie. Qu'elle ne reviendrait pas, comme le prédisait Mauranne. Elle ne rentrerait pas, tête basse, se repasser le licol au cou, et endurer définitivement l'opprobre, la revanche de l'époux, le mépris de tous. Elle s'était donné les moyens du vrai départ, sans retour. Le cheval attaché à la barrière. Le coffre vidé. L'irréversible accompli publiquement pour interdire une réparation. Elle lui manquait déjà, son sourire, ses élans de caresses, ses excès de gaieté et de tristesse, comme manquent les morts, dont se dissout dans l'air la présence, tout à l'heure tangible et familière, déjà impalpable souvenir. Immatérielle présence, têtue, envoûtante et soustraite à la vue, obsédante dans son invisibilité. Sophie, petite sœur, pensait Gabrielle, navrée de ce deuil étrange ; et peut-être était-elle vraiment morte, ce soir de la chute, comme elles l'avaient cru, en attendant le retour de Pierre ? Peut-être jetait-elle déjà, par-dessus l'escalier, avec le berceau, le cadavre d'une Sophie, qu'ils embaumaient tous, avec tant de dédain pour sa vraie personne... Ce qui était mort en elle, personne ne l'avait vu alors ; seulement Gabrielle, à qui elle ouvrait son cœur. Et par ces cadeaux, de sa confidence, de la broche, il lui semblait que c'était bien des enfers qu'elle remontait, Eurydice, encore blême du linceul de ténèbres... Surtout qu'Orphée ne se retourne pas ! Qu'il l'emporte vraiment, au-delà de l'océan, sans se retourner encore pour la voir, qu'il l'aime assez pour fermer les yeux sur sa résurrection, en accueillir la nouvelle !

— Des disparus, on en cherche, on en cherche ! Si vous saviez ce qu'il s'évapore de monde dans ce monde... On ne dirait pas, hein ? Des maris, des fils, des oncles, des cousines, des voisins... De jeunes épouses en charge d'enfants, c'est plus rare, mais ça arrive. Même dans les bonnes familles, madame. En général, on les cherche pour des histoires d'héritage, des successions qu'ils empêchent par leur absence. Il faut vraiment de l'intérêt pour aller chercher une personne. Parce que, autrement, ce sont des affaires privées, qu'on n'aime pas mettre sur la place publique. Les amours ancillaires, les adultères, les maîtresses, les enfants illégitimes ! L'état civil est le premier cocu de la République. Y en a-t-il des êtres clandestins, qu'on cache ou qui se cachent... Et ceux qui sont aux colonies et ne rentrent plus, décidément ? Ils ont un autre ménage, là-bas, des rejetons, une nouvelle famille. Si ça se trouve, une négrillonne, ou une Tonkinoise, plus rigolote que le dragon réglementaire. Sauf votre respect, madame. C'est compliqué, même si la loi dit qu'il faut être rangé où on doit. A son domicile, dans son lit. Surtout les dames, voilà le hic. Mais si c'est pas le mari, qui la réclame, je ne peux pas lever le petit doigt. Même vous, sa mère, vous n'y pouvez rien. Le mari seul a autorité légale. Voilà. Et je vais vous dire : le plus drôle, c'est que nous, on en trouve, des gens. Des morts et des vivants. Des assassinés, de belles noyées dans la Seine, des égarés, des amnésiques, que personne ne réclame ! C'est fou ce que les gens se perdent, sans que personne s'en soucie... On aimerait bien leur coller une étiquette au cou, et les remettre dans leur case, mais ils nous restent sur les bras...

Le commissaire Louvain soupirait, les yeux perdus dans les moulures du plafond. Il était fort correct dans sa redingote de drap fin, et son gilet boutonné haut, son melon posé sur l'accoudoir, en visite de politesse. Il s'était rendu à l'appel de Mme Mathilde, pour une consultation gracieuse. Il était fatigué, il avait eu une rude journée, des soucis très sérieux, que le citoyen ordinaire n'imagine pas. Heureusement pour lui. Il s'y était rendu, par égards pour cette dame d'âge, qui ne manquait pas de ressource dans l'épreuve, du sang-froid de vieille jument qui a fait sa guerre. Il avait écouté, poliment, le récit de la disparition de la jeune dame. Les indices étaient concordants qu'elle ne courait de dangers que ceux qu'elle avait choisis. Vol entre époux, si ça se déclare, c'est affaire de notaires et d'avocats. La plainte est malaisée. Abandon du domicile conjugal : plainte à la préfecture de Police, par le mari ; ça se constate avec huissiers, et tout le tintouin dans le canton. Il n'avait pas grand-chose à dire de plus. Sauf que, dans cette famille, on se barbotait réciproquement, de manière chronique... Il ne se serait pas permis la remarque, mais se la faisait, *in petto*. La bourgeoisie a de ces ratés. Ça circule en vase clos, ça fait craquer des sous-ventrières, parfois les têtes éclatent. Il dégustait le porto de Mme Mathilde avec respect ; elle, son café, dans un gros bol de paysanne, assez étonnant. Ils se regardaient en chiens de faïence ; pas franchement inamicaux, mais sourcilleux. Elle, parce qu'elle enrageait d'impuissance, mortifiée de cette aventure grotesque, ridicule. Lui, parce qu'il avait hâte de filer. Il trouvait bien agréables la Diane chasseresse de l'entrée, et les ors des miroirs, les draperies et toutes ces plantes d'appartement à grandes palmes, les plumes et les fleurs, mais l'attendait chez lui son fils, qui préparait son bachot en dilettante, et une bien courte nuit de repos.

— Vous conseillez donc à mon gendre d'en passer par la plainte officielle ?

— Tuttt, tuttt ! Je ne conseille rien, moi ! Le litige matrimonial n'est pas mon rayon. Tant qu'il n'y a pas délit sur la voie publique, atteinte aux bonnes mœurs ou provocation au désordre, je suis incompétent... A votre place, si je peux me permettre, je laisserais ce mari écouter sa colère, ou son bon sens... Dans huit jours, tout sera sûrement rentré dans l'ordre. Mes hommages, madame.

Il se repliait, faisait craquer ses bottes, saluant à deux pas.

— Commissaire, vous êtes très bon d'être venu jusqu'ici. Je m'en souviendrai.

— Moi aussi, madame. Le bonsoir, madame.

Comme il sortait, il croisa dans l'entrée un grand homme sévère, tête nue, qui avait monté les marches du perron à la course et manqua le heurter, s'excusa clairement, mais assez distraitement, posant veste et chapeau au fond du vestibule.

— Pierre ! Entre donc !

Louvain se retourna d'un seul bloc, très droit, dévisageant le nouveau venu, regard de velours.

— Pierre Galay ? Le Pr Galay ?

Surpris, et assez pressé de rejoindre sa mère, Pierre s'inclina.

— Commissaire Louvain. Figurez-vous que j'ai entendu parler de vous, pas plus tard qu'aujourd'hui. C'est drôle, ça... Compliments, professeur.

Laissant Pierre interloqué, il tourna les talons et s'en fut, de son pas paisible de promeneur.

A peine Dora avait-elle mis la clé dans sa serrure, qu'elle sentit derrière elle, mais trop tard, furtif et vif comme un chat qui saute sur la souris, un individu surgi de l'étage, lui sembla-t-il, brutal aussitôt, qui la poussait sans ménagement à l'intérieur et, refermant la porte du talon, la menaçait d'un couteau terrible pointé à deux mains sur elle. Cela s'était si vite passé, et la souricière si vite refermée, qu'elle eut à peine peur. En tout cas, moins que le jeune homme qui lui faisait face, blême. Visiblement peu entraîné au maniement de l'arme blanche, ce qui est un facteur de danger suprême, en cet état de bête traquée.

— Posez votre sac. Mains en l'air. Pas de bêtises.

Il parlait bas et vite, entre ses dents. Qui auraient peut-être claqué, s'il en avait dit plus.

— Pas de bêtises, acquiesça Dora, étonnée de garder son aplomb.

Elle obéit quand même. Recula prudemment devant lui, qui avançait, jusque dans le petit salon.

— Si vous voulez de l'argent, vous tombez mal. Je suis fauchée.

S'il en voulait à sa vertu, il tombait mal aussi. Mais le garçon ne la considérait pas comme un objet de convoitise, plutôt comme un encombrement majeur maintenant, hésitant au milieu de la pièce, jetant en toutes directions des regards affolés. Ce n'est pas rien, d'entrer dans un appartement inconnu. Rien de sa disposition, de ses couloirs et portes, de ce que cache un rideau, un paravent ne vous garde, d'aucun côté. Même sous les coussins de soie, c'est inquiétant.

— Que voulez-vous ? Qui êtes-vous ?

— Vous êtes seule ?

— Mais non. Puisque vous êtes là.

Les secondes passant, elle se rassurait. C'était un tout jeune homme, vraiment. Pauvrement vêtu, tête nue, les cheveux rasés. Imberbe, une peau de fille ; qui ne garantissait rien. Dora se souvint du portrait du Montparnasse, dans *Les Misérables*, qui l'avait tant fait frémir. Son joli minois de fille, ses lèvres de cerise, gracieux, gentil, et féroce. Qui laissait derrière lui des cadavres dans le sang. Un casse-tête dans la poche, une fleur à la boutonnière. L'ancêtre des apaches de Ménilmontant. Mais celui-là n'était pas féroce ; et il tenait mal son couteau. De cuisine.

— Vous êtes Dora Gombrowicz ?

— Et vous, jeune homme ? crâna-t-elle en ébouriffant ses bouclettes. Ah ! Posez donc ce couteau. Ai-je l'air si dangereuse ? Je ne vous ferai pas de mal, vous savez…

— Asseyez-vous, et taisez-vous !

Elle ne demandait que ça, ses jambes étaient de la flanelle. Et puis elle eut une illumination.

— Vous êtes Marcus ! N'est-ce pas ?

Décontenancé, il la regarda, comme un enfant le prestidigitateur.

— D'où sortez-vous, grand Dieu ! Ils vous ont relâché ?

— Je n'ai pas tué Clarisse.

— Ah ! Je le sais ! s'écria-t-elle, agacée.

— Comment le savez-vous ? Partout ils écrivent que je suis son assassin…

— Gabrielle et moi ne lisons pas les journaux. Calmez-vous Marcus. Ah ! Mais, vous commencez à me les briser, vous ! Posez ce couteau, foutre Dieu !

L'éclat eut son effet ; il le posa sur la table. Il s'assit dans les coussins de soie, parmi les dragons et les fleurs de lotus, et se prit la tête dans les mains.

— D'où sortez-vous ? Je vous croyais en prison.

Il y était, cette après-midi encore. Il venait de s'évader. Evadé !
Un transfert décidé brusquement, dans une prison de province,
entre deux pandores bénévolents. Même pas menotté ! Pour un
assassin, c'était une exception, non ? A croire qu'on ne le prenait
pas au sérieux... A la gare de Lyon, dans une bousculade, par
une subite inspiration, mais vraiment pas préméditée, comme
ça, parce que ça se présentait, il avait sauté sur la voie, et couru
entre les trains, vite fondu dans la foule de l'autre quai, la cohue
et la vapeur des locomotives. Il n'y croyait pas ! Il ne s'était
jamais évadé de sa vie !

— Moi non plus, avoua Dora. Et alors ?

Alors il n'avait plus couru du tout. Il avait fauché un journal
au passage, et il l'avait lu, adossé contre une colonne de fonte,
le cœur dans la gorge, dégoulinant de sueur glacée, tandis
qu'on s'agitait plus loin, on criait : Au voleur ! A l'assassin ! Et
puis il était sorti, très lentement, et puis il s'était éloigné, complètement éberlué de sa liberté, dans les rues du soir. Il avait
mangé un morceau, dans un bouillon, emporté le couteau,
sans payer. Pas un sou en poche ! Et puis il ne savait où aller.
Pas chez lui ! Pas rue Tiquetonne ! Pas chez sa mère ! Et où
alors ?

— Chez Dora, pardi ! Prendre une leçon de piano, hein ?
Vous n'avez pas de petits camarades, pour vous héberger ? Ils
sont où, vos collègues de l'Internationale ?

— Je ne les mettrais pas en danger en me cachant chez eux.
C'est une loi, entre nous, de ne pas faire tomber les camarades.
Tortelier nous l'a appris. Je sais ma leçon.

— Tandis que moi, vous pouvez me faire tomber. Au moins
dans les pommes, avec votre arme en fer-blanc. C'est qui, votre
ami Tortelier ?

Il eut une moue de dédain.

— Vous ne pouvez pas connaître. Un grand, il a écopé trois
mois, à la manifestation des sans-travail aux Invalides, et à Saint-
Germain, avec Emile Pouget et Louise Michel, en quatre-vingt-
sept. Huit ans et six ans de réclusion. *Quand on ne donne pas de
moyens d'existence à l'ouvrier, il a le droit de prendre où il trouve.*

— Alors vous trouvez chez moi. Qu'est-ce que je vous ai fait,
moi, pour cet honneur ?

— Vous avez assez embêté Clarisse pour rendre la monnaie.

Dora resta saisie. De cet horrible dénouement, elle n'avait
que trop de peine à se remettre. Ici même, Clarisse était venue,
cet hiver. Cachée dans la cuisine. Obsédée par l'idée d'être suivie. Terrifiée pour son frère. Et tentant le tout pour le tout,
quand même.

— De toute façon, mes camarades, ils font encore de la reprise individuelle, comme autrefois. Ils ne sont jamais au même endroit.

De la reprise individuelle ? Alors, parce que Dora ne donnait pas signe d'hystérie, de crise de nerfs ou de pâmoison intempestive, et qu'il commençait de reprendre confiance, Marcus lui fit un petit discours de la méthode : les déménagements à la cloche de bois, au terme venu, c'est qu'on quitte le taudis avec armes et bagages, au nez des pipelets et des flics, pour saler les proprios qui harassent le pauvre monde. *Aux ventrus déclarant la guerre, Nous avons pour enn'mis : patrons, curés, soldats ; Mais c'est contr' le propriétaire Que nous livrons gaiement nos plus joyeux combats. C'est nous qu'on voit, à l'approche du terme, A l'appel des copains, accourir d'un pied ferme, Puis entonner, avec les meubl's su' le dos, A la barb' du pip'let le chant des anti-proprios : Ohé ! les zigs ! A bas les flics !*

— Eh bien, bravo ! Les belles mœurs ! Je vous croyais étudiant en philosophie…

— Ça y conduit tout droit, la philosophie. Mais moi, c'est pas mon combat, de jouer au chat, à la souris. Je voulais seulement vous expliquer pourquoi je n'irai pas me cacher chez les camarades, c'est tout.

— Bon. Qu'allez-vous faire à présent ? Vous êtes recherché. Vous êtes en grand danger.

— Ils ne me reprendront pas de sitôt !

— Il y a peut-être plus grand danger que la police et la prison, Marcus… soupira-t-elle, accablée. Enfin, réfléchissez ! Si on vous a collé ce meurtre sur le dos, c'est que ça arrange les véritables assassins de Clarisse. Ils n'ont pas intérêt à ce que vous soyez dans la nature. S'ils vous trouvent, je ne donne pas cher de votre peau. C'est maintenant que vous risquez votre vie ! Vous étiez en sécurité, en prison. Retournez-y !

Marcus éclata de rire et son visage s'éclaira de jeunesse. A peine vingt ans, ce gringalet qui faisait le coup de poing pour Gabrielle, et chantait à la sortie des usines, lui pinçait le cœur.

— J'irais plutôt sur la lune, mademoiselle !

— Vous faites un drôle de Pierrot, mon pauvre ami, soupira Dora, très embêtée soudain. On ne vous a pas vu entrer, au moins ?

— Pensez donc ! Je connais la pipelette ! J'ai attendu de la voir sortir avec son cabas pour me glisser dans la cour, et je me suis caché sur le palier du dessus, au dernier étage, où je n'ai vu personne.

Que ferait-elle de cet intrus, de ce fugitif peut-être bien recherché dans tout Paris, avec son signalement dans tous les postes de police ? S'il était anarchiste militant, compagnon de ceux qui veulent mettre la société à feu et à sang, pour autant il n'était pas la brute fanatique décrite par la presse, il était innocent. Innocenté par Louvain lui-même, qui voulait le garder de menaces pas du tout imaginaires, en le maintenant en détention, en l'éloignant dans une prison de province... Mais elle n'allait pas lui dire ce qu'elle savait, ni sa démarche auprès du commissaire.

— Si je suis votre ami, vous ne pouvez pas me dénoncer ! Donnez-moi à manger, laissez-moi dormir, cette nuit. Ensuite, je m'en irai. Vous n'entendrez plus parler de moi.

— Pauvre fou ! Où irez-vous, à présent ?

Elle réfléchissait vite, le regardant, si désarmé, et farouche. Plus victime que coupable, paria par sa condition sociale, que l'idéal libertaire engageait sur des chemins obliques périlleux, et si jeune ! Elle se sentait reprise par son démon. Partagée entre sa contrariété d'avoir sur les bras un tel visiteur, avec les cours qui l'attendaient, demain, et sa compassion spontanée pour le marginal qu'il était, pleine de gratitude pour son dévouement à la pauvre Clarisse, envers qui rien ne l'obligeait... L'intrépide inclination de son tempérament la poussait toujours aux aventures, mais elle raisonnait, parce que sa petite tête rebelle avait appris, des années d'exil et de solitude, à trouver les solutions pragmatiques, et qu'à élargir les mailles du filet, qu'on croit inextricablement serrées, on trouve toujours le tout petit défaut qui vous sauve.

— On ne réfléchit pas le ventre creux. Mangeons, mon petit ami.

Et pendant leur dînette, il était revenu à sa passion, l'émancipation de la classe ouvrière par le syndicalisme révolutionnaire. L'Etat ne satisferait jamais les revendications des ouvriers par la loi. On avait bien vu où finissaient les promesses des socialistes, et même les proclamations guédistes. Du révolutionnarisme verbal, de la parlotte électorale. Jaurès, à ses yeux, était plus sérieux. Il avait été député, mais à présent, il était journaliste, juste le pouvoir de gratter du papier ! Ah ! Il y en avait eu des cortèges, les députés socialistes en tête, portant aux pouvoirs publics les cahiers de doléances du quatrième Etat ! Pour quel résultat ? Les réformes, les ouvriers les obtiendraient eux-mêmes, par l'action directe. La plus directe, c'est la grève, pour abattre le patronat. La grève est une école de volonté, d'énergie et de pensée féconde, elle éduque l'individu, lui révèle sa force et celle de son ennemi, le capitalisme. Mais mieux, le boycottage et le sabotage : *A mauvaise paie, mauvais travail !* On rentre à l'usine, et on ralentit la production, on simule, on gâche, on affaiblit le patron. Depuis la dynamite, jamais le bourgeois n'a autant tremblé ! C'est pour ça que les anarchistes doivent infiltrer les syndicats, présents partout. Mais même la grève générale ne suffira pas, utopie ! Les premiers à crever de famine sont les ouvriers. Ils rentrent tête basse à l'atelier, ou alors, désespérés, ils trouvent la troupe en face ! Il faut se préparer à l'insurrection armée, voilà. Parce que le syndicalisme n'est pas une fin, c'est un moyen. La finalité, c'est l'anarchie.

— On n'est pas des bandits, comme les Bonnot et Garnier, qui ont versé au crime. On n'est plus très nombreux à se tenir à la bonne voie, droite et pure, aujourd'hui. A militer à la FCA. Les temps mollissent, mademoiselle... Parce que le vrai but, c'est l'insoumission, la désertion, le refus des armes de l'Etat, qui nous asservit. En cas de guerre : guerre à la guerre ! La grève générale, l'insurrection, désobéissance active et passive : saboter les réseaux, tuer les officiers... Voilà pourquoi ils m'ont arrêté. Parce que je distribue la brochure de Jacquemin et Jacklon. Ils la saisissent partout où ils peuvent depuis mars, en province et à Paris, mais elle circule, elle éveille les esprits.

— Tête de jeune homme ! s'écriait Dora en croquant un cornichon. Jeune idéaliste ! Ni les ouvriers ni les paysans ne vous suivront !

— Je ne suis pas idéaliste. Très réaliste, au contraire. Savez-vous ce qu'est la misère ? Les enfants des faubourgs, malgré la loi au travail dès cinq ans, qui meurent d'anémie ; les femmes qui gagnent quarante sous par jour, les vieillards jetés à la voirie. Tous loqueteux, ventre creux, va-nu-pieds, exploités, alcoolisés et floués, assassinés à l'engraissage du capital. Ma mère a quarante ans, elle en paraît soixante. Elle trime dix à douze heures par jour... Je suis très raisonnable, mademoiselle Dora.

Mais Dora avait la tête ailleurs. Elle écoutait à peine, les yeux perdus sur les toits que le crépuscule noyait d'une obscurité rassurante. La ville s'endormait, la nuit recouvrirait tout et même si, dans quelque poste de police, ou même dans le bureau du commissaire Louvain, qu'elle connaissait bien en dépit de ses multiples portes, on s'activait pour retrouver le fuyard, on pouvait, sous son toit, entre les murs de son petit appartement, tranquillement rêver les lendemains rouges, lever en masse le peuple des opprimés et préparer la révolution. Et bâtir des plans sur la comète pour sauver Marcus.

XXXVII

Daniel étendit ses jambes et s'étira au soleil, sans se soucier d'offusquer ou non ses voisines, un groupe de jeunes femmes aux immenses chapeaux bouillonnants, rivalisant en échafaudages vertigineux d'organdi, de tulle et de chantilly, versés sur leur front par les chignons savamment coiffés, et dont l'ombre légère des voilettes poudrait le teint délicat. Il se moquait bien de ces élégantes en robes signées de Weill ou de Poiret, comme de celles qu'il avait croisées en venant, dans les voitures qui filaient vers l'hippodrome. Les baies du restaurant du Pré Catelan étaient grandes ouvertes sur le jardin ensoleillé et, de la terrasse, on apercevait les massifs de roses, le jardin de Shakespeare et son théâtre de verdure. Il jouissait du spectacle, en prenant son petit-déjeuner seul à sa table, quand, à côté de lui, on commençait de servir les apéritifs de midi, les portos et le vin de Champagne. Lui, avait demandé des œufs brouillés à la crème, du jambon frit et des saucisses anglaises, des toasts, du beurre de Guérande et de la moutarde, et un litre de thé à la bergamote, pour se remettre des alcools de sa nuit, de l'amertume de son palais et de son cœur. Il fumait un havane, des plus déplaisants pour ses voisines, mais fort délectable, maintenant qu'il était rassasié. Autour de lui, ce n'était que mondaines froufroutantes, d'un aristocratique raffinement, berçant des bestioles frisottées, et beaux messieurs gominés, jeunes gandins pâles à moustache cirée, plis parfaits, chemises éclatantes. Dont un, qui détonnait, frileux dans une pelisse de fourrure, insolite en cette saison, mélancolique et maladif aux grands yeux d'ombre.

— Mon petit Marcel, venez près de moi ! Ce paravent vous protégera des courants d'air…

Avec une certaine satisfaction, Daniel affichait sa veste de tweed et son pull-over écossais en fine laine froissée, le hâle de son front nu. Comme ce monde était vieux, et guindé, amidonné de langueurs, fin de siècle, vieux siècle ! Ah ! Il fallait secouer cette poussière, le plâtre de ces joues, l'armature des corps, les corsets et les dentelles, les affèteries, toute cette dégénérescence, cet énervement malade d'une société nostalgique, en train de s'évanouir, épuisée d'elle-même. Le vent d'océan, les lumières de New York, les gratte-ciel, l'industrie et l'esprit moderne, conquérant. Là-bas, il mettrait ses pieds sur la table.

S'il ne le faisait, ce matin, c'est que sa table était trop encombrée de porcelaine, d'argent, du frais bouquet d'iris jaunes, et des journaux du matin, qu'il avait raflés au kiosque. On y rapportait la situation politique, après le résultat des élections législatives. Grand vainqueur, le parti socialiste, avec cent quarante sièges ! Mais les radicaux se divisaient sur la loi des trois ans ; son abrogation défendue par la SFIO et Caillaux, malin, réélu à Mamers, et par Jaurès ; contre son maintien voulu par la Fédération des gauches, derrière la droite, ceux-là hostiles à l'adoption définitive de l'impôt sur le revenu, que voulaient les autres ! Toute la presse rapportait les professions de foi équivoques des candidats, la situation confuse, traversée de contradictions, de convulsions ambiguës, et l'hésitation de Poincaré, en plein désarroi, décidant quand même de rester à l'Elysée sans dissoudre… Certes la SFIO et les deux groupes radicaux votaient, ce 23 mai, une motion pour refuser la confiance à un gouvernement qui ne reviendrait pas aux deux ans, mais quel gouvernement choisir, qui tiendrait une ligne aussi floue ? Poincaré voulait Viviani. Il avait été bon ministre au Travail, à l'origine des lois sur le repos hebdomadaire et les retraites ouvrières, et à l'Instruction publique… Lui, était contre les trois ans, mais s'en accommoderait, prudemment… Attentisme ! Compromis ! Pacifisme de rigueur. Illusions ! Sur fond de crise sociale, de grèves multiples, toute une classe de prolétaires impatiente d'une autre vie ; et sur fond de crise coloniale, au Sahara, au Maroc, où on mate les indigènes, et le général Joffre se félicite des six biplans qui voleront bientôt devant lui, de l'escadrille blindée qui tentera un raid de mille trois cents kilomètres…

Daniel jeta les journaux sur le fauteuil d'osier, à côté de lui, soupira. Qu'il faisait bon au soleil enfin revenu, enfin printanier, après cette quinzaine presque hivernale. Et que lui importaient les affaires politiques, il s'en allait. Il partait. Il avait en poche son billet pour le transatlantique qui quittait Nantes, dans huit jours. Il s'était mis en vacances. Vacance de tout. Des femmes, du cinéma, du travail et des affaires. Liquidation générale. Il se reposait. Il dormait le jour et s'amusait la nuit. Ne s'amusait pas beaucoup. En réalité, il s'ennuyait énormément. Il aurait bien cogné un de ces gandins, envoyé voler les chapeaux. Il détestait le thé à la bergamote. Comme prévu, sa mère avait très mal pris sa décision. Choquée qu'il la lui annonce si tard, quand tout était bouclé. La cession de sa société, la vente des parts. Assez réaliste pour lui faire signer aussitôt un pouvoir en son nom, en prévision des conseils d'administration dont il ne serait pas. Vexée qu'il ne l'eût pas consultée, vieille impératrice des commerces de petits-beurre. Qui ne voyait pas le monde tourner. Heureusement, passait la main, sans se l'avouer, à Lewenthal, ce jeune directeur aux dents longues. Un sacré patron, formé aux méthodes américaines. Daniel l'avait entrepris, Chaussée-d'Antin, quelques jours plus tôt, à la fin d'un dîner en compagnie de banquiers et d'ingénieurs, où il s'était fait piéger, alors qu'il espérait un tête-à-tête rapide avec sa mère.

Coincé entre deux épouses insipides, bonnes fourchettes et bons gosiers, mais conversation de sardines, il avait fait contre mauvaise fortune bon cœur, expliquant à son vis-à-vis, un directeur financier, quelle industrie d'avenir était le cinéma, rêve de masse et commerce des idées. En pure perte. Au moins, au billard, il avait pu approcher ce Lewenthal. D'origine modeste, le père, professeur de lycée, gagne peu. Mais un cadet à Ulm, et celui-là son aîné : ingénieur, parti deux ans à Pittsburgh, se mettre en jambes. Commence à ce poste, modeste, mais a d'autres ambitions. Et surtout, mais alors là, un original, qui met tout son salaire dans la peinture ! Pas de l'académique, du préraphaélite ou du pompier : des avant-gardes, débutants méconnus. Petits prix, relativement ; en tout cas abordables à sa bourse. Il avait commencé avec Van Gogh, un bizarre, expressionniste fou, grimpé depuis à des prix fabuleux ; et quelques fauves des débuts : tout l'héritage d'une tante y était passé. Mais il lui avait surtout parlé de ses toiles de Delaunay et Gris, Metzinger, des noms qu'avait à peine entendus Daniel. Des volumes, des plans, des sphères et des cônes, des cubes. Plus d'horizon, des matières. Plus de figures, des formes ; des valeurs plus que des couleurs. Et aussi des dessins très beaux et toxiques d'un Viennois scandaleux, Egon Schiele. Lewenthal courait les galeries, montait dans les ateliers, il fréquentait les artistes, des collectionneurs, plus fortunés que lui, peut-être, mais moins audacieux... Il parlait de sa passion avec politesse, une retenue, une sorte de timidité arrogante. Drôle de corps... Soigné et spartiate, un peu curé, quoique juif. Il ne s'en cachait pas, se disait athée, mais s'inquiétait que sa famille, à être française et patriote, en oubliât la prudence. On voyait des pogroms partout en Europe, en Russie, en Ukraine... L'antisémitisme chronique, dans tous les milieux, envenimé depuis l'affaire Dreyfus. Il lui avait fallu son séjour aux Etats-Unis pour s'en rendre compte, ouvrir les yeux au retour. Alors Lewenthal et lui avaient parlé de la société américaine, son melting-pot inouï d'hommes, de valeurs, de cultures, la foule des migrants débarquant à Ellis Island, sitôt citoyens que sortis de la quarantaine. Il avait acheté des photos, à un certain Alfred Stieglitz, dont une, prise sur l'entrepont d'un bateau, qu'il montrerait à Daniel un de ces jours. Une œuvre d'art qui illustrait cet apport de sang neuf au Nouveau Monde : un peuple de pauvres bâtissant la Babel des temps modernes. Ils étaient tombés d'accord sur tout.

La seule rencontre excitante que Daniel eût faite, ces derniers temps. Temps moroses, où il n'était déjà plus ici, pas encore là-bas. Et il traînait au cœur un vrai chagrin : le départ de Sophie, la douce, la bonne Sophie, sa petite sœur bien-aimée, à qui il n'avait pas assez dit qu'il l'aimait, quand il en était temps. La folle valse de la vie, et la vie passe. Les occasions passent. On les voit venir sans trop s'en aviser ; à peine croisées, elles sont déjà trop loin. Jalouses, ombrageuses, comme les femmes vous font payer de ne pas leur avoir fait la cour au moment qu'il fallait, ensuite se dérobent, fuient, moqueuses et cruelles. Il n'avait pas su voir ce qui arrivait à Sophie. Elle était partie sans un mot pour lui. Il se moquait bien du scandale, des gorges chaudes et des vertus outragées, de Charles cocufié à tous les titres. Mais il se taisait. Il laissait se déverser la bile familiale. Sa mère et Blanche, pour une fois d'accord, et toute la famille de Charles, le voisinage, le canton ameuté qui plaignaient le pauvre notaire, compatissaient et prenaient fait et cause. Pauvre époux, pauvre père, pauvres enfants ! Bon, ils se calmeraient vite. Charles se consolerait. Peut-être trop heureux que Sophie ne reparaisse pas, alors. Sous les désolations de façade, quel contentement, un matin, quand il réalisera qu'il est si tranquille, finalement, allégé, affranchi… Grâce à elle, qui a pris l'initiative de le libérer… Avait-elle dans le sang la rage d'espaces qui faisait courir son père, la dernière de qui on l'aurait soupçonné ? Mais où donc était-elle partie ? Pour avoir pris tant d'argent, elle savait où elle allait. Elle avait un plan d'évasion très arrêté. S'il avait su où était sa sœur, il lui aurait dit qu'il était de son bord, qu'il la comprenait, si ignominieuse qu'on la dît, mère indigne, femme dénaturée, dévergondée, folle. Folle ! Où donc est la folie ? De se résigner, se laisser décomposer sur place, talée avant l'âge, jeune fruit promis à la pourriture, gâté au cœur ; ou prendre le risque d'être salie, traînée dans la boue, mais sauve, intacte, vivante ! Si elle était partie avec lui, comme il l'aurait défendue, bec et ongles, installée là-bas, pour une nouvelle vie…

Et son autre chagrin rejoignait ce rêve inutile : Gabrielle non plus ne partirait pas avec lui. Il était trop fin danseur au bal des amours pour n'avoir pas compris qu'elle ne voulait pas de lui pour cavalier. S'il avait eu six mois, trois mois devant lui, comme il lui aurait chauffé le cœur, tourné la tête ! Comme il l'aurait grisée de cadeaux, de promesses. Mais il partait. Il n'avait pas vu l'occasion assez tôt. Une de plus. Et quelque chose au fond de lui, plus amer, et douloureux, lui disait qu'elle dansait peut-être déjà avec un autre. Un autre enfoui dans sa chair de femme, un rival redoutable qui n'avait pas de visage, ou alors un si ancien, venu du fond des âges, contre qui il n'était pas de taille. Un amant absolu. Le rêve. Dangereux rêve amoureux qui ne se satisfait d'aucune réalité. Il préférait cela, plutôt que de lui imaginer un amant réel. Un homme qu'il pouvait croiser, à qui il se comparerait, et qui le disqualifierait... Ah, non ! C'en était fini de vivre en cadet, dans l'ombre exemplaire de son frère. Là-bas, il serait un seigneur, un roi ! Et pour défier le destin, pour prendre place, pour l'emporter un jour, si elle le voulait, il lui avait envoyé un billet de transatlantique pour New York. Le même que le sien, à date ouverte. Cadeau de son départ, disait-il, et non un adieu. Un au revoir, Gabrielle bien-aimée. Signé : Daniel Galay. Il l'avait heureusement posté aussitôt, dans l'élan, sans réfléchir ni peser, avant que le ridicule ne l'empêche. C'était fait. Au moins une occasion qu'il n'aurait pas manquée... Qui sait ?

Alors il se retrouvait seul, en ce matin de mai, à la terrasse d'un des plus luxueux restaurants du bois de Boulogne, à se brûler la peau au soleil... Et il n'aurait pas supporté que quiconque lui adressât la parole ! Il était bien, dans sa solitude altière. Les douleurs, agrippées tout au fond de lui, qui seraient du voyage, n'étaient pas des chimères, mais une partie de sa chair, très organiques, et palpitantes compagnes. Pas des maladies mentales, des crises intellectuelles, des états d'âme. Un état corporel et sexuel sensible, une chimie exquise des nerfs et des muscles, des viscères, qui donne l'ivresse d'être un animal vivant, fécond et généreux, apte à la souffrance et au plaisir, ce luxe de l'existence. C'est ce que lui avait dit Pierre, la veille : Tu es un bel animal moderne. Tu es une force qui va ! Il riait. Mais il était absent. Quelle énigme, ce Pierre. Une de ses vieilles douleurs, encore. Qui serait aussi du voyage. Pas plus que lui très ému de la disparition de leur sœur, Pierre. Seulement inquiet des répercussions possibles sur la santé de leur mère, dont il ne disait pas grand bien. Mais plus encore accaparé de souci, ce noir souci qui lui barrait le front, dont Daniel n'avait pas osé, pourtant sur le bord de le faire, lui demander la raison. Son frère, si secret et privé qu'il épuiserait un régiment de voyantes pour le deviner. Et pourtant soudain amical, fraternel et tendre ! Son étreinte, au moment de se séparer ! Il tremblait en le serrant sur sa poitrine.

Se retournant brusquement, Daniel héla un garçon, commanda un verre de médoc. Et une corbeille de cerises. Il avait une envie terrible de cerises sous sa dent. Et quand il eut sur sa table les adorables fruits rouge sang, par provocation, pour son plaisir, il en accrocha une paire à son oreille, cerises d'amour aux robes pareilles…

Maximilien Jamais était ce genre d'homme qu'on ne remarque dans aucune assemblée, qu'on croise sans le voir dans la rue, mais qui, dans la relation intime, révèle sa subtile singularité d'animal social. Sous des airs policés, mains aux ongles plats et face anonyme à force de banalité, il était âpre, prompt et d'aplomb, court-circuitant les prologues et préfaces, machine rapide au calcul mental. Extralucide sur les attendus, résumant les motifs d'un mot, visant droit au but par une sorte d'esprit balistique. On aurait cru un homme pressé ; au contraire, il prenait son temps. Il laissait des silences et tirait de longs traits d'addition ou de soustraction sur papier millimétré, quelque part dans son cerveau, car il ne prenait aucune note. Il enregistrait. Et au fur et à mesure qu'il parlait, observant sa face glabre de quadragénaire, aux paupières un peu tombantes sur un regard éteint, parfois allumé d'un feu étrange, Pierre découvrait sa physionomie au repos, le front bas et bombé, labouré de sillons très symétriques, la mâchoire pleine et le nez gros d'un taureau à la pâture, l'œil globuleux, mais qu'une fureur subite pouvait réveiller, alors sa tête à tignasse secouait toute cette placidité songeuse et, comme le dieu sortant de l'écume, il fulminait, s'ébrouait d'un meuglement bref, grognement guttural qui faisait frémir sa lèvre retroussée. Il avait refusé un cigare, un alcool. Il avait refusé un verre d'eau. Le bruit de la rue montait, par la fenêtre ouverte. Il avait demandé qu'on la fermât.

Il avait écouté Pierre, longuement, ses yeux dans ses yeux. Et quand Bauer intervenait, il les portait sur lui. Allait de l'un à l'autre, comme si d'entendre ne lui suffisait pas, qu'il lui fallût aussi lire les paroles sur les traits de ses interlocuteurs. Il avait écouté sans sourciller toute l'histoire birmane, sans y trouver une extravagance, face inexpressive. Puis la traduction du cahier, la description des films, dont les galettes étaient sur la table. Ensuite, il s'était plongé dans les documents. Les feuillets de l'inventaire des armes chimiques. Le dossier de Châlons, que Pierre commentait, donnant des éclaircissements techniques, traduisant les termes scientifiques. Il avait écouté jusqu'au bout, et pris enfin une longue inspiration.

— Mon directeur ignore ce qui nous fait rencontrer. Nous sommes trois, n'est-ce pas, et pas plus ? Vous deux. Moi. C'est beaucoup, déjà…

— Nous sommes davantage, avait corrigé Pierre. Le directeur de l'Institut Pasteur ; et mon assistant, Emile Grandrieux, en moindre part.

— Il est au large de Casablanca, à l'heure qu'il est. Qui encore ?

— Devons-nous compter le Dr Denom, de l'hôpital de Châlons ?

— Il est assermenté. Le traducteur ?

— De mes proches. Une parente d'Endre Luckácz.

— Cela fait du monde, dont vous devez être sûr.

Max Jamais ne plastronnait ni ne dénigrait. Il évaluait, soucieux.

— C'est une affaire grave, concéda-t-il. Si vous êtes décidés à mettre ça sur la place publique, c'est de conséquence… Pour vous, d'abord. Je vais vous en parler. Ensuite pour la chose publique elle-même. Je ne suis pas sûr que vous soyez au fait. Vous comprenez, professeur Galay, votre procès, il y a cinq ans, ce n'était rien, en comparaison. Une affaire de responsabilité privée, désertion de poste, introduction litigieuse d'une étrangère sur le sol français. L'armée a échoué à vous impliquer. Cette fois, vous serez en première ligne. Et l'Etat-Major, le ministère de la Guerre en face. Ce n'est pas l'affaire Dreyfus, mais c'est le même adversaire.

Le journaliste frottait ses ongles aux accoudoirs du fauteuil, comme s'il attisait des allumettes.

— La période est sensible, vous le savez. Nous sortons de la loi de Séparation qui a secoué l'armée. Des officiers catholiques ont démissionné, et tout ce qui a satisfait la gauche depuis, la loi des deux ans, aujourd'hui révisée, a rendu susceptible un pan important de la hiérarchie. Sans parler de la réhabilitation de Dreyfus. Le jugement de Rennes cassé sans renvoi, et sa Légion d'honneur, restituée ; sa promotion au grade de chef d'escadron. Mais plus encore, tout ce que démontre votre histoire, c'est la survivance, au sein de l'armée, de pratiques dont elle a longtemps fait sa prérogative. Pour assainir les rangs après l'affaire Dreyfus, je vous rappelle que le général André a voulu la républicanisation : purger les rangs des conservateurs qui étaient à son origine, et démocratiser le corps des officiers. La plus importante mesure de sanction a été le transfert des attributions du Service des renseignements de l'armée à la Sûreté générale. Au ministère de l'Intérieur. Confiscation punitive jamais digérée. Surtout avec l'affaire des Fiches ! Cette caricature de renseignement sur les sentiments religieux et le loyalisme républicain des officiers ; le soupçon du complot judéo-maçonnique qui en a découlé ont laissé des traces. Attaquer sur ce front, démontrer publiquement que, au ministère de la Guerre, des activistes agissent en toute illégalité, qu'ils ont rétabli clandestinement un service interdit, c'est mettre le feu au cul d'un tonneau de dynamite. Même si bien des généraux sont des républicains convaincus. Le ministre Noulens est lui-même loyal, un modéré scrupuleux, mais l'esprit de corps est le plus fort. Si les militaires ont perdu leur pouvoir politique et la direction de l'Etat, les réactionnaires gardent leur hégémonie dans les rangs. Et la tension internationale est grande en ce moment. Les plus lucides pensent à la guerre. La guerre !...

— Il s'agit exactement de cela, laissa tomber Bauer. Et on ne sait comment l'opinion publique surchauffée par les droites peut prendre la nouvelle, dans ce contexte. On arme sur tous les fronts, l'artillerie, l'aviation, la marine. Le consensus est général...

— L'arme chimique est un monstre pour l'esprit, coupa Pierre. En contravention avec toutes les conventions internationales.

— C'est ce qu'il faut argumenter. Mais j'en viens aux conséquences personnelles. Pour vous, et pour moi, journaliste. Pour mon journal. Le délit de fausse nouvelle, de délit contre la chose publique, et plus encore le délit d'offense, aussi bien contre les personnes que contre les institutions sont prévus aux articles 26, 27 et 29 de la loi sur la presse. On a bien vu, avec Caillaux, qu'elle est peu respectée, du moins par certains... Cependant sur ce sujet, soyons clairs : elle sera appliquée, strictement. L'allégation, ou l'imputation d'un fait qui porte atteinte à l'honneur ou à la considération..., la diffamation envers tribunaux, cours, armées de terre et de mer, corps constitués, contre fonctionnaire ou membre des ministères, etc., sont sanctionnées si l'auteur de ces dénonciations ne prouve pas la vérité des faits diffamatoires. Conformément aux dispositions de l'article 35, il sera notifié, et dans les cinq jours doit produire les faits articulés et qualifiés, desquels il entend prouver sa vérité. Donner les nom, profession et demeure des témoins par lesquels elle est avérée. Emprisonnement de huit jours à un an, amendes, etc. Il nous faut être inattaquables. J'ai besoin d'une semaine pour préparer mon dossier. Je dois aller à Châlons. Je dois retrouver cette femme. Confiez-moi ces pièces. Je vais les étudier, et visionner ces films. Vous prenez le risque ?

Bauer consulta Pierre du regard, mais celui-ci acquiesçait déjà, d'un bref mouvement de tête. Il était un peu pâle, mais d'un grand calme. Satisfait d'avoir en face de lui un homme comme Max Jamais. Ce taureau à la force concentrée, de sang-froid avant de danser dans l'arène, avant la place éblouie de soleil où il sera le roi noir, écumant et guerrier, le rassurait absolument. Un avocat, armé du droit. Un homme de conviction. Sans doute pas le flamboyant Zola, mais son héritier dans l'esprit. Et que soient réunies sur ce bureau les pièces à conviction de la vieille histoire, de si loin articulées et chevillées à sa vie la plus privée, le soulageait, comme un exorcisme salubre. Pareil à une intervention chirurgicale sans anesthésie qui laisse pantelant, la place opérée béante irradiant de douleur, mais le mal arraché. Peut-être pareil à l'extraction d'une pierre de folie, en plein front. Il s'agissait bien de cela, qui avait tant menacé son équilibre, rongé ses pensées et fait basculer sa raison. Et comme le malade crie au trépan qu'il aille plus vite pour vriller la tumeur, il se sentait en proie à cette détermination extrême où l'on joue sa vie. Ces documents avaient été inextricablement mêlés à ses élans de jeune savant, plein d'enthousiasme et d'illusions, cinq ans auparavant quittant Le Havre pour l'Orient ; à sa rencontre avec l'aventurier au charme équivoque et à l'équipée birmane. Et, plus personnel encore, à son histoire intime, depuis enchaînée à ce secret trop lourd. Sa vie de chercheur, l'épouse morte, l'enfant adoptive et Gabrielle !... Ah ! Il fallait retrancher ce poison de sa vie, arracher cela, le jeter dehors, à l'égout. De cet aspect privé, Pierre n'avait rien dit, ni d'elle surtout, que le nécessaire sur sa traduction, et son lien de parenté avec Endre. D'elle, il ne serait pas question, à aucun moment, c'était la seule chose qu'il mît pour condition. Et Max Jamais, sans pousser plus loin, avait admis cette exception.

Il faisait si beau sur Paris, en cette fin de mai. En pleine après-midi, la triomphale lumière couvrait d'un dôme d'or les toits et les flèches jusqu'au lointain bleuté, de ces jours où Bauer oubliait ses visions de ruine et flambait de tout son vieux cœur pour la beauté des cités humaines. Si limpide, luxuriante clarté tombée du ciel sur un monde aussi noir...

— Vous devriez disparaître quelque temps, suggérait Jamais. Si dans huit jours, comme je le projette, je commence à publier, vous serez traqué par mes confrères, et d'autres plus intrusifs encore. On vous trouvera partout. Je n'ai pas intérêt à cela, vous non plus. Il me faut les coudées franches. N'avez-vous pas un endroit de retraite ?

— Je pars à Venise, pour un colloque, début juin.

— C'est parfait, Venise ! Passez les Alpes, disparaissez. Laissez-moi seulement vos coordonnées pour vous joindre, si j'en ai besoin. Venise… J'y suis allé en voyage de noces. Evidemment… Ma femme m'a fait jurer d'y retourner dans dix ans. Dix ans ! Où serons-nous, dans dix ans ? Et le mois prochain ?

Dora était entourée de belles dames en extase, chavirées par l'enchantement de cette matinée exquise, et par le talent de la jeune concertiste, si jolie dans son fourreau de satin vert d'eau, bordé de perles bleues jusqu'au creux des seins, un camaïeu ruisselant, une nymphe des fontaines, une dryade ! De ses doigts coulait l'eau musicale en cascades, muse mutine, magicienne ; ensorceleuse ! Elles ne tarissaient pas. Il est vrai que le programme était bâti pour elles, les dames de bienfaisance qui organisaient le concert au théâtre Marigny. On n'allait pas leur donner du Debussy en pâture, à faire crier ; ni du Satie, l'elliptique iconoclaste ! Un peu de Brahms, très pathétique, quelques lieder aimables de Fauré, et Ravel le sensuel, un assortiment sur mesure qu'avait concocté Adèle, fine mouche, en l'absence de Francis, parti sur le front de ses nouveaux spectacles de variétés, en tête de la troupe. Dora se laissait caresser et féliciter, une main sur le couvercle du piano à queue, l'autre à son front, très Sarah Bernhardt. Il fallait qu'elle vînt à présent dans la galerie, rejoindre ces dames et ces messieurs, et leurs invités, l'assistance nombreuse de l'Association pour la famille française, prendre un rafraîchissement, en toute simplicité. Dora consentait à se rafraîchir, à descendre de son piédestal pour se laisser aduler encore, mais pas trop longtemps. Elle en avait plus qu'assez de son après-midi sur commande. Comme elle avançait parmi les roucoulements de ces dames, quelle ne fut pas sa surprise de voir venir vers elle la carrure de Louvain, sanglé sérieusement du plus beau drap tabac, cravate de soie discrète sous le col épinglée d'or, et franchement intimidé de l'effervescence qu'elle provoquait. Un peu estomaquée de le trouver là, aussitôt très inquiète, et même paniquée. Parce que enfin, venir la chercher ici ! Elle eut un froncement de sourcils, à peine, sourit gentiment, par parade. Lui tendit sa main parfumée. Qu'il saisit, pour la tirer un peu à l'écart, dont elle s'excusa auprès de ses hôtes, d'un mouvement gracieux.

— Vous êtes divine ! s'exclamait-il, incliné sur sa main, en homme du monde.

— Ah ! Non ! Pas vous ! protesta-t-elle vivement à voix basse.

— Pourquoi pas moi ? protesta-t-il de même en aparté.

Et se retournant :

— Etienne, salue Mlle Gombrowicz. Etienne, mon fils.

Le petit jeune homme, resté dans l'ombre du faux col effrayant de son père, s'avança, ployant sous la main que celui-ci posait sur son épaule. Un adolescent charmant, le duvet à la lèvre, la joue tendre qu'une fille aurait enviée, mais le regard droit. De la noisette paternelle, à croquer.

— C'est notre jour de congé. Nous allons parfois au concert. Parfois au music-hall. Pour une fois que je peux présenter Etienne à une vraie artiste de ma connaissance...

— Bonjour Etienne, minauda Dora, vraiment pas rassurée.

— Mlle Gombrowicz est de mes amies, assura Louvain sans rire. Vous avez bientôt fini, ici ?

— Un quart d'heure de rafraîchissements obligatoires, je le crains.

— Moi, je ne crains pas d'attendre. A la buvette, derrière le castelet de Guignol, ça vous va ?

Elle y fut. Ponctuelle et le cœur battant. Mais Louvain, accoudé, sirotait patiemment une grenadine en suivant de loin la bastonnade que la marionnette infligeait au gendarme.

— Et dire que ça fait rire les enfants... Vous en voulez une ?

— Non merci. J'ai bu une orangeade.

— Je voulais dire une bastonnade.

— Vous vous croyez drôle ?

— Hélas, je ne ris pas vraiment, ces jours-ci...

— Où est votre fils ?

— Il est rentré. Faire ses devoirs. Enfin, j'espère. Il passe le bachot dans deux mois. Vous lui avez fait impression, mademoiselle Gombrowicz. A moi aussi, d'ailleurs. Vous avez tous les talents. On vous mettrait poinçonneuse dans le métro, vous trouveriez le moyen d'épater la galerie, pareil.

— Si c'est pour être désagréable...

— Tuuttt tuttt. Je suis sincère. Pourquoi ne serais-je pas mélomane, quoique flic ? C'était un peu pour les rombières, votre programme, mais vous traitez ça en grande dame.

Il vida sa grenadine et la prit par le bras pour une promenade dans une contre-allée.

— Par ici. Ce sont des tilleuls. C'est plus agréable que les marronniers, de l'autre côté. Vous sentez le parfum ? Etienne n'est pas si bête, vous savez. Il va faire son droit, qu'il le veuille ou non. Je fais ce que je peux, mais il renâcle. Sa mère avait un côté artiste. Il a hérité.

— Oh ! Sa mère est morte...

— Pas du tout. Elle doit danser à Tanger ou à Tombouctou. Elle fait dans la variété itinérante. Ne prenez pas vos grands airs ! C'est respectable, comme spécialité.

— Elle revient souvent ?

— Jamais. Elle n'avait pas le tempérament sédentaire, que voulez-vous ? Une belle femme. Une croupe d'alezane, des yeux d'Andalouse, j'ai cru ma dernière heure arrivée. Il m'est resté Etienne sur les bras. C'est déjà pas mal. Mais je bavarde, je bavarde… Voulez-vous une bastonnade ?

Il tenait bien son bras, pas question de la lâcher. Aller sous les tilleuls de la promenade avec elle, à cette heure de cinq heures, c'était une bénédiction. Le vent chargé de bruits – la ville n'est pas loin – a des parfums de vigne et des parfums de bière…

— Vous avez récupéré Marcus, mademoiselle Gombrowicz. Qu'en avez-vous fait ?

Elle eut un coup au cœur, mais fut belle joueuse, peut-être émue de sa main, si haut à son coude qu'il touchait son sein, et de sa femme, danseuse en allée dans les contrées.

— Il est en sécurité.

— Il est en fuite. Repris de justice.

— Il est innocent.

— Il est dangereux, et en danger.

— En sécurité, je vous dis. Vous me prenez pour une communiante ?

— N'importe quoi, mais pas ça ! Alors, qu'en avez-vous fait ?

— D'abord, c'est lui qui m'a fait une peur bleue. Un type que vous n'avez jamais vu, qui entre chez vous, avec un couteau comme carte de visite, hein ?

— Vous en avez vu d'autres.

— Pas tant que ça, Louvain.

— Denis, tant que vous y êtes. Bon, il s'introduit. Voies de faits.

— Comme vous y allez ! Il était aux abois, il avait faim. Il a dormi comme un ange.

— Et vous l'avez bordé ? Vous m'amusez.

— Pas du tout. J'étais très, très embêtée.

— Ça m'étonne !

— Ecoutez, si on ne parle pas sérieusement, je vous plante là. Je lui ai conseillé de retourner en prison.

— Oh ! Oh !

— Mais il n'a pas le tempérament sédentaire, comme vous dites. Il allait partir comme ça, dans la nature, Dieu sait où, et c'est là qu'on l'aurait perdu pour de bon !

— Tandis que vous, vous l'avez accommodé aux petits oignons.

— Oh ! Si vous saviez comme il était mignon ! Je l'ai habillé en fille. Mais vraiment, dessus et dessous. Porte-jarretelles et bas de soie, guimpe et jupons, ma robe en crêpe Georgette à petits pois verts, casaquin cintré, juste ma taille ! Il n'y a que les escarpins qui n'allaient pas. Foulard et chapeau à voilette. Parce que figurez-vous qu'ils l'avaient rasé, dans votre prison !

— Sans blague ? Dites-moi, vous allez me promener longtemps ?

— C'est vous qui me promenez sous les tilleuls, Denis. Je l'ai mis tout à fait à l'abri, soyez tranquille.

— Tranquille ! Avec vous ! Où est-il ?

— Jurez-moi de ne le répéter à personne.

— Je jure, devant la justice.

— Bon, soupira-t-elle, gagnée par une gaieté folle. Il est en Italie.

— En Italie !

— Je l'ai fait partir en tournée, avec la troupe de Francis Carroll, mon agent artistique. Francis n'était pas très chaud, mais il m'adore. Je lui rapporte beaucoup d'argent. Vous voyez, ces petites sauteries, comme tout à l'heure : c'est très gagnant. Donc, je lui ai vendu Marcus, contre trois de ce genre. Si vous croyez que je n'ai que ça à faire ! Au milieu de la troupe, toutes ces femmes des variétés, c'était facile de le faire passer. On n'aurait jamais dit un garçon, tellement il est bien tourné. Imberbe, délicat ! Il avait des papiers, tout ce qui est du plus correct. Ceux d'une fille indisponible, qui va les récupérer au retour : Francis les ramène. Il ne veut pas d'histoires, vous comprenez. Il est convenu que Marcus les quitte à Milan.

— Ce qui est bien avec vous, mademoiselle Gombrowicz, c'est qu'on ne s'ennuie pas une minute… Vous chassez la mélancolie.

Ils étaient arrivés au bout de l'allée. Ils retournèrent, changeant de bras, sans se consulter.

— Donc Marcus est apatride. Sans papiers d'identité. Il parle italien, votre protégé ?

— Ecoutez : qu'il se débrouille, à présent ! On ne va pas le materner *ad vitam aeternam* !

— Comme vous dites. J'ai juré, d'accord, mais avouez que tout ça n'est pas catholique. Vous en prenez à votre aise avec la police. Avec moi, donc. A mon corps défendant. C'est scabreux, Gombrowicz.

— Dora, tant que vous y êtes.

— Si je n'avais sur les bras cette affaire très épineuse, très catastrophique, je ferais bien les cent pas avec vous sous les tilleuls, jusqu'à la fin des temps, Dora. Mais j'ai de graves soucis. Jurez-moi de ne le répéter à personne...

— Je jure, devant vous.

— Alors je prends le Pr Galay de l'Institut Pasteur, suivi par la gabardine – un paletot à canne le remplace, figurez-vous – qui jouxte votre homme au manteau de cuir noir : ministère de la Guerre, officier à la Direction des poudres et des salpêtres. Celui qui promène des ampoules dans sa poche. Typhus, Dora. De quoi expédier un régiment à la morgue. Ça vous plaît, comme explosif ? Celui-là, je le garde pour la bonne bouche. Un de ses hommes fait partie de la première équipe de poulets, débarquée chez Clarisse assassinée. Que fait un capitaine d'artillerie à la préfecture de Police ? Il a été versé, en son temps, à la Sécurité intérieure : transfert opportun. C'est lui qui trouve le couteau de Marcus, veine ! Qui désigne le coupable. Sur un plateau. Je ne sais pas si vous me suivez ?

— Très bien, tant que vous ne lâchez pas mon bras.

— Moi j'enquête toujours sur mes assassinés, hein ? Clarisse et son frère. J'avais le notaire, avec la succession Sellerio. J'avais ma fiche recopiée, l'original volatilisé au fichier central. Ce chauve noyé qu'on garde à la chambre froide. Vous me dites : collègue, collègue... Collègue de qui ? Du fiancé de Mlle Demachy. Collègue en quoi ? Je m'informe. Là, c'est sensible. Les vieilles dames immigrées prennent peur pour un rien. On y va sur des œufs. Pas question d'affoler la rue Buffon. J'ai mis dix bonshommes là-dessus, on ne dirait pas. Juste pour éviter des coups au cœur à la dame hongroise qui a perdu son fils... Et on nous traite de brutes ! Et on nous bastonne ! Je ne sais s'il est le fiancé, mais c'est un chimiste, ingénieur de son métier, que je trouve. Votre amie Yeux bleus dit vrai : disparu en voyage oriental... Et vogue ma galère, j'investigue. Zepwiller, chimiste lui-même, et vous savez quoi ? Juste avant ses ennuis, la grivèlerie badine, qu'on lui a collée pour rire, ils ont voyagé ensemble !... Au Havre, ils n'en pouvaient plus de me recopier les listes de passagers... Moi, je remonte aux sources : en Alsace, hein ? Vous croyez que c'est facile ? Provinces occupées. Zepwiller : infréquentable, Dora. On appelle ça espion. Un qui mange à tous les râteliers, et même pas proprement. Ça laisse des ardoises partout, des deux côtés de la frontière. Pas malin. Enfin, suivez-moi : lui, il rentre. Il rentre du voyage en Birmanie. Avec qui ? Je vous le donne en mille : le Dr Galay. Je retombe sur mon point de départ. Vous voyez que j'ai des soucis...

— Gabrielle a les mêmes. Elle n'avait pas dix bonshommes, elle, pour courir en tous sens. Juste moi.

— Et j'ai mis tout ce monde pour apprendre ce que vous saviez, à ma moustache... J'aurais gagné du temps, mille tonnerres !...

— Mille tonnerres, Denis : Gabrielle est mon amie...

— Que faites-vous toutes les deux, malheureuses, dans une histoire pareille ? Il faut que je vous coffre, vous aussi, pour vous mettre à l'abri, maintenant ? Je commence à tenir à vous, moi.

— Commissaire Louvain, gardons notre sang-froid !

— Je suis un fonctionnaire de police un peu entraîné, mais là, c'est une affaire d'Etat. A l'Intérieur, ils se demandent où je mets mon nez. Parce que l'homme en cuir, qui d'ailleurs porte le veston, à présent – la saison avance –, est un gradé de l'Etat-Major de l'armée. Pour ainsi dire, un intouchable. Ou alors on fait péter la chaudière, parce que lui et ses petits camarades commencent à laisser un peu beaucoup de cadavres derrière eux... Il vaut mieux que Marcus soit en Italie, à l'heure qu'il est. Et il vaut mieux pour votre matricule qu'ils n'apprennent pas que c'est grâce à vous. Me fais-je comprendre ?

Dora fit quelques pas en silence, se serrant un peu plus contre Louvain. Le sucre des tilleuls dans le vent du soir était très émouvant, et le trafic lointain sur l'avenue des Champs-Elysées n'y pouvait rien, ni la foule nombreuse qui allait et venait.

— Vous lui vouliez quoi, au Dr Galay, le jour où vous l'attendiez, à la Salpêtrière ? demanda doucement le commissaire.

— Lui poser les questions que vous vous posez. Les poser à la place de Gabrielle, qui ne se décidait pas à le faire. Depuis des mois, elle se désespère, parce qu'elle a la certitude que lui sait comment est mort Endre Luckácz. Elle a suivi en vain la piste Zepwiller, pour son malheur. J'ai peur pour elle. Je l'aime.

— Il n'a pourtant pas l'air d'un monstre, ce Dr Galay. Une éminence de la Science... Je l'ai croisé l'autre soir, chez lui.

— Chez lui !

— Chez sa mère. Mme Bertin-Galay. Boudoirs et madeleines. Une petite affaire privée, entre elle et moi. C'est un monde, ça, les biscuitiers. Ils...

Dora venait de lui jeter les bras autour du cou, très biche frissonnante, d'un élan passionné enfouissait sa jolie tête parfumée dans le revers tabac, et lui, pourtant rompu aux assauts et revers, pris au dépourvu, pris en traître, serra contre lui tout de cette féminité en émoi à pleins bras, pourquoi pas, foutre Dieu ! Mais contre lui, elle chuchotait, haletante :

— C'est lui ! Il passe près de vous ! S'il m'a vue, je suis perdue ! Sauvez-moi !

Et, enfoui lui aussi dans le cou ravissant de Dora, Louvain vit passer, à deux mètres, un homme grand et mince, fort pressé, dont il eut à peine le temps d'entrevoir le profil fuyant, front haut et lunettes cerclées d'acier, nez de rapace, bouche mince, déjà de dos s'éloignant à grands pas, les pans de son veston flottant au vent tiède, déjà perdu dans la foule des allées. Lâchement, Louvain abusa. L'homme avait disparu, qu'il tenait encore Dora contre lui, assez enivré de cette étreinte conjoncturelle, et justement parce qu'elle l'était, autant la faire durer un peu. Mais elle tremblait pour de bon. On ne sait à quel point l'effroi ressemble à la passion amoureuse.

— Il est parti ? Il est parti ?

— Oui, ma belle, soupira Louvain, défaisant à regret ses bras.

— C'était lui, l'homme aux ampoules de verre…

— J'ai compris. Il ne vous a pas vue. Grâce à votre sens de l'à-propos, ma chère. Félicitations.

Toute chiffonnée, Dora remettait de l'ordre dans son vestiaire, le visage en feu.

— Vous ne perdez pas la tête, vous. Moi, j'ai bien failli, ronchonnait-il.

— Je me suis griffée à votre épingle de cravate, là.

C'est fou ce qu'un minois pareil peut bouleverser l'ordre public, songeait Louvain, tamponnant de son mouchoir l'égratignure de la joue de Dora, où perlaient trois minuscules gouttes de sang.

— Blessure de guerre, disait-il. On ne s'en tire pas trop mal, vous et moi…

— Partons ! S'il revient…

— Il ne reviendra pas. Il est pressé. D'ailleurs, vous voyez le petit homme à casquette beige, là-bas… C'est un homme à moi. Il lui file le train. On ne le lâche plus d'une semelle, cet oiseau-là.

Mais le charme était rompu, et si Louvain avait des tilleuls verts sur la promenade, il n'avait plus dix-sept ans, il était sérieux ; et même sombre. D'abord très secoué par la décharge électrique qu'il venait de prendre en plein cœur, et puis tout le poids de mélancolie qui lui retombait sur les épaules, l'âge, le métier, la boue de l'égout dans lequel il faut patauger, bon gré, mal gré, toute cette sorte de choses, qui l'étranglaient parfois. Et Etienne à la maison, qui révisait ses cours. Peut-être.

— Vous vous tenez à ma disposition, n'est-ce pas ?

— Je suis toute à vous, dit Dora, avec un petit sourire vaillant.

Il la laissa s'enfuir, trottinante et menue dans l'allée, se consola en pensant qu'elle avait gardé son mouchoir contre sa joue.

Gabrielle n'avait pas remis les pieds rue Buffon depuis de longues semaines. Elle n'en était pas empêchée, mais y retourner sur les pas de Pierre la mettait au supplice. Quoi que lui en dissent les deux femmes, elle souffrait d'avoir à dissimuler encore, d'inventer les propos rassurants dont elle paierait leurs craintes. Elle n'en finissait pas de muer, épuisée, illuminée comme d'un feu de forêt, ensommeillée de soleil, de jeunesse et de nouveauté, dans la féerie de vivre en aimant. Fini l'hiver, finis le mensonge et la nuit, finis les masques... Et pourtant elle portait au cœur le remords cuisant de n'avoir dit tout à Pierre, de n'avoir avoué, dans le grand aveu qui les découvrait l'un à l'autre, l'existence de Michel Terrier, et son rôle au départ. Cela avait été au-dessus de ses forces. La honte, la peur si grande de se perdre à ses yeux... Il lui en restait un malaise, et si elle exilait son souvenir en des confins de mauvaise mémoire, résolue à ne plus savoir rien de lui, ne plus le voir, à l'oublier tout à fait, Terrier résistait et campait là, comme une mouche noire au coin de l'œil, qu'aucun geste ne chasse. Revenir rue Buffon, c'était régresser à ce temps de septembre où elle le rencontrait, où elle cachait sa collision au bord du trottoir et ses rendez-vous aux deux femmes, les trompait avec tant de légèreté...

Mais plus encore que pour ces raisons, depuis la page du cahier envoyée à Agota, elle différait des retrouvailles, redoutant que la consolation, qu'elle prétendait apporter à sa tante en lui adressant les derniers mots d'Endre, loin de trouver son oreille, ne l'eût ulcérée. La vieille femme n'avait-elle pas assez dit sa volonté d'oubli, son reniement sans appel de ce fils, source de tous ses malheurs, depuis la lointaine histoire d'amour qui l'avait jetée à l'exil, et séparée des siens. Si Gabrielle restait incrédule devant ce suicide de mémoire, cette amputation vive de la part la plus intime de soi, elle ne parvenait pas à condamner Agota, voyant le signe de sa vieillesse dans cette réduction égoïste et féroce du cercle de l'existence, qui chasse les motifs de souffrir en même temps que les raisons du bonheur. Elle avait trop de gratitude et de tendresse pour celle qui avait accueilli sa petite enfance, l'élisant si généreusement pour sa fille, sans partage. Mais qui sait si, ce faisant, loin de combler, comme elle le prétendait, la désaffection de son fils, Agota n'y poussait pas celui-ci, au contraire, en choisissant Gabrielle pour son enfant, par sa disgrâce le chassant, plus qu'il ne désertait. Alors, acculé à cet autre exil qu'est la perte de soi, Endre parcourait l'Europe en tous sens, multipliant missions et relations, dans ce qui paraissait aujourd'hui à Gabrielle une dispersion tragique, et achevait là-bas l'œuvre maternelle, loin de la mère exécutait son projet, qu'il menait, implacable, au bout de sa logique de mort. Et à la mère seule adressait ses derniers mots de fils perdu... Si Agota ne l'entendait, elle, Gabrielle pouvait entrevoir que, lui volant sa place, accaparant l'exclusivité jalouse de ses deux nourrices éperdues, elle faisait de lui cet ange déchu. Quelle revanche d'amour c'était alors que de s'approprier la rivale adorable en façonnant son désir, de la leur enlever, plus sûrement que par n'importe quel autre rapt... Elle frissonnait de relire ainsi leur histoire, d'en réviser la version officielle, ce qui avait servi de légende à son enfance. Cela avait fait lentement son travail, depuis qu'elle était tombée sur la dernière page du cahier, dans la solitude de sa chambre au Mesnil. Depuis qu'elle avait lu ces quelques lignes, mais qu'est-ce que lire ? Elle pouvait bien en connaître la langue, traductrice de quoi, si elle était si mauvais passeur à elle-même ? Elle pouvait déchiffrer les mots et les ajuster les uns aux autres sans en coordonner le sens occulte, qui faisait son chemin en elle, avec ce temps retard de la lecture profonde, qui n'est ni celle des yeux, du cœur, ni même de l'intelligence, mais qui opère en toute obscurité, disloque et reconstruit les échafaudages intimes, falsifie ou révèle le secret qu'on est à soi, selon un temps qui n'a rien à voir avec le temps de la réalité, par séismes invisibles et longues saisons mortes, et longtemps après que nos yeux ont lu les livres nous les lisons au fond de nous, apprenons combien ils nous connaissaient déjà. Ces lignes d'Endre savaient d'elle plus qu'elle n'en voulait entendre, et à présent lui paraissaient, non la voix des réminiscences amoureuses qu'elle y avait cherchée, mais, une vérité crue, venue de la mort. La page déchirée qu'elle adressait à Agota n'était pas une réparation, mais la réplique inentendue du fils à sa longue, longue méprise, à son long désamour de mère. Comment Agota avait-elle pu lire cette page, ces mots de son fils, et la lettre dont Gabrielle accompagnait son envoi ? Quelle lectrice pouvait-elle être, de ce fils renié ? Cela aussi, elle l'avait tu à Pierre, continuerait de le taire, comme si ces lignes touchaient à un secret trop grave, dont il aurait lu, mille fois mieux qu'elle, le sens si lent à se délivrer à elle.

Depuis cette nuit de la traduction, tant d'événements étaient intervenus, changeant à chaque secousse la perspective de sa vie, bouleversant sa croyance en une unité, une cohérence de son histoire, que Gabrielle en avait le vertige... Pierre n'était pas le père de Millie. De n'en avoir rien pressenti la plongeait dans la stupeur. Et comment lit-on les textes indéchiffrables ? Il l'avait adoptée, lui avait donné son nom, et une famille, par fidélité à la parole donnée... A quoi engagent les paroles, qui gravent en nous, plus sûrement encore que les écrits ? De cette paternité, Millie porterait toute sa vie l'ombre pleine de tourments, sa double identité, son origine dérobée, elle qui avait pour père adoptif l'ami malheureux d'Endre, et pour grand-mère, Agota… Voilà ce qui effrayait le plus Gabrielle. Faudrait-il un jour rendre à Agota sa grand-maternité méconnue, rétablir l'enfant dans sa filiation ? Comment exclure l'aveu sans consentir au crime qu'est parfois le silence, et il y avait eu tant de silences, de choses tues et enfouies, qu'à les exhumer aujourd'hui c'était se dresser contre une destinée maligne. De si longtemps le malheur tissait sa toile qu'à la déchirer on ne savait quel malheur plus grand en viendrait. Car, s'il s'agissait du droit de la vieille femme, qu'en serait-il de Millie ? Cette petite personne, vers qui elle était venue avec une légèreté coupable, emplissait sa vie, son cœur et ses pensés, elle y grandissait au point que son ombre fragile et toute-puissante obscurcissait le présent, écrasante et souveraine, por-teuse sans le savoir d'un secret qui unissait, qu'ils le veuillent ou non, les personnages qui avaient fait son histoire, ces êtres que la vie avait convoqués de si loin, dans l'espace et dans le temps, pour fabriquer destin. Tant d'accidents et de coïncidences invisibles avaient mené chacun vers ce centre du labyrinthe, où elle campait, Camille Galay, Camille Luckácz, noire étoile enfan-tine, de pure innocence et celant en elle la faute de tous. D'au-cun nom vraiment baptisée, ou les embrassant en elle, en un couple étrange…

Car les deux hommes qui portaient sa paternité n'étaient des pères que par le pacte impur qui les avait enchaînés l'un à l'autre. Ni l'un ni l'autre ne voulait sa naissance, ni même son existence, épousés entre eux d'un lien que leur virilité de jeunes hommes emportait au-delà d'eux-mêmes, et si Jane l'avait eue dans son ventre, ni l'un ni l'autre n'avait désiré l'y mettre, ni aimé cette jeune femme prise en otage de leur aventure. Peut-on être jalouse d'une morte ? Alors Gabrielle avait pu l'être, jalouse de la mystérieuse épouse dont Pierre semblait porter le deuil, avec tant de constante piété. Elle avait fréquenté en pen-sée cette jeune, si jeune défunte dans son aura mélancolique. Quand Endre aurait pu la ravir par amour, et Pierre l'enlever à son désir, elle n'était que la sacrifiée de leur aventure. En son-geant à cette ironie cruelle de l'histoire, Gabrielle ne savait plus, de l'amour perdu qu'elle avait tant poursuivi, ou de celui qui venait à sa rencontre, lequel l'assignait aujourd'hui à se charger de Millie. Si, par l'entremise de Jane et de Pierre, ce couple qu'unis-sait seule la fatalité d'avoir croisé sa route, Endre lui donnait ainsi l'enfant qu'ils ne devaient jamais avoir ensemble ; ou si elle choisissait la petite fille comme elle avait été choisie autrefois, pour reconnaître en elle le fantôme de sa propre enfance orpheline. La mort rôdait trop autour de Millie, les passions, les liens d'amour ou de haine, les désirs inassouvis, les rêves de tous ceux qui ne l'avaient ni voulue, attendue ni aimée, incarnation accidentelle de leurs folies, pour que Gabrielle, d'un élan de tout son être, ne l'élise pour son enfant, n'arme son cœur de la promesse de la protéger, de l'aimer, non contre tous ou en dépit d'eux, mais pour elle-même, enfin.

Elle avait tout cela en tête en venant rue Buffon, et n'était résolue à rien, divisée et malheureuse, redoutant surtout les reproches ou les pleurs d'Agota, ses questions, ses soupçons, escomptant surtout que les semaines passées avaient atténué l'effet de son désastreux courrier. Elle se sentait lâche et désemparée, acculée aux conséquences de sa folle entreprise de l'automne, à laquelle pourtant avaient consenti Agota, et Renée, sans imaginer à quoi elles prêtaient les mains. La lettre de recommandation, rédigée sur la table du soir, avec la légèreté des actes inconséquents, avait eu les effets prévisibles de la découvrir, et il avait fallu tant de circonstances imprévues pour qu'elle ne le soit pas plus tôt, que Gabrielle avait honte d'y repenser. Pierre était venu ici ! Il était entré dans ces murs, il avait vu la photo. Gabrielle tremblait d'imaginer cette scène. Pauvre tante, prise au dépourvu, recevant le visiteur du soir, qui la mettait au supplice par ses questions. Il était trop tard, trop tard pour s'ouvrir à Agota de tout ce qui était arrivé, et même à Renée, la bonne, la fidèle nourrice, qui avait été sa confidente tant d'années, lui avait voué son existence. Et cette rupture la désolait, elle y voyait le signe du basculement de sa vie, qui reléguait la vieille servante au rang d'une étrangère.

Les deux femmes l'avaient pourtant accueillie comme toujours, avec chaleur et tendresse, mais dans cet éloignement qu'elle sentait davantage à chacune de ses visites, comme si elles aussi l'excluaient doucement de leur vie, perdaient le fil qui les attachait, et ce n'était pas la moindre de ses tristesses que de le constater, que de se le reprocher aussi bien, puisque c'était elle qui avait choisi de les quitter. L'avait tant rêvé, attendu, alors, dans son désir d'émancipation, et il fallait qu'elle se le rappelât à toute force pour ne pas laisser l'amertume la submerger. Agota et Renée menaient leur vie solitaire sans elle, Gabrielle y avait trouvé bien des avantages, en cette saison d'hiver, quand elle venait ici en clandestine, et c'était bien ainsi. A les regarder toutes deux sous la lampe, leurs visages aimés sur lesquels s'imprimaient la vieillesse, l'ombre l'une de l'autre, Gabrielle chavirait de tendresse navrée, et pour se rattraper feignait l'appétit d'ogresse qu'elles exigeaient d'elle, autrefois, complimentait la cuisinière, jouait à chercher quel épice, le gingembre ou la citronnelle, parfumait la compote de fruits rouges, mais elles n'écoutaient que d'une oreille distraite.

Pourtant, Agota une fois couchée, comme Renée fourgonnait encore dans la cuisine à ses menus rangements, Gabrielle l'avait rejointe au lieu de se coucher, et avait tenté de la sonder, d'apprendre un peu mieux de quoi étaient faits leurs jours. Comme avant, elle s'était assise à la table, dont la nappe cirée lui rappelait leurs conciliabules complices, leurs scènes et leurs fâcheries, mais Renée restait fermée à ses avances. Gabrielle avait alors senti soudain quelque chose d'insolite, plus que tout à l'heure dans le faux enjouement du dîner : l'anomalie majeure qu'était leur sourde méfiance, une obscure hostilité, peut-être une peur. Et elle avait eu beau évoquer incidemment la visite de M. Galay, dont elle savait la démarche, bien sûr, dont elle se reprochait de ne pas la leur avoir annoncée, au risque de les inquiéter, elle avait beau donner à sa conversation un tour insouciant, elle monologuait plus qu'elle ne dialoguait. Renée lui opposait son silence, entrecoupé de grognements, ou d'acquiescements, ce qui était pire. Elle voulait bien tout et n'importe quoi, pourvu, comprenait Gabrielle, qu'elle la laissât en paix, à présent, qu'elle allât dormir, elle aussi. Elle avait fini par s'y résoudre, trop malheureuse de ce contentieux qu'elle n'osait approfondir, et au moment qu'elle se retirait, elle avait pris Renée dans ses bras, l'avait câlinée, appelée Ninette comme avant, comme avant qui n'était plus, sentant contre elle le corps rétif se raidir, sans refuser la caresse mais la subissant au lieu de la donner, et elle avait baisé le vieux front qui la fuyait, les larmes aux yeux.

Pourtant, elle n'avait pu quitter la rue Buffon sans se rassurer sur cette page du cahier, qui l'obsédait par son imprudence grave. Ce qu'elle avait appris depuis de Pierre, l'incalculable conséquence de cet écrit explosif, et l'importance qu'il y attachait, et le mensonge par omission dont elle était coupable envers lui, concernant cette feuille arrachée, lui dictait de rattraper son méfait, de récupérer la page et de la détruire. Elle la réclamerait à Agota, se justifiant d'un scrupule que celle-ci comprendrait. Gabrielle dirait l'avoir empruntée à une correspondance qu'il était indélicat de divulguer... C'était si périlleux soudain, qu'en dépit des résolutions qu'elle avait prises, rabotant toute la nuit ses arguties et cherchant une issue, décidée à remporter par tous les moyens ce précieux et dangereux document, elle s'était simplement jetée au cou de sa tante pour lui demander pardon de cet envoi et la supplier de lui rendre la page.

A son grand étonnement, Agota avait manifesté l'incompréhension la plus totale. A peine se souvenait-elle, oui, de sa lettre, de ces lignes incohérentes, qu'elle avait eu bien du mal à déchiffrer, peut-être à force de ne plus parler souvent le hongrois avec personne, disait-elle sans même un reproche, ou bien son cerveau s'embrumait, et elle ne savait plus, vraiment, ce qu'elle avait fait de ce papier, ni de la lettre de Gabrielle. Et comme celle-ci insistait, Agota s'était mise sur la défensive, avouant à contrecœur qu'elle égarait tout, qu'il lui fallait des heures pour retrouver ses ciseaux de couture, ou ses bésicles, qu'un désordre épouvantable s'installait partout, dans ses tiroirs comme dans sa mémoire, et que veux-tu, ma pauvre chérie, je perds un peu la tête. Au fait, je l'ai peut-être bien jetée, tu sais. Ne m'en veux pas... Interdite par ces réponses, dont elle ignorait si elles étaient faux-fuyants ou sincères, Gabrielle n'avait plus osé poursuivre, ne sachant plus si elle devait se réjouir que sa tante eût la tête perdue, ou s'en alarmer, faisant foi à ses paroles, qui attestaient combien la vieille femme avait vraiment tiré un trait sur le passé, quelle erreur elle avait faite en s'imaginant la réconforter, quand celle-ci ne voulait qu'oublier, oublier. Et nul doute que sa vieillesse lui donnait l'oubli qu'elle voulait tant, sous ses yeux éteints avait passé pour anodine cette page si tragique, et non elle n'avait pas lu. Non, ces lignes ne feraient pas leur chemin comme en Gabrielle, ne révéleraient pas à la mère qui elle avait été pour son fils.

Avant de se rendre à la gare, elle était encore passée à l'improviste chez Dora, lui porter l'argent du voyage de Marcus, que celle-ci n'avait pas le moyen d'avancer, auquel Francis avait pourvu. Mais Dora donnait une leçon, elle l'avait reçue dans l'entrée en catimini, ravie de la revoir, si exaltée aussitôt que Gabrielle en avait souri. Elle avait donné son accord à l'initiative de Dora quand celle-ci l'avait consultée au téléphone, avait applaudi à sa trouvaille et proposé aussitôt de prendre sa part à l'évasion, trop heureuse de racheter ses remords envers Clarisse, et spontanément avait augmenté la somme d'un pécule qui assurerait sa subsistance au fuyard, le temps de voir venir. Entre deux portes, elles ne s'étaient pas dit grand-chose, et Dora lui faisait promettre de bientôt revenir, parce qu'elle avait tant de choses à lui raconter... Moi aussi, disait Gabrielle, tant de choses...

Gabrielle avait couru à la gare, un peu délestée de son inquiétude quant à cette visite à Agota, tant différée. Mais elle quittait la rue Buffon avec l'impression de laisser derrière elle une ruine mélancolique, défaisant dans son cœur un à un les liens qui l'attachaient à ces deux femmes, comme elles aussi les défaisaient de jour en jour, sans douleur excessive, sans déchirement, seulement par cette loi des générations qui sépare sans divorcer, exile sans partir, et tandis qu'elles l'oubliaient elles s'oubliaient elles-mêmes, par ce lent travail de deuil qui précède la mort. Dans ce même temps, Gabrielle muait vers une autre qu'elles ne connaîtraient pas, encore trop meurtrie de la métamorphose qui s'opérait en elle pour la comprendre, sans que les changements profonds qui bouleversaient sa vie disent encore leur nom, et elle s'éloignait de cette rue de son enfance comme on arrache de soi la peau ancienne pour s'offrir au soleil.

XXXVIII

Il faisait grand soleil, quand Gabrielle arriva au Mesnil, et Victor, qui était venu la chercher à la gare comme d'habitude, l'avait prévenue que Mme Mathilde et Blanche étaient de passage, pour la journée seulement, venues visiter Charles, l'abandonné. C'était une démarche de convenances, que dictait la situation, épineuse et contrariante, à laquelle Mme Mathilde ne s'était résignée que fort fâchée, et sur l'insistance de sa fille qui lui remontrait quel scandale ce serait si, en s'abstenant, elle semblait, sinon soutenir la criminelle, du moins avoir quelque indulgence pour elle. Il fallait voir Charles, et sa famille, leur dire solennellement son blâme et son indignation, offrir ses services, assurer de son soutien dans l'offense, payer de sa personne. Payer de sa personne, en cette circonstance, était pour Mme Mathilde la chose au monde la plus pénible. Fulminer, vouer aux enfers la délinquante, elle voulait bien ; mais affecter la désolation, caresser, consoler son gendre, supporter l'ire des sœurs, mignarder les enfants, supporter en sus la goguenardise de la valetaille, du voisinage, c'était un si grand sacrifice qu'elle avait accepté l'offre de Blanche de l'accompagner, puisque celle-ci voulait prendre sa part dans l'épreuve. Il allait sans dire que Mme Mathilde était d'une humeur massacrante, qu'elle n'était pas à prendre de l'ongle, et Victor hochait, sans commenter davantage.

A Genilly, l'entrevue avait été houleuse. Charles avait repris le dessus, après deux jours de si grand désordre que le Dr Ferrand préconisait son internement, quelques semaines de repos loin de chez lui. D'une seconde à l'autre, il passait de l'hébétude larmoyante à des accès de fureur, ne fermait pas l'œil en dépit des somnifères, ne mangeait plus, convoquait la maisonnée pour des interrogatoires insensés, ou chassait tout le monde avec des injures. Seules ses sœurs avaient fini par le calmer, se relayant auprès de lui, conseillant, argumentant, et pour finir avaient obtenu raison de lui en préconisant, ce qu'il voulait entendre, au fond, de s'abstenir d'une plainte auprès du préfet, de renoncer à une enquête de police, de simplement demander un divorce, sur constat que l'épouse avait quitté le domicile conjugal. Il y faudrait un délai de trois mois, mais cette issue convenait à Charles, garanti qu'il gardait propriété de la dot de sa femme, de l'administration de ses biens, et des acquis du ménage. Quant aux sœurs, elles venaient de prendre la décision héroïque de vendre leur appartement de Rouen et de s'installer auprès de leur frère, pour tenir sa maison, élever ses enfants, et faire les vigies guerrières auprès de lui. On marcherait à la baguette sous leur férule, et il semblait que la catastrophe les rajeunissait, défroissait leurs vieilles jupes et leurs faces de pommes séchées, allumait leur regard d'une vindicte, d'une allégresse de harpies.

C'était encadré de ses sœurs que Charles avait reçu sa belle-mère et sa belle-sœur, dans le bureau de l'étude plutôt que dans son salon, signifiant par là qu'ils étaient en relation d'affaire, et non de sentiments. Mme Mathilde en avait été outragée, rongeant son frein pour faire bonne figure, partagée entre son intérêt de garder profil bas, pour le bruit qu'en feraient courir les sœurs dès qu'elle aurait tourné les talons, et son exaspération grandissante d'aller à Canossa, de courber l'échine devant ce tribunal grotesque, en présence de Blanche de surcroît ; de perdre sa journée à cette corvée, quand tant de soucis plus importants l'accablaient. Aussi avait-elle subi, la face de marbre, les doléances de Charles pour l'inqualifiable conduite de sa femme, encaissé les coups, les fielleuses insinuations comme les accusations ouvertes, entériné le portrait assassin de sa fille. Si caricatural, qu'elle, qui n'avait guère de penchant pour Sophie, s'était mise à lui trouver toutes sortes de circonstances atténuantes dans son for intérieur. Non par solidarité maternelle, ou féminine, pour les revers conjugaux de Sophie dont elle entrevoyait les causes, restant persuadée qu'elle avait bien fait, en son temps, de mettre de l'ordre dans ses relations avec l'abbé, une compensation sentimentale déplacée ; mais par solidarité de classe, outrée qu'elle était de cette vulgarité petite-bourgeoise dont Charles et ses sœurs lui offraient le spectacle. On était d'un même monde, sans doute, mais au moins avait-elle appris d'Henri de Galay à aiguiser ses mœurs et son goût, à régler sa conduite sur des valeurs aristocratiques, du moins le vernis qui en restait. Elle mesurait là ce qui la distinguait, elle et sa famille, de ces maquignons, de leur grossièreté foncière, et à quoi elle prétendait en construisant son empire. On s'était quitté froidement, ayant établi en terme notarial les conditions d'une séparation de fait, et réglé aussi la question de la participation aux actions de la fabrique, des voix au conseil d'administration, toutes choses pratiques qui valaient d'être mises sur la table.

Elles rentraient juste de leur visite quand Gabrielle avait débarqué, et si celle-ci espérait s'éclipser prudemment, monter aussitôt à l'étage et s'enfermer avec Millie dans la bibliothèque, il n'en fut rien. A peine avait-elle posé son sac dans l'entrée et embrassé la petite fille qui n'attendait que son retour, à peine défait son chapeau et ses gants, que Mauranne lui avait annoncé, la mine sombre, que ces dames l'attendaient, que Madame la réclamait au salon, et que c'était un dragon crachant le feu qu'elle trouverait.

Les deux femmes campaient dans leurs atours, les belles toilettes de ville, une sorte de demi-deuil qu'elles avaient choisi pour s'accorder à la circonstance, et par contraste la robe claire de Gabrielle semblait incongrue, la gaieté de ses dentelles déplacée face à leur austérité. Leur face pâle et la rigidité de leur maintien n'auguraient rien de bon, et Gabrielle se demandait en quoi elles entendaient l'associer à leur courroux, pourquoi elles l'avaient attendue au lieu de reprendre aussitôt la route de Paris. Les portes-fenêtres étaient ouvertes sur le jardin inondé de soleil et le frémissement végétal portait jusqu'à elles les effluves floraux, l'odeur de l'herbe coupée, car Victor avait commencé de faucher, une tiédeur mêlant le fenouil au miel des glycines éclatantes, dont la treille explosait en grappes sensuelles. Mais cette beauté mourait à leurs pieds, effleurait à peine le taffetas craquant de leurs robes.

— Mademoiselle Demachy, je ne vous fais pas un tableau, vous connaissez la situation…

— Elle la connaît, coupa Blanche.

— Tout cela est fâcheux… Je regrette que notre famille vous offre ce spectacle affligeant.

— Vous n'avez pas à vous excuser, dit encore Blanche, s'éventant de ses gants.

Mme Mathilde prenait sur elle pour garder un ton sévère, comme si elle était sous l'empire de sa fille, ou lui concédait cette scène, par lassitude, par contrainte. Elle lançait à Gabrielle des regards inquiets, qui corrigeaient la fermeté de son langage, sur les charbons, visiblement, et cela lui était si peu ressemblant que Gabrielle souffrait presque pour elle. Le dragon qu'avait annoncé Mauranne était plutôt Blanche, corsetée de morgue, et dont la malveillance, la vindicte étaient palpables. Cette femme ne lui avait pas épargné son hostilité, à maintes reprises ; Gabrielle entendait encore ses paroles de mépris, le soir de l'orage, cuisantes paroles qu'elle s'était promis de ne plus tolérer.

— Enfin, venons-en au fait. Mademoiselle : nous rentrons de chez Charles. Comment expliquez-vous le cadeau que vous a fait ma sœur, dont elle a laissé acte. Par quel service l'avez-vous négocié ? Qu'achetait-il ?

Gabrielle rougit violemment de l'attaque. Elle portait au revers de son spencer la broche de Sophie. La vieille femme avait baissé les yeux. Millie, alarmée par ce ton, se serrait peureusement contre la jeune fille qui, à cause d'elle, hésita une seconde à riposter.

— Votre trouble vous démasque, ma chère. Nous avions raison de penser que votre comportement est intolérable. Quelle impudence, d'exhiber ce bijou…

— Elle en a le droit, Blanche.

— Il nous vient de grand-mère. Il n'a rien à faire sur elle.

— Sophie me l'a donné de bon cœur, soufflait Gabrielle, mortifiée de sa légèreté à porter la broche, et de cette scène imprévue, calculant vite qu'il fallait en désamorcer la cause dérisoire.

— Du cœur, elle n'en avait que trop, et a trouvé en vous une complice…

— Je ne suis complice de rien. Vos accusations…

— Changez de ton, ma fille.

— Le vôtre est injuste.

— Voyez l'impertinente ! Quel empire vous avez pris ici ! Dirait-on pas que vous y faites la loi ?

— Madame, je suis désolée que ce cadeau vous blesse…

— Il ne me blesse pas. C'est votre personne qui m'indispose. Vous avez passé les bornes !

— Blanche, modère-toi, protesta faiblement Mme Mathilde, se levant avec peine. Cela suffit. Vous nous dites votre vérité, mademoiselle Demachy. Je m'en satisfais.

— Eh bien pas moi ! Je ne vous reconnais pas, ma mère. Avez-vous perdu votre discernement ? Cette fille intrigue et manœuvre dans notre maison. Elle a circonvenu tout un par ses mines sucrées.

La colère de Blanche était si outrée, sa figure tiraillée de tics et ses mains battant l'air comme font les enfants dans un caprice, son aigrette agitée de soubresauts comiques, si ridicule et grandiloquente dans sa haine impuissante, que Gabrielle ne put retenir un rire nerveux à l'idée de ce qu'elle dirait alors, si elle apprenait que Daniel lui avait envoyé un billet pour New York, que Pierre avait été son amant. Ce rire fut pire que tout.

— Chassez-la ! cria-t-elle à sa mère. Mettez-la dehors tout de suite !

— Tu es laide ! Tu es méchante !

Millie, qu'elles avaient oubliée dans l'escalade rapide de l'échange, la petite Millie avait quitté la robe de Gabrielle à laquelle elle s'agrippait, se dressait toute seule entre les trois femmes et jetait à sa tante tout ce dont débordait son cœur.

— Ce poison ! Tais-toi, vipère ! Disparais !

— Vous êtes méchante, confirma Gabrielle, soudain très calme.

— Ah ! L'insolente !

Et dans l'élan, Blanche gifla la jeune fille, à toute volée. Millie s'enfuyait, Mme Mathilde se dressait, hors d'elle, d'une bourrade de grenadier jetait sa fille dans le canapé, si violente que le grand corps de celle-ci s'affala dans les coussins.

— Tonnerre de Dieu ! Qui est maîtresse, ici ? J'en ai assez de ce vaudeville ! Silence, toi !

Grandie par cette sortie, elle accompagnait son ordre d'un doigt vengeur pointé sur Blanche. S'étaient accumulées, en cette après-midi, trop de mufleries et de bassesses ! Elle avait assez mis le couvercle. Ce qu'elle avait contenu devant le tribunal du notaire explosait à présent.

— Mon enfant, déclara-t-elle, impériale. Non seulement je vous garde, mais je vous veux. Je vous aime. Moi.

Elle ne tremblait ni ne faiblissait plus. Et de sa main dure, malhabile, elle tapota la joue enflammée de Gabrielle, qui restait bras pendants, éberluée. Dans le canapé, Blanche hoquetait à petits cris de chiot, s'étouffait, prise d'une crise nerveuse qui faisait tressauter ses maigres jambes découvertes jusqu'au genou, dans la posture grotesque d'un pantin désarticulé.

— Les sels ! criait gaiement sa mère vers le vestibule.

Et l'on arrivait en hâte, tandis que Mme Mathilde poussait amicalement Gabrielle dehors.

— Où est Millie, demanda celle-ci à Mauranne, qui accourait.

On ne savait. Durant quelques instants d'affolement, Gabrielle chercha la petite à la cuisine, déserte, monta en hâte à la bibliothèque, dans sa chambre, redescendit, croisant Mme Victor qui portait un broc d'eau fraîche, interrogea Pauline restée à sa couture, qui se mit à chercher avec elle, mais personne n'avait vu Millie, ne pouvait dire où elle avait fui. De plus en plus inquiète, Gabrielle repartit à sa recherche, l'appelant à grands cris, dont résonnait l'écho dans toute la maison, renvoyé par les voix de Sassette, à présent, de Mauranne, montées dans les greniers. Comme elle retraversait le vestibule à la course, Gabrielle tomba sur les deux femmes prêtes au départ, Blanche, mal en point, et sa mère furibonde, attendant leur voiture.

— On ne sait où est Millie, dit-elle, hors d'haleine. Elle a disparu.

— Disparu ! Allons donc…

— Mais non. Seulement, elle se cache quelque part, dit Mme Victor, temporisant, pressée de voir partir les visiteuses catastrophiques.

— Elle a eu peur, dit Gabrielle, ignorant Blanche. Je ne sais ce qui lui aura passé par la tête.

— Eh bien ! Cherchez-la. Nous attendrons bien que vous la trouviez. Au point où nous en sommes, de temps perdu !

Durant plus d'une heure, toute la maisonnée chercha Millie. On explora de nouveau l'immense maison, les deux ailes du bâtiment, ouvrant les quatorze chambres désertes, drapées de housses fantomatiques, fouillant leurs alcôves, les cabinets de toilette, et jusque dans les combles, les logements des domestiques, la chambre des Victor, où Gabrielle n'était jamais entrée, la buanderie, le jardin d'hiver, le salon de musique ; ouvrant les armoires, les placards, fouillant partout où un enfant peut se blottir, mais il fallut se rendre à l'évidence qu'elle n'était nulle part, ne répondait pas aux appels. Alors on partit à l'écurie questionner Meyer, on explora les granges, le jardin, la cabane à outils et plus le temps passait, plus l'angoisse grandissait de cette absence, les cris se faisaient plus longs et plus anxieux. A présent, Mme Mathilde s'était assise dans le vestibule, dans son manteau de faille ne bougeant plus d'un cil. Blanche, statufiée, restait assise en vis-à-vis sur une banquette. Le tiraillement nerveux de sa lèvre était revenu, d'un doigt elle tentait de l'empêcher, endurant sa position inconfortable par une volonté forcenée, n'osant un mot, escomptant de minute en minute qu'on ramènerait la petite fille, et que finirait cette comédie grotesque.

Le soir tombait, et ils finirent par se retrouver tous, y compris Victor rentré des bois, en assemblée tragique, venus de tous ces points de l'espace qu'ils avaient parcourus, sans vouloir donner un nom à cette disparition, émettre une hypothèse, nommer ce que chacun imaginait de pire. Ils avaient épuisé toutes les possibilités, passé au peigne fin maison et alentours, jusque sous les buissons, les haies et les massifs de rosiers. Si elle ne répondait pas, c'est qu'elle n'entendait pas, ou ne voulait entendre, sans doute. Ou qu'elle était trop loin partie, courant devant elle. Ce que suggéra Meyer. Aux Armand ? Dans les bois… Jusqu'où s'était-elle loin enfuie, obéissant à ce cri de sa tante : Disparais ! Epouvantée de ce qu'elle entendait, l'ordre de renvoyer, de chasser Gabrielle ! Gabrielle résistait à sa panique, contenait sa fureur envers cette femme imbécile, la peur qui hérissait sa peau,

753

la tenaille qui serrait son ventre à l'idée de la petite enfant perdue dans les bois où venait la nuit, trébuchant dans les fourrés, égarée loin de tous dans sa détresse enfantine, elle qui prenait au mot les adultes, croyait en eux, quelles que soient l'insanité ou la bonté de leurs déclarations, confiante, abandonnée à leurs folies. Le vœu anéantissant de sa tante ne faisait que formuler le refus inconscient de tous, si souvent manifesté à son égard. Disparais ! Et qu'elle ait cru un instant que Gabrielle l'abandonnerait, quitterait sans elle Le Mesnil, que Millie ait désespéré d'elle crucifiait la jeune fille, qui mesurait l'étendue de son amour, l'indéfectible lien qu'elle avait noué ici. Victor et Meyer étaient partis aux Armand, emportant avec eux la corne de brume des chasseurs, et Gabrielle, réfugiée à la cuisine avec Mauranne, parce qu'elle ne supportait plus la vue de Blanche, était tombée assise sur le banc, contre le mur, laissant enfin aller son angoisse.

— Oh ! Mauranne !

Suffoquée par les larmes, elle s'effondra, la face enfouie dans ses genoux.

— Mademoiselle ! Mademoiselle ! haletait la servante, froissant son tablier. Quel malheur !

Tout Roux, qui dormait dans sa caisse, s'était réveillé à ces bruits. Il jappait faiblement d'inquiétude, mordillant l'ourlet de la jupe de Mauranne, qui le repoussait du pied, et comme Gabrielle, hébétée, le regardait se tortiller entre elles, elle eut soudain un éclair.

— Viens ! Viens avec moi, dit-elle, entraînant Mauranne.

Et elles coururent, l'une derrière l'autre, remontant le chemin que le soir obscurcissait, vers les Armand, jusqu'au vieux hêtre dont l'immense ramure frissonnante de jeunes feuilles commençait de refléter la clarté de la lune pleine, montée de l'horizon, les premières étoiles piquées au ciel clair. Se jetant à genoux dans la terre, Gabrielle plongea ses bras dans l'échancrure du tronc, au fond de cette loge secrète où Millie aimait tant à se cacher, où Tout Roux était tombé un soir, et elle était là, Millie ! La toute petite, une boule de chaleur et de cheveux en broussaille. Endormie si profondément que la jeune fille dut la secouer et la tirer à pleines mains, l'extraire humide de sa litière, de tout son long, avec d'infinies précautions déployer ses membres engourdis. A peine émergeait-elle, la face froissée des pleurs qui l'avaient épuisée, hoquetant encore dans son sommeil des souvenirs de sanglots, des feuilles mortes de l'hiver collées à sa robe, ses cheveux mouillés, de la moisissure à ses joues poisseuses, brûlante, glacée, mais vivante, vivante ! Mauranne l'aidait à dégager l'enfant, petite et si lourde, cet ineffable poids que pèsent aux bras les nouveau-nés, dont chancelait Gabrielle qui la prenait à pleins bras contre elle, riant et pleurant l'embrassait en une frénétique étreinte. Et d'instinct, à peine réveillée, Millie s'accrochait follement à elle, alors Gabrielle promettait à son oreille que c'était fini, ma douce, toute petite mon amour, et qu'elle ne la quitterait jamais, jamais...

Au-dessus d'elles, la ramure puissante du hêtre déployait son ombre dense, aérienne, jetait éperdument vers le ciel nocturne la force fourmillante des millions de feuilles en brasier noir, grésillant de leur vie mystérieuse, ondulant dans cette danse vertigineuse des arbres qui enlacent l'air, le brassent et l'épuisent de leur transe immobile, balancent et bercent le monde qu'ils sont à eux-mêmes. Et si celui-là était fendu en son tronc, c'était pour abriter la vie, la prendre et la garder dans son flanc, contre les puissances du mal et de la mort offrir le havre de son ombre tutélaire aux amours de Pauline et de Renaud, comme à la déréliction de l'enfant. Elles revinrent vers la maison, rapportant à elles deux le fardeau, muettes à présent, et unies par ce vague sentiment d'une chose sacrée, d'une réparation ou d'un pardon magnanime venu de loin consoler le désordre des hommes, et puisque Mauranne avait été cette enfant jetée au fossé, Gabrielle cette orpheline, personne mieux qu'elles ne savait la grâce qu'accordait la providence par ce dénouement.

Dès le seuil de la cuisine, voyant venir leur groupe enlacé, Mme Victor le comprit, sans doute, courut au vestibule annoncer la bonne nouvelle, défendit qu'on amenât Millie dans l'état où elle était, et nul ne pensa aux remontrances ni à se dédommager de sa peur par des commentaires, Mme Mathilde convenant qu'il valait mieux laisser Millie aux soins de Gabrielle plutôt que lui infliger la présence de sa grand-mère et de sa tante, s'assurant que puisque tout se terminait bien, elle pouvait partir tranquille, à présent.

Tranquille, elle ne l'était guère, rencognée contre le dossier, le front appuyé à la vitre. A son côté, Blanche ne desserrait pas les dents, raide et ligneuse dans l'ombre de la voiture, si contractée que sa mère sentait palpable la tension de ses nerfs, un corps arqué qui casserait plutôt que de plier, et son esprit aussi, cette pétrification mentale effrayante sous le front livide. Mais ce n'était pas seulement cela, la crise de Blanche, une de plus, qui la tourmentait. Plutôt les signes alarmants d'une déroute générale, l'irréparable dispersion familiale à l'œuvre autour d'elle. La disparition calamiteuse de Sophie, désertant le navire de si abominable façon ; de Daniel en allé au-delà des mers, attiré par les lumières du Nouveau Monde, rompant insolemment les amarres ; et Blanche en proie à ses démons, rongée de rancunes irrationnelles, d'une destructrice vindicte ; et Pierre encore, un mur, une forteresse cadenassée, rebelle, indépendant. Ils lui échappaient tous. Ils glissaient entre ses doigts, plus occupés à la fuir qu'à se dresser contre elle, dans une débandade dont elle ne voyait bien qu'elle n'était pas concertée, qu'elle obéissait à des motifs à chacun particuliers, des intérêts divergents, mais dont la cohérence lui paraissait une loi organique du corps familial lentement disloqué, travaillé par des forces contraires et puissantes : la défaite de son œuvre, de tout ce qu'elle avait tenu si longtemps à bout de bras, par sa volonté de fer, par-delà les contingences bâtissant son rêve de conquête, si puissant dessein qu'il n'avait jusque-là rencontré aucun obstacle, ou les avait abattus. Ce soir, brisée par cette humiliante visite à Charles, par la scène insensée de Blanche, et la tragicomédie de Millie disparue, s'ajoutant aux épreuves récentes de la grève aux usines, et de son attaque, elle faisait ce bilan désastreux, ébranlée au fond d'elle-même par l'usure, la lassitude de ses vains efforts, pressentant, comme on voit à l'horizon la frange d'encre qui prédit l'orage, un chaos inexorable en marche.

Mais tout cela prenait un singulier éclairage aujourd'hui, parce que, le matin même, elle avait reçu à son courrier une longue lettre d'Henri ; qu'elle avait presque oubliée tout le jour, mais dont l'actualité se représentait soudain. Une longue lettre, c'était en soi une anomalie. Jamais Henri n'écrivait de longues lettres, ni de courtes d'ailleurs. Seulement, de loin en loin, des billets laconiques qui signalaient son départ d'ici, son arrivée là, un récépissé de banque, l'ordre d'un virement à tel comptoir étranger. Rien qu'en sentant l'épaisseur de la missive, elle avait été inquiète. Il y avait de quoi. De Sydney, Henri écrivait les conditions de son séjour, la maladie qui l'avait terrassé, de longues semaines tenu dans un hôpital de brousse, avant de pouvoir être rapatrié en ville. Transporté sur une civière par des indigènes insoucieux, sournois et malhabiles, jusqu'au train brinquebalant qui traversait des déserts de pierre, le laissant seul sur la plate-forme d'un wagon à bestiaux, au soleil brûlant du jour, au gel de la nuit, environné de fumée et d'escarbilles de charbon, de moustiques et de mouches à chaque arrêt, ne lui portant à boire dans sa gourde qu'eau croupie ; et c'était miracle qu'il n'eût pas de surcroît attrapé la malaria. Un calvaire qu'il détaillait avec une ironie dédaigneuse, et il sortait à peine d'une pénible convalescence à Sydney, pris en charge par des pères franciscains dévoués, mais qui avaient de la médecine une conception moyenâgeuse. On ne savait trop ce dont il s'agissait, une crise aiguë de goutte, ou bien une maladie articulaire, qui avait torturé ses membres, ses vertèbres, tout son squelette devenu de verre, aiguisé à crier au moindre mouvement, et s'il avait bénéficié de la morphine, dans la brousse, d'un médecin morphinomane chronique, les bons pères, eux, n'avaient que des onguents de bonnes femmes pour soulager ses douleurs. Elles s'apaisaient enfin, mais il n'était pas guéri, sans doute. Quelle guérison espérer d'un tel traitement ? Une rémission, plutôt. Dont il profitait pour rentrer. Rentrer ! Au vu du cachet de la poste australienne, Henri était déjà sur un vapeur, allongé dans un transat sur le pont, en route pour la France.

Sa longue lettre témoignait de l'état d'esprit où il était. Il fallait qu'il fût bien mal en point pour prendre le temps de rédiger un tel récit, et dans son style, s'il gardait cet aristocratique détachement, s'y efforçait du moins, on sentait quelque chose de cassé en lui, une défaite intérieure grave, puisque, encore, il s'adressait à elle comme "sa chère femme" ! Ah ! C'était bien là le signe le plus inquiétant ! Par quelle fatalité ce voyageur impénitent, qui parcourait le monde sans se soucier de quiconque, revenait-il, au pire moment ? Et sur une civière, encore ! Mme Mathilde l'imaginait déjà installé à la Chaussé-d'Antin, invalide ou peu s'en fallait, irascible, c'était à prévoir, tyrannique et amer, gémissant peut-être, car on ne sait en quoi nous change la maladie, mobilisant les domestiques, les infirmières, et elle ! Cette perspective la glaçait. S'il avait été toute sa vie d'une discrétion absolue sur sa santé et ses humeurs, d'une pudeur extrême sur tout ce qui touchait à son intimité, sa lettre laissait entrevoir un changement radical. Comment de l'exercice libre de son corps, obéissant à toutes les sollicitations, embrassant l'espace au gré de ses lubies, cette acharnée conquête d'un territoire à l'échelle de la planète, passer à la vie sédentaire, non pas choisie, par ces renoncements volontaires des voyageurs sevrés d'espace, mais par contrainte, humilié du corps qui cède, de l'esprit qui capitule. Rattrapé par la fatigue, la maladie, la vieillesse défiées et niées dans ses courses de jeune homme éternel, son insatiable faim de voyages. Mme Mathilde avait trop à faire avec ce sentiment de son affaiblissement personnel pour compatir à celui d'Henri. Pour voir dans cette conjonction un rapprochement sentimental de leur couple, enfin réuni par cette réalité triviale. L'émouvant couple d'Henri et Mathilde Bertin-Galay se consolant ensemble. Ah ! non ! Elle ne serait pas la sœur de charité, la maternelle compagne aux douces mains. Elle n'avait que faire de cet époux qui avait eu l'obligeance, l'intelligence et l'à-propos élégants de lui épargner sa présence durant des années, de la laisser mener sa vie comme elle l'entendait. Elle ne serait pas agrippée par les membres noueux de la maladie, de la mort, entortillée de leurs vrilles rapaces, étouffée de leurs embrassements délétères. Ce serait déjà assez déplaisant de lui rapporter la situation actuelle, à son retour. Déjà, elle envisageait une maison de repos, une maison sur un rocher de la Côte d'Azur, par exemple, face à la mer qu'il aimait tant, au bon soleil du Sud, près de sa vieille maman de Galay, l'increvable octogénaire. Déjà elle prenait des dispositions draconiennes. Elle avait oublié la hargne de Charles et de ses sœurs, Blanche, sa petite-fille enfuie. Déjà elle prenait en main la situation.

Pierre entendit, sans rien manifester, le récit de cette journée au Mesnil. Il se rendait encore chez sa mère le soir, espaçant ses visites maintenant qu'elle allait bien, observant pourtant de son œil de clinicien les signes de sa santé, soucieux de la voir négliger les avertissements, reprendre ses habitudes néfastes : déjeuner dans son bureau à midi de plats froids commandés chez le traiteur, se venger le soir avec de gros repas de viande en sauce ou de gibier, ignorer les fruits, et surtout s'adonner au café sans mesure. Elle avait recommencé d'en prendre, d'abord en catimini, puis de plus en plus ouvertement. L'audace lui étant revenue avec sa santé rétablie, maintenant elle ne se cachait plus et il la trouvait le soir, selon son habitude installée au salon, feuilletant distraitement la presse, et buvant un bol de son breuvage favori, dans son bol favori. Il lui en fit la remarque, sans la quereller, par acquit de conscience. La changerait-il ? Il n'en avait ni l'intention, ni l'envie à vrai dire. Pierre avait pour sa mère une sorte d'attachement respectueux, dénué de tendresse. La tendresse était bien la dernière chose qu'on pût apprendre d'elle, et de son enfance il n'avait souvenir qu'elle en eût manifesté. En cela égalitaire, pas plus aux uns qu'aux autres de ses enfants, qu'elle logeait à la même enseigne. Une enfance rigoureuse, encadrée par les bonnes, à qui Daniel et lui savaient échapper par de bénignes indisciplines, et puis vite livrée à la règle sévère de la pension, apprentissage de la solitude, du quant-à-soi et de l'interdit sentimental, une école sauvage sous ses dehors policés, où s'enseigne la loi du plus fort, l'iniquité, la féroce lutte pour s'armer contre soi, contre les autres, le dressage social. Il n'avait pas beaucoup pleuré, enfant. Une ou deux fois, dont il avait oublié les causes, mais pas la honte de ses pleurs, des larmes irrépressibles qui s'échappaient de lui, spectaculaires témoins de sa défaite devant un maître odieux, qui usait des châtiments corporels comme d'un régime de santé quotidien. Non, il n'avait pas appris la tendresse, et cette femme, sa mère, lui inspirait surtout une sorte de déférence, sinon d'estime, pour la logique implacable qu'elle appliquait à elle autant qu'aux siens. Cela lui était venu tard, homme déjà, quand il avait considéré avec un regard plus distant sa stoïque grandeur, l'énergie vitale de cette femme entièrement tournée vers sa passion monomaniaque du pouvoir, derrière laquelle il devinait la résistance, la rébellion, plus noble qu'en apparence, contre sa condition, son origine petite-bourgeoise, héritière d'une fortune et d'un dessein paternels que son sexe condamnait à l'échec, relevant le défi, contre tout ce qui s'y opposait. Il l'estimait pour cela, plus enclin à garder avec elle une relation sociale qu'à chercher, si tard, à entretenir un lien filial.

C'était sa manière de l'aimer, sans doute, d'admettre quelle mère elle avait été, et quel exemple elle donnait de la vie. Il avait trouvé compensation plus tard, chez ses compagnons d'étude, chez ses maîtres et dans la communauté des savants pastoriens, sa famille d'élection ; et particulièrement auprès de Jules Bauer, l'amitié, l'estime et l'élan du cœur qui avaient fait défaut. Quant à son père, c'était une étrangeté absolue. Une créature un peu irréelle, assez sympathique, au demeurant, curieux animal viril animé d'une ivresse d'espace dont Pierre avait pu entrevoir la nature, lors de ses multiples voyages de mission, mais dont l'aventure birmane lui avait révélé le pan caché, la noire désespérance qu'est la fuite, la quête d'un illusoire ailleurs où se dénoncer à soi. Il ne voyait, dans la manière de voyager de son père, son inventaire des compartiments du monde en esthète dilettante, qu'une méprise de classe, ou un moyen, justement, de s'éviter l'aventure qu'il prétendait courir.

Rarement, Pierre pensait à tout cela mais, ce soir, sa mère venait de lui annoncer le retour inopiné d'Henri, sa lettre extraordinaire, et si elle affectait de traiter du sujet avec un humour sarcastique, il entendait la menace de cette nouvelle, ce qu'elle allait bouleverser dans son existence, dont elle l'avait exclu, ou dont il s'était exclu, il n'avait aucune envie de le savoir. Comme Mme Mathilde n'avait guère de penchant pour la confidence, il ne courait aucun risque de l'apprendre, mais il observait ce soir sur sa face royale, sous ses bandeaux impeccables d'une autre époque, l'effet du retour annoncé. Il avait seulement accepté, sur son insistance, de tenter un diagnostic, bien vague au vu des symptômes décrits, et s'en était tenu là. Le contrariaient bien davantage les péripéties que sa mère lui rapportait de sa journée au Mesnil. Il se souciait bien peu des négociations financières avec Charles, mais derrière l'affaire de cette broche, les invectives de Blanche, Millie cherchée partout, il entrevoyait des circonstances autres que celles qu'elle relatait. Elle tournait tout cela en dérision, comme de coutume accablant sa fille, décidément hystérique, cette babiole de famille étourdiment octroyée par Sophie à Gabrielle, elle ne savait quel mot de trop échappé à Blanche que la petite, maladivement nerveuse, effrayée de tout comme un chat sauvage, avait pris au pied de la lettre... Enfin tout ce remue-ménage mélodramatique qui les avait retardées, au point que, rentrée à la nuit, elle n'avait pu trouver le sommeil avant deux heures du matin, avec un épouvantable mal aux reins en prime.

— Où était donc Millie ?

— Elle s'était cachée dans un trou, je ne sais, endormie, paraît-il. On aurait déplacé la lune que ç'aurait été une moindre révolution ! Enfin, tout est rentré dans l'ordre. J'ai consolé Mlle Demachy. J'augmente ses gages dès ce mois-ci.

— Son salaire.

— Si tu veux.

— Je dois partir pour quinze jours, à la fin de cette semaine.

— Cela tombe mal.

— Cela tombe très bien.

— Tu pars donc, toi aussi... Où vas-tu ?

— A Venise. Un colloque international, pour lequel je travaille depuis des mois.

— Alors, bon colloque, mon garçon.

— J'ai l'intention d'emmener Millie avec moi. Un dépaysement sera du meilleur effet sur sa "nervosité maladive". Par voie de conséquence, Mlle Demachy l'accompagnera. Il faut également emmener sa bonne. Sassette sera très bien.

Un peu interloquée, Mme Mathilde réfléchissait. C'était bien la première fois que Pierre s'avisait de sa fille. De se soucier de sa santé fragile, de son humeur, au point d'encombrer son déplacement professionnel de tout un cortège domestique.

— Mais ce voyage...

— J'ai pris mes dispositions. Vous-même suggériez qu'un voyage en Bretagne, ou au Pérou, serait salubre à Mlle Demachy. Venise est très indiquée. Sa lagune, ses îles.

— Parfait, parfait, opinait-elle, songeuse.

— D'ailleurs, j'ai téléphoné au Mesnil. C'est convenu. Nous partons samedi.

— Rondement mené…

— Carrément, sourit-il avec une légère ironie.

La veille, au téléphone, Gabrielle n'avait soufflé mot du petit drame dont sa mère faisait état. S'il en était prévenu, à présent, il n'avait pu alors soupçonner l'épisode. Dans l'écouteur, elle avait une voix lointaine et comme essoufflée, et lorsqu'il avait dit la raison de son appel, la brusque décision qu'il venait de prendre, il y avait eu un si long silence qu'il avait cru la ligne coupée.

— Entendez-vous, Gabrielle ?

— Oui monsieur.

— Je serai très pris, mais voilà un séjour excellent pour Millie. Pour vous aussi. Venise est une très belle ville. Vous acceptez, n'est-ce pas ? Vous acceptez. Pour Sassette, voyez avec sa mère. Je m'occupe des dispositions à prendre. Je n'ai besoin que de vos papiers d'identité pour les passeports. Le chauffeur de ma mère viendra les chercher demain. Vous serez à Paris vendredi. Vous entendez ?

— Oui monsieur.

Il n'avait pu savoir si elle était seule au téléphone, ou en présence de tiers, si son ton et ses réponses minimales tenaient à la surprise, ou à quelque réticence. Quoi qu'il en soit, il avait obtenu son accord ; du moins, elle ne refusait pas. L'idée lui était venue si soudainement que lui-même n'en démêlait pas les motifs. Comme le pensait sa mère, c'était une singulière infraction à sa règle, sa vieille habitude de célibataire, jaloux de sa liberté de mouvement, pour ses rencontres scientifiques surtout, les moins propices à la villégiature collective. Mais l'aveu qu'il avait fait à Gabrielle sur la filiation inconnue de Millie voulait une réparation. Envers la petite enfant si longtemps négligée ; envers Gabrielle, pour tout ce qui, ces derniers temps, avait si violemment redistribué et noué entre eux les liens secrets, cet étrange et douloureux partage du souvenir d'Endre, pleins de nouveaux tourments. Elle n'était plus cette présence d'ombre énigmatique, le poursuivant jusque dans ses rêves, fuyant, insaisissable, dans une foule imaginaire, mais une femme réelle, impénétrable et lumineuse, non moins troublante incarnation du rêve, s'emparant d'une part ignorée de lui que tenaillait à tout moment son désir, le besoin physique de sa possession ; pour la ravoir, il aurait donné son sang. Pour juste la prendre dans ses bras, la toucher à peine à la nuque, seulement s'étendre avec elle, n'importe où, seulement dormir contre elle, fondre dans le sommeil à deux qui délie et répare ! Il souffrait de ce manque permanent, désaccouplé il ne savait de qui, d'elle ou de lui, ou de l'être nouveau qu'ils formaient ensemble, reconstitué dès que leur peau se touchait, la minuscule surface d'un bout du doigt effleurant n'importe quelle place de leur corps. Au Mesnil, en présence de tous et à leur insu, ils avaient plusieurs fois cherché le contact furtif par lequel s'électrisait leur chair, se propageait en eux l'onde adorable du désir, ce langage invisible des épidermes où s'échangent de si puissants appels intérieurs, et l'étreinte cachée de leurs mains, la chaleur du creux de sa paume enfermant quelques secondes la pulpe tendre de ses doigts, déjà perdus, séparés et perdus, avec la souffrance de cette perte aussitôt, l'inachèvement, l'incomplétude, ce sentiment affolant de n'être plus à soi, d'appartenir !

Et il ne savait ce dont il souffrait le plus. De la crise nouvelle qui le réveillait à lui-même, rappelait en lui le jeune homme oublié, ou qu'il n'avait jamais été, que l'abstinence avait relégué loin, loin de lui, et qui lui rendait un corps sensible, l'exaltante sensation physique de ses muscles neufs, de ses nerfs vibrants, de sa virilité vaillante et conquérante, par quoi s'exerce la jouissance de soi ; ou bien de cette dépossession de l'attachement, résistible et tentante, qui rebasculait les motifs de sa vie en d'autres, inconnus, si puissamment menacés que l'anxiété nouait sa gorge, et jusque dans cette région intime si ému qu'il se demandait quel visage de sauvage il promenait par la ville. Qu'ils fussent séparés, elle assignée là-bas, au Mesnil, et lui retenu ici, à Paris, aggravait sa fièvre, cette suffocation malade de chaque instant, l'invasion douloureuse de ses membres, de son esprit, l'attente sans objet dont il démêlait si mal la nature, préférant ne pas la démêler, ne pas mettre un nom à ce ravissement qui rendait imparfait son rêve de possession, et vide sa solitude, insupportable sa solitude, tant recherchée naguère. Venise tombait à point, à combien de titres ! Il fallait quitter Paris, laisser le champ libre à Max Jamais, et s'éloigner de Paris. Mais il fallait aussi en éloigner Gabrielle, qui touchait par tant de points à cette affaire explosive. Éloigner Millie. Venise tombait trop bien pour réaliser son besoin d'enlever Gabrielle, loin du Mesnil, de la Chaussée-d'Antin où elle résidait par nécessité, de la rue Buffon, si dangereuse place où il faudrait bien revenir, un jour, et de toutes ces rues de la ville où il lui semblait la chasser sans cesse…

Opportune occasion de Venise, qu'il préparait depuis des mois, des saisons, par ses travaux ; rendez-vous fixé avec Le Secq et d'autres, à Marseille ; rendez-vous avec soi, qui mettrait ses hypothèses les plus avancées à l'épreuve du jugement de ses pairs, de la communauté scientifique la plus qualifiée. Rien, aucun obstacle, ne pouvait le détourner de ce projet de Venise. Qui n'en était pas un. Ni un calcul, ni un stratagème ; mais le cadeau béni du concours des circonstances. Cette fabuleuse combinaison des hasards et des nécessités, générales et privées, dont la rencontre apparemment fortuite éblouit par sa perfection. Plus encore, quand on lui découvre sa logique, l'impensable synthèse des intérêts et des désirs qu'on s'épuise tant à provoquer, parfois, en vain le plus souvent, et qui s'agence hors de nous, en nous, pour s'accomplir au moment qu'il faut. La destinée n'est peut-être pas autre chose que ce jeu, apparemment aléatoire, dont s'effraie ou se ravit l'humanité, des dés jetés sur la table par quoi se décident les intrigues de la vie, quand c'est dans la main que nous tenons de longtemps leur assortiment secret, que nous le décrétons, en toute obscurité. A moins qu'elle ne soit que notre aptitude à l'accueil, cet état de grâce où nous reconnaissons ce que nous étions déjà, à quoi nous consentons, de longue date instruits que ce qui ne semble qu'advenir est ce vers quoi nous nous conduisions nous-mêmes, de main sûre. Rien ne paraît plus simple, alors, que de donner le coup de poignet qui jette les dés, rien de moins hasardeux. De presser la gâche qui, de l'âme du fusil armé, fait jaillir la balle ; elle commence alors à traverser l'espace à vitesse lente, selon son étrange trajectoire, vers son but, ou sa destination, selon notre vœu ou sa loi balistique, qu'un vent déporte, ou qu'il porte, exactement où nous le rêvions. Rien n'était plus simple, à présent.

Max Jamais était à Châlons. Il avait retrouvé la veuve Mesnard et œuvrait à la mettre à l'abri, à l'éloigner, elle aussi, ayant obtenu d'elle ce qu'il voulait : l'adresse de l'atelier occulte où son mari travaillait au noir pour gagner de l'argent, gagner sa vie d'homme pauvre, et la perdre. Pierre ignorait par quels arguments, quelles menaces ou promesses, le journaliste avait raisonné la jeune femme et obtenu d'elle les renseignements décisifs, elle qui lui avait adressé cette lettre sous le sceau du secret, qu'il avait brûlée selon leur accord, mais à qui il envoyait maintenant cet homme inconnu, venu de la grande ville, et pour quelle ambassade ! Max Jamais se donnait quelques jours encore pour s'assurer de tout, protéger le témoin, dont il n'aurait besoin qu'en cas de nécessité extrême, mais dont la sécurité, la vie peut-être, seraient menacées dès que seraient rendus publics les résultats de l'autopsie, les causes de la mort. Il avait confié à Pierre son intention de conduire lui-même cette femme chez ses parents, à Arles. De l'y loger, elle et ses enfants, le temps qu'il faudrait, si elle y consentait. Elle avait consenti, lui disait Max Jamais, la veille, au téléphone, de manière lapidaire. Eux seuls savaient à quoi, puisque le journaliste se méfiait même du téléphone, selon lui un moyen bien peu privé de conversations. Il avait trop d'histoires à raconter sur les communications interceptées, par hasard ou à dessein. Descendu à l'hôtel sous un nom d'emprunt et veillant à son anonymat envers les journalistes de la presse locale, il était sur le point de rentrer, après avoir fait son long détour par Arles. En automobile, pour éviter un départ trop visible à la gare de Châlons. On ne sait qui vous voit qu'on ne voit pas, dans ces petites villes, et si humbles et méconnus qu'ils soient, la femme et ses enfants devaient quitter domicile et quartier sans que quiconque sût leur destination. Il avait réglé tout cela, et si tant de dispositions vétilleuses étonnaient un peu Pierre, il s'en remettait cependant au discernement du journaliste. Ce que Gabrielle lui avait raconté des terreurs de persécution de Clarisse et de la mort de son frère, l'agression de Grandieux suffisaient à donner quelque crédit aux précautions dont celui-ci s'entourait.

Pierre quitta donc sa mère dans cet état d'esprit paradoxal, écartelé et rassemblé à la fois, en proie aux plus noirs pressentiments et à la plus folle allégresse. De même qu'en optique la vue du plus proche altère le lointain et, se rendant à sa netteté d'infini, trouble irrémédiablement le plan immédiat qu'elle quitte, l'un et l'autre invisibles dans le même temps, de même, il lui semblait, dans ce présent du départ, ordonner les multiples contingences, miraculeusement stables dans leur définition, en distinguer le détail, alors que l'avenir flou s'embrumait d'indiscernables formes orageuses. Mais s'il les considérait, par un effort de sa raison il les rendait simples et limpides, alors s'effondrait l'échafaudage précaire du présent, selon lequel il enlevait Gabrielle, sans savoir ce qu'il engageait d'elle et de lui, confiait à Max Jamais la conduite d'une affaire aux incalculables retombées, sans certitude sur l'homme ni son pouvoir, allant d'un degré à l'autre des points de l'espace et du temps, des êtres et des forces en concurrence, acculé à reconnaître en lui-même le seul ennemi qui ne puisse être vaincu, le seul à s'aveugler du soleil comme de l'obscurité.

XXXIX

Le *vaporetto* qui assurait la liaison de la gare au Lido quittait à peine le Grand Canal qu'une flèche de soleil bas transperça les nuages, soulevant leur opulent édifice de cendre évaporé en dôme d'or et de cuivre, d'un si vaste embrasement que la ville sembla brûler, ses ocres, roses et rouges jusque-là tamisés, éteints par la grisaille atmosphérique, soudain allumés d'une palette qui plaquait au front des palais, aux coupoles et aux quais de marbre l'incendie céleste ; si gigantesque métamorphose du visible que les passagers eurent le même cri d'exclamation. Déjà le campanile et le palais des Doges, la rotonde baroque de la Salute s'estompaient, suspendus sur l'eau et flottant par cet effet optique des lagunes. Seule la pointe d'un appontement piqué d'une tache bleue ou violette, le vert d'un bosquet assourdi par l'éloignement, hésitation végétale dans ce théâtre minéral et liquide, semblait le caprice d'un peintre lassé de tous ces ors. A l'arrière du bateau, Gabrielle tenait embrassées Millie devant elle, et Sassette collée à son flanc, éblouies par ce cadeau somptueux du soir que voilaient les embruns à présent, jaillis du sillage d'écume dont la grande courbe s'évasait en traîne laiteuse. Des mouettes les suivaient, piquant au ras des eaux et s'enlevant en gerbes dans un étourdissant ballet aérien, déchirant la fumée du vapeur, y dessinant à contre-jour du crépuscule leurs figures noires, brusquement refluant en flèches de rose pâle quand l'une d'elles approchait du bateau. Mais de même que Turner place au centre de l'éblouissement ce point aveugle des paysages qui est leur quintessence, il semblait que la ville tout entière se fondait en ce foyer de pure lumière, et s'y dissolvait, comme une promesse douloureuse.

Toutes trois étaient ivres du voyage, de sa fatigue et des nouveautés de chaque instant, le long trajet de nuit de Berne au Lötschberg jusqu'à Milan, et l'attente de la correspondance dans les

765

salons de la gare, la journée de train encore, à travers la plaine dont les dernières stations à Padoue et Vérone avaient duré plus que prévu, retardant l'arrivée en gare de Venise, encombrée de la foule nerveuse cherchant ses bagages empilés sur les chariots, que s'appropriaient les porteurs en criant le nom des hôtels, s'empressant de charger les voyageurs regroupés sur l'embarcadère. C'étaient, depuis vingt-quatre heures, un espace et un temps qu'avait distendu le long cheminement ferroviaire, entrecoupé de haltes et d'attentes, les heures compartimentées par la nuit, les cabines du wagon-lit dont le dispositif confiné, malgré le grand confort des couchettes, rétrécissait les gestes, écourtait les déplacements, ces alvéoles exiguës traversant le vaste espace nocturne empli de bruits inconnus, le balancement des traverses, l'entrechoc des aiguillages et le halètement des motrices dans les gares sonores où des appels, des cris traversaient leur sommeil inquiet, sans cesse rompu de brusques réveils.

Tout ce temps, Gabrielle avait été accaparée par la petite fille et par Sassette, qui ne la quittaient pas une seconde, éberluées de ce voyage, désemparées par tant de découvertes, et elle qui n'avait guère connu, enfant, que quelques voyages ferroviaires, le train poussif qui les menait en Auvergne, dans la famille de Renée, devait improviser à chaque instant des réponses, pourvoir à leurs besoins. Plus que Millie encore, que son âge livrait aux décisions des adultes, Sassette s'attachait à elle obstinément, raide dans sa robe neuve à grands carreaux bleus, une élégance qui la tétanisait de bonheur, et elle, si nabote et ronde, semblait grandie par son aventure, émerger des enveloppements d'une enfance tardive, s'allonger contre le corps de Gabrielle qu'elle épousait peureusement, tels les poussins cherchent à s'enhardir sous l'aile, et elle l'encombrait, ralentissait ses mouvements. Mais c'était si plein d'une confiance naïve qu'elle ne trouvait pas à la rabrouer, un peu inquiète seulement d'être plus embarrassée d'elle que soulagée par son aide. Mauranne l'avait pourtant sermonnée, à la fois orgueilleuse du privilège que les maîtres lui accordaient, un tel voyage, en première classe, un grand hôtel, si loin ! et rongée d'inquiétude de lâcher sa fille, que pas une fois elle n'avait quittée, dont elle surveillait et commandait chaque geste, chaque parole. Elle l'avait recommandée à Gabrielle, bourrue comme à son ordinaire, lui enjoignant, à proportion de sa gratitude, la sévérité, la dureté même, pour son obéissance, si anxieuse qu'elle ne se conformât à la tâche qu'on attendait d'elle, qu'elle eût préféré se couper les mains.

Aussi Gabrielle la tenait-elle contre elle, avec Millie, pendant cette traversée de la lagune, assez émue elle-même par le spectacle marin, cet éloignement de la ville sur les eaux, à peine entrevue qu'engloutie déjà dans l'obscurité retombée du soir, à présent que le soleil avait disparu. Pierre était à l'avant, veillant aux malles et soucieux de ne pas lâcher le porteur qu'il avait recruté, un jeune garçon en maillot rayé, aux pieds nus et à la face rude tannés, dont l'insouciance goguenarde ne promettait rien de bon, une fois touché son pourboire. Durant tout le voyage, Pierre s'était montré d'une bienveillance constante envers Millie, pour la première fois devant Gabrielle la hissant sur ses genoux, prenant le temps de lui montrer des curiosités du paysage, de lui traduire les inscriptions des gares, de veiller à sa boisson, à son confort, quand elle s'endormait d'ennui sur la banquette, sans pourtant se plaindre une seule fois de l'interminable voyage. Même envers Sassette, il s'était montré obligeant, la questionnant sur sa vie au Mesnil, sur son âge, ces dix-sept ans qu'apprenait Gabrielle, étonnée qu'elle en parût bien moins, en comparaison avec la précocité de Pauline, comme si les soins jaloux dont sa mère conjurait les menaces de la vie l'empêchaient de pousser, de sortir de la chrysalide de son corps replet. Et durant cette longue journée du voyage, la promiscuité du compartiment qui distribuait leurs cabines avait autorisé ce que nulle part ailleurs ils n'avaient osé, le frôlement prolongé de leurs mains que mille occasions permettaient à l'insu de leurs deux compagnes, l'espace clos leur intimant moins de prudence et offrant maints prétextes de s'approcher, de partager les gestes, ensemble penchés sur le sommeil de Millie ou accoudés à la vitre, observant le silence plutôt que de parler de cette échappée troublante dont ni l'un ni l'autre ne voulait formuler à soi ce qu'il en attendait, à quoi elle les menait. Leur exaltation était seulement de fuir, de s'absenter ensemble.

Cela commençait à peine, dans ce transit étrange des heures qui ne rompt pas encore avec les lieux et les visages que l'on quitte, et n'offre pas encore la commotion du changement, par les odeurs, les couleurs et les bruits nouveaux. Dans cet espace captif du train, bercé par le roulement qui délie les sens, l'étirement du départ dure tout le temps irréel du périple, fermentant les pensées du but imaginaire, insaisissable et confus, qui contient tout du bonheur de partir. Partir ! Dans quel élan s'y jetaient-ils, presque absents l'un à l'autre, trouvant dans les questions matérielles un dérivatif à leur fièvre, graduellement apaisée et muée en une gravité nouvelle, que l'empêchement de Millie et Sassette portait par moments à l'anxiété, quand, d'un irrépressible élan, leurs mains se cherchaient, pour s'assurer l'un l'autre de leur présence réelle. Et maintenant qu'ils étaient arrivés, tout son cœur libéré volait vers Pierre, là-bas, à l'autre bout du vapeur, tout entière aimantée par sa haute silhouette sombre, le costume de drap bronze qu'il portait, son front nu qu'elle entrevoyait parfois parmi les passagers, sa souveraine beauté masculine qui lui semblait dévaluer celle du paysage marin, de la ville et de ses somptueux palais, si fragile beauté humaine avec laquelle aucun monument, aucun chef-d'œuvre ne rivalise, et sur le pont arrière, elle n'étreignait tant les deux enfants que pour donner un objet à son angoisse de bonheur, contemplant le sillage d'écume du *vaporetto*, comme s'il écrivait leur histoire tumultueuse et menacée sur les eaux d'or gris.

Le liftier devait avoir une singulière mémoire pour si vite donner leur nom aux nouveaux arrivants de l'hôtel, dont le renouvellement permanent aurait dû lui brouiller la tête. Pour les avoir montées à leur appartement, il savait pourtant dès la descente ceux de Mlle Galay et de Mlle Casson, qu'il zézayait en Cazzoni, ce qui intimida énormément Sassette, assumant vaillamment son rôle et calquant son maintien sur celui de Gabrielle quand, à l'ouverture de la porte de l'ascenseur, parut la luxueuse perspective du hall. L'entrée de l'hôtel des Bains était maintenant brillamment éclairée, les hauts miroirs répliquant les lustres et les palmiers en pots, les immenses bouquets empanachés de plumes de paon, les colonnes de marbre, approfondissant l'espace dans un vertige factice où le rouge des tapis répondait au rouge des tentures, décliné par l'abîme des reflets. La foule élégante du soir s'empressait, avec cette hâte lente d'une classe à qui tout appartient, assaillant nonchalamment mais décidément le personnel, le concierge et les portiers, de mille questions, en toutes sortes de langues, assurés d'être entendus chacun dans la sienne. Cela ne faisait pourtant pas plus qu'une rumeur percée de quelques brefs éclats, les voix s'assourdissant aussitôt et repartant en murmures. D'un geste discret, le liftier leur désigna complaisamment le salon, où les rejoindrait Pierre, et les salles du restaurant, de part et d'autre du hall. Alors elles se dirigèrent entre les groupes. Des couples ou des familles entières attendaient ; des enfants patiemment alignés, veillés de gouvernantes ou de bonnes que leurs robes modestes distinguaient de leurs maîtres ; une colonie de cinq vieilles dames anglaises à la mode d'autrefois, bredouillantes, jacassaient bas ; une bande de jeunes gens soigneusement négligés, en costume rayé et canotier de paille ceint d'un même ruban rouge, avaient tiré en rond des fauteuils d'osier pour comploter mieux à leur aise... Dans le miroitement fastueux des toilettes, l'agitation des grands chapeaux d'été bouillonnants de tulle et de mousseline, cette société de toute l'Europe qu'attiraient Venise et son art, ses plages, la saison, le plaisir des bains, constituait un étrange mélange de corps et de physionomies dont, sous leur richesse et leur beauté, le raffinement de leur vêture et de leurs mœurs, émanait une mélancolie factice d'exil, une paresse compassée qu'en la traversant Gabrielle sentit, comme on devine, dans le parterre des fleurs et la senteur mariée de leurs essences flottant dans l'air, celle dont l'unique parfum à la fois exalte et dénonce leur instable et fortuite harmonie, trahit quel poison délectable les unit toutes.

Nul doute que Mme Mathilde avait eu raison, la veille du départ, d'inspecter leur bagage à toutes les trois et, malcontente, sacrifiant toute son après-midi à des courses, qu'elle détestait, de les traîner avec elle pour assortir mieux leur vestiaire à la circonstance. Elle avait été tyrannique et prodigue, malmenant la susceptibilité de Gabrielle en lui imposant de choisir ce qu'elle désignait pour le meilleur, plus libérale pour la laisser équiper elle-même Sassette et Millie, se faisant adresser, royale, les factures dispendieuses, et lançant, conciliante par ironie :

— Ma chère, n'ayez crainte : je retiendrai tout sur vos gages.

Si Gabrielle portait ce soir sa robe de pékin bleu à petits volants, la plus belle qu'elle eût, c'était par rébellion contre Mme Mathilde. Pour satisfaire le besoin qu'elle avait de s'affranchir de sa suffisance, de son autorité, dont la bienveillance réelle n'effaçait pas sa blessure d'amour-propre d'avoir à s'habiller ici, loin d'elle, des robes qu'elle avait offertes, uniquement pour qu'elle ne fût pas indigne de son fils, indigne de l'escorter et de paraître à son côté. Elle avait revêtu la seule toilette suffisamment élégante qu'elle possédât pour être, ce premier soir de Venise, hors de sa portée, repousser sa main, ce bras si long dont parlait Sophie, et qui ne vous lâchait pas, à des milliers de kilomètres. Dans les sofas du grand salon, elle ne déparait pas. Les rayures mates et brillantes du pékin miroitant sous les lampes valaient bien les riches étoffes du couturier de Mme Mathilde, dont elle ne se refuserait pas le plaisir de les porter plus tard ; mais ce soir, plus que tout, il lui fallait être elle-même, s'apprivoiser et s'adopter, en ce lieu inconnu dont l'exotisme social et les promesses la séduisaient autant qu'ils l'inquiétaient. Sassette se tenait coite, un peu en retrait et près de Millie. Elle faisait bonne figure, très fine mouche, reproduisant par mimétisme les attitudes qu'elle étudiait sans en avoir l'air, et c'était merveille que cette petite jeune fille mal dégrossie, jamais sortie de sa campagne du

Mesnil, s'inspirât si aisément des exemples, s'y conformât avec une justesse qu'on n'aurait pas attendue d'elle... Alors Gabrielle songeait que certaines qualités jugées pour rustiques et basses, d'observation servile et de plasticité, sont aussi bien celles que le grand monde reconnaît pour l'excellence du maintien, qui permettent de s'accorder sans erreur aux règles subtiles d'un milieu qu'on ignore, d'en observer les rituels sans faille, si bien que le sauvage qui singe son modèle l'est moins que lui, qui dicte sa loi. Elle souriait pour elle-même de ce spectacle de haute culture, de tous ces gens réunis en assemblées éparses, s'ignorant apparemment les uns les autres, daignant parfois se saluer de loin, d'un signe de tête discret, parce que, dans la journée, ils avaient échangé un mot sur le temps, la température de l'eau, ou la fraîcheur d'un sorbet, et que la contingence du voisinage obligeait à se reconnaître. Pourtant jaloux de leur propriété, du petit espace provisoirement colonisé d'une table basse, dont les corbeilles de fruits et les bouquets faisaient des oasis d'intimité factice, une insularité convenable dans laquelle chacun poursuivait son histoire personnelle.

La table du restaurant où ils furent placés était près des baies grandes ouvertes d'où venait le vent de la mer, tiède et salin, gonflant les velums par accès, entre les pans desquels on ne voyait, au-delà des buissons de lauriers-roses de la terrasse, que de la nuit, le bleu roi des nuits d'été. Comme ils attendaient le maître d'hôtel, Gabrielle à qui sa position offrait une vue d'ensemble de la salle y perdit son regard, se sachant sous celui de Pierre qui affectait d'étudier la carte. Il était rasé de frais, avait changé son vêtement de voyage pour un costume de lin clair et une chemise blanche, d'une élégance qu'elle ne lui avait pas connue, et tel il semblait un étranger, très séduisant étranger, dont elle avait grande connaissance et cependant retiré en lui-même, songeur et distant, se tenant dans une réserve étudiée, comme si elle-même, de l'autre côté de la table, lui fût une femme inconnue. De même que dans le salon tout à l'heure, les groupes s'isolaient, trop occupés au déroulement de leur dîner, par les menus accidents du service et les conversations privées, dans cette fausse intimité où chaque table offerte en spectacle suit celui des autres convives, leur air et leur tenue, évalue et distingue, par ces signes infimes de savante représentation, de quels voisins on partage le séjour. Plus que celui des échanges murmurés, c'était le bruit des couverts qui dominait, feutré et paisible, le choc flûté d'un cristal, le tintement d'une fourchette sur la porcelaine, d'un couvercle d'argent reposé sur le plat, et quand le petit orchestre de violons, installé sous les orangers en caisses, commença en sourdine le premier air, une valse viennoise, il sembla que tous ces bruits n'étaient que son prélude, que les cordes en reprenaient poétiquement les thèmes musicaux.

Il y avait, à la plus proche table de la leur, une famille de nobles personnes, puisqu'un serveur avait plusieurs fois employé le titre de *contessa* pour s'adresser à la très belle femme qui était avec ses enfants, trois petites filles et un jeune garçon, identiquement vêtus de costumes au col marin, absolument silencieux, d'un port impeccable, et que leurs bonnes servaient. Aucun mot ne s'échangeait entre eux ; on eût dit que d'un hochement ou d'un froncement de sourcils la femme dirigeait chacun, entraîné à interpréter le moindre de ses gestes et à s'exécuter, non par contrainte mais par un consentement unanime et joueur, dans une harmonie et une connivence faites de bonté et de respect réciproque. Gabrielle les effleurait par intermittence, laissant ailleurs flotter ses yeux ; sur un couple de vieux messieurs maigres et chenus, aux longs cheveux de soie répandus à l'artiste sur leur haut col empesé, si ridés et flétris, leurs mains squelettiques et translucides tenant leurs couverts comme des baguettes musicales, et si semblables qu'ils ne pouvaient qu'être frères, peut-être des jumeaux ; encore sur une table nombreuse où l'on entourait visiblement une diva en robe de soie ponceau, aux splendides épaules nues nacrées par les lampes, coiffée d'un turban moiré, et dont le moindre mouvement faisait frémir sa cour de messieurs, d'excentriques dandys pâmés dans la transe de leur vénération, et elle jetait sur eux ses prunelles charbonnées avec une langueur de reine de Saba ; tandis qu'à la table des jeunes gens, sans leur chapeau de paille à présent, on continuait de comploter sérieusement. Dans l'étourdissement du long voyage, Gabrielle s'étonnait que ses sens émoussés par la fatigue et le sommeil pussent enregistrer tant de choses à la fois, et s'en absenter en même temps ; étonnée aussi d'évoluer dans ce milieu cosmopolite sans s'en sentir exclue, aussi insolite à elle-même que les autres lui étaient ; ramenant enfin ses yeux sur leur table, souriant à Millie d'un vrai sourire attendri, dont elle sentait pourtant en même temps qu'il était une représentation, la petite fille papillotant de lassitude, médusée par la solennité, et Sassette produisant sans fléchir son personnage, par un magnifique travail de composition ; portant enfin son regard vers Pierre, rencontrant le sien que sa muette interrogation appelait depuis un long moment, elle le savait. Mais pas sa profondeur, sa pénétrante et tendre intensité, ni la contagion soudaine de son désir, propagée dans ses veines, jusqu'au bout de ses doigts, que le contact du cristal électrisa. Et, comme elle continuait de sourire, les larmes montaient à ses yeux, brouillaient sa vue, embuaient le sourire qu'il lui adressait, de l'autre bord, presque douloureux sourire d'amour.

Barbouillé de savon, Max Jamais se rasait face au miroir, les bretelles de son pantalon tombées sur ses hanches. Chaque passage du coupe-choux dégageait une partie glabre de son visage et il examinait avec une certaine inquiétude sa physionomie, comme s'il attendait que de la mousse émerge une autre. Non la tête dont le portrait, ici ou là, avait reproduit ses traits rudes et énergiques hérités de sa lignée paysanne, les vieux éleveurs de moutons du pays d'Arles, haussés au commerce du drap, plutôt celle qu'il portait au-dedans, affinée et flamboyante, forgée par sa passion des idées socialistes. Mais la pensée n'imprime pas au front, aux joues, au menton les grandeurs humanistes de l'esprit ; il restait laid. D'une belle laideur de maquignon rustaud, taillée au couteau. Que sculptait exactement le couteau du rasoir, lui restituant sa tête de tous les jours. Et les galopades, autour de lui, des enfants échappés à la bonne, le décor petit-bourgeois du cabinet de toilette, où sortait et entrait sans cesse sa femme, en vêtements de nuit, les cheveux défaits, toute cette atmosphère familiale n'exaltait guère le narcissisme héroïque dont il avait besoin, en ce matin de juin. Un gai soleil filtrait à travers les vitres dépolies, nimbant ses cheveux drus et frisés poussés à la diable, son front bosselé de gros sillons, et il s'épongea la face sans plus chercher un encouragement au miroir. Justine passait derrière lui, délicieuse dans son négligé, encore attendrie par leurs caresses, et il suffisait de son regard pour se réconcilier avec soi. Il avait pourtant dû lutter contre elle, contre eux, leurs familles respectives, campant sur leur conservatisme atavique de petits-bourgeois parvenus, catholiques et nationalistes, antidreyfusards, évidemment, obsédés par le complot juif et maçonnique. Il lui avait fallu s'émanciper, par la grâce de l'école républicaine, de la faculté, par la rencontre de maîtres éclairés, trahissant les siens dans cet exil intellectuel qui sépare et oppose, plus radicalement que l'expatriation dont rêvait son père, prêt à lui acheter des terres cultivables en Algérie !

Et le comble, devenir un journaliste en vue, porter son nom sur la place publique par ses articles en une du *Temps* ! Un journal certes modéré, mais d'une ligne rigoureuse et morale qui portait haut l'exigence d'une presse libre. Justine avait épousé ses idées en l'épousant, mais son ralliement était d'amour et non de conviction, il le savait. Elle l'admirait, l'adorait, adorait leurs enfants, défendait bec et ongles son engagement, sans adhérer au fond, par simple foi en lui, et cette foi un peu inquiétante, irrationnelle et puérile, lui donnait pourtant une force combative que ne lui apportaient pas toujours la reconnaissance sociale, l'estime de ses pairs. Elle savait bien qu'il préparait un grand article, que depuis quinze jours il travaillait à une affaire d'importance, mais ne posait pas de questions, confiante et d'une bienveillance qui confinait à l'inconscience… Cette fois, il serait en première ligne, confronté à la haine, aux menaces peut-être. Il l'avait déjà été, mais ce qui se préparait dépassait le débat électoral, la polémique parlementariste. On avait su, de longtemps, dans les salles de rédaction, comment couraient les copies des lettres intimes du couple Caillaux, et si, pendant des mois, pas un patron de presse n'avait sauté le pas de leur publication, Calmette s'apprêtait à le faire quand la femme du ministre, acculée au désespoir par ce qui éclaboussait ignoblement son couple, sa fille, s'était résolue au geste criminel. Justine tiendrait-elle le coup, face aux attaques, à la calomnie, la diffamation auxquelles il s'attendait maintenant ?

Il le savait, la dénonciation qu'il préparait enflammerait les passions. Il avait étayé son dossier, bâti sa stratégie. C'était du béton. Mais le brûlot allait atteindre les plus hautes sphères de l'Etat, le ministre de l'Intérieur, et celui de la Guerre, peut-être remonter au cabinet de la présidence, tant il touchait à la défense nationale, aux intérêts politiciens, réveillant les antagonismes encore vivaces qu'avait suscités la confiscation à l'armée de ses prérogatives historiques. Et le contexte politique instable se prêtait peu au scandale. Les résultats des législatives impliquaient un changement de gouvernement, que les tergiversations de Poincaré retardaient, mais les jours du Conseil étaient comptés : Gaston Doumergue ne tiendrait pas longtemps. Quels ministres remplaceraient ceux en poste, Noulens et Renoul, et fallait-il attendre encore de le savoir ? Il s'était persuadé que non, en consultant Hébrard : l'affaire dévoilée aujourd'hui pèserait peut-être sur la nomination de nouveaux ministres, contraints de se positionner. Elle pouvait jouer des rapports de force en présence, contraindre, dans un sens ou dans l'autre, à clarifier l'orientation du prochain Conseil. Alors la Chambre serait aussi concernée, les tout récents députés socialistes élus, que le dernier scrutin, pour la première fois à l'isoloir, portait à une majorité inédite, et dont l'opinion, inquiète, divisée, réclamait moins d'ambiguïté sur des questions aussi graves que la loi militaire, l'armement de guerre…

Non, en ce matin de juin, Max Jamais n'était pas serein, et s'il contemplait encore, sur le seuil de sa maison, le tableau touchant de Justine pelotonnée dans ses enfants, ce petit monde four-millant en grappe dans les plis de sa robe d'intérieur, la figure encore joufflue de leur nuit, c'était pour se gorger de ce bonheur bête et simple, d'innocence, de candeur, avant d'affronter, dès que fermée la porte, l'adversaire malfaisant et sans visage qui pouvait les mettre en péril.

Si l'adversaire avait un visage, celui-ci ne le contemplait pas au miroir en se rasant. Au même moment que Max Jamais quittait sa rue tranquille d'Auteuil, Michel Terrier était à l'Ecole militaire, dans la petite salle sous les combles, en compagnie du petit groupe d'officiers, ses plus proches collaborateurs. Cette réunion matinale n'était pas exceptionnelle, mais assez rare pour lui donner un caractère de gravité et la tête du chef assez sombre pour les en avertir. Sombre, Terrier l'était, mais à sa manière très singulière de porter à son visage un masque impénétrable, d'autant plus inexpressif qu'il couvrait de noirs sentiments. Sa mince face ciselée en était lissée, ses narines effilées, et sa bouche encore amincie, son regard d'ordinaire incisif voilé à demi par la paupière couvrante et une sorte de rigidité marmoréenne imprimée à son haut front. A peine mordillait-il la branche de ses lunettes, comme les chats claquettent de la mâchoire, ramassés sur eux-mêmes, l'échine frémissante, devant la proie qu'ils ont approchée.

Il examinait son équipe en silence, attendant les derniers retardataires. Ces jeunes hommes choisis par lui, conquis aux mêmes idées, il en connaissait pour chacun l'origine sociale, familiale, le parcours et la formation, l'élévation à leur grade et les actions qu'ils savaient mener. Il les avait conformés à sa vision, l'un après l'autre élus et instruits, modelés, façonnés. Ils étaient divers, pourtant, sortis du rang ou issus de la vieille noblesse, imbus de leurs privilèges de classe, ou parvenus à la force du poignet. Ceux-là d'autant plus attachés à leur promotion, habités d'un esprit de corps d'autant plus âpre que bâti dans l'adversité, et tous pénétrés de la rigueur disciplinaire qu'il leur avait inculquée. Il le fallait, en ces temps de dégénérescence, de décadence nationale et d'individualisme délétère. Tous ils avaient, sinon vécu dans leur chair – ils étaient trop jeunes –, mais hérité l'humiliation de la défaite de 1870, la déconsidération de l'armée, bafouée, contestée dans sa plus haute mission, celle de préparer la guerre. La guerre ! Cause de tout le progrès sur terre, disait Barrès, l'inspiré. La guerre par quoi se régénère le génie des hommes, leur pureté civilisatrice. Et cela sur fond des invasions migratoires, de ce ramassis de métèques, protestants, juifs et francs-maçons, mettant sous le joug le peuple d'ouvriers et de paysans de souche, le petit patronat laborieux, saignés par ces seigneurs de la finance. Les conjurations de l'ombre menaçaient l'âme de la France, suçant son lait et dévorant sa chair, épuisant son élan vital, son instinct de puissance. Au pouvoir partout, dans le parlementarisme républicain, qui a fait des droits de l'homme son cheval de bataille ! République veule, faible et corrompue, se vautrant dans les scandales, celui de Panamá et les autres, voilà où était l'ennemi intérieur, le premier ennemi de la patrie.

Peut-être avaient-ils lu, comme lui, les romans de Barrès, *L'Appel au soldat*, *Leurs figures*, ces œuvres que Michel Terrier avait dévorées quand, jeune adolescent, il se rongeait de solitude impuissante, au fond de son sinistre pensionnat. Alors il flottait sans âme, ectoplasme, invertébré, malingre et vide, vide de toute pensée, de tout jugement. Un organisme pitoyable, souffreteux et désincarné, dans cette terreur sans nom de soi perdu au monde. Sans attache, sans racine, écrasé, dilué dans l'ombre d'épouvante maternelle, l'ombre d'amour anéantissante. Cette lecture l'avait ébloui, non seulement baptisé à lui-même, mais lui avait donné une chair, des muscles, des nerfs, aussi bien mentaux que physiques, la conscience de son corps de fer, de l'horlogerie parfaite de son cerveau. Déchiré et ressuscité, tiré du sommeil lazaréen où il dormait, en voie de décomposition, cadavre vivant avant que de naître. Et il se fichait bien de Dieu, de la foi catholique, lui ! Au moins une chose que ne lui avait pas inculquée sa mère. Il se fichait de la foi, mais pas des curés, de l'armée puissante qu'était l'Eglise romaine, inspirée de la hiérarchie guerrière des Romains, ce peuple dont la discipline et l'héroïsme avaient été ses seules consolations de lecture enfantine, quand Mme Terrier lui enseignait les langues classiques, en ânonnant les textes. Armée des prêtres équivalente à celle des militaires, les deux bastions de l'ordre moral et public. Terrier était agnostique, mais conscient de la nécessité du bras armé de l'Eglise, par pragmatisme froid. Il n'avait que mépris pour Déroulède, ce don Quichotte exalté mirlitonnant des vers minables, et républicain, finalement, républicain, malgré ses fanfaronnades antiparlementaristes. Un vieux gâteux, dont l'enterrement récent avait soulevé les foules, rameuté la horde bête des Camelots, la jeunesse dorée seulement prête aux coups de poing de potaches, dans la rue. La rue ! ce lit de l'émeute populacière... Michel Terrier n'avait de respect que pour Maurras. Il avait adhéré à sa Fédération des étudiants, vite déçu du corporatisme étriqué, et monarchiste, qui n'embrassait pas sa vue ample, résolue et visionnaire, son rêve d'avenir. Une vraie révolution. L'épuration systématique, la dictature. Une société assainie, un sang pur. Des cerveaux nettoyés de leurs miasmes. Des créatures sportives, guerrières, de l'acier trempé pour les canons.

Il en brûlait, ce matin. Il brûlait au-dedans, ses entrailles, son cœur, ses muscles. Son cerveau porté à l'incandescence, mais de ce feu de mercure, de glace qui irriguait ses veines, ramifiait en lui la passion du pouvoir, et le rendait vivant, vivant ! La machine parfaite de son corps, de son esprit carnassiers, auxquels il concédait l'assouvissement bestial de ses besoins pour que ceux-ci ne le polluent pas, négligeable nécessité organique de manger, boire, déféquer, éjaculer. Alors il était en paix. Mais il rencontrait en ce moment un obstacle d'autre nature que ces contingences. Il ne savait où et quand s'était déréglé son plan. Peut-être en ce jour lointain où, sur la trace de ce Zepwiller, il s'était avisé du fiasco birman, jamais élucidé. De cette mission échouée en le retour calamiteux de son agent. Grillé, ou dévoyé. Embarqué, de gré ou de force, dans un compagnonnage douteux avec ce Dr Galay qui était intervenu là-bas de manière inopinée, brouillant les cartes, et depuis tout était allé de mal en pis. Dans cette retraite d'ombre où il se tenait tapi, il savait pourtant si bien, il l'avait maintes fois démontré, jusque dans l'excellence, forger des appareils ingénieux, en expérimentateur inspiré. Avec ce vertige de puissance que donne l'invention des substances inédites, les dosages et leur réaction, le bouillon de culture de la matière vivante. Ce n'était pas marionnettes en bois, chiffons au castelet de Guignol qu'il manipulait. C'étaient créatures de sang et d'humeurs, des nerfs, des sentiments, des passions. Il ne l'avait appris nulle part, cela ne s'apprend pas. Pas d'école ni de maître, seulement l'esprit physicien et chimiste, l'instinct du prédateur en tout homme, qui ne s'exalte et se magnifie qu'une fois tombés les falbalas de la morale. Le ressort cru, animal, du cerveau antérieur, ce don de nature qui distingue quelques élus dans la masse, les seigneurs de son espèce. Ceux-là, devant lui, étaient-ils vraiment de sa trempe ou de faibles figurants ?

Michel Terrier ne décolérait pas. Mais, pire que la colère, c'était cette soudaine dépossession de soi, l'exaspération de constater, effaré, que la belle machine aux organes usinés, aux crochets dentés, grippait de toutes parts. Echec, sur tous les tableaux. Signal alarmant entre tous, il était assez distrait pour se laisser faire les poches en plein jour, preuve que son réseau à Cologne était en détricotage grave… Pas une fois, il n'avait éprouvé ce désarroi, et s'il gardait, ce matin, sa face de marbre, c'était au-dedans un séisme bouleversant tout de sa personne, de sa raison d'être. Car, à terme, ce que tous ces signaux mettaient en danger, à présent, c'était l'existence même de son œuvre. La cellule occulte qu'il avait reconstituée et qu'il dirigeait, maintenue au sein du ministère de la Guerre en toute illégalité, depuis que le renseignement avait été reversé au ministère de l'Intérieur. Où il avait quelques agents infiltrés, évidemment. Mais sauf quelques hauts gradés de l'Etat-Major, certains membres du cabinet du ministre Noulens, dont un général de division, qui protégeaient son existence, son groupe d'activistes travaillait en sous-main, hors la loi. Même ces protecteurs-là étaient fragiles, ne le couvraient que tant qu'il réussissait. Au moindre accroc, ils le désavoueraient, contraints et forcés. Lâchetés et compromissions prévisibles d'individus mal convaincus que la guerre prochaine serait de stratégie et pas de mouvement. Que le vieux modèle avait vécu ; qu'aux armes nouvelles était la victoire. Au plus fort, par tous les moyens. Y compris la persécution civile, les populations prises en otages dans un vaste plan de terreur, orchestrée par les moyens les plus efficaces. Harcèlement, intoxication de propagande. Bombardement des villes, destruction massive. Epidémies de typhus, choléra et peste. L'arme chimique, souveraine, qui asphyxie et extermine. Non, les gradés gagnés à leur cause n'étaient pas prêts à admettre leurs visées en public. A endosser la responsabilité de ce qu'ils favorisaient en sous-main. A affronter la cabale républicaine, drapée dans ses conventions internationales, au service de la clique des métèques.

En ce matin de juin, Michel Terrier se sentait seul. Lucide sur sa solitude. D'autant plus dangereux que seul. La puissance d'un surhomme, et seul. Cela n'allait pas sans une certaine satisfaction, amère et hautaine, mais sereine. Et il contemplait l'équipe de ses sous-officiers et officiers, enfin au complet, avec le sentiment de l'épreuve de force, enfin engagée.

Au musée de l'Académie, Gabrielle était seule aussi, ou presque, à s'attarder dans les salles. Elle avait passé un long moment devant *La Tempête* de Giorgione, inquiète de ne pas comprendre ce qui la retenait, sans cesse sur le point de partir, mais vers quoi ? Vers d'autres salles dont elle ignorait ce qu'elles offriraient... Et elle restait, décidant à tout instant que c'était fini, sans détacher ses yeux du tableau, son esprit parfois plus occupé à s'interroger sur cette pressante envie de partir, qu'à élucider l'attraction bizarre de cette scène champêtre dont le sujet restait énigmatique, et même incertain le format, tantôt immense, débordant sa vue, tantôt réduit à sa miniature, sans savoir si l'effet venait de ce qu'elle approchait et s'éloignait de lui, ou de son accommodation variable. De part et d'autre, la femme nue est assise dans l'herbe, un enfant dans ses genoux ; le jeune homme debout. Qu'attend-il ou garde, et sont-ils ensemble ou séparés ? Si fragiles, et puissants, dans la beauté luxuriante du décor champêtre, cette paix bouleversante du jardin primitif, dont les plans s'échelonnent jusqu'aux murailles lointaines d'une ville. Là-bas un ciel d'orage vrille son éclair. Si lointain qu'il semble silencieux. Qu'annonce-t-il, d'un passé, d'un avenir ? Son regard posé, Gabrielle ne voyait plus qu'un halo flou de vert et de bronze, et parfois se surprenant, abîmée dans son examen minutieux, elle se réveillait, ne sachant plus combien de temps elle s'y était oubliée. L'obstacle à sa résolution de partir était celle qu'elle prenait constamment, en dehors d'elle-même, de ne pas bouger de là tant que ne viendrait pas une réponse, et soudain elle se surprit marchant dans les galeries, glissant le long d'œuvres magistrales auxquelles rien ne l'attachait, ne se souvenant plus de l'instant où elle s'était enfin arrachée à sa fascination.

Elle était seule au musée, parce que, depuis la veille, elle pouvait laisser Millie à la garde de Sassette sur la plage du Lido, et partir seule visiter la ville. Deux fois, elle les avait entraînées avec elle. Mais la grande comme la petite s'ennuyaient à ses courses dans le réseau des ruelles et des placettes, à longer interminablement les petits canaux, et traverser les ponts, sans partager son ivresse d'espace, son envie de tourner encore un coin du prochain *canaletto*, pour découvrir un puits ou une place de marché déserte. Les marches du quai, gluantes de mousse, baignaient dans l'eau glauque, où flottaient des débris de légumes et de fruits, des fleurs étêtées mollement balancées par les clapotis, et elles débouchaient soudain sur le Grand Canal, face à un palais ducal qu'animaient les reflets de l'eau, le rose des marbres ému d'une carnation irréelle, aussi vivante qu'un visage, une joue, ou éblouies, au sortir des venelles sombres, d'une vue oblique, sur deux falaises de façades, la dentelle minérale des palais dédoublée par l'eau. Même une promenade en gondole ne les avait diverties qu'un moment ; moins encore entrer dans Saint-Marc, en cette fin de journée la fraîcheur de crypte du baptistère offrant un havre délicieux, après la chaleur des rues. A cause d'elles, Gabrielle n'avait pu longtemps contempler le pavage de marbre et de verre en mosaïques éblouissantes, le baptême du Christ, immergé dans les eaux du Jourdain, ce *Baptiste* si étranger à celui du Louvre, qui pointait son doigt énigmatique et moqueur de jeune éphèbe. Celui-là byzantin, stylisé dans son geste de bénédiction, que le bosselage des tesselles rendait plus instable et tremblant. Et sous les arcades roses filtrant une lumière de miel, il y avait un telle paix qu'elle serait bien restée se reposer, simplement se laisser aller à la songerie, qu'à défaut de la dévotion ce lieu inspire. Mais Millie était fatiguée de marcher, et Sassette étourdie d'incompréhension. Elle leur avait offert un sorbet de cerises à la terrasse du *Caffè Quadri*, installées sous les stores drapés, à regarder les pigeons du soir tournoyer et s'abattre, et elles étaient rentrées.

Il ne fallait pas attendre de la trop petite enfant qu'elle jouît des plaisirs de cette ville extravagante, ni de Sassette, imperméable à ses beautés. C'était déjà beaucoup que la petite paysanne sût si bien s'adapter à la situation. D'ailleurs, en trois jours de plage, celle-ci avait été assez charmante, dégourdie et complaisante, pour trouver grâce aux yeux d'autres enfants, les amuser de ses rondes et de ses jeux de sable, les attirer par sa gaieté, si bien que Millie, un peu farouche au début, avait maintenant une bande de petits compagnons, dès le matin retrouvés aux cabines de bain, et sous les tentes rayées de la plage. Ces relations enfantines, d'une si grande nouveauté pour elle, l'occupaient entièrement, elle s'y jetait avec passion, s'enivrant de leurs noms exotiques, Raimonda, Tadeusz, Filipa et Astrid, et encore Maïa ou Nicolaï, Kolya. Anglais, Polonais, Autrichiens. Et Hongrois. C'était la très troublante découverte du premier matin, que la comtesse et ses jolis enfants fussent hongrois. Gabrielle l'avait appris du liftier, alors que la très belle femme passait, partant pour la plage, escortée de sa suite. Comtesse Reviczky. Elle en avait été si émue, qu'à peine elle osait, de la chaise longue où elle s'était allongée, enveloppée d'une robe de bain, jeter vers leur groupe un seul regard, pourtant fascinée par ces gens dont le titre annonçait la lignée princière, si nombreuse lignée qu'on se perdait en branches et cousinages. Sinon cette femme, un des siens avait pu connaître autrefois Sándor, avait pu entendre parler de sa scandaleuse liaison avec la jeune Agota Kertész, et le malheur qui en avait découlé, dans sa famille, comme dans celle du comte, mort d'une chute de cheval, lui, si fin cavalier… Si elle abordait la noble dame hongroise, peut-être celle-ci pencherait-elle sa tête magnifique, incrédule qu'on parlât sa langue, son visage s'éclairerait-il d'un étonnement navré, et lui dirait-elle quelque chose de cet homme, si tragiquement absenté de leur histoire, Agota, Endre, et elle, Gabrielle, dont l'enfance avait pressenti l'ombre mélancolique.

Mais c'était impensable. Non seulement déplacé, mais à éviter, absolument. Non, elle n'aborderait pas la comtesse, ni sa famille, ce quatuor d'enfants beaux comme des dieux, d'une race si raffinée que par un effet naturel ils effaçaient les autres. Ils jouaient, pourtant, se mêlaient à eux, dans des pugilats bénins sur le sable, leurs courses folles vers l'eau. La plus petite, de l'âge de Millie, lui faisait une cour assidue, des caresses et des chatteries enfantines, que la langue n'empêchait pas, tant les enfants dialoguent des yeux et de la peau sans s'étonner de leur étrangeté. Et quand les petits revenaient frileusement se réfugier près d'elles, leurs bonnes ou leurs nourrices, en les séchant dans les draps de bain, tout en les morigénant tendrement leur chantaient à mi-voix des chansons que reconnaissait Gabrielle, dont elle entendait des bribes lui venir, portées par le vent marin, comme si elles fussent venues, par-delà la mer scintillante, par-delà des plaines et des collines inconnues, lui rendre son pays d'enfance confisqué. Seul le jeune garçon gardait une distance altière, sans dédain pourtant, une sorte de détachement à peine teinté de maussaderie, distrait plutôt, comme préoccupé d'une question intérieure dont le mystère dévaluait tout ce qui l'entourait.

A cause de ce voisinage troublant, Gabrielle n'était pas tentée de rester longtemps sur la plage, même si elle trouvait un certain plaisir aux bains de mer. A vrai dire, se dévêtir et revêtir le costume aux jambes bouffantes dans la cabine exiguë était beaucoup d'embarras pour la réelle mais brève jouissance d'une baignade, aussi était-elle bien heureuse de confier Millie à Sassette, et de s'esquiver. Elle les laissait ensemble, sûre que les garçons de plage de l'hôtel et le personnel veillaient sur elles ; surtout les dames anglaises, une théorie de cinq sœurs inséparables, fanatiques du soleil, qui jouaient les tantes gâteau. Elles campaient sous leur tente du matin au soir avec grand renfort de paniers et de collations, et avaient adopté Millie, par ces caprices de vieilles gens qui élisent un chouchou et le gâtent à l'excès, pour justifier l'arbitraire de leur choix. Cette après-midi, par exemple, elles s'étaient avisées d'emmener avec elles Millie et sa bonne en promenade à Murano, pour voir les fabriques de cristal, les souffleurs à leur fourneaux filant le verre, artistes et magiciens… Tout cela s'arrangeait avec l'accord de Pierre qui, passée la première journée en leur compagnie, partait chaque matin en vapeur assister aux travaux du colloque, dont il rentrait tard, dînant dans sa chambre en travaillant. Seule première journée nonchalante, après la nuit réparatrice, à paresser à la terrasse sous les parasols, à découvrir les environs immédiats, le luxe baroque du grand hôtel Excelsior ; le piazzale Buncitoro, et la plage et les commodités de la station, où l'agence Cook proposait toutes sortes d'expéditions maritimes et terrestres, visites guidées et conférences. Il l'avait expressément invitée à profiter des baignades, à s'informer des programmes de la Fenice, ou des concerts qu'on donnait à l'hôtel, toutes les après-midi, comme s'il s'acquittait d'avance de son absence en remplissant son emploi du temps. Mais ces divertissements ne tentaient guère Gabrielle. Armée du seul guide, elle préférait explorer la ville en solitaire, et ayant tiré leçon de ses tentatives ratées d'y associer Millie et Sasette, elle partait maintenant dès midi, pendant la sieste de la petite fille, arpenter Venise à sa guise, jusqu'au soir.

C'est seulement rendue devant le cycle de Carpaccio consacré à la *Légende de sainte Ursule*, arrêtée devant le grand tableau du *Rêve*, qu'elle comprit brusquement ce qu'elle cherchait en vain, tout à l'heure, devant *La Tempête*. Pourquoi la vision de ce temps immobile l'avait saisie : l'éclair lointain d'un orage qui ne menace que la pensée, la ville au loin et la nature partout, terre et eaux, air et feu du ciel captifs du tableau, composaient un monde plein, qu'aucun plan ne ravissait à l'autre, dans un égal équilibre de présence matérielle. La femme à l'enfant pouvait être une divinité ou une mortelle ; l'homme un berger ou une vigie guerrière, un ange ou un paysan, peu importait : de l'un à l'autre circulaient les puissances qui rendent le monde habitable, vie et mort en guerre, et réconciliées. A l'instant, le tableau de Carpaccio venait de lui donner la réponse, à une autre échelle, dans un autre langage. C'est une chambre où dort, sous le baldaquin festonné, une femme, longue dans son lit rouge, sa joue posée sur sa main. Elle veille en dormant. L'ange annonciateur s'avance au seuil de sa chambre. Elle accueille en rêve la ligne incurvée de sa robe, de son aile : il tient la palme du martyre. Son ombre le précède, effilée telle une épée dardée vers elle. Si sages ensemble, consentants, et pleins de connaissance. Sur le bord de la fenêtre mi-fermée d'un claustra, l'équilibre parfait des bouquets, l'œillet et la myrrhe. Chaque objet en cite un autre, par secrètes correspondances, signes indéchiffrables dans ce silence lumineux. Plus fort que toutes les réalités, l'imaginaire de vie et de mort, qui transforme le monde, joie et douleur. Car dans le paysage amoureux sont les ruines. Le mur, la colonne : rompus. Au fond du ciel : l'éclair des tempêtes. A leurs pieds : l'effondrement de terrain glissant au gouffre. C'était si étrange qu'un tableau lui parlât de l'autre, si différents dans leur facture et leur format, articulés par le pur hasard de sa déambulation, qu'elle ferma les yeux pour mieux apprendre ce qu'ils enseignaient, ou peut-être ce qu'elle était capable d'apprendre d'elle-même, en cet instant de grâce.

Sur le seuil un peu éblouie par le soleil de la place et les reflets de l'eau, elle resta un moment immobile. Quelque part dans la ville, Pierre était. Si éloigné qu'il fût, en corps et en esprit, il était dans cet espace, avec elle. Et là-bas Millie. Entre eux, circulaient les flots, l'éblouissante instabilité des flots que le flux et le reflux brassent, immobiles en leur mouvement. Entre eux, la cité minérale, le front somptueux de ses palais, aucun les mêmes et d'une seule harmonie, les balustres de pierre, les colonnes de porphyre, les jardins suspendus dont ruissellent les branches au-dessus des canaux, les fenêtres quadrillées de barreaux et les lobes gothiques, les cheminées évasées, la tuile et le marbre, dômes et campaniles, ce miracle d'architecture d'Orient et d'Occident. Au-dessus d'eux la voûte céleste, le poudroiement épuisant du soleil. Entre eux la beauté, qui faisait l'unité de cet instant, sa plénitude miraculeuse. S'il y avait quelque part un éclair au ciel, la ruine au travail, ou un ange annonciateur des douleurs pour en menacer la paix, elle n'y pensa pas.

Elle marcha vite à travers le Dorsoduro, traversant les petites places désertes et les canaux pour rejoindre l'embarcadère où elle prendrait le premier *vaporetto* vers le Lido, si légère, emportée par son bonheur, qu'en franchissant un pont étroit, elle heurta du coude un des rares passants, aussi pressé qu'elle sans doute, qui ébaucha un geste d'excuse. Elle aussi, moitié se retournant, alors elle reconnut Marcus. Marcus ! Au même instant, il l'avait reconnue aussi, si stupéfaits tous les deux qu'ils en restaient un peu pâles et intimidés.

— Mademoiselle Gabrielle ! C'est bien vous ! Du diable...

— Ah ! Laissez le diable, Marcus ! Vous voilà ici !

— Vous-même...

— Je vous croyais à Milan !

— Je vous croyais à Paris !

Mais il rebroussait chemin, l'accompagnant de quelques pas, hésitant, et puis soudain lui prenant les mains.

— Je suis là grâce à vous. A Dora, et à vous. Vous avez payé mon voyage...

— J'espère bien des intérêts ! protestait-elle, très émue.

En réalité, elle frissonnait de la tête aux pieds, en proie à son bonheur pur de l'instant d'avant, soudain rattrapée d'une main maligne. Tout le froid, la tristesse et la saleté de ce jour d'hiver, place d'Italie, lui revenaient, la misère, et Clarisse dans le vent, refusant de prendre le billet sur la table, qu'elle prenait pourtant...

Gabrielle en suffoquait, laissait ses mains à Marcus et l'examinant avec application, comme s'il n'était pas vraiment réel, mais un fantôme surgi de quelque tableau. Il était bien en chair, en bonne santé ; mais comme il avait changé, depuis la dernière fois... Cette bizarre coiffure rase, qui lui faisait un crâne d'enfant qu'on a épouillé, sa peau imberbe hâlée et ses grands yeux noirs, et vêtu d'un costume italien en drap sombre, la chemise blanche échancrée, l'insolence tourmentée d'un héros romantique.

— Dire que nous aurions pu nous croiser sans nous voir ! Vous avez donc trouvé un lieu de séjour !

— Je ne séjourne pas, je passe...

— Quels sont vos projets ?

Elle riait à présent, enchantée de ce hasard qui les bousculait dans leurs courses contraires, mais lui, assombri, l'attirait à l'écart, près d'une citerne aux frises corinthiennes et s'accoudait à la margelle, sa silhouette noire contre l'ivoire du marbre.

— Voilà la bien étrange aventure, murmurait-il, que je vous doive à présent ma liberté. Savez-vous à qui vous parlez, dans ce courant d'air ? A un évadé, un assassin en fuite. Si la police italienne ne me traque pas encore, cela viendra...

— Mais non ! Dora est sûre. Moi aussi. Nous sommes convaincues de votre innocence, nous. Ni l'une ni l'autre, nous ne vous trahirons. Nous savons que vous étiez en prison quand Clarisse a été tuée. D'ici quelque temps, l'enquête en France l'aura établi. Vous pourrez rentrer.

— Vous êtes bien optimiste, Gabrielle. Pas moi. Ceux qui ont éliminé Clarisse ne me lâcheront pas. Je sais trop de choses sur elle et son frère. Mais que faites-vous à Venise ?

— J'y suis en villégiature, pour deux semaines, avec l'enfant dont je suis l'institutrice. Nous sommes logés au Lido, à l'hôtel des Bains...

Il eut un sifflement de gouaille.

— Mazette ! Vous y fréquentez le beau linge ! Y avez-vous assez la soupe, et le savon ?

Elle sourit au souvenir de leur discussion, avenue des Gobelins.

— Mais vous, où êtes-vous descendu ?

— Là où je descends, vous n'irez pas avec moi. C'est trop bas pour vous. Pas de votre monde... dit-il avec une rancune ironique.

— Qu'en savez-vous ? Puisque j'ai payé pour votre fuite, je suis plus ou moins votre alliée. On dira : votre complice.

— Alors, rit-il, compromise jusqu'au cou avec les bandits révolutionnaires ? Les rouges !

— L'Internationale du prolétariat !

— Tout juste, Gabrielle. J'ai retrouvé mes frères. Mieux qu'en France, l'Italie s'organise pour la lutte. Nous sommes nombreux. A Milan, ils m'ont hébergé et nourri. Ils m'ont adressé à Bologne, et puis ici, chez les camarades. Je suis chez moi. Il n'y a pas d'autre patrie, de fraternité des peuples, que celles de la liberté. Un Congrès anarchiste international est prévu en août, à Vienne ou à Londres. Les fédérations s'en occupent en Allemagne, en Hollande, en Russie. L'Italie y sera. Vous voyez, Gabrielle : je sais à quoi je travaille, dans cette ville. Si, à Paris, aucune réunion ne se tient sans mouchard, avec rapport de police, ici je suis libre. Sans papier ni permis de séjour, mais libre comme l'air. Ni fiché ni repéré encore.

— Attention à vous, Marcus. Soyez prudent.

— Soyez prudente vous-même. Etes-vous bien sûre de m'avoir rencontré ? Il vaudra mieux l'oublier…

— Je ne l'oublierai pas. J'espère qu'un jour…

— Ferez-vous encore quelque chose, pour moi ? demanda-t-il, brusquement. Porterez-vous quelque chose de ma part à ma mère ? Elle ignore où je suis. Elle doit être bien inquiète…

— Eh bien ! Si ce n'est pas trop volumineux pour les douaniers…

— Ah ! Vous le ferez !

D'un élan, le jeune homme l'avait prise aux épaules et baisait sa joue et elle, obéissant à son émotion, l'étreignait aussi, à cause de ce qui, depuis cet hiver, les avait unis. Les passants étaient peu nombreux dans ce quartier écarté de la ville, que domine le dôme écrasant de la Salute, mais qui les eût vus, tendrement embrassés dans la lumière tombante, se serait ému du tableau qu'ils formaient près du puits, elle si gracieuse dans sa robe de guipure et lui, en Hamlet vénitien.

— Alors, nous nous reverrons ?… Je viens tous les jours vers midi. Laissez-moi un message à l'hôtel.

Ils se quittaient. Elle se hâtait, entendant accoster non loin le *vaporetto*, qu'elle ne voulait pas manquer, et traversant les fragments de soleil que découpaient les pans de mur rouges, se retournant une dernière fois, elle le vit encore s'éloigner, mince silhouette fuyante.

XL

Dès le matin, la nouvelle fit le tour des salles de rédaction : le grand Maximilien Jamais mettait le feu aux poudres, et si c'était lui, sûr que ça allait sauter ! L'affaire était si grave que, si elle avait été portée sur la place publique par n'importe qui d'autre, on aurait crié au fou, à l'attentat. Avec Jamais, non. Certes les articles du *Temps* n'étaient pas signés, un principe d'Adrien Hébrard, qui responsabilisait ainsi l'ensemble de son journal, mais le nom de l'auteur avait transpiré dans le milieu. A la sortie des revues de presse, au *Figaro*, au *Matin*, à *La Croix*, à *L'Humanité*, dans tous les sièges de journaux, les couloirs bruissaient de la nouvelle sensationnelle, chez les rédacteurs, au marbre, parmi les linotypistes, les ouvriers imprimeurs, les crieurs de rue. *Le Temps* avait fait un record de vente, car l'article, titré "La peste morale", en gros caractères à la une, s'annonçait en feuilleton, découpé sur trois périodes, distillant l'enquête et les accusations dans les jours suivants. "A suivre…", proposait en conclusion ironique le premier papier. Et il n'y avait pas que les rédacteurs de presse à s'émouvoir : dans les secrétariats des ministères, sur les gradins de la Chambre, sous les lustres du Sénat, la rumeur courait déjà comme une traînée de poudre, provoquant la stupeur et l'indignation, ou l'incrédulité. Surtout que le premier article ne traçait que les grandes lignes, sans entrer dans les détails. Jamais s'offrait d'abord un préambule senti sur la République et l'ordre public, sur l'état de paix et l'état de guerre, une réflexion solennelle sur la situation politique, d'une belle envolée que son lyrisme contenu rendait plus énigmatique, suspendant la curiosité et remuant les pensées. Ceux qui n'avaient pas trouvé à acheter le journal empruntaient les feuilles, qui passaient de main en main, de bureau en bureau, jusque sur le trottoir accueillant les derniers arrivés. Des députés s'étaient déjà insultés dans les travées, provoquant un rappel à l'ordre, ce qui, à défaut de plus amples informations à se mettre sous la dent, ferait un article piquant pour le lendemain, avec les commentaires sur l'émotion de ce premier jour. Jamais annonçait une atteinte à la chose publique, une provocation subversive de grande ampleur, sur laquelle on s'interrogeait au téléphone dans tous les milieux institutionnels, et dès midi, dans les restaurants, les brasseries, les cafés des quartiers populaires, on ne parlait que de cela. Les syndicats s'étaient saisis de la nouvelle, se demandant quelle diversion opportuniste annonçait cette affaire, quand on était en plein débat sur les huit heures, dont la nouvelle Chambre devait se saisir.

A midi, le ministre de l'Intérieur avait convoqué Laporte, son directeur de cabinet, pour consultation, et fait venir de la rue des Saussaies le directeur de la Sûreté générale, parce que ses services étaient cités dans le premier article, sans plus de précision. Ils s'étaient enfermés, avaient relu l'article ensemble, et estimé sa portée générale, sans concevoir ce qui s'ensuivrait, sauf que la réputation du journaliste, et du journal, le ton exemplairement grave et menaçant auguraient d'une affaire sérieuse. Le ministre lui-même, M. Renoul, avait décroché son téléphone pour parler au directeur du *Temps*. Absent pour l'instant, Adrien Hébrard, injoignable. Introuvable, Max Jamais, de même injoignable. On le disait barricadé rue des Italiens, ou parti en province, et même se cachant dans un hôtel discret en attendant la parution complète de son article. On disait que son article était sous clé, quelque part. Sûrement pas au siège même du journal. Que personne, pas même les typographes, n'avait été mis au courant ; qu'une heure avant les rotatives et la sortie du numéro rien n'avait encore filtré. Le ministre avait rédigé un câble et fait télégraphier, priant poliment le directeur de le rappeler, dès que possible, formules des plus courtoises. Pas question de tenter davantage, ce qui serait immédiatement interprété comme une intolérable atteinte à la liberté de la presse, et dénoncé partout le lendemain. L'Intérieur aux abois ! Non, il fallait attendre que tombât le deuxième numéro. On en était là.

Mais dès le lendemain, ce fut la ruée, un hallali. Cette fois étaient relatés, avec un art du suspense digne du roman policier, les épisodes d'une intrigue noire, la mort d'un ouvrier d'abord passée inaperçue, tant était négligeable la vie des hommes du dernier degré de l'échelle sociale, ces réprouvés sans visage, ces anonymes d'en bas à qui Hugo avait donné une destinée ! Le tableau était poignant, de la nécessité chronique, du pitoyable logis, de la femme et des enfants attendant la paie, ces quelques sous du salaire quotidien qui affament et acculent aux expédients, à l'indignité sociale. Un procès virulent de la misère ouvrière. De la tentation qui s'offre alors d'un supplément de rémunération. La providence ! Et l'agonie affreuse, dont la description n'épargnait aucun détail. Le rapport d'autopsie, l'effarement des analystes, leur stupeur, et leurs scrupules, avant d'oser l'hypothèse épouvantable que les analyses chimiques, longues à établir, confirmaient : la conclusion restait suspendue au prochain numéro. Les coupables, c'était, dans l'ombre, une formidable machine à tuer, qui se servait des hommes comme de cobayes, et dans un dessein plus horrible encore, parce qu'il visait la population tout entière. Ce fait divers, l'infime partie émergée d'un iceberg de turpitude et de crime. Les menées subversives d'une entreprise clandestine, qui déshonorait la communauté scientifique, les pouvoirs publics et mettait le pays au ban des nations. Qui interpellait les plus hautes institutions de l'Etat. Non, cet humble ouvrier n'était pas mort pour rien si son sacrifice inique réveillait les consciences et mettait les responsables politiques devant leurs devoirs. Suivait un dernier paragraphe sur le fait divers comme révélateur des sociétés, une conclusion théorique qui, en dépit de sa pertinence, laissait le lecteur haletant d'en apprendre davantage. *A suivre...* Les noms de personnes étaient réduits à des initiales, ni date, ni lieux. Il se passait donc dans le pays de ces choses abominables, ignorées, étouffées, peut-être ? Par qui cela avait-il percé, malgré la chape de plomb ? Comment le grand Maximilien Jamais avait-il eu vent de cette affaire, par quels informateurs, quelle fuite, par quelle voie ? Nul doute qu'il était sûr de ses sources, l'avocat, l'homme de droit, qu'il pesait ses mots dans ses accusations, et si le sujet lui permettait de rappeler ses positions, servait ses convictions politiques, au service de qui se mettait-il ? Que cherchait-il, en ces temps instables ? A provoquer un débat entre les députés de la nouvelle Chambre, si divisés, si incertains ? A conforter ou à affaiblir qui ? Le prochain président du Conseil, les ministres encore en poste ? A influencer les choix du président Poincaré lui-même, peut-être ? On se perdait en conjectures, mais le deuxième article déferla dans toutes les couches de la population, d'autant que la presse de province, avec un temps retard, reproduisait de larges extraits de la veille et orchestraient le scandale dans leurs dernières éditions, reprenant le procédé de Max Jamais : *A suivre...* On signalait des manifestations spontanées un peu partout, devant des mairies, des préfectures, des syndicalistes, des anonymes rassemblés en quelques heures au siège des députés. Et déjà remontaient des questions écrites, la séance parlementaire avait été interrompue dans l'après-midi.

— Vos services n'ont pourtant pas manqué d'être alertés en leur temps, disait calmement Adrien Hébrard au ministre de l'Intérieur. Nul doute que la Sûreté a entendu parler de ces articles publiés par mes confrères, *Le Petit Parisien*, et le *Matin*. Ils n'ont pas beaucoup fait de remous, alors, mais c'était une fuite singulière, que ces bruits sur un cas douteux d'épidémie... Le Pr Roux a eu raison de démentir. D'autant que les analyses étaient en cours, encore loin d'une conclusion. Nous-mêmes y avons accordé peu d'importance, alors : très mauvaise information, très légère. Mais ne m'accusez pas aujourd'hui de rétention d'informations. Nous exerçons notre droit et notre devoir. La presse est libre, n'est-ce pas ? Elle est parfois inconstante et frivole, mais elle est libre.

— Dans la limite du délit de trouble de la paix publique. L'affaire Calmette doit vous faire réfléchir...

— Nous prenons nos responsabilités, et les risques de nos assertions. Mon collaborateur n'est pas homme à écrire à la légère. J'ai consulté nos avocats, qui sont de bon conseil.

— Votre personne est éminemment respectable, comme votre journal. Je ne saurai vous incriminer. Cependant, vos articles ont une répercussion nationale. C'est un scandale, dont est saisi le cabinet du président.

— Evidemment.

— Je suis sommé de diligenter une enquête interne. En ce moment même, nous y travaillons. Tout mon personnel est sur les dents. Nous saurons répondre.

— Nous ne souhaitons que la clarté, et la justice.

— Je suppose que vous refusez de porter à notre connaissance les divulgations promises demain ?

— En effet.

— J'espère pour vous qu'elles sont assises.

Le ministre tapotait le bord de son bureau en considérant son vis-à-vis, agacé, hésitant. En présence de ses plus proches collaborateurs, il ne pouvait se permettre un écart de langage. Il ne pouvait aller non plus trop loin dans la menace. Hébrard avait accepté de venir seul, pour un entretien qui n'avait rien de privé, et s'il avait accepté d'échanger devant ce groupe de hauts fonctionnaires, c'était en homme du monde, par courtoisie pour lui, qu'il savait sous pression de sa hiérarchie. D'ailleurs, Hébrard devait être dans un de ses jours d'accès de goutte, car il portait une douillette de flanelle blanche sur sa sempiternelle redingote noire, qui lui donnait un faux air débonnaire. Le ministre redoutait plus que tout, sous l'air bienveillant, les traits meurtriers à force de justesse. Il se méfiait du regard primesautier du grand patron de presse, ce spirituel et redoutable professionnel, qui dégustait avec ses rédacteurs la morue lyonnaise, les cèpes provençaux ou la salade de lentilles, goûtait le meilleur vin, tout en analysant de son œil infaillible les situations les plus délicates.

— Je ne sais si demain je serai encore votre interlocuteur. D'un jour à l'autre, le Conseil sera dissous. Mon successeur aura cependant acte de notre échange d'aujourd'hui, devant témoins. Il sera peut-être moins… diplomate que moi, osa-t-il avertir.

— Nous savons vous et moi qu'il ne s'agit pas des hommes, mais de la fonction qu'ils occupent. Et de l'idée qu'ils s'en font.

Alors le ministre, mettant sèchement fin à l'entretien, avait raccompagné le journaliste jusqu'au seuil de son bureau, s'inclinant sans lui tendre la main, par une réserve prudente, soucieux de ne donner ni à l'un, ni aux autres, un signe de compromission. Et sitôt sorti son visiteur, il avait exigé dans l'heure rapport des recherches internes, assez furibond pour électriser ses troupes. Assez agité pour sentir commencer une terrible migraine, et demander à son secrétaire, affolé, de vite lui apporter ses cachets d'antipyrine, sachant que la journée serait longue encore, que les coups de téléphone ne manqueraient pas, et les coups de Trafalgar et les coups au cœur.

En effet, la Sécurité était sur le pied de guerre, diligentant les services pour remonter toutes les pistes, à commencer par ce freluquet de saute-ruisseau du *Petit Parisien*, qu'il fallait retrouver au plus vite. Trop sensible de s'adresser directement à l'Institut Pasteur, sur le dossier qui y avait transité. Roux était couvert par la présidence, c'était leur affaire. Mais à la première réunion de crise qui rassemblait la direction des recherches de la préfecture de Police avec les divisionnaires, une autre piste venait de tétaniser les chefs. Un commissaire Louvain, dont on ne savait s'il implorait le ciel ou lisait ses notes au plafond, puisque le jour invitait à la mise au point, à vider les tiroirs, avait fait état devant tous, ses chefs et ses pairs, de l'affaire qu'il suivait. Dont il avait rendu compte et qui lui avait valu avertissement pour raison de sécurité, justement, concernant des ampoules suspectes, échouées sur son bureau, au Quai. Cela remontait à trois semaines. Cela faisait l'objet d'une enquête en règle, mobilisant ses fines équipes d'inspecteurs, filatures et repérages. Qu'il avait prise sous sa responsabilité. Contre l'avis de suspendre, contre l'avertissement. On entendait mouche voler. Il couvrait ses équipes. Il couvrait sa source, un indicateur fiable, expérimenté, disait-il, sérieux comme un pape. Pas un n'avait moufté sur la personne. On avait trop besoin du réseau de mouchards, dont chaque fonctionnaire avait le recrutement à sa discrétion. Quoi qu'il en fût, c'était assez grave à présent pour qu'on n'enterrât plus, et qu'on l'entendît. Il avait alors donné compte rendu des résultats. Le nom du promeneur de typhus. Son grade et son corps. Ses deux acolytes fixés. Gabardine et paletot. Leur grade et leur corps. Leur domicile professionnel, boulevard Saint-Germain, ministère de la Guerre. Ecole militaire. Stupeur et consternation. Convocation en personne, au rapport chez le ministre, entre quatre yeux. A cette heure de cinq heures du soir, Louvain buvait du petit-lait et restait modeste. Il se lavait les mains. Il était si content que, réglementairement debout, couture du pantalon, bottes jointes, il caressait en pensée ses moustaches, une soie personnelle qui lui donnait bien du plaisir.

Jules Bauer avait ouvert le journal porté par Suzanne, qu'il avait lu et relu sur sa table de travail, la fenêtre du bureau grande ouverte au soleil de juin, devant le panoramique des toits de Paris. Mme Mathilde, pour une fois, avait lu l'article jusqu'au bout, buvant deux tasses de café au lieu d'une, une ivresse ; et laissé tomber de stupeur le journal sur ses genoux. Dora, adossée au tronc d'un marronnier en fleur du Luxembourg, lisait aussi, des frissons entre ses épaules. Tous, dans Paris, en province, lisaient les journaux qui titraient sur l'affaire.

Michel Terrier l'avait lu aussi. Il était encore ouvert sur son lit. Dès la veille, au premier article, il avait entendu sonner l'alarme. Plus que l'alarme : entrevu le désastre. Le deuxième article confirmait. Le dernier serait catastrophique. Dans l'heure, il avait réuni ses subordonnés. Le point avait été dramatique. Terrier ne dissimulait rien. Ni ce qu'il fallait attendre de leurs sympathisants au sein de l'Etat-Major, ni du ministre et de son cabinet. Pleutres, opportunistes ; même sincèrement convaincus : condamnés à les lâcher. C'était la loi implacable de l'activisme, qu'en cette circonstance, ils fussent, les uns et les autres, sans recours. L'honneur et le risque suprêmes de leur engagement. Ils en avaient connu d'autres, des crises aiguës, dans lesquelles ils avaient tenu bon. La dissolution du renseignement militaire, bradé à l'Intérieur, ces incapables, ces vendus. Dans l'heure, il irait au rapport, pour entendre les décisions prévisibles. Leur convocation, les uns et les autres. Pas tous, assurément : certains d'entre eux étaient là clandestinement, affiliés par conviction, des recrues inconnues en haut lieu. Repliement immédiat. Les autres, serment fait, qu'ils réitéraient gravement, de ne lâcher rien. Sans nier, s'abriter derrière le secret d'Etat. Jusqu'où ? Jusqu'au bout.

On ne savait jusqu'où iraient les révélations du lendemain, les suites, l'enquête, les poursuites. Sanctions. Les conséquences du scandale. La réaction des élus, de l'opinion. Jusqu'où irait ce Max Jamais. On ne savait pourquoi il publiait maintenant, pour qui il travaillait, qui l'informait si bien. Une seconde, ils s'étaient regardés les uns les autres, pétrifiés par cette idée.

— Exclu, trancha Terrier. J'exclus par principe et par autorité qu'aucun de vous ait trahi. Tout n'est pas perdu, messieurs. Le Conseil va tomber. Nos cadres vont changer. La conjoncture est instable. Raisonnons en tacticiens. J'attends de vous la maîtrise totale. Notre cellule n'est pas dissoute. Elle sera dormante. Attendez à vos postes, sans bouger. Il faut penser heure par heure, et s'adapter. Nous sommes de l'ombre, de la brume. Nous sommes invincibles. Au salut, pour la patrie.

Ils avaient salué. Ils étaient des hommes d'airain. Les soldats de l'avenir.

Maintenant seul, Michel Terrier réfléchissait. Comme il s'y attendait, Feltin n'avait rien cédé. Il était aux abois, dans un état de désarroi pitoyable. Boitait plus bas que d'ordinaire. Lui reprochait à mots couverts, comme si les murs avaient des oreilles, les dérapages de l'hiver, ces bavures déguisées en accident, le transport illicite de cadavres d'une caserne à l'autre. Comment il avait obtenu le silence de l'Etat-Major, alors, accédé à sa demande exorbitante. Insensée. On ne la lui pardonnerait pas. Il blâmait. Ces moyens douteux qui salissent l'armée, quand on ne prend pas assez de précautions.

— Brûlez vos archives.

— C'est fait.

— Porter atteinte à l'honneur de l'armée… Une affaire infâme. Ce journaliste, une ordure. Qu'avez-vous sur lui ?

— Rien.

— Lui, tout sur vous. Nous serons traînés dans la boue par la crapule. Vous serez seul.

— Seul.

— Je ne vous couvre plus.

— Je le constate.

— Votre affaire de malle…

— Sans suite.

— Liquidations… Méthodes factieuses. Je ne veux pas savoir. J'ai fermé les yeux, Terrier…

— Vous avez bien fait. L'avenir nous donnera raison. L'avenir est à la guerre, que nous devons gagner. Par tous les moyens.

— Dans notre honneur de patriotes, et de soldats.

— Notre honneur est plus haut que nous. Nous servons.

— De cet instant, vous ne servez plus que votre arme. Attendez-vous aux arrêts. Rompez.

Si haut, son honneur, qu'il n'était pas humilié par l'entrevue. Il était déjà loin, hors de portée à peine la porte refermée, dans le long couloir aux tapis d'un rouge brûlé, marchant sur de la terre brûlée, des cendres. Déjà loin de la médiocrité, de la honte des chefs indignes qui, de longtemps, avaient plié l'échine, résignés à la décadence. Quand ils ne l'avaient pas appelée de leurs vœux. Badernes, lopes. Perdus la bravoure, la pureté, le sens des sacrifices et des victoires, l'orgueil viril. Le goût du sang. La beauté sacrée du sang. L'impériale Allemagne, un ennemi à hauteur des enjeux futurs. Une alliée, un jour. Si l'on voyait assez loin pour comprendre ce qui s'annonçait. Le règne du surhomme, enfin ! Il écrasait le tapis du talon, chaque pas qu'il faisait le séparait. Il ne foulerait plus ces tapis qu'en maître, un jour. Chaque pas sabordait derrière lui le vieil homme. Mis en pièces, dépecé. Pour renaître ailleurs. Il serait un phénix. Pour quelques heures encore, il était libre d'aller et venir, encore anonyme dans les rues de la ville. Et traversant le pont de la Concorde, il fendait l'espace urbain comme une comète de cristal, pur et solitaire, heurtant du front le vent contraire, portant dans son anonymat le secret de sa mue. Il était rentré chez lui.

Seul donc, et maintenant libre de ne plus envisager que lui-même. Les dernières vingt-quatre heures, compressés d'événements et de séismes successifs, aux répliques de plus en plus violentes, étaient passées si vite, et si lentement, qu'un monde avait basculé, liquidé à vitesse lente par la rotation terrestre, une révolution simple ; qui dans sa déflagration paradoxale abandonnait en charpies les oripeaux du passé comme nuages déchirés, libérait l'atmosphère céleste des obstacles nébuleux, vide sidéral où il pouvait enfin avancer sans entrave, délesté, la vue claire. Les comptes se régleraient sans lui, derrière lui, selon leur mécanique obsolète. Il en voyait d'avance la vieille machine poussive, les lenteurs asthmatiques. Instruction, citations, procès, avocats, interventions ministérielles faussement outragées, déclarations historiques, interpellations parlementaires, manœuvres dilatoires et tripotages d'arrière-boutiques… Tout ce cirque lassant, déjà vu. Les titres du soir, les commentaires baveux, la polémique, les divisions politiques, sociales, familiales, autour de la soupière. Un rire le secouait comme une toux sèche. Leur linge sale. Qu'ils règlent leurs comptes entre eux. Les siens lui appartenaient. Son compte à régler personnellement avec celle-là qui suçait la moelle de ses os, tirait le meilleur de son sang, épuisait son instinct prédateur : la femelle vénéneuse, sa chair si tentante, infecte. Vampire. Avec le savant, l'intellectuel arrogant, ferment de pacifisme, dégénérescent. Le traître, protégé par sa clique. Les deux, ensemble, des ennemis séculaires, il les écrasait sous son talon. Il éteignit sa haine, d'un seul coup. Par décret de sa volonté. Lui, savait d'où venait le coup, la source de Jamais, son dossier établi, constitué de quelles pièces. L'autopsie de l'ouvrier, transitée par l'Institut Pasteur, traitée par le laboratoire du savant. En direct prolongement du dossier birman, et sa suite logique. La sienne propre. Un pan entier de sa vie. Il fallait tirer le trait, proprement, définitivement. Régler leur compte.

Il ouvrit son portefeuille, sortit le papier jauni. Le déplia, soigneusement le lissa du plat de la main sous la lampe. Illisible, cette langue. Hongroise. Vu la détentrice, vu l'histoire… Il avait payé un traducteur. … *au déclin, horreur horreur… L'instant est proche où vont me réclamer les sulfureuses flammes et les tourments… Ceux que j'aimais, ma mère me pardonnent.* Il avait ricané à ces lignes, alors. Il attendait autre chose, évidemment, que ce pathos, cette grandiloquence. Peu lui importait la traduction, moitié oubliée. Il parcourait négligemment la page, griffonnages. Lui importait très peu ce qu'elle disait, grotesque, incohérent. Parce que sa déception avait été brève. Le papier jaunâtre, le lignage d'encre pâle, la barbelure finement effilochée du bord, surtout, étaient infiniment plus instructifs. Il avait su tout de suite que cette feuille avait été déchirée, qu'elle provenait d'un bloc, d'un cahier relié, à la collure ancienne, craquelée, desséchée en poudre fine, à peine visible à l'œil nu et dont la loupe restituait les arêtes vives, les éboulements minuscules encore instables. Un arrachage ancien aurait épuisé ces petits accidents matériels. La page arrachée était l'échantillon d'un corpus dont elle avait été séparée, récemment. Vieux papier, vieille encre, vieux cahier. S'il contenait du verbiage de ce genre, journal d'un fou, c'était probable. Un fou qui écrit aux siens et se livre, *dans les flammes* ; épanchement sentimental. Le cœur flanche, la bile suinte, l'âme ! Il ne voulait pas se laisser aller à rire, une fois de plus. Lettre testamentaire, évidemment. Par où il la tenait, cette page disait sa provenance dans le temps long, du fils à la mère. Il y a de ces lenteurs des messageries coloniales… Mais surtout disait sa provenance dans le temps court, transmise, disons, entre février et avril. Disait par qui elle transitait, des mains de qui à qui elle passait, pour atteindre sa destinataire, la vieille émigrée hagarde. Si Gabrielle avait eu cette page, elle avait eu les autres ; ne pouvait les connaître que du Dr Galay. Ne transmettait que celle-là, parce que les autres n'intéressaient pas la mère. Etaient d'une autre teneur. Voilà ce qu'il savait, depuis quatre jours. Trop tard pour rien en faire, à présent. S'il se laissait intimider par les événements récents, entraver par la circonstance...

Mais les événements et la circonstance s'étaient absolument dissous avec les nébuleuses de la grande rotation, sa révolution intérieure, silencieuse, invisible. Dernier renseignement de Morrisse : Galay avait pris le train pour Venise, un colloque, soi-disant. Opportunément absenté. Un voyage en famille. Avec escorte. Qui précédait de deux jours la sortie du premier article de Jamais. De ces coïncidences. Michel Terrier venait de prendre une décision qui, pour être très grave, et même tragique, lui était d'une simplicité extrême. De celles auxquelles on se résout quand on les a prises depuis longtemps déjà. Il avait acheté son billet pour Venise. Il ne prenait pas seulement la décision de partir à Venise, de passer sur le sol étranger sans mission, sans ordre. Il prenait celle de déserter. De se donner à lui-même les missions, les ordres supérieurs, que dicte la loi totalitaire. Il serait son propre dictateur avant d'être celui des autres, qu'un jour il asservirait sous le joug commun. Cela se présentait d'évidence. Insoumission, conseil disciplinaire, dégradation, etc. Mais il était si loin déjà des tapis rouges et du commandement. Il entrait dans la clandestinité, l'armée des ombres, pour les temps futurs. Il mènerait la guerre qu'il voulait. Il servirait. Et d'abord lui, exemplaire.

Il eut vite rangé sa chambre du petit hôtel du quartier de Picpus, où il logeait depuis trois mois, dont il venait de régler le terme. Il n'avait jamais logé que de manière provisoire, d'un hôtel à l'autre, toujours dans des quartiers différents, des pensions modestes et discrètes. Transportant ses impedimenta, son fourniment minimal de voyageur de commerce, et quel commerce ! Rien ne traînait derrière lui. Ses effets militaires et civils étaient à l'Ecole, bottes et manteaux sur leurs cintres, dans une des cellules mansardées réservées aux officiers. Au fond, il avait toujours été prêt au départ, si peu encombré des choses qui s'arriment au corps, le lestent et l'enracinent aux lieux, aux êtres. Pas un livre personnel, un objet privé ; le strict nécessaire. Il tira de sous le lit et ouvrit sa petite valise de cuir aux coins de cuivre, y rangea ses deux chemises, son nécessaire de toilette, bagage sommaire. Ses lunettes, un double jeu des plus légères qu'il pût faire fabriquer. Ses papiers à identité multiple, précieux viatique, rangés dans son portefeuille, avec le substrat de documents essentiels qu'il portait toujours sur lui. Il prit en main son pistolet Colt à sept coups, moins léger que le Star, ou que son vieux revolver d'ordonnance modèle 1892, mais robuste, et fiable en toutes circonstances. Un superbe engin américain, que l'armée française avait commandé en 1911, à peine cinq mille exemplaires, réservés à l'aviation et aux blindés, mais qu'il avait adopté tout de suite pour son format trapu et les performances qu'il permettait au stand de tir, malgré le court recul du canon, du 127. Il en avait équipé son groupe d'activistes, conscient de son excellence, et des lenteurs à doter l'armée d'armes modernes. Il pesait un peu lourd à la hanche, mais il aimait ce poids compagnon, tiédi par son flanc, prothèse presque animale de son corps. Il vérifia les deux boîtes de cartouches, complètes, les rangea dans la mallette. Fit jouer la culasse calée, et enfila l'arme dans son étui, sous le pan de son veston.

Il ne restait plus rien autour de lui et, assis à présent au bord du lit, il observait calmement la banale et rudimentaire petite chambre où il avait vécu ces derniers temps, à peine regardée tant lui étaient indifférents les décors, découvrant curieusement les maigres rideaux de cretonne, d'un vert fané, la carpette usée à la corde, la table de toilette avec la cuvette et le broc de faïence veinés de fissures jaunâtres, ces meubles sans charme, en bois plaqué, la courtepointe en satin vieux vert bouteille. Tandis qu'il éprouvait distraitement du doigt la molle étoffe avachie, sa vue se perdait dans le lointain d'un jardin sans grâce, où s'entassait le rebut de l'hôtel, carcasses de sommiers métalliques, chaises dépaillées, planches pourries que gagnait une ronce vivace. Il revint aux murs de papier peint, dont les larges rayures délavées étaient piquées de petites fleurs rouges, étonnamment vibrantes dans la lumière morne, nombreuses, innombrables fleurettes, qu'il n'avait jamais remarquées. Comme détachées du support, elles flottaient, tel un nuage de gouttes sanglantes, alors lui revint en mémoire sa marche à Auvers, le bord du chemin où, dans son envie de meurtre sans objet, il avait découvert à ses pieds la délicate fleur rouge, vivace et résistante, arrogante dans sa minuscule existence naturelle, qu'il avait renoncé d'écraser par il ne savait quel pressentiment. Du talon, il l'écrasait à présent. En pensée, il accomplissait, sur le mode imaginaire, son geste alors arrêté et y trouvait autant de plaisir qu'à un acte réel. Parce qu'il n'était plus attaché par rien, empêché de rien ni de personne à présent, libre et armé, et que son imagination avait désormais le pouvoir absolu de s'accomplir en réalité. En pensée aussi, il rédigea la petite carte qu'il posterait demain matin, à la gare de Lyon. *Chère sœur Mélanie,*

je m'absente pour quelque temps. Prenez bien soin de maman.
A quoi il ajoutait, en post-scriptum : *Merci pour les caramels.* Il
s'allongea tout habillé, long tel un gisant, laissant s'apaiser les
minces frémissements, les petites crispations éparses de son
corps, ces vagues accidents locaux d'un corps souple et puissant, qu'il commandait d'une extrémité à l'autre, muscles, nerfs
et sang, sa propriété guerrière. Pas besoin de se faire réveiller.
A l'heure dite, il se réveillerait à volonté, selon son horloge
interne. Il s'endormit.

Dans le petit amphithéâtre de la *scuola*, les lames des stores
baissés filtraient des tranches brutes de soleil, où les molécules
en suspension vibrionnaient, s'accouplaient et se fuyaient, poussière d'étoiles, à l'image de l'attraction universelle, qu'enfermait
cet espace clos. Mais aucun des hommes graves réunis sur les
gradins ne semblait y prêter attention. Pas plus au soleil, à la
chaleur du dehors, au paysage des toits de tuiles avec leurs
drôles de cheminées, dont les stores leur épargnaient la vue,
qu'à ce phénomène lumineux local. Pourtant, ce qui les occupait à l'instant concernait d'une manière certaine ce rapport vertigineux entre l'immensité et le microcosme naturels, l'ordre du
vivant et de l'inanimé, ses lois générales appliquées à l'infiniment petit de la microbiologie, comme à la substance matérielle,
que venaient de démontrer les Curie, et Einstein, le visionnaire
physicien.

Sous les lumières nouvelles de la science, sain ou malade, le
corps humain devenait un chantier prodigieux d'échanges endo-
gènes et exogènes, un milieu mutant, évolutif et réactif qui
intègre ou désintègre, greffe ou rejette, selon une physique et
une chimie organiques qu'étudiait, dans l'héritage de Pasteur,
toute leur communauté, aujourd'hui mondiale, dans des champs
de plus en plus spécialisés et cloisonnés. Rien que celui de l'immunologie humorale ouvrait des voies multiples, la production
des anticorps contre l'antigène étranger, et ses prolongements
dans l'analyse des gènes microbiens, par leurs toxines créant
antitoxines, aussi bien l'existence des phagocytoses que venait
d'établir Metchnikoff, à partir du développement embryonnaire
de micro-organismes marins. Pour cela, il avait obtenu le prix
Nobel, en 1908, et y travaillait encore. Il y avait là des spécialistes italiens, belges et allemands, des Russes aussi, comme
Besredka, pionnier de l'endocrinologie. Les communications
s'enchaînaient en français, la langue commune, ou en allemand,
exposant en leur état les recherches, les premières conclusions

d'Inada et Ido sur la fièvre ictéro-hémorragique du rat, de Charles Nicolle sur le typhus, et de Pierre Galay sur le système d'immunisation croisée et les anticorps sériques. Il fallait bien des rencontres comme celles-là pour tenter de jeter les ponts, croiser les domaines, explorer la nouvelle sémiologie imagée qui bouleversait les représentations de l'invisible. Et si ces hommes, positivistes et matérialistes pour la plupart, loin des principes de l'animisme et du vitalisme, refusaient de considérer à travers leurs investigations une essence des choses, une révélation de l'énigme originelle, n'attendant rien d'une spéculation métaphysique, se cantonnaient d'un commun accord dans une science expérimentale, rationnelle et objective, la veille au soir, avait surgi le débat latent qui les divisait.

Les plus distinguées sommités d'Europe, ils étaient invités par la commune de Venise, les autorités en tête, à une soirée donnée en leur honneur au palais Grassi, ses hautes fenêtres à balustres de marbre ouvertes sur le Grand Canal, ses lustres illuminant la grande salle d'apparat transformée en salle de banquet, et ils avaient somptueusement dîné, servis par des valets en costumes Renaissance, gratifiés de musiciens qui avaient épuisé, toute la soirée, le répertoire populaire vénitien, abondamment servis en vins de Rondinella et de Raboso sur les anguilles et les rougets, et le risotto au safran. Peut-être un peu grisés par ces festivités et les saveurs du repas, ils avaient laissé la conversation gagner, par contagion de tables, sur ce qui, au fond, les opposait, eux qui communiaient si unanimement par ailleurs dans leur idéal : cette nécessité de l'hygiénisme, à laquelle ils contribuaient. Ce rêve, qu'ils poursuivaient tacitement, d'une société où seraient vaincues toutes les maladies infectieuses, les miasmes séculaires ; une société où le médecin ne serait plus un guérisseur, mais un curateur de santé, affinant la vitalité de l'espèce, anéantissant les contagions dévastatrices. Au premier chef la tuberculose, et la syphilis, ce cancer social qui rongeait les corps, et les âmes, empoisonnait les cœurs, empêchait le bonheur sensuel, l'épanouissement le plus intime ! Cela avait commencé par un toast à la "société sans microbes !", porté joyeusement, et d'une imprudente candeur, qu'encourageait sans doute le vin charnel et fruité. Des plaisanteries avaient suivi, ici des avertissements sur l'eau des canaux, peu propice aux bains de minuit ; là un rappel plus sérieux des alertes sanitaires récurrentes de peste et choléra à Venise, port ouvert à tous les orients... Sur l'hygiène des hôtels où ils étaient descendus, que malades, convalescents et bien portants fréquentaient sans cesse : voyageurs, soyez exigeants ! Ils riaient, mais, très vite, les échanges étaient devenus plus graves et plus tendus, parce que, derrière ces propos de table, c'était l'annonce d'un monde contrôlé par des officiers de police sanitaire, la sélection de spécimens exemplaires, géniteurs d'une humanité future d'excellence, de reproducteurs sains, d'organismes propres. L'idéal hygiéniste accouchait l'utopie inquiétante d'un monde purgé des souillures, d'un homme parfait, sportif et même culturiste, dont la pureté physique et mentale faisait l'élu du siècle en marche. Rien n'avait été exprimé de tout cela, mais s'ils étaient engagés, les uns ou les autres, dans la lutte pour la prophylaxie sociale, leur pensée s'opposait sur les moyens et les buts, si sourdement que la fin du dîner en avait été assombrie, trop fins et courtois pour aller plus avant, plus prudents soudain, sentant que ce qu'ils évitaient des errements philosophiques les rattrapait en politique, et les mettait en demeure de penser leur science. Tous n'y étaient pas prêts. Ou, en leur for intérieur, décidés à taire leurs idées, pour certains plus dangereuses que les microbes qu'ils fréquentaient.

Pierre avait rapporté tout cela à Gabrielle. Il était rentré tard, la minuit passée depuis longtemps. Elle ne dormait pas. Il l'avait trouvée dans le salon qu'ils partageaient, au centre de leur suite, en train de lire la *Gazzetta del popolo* et le *Corriere della sera*, ignorant l'italien mais devinant la langue qu'elle explorait, par curiosité et amusement. Il faisait une nuit claire, dont la tiédeur iodée entrait par les fenêtres ouvertes sur la plage, et la mer Adriatique, piquée au loin de lumières, le vent soulevant les grands rideaux de mousseline. Ils ne s'étaient guère croisés, depuis quatre à cinq jours, seulement au petit-déjeuner que Pierre prenait tôt, disparaissant les journées entières, et à peine avait-elle eu le temps de lui rapporter, à ce moment-là, les jeux de Millie, ses activités de plage ou ses promenades avec la cohorte des sœurs anglaises. Ses visites à elle, dans les musées, ses courses dans la ville, mais sans insister parce qu'il était absent, déjà par l'esprit à la *scuola*, dans cet état de préoccupation intellectuelle qu'elle commençait de connaître. Cette nuit, il rentrait encore poursuivi par cette fin du dîner d'honneur, et tout ce qu'il avait retourné, dans le vapeur, des propos de table étourdis, qui lézardaient la belle unité morale du colloque. Trop heureux de la trouver là, qu'elle l'eût attendu, il s'était installé sans façon, se servant un dernier verre de marsala, dont elle avait réclamé un verre, elle aussi, en moquant son égoïsme puisqu'il l'oubliait, et aussi réclamé un petit cigare, puisqu'il en allumait un, alors il lui avait longuement raconté ses journées, son travail, pour la première fois en détail, les échanges, et tout ce qui le remuait ce soir.

— Nos sociétés sont hantées par l'idée de l'assainissement, après des siècles de ravages pathologiques qui ont laissé tant de traces dans la conscience collective... Les grandes pestes, les choléras, les infections puerpérales, les maladies vénériennes... La mort, la mort promise partout, la punition de la mort ! Depuis l'avènement pastorien, notre siècle se précipite dans le fol espoir d'une solution scientifique à tous ses maux. En trente ans, quelle explosion de savoirs ! Une révolution comparable à celle de la Renaissance, dans tous les domaines... C'est vertigineux, et grandiose... Nous sommes héritiers des Lumières, fanatiques du Progrès salvateur, mais vers quoi progressons-nous si nous ne sommes pas plus instruits de nous-mêmes ? Je ne suis pas philosophe, finit-il par murmurer, ni entraîné à débattre de tout cela, pourtant comment imaginer que de si profonds penseurs, des cerveaux aussi magnifiques s'arrêtent là, au bord d'un présent qui les déborde, sans imaginer quelles figures d'avenir ils projettent, volontairement ou non... Nous sommes agnostiques, pour la plupart, mais on dirait qu'un besoin de sacré, confisqué par le rationalisme, pousse certains à des convictions, je crois une véritable foi, en le pouvoir de la science à décider d'un monde nouveau...

Elle avait écouté longuement, le menton dans la main, accoudée sur son genou, attentive et sérieuse, ayant laissé tomber les journaux sur le tapis, et ses remarques, de temps en temps, relançaient son discours, si bien qu'il réalisa à retard qu'il la tenait là, par son insomnie, et sa légère ébriété, l'excitation de sa soirée, sans se soucier d'elle, de sa fatigue ni de son sommeil, qu'il s'était adressé à elle comme à un vieux camarade, un ami qu'on ne conforte ni ne ménage, devant qui on peut penser à voix haute, sans retenue. Et il la voyait à présent, une femme réelle, épousant ses pensées, les devançant d'un mot, argumentant sans complaisance ni prétention, seulement pratique, la tête sur les épaules, par sa simple empathie l'obligeant à dire ce qu'il ne disait à personne, sauf à Bauer parfois, mais Bauer ne valait en rien ce compagnon-là, tendre et fraternel, et elle fumait son petit cigare en garçon, avec tant de naturel, qu'il sourit.

— Je vous aime.

C'était venu par surprise, si simplement qu'il s'entendit à peine le dire. Il l'avait dit sans y penser, ou bien c'était dit d'avant, dans un espace antérieur, un temps intime qui n'avaient rien à voir avec l'instant.

— Je t'aime, dit-elle à peine plus bas.

— Il le faut ! s'écria-t-il avec une soudaine véhémence, et il se tut.

Elle était passée derrière son fauteuil, lui mettant au cou ses bras, posant sa joue sur sa tête, et elle avait laissé un silence.

— Il le faut… A Paris, *Le Temps* a publié les articles de Max Jamais. C'est donc pour cela que tu m'emmenais ici, avec Millie ?

Il prit ses mains, les rassembla sur ses tempes, tremblant un peu, et aussitôt elle s'abandonna à cette tendresse fondante des mains, du visage.

— Les journaux d'ici en parlent, chuchota-t-elle dans ses cheveux. S'ils le font, j'imagine que c'est terrible, là-bas. Que nous sommes mieux ici…

— Max Jamais m'a appelé hier matin. La situation est très tendue, comme il l'avait prévu. L'opinion, la presse… Les ministres. Poincaré a ordonné une commission d'enquête…

— C'est ce que tu voulais.

— Je ne sais ce que je voulais.

— Mais si…

Il enfouissait son visage dans les mains de Gabrielle, honteux qu'elle eût appris par les journaux ce qu'il avait répugné de dire, puis différé d'expliquer, et perdu l'occasion de le faire, ces jours-ci, et qu'elle comprît si vite, admît sans surprise ni peur sa décision si grave, cette conclusion de la longue, longue guerre qu'il menait contre lui-même, si peu compatible avec sa vie retirée de chercheur, sa détestation de la chose publique ; dans laquelle il l'avait entraînée, ou qu'elle avait provoquée en faisant irruption dans sa vie de si étrange manière. Ils se taisaient. Ils n'avaient rien à dire de plus ; entre eux c'était inutile. Ils savaient assez l'un de l'autre, et encore tout ce qu'ils ne savaient pas, pour s'entendre sans les mots. Bouleversé de le comprendre, il l'attira soudain sur ses genoux, l'enlaça passionnément à pleins bras, comme elle l'enlaçait, contre toutes ces menaces du monde refermant leur étreinte, et ils restèrent ainsi, se berçant du bonheur d'être deux, ensemble dans le silence de la nuit, dans une plénitude qui oubliait même ce silence, et cette nuit.

Mais cette pureté du bonheur ne comblait ni leurs sens ni le besoin affolé de tendresse, exacerbait la fièvre, cette avidité de la première fois où ils s'étaient pris avec tant de violence, cette nécessité de s'aimer sans cesse réprimée, trompée par l'attente d'une occasion nouvelle, que tout empêchait ; encore à cet instant Millie et Sassette, endormies dans une chambre. Et déjà, se sachant interdits, ils glissaient, s'écartaient, sanglotant de désir, se fuyant, pendus au bord des yeux de l'autre d'une imploration muette. Les yeux si grands qu'ils creusaient le visage, altéré d'une angoisse nouvelle qui les faisait des ennemis, effrayés l'un de l'autre au point de s'éviter, cette animale reconnaissance de l'adversaire élu qui unit plus sûrement que le bonheur, et le premier il se reprit, tendit sa main vers elle en signe d'une trêve.

— Viens, n'aie pas peur de moi, suppliait-il humblement.

— Non ! Je n'ai pas peur ! Je veux vivre. Je veux aller et venir en liberté. Je veux le droit de te voir, de te toucher. Je m'appartiens. Tu entends ?

— Je m'appartiens aussi. Viens...

Mais elle reculait devant lui, cherchant sur ses traits l'effet de ses paroles, emportée par ce besoin irrépressible de dire encore, qui peut-être punirait le bonheur, et le désir qu'ils se refusaient.

— Il y a les conventions et la dignité. Les apparences ! Je dois me cacher à tous, et toi aussi... Entre nous, il y a les autres, tous les autres. Cette misère des sentiments qui salit tout... De ces réalités basses dont il ne faut pas parler. Elles sont laides, tout de suite ! Qui ne me les rappellera ? Et à toi ? Je ne veux pas avoir honte de te vouloir.

— Nous sommes loin de tous, ici... Nous n'avons de compte à rendre à personne.

— Ici est comme ailleurs, n'importe où... Tu es un homme, toi. Que risques-tu à me prendre ? Et moi, à y consentir ? Un enfant ? Je ne t'en ferai pas le chantage. Mon corps est à moi ! Je ne te mendie pas. Je ne suis pas à vendre ou acheter au marché des épouses. Mais je sais... Je sais que me condamne d'avoir été à un autre. Que tu ne puisses me toucher sans y penser...

— Tu n'y penses que trop toi-même. Oublie-le ! s'écria-t-il, hors de lui.

— Je ne peux l'oublier si tu ne l'oublies. S'il nous poursuit encore, jusqu'ici... Qu'entre nous, dans nos bras, il soit...

Il l'avait emprisonnée, rudement étreinte, luttant contre la force qu'elle opposait et bâillonnée comme cette nuit de l'orage, lui jetant désespérément des baisers à la face, renversant sa gorge, exaspéré de ne pouvoir chasser ce fantôme dont les lambeaux s'attachaient à leur chair, si intimement qu'il était à tout instant témoin de leur vie.

— Tais-toi ! Je ne t'achète pas. Je suis libre de t'aimer. Je n'ai honte de rien, et peur de rien, si tu me veux. Il est mort. Tu es vivante, et je suis vivant. Les autres n'ont que l'existence que nous leur reconnaissons. Aime-moi, parce que je t'aime. Aime-toi assez pour m'aimer, ma chérie, ma bien-aimée. Oh viens, Gabrielle ! Ne nous divisons pas.

Elle cédait, elle fondait contre lui, mais encore raidie par cette révolte qui englobait tout, d'être femme, d'être sans force devant l'adversité, les puissances de la société, l'enfer matériel des intérêts et les divisions cruelles, la méchanceté glacée inscrite au fond des hommes, qui foule au pied la flamme du cœur, la flamme de l'amour humain, cette bonté sensuelle du corps, du sexe interdit, et encore de ce qui la divisait, contre elle-même, ce don qui est sacrifice sans contrepartie, la liberté impossible qu'elle revendiquait en vain, et l'ombre maléfique d'Endre empoisonnant l'amour neuf, tout cela si mêlé qu'elle ne pouvait s'abandonner à lui, et ce n'était pas sa faute à lui, ni à elle, ni la faute de personne, ou bien le mal était partout, tout geste d'amour, tout désir dégradé, et sa tristesse était si grande qu'elle n'éprouvait plus rien de doux ni de tendre, séparée, exilée si loin, oh si loin...

— Pierre ! Pierre, gémissait-elle en pensée, tandis qu'il se battait avec les boutons de sa robe, ou les crochets, tellement impatient et malhabile que c'était grossier, cette chose ridicule, vulgaire, des habits compliqués, comme des prétextes grivois aux jeux qu'on voit dans les gravures !

Alors elle ne l'aidait en rien, le laissait faire, engourdie et absente. Humiliée qu'il fût sans amour, seulement occupé à sa hâte, à l'urgence de son désir qu'elle n'avait pas la force de combattre, et qui lui donnait cet air dur et déterminé d'un enfant méchant, parce que ce qu'il voulait n'était pas elle, mais sa satisfaction de mâle, par cette volonté implacable de fouir et jouir vite, de s'assouvir en n'importe quelle fente de chair. Elle n'existait que pour être son adversaire et sa proie, désirable mais sans sollicitude, sans compassion pour sa tristesse et sa solitude, femelle empaquetée de ses linges féminins. Pourtant, ayant renoncé à la déshabiller, il la cherchait à tâtons, déchirant ses dessous, forçant son passage en haut de ses cuisses, à la place de peau nue des bas et remontait à ses reins, et elle s'étonna de sa caresse devenue plus lente, des paumes chaudes dont il la prenait, à la taille, aux lombes, si délicatement, précisément atteinte, qu'elle se cambra, malgré elle appelant où il allait, si près d'entre ses fesses, l'écartant au plus intime et secret, la touchant où elle voulait, attendait et voulait qu'il soit, qu'il vienne et fasse frémir la douce, ondoyante et nerveuse lance, son flux et son reflux d'algue, stimulant de petits cris étonnés qu'elle n'entendait pas, blessée à chaque retour de plus en plus pressant de ses doigts d'eau, refermant ses cuisses pour freiner la montée du désir, pas encore, et tout contre son visage, il interrogeait le plaisir qu'il lui donnait. Si sombre et pénétrante plongée des yeux qu'elle augmentait sa nudité, parce que, au-delà de l'impudeur, sans défense elle jouissait, autant d'être livrée à ses mains qu'exposée à sa vue, et quelle cruauté ce serait s'il cessait maintenant, s'il l'abandonnait, alors elle se rendit à l'exténuante convulsion qui déferlait en elle. C'était issu de si loin, revenu de si profonde nuit qu'elle resta inerte et sans conscience, pénétrée de la pure beauté, immense, épuisante victoire qui ravissait l'esprit et les sens pour n'être que de la vie lumineuse et ardente, de la vie ! Ah ! Il fallait retourner à lui, refluer à sa rencontre, l'aider à ce bien intense et si miraculeux... C'était donc cela qu'ils pouvaient se donner sans se perdre, s'accorder sans honte, au-delà de la faute et du mal, affranchis du remords, des blessures de l'amour-propre et de la pudeur impure, et ils pouvaient inventer tant d'autres gestes encore pour se faire ce bien ineffable, anéantissant et terrible, dispenser la prodigue jouissance à leurs corps sevrés de plaisir... Si le plaisir était le mal seulement quand la raison combative s'interposait, ils ne raisonnaient plus, d'accord dans la passion d'être deux, dévorante et bénie, l'assentiment et le don... Ils pouvaient se regarder aux yeux sans rougir, du regard enténébré d'amour et de respect pour la liberté qu'ils se donnaient, à laquelle ils consentaient par bonté mutuelle. Sans peur ils pouvaient se parler de toutes choses, et se dire les mots intimes, puérils et sauvages que personne ne doit entendre. Alors il mettait à son oreille ces mots crus de son corps et du sien, et elle souriait, en trouvait d'autres qu'il prenait sur ses lèvres. Il faisait tellement nuit, si douce nuit régnant sur eux, et le monde, la vaste mer scintillante au loin, les mers et les terres pacifiées sous la voûte céleste qu'ils pouvaient s'étreindre à présent dans la douceur réconciliée, la quiétude et l'abandon.

La rumeur courut dans les couloirs de l'hôtel dès le lendemain matin, à peine déposés dans le hall les journaux qu'apportait le premier *vaporetto*. Imperceptible crispation de l'atmosphère distinguée, un émoi discret à la réception où deux ou trois messieurs interrogeaient à voix basse ; une interpellation du maître d'hôtel à un serveur qui venait de passer trop de temps à une table, pressé de questions, lui aussi... Deux jours plus tôt, à Ancône, à la sortie d'un meeting d'antimilitaristes conduit par Malatesta, le militant anarchiste, des heurts avaient eu lieu et déclenché une intervention de la troupe. On parlait de morts et de répression sanglante dans les rues. On s'en entretenait à mots couverts, d'une table à l'autre, avec cette inquiétude affectée des étrangers que le moindre désordre incommode. Mais le personnel de l'hôtel démentait par son empressement à minimiser ces nouvelles, puisqu'on était si loin d'Ancône, et des centres d'agitation, assurés du calme et de la sérénité dus aux lieux de villégiature luxueux, dont les nobles visiteurs exigent la garantie.

Sassette et Millie tardaient à descendre ; Gabrielle attendait, seule à la table du petit-déjeuner, à l'ombre d'un parasol de la terrasse. Rien ne manquait, le *zabaione* dont raffolait la petite fille, la chocolatière sous sa chaufferette, les petits pots de confiture et de miel des Abruzzes. Pierre était parti pour la journée, mais sa présence occupait encore l'espace, son fauteuil écarté, son couvert abandonné, sa tasse vide et les miettes de ses toasts, sa serviette froissée... Encore meurtrie par les révélations sensuelles de la nuit, elle se laissait aller au fond du fauteuil, lasse et vivante, un fourmillement amoureux à fleur de peau que le soleil baignait de tiédeur moelleuse, et elle accompagnait son amant en pensée, traversait avec lui la lagune, déjà dans l'impatience du rendez-vous qu'ils s'étaient donné, au *Caffè Florian*, à cinq heures, ce soir, mais fervente, et comblée par cette attente de tout le jour, un peu déroutée par la clarté du matin, qu'après la nuit la lumière revînt inonder les choses autour d'elle, les lauriers en fleur, le marbre de la balustrade, le sable et l'eau...

Elle n'ouvrit les journaux qu'à retard, les deux fillettes n'arrivant pas, et parcourut les articles de son mieux. De l'un à l'autre, et comme elle s'y plongeait avec plus de curiosité, les détails se complétaient. Les fanatiques, excités à la sortie de leur meeting, avaient lancé des pierres sur d'honnêtes et paisibles citoyens, seulement parce qu'ils étaient en train d'écouter de la musique militaire, un défilé bon enfant qui avait soulevé leur colère. Alors la troupe, appelée en renfort, avait ouvert le feu sur ces agresseurs, que leur chef haranguait et poussait à l'émeute. Et l'on parlait d'Ancône, et de la Romagne, ce fief des partis subversifs, quatre-vingt-quinze pour cent de la population affiliée à des groupes protestataires, des républicains et des socialistes, depuis les réformistes jusqu'aux anarchistes, tout ce que l'esprit de rébellion semait aux quatre vents. Cela expliquait qu'à la nouvelle des événements, la région s'était enflammée, aussitôt aux mains des meneurs. Des groupes s'adonnaient ici et là au vandalisme pour venger les leurs. D'autres articles faisaient état de prolétaires soulevés en Emilie, à Florence, à Gênes ! Un vent de folie : ils voulaient l'abdication du roi Victor-Emmanuel ! Un entrefilet parlait de voies ferrées et de routes coupées, d'insurrection populaire prenant les villages et les centres des villes, de distributions de viande, d'œufs et de farine, et même de vin à des hordes survoltées. Mais la nouvelle la plus récente annonçait la grève générale, décrétée en moins de vingt-quatre heures ! Dix-sept mille révoltés marchant sur Ravenne ! Le mouvement prenant d'heure en heure un caractère révolutionnaire, octrois détruits, casernes, églises brûlées... Deux cent mille manifestants annoncés ce jour à Naples...

Gabrielle avait reposé les journaux, la seule à les lire à la terrasse, surprise par la paix indolente qui régnait en ce calme matin de juin sans nuage, des groupes élégants alanguis aux tables, si loin d'imaginer que leur confort, leur souveraine tranquillité ne tenaient qu'à leur dédain du reste du monde, ce mépris de classe pour les agitations locales, la réalité sociale tenue aux frontières si proches de l'hôtel, de la plage et du pont d'embarquement de Santa Elisabetta. D'où était parti Pierre, tout à l'heure. Lirait-il un journal, en arrivant à l'Arsenal, où il accostait, chaque matin ? Les savants du colloque seraient-ils plus curieux que les touristes de l'hôtel ? Remuée par ces nouvelles, qui n'occupaient pas les grands titres, mais mises bout à bout constituaient un véritable événement, elle se demandait comment le frémissement de rumeur de tout à l'heure s'était si vite éteint, dissipé par les employés stylés qui circulaient sans bruit entre les tables, dont le ballet compassé faisait si bien de ce matin un matin comme les autres. Il l'était si peu ! Et pour des raisons secrètes qu'elle-même ne laissait pas transparaître sur son visage. Pas plus que celui des autres, qui dissimulaient peut-être quels tourments, quels bonheurs nocturnes ? Elle étira ses jambes sous la table, s'enfonça davantage dans le fauteuil d'osier et ferma les yeux, laissant la vague heureuse l'envahir, et lorsque Millie et Sassette arrivèrent enfin, elle oublia cet instant de solitude, les nouvelles du journal, et se consacra à elles. Si jeunes et fraîches, déjà hâlées et si insouciantes. Un peu émue, Gabrielle observa la métamorphose de Sassette, enhardie dès le premier jour, que son séjour délivrait de sa gangue de gaucherie, déliée et sûre, d'une douce autorité avec l'enfant, et si touchante dans son nouveau rôle. A peine remarqua-t-elle que les journaux avaient disparu, emportés par un serveur diligent, qui veillait à leur tranquillité. Et lorsque l'un d'eux vint la chercher, discrètement penché sur elle, parce qu'on la demandait au téléphone, à la réception, elle les laissa à leur dégustation gourmande. Se réveillant seulement en chemin, surprise par cet appel inattendu, pensant que Pierre avait oublié quelque chose, ou bien qu'il venait d'apprendre d'autres nouvelles de Max Jamais, à Paris, ou encore les manifestations populaires... Elle n'eut pas le temps de s'interroger davantage, parce que le concierge lui désignait une cabine où l'attendait la communication. Elle ne referma même pas la porte, prit l'écouteur que lui tendait le garçon. Mais à son "allô ?" il n'y eut aucune réponse, seulement un bizarre silence plein, dense et vide, qu'un deuxième appel de sa part prolongea, et comme elle hésitait, demandait : Pierre ? on raccrocha à l'autre bout et ne resta qu'une tonalité grésillante.

— Mais madame, la personne était au bout du fil… La communication a été coupée, sans doute… s'excusait le concierge, déférent, impassible.

— Evidemment, murmura Gabrielle. Mais qui était-ce ?

— Nous ne posons pas de question, madame !

— Je veux dire, sa voix : d'un homme, d'une femme ? Un français ?

— Masculine et française.

Elle remercia, un peu gênée de poser ces questions qui semblaient si déplacées, poursuivie par la désagréable sensation silencieuse à son oreille, mais aussitôt acceptant l'hypothèse que le téléphone marchait mal, et que Pierre rappellerait plus tard. D'ailleurs, elle oublia aussitôt, car Millie et Sassette avaient disparu de la table du petit-déjeuner. Sur l'indication d'un garçon, qui prenait des airs de conspirateur pour la renseigner, elle les rejoignit aux cuisines, les retrouva en compagnie d'autres enfants, et de gens qu'elle avait croisés ce matin à la terrasse, attirés par un spectacle étonnant. Etonnant était surtout que de si riches personnes, qui ne s'abaissaient jamais à entrer dans les coulisses de l'hôtel, à l'office ou aux cuisines, les ignoraient superbement, fussent venues jusque-là, au demi-sous-sol du bâtiment, se mêler aux employés, cuisiniers et gâte-sauces, marmitons en tabliers blancs et souillons, qui avaient commencé les préparatifs de midi, dans ce monde souterrain si loin de la surface, où travaillait un peuple invisible, ces soutes accueillant les hôtes fastueux de l'hôtel pour cette occasion extraordinaire. Car les deux petits vieillards jumeaux, que Gabrielle avait remarqués chaque jour au restaurant, avaient installé sur une longue table une foule de verres de cristal de toutes tailles, qu'ils remplissaient d'eau à des niveaux variés, ce qui provoquait entre eux des remarques d'enfants jaloux, chacun testant son dosage mystérieux d'un doigt au bord du verre, et se chamaillant sans fin sous le regard amusé des spectateurs. Ils avaient tous approché, intrigués par la scène, et surtout les gens de cuisine, qui paraissaient de mèche, échangeant des regards de complicité, comme d'une bonne farce, les ustensiles encore à la main, ayant suspendu leur travail, pour voir. Pour écouter, car, sans prévenir, les messieurs, si curieux en leur troublante ressemblance, s'étaient mis à glisser leurs mains translucides en vol d'oiseau au-dessus du cristal, effleurant à peine le bord des verres et en tirant l'angélique vibration de harpes surnaturelles, une cascade inouïe surgie de leurs doigts par enchantement, une magie musicale si insolite que le rire le disputait au ravissement sur les visages. Qu'un si simple dispositif libérât la grâce, que leurs doigts aériens fussent ces instrumentistes divins, accomplissait ce miracle de chacun redevenant l'enfant candide oublié, toutes classes abolies dans la même expression d'émerveillement, et c'était si gai, si dansant que chacun esquissait le rythme du pied ou de la hanche, battait des mains en silence. Battit des mains pour de bon, à la fin, tandis que les deux petits hommes, indifférents à leur succès, se querellaient encore, se lançaient de leurs voix fluettes et désaccordées les reproches acerbes qu'une longue, longue connivence n'épuisait pas, qui les tenait au contraire dans cette volupté jumelle de leur art. Et s'il fallait encore du bonheur à ce jour, c'était le cadeau munificent qu'ils faisaient de cette gratuité, de sa beauté réconciliatrice.

XLI

De son banc, au fond du *vaporetto* où il avait pris place, l'homme voyait la silhouette de Gabrielle accoudée au bastingage, regardant s'éloigner la frange basse du Lido qui se fondait dans la brume aveuglante... Aussi élégante que les belles dames réunies à l'avant, toute blanche dans la lumière réverbérée de l'eau turquoise, elle portait un léger caraco de lin ajouré sur sa robe à plumetis dont les manches dégageaient ses poignets, ses mains gantées tenant contre elle comme une petite épée son ombrelle refermée, un chapeau de paille fleuri de gardénia où s'accrochait le tulle court de sa voilette, si fine là-dessous, son teint un peu doré à l'ombre émouvante des cheveux, ses yeux brillants, qu'un artiste l'eût croquée du crayon avec délice. Il pouvait la croquer, en artiste. La trouvait changée. Une plénitude, une sérénité de la taille, très droite, très seule, altière. Si seule, ma belle... Cela lui arracha un imperceptible sourire. Il en fermait à demi les paupières, comme d'un endormissement.

La traversée durait un bon quart d'heure, et plutôt que la partager avec ses compagnons de voyage, la plupart d'entre eux résidents des grands hôtels du Lido, figures plus ou moins familières, aperçues à un moment ou un autre, Gabrielle préférait se tenir à l'écart, jalouse de ce moment de liberté quotidien où elle parcourait la ville à loisir, le plus souvent sans but, entrant dans une église ou flânant au fil des rues, et elle avait tant aimé prendre une *ombra* de vin blanc, debout au comptoir d'un bistrot... Elle avait appris à jouir de ce temps du passage, chaque fois différent, sous des lumières changeantes qui dépaysaient l'approche de la ville, sa lente montée sur les eaux. L'insulaire chantier architectural, d'abord lointain et diffus, profilait progressivement ses toits et ses dômes, la colonne gracile des campaniles, ciselant peu à peu le dessin des façades, surgies en un monde ordonné et puissant, jusqu'à délivrer le détail en mosaïque de brique, de calcaire et de marbre que la proximité sculptait alors d'ivoire, d'ocres et de roses et rouges. Colonnes et arcades des loggias et baies quadrilobes, crénelures précieuses des toits et les coupoles orientales de Saint-Marc, miroitaient de leurs biseaux argentés, tandis qu'ils remontaient le Grand Canal, cette splendeur théâtrale de la ville défilant sous les yeux. Théâtrale partout, jusque dans ses *campielli* écartés, ses recoins solitaires, toujours enveloppée du mystère de sa représentation. Pour peu que, d'un jardin ou d'une fenêtre entrouverts, la perspective cloisonnée de scènes intérieures s'ouvrît, Gabrielle ressentait l'inquiétude et la mélancolie de cette coulisse, tout aussi théâtrale dans ses éclairages flamands, faussement paisible, faussement sereine. Et les faisceaux hérissés des pieux d'amarrage noircis par l'eau saumâtre, les *paline* rayées de rouge et blanc plantées devant les porches d'eau, défendaient d'un abord trop franc, ménageaient ce temps d'approche, le rituel ancestral des gens de mer, que respectait le vapeur à l'accostage, et qui différait le moment où l'on entrait soi-même sur ce théâtre. Elle sauta parmi les premières sur le ponton de la station de l'Accademia, s'ébroua, éblouie par la façade du palais Franchetti qui, à cette heure de midi, réverbérait le soleil au zénith, s'éloigna de la petite foule qui débarquait, nettement plus clairsemée que d'ordinaire, et s'enfonça dans les rues ombreuses d'un pas alerte, vers le campo Santo Stefano.

Elle courait au rendez-vous qu'avait fixé Marcus, d'un message au téléphone transcrit par le portier et qu'un garçon de plage lui avait porté avec diligence. Elle sortait juste de l'eau, encore en habits de bain. Elle avait les mains toutes mouillées et poisseuses de sel pour ouvrir le billet, où il disait : *Pont du rio di San Luca, midi trente. Marcus.* La communication, pensat-elle, était si mauvaise à sa première tentative du matin, qu'il avait recommencé plus tard. Ce rendez-vous, qu'elle n'attendait plus guère, dont elle se disait qu'il était une lubie, surgie à sa tête de jeune homme dans l'émoi de leur rencontre, lui chauffait le cœur d'un plaisir d'autant plus grand qu'il faisait s'évaporer dans l'air vif, traversé par les cris, les appels et les rires lointains de la plage, la sensation bizarre du silence de l'écouteur, restée si désagréable à son oreille. Le garçon, trop serviable, s'attardait, il se penchait vers elle, visiblement au courant de la teneur du message. Il la dissuadait aimablement d'aller à Venise aujourd'hui, parce qu'il y ferait une grande chaleur, parce qu'une fête serait donnée, l'après-midi, dans les jardins, une sérénade de guitaristes venus tout exprès de Vérone, des artistes fameux... Moitié fâchée de son insistance et de son indiscrétion, elle avait ri, et remercié, et congédié le garçon qui restait indécis, tenant son plateau contre le cœur.

Elle s'était laissée sécher au soleil, son long maillot dénudant ses mollets et son cou, les cheveux libérés du bonnet de bain à coques, s'amusant de cet attirail incommode, que les femmes adoptaient maintenant, trop heureuses d'être enfin affranchies des robes et des corsets sur les plages. Tout en enfouissant délicieusement ses pieds nus dans le sable, elle suivait les courses de Millie, que ce séjour épanouissait. Comme elle avait bonne mine, comme elle était heureuse... Il y avait, non loin d'elle, à demi allongé sur une chaise longue, un monsieur seul, un des nombreux écrivains et intellectuels qui élisaient cet endroit de villégiature, arrivé de la veille et encore bien pâle. Il n'avait pas renoncé à son costume de ville, sauf pour une paire de sandales en toile et une serviette de cuir contre sa poitrine, dont il ne se défaisait pas comme d'un bouclier, il rêvait vaguement, un mince sourire accroché aux lèvres, le regard perdu dans le lointain, jusqu'à ce que Gabrielle devine que le jeune garçon hongrois lui inspirait ce sourire étiré, aiguisé de surprise, ou de ravissement douloureux dont il ne semblait pas avoir conscience. Curieuse, à son tour elle suivit des yeux le garçon esseulé arpentant lentement le bord de l'eau d'un air d'ennui étudié. Qu'elle trouva très poseur, d'une nonchalance affectée, se sachant observé et jouant de sa grâce juvénile. Mais mille autres spectacles épars attiraient le regard et l'épuisaient, presque dissous par la réverbération lumineuse, la surexposition leur donnant un aspect irréel de chose ancienne, comme vieillissent les photos, renvoyant déjà ce jour à un futur antérieur du temps où ils ne seraient plus là, ne seraient plus... Même si elle pensait au futur proche, à Paris et à ce qui les attendait là-bas, de confus et menaçant, aux êtres dispersés dans l'espace qui ne laisseraient pas alors de resserrer autour d'elle leur étau, c'était encore comme à des réalités vagues, contaminées par celles de la plage, aussi floues et immatérielles, tenues à leur inoffensive existence dans ce temps suspendu du présent.

Maintenant, elle marchait vite, un peu en retard sur l'heure fixée. Avant d'aller attendre Pierre, au *Caffè Florian*, elle se promettant de flâner du côté de la scuola degli Schiavoni, pour voir comment saint Georges terrasse le dragon... A cette heure où les rues sont presque désertes, elle croisait pourtant de nombreux passants, singulièrement pressés, courant presque, et dans l'étroite calle Spiezer les commerçants fermaient boutique, les relieurs, les papetiers et les drapiers accrochant les barres de fer aux devantures, comme si ce fût un jour férié, donnant à cette voie fréquentée un air fantomatique ; mais elle ne s'attardait pas, atteignait déjà le petit pont qui mène au *campo*. Elle était arrivée la première, malgré son retard. Un peu essoufflée, elle ouvrit son ombrelle en cet endroit ensoleillé, et s'accouda au parapet, attendit Marcus en contemplant, dans ce segment plus étranglé, le rio qui des deux côtés verse au Grand Canal, découvrant la perspective étroite du quai plongé dans l'ombre rouge des maisons, se divertissant de leurs reflets, plus lumineux que la réalité dans l'eau, brune à cet endroit, peut-être sablonneuse, et peignée en profondeur d'algues vertes sous l'enfilade des petits ponts…

Arrêté à l'ombre très noire d'un corridor en arcades, l'homme l'observait patiemment. Et même avec une certaine passion de patience qui ne s'irrite de rien, laisse tomber le temps en pure perte. A cette heure, une femme seule arrêtée en haut d'un pont, même si elle a une inclination romantique pour le charme des canaux, ne consacre pas tant de temps à sa fascination. Elle avait marché vite et droit, s'était brusquement arrêtée, comme les gens rendus. Elle attendait quelqu'un. Il attendait, n'osant croire en cette chance d'un rendez-vous, de découvrir sans autre effort celui qui allait arriver, d'un instant à l'autre, et c'était si excitant qu'il en frémissait d'aise, couvant la femme immobile dont la silhouette blanche, nimbée par un bloc de soleil, se découpait par contraste sur l'ombre rouge. Il plantait son regard entre ses épaules, à ce creux où s'enracine l'aile des anges, si violemment qu'elle aurait dû en sentir la lame y entrer, ciseler la longue ligne de son dos, ses reins évasés dans le drapé de la robe, si léger qu'il épousait ses formes. Un coup avait sonné à une église, et elle ne bougeait toujours pas, sourde à quelques passants surgis soudain, qui traversaient le pont derrière elle, courant vers où l'on ne savait. Il fallut, bien plus tard, un nouveau coup à la cloche pour qu'elle parût se réveiller, jetant brusquement derrière elle un regard indécis, vers lui, qui ne le trouva pas dans l'ombre, mais si ajusté qu'il en eut une sueur glacée à la nuque, une crispation au bas du ventre, qu'il réprima de la main. D'un seul coup, elle se décidait, fermait prestement l'ombrelle et quittait la place qu'elle avait si longtemps occupée. S'éloignant, d'un pas plus lent que tout à l'heure, mais tout aussi résolu, elle se dirigeait sans hésitation dans le dédale obscur des venelles qui va de Bavolo à Saint-Marc. Il n'avait aucune peine, d'un coin à l'autre la perdant de vue et la retrouvant, à suivre sa progression, alerté maintenant, curieux de voir où elle allait.

Que Marcus ne fût pas venu laissait Gabrielle dans une incertitude moitié inquiète, moitié perplexe, quant à ce rendez-vous si comminatoire, à la fois précis et hasardeux, que la fougue du jeune homme avait projeté hardiment, l'autre soir, mais dont elle avait douté aussitôt qu'il fût très sérieux, tant il paraissait absorbé par d'autres projets, et au fond déjà si loin de ce qui les avait liés, dans la triste aventure de l'hiver... Tout en marchant, elle repensait avec humour à cette propension qu'elle avait à se rendre docilement où les gens la convoquaient. A les attendre, eux qui ne venaient pas, par étourderie ou par malignité. Alors elle se souvint de sa longue station devant le *Saint Jean-Baptiste* du Louvre, qui dès alors lui apprenait, de son doigt impertinent, quels pièges elle se tendait à elle-même, et la pensée de Michel Terrier surgit. Très désagréable sensation qu'il la rejoignait ici, quand depuis de longues semaines elle avait oublié son existence, et qu'il l'accompagnait dans sa marche. Présence mentale, bien sûr, imaginaire, invraisemblable mais si puissante qu'elle devenait matérielle, plus oppressante et funeste que l'ombre portée des murs dont la fraîcheur faisait frissonner ses épaules. Elle chassa ce fantôme du passé récent, encore trop agité de souvenirs pénibles et elle le repoussait, le rejetait comme une mauvaise conscience de ses errements, y substituant la personne réelle, merveilleusement réelle de Pierre, qu'elle retrouverait tout à l'heure. Leur rendez-vous sans comparaison dévaluait sa déception d'avoir attendu Marcus en vain et, à la pensée de Pierre, la cadence de ses pas réveillait en elle la douce, fervente adoration de tout son corps, de son esprit aiguisés par les flammes du désir, vibrant d'une vie fluide et nerveuse qui parcourait ses flancs comme si elle le portait en elle, vivant et fragile, auréolé de cette beauté qu'elle lui avait vue. Non de la triomphante beauté des vainqueurs mais celle de l'abdication, livré aux gestes qu'elle ignorait pour le prendre. Qu'il guidait, rudement accompagnait, comme il ne l'avait pas osé encore, si âpre consentement à être sa chose à elle comme elle avait été la sienne, parce que, à sa guise, elle devait s'emparer de lui, battre de ses lèvres l'étrange saillie virile à la racine de son ventre, à l'aine arrimée, pulsation impatiente et si désemparée qu'il lui fallait la miséricorde d'un accueil, qu'il réclamait et mendiait en l'agrippant à pleines mains aux cheveux, pressant sa bouche à son ventre, appelant comme elle avait appelé. Rien ne pouvait être plus beau, plus enivrant que cette fête des corps, que cette joie primitive, et lorsqu'elle déboucha sur la place Saint-Marc éblouie de lumière, cette rencontre solaire la saisit tout entière, comme une annonciation. Pas une seconde elle n'envisagea que l'ange, tel celui qui s'avançait sur le seuil de la chambre de sainte Ursule, pouvait porter la palme annonciatrice des douleurs.

C'était seulement de la joie, de la joie, dans la splendeur de la lumière au zénith, qui inonde de sa bénédiction les forêts et les villes !

La scuola di San Giorgio degli Schiavioni, où elle se rendait à présent, était loin encore, mais elle y allait d'un pas vaillant, longeant l'immense place presque déserte, sa majestueuse perspective géométrisée par le pavement gris et blanc qui bascule vers la basilique, laissant à l'autre bord les vieilles arcades ombreuses des Procuraties abritant les *caffè* élégants, le Quadri, le Florian, où Pierre la rejoindrait tout à l'heure, et elle filait, sans un regard pour les rares et minces silhouettes amenuisées par l'espace, quand, brusquement déboucha, sous la tour de l'Horloge, venant de la placette des Lions en marbre rouge vers laquelle elle se dirigeait, une bande tumultueuse d'hommes emportés dans leur course, si nombreux soudain à peupler le théâtre, par ce soudain fracas des mises en scène à effets, qui stupéfient le spectateur. D'un élan commun, s'éparpillant et tournoyant, ils brandissaient des drapeaux rouges flottant joyeusement au soleil, soulevant l'envol affolé des pigeons en gerbes fastueuses, et ils criaient *"Viva Italia ! Viva la rivoluzzione !"*. Leurs cris montaient d'une rumeur de foule qui se déversait continûment, nourrie d'autres hordes investissant la *piazza*, se précipitant des quais ou d'ailleurs et, en un éclair, l'espace l'instant d'avant désert fut assiégé par cette foule populaire. Des hommes vieux et jeunes, front nu ou en casquette, en veste de toile, en chemise, mais des femmes, peut-être aussi nombreuses, armés d'hétéroclites outils, ou d'armes... Elle vit les armes, les fusils. Elle vit les hommes. Elle entendit leurs cris, égarée au milieu d'eux, se heurtant follement à des hanches, des poitrines, ne sachant plus où elle était, allait. Alors, d'un mouvement de panique, épousant la course des uns ou des autres passants qu'elle voyait s'enfuir vers les ruelles, se réfugier sous les portiques, elle s'élança à l'autre bout, perdant dans sa course chapeau et ombrelle, atteignit les arcades. Rejointe par d'autres fuyards qui cherchaient un abri, portée par leur bousculade, elle s'engouffra dans le *Caffè Florian*, dont les garçons tentaient déjà de refermer les portes, refoulant en vain les gens, bientôt débordés, impuissants à endiguer ce reflux.

La confusion était à son comble dans le café. L'instant d'avant occupé par les consommateurs paisibles, à la terrasse ou à l'intérieur, il était à présent à demi dévasté par l'invasion. Des tables, des fauteuils renversés entravaient le passage ; la porcelaine, le cristal des verres brisés jonchaient le parquet ; de respectables messieurs, emportés par l'agitation hystérique, au mépris de toute éducation, poussaient et rudoyaient les rares femmes pour mieux passer, s'arrachant de la presse pour se disperser dans les salons, revenir aussitôt s'agglutiner contre les baies, regarder, les yeux exorbités, le spectacle de la place, à présent entièrement occupée par la foule, de plus en plus compacte, des manifestants. Elle ne sut comment, Gabrielle se retrouva dans un de ces salons, d'ordinaire cloisonnés par les paravents au décor précieux, mais ceux-ci étaient piétinés, et les stores drapés battaient les arcades, comme secoués par le séisme populaire, tel un vent d'orage. Pourtant, l'atmosphère s'apaisait un peu, et maintenant fusaient les commentaires de ceux que rassurait leur retraite. On le savait depuis le matin : cela se préparait dans le quartier de l'Arsenal, dans le ghetto, dans les *sestiere* populaires de Cannaregio, de Santa Croce… La contagion subversive ayant gagné, venant de quartiers plus éloignés de Mestre, de Marghera ou de Malcontenta, venant de la plaine du Pô ou de Ravenne, des villes soulevées par l'insurrection. C'était la sédition armée des marbriers de Carrare, des mineurs de la haute vallée de l'Arno, les sidérurgistes de Piombino, de Livourne, les vitriers de Pise ! A Venise, on reconnaissait cette racaille rassemblée sur la place : c'étaient les artisans, coiffeurs et cordonniers, les brodeuses, les dentellières et les poissonnières, les ouvriers souffleurs de verre ralliés aux hommes du port, aux employés des chantiers navals. Le peuple rouge du prolétariat appelé par l'USI à défendre Errico Malatesta, à empêcher son arrestation, à venger dans le sang la répression d'Ancône, ses morts et ses blessés, à opposer la grève générale aux autorités débordées. La nouvelle circulait que des paysans et des journaliers de Castiglione avaient forcé des officiers à descendre de voiture, à rendre les armes et à entrer au Cercle républicain, ces maisons du peuple, ouvertes partout… On disait aussi que les cuirassiers, envoyés en renfort, faisaient le siège d'Ancône isolée, téléphone et télégraphe coupés. A Parme, des propriétaires fonciers s'armaient contre le soulèvement. Des milices, aussitôt formées, répondaient aux violences des métayers et des ouvriers agricoles ; à Florence, elles se battaient aux côtés des forces de l'ordre… Même des employés de l'Etat rejoignaient les insurgés ! La guerre civile ! C'était un tel émoi d'horreur que le vent en courait, hérissait les cheveux, soulevait les poitrines. Aucun d'eux, autant qu'ils étaient, n'avait imaginé que Venise, la pacifique, la noble, altière Venise pût être atteinte par ce choléra, cette peste révolutionnaire ! Et les étrangers qui se trouvaient là, comprenant mal l'italien, suivaient avec stupeur au bord de leurs lèvres ces nouvelles ahurissantes, qu'ils se traduisaient les uns les autres en toutes langues. Ces nouvelles affreuses que, dans leurs hôtels, on leur avait cachées, de peur de les voir fuir, toute cette caste huppée, ces riches visiteurs qui devaient rester dans l'ignorance de la réalité, des maux de la société, gangrenée par la vie chère, l'injustice sociale. Et les Vénitiens savaient encore que leur vieille angoisse de la fragilité de la ville sérénissime, ses fantasmes de déclin et d'engloutissement trouvaient, en ce jour de violent soleil, leur confirmation tragique.

Les jambes rompues, les tempes bourdonnantes, Gabrielle tomba assise sur une banquette de velours. A l'écart de ces groupes excités, elle entendait les propos, qui rendaient leur vérité aux journaux du matin, si bien subtilisés par le personnel. Lui revenait maintenant l'avertissement embarrassé du garçon, sur la plage. Et le pont du *vaporetto*, inhabituellement dépeuplé... Le rendez-vous manqué de Marcus, qui ne pouvait qu'être dans cette foule, avec ses frères de lutte. Ce matin encore, quand il avait appelé, la manifestation n'était pas arrêtée. Il voulait la prévenir de ce qui se préparait. Ou bien encore la voir, avant qu'il soit trop tard... Alors s'éclairait ce rendez-vous abrupt, dont la formule péremptoire disait maintenant son urgence, ou son improvisation malheureuse. S'il n'était pas venu, finalement, c'est que, plus vite qu'il ne l'avait cru, le mouvement avait grossi, débordé les prévisions, et que, lâchée par les rues, l'insurrection gagnait déjà de tous côtés... Elle revit les gens pressés qu'elle croisait, courant dans la calle Spiezer, les boutiquiers barricadant les vitrines... Toute la ville savait ! Les Vénitiens savaient. Et elle mesurait l'artifice de cette ville savante, brillante et séduisante, l'orgueil de son art et de sa fortune offert en vitrine aux visiteurs étrangers, venus des châteaux, des demeures bourgeoises de toute l'Europe s'éblouir de ses fastes, à qui elle réservait son théâtre trompeur, travaillée, comme toute l'Italie, par les tensions sociales, les soubresauts violents d'un peuple exaspéré de misère, avide de liberté... On pouvait bien descendre hypocritement aux cuisines, alors, dans la soute des serviteurs, et se mêler à eux, le temps d'un concert exquis, tout les séparait, tout les faisait des ennemis de classe... Que faisait-elle là, en ce midi ? Dans cette lumière triomphale qu'elle avait crue l'avènement d'un temps nouveau, alors que c'était un vieux monde, une vieille guerre, qui se déclarait ? Et Pierre ! Où était-il, à cet instant ? Que se passait-il à l'Arsenal ? Il ne viendrait pas, évidemment. Il serait empêché par cette foule, les désordres qui devaient envahir tous les quartiers et bloquer les rues, les ponts de cette ville si vite compartimentée par ses îles. Bouleversée par ces pensées chaotiques, elle ignora l'homme qui se glissait sur la banquette à son côté. Elle commençait juste de réfléchir à la suite, à ce qu'elle devait faire à présent. Tenter de quitter le café, ou rester ; attendre une accalmie, la dispersion, peut-être ?... Ou sortir parmi ces gens, se mêler à leur foule. Ils n'étaient pas les brutes sanguinaires, les fanatiques qu'on disait. Ils la laisseraient passer sans mal...

— Quelle belle journée ! On ne pouvait mieux rêver...

A peine la voix, d'un français impeccable, l'avait-elle alertée, elle découvrait son voisin, dans une proximité si grande qu'elle en eut une commotion de tout son être.

— Vous m'avez manqué, Gabrielle, reprochait-il avec douceur.

Michel Terrier ! Lui ! Sidérée, elle le regardait, privée de parole, d'une seule pensée. Lui !

— Vous ai-je manqué, un peu ?

Au milieu de cette foule hagarde, dans ce désordre, c'était tellement irréel, l'apparition du fantôme évoqué tout à l'heure à l'ombre des rues, qu'elle ne tenta même pas un geste, avec, palpitant quelque part dans son cerveau tétanisé, la pauvre idée qu'il était une illusion de ses sens. Que si elle ne bougeait pas, ne respirait pas, il allait s'évanouir dans l'instant, se volatiliser dans l'air enfiévré. Mais il ne disparaissait pas, il s'incarnait. Il approchait et la touchait. Il mettait sa main sur la sienne, main d'acier ou de marbre, brûlante ou glacée, emprisonnait ses doigts, et avant qu'elle comprenne, d'une torsion de fer, il lui broya un doigt. Le craquement fut si violent qu'elle ne cria même pas, pliée en deux sur ses genoux, suffoquée par les ondes de douleur fusant à l'épaule, au ventre, une nausée la tordant aussitôt.

— Ce n'est rien, dit-il d'une voix paisible.

Il perdait son regard distrait dans la foule du café, des gens qui allaient et venaient, s'affairaient ridiculement à barrer l'entrée d'une barricade hérissée de chaises, s'installaient comme pour un siège.

— Votre doigt est cassé, confirma-t-il. Redressez-vous.

Comme elle n'obéissait pas, d'un revers du bras, il la ramena brutalement en arrière, la plaqua au dossier et l'y laissa, pantelante.

— Un peu de tenue...

Et cette fois, malgré la douleur irradiante, elle se rendit à la réalité, à la réalité terrifiante. Bien plus que ce jour défiguré, que cette ville travestie en catastrophe, c'était la chose rampante, dénaturée et hideuse qu'elle pressentait. Elle l'avait vue passer sur sa face, sur son profil, un jour, dans un autre café. Elle le savait déjà, la douleur le lui enseignait plus vite que ses pensées, plus vite que l'instinct. Tout raisonnement aboli, elle le vit à son côté, Michel Terrier, tel qu'en lui-même, dès le premier jour.

— Vous avez eu tort, ma chérie, de m'oublier si vite ! Tellement tort de me tromper... Ne saviez-vous que je ne m'en consolerais pas ? susurrait-il.

Il soupira, les yeux levés au plafond, contemplant les lustres de cristal.

— Allons, pas de regret : nous voilà réunis... Belle ville, vraiment. Bel hôtel. Belle plage. Jolie escapade... Il faut en faire, des kilomètres, pour vous retrouver, chère infidèle... Pierre – vous l'appelez Pierre, à présent ? Pierre Galay est avec vous, mille grâces. La petite aussi ? Charmante enfant...

— Millie ! Pas elle ! s'écria-t-elle, terrorisée.

Et comme elle s'était redressée, esquissant un mouvement de révolte, ou de fuite, il reprit sa main, serra à peine. La nouvelle décharge de douleur la cloua sur place, lui arrachant un cri. Mais même un cri, dans cette atmosphère survoltée, n'alertait personne. Personne ne prêtait attention à leur couple affalé sur la banquette, parmi d'autres, qu'effaraient les événements. L'agitation à l'intérieur, l'organisation fébrile de cette défense dérisoire, qui satisfaisait le besoin d'action des plus anxieux, et dehors les appels montant de toutes parts, la rumeur de la foule qui scandait à présent des slogans vengeurs, *Vendetta per Malatesta ! Morti ai padroni ! Morti agli sfruttatori !* hissant au-dessus des têtes des fusils, des enfants, des drapeaux ; la houle de leurs cris déferlant dans le café, tout cet affolant brouhaha les isolait plus sûrement que les Plombs de Venise.

— Il pourrait lui arriver tant de choses désagréables... Que ferez-vous, reprit-il, aimable, pour que je ne touche pas à sa chère petite tête ?

— Que voulez-vous de moi ? hoqueta-t-elle, au bord d'une crise de nerfs, irrépressiblement secouée de soubresauts, de la tête aux pieds.

— Vous voilà enfin raisonnable. Ma chérie.

Elle voyait, comme extérieure, la scène mouvementée autour, fantastique à force de réalité, et eux deux immobiles, assis sur la banquette. C'était une hallucination. C'était un cauchemar ! Il fallait se réveiller, s'arracher à ce sommeil de douleur, de terreur ! Dominer les élancements torturants qui montaient de son doigt par à-coups jusqu'à sa gorge, sa poitrine, incendiaient son cerveau.

— Vous savez très bien ce que je veux, reprenait-il. Je vous l'ai demandé depuis si longtemps. Si souvent.

Ce que je veux de toi, songeait-il, d'une pensée dissidente, dans une sorte d'aparté féroce, et délectable, ce que je veux de toi, c'est que tu cries, et implores. C'est briser, un à un, tes doigts, et tourmenter tes membres, très lentement supplicier ton corps intéressant. Sur un lit te réduire à moi, selon ma discipline.

— Je veux le document que vous détenez. Ne niez pas, ou je vous fais un peu mal, encore ?

Elle niait pourtant, éperdument niait, de la tête, frappée de terreur.

— Le journaliste en a peut-être un double, mais vous avez l'original. L'original, Gabrielle ! Si vous y tenez, je précise ce dont il s'agit : celui dont provient la page que voici.

Méticuleusement, indifférent au chaos, au tohu-bohu invraisemblable, il ouvrait son portefeuille et tirait le papier plié, le tenait entre deux doigts. S'il fallait une preuve. S'il fallait qu'elle mesure enfin l'étendue de son pouvoir, de sa tentaculaire machination. S'il fallait qu'elle sache enfin quel crime elle avait commis en envoyant cette page à Agota. Et dans quel danger elle avait mis celle-ci, et tous ! Mais ce dernier coup, au lieu de l'anéantir, la réveilla soudain. La secoua tel un choc électrique. Elle laissa s'effondrer, derrière, quelque chose comme sa vie, un pan de montagne entier. Pour sauver une part lointaine, si lointaine région où elle aimait, dont il dépendait d'elle qu'elle survive à sa perte. Elle pensa qu'elle allait mourir, que ce n'était pas grave, que sa mort était facile et si simple... Seule, debout au bord du précipice. Elle s'y jeta.

— Cette page en provient. Je détiens ce document.

— Bien, ma belle ! la félicitait-il d'un sourire câlin.

Elle ne savait ce qui l'épouvantait le plus, l'inhumanité de cet homme, terrifiante machine, sa cruauté froide ou la civilité dont il l'habillait, son masque aimable, impitoyable. Elle ne pouvait le dévisager, rencontrer son regard. Y chercher quelque chose de celui qu'elle avait cru connaître, et voir son atroce réalité. Elle ne pouvait que regarder fixement devant elle, où elle ne voyait rien.

— Qu'en ferez-vous, à présent qu'il est sur la place publique ? opposa-t-elle faiblement, la gorge sèche.

— Ah ! Gabrielle ! Il n'y est pas encore, vous le savez bien ! Max Jamais en menace, mais il le garde pour le procès en diffamation, qu'il espère. Qu'il obtiendra peut-être, d'ailleurs... Zola l'inspire ! Mais la justice est si lente ! D'ici là, évidemment, nous

nous serons entendus, vous et moi. Vous serez très gentille avec moi. Comme vous ne l'avez pas beaucoup été jusque-là, ingrate…

Et cette fois, il posa sa main sur son genou. Ce geste de possession la hérissa d'un frisson.

— Vous qui parlez le hongrois, une langue rare, vous connaissez son contenu, n'est-ce pas ?

Tout en parlant, il remontait impunément le long de sa cuisse, l'effleurant d'une caresse légère, comme si elle était une fleur, une petite fleur rouge des bords de route, et si léger qu'il fût ce contact était ignoble, le subir si humiliant qu'elle en eut les larmes aux yeux.

— Oui, souffla-t-elle, à bout de force.

— Votre… Votre "fiancé", comme vous dites, était ce qu'on appelle un agent supérieur. Un as ! Certes il y a eu quelque retard de transmission… Quelques imprévus. Mais il n'y a pas péremption. Les informations qu'il a obtenues sont d'une actualité intacte. Je les veux. Vous ne me les refuserez pas. Vous n'avez plus rien à me refuser. Vous m'obéirez. En tout.

Il eut un petit rire, comme un hoquet nerveux. La nausée remontait à sa gorge : elle allait enfin vomir, s'évanouir. Mais elle ne s'évanouissait pas.

— Quelle merveilleuse circonstance de nous rencontrer ici… En ce beau jour de fête populaire, c'est étonnant, non ? ironisait-il. La chienlit vous sied. Regardez-moi.

Il lui prit le menton entre deux doigt, comme des serres, força son visage. Elle ferma les yeux, sentit son souffle sur sa bouche.

— Ravissante. Un peu pâle, toutefois.

Depuis un instant, l'agitation du dehors avait pris une forme plus virulente, des groupes refluaient, rabattus vers ce fond de la place par des mouvements convulsifs de la foule, qui menaçaient dangereusement les abords du café, jusque-là épargnés. Sans savoir ce qui se présentait de nouveau, elle suivait cette évolution, d'une vigilance nouvelle, au bord de sa conscience aiguisée. Mais rien ne serait une issue, rien ne l'arracherait à cet homme, puisque, à présent, elle avait accepté le pire. Si le pire sauvait quelque chose. Mon Dieu, gémit-elle, si elle pouvait, quelque part, sauver…

— Ah ! Comme vous avez bien travaillé ! Remarquable. Localiser Zepwiller, toute seule… Chapeau, poursuivait-il, soudain animé d'une sorte d'ivresse de pouvoir. Dommage qu'il ait si peu survécu à vos investigations. Sa sœur itou. Savez-vous que vous m'avez épaté, Gabrielle ? Que votre petite affaire avec le professeur m'en bouche un coin. Vous couchez ?

— Ne soyez pas vulgaire, Michel, dit-elle, ne sachant où elle trouvait le cran de son mépris.

— Il te baise ?

— Mieux que cela. J'en suis fort aise.

A le défier, elle s'obligeait, livide. Il joua délicatement avec son doigt.

— Vous éliminez très vite, c'est risqué, riposta-t-elle encore, réprimant un gémissement.

— J'élimine qui me gêne. Je veux le dossier de Luckácz.

Alors il se passa une chose inouïe, une chose impensable. Pierre entrait dans le café. Il était là. Il se frayait à grand-peine un chemin parmi les gens entassés près de la porte, franchissait le barrage, sa veste ouverte, col ouvert, la chemise à demi arrachée, tête nue, cherchait autour de lui, d'un regard fou... Avant qu'elle pût tenter quoi que ce soit, trop tard, il l'avait vue, il venait. Il se précipitait ! Il l'avait déjà saisie, soulevée contre lui, l'étreignant à pleins bras...

— Gabrielle ! Vous voilà ! Je désespérais...

Elle avait poussé un cri, sa main crépitant de douleur, aussitôt arrachée à lui par Terrier qui la rejetait sur la banquette, qui bondissait, s'interposant debout, blême de surprise, pris au dépourvu, un quart de seconde pendant lequel elle se dressa à nouveau entre eux, faisant un rempart dérisoire de son corps à Pierre, interdit par cette scène brutale, incompréhensible.

— Pierre ! cria-t-elle. Partez ! Il vous tuera !

Il y eut encore un flottement, cette si grande lenteur d'une vitesse du regard. Le temps que Pierre voie l'homme debout. Qu'il le voie au ralenti faire de nouveau cette chose infâme, intolérable. Empoigner Gabrielle au corsage, l'arracher à lui comme un paquet, la jeter de nouveau de côté, contre le miroir au pied duquel elle resta effondrée, moitié assommée. Le temps long du réflexe de bondir et d'agripper la brute au revers, mais du tranchant de la main l'autre l'arrêtait dans l'élan. Un coup porté à la gorge ; si foudroyant que Pierre eut un haut-le-corps violent, le souffle coupé. Dans son étourdissement, il entendait Gabrielle hurler. Elle hurlait vers les autres, ces gens, ces hommes ahuris, figurants d'un mauvais théâtre, mauvais acteurs qui se tournaient si lentement vers eux, à présent, avec une expression fausse d'étonnement, voyant au fond du salon cette femme hystérique ; une crise de nerfs. Ces deux types en train de se battre, pris de querelle. Si dérisoire dispute, en cet instant dramatique, que la plupart des témoins de cette scène se détournaient déjà. Il y en eut cependant deux ou trois pour approcher, par cette curiosité basse qui fait que, au milieu d'une catastrophe, il y a toujours quelqu'un pour s'intéresser au fait divers. Sentant basculer la situation, Terrier avait reculé d'un pas. Il avait une arme au poing. Un revolver, pointé sur Gabrielle. D'une maîtrise absolue, impassible.

— Pas de problème, lança-t-il aux curieux. Des agitateurs. Pas un geste, vous deux.

— *Agitatori ! Sovversivi !* hurla quelqu'un.

— *There are provocatives !! Take care ! Get out !*

Gabrielle ne criait plus, voyant à contre-jour du soleil épuisant, nimbées d'un brouillard doré, les silhouettes refluer, indécises, avec ce respect veule des groupes s'inclinant devant le pouvoir d'un seul, déjà ralliés à cette idée, qui courait depuis le début, de manifestants réfugiés en même temps qu'eux à l'intérieur de l'établissement, de terroristes peut-être. S'il y en eut un pour s'inquiéter de cet homme armé d'un revolver, le soulagement fut le plus fort qu'il se trouvât là un individu aussi calme, et sûr de son fait, sans doute un policier en civil, ou un indicateur, qui contrôlait la situation. Devant cette arme redoutable, chargée sans aucun doute, au spectacle de Gabrielle, décomposée, échevelée, son corsage déchiré, Pierre cherchait à comprendre, encore sous le coup de l'asphyxie. Il était si peu homme d'action que cette scène abjecte, ces violences le désemparaient totalement ; pourtant, au fond de lui, les réflexes de l'escrimeur, et la colère déferlante ; plus que la peur, la fureur maintenant. Terrier profitait de l'intermède. Il calculait vite, devant le renversement inattendu qui redistribuait sa partie. A tout instant, un événement de plus pouvait de nouveau survenir. La foule, instable. Les deux, réunis. Trop d'aléas, trop dangereux, à présent. Limite du contrôle. Mais l'instinct survolté, retrouvant la jouissance de ces instants extrêmes qui met le goût du sang aux dents, il dévisageait passionnément Pierre Galay au visage, sa difficulté à reprendre son souffle. Ne put retenir sa morgue.

— Du calme. Ça va passer. Respirez.

Pierre respirait, péniblement. Il soutenait le regard de Terrier sans fléchir, dans une sorte de stupeur absente.

— *Do you need some help ?*

— *No, thank you. Get out. Get out !*

Les derniers curieux, deux vieux sujets de Sa Majesté, très commotionnés, les cheveux en bataille, tournèrent prudemment les talons. Trop longtemps distraits, ils retournaient à leur sujet d'angoisse principal. Ils restaient enfin seuls, eux trois, au fond du salon dévasté.

— Elle est à moi, dit Terrier lentement, distillant les mots. Elle travaille pour moi, Galay.

— Non ! hurla Gabrielle.

— Ta gueule. Ma chérie.

Sa voix métallique, jusque-là tranchante et stable, était légèrement altérée.

— Bonne fille, hein ? Elle est infiltrée chez vous, depuis septembre. En mission de renseignement.

Gabrielle sanglotait éperdument, à genoux contre le miroir.

— Elle a un peu de mal à s'en remettre. Les nerfs. La circonstance.

Il eut un suspens d'hésitation. Parlait trop. Perdait trop de temps, à présent. On ne savait plus comment tourneraient les événements dans le café, dehors. Tenaillé d'un paradoxe insoluble. Il ne voulait que les éliminer. Tuer. Il avait besoin d'eux, quelque temps. Il fallait les mettre à l'abri, les sortir de là, au plus vite.

— Ecoute-moi bien, Galay... On va sortir d'ici, calmement. Elle, devant nous. Attention, pas de faux mouvement. Moindre geste, je l'abats. Compris ?

— Où iriez-vous ? Dans cette foule ?...

— La ferme. Tu n'as pas les moyens de discuter...

Il y eut l'explosion assourdissante du miroir, volant en éclats, avant même que leur parviennent les bruits de détonation, d'autres coups qui résonnaient en cathédrale dans le luxueux café, ricochant aux murs, arrachant des gerbes de plâtre aux plafonds, et le cristal des lustres dégringolant en pluie, les hurlements de gens se jetant à plat ventre, et simultanément, sur la *piazza*, un vent de panique indescriptible jetait la foule contre les baies, enfonçant les portes, la barricade de chaises s'écroulant sous la poussée des corps, l'air du dehors entrant en souffle épais de poussière et de cendre aspiré par le courant d'air. Mais déjà Pierre, d'un élan, se ruait sur Terrier, le culbutait de tout son poids, roulait au sol avec lui, aussitôt renvoyé par la prise implacable du militaire qui le projetait à deux mètres, d'une détente fulgurante de l'avant-bras. Gabrielle ne sut comment elle avait plongé en même temps, par quel sursaut elle saisissait le revolver glissé sur le plancher, encore à genoux pointait l'arme sur Terrier, à deux mains, comment sa voix dominait l'invraisemblable vacarme des coups de fusil, dehors, les cris et les déflagrations...

— Bras en l'air ! Bras en l'air ! criait-elle, brandissant à bout de bras l'arme de poing, révulsée par sa peur.

S'il pouvait y avoir une expression d'effarement aussi stupide, c'était celle de Terrier, se relevant à peine, arrêté dans son mouvement, hésitant.

— Levez les bras ou je tire ! Je tire !

A peine eut-il le temps d'ébaucher un ricanement incrédule, de basculer vers l'avant, vers elle, qu'elle avait pressé, elle ne savait où, au cœur de cette chose lourde et immonde, dont le recul la fit vaciller de surprise. La détonation se perdit dans celles qui éclataient partout, les explosions et le fracas. Pierre lui prenait déjà le revolver des mains, alors elle s'évanouit enfin. Glissa voluptueusement dans l'inconscience. Mais il y avait tant de grondements autour, un maelström de vagissements d'océan, aboiements ou hennissements dans ces grands fonds de vase obscure, qu'elle ne pouvait pas rester à dormir là, pas rester, pas rester, et elle se remit debout avant de revenir vraiment à elle, les oreilles pleines du tintamarre qui ne cessait pas, tandis qu'elle voyait, très précisément, cette chose extraordinaire : Terrier tassé sur la banquette, tenant son bras ensanglanté. Des gouttes de sang tombait sur le sol, une à une. Plus qu'une expression de souffrance sur sa face, un étonnement puéril. C'était fascinant et endormant. Soutenant son bras blessé. Les dents si serrées que saillait l'os de sa mâchoire, claquetant malgré tout, un peu de salive pendant à sa lèvre. Tandis que le sang coulait. Tandis que sa main redoutable saignait. Elle en fermait à demi les yeux, enivrée par l'odeur irritante de la poudre.

— Ne t'évanouis pas de nouveau, dit Pierre durement, lui remettant l'arme dans la main. Tiens-le en joue. Pendant que je le fouille. Fais-le !

Mais rien de cela n'eut lieu. Du reste, rien n'avait lieu de prévisible ; l'anomalie monstrueuse continuait depuis si longtemps qu'elle était devenue normale. La fusillade s'était arrêtée dehors. On aurait dit la place silencieuse par contraste, alors qu'il y avait encore des cris, et des gémissements, mais derrière un piétinement étrange, qui s'éloignait en sourdine. Et, par un retournement inouï de situation, des insurgés étaient soudain là, envahissaient le café, repoussant les gens gémissants et suppliants vers le fond, les alignant, terrifiés, contre les murs, où ils s'attendaient, d'un instant à l'autre, à être fusillés, massacrés ! Mais il s'agissait bien de cela ! Les salons s'emplissaient à présent d'une nouvelle foule d'hommes armés, entraînés et déterminés, et parmi eux Marcus, lançant des ordres, dans un italien épouvantable. En prévision d'un second assaut des carabiniers, organisant la résistance méthodiquement, faisant accumuler les tables devant les portes, grandes ouvertes, préparant la riposte à une prochaine attaque. Jetant les bras au ciel, parce que, stupéfait, il venait de reconnaître Gabrielle.

— Ah ! Non ! Pas vous, s'écriait-il, hors de lui. Foutez le camp, Gabrielle ! Ne foutez pas le camp ! La troupe charge dans la minute !

Elle pleurait d'émotion, accrochée à son bras, haletante.

— Marcus ! Au secours, Marcus ! Par pitié, aidez-nous !

— J'aide le peuple ! J'aide la révolution !

— Je vous en supplie ! Là ! Cet homme ! Il nous tuera, et toi, s'il le peut !

— Qui, lui ?

— Il a tué Clarisse ! Et Jean ! Crois-moi, je t'en conjure !

Dans l'affolement général, cette folie encore ! Ce type minable, blessé, désarticulé sur la banquette ? Marcus ouvrait des yeux immenses, abasourdi, allait de l'homme plié en deux à la jeune femme, qui s'attachait à sa taille, suppliante, à l'autre homme, qui s'emparait du revolver pendant à la main de Gabrielle, et le réarmait.

— C'est un criminel, un monstre… Il faut l'arrêter. Il faut le livrer…

— Le livrer ! Livrez-le à la troupe ! Elle arrive… ricana-t-il, surexcité.

— Marcus, entends-moi ! C'est lui qui a assassiné Clarisse !

Le jeune homme jetait des regards éperdus de toutes parts, dans une indécision dramatique. Les camarades autour. Le traquenard tendu, son couteau volé dans sa chambre, ce sang ! Ce type, un mouchard ? Cette ordure ? Il n'avait pas le temps de comprendre, savoir, s'assurer… Gabrielle pesait à son bras. Pierre assistait à cette scène extravagante sans plus paraître s'étonner de rien. Entrevoyant seulement que ce dernier venu fanatique, tombé du ciel dans les bras de Gabrielle, qui le tutoyait, avait à voir avec la brute assommée, à quel titre ? Que les assaillants prenaient les gens en otages. Que se préparait un assaut sanglant. Que chaque seconde comptait. Mais il ne prévint pas la détente animale de Terrier. Son corps félin jaillissant comme l'éclair de la banquette, quand il semblait à moitié défaillant, prenant en bouclier l'un ou l'autre des plus proches, dérapant sur les gravats et trébuchant, fuyant parmi les groupes affolés, et déjà, en trois bonds, il était parvenu au seuil quand Pierre, le revolver au poing, s'élança derrière lui. Marcus partait à sa suite, se décidant d'un sursaut violent, armant son fusil dans la course ; et Gabrielle derrière eux, ne sachant où ses jambes inexistantes trouvaient appui, la propulsaient dehors.

Aérienne, fendant magiquement l'espace, l'obstacle des corps, débouchant soudain à l'air libre, elle chancela du choc. Mais elle s'enfuyait, elle les poursuivait, ne sachant plus si elle avait bras ou jambes, une main torturée, sa robe déchirée. Les cheveux dénoués, la face brûlante, elle courait à perdre haleine, et comme sa jupe l'entravait, elle la souleva aux genoux pour sauter par-dessus des corps, des cadavres ou des blessés étendus sur les dalles grises et blanches, jonchant le beau pavement perspectif de la *piazza*. Et c'était vraiment un théâtre surnaturel, dans l'odeur poivrée de poudre, que ces gisants répandus dans des poses d'acteurs, ce rouge faux du sang en flaques, cette lumière grandiose filtrée entre deux nuages d'orage, éclairant la scène tragique, ou la comédie, le grand guignol de cette après-midi qui délirait sans fin... Elle traversait dans un vertige ce temps mort de l'histoire, ce décor de mort, seule vivante, s'engouffrant sous les arcades du palazzo Correr, à l'instant où, à l'autre bout, déboulait de sous l'Horloge, dans le désert de la place, le piétinement infernal d'un troupeau de chevaux harnachés, les carabiniers chargeant au galop. Elle les vit à peine, emportée dans sa course folle, volant vers où avaient disparu Pierre, et Marcus. Les retrouvant de loin, de rues en ruelles, et là non plus il n'y avait âme qui vive, ville morte, barricadée sur sa terreur de l'émeute... Soudain, au bout d'une longue artère pavée, elle vit un pont, les deux hommes un instant rejoints à son sommet, pris sous le feu subit d'une fusillade nourrie, qui ne freina pas sa course, au contraire l'emportait vers là-bas, où Pierre et Marcus, étendus contre le parapet, ne bougeaient plus !

— Reste où tu es ! hurla Pierre à son approche, couché à plat ventre sur le pavé.

On tirait d'un pont à l'autre, dans l'enfilade du canal. Des insurgés tenaient le quartier, mais les soldats ou les policiers tentaient des assauts dans le dédale des rues, contre les groupes isolés de manifestants en débandade. Alors, elle resta à l'abri, époumonée, adossée au coin du mur. Ne vit pas, ce que Pierre raconta plus tard, la fuite de Michel Terrier, qui pour leur échapper avait sauté d'un bond faramineux, du pont sur la *fondamenta* en contrebas, dès lors hors de leur portée, et s'élançait dans la direction des soldats, ayant presque atteint l'abri d'un corridor quand une balle l'avait foudroyé, en pleine poitrine. De leur place, à plat ventre au sol, ils avaient vu, entre les colonnes du parapet, son grand corps mince arrêté par l'impact dans le mouvement, dans une posture pathétique, funambule grandiloquent basculant d'un bloc dans le canal, tombant comme les combattants des factions rivales d'autrefois y tombaient ; ils avaient vu passer son cadavre sous le pont, emporté par le courant du reflux vers l'aval.

Eux trois réunis se taisaient, réfugiés quelques minutes plus tard dans une petite cour pavée où, d'une terrasse, tombait une gracieuse cascade florale à l'odorant jasmin, étrange havre de silence dans l'éloignement des coups de fusil, tandis que sonnaient trois heures à une église proche ; la frêle cloche indifférente aux drames de l'insurrection rappelant que le cours de la vie continuait, hors de la démence des hommes.

Ni l'un ni l'autre n'avait eu à tirer, tirer dans le dos de l'homme, pour l'abattre dans sa fuite. Trop loin, zigzaguant d'un mur à l'autre, il leur échappait. Ils l'auraient fait, pourtant. S'ils l'avaient pu, l'un ou l'autre aurait ajusté son tir, dans cet égarement de la peur et de la haine qui dénature les cœurs, la déraison qui sublime ou dégrade les êtres en héros, en tueurs forcenés. S'ils l'avaient rattrapé, ils l'auraient défiguré de coups, battu à mort, achevé. Gabrielle leur voyait au visage cette sombre empreinte d'exaltation, la frénésie qui succède à l'action se changeant en stupeur, la laideur qui va avec. Si dissemblables, le jeune anarchiste un peu fou, exalté par son idéal révolutionnaire, et généreux, si jeune, sa peau de fille empourprée par la course ; et l'homme mûr voué à l'étude, à la solitude des laboratoires, secret et réservé, si peu enclin à l'action violente ; ils se ressemblaient pourtant. Gabrielle lisait sur leurs traits la même fêlure originelle, cet instinct archaïque remonté du fond des âges, de chasse aux fauves, à l'homme, la suprême proie. Elle était pourtant loin de toute compassion, ou du remords pour l'animal intelligent et surarmé qu'ils avaient chassé, cette bête perverse qui aimait la mort, voulait la donner, en jouir avant. Elle ne pleurait pas Michel Terrier, sa fin sinistre. Elle avait peur de ces deux vivants, qu'elle ne voulait pas reconnaître en leur mue. Pour des raisons et à des degrés différents, si intimement liée à eux, à ce qui leur arrivait, et de beaucoup par sa faute. A cause de ce jour d'automne où elle avait accepté de prendre la main dangereuse que lui tendait Michel Terrier. De si loin, par l'étendue de son pouvoir, il les avait salis, avilis. Pierre et Marcus en portaient l'empreinte au visage. S'imaginait-elle qu'elle offrait un spectacle comparable, en loques, souillée, les cheveux pleins de plâtre, hagarde et tremblante d'humiliation, de haine, oui, et de détresse, tremblant de tout son corps ? Et n'avait-elle pas tenu cet engin de mort, elle, et tiré, tiré sur lui, à l'aveugle, pour l'abattre, pressé le ressort terrifiant ? Cette arme noire qui pendait encore, prothèse affreuse, au poing de Pierre. Ils se jetaient des regards las et brûlants, désemparés, et séparés, dans le soudain silence de ce petit théâtre de la cour, aux fenêtres désertes, et personne ne se penchait aux loges pour suivre la scène désolante de ce dénouement.

— J'y retourne, ils ont besoin de moi, disait Marcus, encore hors d'haleine.

— N'y retourne pas ! Sauve-toi, suppliait Gabrielle, sachant que c'était en vain.

Ses paroles lui semblaient grotesques, désaccordées, comme si le texte de la pièce était une erreur, et elle une actrice fourvoyée.

— Il y a des soldats partout, dit Pierre. Depuis l'Arsenal, j'ai croisé des troupes entières, cantonnées sur les places, l'arme au pied. N'y allez pas. Ce sera un massacre.

— Nous rendrons coup pour coup. La grève générale est déclarée. L'insurrection gagne tout le pays. Quand ils nous verront, les soldats fraterniseront avec nous. Les insurgés sont leurs frères.

— Vous rêvez, Marcus, gronda Pierre, accablé.

— Nos rêves sont plus grands que nous ! Partez, vous autres, puisque vous n'y croyez pas !

L'antagonisme refaisait jour, et Marcus reculait, farouche, plein de rancune soudain pour l'irruption imprévue de Gabrielle dans la prise du *caffè*, pour avoir cédé à sa supplication, préféré à son engagement ce règlement de compte personnel, sur un coup de tête qui l'avait arraché aux siens, coupé d'eux, désertant la place forte au moment où les camarades avaient le plus besoin de lui, et c'était peut-être trop tard, maintenant, pour tenir sa place parmi eux !

— Au moins, Clarisse est vengée ! lança-t-il en ricanant, s'éloignant déjà.

Mais il se ravisa soudain, marcha sur eux, cherchant dans sa poche, et tendit un petit sachet à Gabrielle

— Je voulais vous confier cela, tout à l'heure, au petit pont, mais les choses sont allées autrement que prévu… S'il vous plaît : portez-le à ma mère… Demandez la Reine, aux Halles. Elle n'est pas encore convertie à la révolution… ajouta-t-il avec un triste sourire.

Gabrielle se jeta à son cou, mais il détachait ses bras.

— Les douaniers ne vous embêteront pas avec ça, soyez tranquille.

Il reculait, embrassant leur couple d'un regard désabusé.

— Si vous cherchez un passage pour sortir de là, allez à la Misericordia. C'est plus sûr, là-bas. Adieu !

Et sur le seuil de la cour, il leva le poing, avant de disparaître.

— Vive l'anarchie ! Vive la liberté !

Alors ils fuyaient, ignorant le plan de la ville vaste, loin des centres familiers aux touristes de passage, se perdant dans le dédale incompréhensible des quartiers quadrillés de canaux, passant des ponts et longeant les venelles, d'un pas trébuchant. A présent, ils croisaient des Vénitiens sortis sur les pas des portes, des attroupements d'hommes inquiets, des groupes de femmes du peuple serrant des enfants, s'interpellant d'une fenêtre à l'autre, qui les regardaient passer d'un air suspicieux, ce couple d'étrangers emporté dans sa course. Leurs beaux vêtements attestaient qu'ils n'étaient pas d'ici, pas des leurs ; cependant déchirés et souillés, elle en cheveux et lui tête nue, dans un désordre tel qu'ils auraient pu inspirer quelque compassion, mais ils ne rencontraient qu'effarement, incompréhension. A l'homme hagard qui demandait la direction de la Misericordia, les gens indiquaient d'un geste vague le bout de la rue, un pont, un *campo. Francese ?* demandaient-ils, incrédules. Pourtant trop méfiants, ou hostiles, ils les laissaient s'éloigner, les suivant de ce regard de mépris ou de contentement pour ceux-là, les riches, les hôtes privilégiés des beaux hôtels, qu'on voyait sur les gondoles, aux terrasses des beaux cafés, enfin atteints par cette violence collective, punis peut-être de leur ignorance, de leur arrogance. Et c'était bien de sa coulisse que la ville versait maintenant, sur sa scène étrange, les figurants anonymes d'un chœur oublié, relégué en ces quartiers d'où l'on n'entendait que de très lointains, tel l'artifice d'un machiniste déchaîné, le grondement, les détonations, une ample vibration de l'air qui s'épuisait ici, venue d'une fête barbare qui se donnait ailleurs.

XLII

Ils fuyaient et se taisaient, mettant désormais toute leur énergie à ce pas forcé qui les portait loin du foyer de l'insurrection. Si Pierre avait craint que Gabrielle fût à bout de résistance, il n'en était rien ; elle avançait avec vaillance, comme lui résolue, sans une plainte pour l'épreuve nouvelle de cette course qui les menait ils ne savaient où. Vers le nord, vers l'est de la ville, soucieux seulement d'éviter les abords du Grand Canal. Là se trouvaient les grands palais, et leurs nobles habitants, que les autorités faisaient certainement garder par la troupe. Ils auraient pu en espérer une protection légitime, du moins des égards, en tant qu'étrangers. Mais exaspérés par le soulèvement, les soldats seraient peut-être peu disposés à les accueillir, voire malveillants s'ils soupçonnaient à leur tenue, leur air de fuyards, quelque collusion avec les émeutiers. Plus obscurément, ils répugnaient à chercher de l'aide auprès des forces de l'ordre, l'armée, les carabiniers qui s'acharnaient, par tout le pays, à écraser dans le sang la révolte populaire. Mais que trouveraient-ils, là-bas, où Marcus les envoyait, avec cette science si récemment acquise d'une ville, où il semblait pourtant être déjà comme chez lui ?... Pierre n'avait qu'une idée en tête, à présent : trouver un embarcadère, prendre un vapeur pour rentrer au Lido, mettre Gabrielle à l'abri. A l'hôtel, on devait savoir les nouvelles de la manifestation et de sa répression, la folie qui s'était emparée de la ville, les blessés, et les arrestations, les morts, sans doute. Millie et Sassette étaient seules ; pas vraiment seules, dans cet espace protégé de l'hôtel, mais inquiètes, assurément et, dans ce chaos général, livrées à elles-mêmes... Au plus vite, il fallait fuir Venise, et les rejoindre. Arracher Gabrielle à ce cauchemar, ce délire qui, depuis des heures, les avait emportés si loin d'eux-mêmes.

Pierre ignorait ce qu'il était advenu de ses collègues de la *scuola*, qu'il avait quittés dès midi, quand, avertis des menaces de désordres, ils avaient suspendu leurs travaux, et le colloque, d'un commun accord. Eux avaient prudemment décidé de rejoindre au plus vite leurs hôtels, tandis que lui s'obstinait à chercher un téléphone pour empêcher que Gabrielle ne prenne le *vaporetto* de midi. Mais il avait beaucoup perdu de temps avant d'obtenir, d'un gardien hébété, qui ne comprenait pas sa demande et mélangeait ses clés, la communication avec la réception de l'hôtel des Bains ; alors elle était déjà partie, lui avait-on dit. Il n'avait plus eu qu'une idée, malgré l'éloignement : courir à la station de l'Accademia, où il savait qu'elle débarque-rait, où elle était retenue peut-être. Mais c'était compter sans les obstacles, les regroupements militaires déjà en position, interdi-sant tous les ponts du rio San Lorenzo, et il n'avait pu passer qu'en se mêlant à la foule des manifestants qui tenaient les quais, seule voie libre par laquelle ils s'engouffraient vers le centre de la ville, leur flot sans cesse grossi par les bandes rabat-tues vers cet endroit, de tous les points du *sestiere* Castello. Dès lors, il était évidemment impossible de la retrouver, et recom-mençait son rêve de l'hiver, la foule hostile entravant ses pas, cette peur de la perdre, à présent exaspérée, la perdre pour tou-jours ! Mais il n'était plus dans son rêve, il marchait dans la réa-lité, et dans la réalité il pouvait fendre la foule, et la retrouver. Et c'était insensé de l'espérer, contre toute logique, parce que le vapeur n'avait peut-être même pas accosté, ni débarqué per-sonne, et qu'il avait déjà fait demi-tour… Et, s'il ne l'avait fait, où se trouvait-elle, à présent ? Absurde course après elle, dont il ignorait où l'avaient conduite ses pas, dans ce labyrinthe effrayant de la ville et de ses îles, comme autant de bastions imprenables, fragmentés par les canaux.

Mais il ne raisonnait guère, à ce moment-là, gagné par une angoisse mortelle, qui trouvait un exutoire dans la masse dont il suivait, dépassait le mouvement. Bousculé et emporté par la révolte, il était abasourdi de se trouver là, parmi eux, ces hom-mes et ces femmes, étranger à leur monde, leur langue et leurs pensées, aux motifs de leur colère ; mais gagné par leur con-tagieuse unité, l'atmosphère vibrante de leur marche, intrus immergé dans un immense corps étranger, que par spasmes et enveloppements l'organisme absorbe. C'était si étrange, sortant, à peine une heure plus tôt, du silence studieux de la *scuola*, des spéculations savantes sur les mécanismes microbiens, d'être lui-même un corpuscule expérimental, plongé par accident dans ce milieu révulsif, la réalité du peuple. La réalité de son individua-lité et de sa communauté, la réalité humaine, si souvent abstraite en entité idéologique, soudain incarnée, présente, et vivante !

Menaçante, offensive, et dominée par la force irrépressible de sa violence, qui fait d'elle le monstre des révolutions ; mais chaleureuse, pétrie de chairs douces, de poitrines où battaient des cœurs, de flancs amoureux, de mains de tendresse portées au front des vieillards, des enfants... C'est ce qu'il comprenait au milieu d'eux, solidaire d'il ne savait quoi. Sinon de ce qui les animait, du moins consentant à être des leurs, de leur humanité. Et si montait son angoisse, sa frénésie de retrouver Gabrielle, à n'importe quel prix, celle-ci était portée par la marée humaine dans laquelle il n'aurait jamais dû être, de laquelle tout de son destin devait le tenir éloigné, et qui pourtant lui enseignait à l'instant quel prix avait la vie.

Il s'était retrouvé sur la place Saint-Marc, en plein soleil, ébloui par le vaste ciel soudain libéré, reprenant ses esprits, mesurant l'ampleur de la manifestation. D'avoir entendu ici et là des bribes, dans cette langue devenue familière à son oreille, il en savait maintenant la cause, et le motif révolutionnaire. Pourquoi ces armes qui circulaient de mains en mains, ces slogans vengeurs, ces drapeaux rouges déployés, claquant au-dessus des têtes. Il ne pouvait plus douter de l'extrême gravité de la situation. Il avait alors cherché à se dégager, à gagner le fond de la place, les arcades de l'aile napoléonienne pour s'éloigner dans une ruelle, mais de toutes parts affluait la foule, de plus en plus compacte et, moins par calcul que par réflexe, il avait résolu d'atteindre le *Caffè Florian*, le seul endroit, dans ce maelström qui défigurait la ville, où quelque chose de tangible le rattachait à Gabrielle. Le *Caffè Florian* ! A l'autre bout de la place, ses stores lointains froncés sous les voûtes, dont il voyait l'enfilade d'ombre... Il y était parvenu à grand-peine, dans la presse affolante des corps, arrachant au passage les boutons de sa veste, perdant son chapeau, et le maroquin dérisoire qui contenait les notes des conférences du matin, que jusque-là il avait gardé sous le bras, mais d'un mouvement forcené faisant son passage, il avait fini par atteindre son but et là, ç'avait été encore un affrontement au corps à corps pour entrer, forcer l'obstacle des gens réfugiés à l'intérieur, où régnait une atmosphère de siège effarante. Si différente du dehors ! On y sentait, palpable, la peur ; il flottait dans l'air confiné cette odeur bestiale qu'aucun parfum ne masque, ce suint acide et vénéneux qui exsude des corps riches ou pauvres, des plus élégants, des plus policés aux miséreux quand l'esprit s'affole, cette déroute des corps en transe, et il avait vu, aux visages de ceux qui s'étaient réfugiés là, la basse, pitoyable empreinte de la peur. Il avait vu Gabrielle. Il l'avait vue presque tout de suite. Et l'explosion de joie qui

avait traversé sa poitrine annulait tout, abolissait l'invraisemblable réalité qu'il venait de traverser. Tout aussi invraisemblable
concours des circonstances, cadeau de ce jour extravagant, elle
était là !

C'est ce que Pierre racontait à Gabrielle, maintenant qu'ils
étaient assis sur les marches de l'hospice du Fatebenefratelli, à
la Misericordia, reprenant haleine, parmi une petite foule de
gens comme eux, hébétés et transis, que l'exode de la ville avait
échoués là. On emmenait des blessés, sur des brancards de fortune ; d'autres, plus valides, attendaient sur le parvis un secours
des religieux débordés. Il y avait des étrangers comme eux,
venus en promenade et que leur visite interrompue avait poussés de quartiers en quartiers, refoulés vers cette zone plus calme,
la plupart ignorant ce qui se passait ; ceux-là les plus acharnés à
obtenir des réponses, des conseils, pour quitter cet endroit. Mais
la plupart restaient dans l'abattement, le silence qui suit les commotions intenses. Toutes les lignes de vapeurs étaient suspendues. Soit par la grève générale, soit par mesure de sécurité,
interdiction policière, puisque tout le centre était bouclé, à présent et livré à la chasse aux insurgés. C'était la nouvelle qu'ils
avaient apprise, en débouchant sur le port de la Misericordia,
d'où partaient les lignes vers les îles, San Michele, Murano et
Torcello, le Lido. Alors ils s'étaient assis là, sur les plus hautes
marches, et adossés au mur de l'hospice, épuisés par leur longue course. Sitôt qu'assis, exténués ; la fatigue des émotions et
des violences s'abattant sur eux, avec cette nouvelle accablante
des lignes coupées. Gabrielle était si pâle, les lèvres exsangues,
que Pierre était entré dans le bâtiment, pour obtenir de l'eau
potable, un remontant, mais c'était un tel désordre qu'il n'avait
trouvé personne pour l'aider. Alors il avait marchandé, acheté à
une femme sa fiasque de vin, à prix d'or, et ils avaient bu au
goulot, leur soif dévorante se révélant soudain. Ils ne l'avaient
pas sentie, pendant qu'ils couraient, ni les douleurs de leurs
membres, les ecchymoses des coups, et des chutes. A présent,
leurs corps brûlaient de soif et de fièvre, et ils se regardaient.
Rattrapaient le temps éperdu de la fuite, régressaient vers la
scène du canal, celle du café, ces événements précipités, et si
lents qu'ils étaient hors du temps naturel, une déflagration de
bruit et de fureur dont les ondes les secouaient encore.

Il faisait une chaleur d'été, lourde et empestée par les berges
proches, et plus rien à boire ; le mauvais vin les avait plus altérés qu'il n'avait étanché leur soif. Pour faire diversion, peut-être
pour ne pas entendre tout de suite la raison des scènes qu'ils
venaient de vivre, il avait raconté à Gabrielle son itinéraire

depuis la *scuola*, et comment il l'avait miraculeusement retrouvée, quand il ne l'espérait plus. La bouche sèche et amère, il avait du mal à parler, à donner cohérence aux bribes, d'autant qu'elle écoutait mal, feignant de suivre son récit décousu avec application, mais absente, absorbée par une angoisse sans nom qui vidait son visage. Pauvre visage, abîmé de fatigue, que marbraient les sillons de sueur et de poussière, des mèches de cheveux collées à ses tempes, ses cheveux défaits qui tombaient à ses reins, mêlés d'éclats du plâtre tombé des stucs, et son corsage déchiré, sa gorge dénudée, où le décolleté du costume de bain découpait une courbe hâlée sur la peau moite de ses seins, tout le désordre de sa robe blanche, souillée, de ses bottines de toile, déchirées ; et lui-même, son costume fripé, sa chemise tachée, la face et les mains poissées de sueur ; c'était donc en cet état, à faire peur, que les avaient vus passer les gens, dans les rues... Mais plus encore que leur saleté, ce qu'il voyait, c'était la laideur repoussante dont ils avaient été touchés là-bas, dans ce fond du café empuanti de peur, où cet homme pouvait contraindre, menacer et humilier ; l'infection dont il les avait contaminés. Ce n'était pas tant ses coups, sa brutalité, et son arme, que ses mots. La manière douce et implacable dont il distillait son poison, sa haine sans frein. Inconcevable emprise de la voix, des paroles qui injectent chacune l'humiliation, l'abjection, à dose concentrée. Il en avait encore aux reins le frisson de terreur. Aux poings l'envie de meurtre, qui s'était emparée de lui, avait aveuglé sa vue de rouge. C'était bien ce qui galvanisait ses muscles, dans la poursuite folle à travers les rues : la rage de tuer, tuer ! Et couché sur le pont, sous la fusillade, rampant dans les gravats, il s'était soudain réveillé, anéanti par cette contagion qui avait défiguré sa raison.

Il essuyait les joues de Gabrielle avec son mouchoir, repoussait les cheveux de son front, navré de sa détresse, la gorge nouée comme d'une profanation, parce que, ici encore, dans cette paix relative du petit port que le soir baignait d'une insolite lumière orangée, ils étaient l'un et l'autre sous son emprise mortelle. Le cadavre de cet homme avait beau dériver quelque part dans le Grand Canal, entre deux eaux, repêché demain telle une épave infestée, ils étaient malades de lui, malades d'eux-mêmes. Elle ne disait rien et son silence était pire que tout. Il passa son bras à ses épaules, l'attira contre lui, et elle eut un sursaut de douleur. Alors il découvrit sa main, le petit doigt de sa main gauche tuméfié, bizarrement coudé, qu'elle tenait loin d'elle.

— Il est cassé, souffla-t-elle. Il me l'a cassé. Pour me punir. Pour que je lui obéisse.

— Quelle horreur ! Gabrielle !

Mais elle écartait sa main, qu'il voulait prendre, et les sanglots la secouaient, maintenant, montant de cette si longue journée, de tout ce qu'elle avait enduré.

— Je ne suis pas à lui, Pierre ! Il a menti ! Je ne suis ce qu'il a dit !

— Seigneur, non ! Je le sais !

— Ah Pierre, tu ne sais rien ! Il a dit vrai, pourtant : je le connaissais. Je l'ai rencontré. Ou plutôt il a fait en sorte de me rencontrer. Il travaillait au ministère de la Guerre... Il était là, quand le commandant Feltin a convoqué ma tante, pour nous annoncer la mort d'Endre. C'est lui, qui a fait porter la malle chez nous. Il a entretenu ma peur de toi. Il disait des choses terribles sur ton passé. Il m'offrait ses services, pour que je t'approche, que je t'espionne, que j'obtienne des renseignements sur Endre, selon lui en ta possession. Il se disait désintéressé, seulement inspiré par l'amour de moi ! Oh ! Mon Dieu, quelle honte...

— C'est un officier d'active. Colonel Terrier.

La stupéfaction arrêta ses pleurs.

— Je ne l'ai pas reconnu tout de suite. Je ne sais quand... Dans ce chaos... Quand il a eu son arme au poing, je crois. Je l'ai seulement vu à ce moment-là, vraiment vu. Reconnu...

— Comment le connais-tu, toi ? C'est impossible !

— De longtemps, Gabrielle, hélas...

Il prit une longue inspiration, portant son regard au loin, vers l'île San Michele dont les murs rouges du cimetière flottaient sur l'eau de saphir, dans cette beauté injurieuse du soir.

— Il était à mon procès. Au nom de la partie militaire. Un jeune homme, alors, plus falot, plus effacé, mais redoutable. Il ne m'a pas lâché du regard, tenu sous son regard, pendant deux jours. Il ne pouvait rien... Ni faire état publiquement de l'opération birmane, ni de l'identité d'Endre. De ce qu'il attendait de moi. Que lui confirmait ce qu'étalaient les juges, la désertion de mon poste, ma fréquentation d'un ressortissant suspect, avec qui j'avais disparu, de longues semaines ; l'identité de mon épouse, enlevée à son père, un gradé anglais. Il avait assez d'éléments d'intimidation. Il m'a approché, un tête-à-tête dont je me souviendrai toujours. Il offrait un marché ; mais il bluffait, sans preuves. Il se disait certain que j'avais quelque chose à lui livrer. Il se faisait fort de l'obtenir, contre la relaxe, sinon il me menaçait... C'était sordide. On ne peut imaginer un cerveau aussi pervers. Il menaçait Jane, ma famille de choses immondes... C'est un agent du renseignement militaire. Intelligent et sans scrupules. Une ordure parfaite.

— Oh ! s'écria Gabrielle, atterrée. Il est capable de machinations affreuses... Il m'a charmée, abusée par ses promesses, ses insinuations. Pendant des semaines, des mois, il a tramé son plan... Il me poursuivait pour que je lui dise... Que je dise... Je ne t'ai pas trahi ! Je n'ai pas parlé du cahier ! Je n'ai rien dit de ce qui se passait au Mesnil... Je ne lui ai rien donné, Pierre, crois-moi !

— Oui. Ne pleure plus, je t'en prie. Nous sommes vivants. Il est mort. Il est mort !

Mais cela n'était en rien consolant, en rien réparateur, et elle poursuivait, tremblant de fièvre.

— Je n'ai rien donné, mais je l'aurais fait. Il savait tout sur nous, sur toi. Il voulait de moi... Il menaçait Millie, il insinuait... Je ne sais quoi... Seulement qu'il était prêt à tout, à des choses ignobles... Je lui aurais donné le cahier. Sache-le, Pierre ! Si tu n'étais pas venu ! Oh ! si tu n'étais pas venu... Pour qu'il ne touche pas à elle, à toi, j'aurais fait tout ce qu'il voulait.

Une nausée la souleva. Elle s'était précipitée au bas des marches, pliée en deux vomissait, rejetait le mauvais vin mais rien d'autre, rien de ce qui secouait ses flancs de longs spasmes de dégoût ne pouvait s'expulser. Maintenant, renversée contre le mur, comme il essuyait de nouveau sa face, la baisait éperdument, elle pleurait sans larmes, brisée. Alors, puisque l'attente était vaine d'un vapeur, qui ne viendrait pas, et vaine la souffrance de réviser ces heures, de les revivre à s'en rendre malade ; puisqu'ils étaient vivants, ensemble et vivants, et puisque l'hospice débordé n'avait plus une chaise, un lit de camp à leur offrir, il décida de chercher un abri pour la nuit, n'importe quoi. A deux rues de là, une vieille femme en châle noir après quelques façons, et parce que l'état de Gabrielle la touchait, peut-être, finit par leur indiquer, dans l'enfilade de petites maisons ocre aux murs lépreux bordant le canal de la Senza, près d'un atelier de gondoles désert, une pension d'ouvriers, où l'on accepta de leur louer une chambre, pour les dernières lires qui leur restaient. Misérable chambre, miséricordieuse chambre ! Une fois Gabrielle étendue, il trouva encore la force de parcourir le quartier, à la recherche d'un téléphone, qu'il finit par trouver dans un bistrot à l'atmosphère survoltée, où l'on commentait sans fin les événements du jour, les morts de la *piazza*, les nouvelles alarmantes de Vérone, de Padoue et de Mantoue où de semblables émeutes avaient lieu, ce jour... Il finit par obtenir quelqu'un, à l'hôtel des Bains. On savait, on était dans l'affliction la plus profonde. Bien sûr, on s'occupait des enfants ! D'ailleurs, d'autres personnes restaient bloquées à Venise, hélas... Demain,

demain matin, on affréterait un bateau spécial, pour les résidents. Quel malheur que ces désordres, ces fanatiques... Il coupa court aux lamentations.

La nuit tombait, rougeoyante, enflammant les façades et les toits, l'eau du canal, et c'était le songe d'un incendie crépusculaire, le rêve de cette journée rouge matérialisé par la pierre, dans le silence insolite d'un monde en ruine, si mélancolique qu'il revint en hâte, trop inquiet de Gabrielle. Mais elle l'attendait, assez remise, ayant enroulé ses cheveux et s'étant un peu lavée dans une cuvette qu'on avait apportée. A peine sentait-elle sa main ankylosée, son doigt maintenant très enflé, mais indolore si elle évitait d'y toucher. Et surtout elle avait obtenu une soupière de polenta à la morue, et de l'eau, de l'eau ! Une bouteille de vin, et des figues ! Ils dévorèrent ce repas sur le lit, à même la soupière. Soudain fous de faim, si affamés qu'ils ne parlaient plus, réalisant que de la journée ils n'avaient mangé, et c'était si animal, avide et joyeux de se rassasier, d'assouvir leur voracité dans cette nourriture frugale, que les tourments et la mort s'estompaient, s'évaporaient en de lointaines brumes, la ville et ses canaux, ses marbres et ses ors, tout entière noyée de voiles nocturnes, son grand théâtre sanglant tirant le rideau. Ils ne laissèrent rien, vidèrent au goulot la bouteille, l'un après l'autre, ivres de vin, de fatigue, ivres de cette fringale de bonheur qui vient du malheur, le venge et le nie, se mesure à lui de toute sa force vitale. A cause de la chaleur, la minuscule fenêtre était ouverte sur le canal ; il s'y accouda. Alors elle vint derrière lui, se pressa contre ses reins, glissant ses bras à sa taille et enfermant son torse, posa sa joue contre son dos, et ils restèrent immobiles, étourdis de se trouver là, de la royauté de cette chambre où entraient des souffles d'air chaud, de la lagune, de l'Adriatique, de la mer au large, et peu leur importaient le mauvais lit, les draps douteux, la peinture écaillée, la fenêtre sans rideaux, si miteuse chambre qui valait tous les palais... Mais, à un mouvement de sa hanche, elle sentit la grosseur dure et mauvaise, cette chose qu'il avait portée sur lui, dans sa poche de pantalon, depuis la petite cour pavée, depuis qu'ils avaient quitté Marcus, et ce contact la révulsa. Elle recula. Dans sa main, il tenait maintenant le revolver, l'arme lourde, chaude de son corps, trapue, hideuse. C'était un objet si obscène que son reflet métallique emplissait la chambre. Si simple et fonctionnel, son canon court stylisé, son mécanisme intérieur parfait. Encore chargé. Si bien pensé pour la main qu'il pensait à la place de la main, l'épousait naturellement, la paume, les doigts. Il savait le tenir. Elle l'avait tenu, tétanisée de peur, elle avait tiré... Ils le contemplaient en silence. Brusquement, il le lança, loin dans le canal, où il s'engloutit avec un bruit noir. Et si elle n'avait vu tomber Michel Terrier, cela devait ressembler à ce trou dans les ténèbres.

La nuit était tout à fait tombée. A la seule clarté du ciel piqué de pâles étoiles, ils se déshabillèrent à demi, se couchèrent vite, se cherchant aussitôt pour mieux emboîter amoureusement leurs corps l'un dans l'autre, assujettir leurs membres rompus. Il respirait ses cheveux, elle l'enlaçait des bras nus, mais le sommeil les ravit à eux-mêmes, tandis qu'ils cherchaient encore la place bénie.

Un monsieur qui accepte de monter les étages, et d'accompagner une demoiselle célibataire dans ses appartements, a bien derrière la tête l'idée que ce n'est pas pour une visite de courtoisie. Il a beau avoir ses entrées personnelles dans l'immeuble, être un familier de la concierge, avoir séjourné sur le paillasson en mission de reconnaissance, et même récupéré sous la porte un billet qui ne lui était pas destiné ; il a beau être très informé sur vos agissements, il n'est pas chez lui. Il s'embarrasse un peu de façons honnêtes, demande où poser son parapluie, installe son chapeau en équilibre sur l'accoudoir d'un fauteuil, et reste debout, planté au milieu du petit salon, les mains croisées dans le dos, soudain très intimidé. A la fois par l'exiguïté des murs qui surprend l'amplitude de sa personne, habituée aux vastes espaces urbains ; par l'abondance, paradoxale en si peu de mètres carrés, de tant de choses féminines, meubles et bibelots, extrêmement fragiles et précieux. Surtout par l'agréable personne qui s'y déplace à son aise, évoluant gracieusement parmi les guéridons, les dentelles et les coussins, apparemment pas du tout effarouchée par la circonstance. Dora avait souri bravement, et ouvert la fenêtre sur les toits. Grand soleil de juin, déclinant vers l'ouest dans un ciel d'imperturbable bleu.

— Ah ! Le beau temps revenu ! C'est une belle vue, non ?

Louvain avait acquiescé pour la belle vue qu'il avait, n'osant approcher la croisée, ni elle, de peur du vertige qu'elle lui promettait.

— Vous êtes vraiment pessimiste, que vous portez un parapluie !

— Il me donne une contenance.

Dora s'était retournée et avait considéré son vis-à-vis insolite, ce grand corps masculin occupant son petit espace, une incongruité remarquable. Se demandant comment on acclimate un corps aussi exotique dans un milieu qui n'est pas le sien, et par quels soins elle pouvait l'apprivoiser, et quelle anomalie c'était de l'envisager. Elle n'y avait pas réfléchi, elle en prenait à peine conscience, c'était d'une étourderie grave. Qu'à déambuler bras dessus, bras dessous dans les rues et les jardins, à stationner à la terrasse des cafés, on se lasse, la chose est prévisible. Le bivouac urbain a ses limites. Mais offrir soudain l'hospitalité, spontanément la proposer, et que l'autre d'emblée s'y rallie, comme s'il n'y avait rien de plus normal, voilà de l'inopiné qui vous met dans de beaux draps. Parce que enfin, un monsieur chez elle, de mémoire de Dora, ce n'était jamais arrivé. Elle avait été chez des messieurs provisoires, assez rarement, plus souvent chez des dames ; l'une ou l'autre avait passé ici, mais la situation présente était d'une nouveauté absolue. D'une inconséquence si troublante, qu'elle avait beau jouer les affranchies, elle en était désemparée.

Cependant, Louvain était homme du monde, assez pour ignorer ses efforts enjoués, les prendre pour argent comptant, et s'adapter par ses propres moyens au milieu. Il s'était même enhardi à l'aider pour préparer un thé. Un thé ! Il n'avait guère de penchant pour cette boisson, mais il était curieux des expériences, disait-il, parvenant à trouver sa place dans la minuscule cuisine sans encombrer, une prouesse. Ou bien cet homme, un fonctionnaire de police d'administration centrale, cachait son jeu : il était en réalité un animal très domestiqué ; ou bien il avait un instinct très sûr de l'opportunité, car il portait le petit plateau laqué, et les tasses de porcelaine avec une délicatesse de soubrette, trouvait la ressource de caler ses reins dans un fauteuil qui n'était pas à son échelle, et de croiser ses jambes avec une aisance d'autochtone. Si bien que la petite dînette de cinq heures prenait un tour très naturel, et même charmant.

— Mon parapluie me sert aussi de couverture, expliquait-il sérieusement. Mentalement s'entend. Vous ne pouvez savoir les intempéries qu'on risque dans ce métier... J'en ai bien besoin, en ce moment, avec les orages que j'ai sur la tête. Je ne parle pas de ceux qui ont dévasté Paris, ces jours-ci. C'était phénoménal, non ? J'étais près de l'Opéra, quand la chaussée s'est effondrée sous le taxi. Plouf ! Disparu en une seconde dans le gouffre ! Et la foudre là-dessus, des trombes, des torrents d'eau dans la rue... Le ciel d'encre, la nuit en plein midi ! Deux morts. Avec ceux de la rue La Boétie, six. Mazette. Canalisations éventrées, égouts débordés, le métro inondé. L'Apocalypse à domicile. Remarquez, c'est rien, à côté de ce qui nous pendait au nez, si vos petites ampoules avaient éclaté au même endroit. On vit une drôle d'époque...

— *Mes* petites ampoules ! Je ne les ai pas gardées vingt-quatre heures !

— Bien vous en a pris... Je ne les ai pas gardées davantage. Mais, là où elles ont fait du dégât, c'est au ministère. Sens dessus dessous, à tous les étages. Et moi, bien content d'avoir provoqué ma tornade personnelle, sans prendre une goutte sur ma manche. J'en avais plus qu'assez de cette enquête tordue. Si vous ne m'étiez pas tombée dessus, avec vos gamineries, je pataugerais encore dans ma gadoue. On peut dire que vous êtes ma providence...

— N'exagérez pas, Louvain, fit-elle mine de minauder.

— Sans rire. Je leur ai mis le paquet sur les bras, bon débarras. Parce que, voyez-vous, j'ai un rayonnement restreint. Et je tiens à m'y cantonner. Les affaires d'Etat ne sont pas de mes lumières. On a lâché dans le ciel une affaire grosse comme un zeppelin... La Chambre est saisie. Poincaré a mis sur pied sa commission d'enquête. Max Jamais espère le procès, mais au ministère de la Guerre, ils se tâtent. Ils ne vont pas se risquer à refaire le coup de l'affaire Dreyfus. D'autant que le ministère Ribot, tombé en trois jours, c'est Viviani qui s'y colle, à présent. Changement de Conseil, valse des portefeuilles, on est en plein brouillard...

— Vous m'éclairez, Louvain.

— Oui. Je suis votre phare, hein ? Votre parapluie, pour ainsi dire. Le plus beau, c'est que votre homme en cuir a disparu... Le pilier, la plaque tournante. Colonel Terrier. Gibier de potence. Dora, il n'est pas seulement le transporteur d'ampoules que nous savons. Son champ d'activité est bien plus vaste. Renseignement militaire, espionnage, et menées subversives. Il contrôle des recherches d'armement, secret d'Etat. Il fout le gouvernement, et la république hors la loi. La patrie en danger. L'armée aux abois. Il a été couvert, l'enquête le dira. Les sous-fifres sont aux arrêts. Et lui, il a disparu dans la nature. Volatilisé, du jour au lendemain.

— Quelle belle époque, soupira Dora, assez remuée.

— Si vous ne m'aviez pas mis sur la piste, j'aurais eu du mal à enfiler toutes les perles du collier. Mais là, j'arrête, c'est plus sensible que secret d'Etat... Cette vieille affaire birmane, qui soucie tant votre petite amie... On touche à de ces choses, Dora ! Ça ferait un roman du tonnerre de Dieu ! Des exils, des errements. Des amours, des passions, des trahisons. C'est sale, c'est sublime. Ça me donne des points de vue étonnants sur la nature humaine. Certains soirs, j'en ai la nausée. De quoi rendre l'âme avec mon dîner. D'autres fois j'en suis enthousiasmé, des transports, des vertiges. Nous vivons des temps formidables.

— S'il a disparu, murmura Dora, c'est terrible. Un homme comme lui, capable de tout... De machinations horribles, de tuer à mains nues... Ah ! Si j'avais imaginé... Lorsque Gabrielle m'a parlé de lui, la première fois, c'était d'un ami, d'un chevalier servant ! J'en ai été si jalouse que je l'ai mise dehors. J'en ai pleuré trois jours d'affilée, parce que j'avais peur pour elle, de cette relation nouvelle dans laquelle elle se lançait, tête baissée. Mais surtout parce qu'elle semblait fascinée par lui. Envoûtée, vraiment. Je ne l'avais jamais vu de ma vie ! Et c'est à lui que je faisais les poches ! Un assassin... Ah ! j'en ai froid dans le dos, rien que de le revoir passer sur les allées... Vous allez le retrouver, n'est-ce pas ? L'empêcher de nuire ?

— Je crois bien qu'il a à ses trousses toutes les polices de France. Mais un gibier de son espèce ne se chasse pas à la pétoire. Et puis, je vais vous dire ma petite idée : on ne le trouvera pas. Parce que personne n'y a intérêt. Sa disparition arrange trop de monde, à tous les étages... Une autre petite idée : c'est qu'il sait qu'on le laissera s'enterrer quelque part, bien tranquille. Il va faire le mort, le temps qu'il faudra.

— Ah ! Sainte Vierge !

— Vous êtes abonnée à la Vierge ?

— C'est façon de parler, Louvain. On peut avoir des faiblesses...

— Je préfère quand vous jurez comme un charretier.

— Pour ça, je suis à bonne école.

— Je vous en apprendrai d'autres. Si vous me donnez le temps.

Il avait le temps, parce que celui de cette dînette n'était pas pris sur le service et qu'Etienne était à sa leçon de boxe française. Et que voir tomber le jour de cette fenêtre donnait un certain vertige vacancier.

— Vous me le donnez ? demanda-t-il brusquement, assez bourru pour la faire frissonner.

— Je ne suis pas une femme pour vous, Louvain, murmura-t-elle, contrite.

— Evidemment ! Si vous l'étiez, je ne vous aurais même pas vue. Je ne vois que celles qui sont hors de ma portée... C'est malheureux. Uniquement des artistes, notez bien.

— Il faut que vous sachiez... J'aime les femmes, Denis.

— Moi aussi, sacrebleu ! Voilà au moins qui nous rapproche.

Il plaisantait parce qu'il était beau joueur, de ceux qui savent se saborder au poker, pour la beauté du geste. Même dans le fauteuil de poupée, la porcelaine à la main, il avait belle allure. N'importe qui ne s'en serait pas si bien sorti. Cela tenait au cuir fin de ses bottes, à son étoffe rare, son linge impeccable. Sa joue rasée et sa moustache souple, et soyeuse. D'ailleurs sous cette moustache une bouche gourmande, qui pouvait mordre. L'œil de cuivre. Un à qui on ne tape pas sur le genou sans se prendre un revers. Du genre monacal par orgueil, et hautain par politesse. L'impassibilité et le froid, mais avec des enveloppements de douceur à faire frémir. Badin par pudeur, et terriblement vulgaire dans ses jurons. Cette virilité-là était assez rare, en tout cas très exotique. Et Dora retombait sur son dilemme de tout à l'heure, l'acclimatation de cet oiseau. Que lui avait-il passé par la tête, avec son invitation ? C'était une tentation, une inclination subite. Pas si subite, ma petite, s'avouait-elle. De ces choses inopinées qu'elle décidait de loin. Sur l'instant, elle se les donnait pour de l'inspiration divine, mais elle y travaillait consciencieusement. Son démon expérimental. A rester dans son coin, on est bien tranquille, il ne vous arrive rien du tout. Elle quitta son coin du sofa et vint debout devant lui, franchement heurta de son genou son genou, au risque d'un revers.

— Alors approchez-moi tout de suite, Denis. Ou je vous mets à la porte.

Il l'avait prise à la taille. Des deux mains il en faisait le tour, une merveille, l'attirait sans ménagement. Elle tomba sur lui de tout son long, le cuir des bottes contre ses mollets et le nez dans sa chemise, qui sentait le vétiver ou quelque chose comme ça. Et si le petit fauteuil supportait l'assaut, on se demandait, parce qu'il avait une hâte lente pour retrousser sa robe qui supposait beaucoup de participation, tandis que sous son ventre elle le sentait durcir étonnamment vite, pour elle si fort bandé qu'elle en avait l'effroi. Elle avait oublié combien c'était rapide, et contraignant, combien décevant, mais enfin, puisqu'elle en était à introduire le corps ennemi dans ses appartements, à tenter l'acclimatation... Et il savait très bien faire glisser le fourreau de ses fesses, tout en ouvrant sa robe en haut, en haut et en bas d'une précision instrumentale, et elle ne savait comment il dénudait ses épaules, ses seins, les soulevait à sa bouche en même temps qu'il écartait ses cuisses de la sienne, la colonne musculeuse portée haut entre ses jambes, alors elle chercha à savoir sous sa moustache quelle gourmandise était sa bouche, sa langue, ses dents, tandis qu'elle entreprenait de dégager sa ceinture, sa boucle, ses boutons, quelque chose comme ça qu'il fallait bien ouvrir s'il ne s'y décidait pas. Sans lâcher sa bouche il voulait bien l'aider à l'enfourcher, à présent, le chevaucher, rester là à saillir vers elle, la gardant arquée au-dessus de lui, alors elle le prit d'une poussée, qu'il assista et maintint contre lui fermement, si raide en elle qu'elle en eut un éblouissement.

— Vous me voulez bien là, Dora ?

— Au point où nous en sommes… balbutia-t-elle, un peu surprise de la sensation.

Parce qu'elle ne voulait que tenter et c'était d'un autre engagement ; la pulsation immobile et frémissante qu'il retenait, une entrée en matière inédite. Puis il se mit à bouger, à la faire bouger sur lui d'une manière qui intimait le respect, parce qu'elle ne pouvait plus se satisfaire toute seule comme elle savait. Elle ne pouvait que laisser aller son mouvement, la houle lente de ses hanches emportant les siennes, et elle oublia le fauteuil, les porcelaines, à ce rythme il l'ouvrait comme une pêche d'été ! Fendue comme un abricot, une figue, elle n'avait jamais été un fruit chaud à ce point-là, humide et tendre, une pulpe pareille pénétrée pareillement, et comme il s'enfonçait encore plus loin, elle admit que c'était vraiment une aventure.

— Ne croyez pas, pour me prendre à la hussarde, que je sois une fille facile, disait-elle plus tard, emportant le plateau.

— Vous êtes même très difficile. Ce sera difficile pour nous deux…

— Entre deux concerts et deux enquêtes, si Etienne ne vous donne pas trop de soucis…

— Sans compter les impondérables. Dora, vous êtes adorable.

— Attention, ne tombez pas amoureux. J'ai des tournées en prévision.

— Si vous me faites le coup de Tombouctou, je vous colle au violon pour vol à l'arraché.

— Au violon, sans piano ! Cruel !

C'était très agréable de marivauder, et de se donner des baisers sous la moustache. D'être dans les bras vigoureux de ce fonctionnaire assermenté, prêt à toutes les compromissions.

Au fond de son lit, c'était une si petite chose qu'Agota, à peine son maigre torse soulevait-il le drap d'un renflement. Il faisait chaud, et par la croisée entrouverte entraient l'air du Jardin des plantes, les cris d'enfants. Elle était en train de mourir, et les enfants jouaient, ils riaient. Les oiseaux étourdissants pépiaient dans les arbres, jusque sur le rebord de la fenêtre où Renée mettait toujours des graines. La roseraie du parterre flamboyait sous le soleil. Il n'y avait rien à faire, aucun remède à prendre toutes les heures, ni examen ni opération. Trois crises cardiaques à la suite ; la prochaine serait fatale. Il ne fallait ni la soulever ni la tourner. Elle reposait. Gabrielle, rentrée de la veille, se tenait à son chevet, si fraîche dans sa robe claire, épanouie et dorée, que sa jeunesse, sa beauté étaient une injure, dans cette chambre éplorée. De si longtemps, elle connaissait ces meubles, ce papier peint, et les rideaux, les bibelots et les photos, qu'ils semblaient hors du temps, immuables décor d'enfance, alors que la vie passait, que la mort venait... Revenant de Venise, la nouvelle n'en avait été que plus cruelle, parce que là-bas elle avait beaucoup oublié Agota, et puis avait appris sa trahison, l'avait beaucoup maudite, et puis pardonnée, s'était maudite elle-même de l'avoir trompée, de l'avoir si mal traitée pour la consoler, accablée de cette page qu'elle ne voulait pas lire, et enfin jetée sans défense dans les serres de l'oiseau de mort. Et il était trop tard maintenant, trop tard pour réparer, entendre et réconforter, pour s'avouer les chagrins et les peurs, pour refaire l'histoire qui va vers sa destination, ou son but, sans laisser le temps de ravauder les déchirures. Elle ne souffre pas, avait dit Pierre, venu avec Gabrielle, le matin même. Les crises sont terribles, mais ensuite elle ne souffre pas. Elle s'affaiblit beaucoup. Il n'y a rien à faire. Il avait fait porter de l'hôpital les calmants nécessaires, en cas de crise nouvelle.

Renée les regardait ce matin, tous deux penchés sur tante Agota, du seuil qu'elle n'osait franchir, toute pâle et désemparée d'avoir seule pris tant d'initiatives en trois jours : courir chercher le vieux docteur de quartier, à la pharmacie, veiller la malade et courir encore à la Chaussée-d'Antin, où on l'avait reçue comme un chien dans un jeu de quilles, presque chassée d'abord, et puis câlinée, quand Mme Mathilde avait appris qu'il s'agissait d'une parente de Gabrielle, raccompagnée en voiture avec chauffeur, flanquée d'une niaise bonne, dont elle n'avait que faire, qu'elle avait renvoyée le jour même à sa maison bourgeoise. De trois jours et trois nuits, elle n'avait dormi, sur les charbons d'attendre le retour de Gabrielle, tétanisée à l'idée qu'Agota passerait sans l'avoir revue. Aussi, dès que celle-ci était entrée, avait-elle pu gronder, tempêter et abominer, et puis pleurer, et enfin dormir douze heures d'affilée. Elle n'avait rien dit que ce docteur, qui l'accompagnait, fût le visiteur du soir qui avait tant bouleversé Agota, et elle par conséquent, ce monsieur qui reconnaissait Endre sur les photos et s'enfuyait sans rien leur dire, à elles qui mentaient, mentaient pour se sauver, sauver Gabrielle, on ne sait de quoi ; ce même monsieur employeur qui tenait son employée par le bras, et même passait le sien à ses épaules, qui lui parlait à l'oreille sous les cheveux et baisait son front, avant de disparaître. Elle n'avait rien dit, mais comprenait que le monde tournait, qu'elle n'en était plus, ou à peine, et que sa petite enfant d'autrefois était à présent cette jeune femme très belle qui se tenait au chevet de la mourante, comme celle-ci s'était tenue au sien, à son berceau d'orpheline, et dans ce renversement était le signe des dénouements que la vie décrète, renouant sans cesse et dénouant, sans fin mettant à la place des uns les autres, et un jour qui se tiendrait au chevet de Gabrielle ?...

Renée pensait au sien, où il n'y aurait peut-être personne, parce qu'elle avait quitté l'Auvergne et son petit Louis, pour servir. Nourrice, c'est ce qu'on peut encore faire quand on est sans qualité, donner son lait de vache nourricière à gros pis pendants, de sa chair de bête de somme, son temps et sa vie sans compter ; et s'il n'y a pas salaire qui paie le prix de ce qu'on donne, on y gagne sa vie de chaque jour. Elle pensait, en regardant Gabrielle : oui, je suis ta bête de somme et je peine pour ton plaisir, et cette souffrance que j'endure me donne des nouvelles de moi, elle m'enseigne quel corps à corps est l'enfantement, moi qui ai laissé mon enfant et ne le connais pas. Elle ignorait, Renée, que c'est ce que dit sa nourrice à Juliette, qui court vers Roméo et l'oublie, oublie d'entendre quel don est l'adoption des maternités, la servitude adorable qui ploie de bonheur aux sacrifices consentis, sans espérer que jamais la dette soit payée, parce que le bercement d'amour donne sa part sans mesure ni contrepartie. Elle avait tenu Gabrielle sur ses genoux, décrotté ses fesses, arrangé ses tresses et beurré ses tartines, lu avec elle des feuilletons de Michel Zévaco sur la table de la cuisine, frotté son linge, soigné ses fièvres, consolé ses chagrins et tremblé à ses joies, veillé d'angoisse, insomniaque pour elle, pour protéger son sommeil, maudit le voleur d'enfance qui n'avait qu'à se pencher pour s'emparer d'elle, épié la vieille tante et rapporté ses vilenies. En vain elle avait rapiécé les morceaux d'Arlequin qui habillent la vie. Maintenant elle était spectatrice et désemparée, plus rien dans ses vieilles mains, le cœur lourd, non pas même de la mort qui prenait cette femme avec qui elle avait tant vécu, ni de ce qu'elle viendrait tantôt la prendre, elle, mais de ce que Gabrielle ne lui appartenait plus. Et celle-ci avait beau la serrer contre elle, la câliner et pleurer dans son cou, chiffonner sa coiffe et la dépeigner, l'appeler Ninette, c'était bon à prendre, mais c'était fini. Son corps de jeune femme était libre et plein d'un amour qui ne la concernait pas, pour ce beau monsieur qui la touchait comme on bénit ; au moins savait-il, celui-là, mettre des caresses au moindre geste, de ceux qui savent où ils s'adressent et connaissent. Elle en était remuée et triste, triste d'abandon, quand Gabrielle lui promettait que jamais, jamais elle ne l'abandonnerait. Ne l'avait-elle déjà fait, et elle, ne l'y avait-elle poussée, du dos sur le seuil, poussée pour qu'elle aille où elle devait, petite lionne en cage, rongeant ses barreaux. C'était fini.

Gabrielle, à cette place au bout du lit, ne savait de quelle utilité elle était pour sa tante, qui à peine soulevait une paupière de temps en temps, sans même dire du doigt si elle avait soif ou voulait quelque chose, peut-être où elle en était n'avait plus soif ni besoin. Tant de tourments, de joies, de peines, la grande cavalcade d'exil, à travers l'Europe, l'amour renoncé, l'amour parjuré qui meurt à cheval tout seul, quand tant de bonheurs étaient possibles à deux ! Et Endre, l'enfant à qui Gabrielle n'avait jamais pensé pour ne l'avoir connu que jeune homme, et si tard on découvre les préhistoires qui nous annoncent… Maintenant elle l'imaginait à travers Millie, au même âge, et puis devenu cet homme perdu qui agonise, loin fourvoyé. Ah ! comme il serait doux de penser à lui maintenant s'il n'avait croisé la route de Michel Terrier… A rester là, assise sans bouger au chevet de sa tante, c'est tout ce dont elle emplissait la chambre à présent, avec en elle les derniers échos de la fureur, le bruit et la fureur de Venise qui refluaient, cette journée tragique au théâtre de la ville, la mort… *Settimana rossa*, on appelait déjà "semaine rouge", ces événements qui avaient soulevé l'Italie du Centre et du Nord, ensanglanté les places, qu'on disait fomentés de longtemps par les anarchistes et leurs complices socialistes, syndicalistes. L'appel à la grève générale, un complot des rouges contre la monarchie, le roi, qu'on avait cru ici et là destitué. Les communes libres proclamées et la liesse populaire, noyée dans le sang. La répression féroce, les morts par centaines, des milliers de blessés, la chasse à l'homme partout, les prisonniers déportés dans les bagnes des îles de Méditerranée. Et le mandat d'arrêt contre Malatesta, en fuite à Londres, de nouveau parti en exil, lui qui y passait sa vie… Et dans ce tournoiement rouge de l'histoire collective, celle de Pierre et la sienne. L'amour à Venise, la révélation amoureuse, son illuminante certitude, et l'horreur du rendez-vous avec la mort. Le mal, dont Michel Terrier était l'apparition, l'ange noir dans l'épuisante beauté exaltée par l'été…

Les jours suivants, dans le refuge luxueux de l'hôtel, qu'ils ne quittaient plus, de la plage au restaurant, des salons aux chambres, et sur la promenade de Santa Elisabetta, c'était l'artifice d'une trêve indolore, l'anesthésie qu'on administre aux grands malades, le temps de la crise. De toute façon, la grève immobilisait les voies. On ne quittait ni Venise, ni aucune autre ville juqu'à Milan, et il avait bien fallu attendre la reprise des convois. De connivence, les gens de l'hôtel, serviteurs et maîtres, étaient d'accord pour jouer la même comédie nonchalante de la sérénité retrouvée, des plaisirs balnéaires et des soirées mondaines, à l'abri des soubresauts vulgaires du monde. Il fallait bien le feindre aussi, pour Millie. Celle-ci, à peine étonnée de leur escapade prolongée à Venise, s'était d'ailleurs beaucoup amusée, ce jour-là, avec Magda, sa petite amie hongroise, à fabriquer des guirlandes pour une fête d'enfants, voitures d'osier tirées par des chiens, singes savants et perroquets multicolores, farandoles dans les jardins... Il fallait bien écrire avec Millie des cartes postales convenues à sa grand-mère, à sa tante Blanche, de belles vues de l'Adriatique et des cabines de bain. Celle qu'avait envoyée Gabrielle à Agota n'était pas encore arrivée. N'arriverait jamais pour elle. Et Renée n'attendrait pas la sienne, elle qui déclarait prendre sa valise et monter dans le train pour Aurillac, dès qu'Agota serait passée.

A son doigt, Gabrielle portait une petite attelle, sa fracture réduite à l'hôpital de la Mer, dès le lendemain, et elle n'en souffrait plus du tout ; sinon d'un engourdissement permanent, et de la crainte de ne pas en retrouver l'usage au piano. De si fragiles cartilages dans l'articulation pouvaient garder des séquelles irréversibles, disait le médecin. Mais vous êtes jeune ! Une infirmité dérisoire, en regard du prix qu'avaient payé tant de gens le même jour, les cadavres de la *piazza*, les blessés de la Misericordia, et même maintenant, devant Agota, Gabrielle n'osait penser à cette blessure. Pourtant celle-ci la touchait au plus sensible, à son plaisir du piano, et si elle n'était une virtuose, cette pratique instrumentale comblait en elle un besoin de langage sans les mots dont elle ne saurait se passer sans vraie souffrance. Ah ! comme Terrier avait su ajuster sa vengeance, cet art consommé des sévices, et elle ne pouvait se souvenir sans un tressaillement de douleur rétrospective de sa main froide, broyant distraitement son doigt, brisant l'os, d'une main si sûre qu'on eût dit la pince de fer d'un rapace. C'était le gage qu'il prenait sur elle, et par-delà sa mort, le sceau dont il la marquait, jusque dans sa chair, pour qu'elle lui appartienne en souvenir. D'imaginer quel instinct de méchanceté pouvait inspirer de telles représailles la laissait terrifiée, et s'il était mort, s'il avait disparu dans les eaux du canal, il demeurait ce spectre hideux qui habitait le monde.

De Renée, Gabrielle avait appris comment étaient venus rue Buffon, d'abord des visiteurs tatillons, qui se présentaient pour être inspecteurs de l'immigration. Ils exigeaient des papiers, les documents de la naturalisation d'Agota, de la pension qu'elle percevait toujours de l'étranger, revenu hautement suspect. Ils vérifiaient sans fin sur la table, réclamaient des pièces nouvelles d'Agota, que celle-ci s'empressait de se procurer auprès du notaire, de la mairie d'arrondissement, et qui ne suffisaient jamais... Puis était venu un homme en manteau de cuir noir, très poli et calme, qui avait menacé. Une menace épouvantable : l'expulsion de la France, que redoutait tant Agota, depuis toujours. Son expulsion immédiate, si elle ne collaborait pas, disait-il. Mais à quoi ? A quoi collaborer ? Il avait pris sur le piano la photo d'Endre et l'avait contemplée avec désinvolture, l'avait tendue à Agota, par-dessus la table, en silence. Un silence dont blêmissait encore la pauvre Renée. Si elle détenait quoi que ce soit concernant ce ressortissant étranger, la vieille femme devait le lui donner. A lui, immédiatement. Et ç'avait été une telle panique, alors ! Agota fouillant les tiroirs, les papiers échappant à ses vieilles mains tremblantes, rassemblant tout ce qui restait de son fils, les anciens courriers, les cartes postales jaunies, les carnets scolaires d'Endre, les certificats de santé, et même ses lunettes ! Il effeuillait ce vrac, laissant négligemment tomber, un à un, ces vieux papiers par terre. Par terre ! comme des déchets. Et puis la lettre de Gabrielle, la page en hongrois.

— Eh bien, en voilà un, d'un peu d'actualité... Vous recevez souvent ce genre de courrier de cette... personne ?

Agota faisait non de la tête, éperdument.

— Si vous en aviez reçu d'autres, vous me les communiqueriez, bien sûr..., avait-il dit avec un sourire aimable, si terrible sourire que, pantelante, Agota en avait eu un malaise. Tombée assise, grelottante d'angoisse, elle l'avait vu plier la page, la glisser dans son portefeuille.

— Il va de soi que cela reste entre nous. Votre tranquillité en dépend. Il va de soi.

Après son départ, Agota était restée prostrée, incapable d'un geste, laissant Renée, à genoux, ramasser les papiers éparpillés sur le plancher. Puis elle avait repris le dessus, lui avait arraché des mains le paquet des souvenirs, si longtemps conservés, et avait tout jeté à la poubelle. Fermé les tiroirs, place nette.

— Bon débarras, avait-elle laissé tomber. Tu entends, Renée ? Tu es une tombe. Moi aussi, je suis une tombe.

Elles l'avaient été. Lors de la dernière visite de Gabrielle, elles s'étaient tues, tenues par ce pacte de silence dont Agota faisait dépendre sa vie, qu'elle avait arraché à Renée, animée d'une rage que celle-ci ne lui avait vue depuis longtemps. La peur la rendait méchante, son ressentiment immense contre Endre, contre elle, Gabrielle, et contre la pauvre Renée, encombrant témoin de toute sa vie. Nul doute que cette scène avait miné ses dernières forces, ébranlé son esprit chancelant et achevé son vieux cœur… Qu'importait, à présent, les menaces de ce fonctionnaire. Il n'était pas reparu, et Agota mourait. On pouvait bien prendre contre elle toutes les mesures d'expulsion qu'on voulait. Dans l'exil où elle partait, ils ne la rattraperaient pas.

— Mais, disait Renée, crois-tu qu'elle avait du remords ? Crois-tu qu'elle se crucifiait, de lui donner ta lettre ? Que nenni ! Elle t'aurait vendue, et aurait joué ta chemise aux dés. Elle n'était que trop heureuse de s'en délivrer, et de jeter le reste à la poubelle ! Moi, j'ai tout ramassé et je l'ai caché, pour toi. Pour le jour qu'il faudrait. Il est venu. Voilà.

Et elle avait donné à Gabrielle la boîte de berlingots de Cauterets contenant les désolantes reliques, ce legs pitoyable en lequel se résumait le passage d'Endre sur terre, dont la valeur testamentaire était si dérisoire. Terrier pouvait bien laisser tomber ces papiers par terre comme feuilles mortes, quand sa propre mère les jetait aux ordures… Et si, à présent, la petite boîte, qu'elle n'ouvrait pas, pesait ce poids si lourd sur ses genoux, Gabrielle ne se résignait pas à sa négation. Il fallait garder cela, oui, le conserver, non par piété ou compassion pour lui, mais pour Millie. Pour que sa fille eût un jour entre les mains les traces matérielles de l'existence de son père, qu'il ne restât pas pour elle un fantôme enfermé dans les limbes de la mémoire.

C'est à quoi Gabrielle songeait, au chevet d'Agota, si loin dans son agonie qu'elle ne saurait jamais qu'elle était la grand-mère d'une petite-fille, que ce fils tant honni lui donnait en héritage, l'enfant de si loin venue et si proche aujourd'hui, dont elle, Gabrielle, assumait l'adoption. Et, tout ressentiment oublié, ce grand remuement de douleurs et de regrets, l'ironie cruelle du destin contraire qui se jouait des êtres comme fétus dans le vaste cours de l'histoire, toute amertume et rancune pardonnées, ce n'était plus que peine et chagrin qui lui faisaient sans fin caresser la main de tante Agota en allée, baiser son front décharné, que la mort pétrifiait déjà.

XLIII

— Vous voyez bien, disait Max Jamais, l'opinion se contre-fout des réalités !

Il jetait les journaux sur le bureau de Bauer d'un geste de dépit.

— Quelle confusion ! L'assassinat de l'archiduc à Sarajevo ne prend pas plus de place qu'un fait divers ! De quoi s'occupe-t-on ? Des orages meurtriers de la semaine dernière, des spectaculaires inondations, du gouffre ouvert dans la chaussée à l'Opéra... De cette bonne dame écrasée et noyée dans son taxi... La colonne du général Baumgarten occupe Taza au Maroc... L'insurrection albanaise à Durazzo, mort d'un colonel Thompson... La nomination des derniers sous-secrétaires d'Etat... Voilà les nouvelles ! Seul *Le Matin* titre sur la crise. Et encore, en sautillant, comme d'une valse viennoise : crise diplomatique avec l'Allemagne, armée jusqu'aux dents, en deux lignes. Ah ! La crise intérieure, leur dada : déficit béant dû, selon eux, aux mesures sociales, à la baisse horaire du travail qui ruine le patronat, et au fonctionnarisme ! Ce sont les instituteurs qui nous coûtent cher ! Quant à notre affaire, elle n'est citée que pour atteinte au moral des armées. Antimilitariste, antipatriotique... Dans le reste des journaux, elle est reléguée en pages intérieures, anecdotique. Plus grave : les pouvoirs publics ont laissé passer le délai de douze jours pour la plainte en diffamation. Ils s'en remettent à la commission d'enquête, qui travaille... C'est l'enterrement. Viviani est plus occupé à équilibrer son ministère qu'à souffler sur les braises. Il se servira éventuellement des retombées pour justifier une reprise en main de l'Etat-Major, au ministère de la Guerre. Il tentera ; parce que les résistances sont fortes. D'ailleurs Noulens a quitté le portefeuille de la Guerre pour celui des Finances... Le colonel Terrier est en fuite. Sa cellule volatilisée. On le cherche... On le cherche sans grand entrain, je vous assure...

Les traits du journaliste marquaient la fatigue des insomnies et le souci. Il venait de traverser un mois de turbulences professionnelles et personnelles qui le désabusaient. Il y avait eu les attaques privées, sa personne traînée dans la boue, autant que portée aux nues. Traître pour les uns, héros pour les autres. Mais on s'était davantage battu pour savoir s'il fallait dénoncer ou glorifier son travail de journaliste, que sur le fond. Le fond laissait les gens prudents, effarés plus qu'indignés. Ils attendaient un rebondissement. Celui-ci n'avait pas eu lieu. Il n'y aurait pas de procès. L'escamotage spectaculaire du colonel Terrier, au lieu de scandaliser, avait rassuré ! Il se dénonçait lui-même par sa fuite, brebis galeuse : preuve que les dérives étaient le fait d'un seul. Ou de quelques-uns, dévoyés de leur devoir, qu'on sanctionnerait en douce. Sans plus. Max Jamais faisait ce bilan avec plus de lassitude que d'amertume. Si sa maison avait été assiégée de manifestants, quelques extrémistes excités venus, les premiers jours, lancer des pierres dans son jardin et hurler des menaces ; si des policiers avaient été placés quelque temps en faction pour protéger Justine, et les enfants, tout était rentré dans l'ordre depuis.

— D'ailleurs, poursuivait-il, personne n'a cherché à retrouver la veuve Mesnard. Tant mieux. Mais c'est bien le signe qu'aucune investigation sérieuse n'a été jugée nécessaire, du côté de la presse... Elle va rester là-bas, je crois... Mes parents lui ont trouvé une petite maison et du travail. Quant à moi, messieurs, je vais reprendre le mien... Je suis serein, j'ai fait mon devoir, comme vous. Nous aurons tenté d'ouvrir les yeux, les consciences. Mais c'est la fuite en avant. Nous allons à la catastrophe. Les élites politiques ni l'opinion ne prennent la mesure de l'abîme où nous courons...

— Demain, le réveil sera terrible, confirmait Bauer, embrassant des yeux le panorama de la ville. Les alliés allemands de l'Autriche ne laisseront pas la Serbie s'en sortir avec des excuses. D'autant qu'elle ne s'excuse pas ! L'Autriche voit dans cet étudiant bosniaque le bras armé de la Serbie... L'accusation ne semble alarmer personne... C'est pourtant le *casus belli* pour se débarrasser du danger que représente la Serbie sur le flanc est de l'Allemagne, et avec elle, de tout le panslavisme...

Nul doute qu'à cet instant, en dépit du soleil radieux qui inondait Paris, le vieux professeur y voyait la ruine, le champ de ruines qu'en ses plus mauvais jours il savait être là, sous les apparences triomphantes de la puissance économique, coloniale, diplomatique, sous les feux trompeurs de la Ville Lumière. Rien n'arbitrait les tensions internationales. Aucun organisme, aucune instance reconnue pour faire barrage au vieil instinct de guerre, considéré comme un état de nature. Au même titre que le droit coutumier de casser la gueule au voisin qui vous importune, était admis le libre et légitime droit des nations à régler leurs différends dans le sang. Chaque Etat restant souverain pour décider de jeter les hommes les uns contre les autres, de les envoyer au charnier... Et s'il avait parfois défendu, avec Pierre, l'idée que la mort est dans la vie, qu'elle est le principe de tout organisme vivant, que le vif est saisi par le mort en un éternel recommencement, Jules Bauer ne se résignait pas à reconnaître cette loi naturelle comme celle des peuples. Si l'on inventait des vaccins, des antidotes pour les maladies, on devait bien être capable de doter les sociétés de garde-fous contre cette maladie-là, la plus affreuse de toutes, en laquelle toutes les autres se cumulaient ! Il eut un long frisson de désespoir. Il était vieux. Il ne verrait du futur que des bribes, et pourtant tout son esprit se rebellait, le sens même de sa vie basculait dans ce gouffre où toute raison s'abolit. La guerre ! L'hydre hideuse déchaînée, dont les ravages sont imprévisibles ; sa fascination, la plus monstrueuse tentation humaine. L'homme si doué pour la géhenne, le sang et les supplices, si inventif et ingénieux pour trouver les moyens de tuer, tuer, tuer...

— Même les pacifistes feront le gros dos. S'ils continuent de proclamer haut et fort leur refus de la guerre, ils ne croient pas vraiment qu'elle se déclarera, poursuivait Jamais. En son temps, Jaurès a refusé de publier le rapport de Charles Andler sur la volonté belliciste de l'impérialisme allemand ! C'était pourtant, je crois, le tableau le plus réaliste de la situation... Depuis l'affaire du Maroc et nos démêlés avec l'Allemagne, on a oublié, on s'est endormi. Il n'y a que les droites à vouloir la guerre, et on sait bien pourquoi : moins pour venger l'annexion des provinces que pour redresser notre pays décadent, en perte de valeurs ! Nous ne faisons plus d'enfants, voilà le mal ! Notre démographie chute. La France manquera de soldats, de chair à canon... Personne à part eux ne veut la guerre, mais tout le monde la fera, elle réconciliera tous les antagonismes...

— C'est qu'ils n'imaginent pas celle qui nous attend... Voilà l'étrange infirmité des hommes : ils pensent mal l'avenir, toujours aveuglés par les modèles anciens, par le passé... Le passé n'informe pas l'avenir, il le transforme. Il ne l'annonce pas, il le préfigure, et comme nous sommes faibles pour lire ses leçons ! Nous ne rééditerons pas les guerres napoléonniennes, ni celle de 1870, en observant du promontoire, à la longue-vue, le beau mouvement des bataillons dessiné sur les cartes par les états-majors. Nous ne serons pas les soldats d'hier, mais ceux d'une guerre sans visage, sans règle et sans foi.

Bauer était aussi las que Max Jamais, accablé par ces pressentiments, qu'il partageait, mais auxquels sa vieillesse donnait un éclairage plus tragique. Non, il n'en serait pas, et s'il la voyait, ce serait de son promontoire personnel de Montmartre, loin des misères et du sang. Stérile, impuissant, comme ce à quoi le condamnait son âge. Il ne servirait pas, il ne servait déjà plus à rien, qu'à être cette conscience douloureuse dont le fardeau lui pesait d'autant plus qu'il n'avait pas d'enfant à qui la transmettre. A quoi sert toute une vie, l'expérience qu'un être humain en fait, si elle ne se vitalise, et ne se légitime, dans la transmission ? C'est pourquoi ce fils adoptif, Pierre Galay, son élève, son émule, avait une si grande place dans son cœur, et il souffrait du silence qu'observait celui-ci, de la sombre songerie où il était resté plongé depuis le début.

— Ces films, disait Max Jamais, ces films que vous m'avez confiés, ils annoncent nos lendemains. Ce sont les armes dont nous nous servirons, un jour ou l'autre. Si des militaires les ont expérimentées, ici ou là, il y aura quelque illuminé pour s'en emparer, et les appliquer à grande échelle. Ces documents ont cinq ans... Et ils sont tout neufs de leur actualité. L'idée a eu tout le temps d'essaimer dans des cerveaux morbides. Que comptez-vous en faire, à présent ?

Il se tournait vers Pierre, adossé à la bibliothèque. Celui-ci mit du temps à répondre, distrait, comme si ces documents, qui l'avaient tant tourmenté, étaient un aspect secondaire, à présent.

— Gardez-les. Déposez-les aux archives de votre journal... Avec le reste. Ils sont mieux là que n'importe où, comme pièces à conviction. Pour les temps futurs...

Mais il semblait inquiet d'autre chose, qu'il poursuivait à part lui, tout en écoutant échanger les deux hommes. La révélation des menées criminelles de l'armée, portée sur la place publique, avait échoué. A peine quelques esprits, un peu plus lucides que la moyenne, émus par la nouvelle, en garderaient-ils le souvenir. Celle-ci venait trop tard ; ou trop tôt. L'époque ne se prêtait pas à la prise de conscience nécessaire... On n'entend qu'avec son temps, dans le grand brouhaha d'une actualité confuse, aveuglé par les passions du moment. Si peu ont la clairvoyance, l'instinct du présent et la vision de l'avenir... Lui-même, à cet instant, perdait pied, se séparait de Jules Bauer, de Max Jamais, auprès de qui il avait cherché appui, en qui il avait mis sa confiance, et qui ne lui étaient plus d'aucune aide. Le voyage à Venise, qui tombait si bien pour le mettre à l'abri, avait été l'occasion d'un changement profond. Précisément d'une expérience ; cette accélération du temps qui précipite en quelques jours, quelques heures, les questions latentes et les noue, fait du vécu une connaissance, que n'apportent ni l'étude, ni la spéculation ou les raisonnements. L'expérience amoureuse, inconnue. L'embrasement sensuel, tenaillant, et l'attachement fou à un autre être. Ce pari de soi joué en un autre, dont on ignore où il s'ancre et se nourrit, qui donne la concience aiguë de l'individualité du destin, de sa précarité, et la faim dévorante de bonheur. Au même moment, il faisait l'apprentissage de la foule révolutionnaire dans les rues, du besoin d'être ensemble, d'appartenir à une communauté, d'en partager le devenir, autrement que par l'approbation mentale, intellectuelle. Il n'avait pas adhéré à ce qui soulevait cette foule de manifestants, mais il s'était senti humain parmi eux. Un peu plus humain, un peu plus vivant. Expérience inédite, celle-là aussi, autant que celle de l'emportement amoureux. Il se sentait extraordinairement neuf, et démuni par cette nouveauté, qui ébranlait les assises de son être.

Que ferait-il, s'il y avait une guerre ? La question ne se posait pas, auparavant. Le fait même de se le demander disait le changement. Voulait-il être solidaire de cette masse, héritière d'un siècle où avaient été subis, telles des fatalités, la guerre, l'enrôlement obligatoire, maintenant sur le point de se choisir, de cimenter sa conscience collective par l'invention du lien social, le lien humain de toute société… Iraient-ils tous au sacrifice absurde qui fusionne les êtres en un seul ? Cette folie lui semblait la moindre entre toutes, et une détresse infinie lui venait de savoir sa réponse, comme une évidence, alors que toutes les fibres de son être se hérissaient à cette idée, alors que son exigence de bonheur la raturait furieusement.

A Venise, Pierre Galay avait quitté sans les revoir ses pairs, les membres du colloque qui réunissait les plus brillants scientifiques de ce début de siècle, chacun dans leur spécialité. Désemparés par cette flambée insurrectionnelle, divisés et sceptiques, ils s'étaient séparés, laissant leurs travaux inachevés, chacun retournant vers son laboratoire, ses recherches, mais instruits que ces havres studieux ne les garderaient pas longtemps de la réalité du monde. Ils se fuyaient plus qu'ils ne se quittaient, sans s'être dit les uns aux autres quelle place ils comptaient prendre, à quoi leur science serait utilisée, avec eux, ou sans eux… Pierre gardait de leur dispersion une mélancolie profonde, le sentiment d'un gaspillage sans réparation. Où seraient-ils, alors devenus, en cas de conflit, des adversaires, sinon des ennemis ? Et ceux qu'une retraite altière tiendrait dans l'artifice d'une illusoire neutralité… Blessé par le retentissement de l'affaire du *Temps*, Roux s'enfermait dans son travail d'administration de l'Institut, tournant le dos aux trivialités choquantes du débat public. Quel garant serait-il d'une unité, d'un dessein commun pour les équipes de la rue Dutot ? Et tandis que se tenait, dans le bureau de Bauer, cet étrange conseil de guerre, entre des hommes de bonne volonté qu'il estimait au plus haut, la pensée de Pierre volait vers Gabrielle, le seul être au monde dont dépendait désormais la direction de sa vie.

Il l'avait accompagnée, la veille, aux obsèques d'Agota Kertész, au cimetière de Montparnasse. La cérémonie discrète à la chapelle, puis la procession derrière le petit corbillard empanaché, entre les tombes éclaboussées de soleil étaient l'enterrement le plus insolite qu'il eût vu. De la place à l'écart où il s'était tenu, il embrassait la petite foule qui entourait Gabrielle, conduisant le deuil encadrée de deux femmes, que tout opposait. L'une sa nourrice, menue en chapeau de paille noir, ratatinée comme vieille pomme ; l'autre, jeune élégante au teint de pêche, la bouche cerise sous sa voilette, affichant son défi aux convenances du deuil par la soie claire de sa robe, et tenant Gabrielle sous son ombrelle bouton-d'or. D'ailleurs, les autres personnes présentaient le même contraste, voisines d'âge en grisaille, frileusement empaquetées de châles en dépit de la saison, escortées de vieux messieurs corrects en guêtres et gantés, petits rentiers et bienfaiteurs de quartier, un attaché consulaire de Hongrie ; ces relations mêlées au débraillé d'une jeunesse artiste qui semblait tout droit sortie des cafés du quartier, dont les noms étrangers circulaient entre eux, hongrois ou polonais, et tchèques, car ils s'interpellaient, portant les bouquets les plus gais d'une fête villageoise, bleuets et coquelicots, épis de blé et marguerites, roses de jardins, pivoines et campanules, dont Pierre avait vu les couleurs aux coussins du salon de la rue Buffon. Sitôt le curé disparu, ils avaient pu envahir la tombe pour réciter des poèmes que Gabrielle disait avec eux, et chanter ! Chanter une longue ballade, dont le refrain faisait une berceuse poignante, et dont la langue inconnue frappait familièrement son oreille, mélopée venue lui rappeler la voix d'Endre, celle de Gabrielle lisant un soir, dans son bureau, sous la dictée de son doigt, les vers de poésie. Langue à laquelle il associait tant de souvenirs personnels qu'il s'était senti assailli de chagrin, comme si ces mots, incompréhensibles, citaient une part indéchiffrable de lui qui l'apparentait désormais en secret à la jeune femme là-bas, au bord de la tombe. Ensuite, ils s'étaient vite dispersés, alors que les échos de leurs poèmes et de leurs chants en hommage à la vieille émigrée flottaient encore dans le cimetière désert. Comme ils s'acheminaient vers la sortie, Gabrielle avait présenté à Pierre la jeune élégante pour sa grande amie. Cette Dora Gombrowicz, les yeux mouillés, très troublée malgré ses airs affranchis, avait beaucoup rougi en lui tendant sa main finement gantée.

— Je vous connais... de vue..., balbutiait-elle. L'homme en vue que vous êtes... Vos célèbres travaux... Pardonnez-moi... Vous ignorez à quel point...

Comme chaque fois qu'elle était très émue, son accent polonais revenait, et elle s'embrouillait tellement, que Gabrielle était venue à son secours. Elle qui la connaissait si bien s'étonnait de la confusion son amie, et pour faire diversion avait évoqué leur affection, son art de musicienne et ses succès, mais elle avait écourté, aussitôt gênée, à son tour, du lieu et du moment, navrée qu'ils fussent l'un et l'autre, Pierre et Dora, mis en présence en cette occasion funèbre si peu propice aux discours de mondanité ou aux confidences. Comme elles s'embrassaient longuement, se promettant un revoir prochain, Pierre cherchait déjà sa voiture.

Car il fallait encore conduire Renée à la gare d'Orléans, comme elle en avait décidé, refusant farouchement de passer une nuit de plus, une nuit seule dans cet appartement mortuaire, où rien ne la retenait plus. Elle avait préparé d'avance son balluchon, entassé ses quelques nippes dans une malle légère, qui attendaient dans le coffre. C'était un crève-cœur, ce départ immédiat, le dénouement de la longue histoire précipité par l'heure. Sur le quai, Gabrielle sanglotait. Mais Renée ne pleurait ni ne regrettait. L'œil sec, son front de vieille bique renfrogné, décidée à tenir sa volonté, elle promettait des nouvelles et en demandait, aussi détachée que si elle partait pour un séjour d'été, alors que, Gabrielle le pressentait, c'était l'ultime départ. Même si elle se jurait à l'instant d'aller la chercher plus tard, la voir chez elle, dans ce hameau où elle avait passé autrefois des vacances, mais dont elle avait peu le souvenir, si peu qu'elle ne pouvait y évoquer Renée, ni les êtres qu'elle y retrouverait, son fils Louis marié, et déjà père, cette famille inconnue dont elle ne parlait jamais... De laquelle Gabrielle ne s'était jamais inquiétée, avec l'insouciance égoïste des enfants, puisque Renée était tout à elle, à elle seule.

— Ne pleure pas, enfant : je te laisse ma peau et mes entrailles, disait-elle, comme s'il se fût agi des guenilles qu'on laisse aux petits, pour leur faire mieux accepter les séparations.

Au lieu d'une consolation ces paroles lui déchiraient le cœur, car c'était bien la dépouille de sa chair que lui laissait Renée, sa peau et ses entrailles, vraiment. Mais elle les lui avait données de si longtemps que c'était devenu chose insensible, dont elle ne savait peut-être plus le prix. Pierre avait assisté à ce départ, impuissant à réconforter, à dire un seul mot à la vieille femme inconnue, qui lui jetait de sombres regards de méfiance, de rancune ou d'hostilité comme si elle évaluait quel mal il saurait faire à Gabrielle, et il n'était ni temps ni place de lui jurer qu'il chercherait son bonheur, de quel amour il s'y vouerait.

Le train disparu dans les volutes de vapeur, ils s'étaient soudain retrouvés seuls sur le quai, qu'ils avaient lentement remonté en silence. Puis ils étaient revenus rue Buffon, à deux pas de la gare, parce qu'il fallait accomplir ces gestes matériels qui occupent l'affliction, ces derniers gestes encore voués au mort, qui trompent ou exaspèrent son absence, la rendent plus cruelle : jeter les fioles de médicaments, les restes de nourriture, préparer le ballot du linge pour la blanchisseuse, les draps, les taies du lit d'Agota, recouvrir son lit de la courtepointe, et y poser ses coussins, une dernière fois. Ranger sa boîte à couture, ses livres sur les rayons. A tout cela, Pierre n'était utile en rien, étranger à ces lieux et ces objets, ignorant des dispositions domestiques que prenait Gabrielle, et comme elle vaquait, rapide et silencieuse, il la suivait sur le seuil des pièces, il la regardait. Il la regardait évoluer dans ce décor où il ne l'avait jamais vue vivre. Où elle venait, quand elle s'absentait mystérieusement du Mesnil. Où elle avait été enfant, adolescente, où elle avait ri, chanté, joué du piano et dormi, et rêvé, et attendu Endre... Cet endroit si plein du fantôme aimé, palpable, à en suffoquer. Partout des photos de lui. Non pas nombreuses, mais obsédantes, ponctuant l'espace de sa présence, comme s'il en était encore le maître. Celle que Pierre avait découverte, sur le piano, dans le soudain jaillissement de lumière, aveuglant éclat qui le lui jetait à la face. Il s'attachait aux autres, celles de la famille de Budapest, le passé, ce passé hongrois si pesant, visages inconnus de groupes autour d'une table d'été sous la charmille d'une auberge ; des portraits d'hommes, des pères ou des oncles, l'air grave et avantageux qu'on a en prenant la pose dans les studios ; de sœurs enlacées et rieuses sur le banc d'un jardin, près d'un puits. Gabrielle ne voyait rien, passant d'une pièce à l'autre, mais lui sentait le peuple d'ombres de cet appartement la suivre, l'envelopper de leur regard, du profond regard de connaissance qu'ont les photos. Sur le seuil de sa chambre de jeune fille, sa gorge se noua d'un sentiment sacrilège. Pour l'enfant qu'elle avait été là, cette grâce impure et candide de l'enfance. Pour cet étroit lit blanc, sur lequel, peut-être, Endre l'avait étreinte, et possédée... Il s'en détourna, honteux de cette pensée, plus malheureux que de tous les chagrins de cette journée, et lorsqu'elle tira enfin les volets, faisant une pénombre de tombeau sur la maison, il éprouva le soulagement lâche des impies qui s'enfuient après le sac, emportent en voleurs leur butin. Il emportait Gabrielle, il l'entraînait dans les rues, silencieuse et pâle, et dans le soleil du soir, la chaleur d'été, il éprouvait ce sentiment effrayant d'une revanche prise sur les morts, sur ceux qui ne sont plus là pour défendre leur bien. Sans repentir ni scrupule, sans remords, heureux du poids de son bras, heureux de sa main donnée, laissant le vent baigner sa tête nue, sentant l'amour infini lui monter dans l'âme, ô renouveau d'amour, aurore triomphale !

— Pour être le Zola du *J'accuse*, disait Max Jamais, poursuivant une conversation dont Pierre avait perdu le fil, il faut d'abord être Zola, ensuite il faut la circonstance. Je ne suis pas l'un, et l'autre m'échappe. La cause était juste, pourtant, et j'ai tenté d'en être digne... N'allez pas regretter de m'avoir pris pour votre avocat. Je ne regrette pas de vous avoir servi. Les causes que l'on plaide avec de grands arguments de vérité ne sont jamais perdues. Hébrard me soutient là-dessus, qui croit en la vertu de notre métier... Mais ma femme m'accable de reproches pour ne plus dormir chez nous, pour son délaissement. Elle plaide, elle, pour le petit bonheur de tous les jours, nos déjeuners au jardin, qui est, en ce moment, son enchantement, et pour le vin blanc que nous y prenons le soir en devisant. Pour les chansons qu'apprennent les enfants, que je n'ai pas le temps d'écouter ; pour le grand malheur du petit chat qui a mangé une mésange, ce matin... Elle a raison, bien sûr. Et j'ai raison de ne pas me plier à la sienne. Voilà l'insoluble, l'irréconciliable question de nos grandes aspirations et de nos tenaces petits bonheurs.

Jules Bauer hochait la tête à ces paroles, survolant de ses vieilles mains les dossiers de son bureau.

— Cette question du bonheur privé, et du sens qu'il donne à nos vies, si négligeable au regard de l'Histoire... Le jour où Victor Hugo est parti en exil, ma mère a pleuré toute la journée d'avoir perdu la boîte d'onyx où elle gardait nos dents de lait, celles de ma sœur et les miennes... Mon père s'est emporté d'une terrible colère contre elle, qui s'adonnait à si futile souci quand était banni le plus grand homme du siècle... Je crois qu'il ne le lui a pas pardonné, que de ce jour date sa véritable détestation d'elle, qui a duré jusqu'à sa mort. Quant à moi, si je me souviens, enfant que j'étais alors, du jour d'exil de Hugo, c'est à ses pleurs dérisoires que je le dois, tant me semblait exorbitante et ravissante sa peine du trésor perdu de nos dents, qu'elle mît tant de soin à les conserver, et de chagrin à les voir égarées. C'est de cela que sont faites nos vies, de ces riens qui nous plantent vivants plus sûrement que nos actions et nos pensées, si illustres soient-elles...

A ce souvenir, la voix de Bauer tremblait. Et que surgît ainsi la figure de sa mère, dont Pierre ne l'avait jamais entendu parler ; que l'enfant qu'il avait été parlât soudain en lui, de si loin ressuscitant la journée oubliée, débordant ce présent où ils évoquaient les pires figures d'avenir, laissa un silence entre eux. Car ce n'était ni un épanchement sénile, ni la contrepartie de leurs propos douloureux, mais l'étrange leçon d'une expérience vraie que le vieil homme leur livrait en cadeau.

Juillet brûlait au Mesnil, et comme Mme Victor gardait tirés les volets pour conserver la fraîcheur au-dedans, on aurait dit la maison assoupie tout le jour d'une grosse sieste, ensevelie sous sa toison lustrée de vigne vierge aux feuilles immobiles, qu'un frisson parcourait parfois, au passage furtif d'un lézard, et il montait de ce manteau végétal, comme de la glycine et des buissons proches, un bourdonnement d'essaim dont la note continue endormait le silence. Cela tenait aussi aux consignes qu'on observait pour garantir le repos d'Henri de Galay, installé dans une grande chambre de l'aile, au rez-de-chaussée. Tous les gestes de la maisonnée étaient réglés sur d'excessives précautions pour lui éviter un tintamarre de casseroles ou un hennissement de cheval, le roulage d'une charrette sur le chemin, et même un éclat de voix. On parlait bas, et cela s'accordait à la grande chaleur du dehors. A midi, des colonnes visqueuses d'air brûlant entortillaient les arbres et les faisait flamber d'une trémulation liquide, les cèdres même en étaient saisis, appuyant leurs branches épuisées d'outre-bleu sur le parme pâle du ciel ; même les tuiles du toit de l'écurie, qu'on voyait dans l'entrebâil des volets, étaient fumantes de cette belle chaleur de l'été.

Dans la pénombre de la cuisine, ils finissaient de déjeuner autour de la table, leurs mouvements ralentis par la somnolence, parce que, par vieil usage, on se calquait sur les habitudes paysannes du sommeil de l'après-midi, que nécessitent les longues journées de la terre, les travaux de l'aube au crépuscule tardif, bientôt ce serait le plein des moissons. Meyer coupait nonchalamment du petit pain pour Tout Roux, allongé sous la table, haletant, sa longue langue rose dégouttant sur le carreau, et Victor dormait déjà à demi, sa joue dans le poing, filtrant de la paupière la réverbération du soleil, qui s'insinuait entre les volets jusqu'à éclabousser le plateau de la table, miroiter dans le verre des bouteilles. Autour du compotier plein des pêches du jardin, zinzinaient les moucherons, que Mauranne avait renoncé de chasser du torchon. Elle avait beau déposer partout dans la cuisine les coupelles de citronnelle et de menthe écrasées qui devaient empêcher les insectes, ils entraient malgré tout, attirés par les odeurs de cuisson, les confitures surtout, qu'on préparait chaque jour pour épuiser les fruits de l'enclos, fraises et framboises, rhubarbe, dont les fumets acidulés emplissaient l'air. Il y avait en permanence des pots de verre renversés sur un torchon, prêts au remplissage, qui occupait Millie et Sassette après la sieste.

Celles-là ne se quittaient plus depuis le retour de Venise. Car si, de tout l'hiver, les soins de la petite jeune fille attachée à son service les avaient rapprochées, leur voyage à Venise avait noué entre elles un lien nouveau, que leurs souvenirs communs alimentaient, mais sans doute davantage de ce que Sassette avait pris l'assurance d'une personne. Cela n'avait pas été sans un réajustement des relations, à la surprise de tous. Elle, si effacée et soumise, craintive, docile, sans heurter sa mère ni manifester de rébellion visible, jour après jour affirmait son indépendance par mille initiatives bénignes, s'enhardissait à la parole, comme si elle appliquait progressivement, pour en tester la pertinence, ce qu'elle avait découvert d'elle-même dans ces espaces exotiques du voyage. De s'être frottée si bien à ce milieu policé, aux subtils raffinements, elle gardait une sorte de sûreté et d'aisance insoupçonnées jusque-là. Assez prudente, et fine, pour ne pas choquer ceux-là, parmi qui elle avait grandi, par-dessus tout sa mère, mais gagnant son émancipation par degrés, si bien que, sans savoir comment, les uns et les autres admettaient sa nouvelle personne. Au fond, elle mettait à cette révolution discrète la même patience, la même détermination qu'elle avait eues à se soumettre naguère. Ainsi, elle qui n'avait été en classe que quelques années, du temps où on conduisait Pauline à l'école du bourg, et qui avait cessé du jour où celle-ci avait déclaré qu'elle ne voulait plus y aller, se remettait à la lecture avec Millie, prenant la place de son institutrice pour lui lire ses livres enfantins, réclamant d'autres ouvrages à Gabrielle, car elle n'ânonnait pas du tout, comme celle-ci s'en était aperçue en voyage, aussi lui avait-elle montré les rayons de la bibliothèque où étaient les romans de George Sand, de Balzac et de Flaubert qu'elle emportait le soir dans sa chambre. Celle-ci observait avec étonnement la métamorphose de Sassette, et l'appuyait de son mieux, cherchant à rassurer Mauranne que ces manières inquiétaient quelque peu.

Mais tout cela se perdait dans la grande affaire, qu'était l'arrivée d'Henri de Galay. De mémoire, on ne l'avait jamais vu ici en été, depuis près de trente ans. Meyer et Mauranne entrés en service plus tard, seuls les Victor, qui appartenaient à la maison depuis leur jeunesse, et pour elle, depuis son enfance, avaient quelque souvenir des étés d'autrefois qui rassemblaient au Mesnil la famille au grand complet. La demeure s'emplissait d'enfants, les quatre petits Galay sortis de leur pension, et leurs cousins ou amis de Paris qui s'installaient pour un séjour ; on y donnait des fêtes sous les cèdres aux belles sociétés du voisinage, des parties de campagne ; l'écurie était nombreuse, parce que tout le monde montait, alors... Ils se souvenaient du nom des gens de maison qui servaient à l'office et dans les chambres, des tablées successives à la cuisine, des chambrées de domestiques sous les combles et des contraintes du protocole, si sévère en ce temps-là. Cela datait, pour ainsi dire, d'avant le déluge. Aussi le retour d'Henri faisait-il l'effet d'un petit séisme local. Non tellement par le regain de travail que donnait son service, mais par l'anomalie de sa présence, la maladie qui le ramenait, signe d'un changement majeur. On ne savait s'il s'installait pour longtemps ou non, ni ses projets, s'il en avait. Et lui qui recrutait toujours un domestique personnel, pour le temps de son passage, chaque saison, avait cette fois pour ses soins quelqu'un de la Chaussée-d'Antin, détaché du personnel de Mme Mathilde, assez ancien pour être au fait du train de la maison et des affaires de la famille ; un nommé Vivien, maniaque et silencieux, qui ne frayait avec les gens du Mesnil que par nécessité, comme s'il fût d'une autre race, d'une autre éducation. En tout cas, la présence du maître modifiait assez les habitudes, à commencer par les consignes expresses de silence, pour que l'atmosphère nouvelle occupât les esprits. A quoi contribuait encore le retour retardé de Gabrielle, retenue à Paris par le décès d'une parente, et par les démarches qui s'en étaient suivies. Les uns et les autres ne savaient à quel signe était si changée celle qu'ils avaient accueillie, et adoptée, qui avait si bien su gagner leur estime, et leur cœur. Son deuil en était la cause, évidemment, même si elle l'affichait peu ; ni dans son vêtement qu'elle n'avait pas modifié, par souci de ne pas attrister Millie, ou pour d'autres raisons, plus personnelles, ni dans son humeur, qui restait égale.

Alors on ne savait quoi était intervenu de mystérieux durant ce voyage italien, si lointain qu'aucun n'en imaginait les décors et les paysages. Bien sûr, Millie et Sassete en avaient raconté les plaisirs, les découvertes pittoresques, les étonnements de chaque jour, étalant les cartes postales sur la table de la cuisine, montrant dans le livre d'art descendu de la bibliothèque des places et des palais au bord de canaux. Mais à eux, ces vitrines d'images n'étaient que vagues reflets en sépia d'un espace inconnu, qu'ils voulaient bien considérer comme fabuleux, sans en comprendre la splendeur, ni en quoi elle avait pu changer à ce point les êtres qui l'avaient vue. Il y avait enfin ces désordres, auxquels Gabrielle avait fait allusion, une manifestation populaire aussi violente qu'éphémère, qui avait quelque peu agité leur séjour. Mais rien ne suffisait à expliquer son étrange mélange d'absence et de présence, qui n'alternaient pas mais se confondaient, son attention à l'instant aussitôt abstraite, résorbée en elle comme si elle l'affectait à d'autres objets de réflexion. Ainsi cette fin du repas, où elle venait de bavarder avec Mauranne au sujet des confitures, extrêmement attentive aux préconisations de celle-ci, excellente confiseuse, mais laissant flotter sur ses lèvres un sourire qui ne concernait ni la manière de confire les fruits d'une cuisson en deux temps pour leur garder chair et tendreté, ni ce midi d'été, ni la proposition que faisait Meyer, en quittant la table, d'organiser ce soir, à la brune, quand serait tombée la chaleur, une promenade à cheval vers les Armand ; elle était ailleurs en pensée.

Profitant de la sieste générale, Gabrielle s'était réfugiée dans le petit salon de musique, dégarni depuis qu'on avait sorti les caisses d'orangers et emporté les outils, et dont les portes-fenêtres étaient ouvertes sur la partie arrière du jardin. Elle s'était assise au piano, sans l'intention de jouer ; c'était exclu à cette heure. Même le soir, quand elle y menait Millie, on prenait soin de fermer toutes les portes pour ne pas importuner le malade. Elle venait seulement exercer son doigt blessé, maintenant que l'attelle n'était plus nécessaire. Seulement faire jouer ses articulations en pianotant au bord du clavier, mimer des gammes qui sollicitaient l'auriculaire récalcitrant, dont le ressort restait faible. Depuis une semaine, elle mettait à cet exercice une grande opiniâtreté, résolue à retrouver l'usage de son doigt coûte que coûte, même s'il était encore trop tôt pour en attendre des progrès. Elle voulait effacer ce que Michel Terrier lui avait infligé, ce sceau de lui dans sa chair, le corriger si bien qu'elle finirait par l'oublier. C'était en son pouvoir, si elle le voulait assez. Aussi, chaque jour depuis son retour au Mesnil, s'astreignait-elle à cette rééducation improvisée, et le petit salon convenait à son besoin de solitude, à ce recueillement qui lui rappelait Pierre, la place où il était paru la première fois dans la pénombre, présent. Il lui manquait. Une part d'elle-même restait en souffrance près de lui, qu'elle ne cessait de convoquer, l'âme en peine. Après les grandes émotions du voyage à Venise, et la mort si subite de tante Agota, le départ de Renée, elle avait besoin d'une solitude pour consulter en elle la présence des absents, vivants ou morts, en sentir l'exactitude. Comme on palpe un endroit meurtri du corps, la zone sensible qui entoure une contusion, avant d'appuyer pour de bon en son centre, afin de localiser la douleur, qui irradie et propage son onde, et puis s'apaise au loin, laissant vif dans la mémoire le foyer d'où elle est partie. En si peu de temps elle avait perdu les deux femmes de son enfance, ses mères adoptives, si dissemblables et mêmement exilées, mêmement avides d'enfant, dont l'amour conjugué avait remplacé ceux à qui elle n'avait jamais pensé comme à ses parents, les jeunes absentés, allongés dans leur tombeau du Père-Lachaise… Et dans le même temps que doublement à travers elles, Agota et Renée, elle les perdait encore, plus que jamais orpheline d'eux qui la mettaient au monde pour l'y laisser, elle recevait en baptême l'amour neuf, cette échancrure profonde du cœur et du corps en sommeil, qui l'ouvrait aux douleurs du sensible et du vivant, une sensation si aiguë que parfois ses genoux se dérobaient, d'une faiblesse à se coucher par terre, de tout son long, pour mieux sentir la flambée au fond de son ventre réclamer qu'il revienne là, et y reste toujours. Qu'il la comble là, jument ou génisse fendue, qu'il s'arque en elle et y demeure, qu'ils en meurent d'amour. Comme était loin le temps où elle se jurait de s'appartenir, de ne rien concéder à l'emprise virile, maintenant convertie à sa féminité ardente et douce, à l'adoration fervente qui anéantit le mal, à la passion du bel été amoureux. Et ce n'était rien de penser à leurs étreintes passées : elle voulait demain, encore et demain, attiser cette gerbe de Saint-Jean, le grand brasier des sens et du cœur, se brûler à lui, et le brûler, parce que cela ne devait pas avoir de fin, pas de fin ! Alors elle pianotait dans le vide, s'appliquait à faire jouer son doigt engourdi, et ne pensait qu'à Pierre, à Pierre qui viendrait bientôt, il l'avait promis. Parce que s'ils trouvaient aux rencontres furtives, aux rendez-vous clandestins, le goût de l'amour volé, le bref temps du séjour à Paris leur avait appris à être amants sans honte ni peur des regards. Ils avaient marché dans les rues au bras l'un de l'autre, ils avaient été chez Pierre, rue de Turenne, trois nuits. Trois nuits dont l'allégresse dépassait l'amour de Venise, celui des premières fois, en rien ne répétait leur violence ou leur beauté ; c'en était d'autres encore, d'invention érotique, bénies de tendresse, les longues nuits d'amour et le sommeil ensemble, sans penser à fuir et se cacher au petit matin, le réveil ébloui de leurs corps rompus, à la lumière du nouveau jour.

Pourtant, les journées avaient été pénibles, qu'elle avait passées en courses d'un endroit de Paris à l'autre, pour finir de ranger l'appartement, rue Buffon, le désordre inouï des archives d'Agota, dont l'inventaire l'accablait de tristesse ; remplir les formalités de son décès à la mairie, trier les papiers, et les porter au notaire. Cette séance chez le notaire était le pire souvenir de ces journées. Celui-ci l'avait pourtant reçue avec amabilité, tout empesé de condoléances, s'excusant du délai qu'il faudrait pour régler la succession, tant de pièces à réunir, à valider... Puis il lui avait, avec maintes précautions oratoires, présenté l'état des affaires de sa tante. Comment, en tant que sa tutrice, elle avait obtenu de lui qu'il dégageât l'héritage d'Endre, que par testament celui-ci lui léguait, et non à elle, sa mère, trois cent mille francs de placements dans les mines d'Albanie, pour les investir en diverses actions. Ce qui était son droit, mais une lubie, un placement bien aventuré, et heureusement, opportunément, corrigeait-il, sa mort mettait fin à cette transaction incertaine qui, si elle avait duré, aurait perdu beaucoup du capital, par ces temps fluctuants... Ainsi Gabrielle rentrerait-elle dans son bien, sans trop de pertes, une fois acquittés les droits de cession. Outre l'héritage en propre de sa tante, l'appartement de la rue Buffon et le reliquat de ses placements, au tout soustraits les droits y afférant, dont elle était frappée en tant que descendante indirecte. Gabrielle en avait la tête tournée, se découvrant une fortune sans en mesurer la valeur exacte, mais c'était un bouleversement que ce don des morts ; que les morts lui tendaient de leurs mains décharnées. Alors, par une inspiration aussi subite qu'expresse, elle avait exigé du notaire qu'il mît au nom de Camille Galay la totalité du legs d'Endre. Et ç'avait été d'autres discussions, à n'en plus finir, le notaire, très choqué, objectant que ces dispositions la dépouilleraient au profit de quelqu'un hors de sa parenté, qu'il lui fallait y réfléchir, ne pas s'engager sur un coup de tête. Qu'un tel don se grevait de lourdes taxes d'Etat. Que c'était très imprudent de tester si vite, dans un élan sentimental, qu'il supposait sincère, mais la vie fait réviser tant de décisions de cette nature... Et d'ailleurs, puisqu'elle n'avait pas de père, ou de mari, pas de tuteur pour conseil, lui se faisait fort de défendre ses intérêts... Elle avait tenu bon, indignée par ces insinuations qui rappelaient la condition de mineures faite aux femmes, contre quoi Sophie avait tant de révolte. Il s'était engagé, bon gré, mal gré, à préparer les papiers. Puisque la légataire était fille, et mineure, il faudrait signature d'un père, ou d'un tuteur légal, évidemment... Elle s'était retrouvée étourdie sur le trottoir, à l'ombre du Panthéon, épuisée de ces batailles de chiffres et d'arguments, quand à ses yeux c'était si simple, si évident, qu'à la fille dût aller l'héritage du père. Elle n'avait pas à s'ouvrir de ses raisons au notaire, et sa résolution la comblait. Elle donnait suite à sa récusation éperdue, lorsque Renée lui avait rapporté ce qu'elle avait entendu, derrière la porte d'Agota ; que Gabrielle refusait de croire, de penser, tant l'épouvantait, après ces années d'attente dans l'obscurité, venu d'une nuit affreuse, le testament que le spectre blême d'Endre remettait entre ses mains. Pierre accepterait de signer, et par là achèverait, en tant que son père, de restituer son bien à Millie, de la rendre à sa filiation.

Et puis Gabrielle était allée aux Halles s'acquitter de sa promesse, remettre à sa mère le sachet de velours confié par Marcus. C'était midi, dans le bruit et les cris de la fin du marché, le grand déballage des étals dévastés, autour du pavillon dont la charpente de fonte et les verrières réverbéraient la chaleur d'étuve. Parmi la foule des marchands, elle se frayait un passage dans l'inextricable embarras de charrettes et de voitures à bras remisées le long du trottoir. Ele avait d'abord traversé le carreau des viandes dont les effluves la suffoquaient, glissant sur les flaques gluantes de sang et de suint, les déchets jetés au ruisseau que dévoraient les mouches noires, les amoncellements de poulets éventrés, leur graisse jaune luisant au soleil ; elle avait cherché le quartier des maraîchers, et demandé la Reine. On l'avait alors renvoyée d'un banc à l'autre, des cressons aux choux-fleurs et poireaux croulant des planches posées sur de hauts paniers, déversant les montagnes de fruits écroulés, cerises, pêches et abricots de Provence, mirabelles d'Alsace, l'air poissé des senteurs de sucre, de miel chauffé, ronflant d'un bourdonnement de ruche, guêpes et abeilles s'arrachant pour fondre à nouveau en essaims rageurs ; et on se jouait d'elle, sans doute. Les femmes riaient de l'adresser toujours plus loin, de la perdre à plaisir, parce qu'on connaissait la Reine, évidemment : on parlait avec elle, à l'instant. Elle allait revenir, elle était passée par ici, et repasserait par là. Découragée, Gabrielle était sur le point de renoncer, de remettre à un autre jour, quand la femme avait surgi, plantée, mains aux hanches, au milieu de l'allée, avertie par la rumeur courant dans le marché qu'une belle dame la demandait.

— Vous lui voulez quoi, à la Reine ?

C'était la grande chèvre de l'enterrement de Clarisse. Celle qui menait la troupe avec tant d'autorité, revêche, furibonde, dont les tonitruants amen résonnaient dans le cimetière. Elle ne portait plus son énorme chapeau à oiseau noir, mais une étonnante capeline défraîchie, piquée de pivoines écarlates, et elle avait la même posture offensive qu'alors, ses mains calleuses aux hanches, son ventre poussant le tablier rougi de fruits écrasés. Nul doute qu'elle ne ferait qu'une bouchée de l'agnelle en robe claire sous sa mignonne ombrelle. Elle en avait bien l'intention, son menton en galoche tremblant du courroux d'être dérangée par une bourgeoise, moquée par la compagnie goguenarde, à qui elle allait offrir le spectacle de son choix.

— Je voudrais vous parler en particulier…

— En particulier ! claironna-t-elle à la cantonade. On n'est pas au confessionnal, ma cocotte !

Comme on s'esclaffait autour, Gabrielle osa un pas en avant et souffla sous la capeline le nom de Marcus. Alors la Reine fut superbe, très digne encaissa le coup de sa grosse émotion, rabattit son chapeau sur le front et, passant son bras sous celui de Gabrielle, l'entraîna dans les travées vers un bistrot de la rue Montorgueil, à l'ombre fraîche de Saint-Eustache. On servait sur le zinc du vin au tonneau à la foule des bouchers, des équarrisseurs aux tabliers sanglants, des marchandes de quatre-saisons, les mains vertes d'herbes brassées, et entre les hures de cochon, sous les chapelets de saucisses sèches et les jambons pendant du plafond, Gabrielle avait donné le petit sac vénitien à la Reine. Qui ne tonitruait ni ne paradait plus, détachant de ses doigts poisseux le délicat cordon de soie, vidant la pochette dont tombait, sur le marbre du comptoir, une médaille, pastille d'or gravée, qu'elle regardait maintenant dans sa paume noire. Saint François, le pauvre d'Assise, entouré des oiseaux. Et Gabrielle ne savait si elle riait ou pleurait sous sa capeline secouée, dont tombaient en pluie les pétales fanés des pivoines rouges.

— Et qui êtes-vous donc, la demoiselle, pour savoir où il est, mon Marcus ?

Ç'aurait été si long à dire, et si malaisé, parmi tous ces gens… Alors elle avait vaillamment menti, raconté qu'une amie à elle, qui avait aidé Marcus à fuir, l'avait rencontré en Italie, où il était en bonne santé. D'où il lui envoyait ce souvenir, pour l'assurer que tout allait bien. Qu'on ne le poursuivrait pas longtemps, innocenté qu'il était, et qu'il pourrait revenir tête haute. Gabrielle voulait le croire, croire à ses paroles charitables. Elle voulait croire que Marcus avait échappé aux fusils, aux arrestations, qu'il était à présent en fuite, peut-être à Londres, exilé avec Malatesta et ses amis... Elle n'avait rien raconté de la prise du *Caffè Florian*, ni des émeutes de la semaine rouge, auxquelles il avait pris part, à quoi bon ? La nouvelle n'en était pas venue jusqu'ici, et la femme qui lui faisait face n'en aurait eu que plus peur encore pour ce fils qui la faisait trembler, qu'aucun pot de confiture de mûres n'aurait retenu près d'elle.

— Mon saint François le protège, alors... avait-elle conclu, glissant la médaille dans son tablier éclaboussé du sang des cerises.

Ainsi Marcus, lui qui abominait les bondieuseries de Clarisse, consolait-il sa mère par ce médaillon pieux, et ce n'était pas la moindre ironie que celui-ci fût à l'effigie de l'humble *fratello*, dont la parole en son temps était aussi scandaleuse que celle que portait le jeune homme d'aujourd'hui... Comme elle n'était pas femme à s'attendrir davantage, la Reine avait commandé un autre vin blanc pour se remettre, et pour remercier la demoiselle, qui lui disait être institutrice, promettait de revenir la voir si, un jour, elle avait d'autres nouvelles. Mais Marcus lui-même reparaîtrait bientôt, sûrement : elle n'endurerait pas si longtemps son absence... De ces deux verres de vin blanc au plein soleil de midi, Gabrielle était un peu ivre en quittant la femme aux grands chapeaux, le cœur serré de son ambassade, parce que, cet hiver, quand elle venait dans ces mêmes rues, alors enneigées, à la rencontre de Clarisse, guettant à sa fenêtre le bouquet de houx dont elle attendait tant, elle était loin de penser que le jeune homme au cœur enflammé par la révolution prendrait une telle place dans sa vie. Non plus qu'elle éprouverait pour cette inconnue la peine de son attente, qui ne faisait que commencer, dont elle avait connu le supplice, les semaines, les mois et les années qui passent sans que revienne l'être aimé...

Depuis un moment, abandonnant le piano, Gabrielle avait passé par la serre pour gagner le petit jardin, à cette heure paralysé de chaleur sous la pureté du ciel blanc. La sombre palissade des grands buis fermait cet enclos où les roses épanouies exaspéraient leurs essences, jardin demi-abandonné à son caprice, échevelé de liserons et de capucines rampant sur l'herbe folle, et jusqu'entre les pierres et les briques descellées du mur, les dalles disjointes des allées, des touffes de graminées sauvages se haussaient de minuscules fleurs. En ce retrait, apparemment livré au désordre, chaque échantillon botanique, rustique ou cultivé, avait dans la lumière extrême la précision florale des peintures primitives, et dans son assortiment le langage énigmatique des herbiers saints, déclinant les vertus et les bontés végétales, leur correspondance secrète au cœur des hommes. De cet embaumement, on sentait sourdre la vie de toutes parts, exaspérée et vibrante, la multitudes d'insectes invisibles, scarabées et fourmis, abeilles et moucherons, et les papillons brasillant au soleil. Gabrielle avait ouvert sa robe et dénudé ses bras, s'offrant au soleil par un besoin fiévreux de donner sa peau à l'embrasement vital du jardin, s'abandonnant à sa caresse brutale.

— Vous êtes donc là, mademoiselle Sans bruit...

Elle sursauta, si fort qu'il eut un petit rire satisfait. Henri de Galay se tenait dans l'encadrement de la porte, tel qu'en lui-même, le teint hâlé et si peu changé, à peine amaigri. Appuyé à sa canne à pommeau d'ébène, élégant et désinvolte dans son habit de lin froissé. Souriant encore de son embuscade.

— Hier, je suis venu trop tard. Le bel oiseau était déjà envolé...

Gabrielle rajustait son corsage en hâte, rouge de soleil, rouge de sa confusion.

— La dernière fois que je vous ai surprise, c'était dans l'obscurité de la nuit de Noël, vous souvenez-vous ? Déjà vous fuyiez, en votre déshabillé... Laissez donc ! En ai-je vu, des femmes nues, noires et jaunes, et blanches ! Au moins vous, ne craignez pas le soleil, qui fait injure à nos mijaurées... Tirez pour moi un de ces fauteuils, s'il vous plaît. Mettons-nous à l'ombre des buis.

Et dans le fauteuil de jardin, étendant ses jambes, il l'avait voulue près de lui pour une conversation. On s'occupait tellement à ne faire aucun bruit, qu'il entendait le moindre pas dans la maison, le moindre loquet qu'on lâche... Et comme sa chambre de l'autre aile donnait juste derrière, là, au coin de la maison, il avait entendu qu'elle venait au salon de musique, chaque après-midi à cette heure... C'était une si grande punition d'être échoué là, qu'il bénissait la consolation de sa présence...

— Pourtant, croirez-vous que je vous avais oubliée ? Par nature, j'oublie dès que je quitte le port. Les miens entendraient mal cette vérité, que je ne pense à eux jamais, ou si peu, de tout le temps que je suis parti. Ils ignorent quelle liberté c'est de n'être pas chargé les uns des autres quand l'espace nous sépare. Comme est vaine la hantise, chaque matin, de se raccrocher en pensée à ceux qui sont loin. Pour qui on ne peut rien, qui ne peuvent rien pour vous. Alors je vous ai oubliée, naturellement. Mais dès que j'ai su que je rentrais, qu'il me fallait rentrer, la première à qui j'ai repensé, ce fut vous. N'en prenez pas ombrage, petite. Ah ! la peste de nos carcasses !

Il grimaçait, sans signaler d'un geste où il souffrait, attendant, crispé, que la douleur passe.

— J'ai surtout pâti de passer entre les mains de tous ces docteurs assommants, qui branlent du chef en vous considérant comme tas d'os. Que nous sommes, mais enfin. Ils regardent au travers de vous, à présent, avec leur radiographie. Nous sommes si vite squelettes... En attendant, ils réfléchissent à mon cas. Quel que soit leur verdict, je suis en villégiature dans ma maison d'enfance. Savez-vous que ce petit jardin-là était à moi ?

— Tout était à vous, sourit Gabrielle poliment.

— Tout le fut ensuite, oui. Mais je vous parle de ce temps où l'on n'a de propriété qu'imaginaire, d'avant les héritages et les legs qui vous obligent. Ici, j'avais inventé un monde à moi. Vous voyez, là-bas, ce coin des verveines : c'étaient les îles inexplorées. Et là, au centre, une mer intérieure très dangereuse, profonde, remplie de monstres marins comme on en voit dans le livre d'Ambroise Paré, à la bibliothèque... Là, le long du mur, les carreaux de terre cuite, c'était mon port d'attache, d'où je partais chaque jour. J'y avais mes vaisseaux. Il y avait une allée oblique, qui a disparu sous les rosiers : un canyon infesté de serpents...

De la canne, il désignait les places, mais s'agaçait de ce jeu.

— Au fond, j'ai voyagé tôt... Bah ! Me voilà revenu au point de départ. Comment était Venise, donc ? Toujours aussi prétentieuse Sérénissime, hein ? L'hôtel des Bains : opéra bouffe... Vous vous êtes baignée, n'est-ce pas ? Je le vois à votre teint... Les femmes de mon temps étaient si blanches. Agnelles laiteuses. Vous savez, ce velin que chantent les poètes...

Il clignait de ses yeux jaunes, examinait Gabrielle avec une curiosité intense.

— Dites-moi : qu'a-t-il pris à Pierre de lever ce scandale, l'affaire des empoisonnements militaires ?... J'ai quelques amis dans la presse, vieux amis. Ils tiennent leur information du *Temps*. Son nom circule sous le manteau. J'ai eu tout loisir de me mettre à jour en lisant la presse, chez ma femme. C'est chevaleresque de sa part, mais fort compromettant.

— Je crois, dit-elle, qu'il a cru juste de le faire, en conscience.

— Ce Maximilien Jamais est un croisé laïque. Un don Quichotte républicain. Il est son ami ?

— Son avocat, et son allié. Pierre l'a choisi pour sa droiture. Il ne pouvait faire de meilleur choix que cet homme...

— Pierre ?...

Alors Gabrielle, un peu pâle, soutint son regard, parce qu'il était trop tard pour se reprendre. Non seulement elle admettait connaître les motifs de Pierre et les défendre, mais ce prénom, lâché à son insu, entendait sans ambiguïté que s'il venait si intimement à ses lèvres, il l'était en pensée. Et il admira son regard droit, de calme courage, qu'à peine la paupière voilait, l'ombre des cils portée par la lumière sur le haut de sa joue, et dans cette ombre la prunelle aiguisée qui disait clairement, aussi clairement que la netteté éblouie du jardin, qu'elle aimait. Il le voyait à ses épaules, à ses bras, à sa bouche ; à cette métamorphose mystérieuse qu'imprime l'expérience sensuelle aux hommes comme aux femmes, la plénitude inquiète et arrogante d'avoir succombé, ou triomphé de soi. Il le savait, et elle savait qu'il le lisait dans ses yeux, qu'elle détourna lentement. Le vol de deux papillons blancs se cherchant, électriques et lents à la fois, occupa sa vue, un instant de silence.

— Bien, laissa-t-il tomber. En êtes-vous heureuse ?

— Vous disiez le bonheur introuvable...

— Sauf le plaisir... Facile à prendre, on le dit ! La friction des corps est accessoire, hygiénique et banale. Les chiens savent ça. C'est plus difficile de jouir vraiment. Très accidentel.

Avec lui un tel sujet pouvait s'aborder sans gêne parce qu'il n'y mettait aucune intention indélicate, seulement son franc-parler d'homme éduqué que la vie a détaché. Et ce n'était pourtant pas abdication de l'âge. Il n'avait pas renoncé à séduire ; le charme viril de sa personne très soignée manifestait cette politesse dédaigneuse de plaire, en dépit de la maladie.

— J'ai connu une femme, dit-il brusquement. Au Harar, il y a longtemps. Une esclave. Cela s'achète. Aucun moyen de se parler, je ne pouvais échanger trois mots avec elle... Mais nous jouissions ensemble. Eh bien, je suis resté six mois de plus dans ce pays, parce qu'elle était cet accident remarquable. Et moi un accidenté volontaire... Une telle conversation sexuelle est rare. Tellement de gens l'ignorent. C'est le plus souvent beaucoup de boue et de médiocrité, la petite crise nerveuse, la gymnatique... Excusez ma vulgarité : nous nous sommes aimés. J'étais heureux, et ne l'ai su que trop tard, imbécile. J'aurais pu apprendre sa langue, elle la mienne. N'importe quoi pour exister l'un avec l'autre... Je suis rentré ! On peut passer sa vie sans rencontrer cela, jouir ensemble, mon Dieu... La plupart du temps, les gens se contentent d'avoir des rapports de mâles et femelles, sans y mettre de cœur ni de chaleur. Je vous parle crûment, Gabrielle, mais c'est par respect pour vous. Soyez exigeante avec la vie, elle vous le rendra.

— Oh ! Je le suis…, murmura-t-elle. Mais aussi, il me faut composer. Plier au lieu de vouloir vaincre. Et je ne savais pas que prendre est parfois plus dangereux que de donner… Je veux dire : recevoir nous met à mal. Dans une nudité avec soi qui est sans pareille, cependant sans quoi donner ne vaut pas beaucoup…

— Voilà notre raisonneuse !

— Je raisonne si peu que j'en ai peur.

— Vous n'avez pas répondu à ma question, mais tant pis.

— J'y ai répondu pourtant.

— Pierre est bien heureux de telles réponses.

Et il y avait autant d'amertume, ou de dépit que de bonté à ces mots, sur lesquels il laissa passer un ange. Puis se redressant, il dessina dans le sable, du bout de sa canne.

— On dit que nous avons, pour le 14 Juillet, un meeting de famille ? Ma femme raffole de ces fêtes consensuelles… Enfin, nous serons tous là, ensemble. Réjouissons-nous ! Même Sophie sera de cœur avec nous, je n'en doute pas. C'est une bonne enfant, quoi qu'en pensent les fâcheux.

Gabrielle l'aurait embrassé pour cette liberté, mais ne bougea d'un cil tant elle craignait de trahir encore elle ne savait quoi, dans cette dissolution du soleil qui déliait si bien les langues.

— A vous, je vais dire quelque chose, ma chère : mon frère dominicain m'a écrit de Florence. Comme il me savait parti jusqu'en décembre, il demandait qu'on me fît suivre son courrier. Je suis arrivé juste avant que son pli ne parte à ma poursuite. Voyez comme la providence arrange les choses… Sans ma maladie des os, j'aurais appris la nouvelle Dieu sait quand. Il me dit que Sophie a fait retraite chez lui, dans son couvent, qui héberge parfois des pénitents de tous ordres. Ma Sophie lui est tombée sur les bras sans prévenir, et mon frère, qui n'a aucune lumière de ce côté, a pourtant bien compris que torchon brûle en son ménage. Elle est allée se recueillir chez son oncle à Florence, Gabrielle. Mais ne croyez pas qu'elle tourne nonnette ! Mon frère s'alarme de sa grande exaltation, qu'il croit une maladie nerveuse. Elle l'a quitté la semaine dernière, et il s'inquiète de sa destination, car il doute qu'elle revienne à son époux. Il demande mon avis, soucieux de garder à son séjour le secret promis aux retraités. Voilà. Cela exclusivement entre nous, n'est-ce pas ?

— Entre nous.

— Entre nous encore, mon idée là-dessus : c'est qu'avec tant d'argent dans sa poche, on ne part pas faire retraite et pénitence.

On part plus loin. Vous me direz votre idée, quand vous en aurez une ?

— Je vous la dirai, monsieur.

Il se pencha pour atteindre sa main, la tint assez longtemps pour qu'elle sentît le plaisir qu'il prenait à la toucher, puis la tapota affablement, en guise de congé.

— Je vais occuper mon temps à faire l'inventaire de mes collections... Il ferait beau voir que je trépasse, sans mettre un peu d'ordre ! Si vous avez quelque récréation, venez me tenir compagnie, de temps en temps... J'aime conter, comme vous savez.

XLIV

— Monsieur Lewenthal, je vous prends en flagrant délit ! Je sais ce que vous faites !

Mme Mathilde venait d'entrer dans son bureau, de très bonne humeur. Comme chaque matin, elle se flattait de l'effet pimpant qu'avait à présent l'escalier, avec son tapis neuf de faux Iran, ses peintures fraîches imitant le marbre, et la suspension électrique de style art nouveau. Il n'était que temps de donner du lustre à la réception du siège des usines, si longtemps restée dans sa patine. Elle était également satisfaite de son ascension, puisqu'elle n'avait plus à s'époumoner : désormais la hissait le nouvel ascenseur, installé pour les deux étages de bureaux. Ces travaux arrivaient à point nommé pour manifester la prospérité de la maison, après les désordres du printemps. Lewenthal, qui développait le réseau commercial, recevait chaque semaine les représentants venus tour à tour de province, qu'on logeait et soignait. Ils en rapporteraient le bruit dans les départements... Mme Mathilde était particulièrement fière du mur de la salle du conseil d'administration, couvert tout entier par une fresque à la gloire des biscuiteries Bertin-Galay, une allégorie magnifique, qui montrait les noces de l'Agriculture avec l'Industrie. L'Agriculture, couronnée de ses cheveux tressés d'épis, aux seins généreux, dispensait les ingrédients : le lait, le beurre des vaches, les céréales, et même, dans un coin, le sucre, porté par des négresses et des négrillons sur fond de palmiers et de sources ; en réalité, on se servait surtout du sucre de betterave, mais la canne à sucre était plus picturale. De l'autre côté, on voyait l'Industrie avec sa tiare d'acier, assise, impériale, au milieu des toits d'usines aux cheminées fumantes, des machines, des camions, des cargos à vapeur emportant les biscuits autour du globe terrestre, qu'elle tenait sous ses pieds. C'était une outrance que ce globe, mais l'allégorie invitait au lyrisme. Au milieu, en médaillon ornementé, les initiales B et G entrelacées, comme au fronton. L'entrepreneur de l'escalier avait tout un carton à dessin de propositions déclinées du modern style, qu'il suffisait d'adapter à la commande.

Cette fresque n'était pas du goût du jeune directeur. Il avait tout tenté pour en dissuader Mme Mathilde, jusqu'à proposer de lui présenter des peintres modernes, qu'il connaissait très bien, très personnellement, qui feraient des projets novateurs, des créations futuristes dignes de la maison, mais elle avait tenu bon. Elle était enchantée de l'effet artiste de sa fresque. Et contente de n'avoir rien touché à son bureau, laissé en son ancien état, plus ou moins Empire, tel que le lui avait légué son père. Là, c'était un sanctuaire. A peine était-il toléré de changer les ampoules électriques ! plaisantait Lewenthal. Pourtant, elle ne se formalisait pas de l'y trouver, tout naturellement installé à sa place. Elle s'en félicitait au contraire, tant ce garçon se révélait excellent ; il pouvait bien s'annexer le bureau paternel, à condition de n'y modifier rien. Ce à quoi il se conformait, avec un scrupule charmant. Il était déjà là, au travail dès six heures chaque matin, et seul dans le silence préparait ses plans ambitieux pour la maison, qu'il avait non seulement fort bien redressée, après l'épisode critique de la grève, mais à laquelle il donnait de nouvelles impulsions.

Voilà ce qu'il faisait, ce matin, à l'entrée de Mme Mathilde, dont elle venait de surprendre le flagrant délit : il étudiait une grande carte de la région parisienne, entièrement déployée sur le bureau, dont les coins débordaient et pendaient dans le vide. C'était sa grande idée depuis quinze jours : déménager, construire ! Garder le siège quai de la Gare, et quelques ateliers de prestige, pour la vitrine commerciale, mais sortir du Paris dans les murs, dont le nouvel urbanisme chassait l'industrie ancienne, les vieilles fabriques du XIXe siècle implantées au milieu des quartiers. En un siècle, la population parisienne avait quadruplé, mais surtout celle des banlieues, multipliée par dix ! C'est là qu'était la main-d'œuvre, le nouvel habitat, moins cher et plus salubre, et les transports étaient suffisamment développés, à présent ! Plus un seul omnibus à cheval : le tramway, le métro, et la bicyclette triomphante ! Il fallait s'installer en banlieue. Le prix du mètre carré y était bon marché : on faisait de fabuleuses affaires ! Quel essor donnerait une usine neuve, conçue sur des plans modernes, vaste, fonctionnelle… Et il ne disait pas tout le fond de sa pensée : l'extension commerciale de la marque à des produits nouveaux, cette arme dans la lutte pour la domination du marché. On avait beau racheter les brevets, copier les recettes des crêpes dentelles, des beurrés de Lorient ou de Quimper, diversifier les articles, la concurrence du biscuit bloquait les gammes, et les prix. A l'invention géniale du vieux Bertin, qui prenait d'assaut un marché nouveau, il était temps de donner un second souffle, dans le même esprit. Lewenthal pensait aux pâtes, cet aliment mal distribué, parce que encore peu ou prou fabriqué artisanalement, avec des blés tendres, de courte conservation. Il projetait un voyage à Naples, dans l'été : il voulait voir comment la famille Barilla procédait, avec le blé dur. Et surtout son idée : un aliment bon marché, aussi nutritif que le pain, facile et rapide à préparer, dont avait besoin la société nouvelle des ouvrières, des employées de bureaux, de magasins, de plus en plus nombreuses, pressées de cuisiner en vitesse le repas familial. Il pensait à d'autres extensions, des coups plus ambitieux, mais s'en réservait à lui-même l'horizon... Chaque chose en son temps.

Voilà pourquoi, ce matin encore, Mme Mathilde le trouvait penché sur la carte déployée comme un jeune général, cherchant des emplacements du côté d'Ivry, ou de Choisy. Il avait des adresses de vendeurs, de notaires, d'experts géomètres, et des architectes en vue, des plans de financement.

— Avec vous, Lewenthal, il faut que je convoque un conseil d'administration par semaine !

Elle le moquait, moitié grondeuse, mais se laissait gagner par l'évidence de ses raisons, séduite par son intelligence de la conquête, son pragmatisme enthousiaste, sa tête bien équilibrée. C'est pourquoi le retrouver la mettait de bonne humeur en arrivant quai de la Gare, au moins durant la première heure, avant que ses soucis ne l'accablent de nouveau. Elle n'osait guère partager ceux-ci avec Lewenthal, pas encore... Elle espérait avoir avec lui, un jour, une relation de plus grande confiance où, sans tomber dans la familiarité, elle pourrait lui soumettre certaines questions personnelles, de celles qu'elle tranchait seule depuis si longtemps et qu'aujourd'hui elle avait envie, et besoin, de partager. Envie comme on donne un gage, comme on teste un ressort, pour le malmener un peu, voir ce que ce jeune homme lisse avait dans le ventre, car la confidence à laquelle on se risque débusque souvent les autres. Et besoin, parce que le vieux fond de lassitude, le découragement ne passaient pas, depuis son attaque, et qu'il pouvait être le fils qu'elle n'avait pas eu, jeune chevalier d'industrie aux dents longues, armé, aimable. S'avouait cette adoption, sans scrupules envers ses propres enfants. S'il le voulait, Lewenthal serait comme son fils. S'il l'élisait, elle, comme elle l'élisait. S'il ne ne la délaissait pas pour d'autres projets, d'autres entreprises, s'il ne lui était pas infidèle...

Aussi la vieille femme, le cœur rallumé par cette crainte, prenait-elle pour le garder les risques qu'on prend en amour. Pour le tenter et le persuader, le circonvenir, le corrompre, peut-être était-elle sur le point de lui concéder, un de ces soirs, d'examiner avec lui les plans d'une nouvelle usine, du côté de Choisy...

Mais pas encore de lui parler de ses soucis. D'abord de ce qu'Henri s'installait durablement, et ne repartirait pas, assurément. Au mieux pour de brefs voyages en France, jamais plus pour des semestres et de lointaines destinations. Le diagnostic que rapportait Pierre, la veille au soir, de rhumatismes articulaires aigus, restait menaçant. Une inflammation infectieuse, d'origine inconnue, qui laissait voir aux radios une érosion osseuse sévère, preuve d'atteintes antérieures, sans doute moins fortes, et négligées, des lésions cartilagineuses d'importance, et certains épanchements synoviaux, tout cela une description classique de la maladie de Bouillaud, mais avec probablement des séquelles cardiaques, remontant à l'enfance !

— A l'enfance ! Comment sais-tu cela ?

— On commence à savoir lire les radiographies, expliquait Pierre, patiemment. Notre corps garde le souvenir des traces traumatiques internes, de lésions ou d'atrophies anciennes... comme les cicatrices. Notre père a dû souffrir, enfant, de rhumatisme cardiaque, voilà. Des souffles au cœur, des fièvres qu'on n'aura pas remarqués...

— Cela ne l'a pas empêché de faire dix fois le tour de la terre en trente ans...

— Ce n'est pas une infirmité, mais un handicap sérieux, l'âge venant...

Grave ou pas grave ? Pierre ne voulait en dire davantage, gardant à son père la primeur du diagnostic, qu'il lui porterait lui-même au Mesnil. Mais Mme Mathilde avait entendu confirmer ce qu'elle avait craint, dès que reçue la lettre de Sydney : elle avait désormais sur les bras cet époux étranger, plus ou moins déficient, dont elle ne pouvait imaginer qu'il allait interférer de quelque manière dans son existence sans que son pouls s'accélère, son souffle lui manque, son cœur chavire. Il la rendrait malade, de l'être lui-même, d'être là, chez elle. Car elle ne concevait pas non plus qu'il s'installât durablement au Mesnil, dont l'isolement ne convenait qu'au temps de sa convalescence. Et s'il n'y avait eu que cela... Blanche, encore Blanche... Dont l'état nerveux devenait vraiment préoccupant. Ne s'était-elle pas mis en tête que l'archiduc autrichien, assassiné avec son épouse par ce fanatique bosniaque, il y avait bien quinze jours de cela, serait vengé, vengé par l'Autriche qui cherchait guerre à la Serbie, la lui déclarerait demain matin, et la Russie ne la laisserait pas attaquer, non plus ses alliés, France, Angleterre, si bien que, d'après elle, Didier soi-même, en personne, allait partir tout à l'heure en guerre pour châtier on ne savait plus quel ennemi de qui ! Un délire, un galimatias affligeant dont Blanche l'avait abreuvée, durant toute la promenade dominicale.

Pour une fois, son gendre l'avait invitée à faire un tour en automobile avec eux. Ce dimanche précédait le 14 Juillet, et déjà on installait partout drapeaux, oriflammes et estrades pour les bals populaires, lampions et guirlandes dans les rues qu'ils traversaient, pour se rendre au Bois. Il faisait grande chaleur, pas un souffle depuis le matin, et c'était bien agréable de rouler à faible vitesse à l'ombre des grandes allées, dans la superbe Renault décapotable d'Edmond, de prendre le frais sous les arbres, et de déguster un sorbet de framboises au restaurant des Cascades. Mais, après coup, Mme Mathilde s'était demandé si Edmond, à bout, n'avait pas cédé aux supplications de Blanche de la chercher pour cette promenade, un vrai guet-apens. Car Blanche voulait, priait, suppliait que sa mère, qui avait su l'y faire enfermer, intercédât pour enlever Didier de sa caserne, à Lyon, avant qu'il soit trop tard. Pour le faire renvoyer, casser de son rang – quel rang, ma pauvre fille ? –, le faire révoquer pour une faute – quelle faute, ma pauvre fille ? –, qu'il refusait de commettre, malgré ses conseils, mais si on l'en faisait accuser suffisamment bien à son insu, comment s'innocenterait-il ? Ou bien il fallait constituer un dossier médical en hâte, pour le faire réformer. Elle tenait prête une liste de maladies incurables, de médecins complaisants. D'ailleurs Pierre lui-même pouvait intervenir, il avait des appuis, il accepterait de signer une attestation, un certificat... Elle parlait très vite, tournait cela en boucle de manière obsessive et automate. Avant qu'il soit trop tard, avant qu'il soit trop tard... Edmond jetait des regards ennuyés vers les tennis, comme s'il entendait la plaidoirie pour la dixième fois, un peu gêné de l'infliger à sa belle-mère, qu'elle fût témoin du dérèglement mental de Blanche, et du calvaire conjugal qu'il subissait... Il peut bien subir, rageait Mme Mathilde. C'est la moindre peine qu'il prend, à présent. S'il n'avait tant négligé Didier... Mais il ne s'agissait pas de régler son compte à son gendre, qui, l'un dans l'autre, restait fréquentable ; plutôt de rassurer Blanche. Car cette fois, et c'était assez effrayant, elle n'était pas excitée et grandiloquente, seulement dans l'état pitoyable des gens qui s'évertuent à vous jurer qu'ils vont très bien quand ils sont à l'agonie. Pour paraître sensée, elle raisonnait sur cette guerre imminente, qu'il lui fallait établir posément, afin d'étayer l'urgence absolue de libérer Didier, avant qu'il soit trop tard. On n'en sortait pas. Mme Mathilde feignit de consulter son gendre, sur le ton condescendant qu'on a pour les caprices d'enfants.

— Mon gendre, pensez-vous que ce petit attentat nous vaudra vraiment une petite guerre ?

A contrecœur, il concéda une réponse, sans savoir s'il devait, pour rectifier la dérision de sa belle-mère, en faire une sérieuse, que Blanche ferait sienne, ou s'il lui fallait feindre la légèreté et laisser filer...

— Cette visite des princes dans leurs provinces annexées de Bosnie et d'Herzégovine tombait mal, elle est passée pour provocation... Les nationalistes serbes réclament ces régions, au nom de la solidarité entre Slaves du Sud... Enfin, vieille histoire des querelles balkaniques... L'autre soir, chez nous, quelques amis conversaient à ce sujet... L'un rentrait de Vienne, où d'importantes manifestations anti-serbes ont eu lieu... Blanche aura pris cela trop à cœur...

Le regard de Blanche, un peu hagard, allait de l'un à l'autre, sa mère et son mari, comme s'ils fussent des bourreaux parlant en langue étrangère des prochains supplices qu'ils lui réservaient. Au mot "cœur", elle s'effondra.

— Ah ! J'ai mal au cœur, hoquetait-elle, se tenant le sein que quelqu'un poignardait. Mon cœur... Mon enfant ! Au secours !

Pour éviter un esclandre, ils avaient abandonné précipitamment les sorbets, et réintégré l'automobile. Elle s'était calmée, tombant dans une prostration pénible, le regard vitreux. Depuis longtemps, on était accoutumés aux frasques de Blanche, à ses pâmoisons et ses crises mais, cette fois, Mme Mathilde en était plus inquiète qu'irritée. Une fois seule chez elle, pour se remettre, elle avait dû boire plusieurs cafés à la suite afin d'effacer cette mauvaise impression. La demande de Blanche était folle. Folle l'idée fixe qui minait sa santé, depuis six mois. Folle sa passion maternelle pour un garçon maintenant adulte. Ridicule, indigne... Délirants, absurdes, les stratagèmes qu'elle s'épuisait à inventer... Certes, Mme Mathilde avait le bras long, mais pas au point de faire réformer Didier ! Qui d'ailleurs ne demandait rien... Selon Manon, était même content de son sort, espérait son premier galon. De toute façon, elle se serait bien gardée d'intriguer, en ce moment, où valsaient les portefeuilles ministériels. Où le scandale dénonçant des menées subversives dans l'armée finissait juste de faire des vagues dans la presse, et de secouer les états-majors... Pourtant, cette affaire de Sarajevo lui laissait un malaise. Comme une histoire mal réglée, qu'on cache au fond d'un tiroir… Simon Lewenthal, qui était de bon sens, l'aurait peut-être éclairée sur l'assassinat de ce prince héritier, la vieille Autriche-Hongrie susceptible, ces Balkans toujours prêts à exploser. C'est-à-dire, du même coup, sur l'état mental de Blanche : délirait-elle, ou bien non, à ce sujet ? Cependant, elle n'osait aborder ces questions privées que sont la politique et la diplomatie, sur quoi on peut discuter en famille, mais qui fâchent parfois vos relations. Elle n'était pas assez intime avec le jeune directeur.

Mais il y avait encore une autre cause de désagrément… Plus insidieux qu'une contrariété. Quoique, ce n'en était pas une, pas vraiment. Pas un ennui non plus, d'ailleurs, bien que cela restât désagréable. En même temps, ne fût pas proprement un déplaisir… Davantage que la nouvelle, la manière dont elle l'avait apprise… Manon, sa fidèle Manon, qui prenait *fait et cause*, et ses informations, lui avait rapporté cette chose, tout de même délicate à formuler, que, trois jours de suite, le Dr Galay avait reçu chez lui cette personne, la demoiselle. Manon était rompue au savoir-vivre et à la rhétorique diplomatique. Elle avait un long usage du renseignement et l'art de la communication, s'entendait avec Mme Mathilde sur le demi-mot qui vaut une phrase, et la phrase un traité. Mais, en la circonstance, elle s'était trouvée à court de litote. Il lui avait fallu y aller par un seul chemin, et pas par quatre, ce qui la mettait sur les charbons. Jamais elle ne se serait permis une allusion si la chose n'était avérée, de source sûre. Et si sûre qu'elle fût, elle n'aurait rien rapporté si celle-ci ne confortait ce que, pour sa part, elle savait déjà d'intuition. Mais l'intuition vient de subtils recoupements, instinctifs et aléatoires, on s'en méfie. Or elle avait assisté, en personne, à une scène, le soir de l'attaque de Madame, en entrant par surprise dans ce salon, ici même. Pas vraiment une scène : on peut dire un mouvement suspendu. Ou plutôt une absence de mouvement. Enfin cette chose équivoque qui laisse de l'embarras entre deux personnes.

— Bref, murmurait Mme Mathilde, tu dis que Mlle Demachy est allée trois fois chez Pierre.

— Trois nuits.

Dans le silence qu'elles avaient observé rien n'était passé, ni ange ni démon, seulement une grande perplexité, car que faire d'une telle nouvelle ? Valait-elle vraiment d'en être une ? Et par conséquent, Manon ne perdait-elle pas le discernement, vieillissant, tombant à la confusion ? Si bien que Mme Mathilde, qui se contentait, d'ordinaire, d'écouter les petits rapports de sa fidèle servante comme si les choses lui tombaient dans l'oreille, par inadvertance, continuant l'air de rien d'ouvrir son courrier, ou de parcourir les journaux, pendant que sa vieille espionne vaquait, l'air de rien elle aussi, à de menus rangements – un ancien rituel à elles deux, réglé comme papier à musique, qui épargnait l'une et l'autre dans cette relation délicate, cette fois elle avait non seulement posé son journal et ses bésicles, mais interrogé directement pour avoir des précisions. Se tenaient comment, où ? Ici, et là. Elle, les bras tendus, comme quelqu'un qui repousse, ou se protège. Lui furieux, malheureux, allez savoir. A se mordre les poings. Ils se disputaient ou s'embrassaient, aussi bien.

— Je n'en aurais tiré aucune conclusion. L'atmosphère était à l'orage pour tout le monde. Et parfois ce qu'on surprend à l'improviste n'est pas ce que l'on croit. Mais Elvire est formelle.

— Tu n'obtiens rien d'Elvire, m'as-tu toujours dit. Elle est incorruptible. D'ailleurs la vie de Pierre est réglée. Elle n'a rien à en dire. Un cerbère.

— Justement. Très jalouse de sa propriété.

— Donc elle médit. Qu'il ait reçu cette personne chez lui n'entraîne pas…

— Elle ne médit pas : elle a du dépit. Elle se venge.

— Toi aussi, je crois.

Alors, piquée par l'insulte – elle, médire, se venger ? –, indignée d'avoir à se justifier, à défendre son renseignement, Manon s'était rebiffée. Il en allait de son crédit, jamais mis en doute, de si longtemps qu'elle le jouait. Surtout de son amour-propre, qu'offensait l'accusation par laquelle Madame ruinait leurs longues années de confiance commune. Ce lien privé, dont elle ne faisait pas état, comblait sa vie de servante, passée à la dévotion d'une maîtresse qui, non seulement autorisait son inclination, mais en tirait profit, et c'était cela servir. Nouer avec celui dont vous dépendez un rapport de sujétion et de respect réciproques, une vassalité loyale, qui paie chacun son juste prix. Que Madame venait de dénoncer dangereusement. Parce que Manon avait mis à la servir non seulement sa rare perspicacité, et la science qu'elle avait acquise des êtres, de leurs actions et de leurs pensées les moins avouables, mais l'excellence servile que la classe supérieure exigeait de ses gens, comme chiens couchants. A quoi elle s'était pliée, y trouvant son intérêt, et son plaisir, oui, un plaisir qui dévaluait tous les autres. Mais par une délégation de pouvoir qui ne pouvait être remise en cause unilatéralement. Alors elle n'avait pas fait d'éclat. En chat qui a bu du vinaigre, elle avait exposé les faits, seulement les faits, brutale, avec un luxe de détails sordides, les preuves déballées d'une intimité que Mme Mathilde ne voulait pas entendre, offusquée de leur crudité, des mot scabreux que la vieille servante assénait, par vengeance froide.

— Tais-toi ! avait-elle crié. Je t'ordonne de te taire !

Et comme Manon se taisait enfin, bouleversée plus encore par son ressentiment que par son audace, elle l'avait consolée, par un instinct tardif de prudence.

— Allons, ma bonne. La belle affaire ! Cela vaut-il que nous nous fâchions, toi et moi ? N'en parlons plus...

Elles n'en avaient plus parlé. Mais Mme Mathilde était restée choquée par ce brusque dérapage d'une scène mille fois jouée entre elles. La discrétion feutrée de leur complicité avait pour règle tacite le sous-entendu, l'elliptique et l'allusif... Pas un mot plus haut que l'autre... et d'un coup, cette violence ! Soudain la réalité soigneusement ignorée lui paraissait, de l'emprise des domestiques sur leurs maîtres, cette fouille au corps de tout instant. La vie privée pillée, disséquée, livrée à l'inquisition permanente de gens dont le regard n'était supportable que tant que tenus pour quantité négligeable, réduits à leur condition. Si un commerce égal s'instaurait, alors on était perdu. Quel compagnonnage, quel commérage avait-elle induits, acceptés, avec quelle commère ? Quel double intime lui était donc cette Manon, autrefois entrée fille à son service quand elle l'était, aujourd'hui femme de son âge, poussée à ses côtés, vieillie à son flanc, qu'elle avait mandatée pour des missions occultes, sans s'inquiéter, jamais, de savoir quels motifs la faisaient si bien y courir... Cela allait de soi. Cela n'allait absolument pas de soi ! Le monde intérieur de cette femme familière, en réalité une inconnue, ses désirs, ses faims entrevus, la faisait frissonner de répugnance, d'effroi. La somme de secrets qu'elle détenait sur sa famille... Tout petits secrets, mesquins, lamentables. Sa passion infecte de les connaître, pourrissoir, laideur, saleté. Manon, à sa propre image, grand Dieu !...

Cette affaire personnelle l'ébranlait bien davantage que d'apprendre la liaison de Pierre avec Gabrielle... A vrai dire, celle-ci la surprenait à peine. D'une certaine manière accomplissait un très vague, très obscur dispositif d'alliance préexistant hors de sa conscience. L'assortiment ne la choquait pas. Elle les trouvait même plutôt bien appariés. Physiquement s'entend. Taille, allure, maintien, et même la réserve, la distance. Le quant-à-soi ou l'orgueil. Une manière d'indépendance très déterminée. Venant d'où elle venait, Mme Mathilde était d'esprit libéral : les êtres ne valent que pour ce qu'ils font. Le droit d'association est libre. Seul l'intérêt est quantifiable. L'élection, plus productive que le lignage. Ce Lewenthal lui plaisait mieux que n'importe quel héritier tombé aux affaires familiales, prêt à en empocher les dividendes, sans lever le petit doigt. Ne la dérangeait pas que Pierre eût un penchant pour cette fille. Institutrice très correcte. Excellente musicienne, bonne lectrice. Qu'il la mît dans son lit n'empêchait pas la terre de tourner. Sauf qu'aux conséquences fâcheuses, il fallait veiller. Fâcheuses ? Quelles ? Un enfant ? Cela se fait si vite, étourdiment... Les femmes y sont condamnées, vocation détestable. Quelle idée d'en aller courir le risque sans y être obligée ? Dans le mariage, ce rapport est odieux, mais un devoir. Et encore : il se négocie... Lui revenaient alors les mises en garde de Blanche, tout l'hiver, son hostilité à Gabrielle, qu'elle traitait d'intrigante ; jusqu'à cette scène invraisemblable, où elle avait exigé son renvoi ! Avait-elle plus de perspicacité qu'en apparence, senti mieux que personne le pouvoir de séduction de cette jeune fille, son empire grandissant auprès de tous ? S'il fallait reconnaître à Blanche quelque lucidité en cette matière, en avait-elle autant quand elle prophétisait une guerre, à cause de l'assassinat des princes, à Sarajevo ? L'inquiétude larvée en traînait dans les milieux d'affaires, la menace d'un conflit, les regards toujours tournés vers l'Allemagne surpuissante...

Mme Mathilde soupirait, exaspérée de ces contrariétés accumulées, qui se mêlaient entre elles, privées et publiques, dont elle ne savait laquelle la mettait le plus dans cet état de grand souci. Alors l'idée opportune lui vint d'inviter Simon Lewenthal au Mesnil. En famille, n'est-ce pas ?... Ce serait charmant : il y avait de la place pour loger qui on voulait... Quelques amis seraient là... Et d'ailleurs, la grande chaleur de ce 17 juillet annonçait une fin de semaine éprouvante en ville : quelle riche idée ce serait de venir dès le vendredi à la campagne !... Elle ne se fit ni trop pressante, ni trop désinvolte, assez câline finalement, feignant l'autorité et grondant :

— Au moins, là-bas, vous aurez tout votre temps pour m'exposer vos projets d'usine à Choisy !...

Bien des années plus tard, Camille Galay aurait l'occasion de voir la série des photos prises pendant ces journées de juillet 1914 où Simon Lewenthal était venu au Mesnil, à l'invitation de sa grand-mère. Il avait alors un appareil Kodak à bandoulière, un *folding* au soufflet de cuir, et d'un maniement si aisé qu'il était passé de mains en mains. Aussi ne saurait-il plus trop qui, de lui ou d'un autre, avait fait telle ou telle de ces photos d'amateur, qu'il lui montrait ; la seule à les voir jamais, lui seul à les avoir gardées. Alors, le temps aurait passé, et la longue guerre, et tant d'autres événements qui devaient les emporter tous, les disperser et les réunir de nouveau, par l'étrange accomplissement des destinées sentimentales, dont après coup se révèlent les menées mystérieuses, quand le présent qui les fomente reste opaque à ses acteurs, leur confisque toute perspective et toute connaissance des rendez-vous qu'ils se donnent à eux-mêmes, ou que l'histoire leur réserve.

Une seule chose lui était claire, c'était ce jour-là, dont dataient les photos, qu'elle avait reçu la première lettre de Magda, la petite amie hongroise rencontrée à Venise. Il avait fallu, au dernier instant qu'elles se quittaient, que la comtesse Reviczky traversât le salon de l'hôtel des Bains pour demander à Gabrielle, dans un beau français sans accent, si elle voulait bien donner pour son enfant l'adresse de Millie, dont sa fille voulait garder le souvenir, et lui écrire. Et ce serait l'occasion pour Magda d'exercer bientôt cette langue qu'elle commençait d'apprendre. Alors Millie avait vu Gabrielle rougir extrêmement, dire qu'elle-même serait heureuse d'y contribuer, de traduire pour Millie ses premières lettres en hongrois, et leurs réponses, en attendant, si un jour elles le pouvaient, qu'elles poursuivent seules cette correspondance. La belle dame avait été si étonnée, et émue, qu'elle avait pris les mains de Gabrielle, et ensemble elles avaient échangé quelques mots en langue étrangère. Et Camille ne savait si elle n'avait poursuivi si longtemps ce lien épistolaire avec Magda, et noué cette grande amitié ensuite, de si grave conséquence dans sa vie, par fidélité à la passion enfantine née sur cette plage, ou pour donner raison au vœu que les deux femmes semblaient faire à leur place, scellé dans les mots de leur langue inconnue. Oui, elle savait cette seule chose : ce jour-là, elle avait reçu la première lettre de Magda, et Gabrielle la lui avait traduite, près du piano, d'une voix si tremblante que cela s'était inscrit dans sa mémoire, comme la promesse qu'elle faisait de lui apprendre le hongrois, un jour...

De cette journée de sa petite enfance, Camille a pourtant un souvenir trop flou pour que les photos lui restituent autre chose qu'une vague nostalgie de ce temps, où Gabrielle était miraculeusement parue dans sa vie, où elle avait commencé d'exister... Pourtant, dans leur définition parfaite, ce cisèlement cruel d'une réalité oubliée des corps et de la lumière, ces images lui seront comme l'avertissement poignant de ce qui se préparait en ces journées de soleil, ce temps radieux de l'été 1914 où ils étaient tous si paisiblement réunis sur la terrasse, devant la maison du

Mesnil, contre le foisonnant chèvrefeuille de la façade. Ces images au format carte postale seront devenues chocolat, ocre-rouille, de celles qu'on garde dans les tiroirs de toutes les maisons, dans les albums des familles, jusqu'à ce qu'on ne les garde plus ; on les égare, ou bien quelqu'un les emporte un jour, qu'importe. Elles ressemblent à l'oubli que la mémoire accommode, qu'elles soient perdues n'affecte personne. Images sans légende ni date, anonymes pour tous et quiconque, sauf pour ceux à qui elles appartiennent, à qui elles rappellent quelque chose. Ceux-là qui sont sur les photos, ces gens sur les photos de juillet 1914, rappellent quelque chose à Camille Galay et à Simon Lewenthal. Ils se ressemblent beaucoup, par cet air que donne la parenté sociale et familiale, qui scelle la communauté de sang, d'humeurs, de secrets charnels et de pensées, ce que celle-ci partage de dessein, de savoir, et d'histoire. Alors, ils ne peuvent être plus proches, maîtres ou domestiques, ni plus *naturels* et vrais, plus épousés qu'ils ne l'étaient été ce jour-là en photo, devant le mur couvert de chèvrefeuille de la maison du Mesnil. Un jour, ils ne seront plus que tachetages, ocelages et pointillés en voie d'effacement. N'auront peut-être jamais été autre chose qu'un semblant du feuillage, une illusion de reliefs et méplats, de reflets fondant sous les yeux vers un état très ancien d'indéfinition humaine, dans l'épuisement séculaire de la photo, ce désordre affolant d'ombre et de lumière. C'est ce qu'éprouveront Camille et Simon, enlacés et penchés ensemble sur ces photos, eux qui, à titre différent, auront connu ces gens, leur odeur, la chaleur de leur main, leur haleine et leur regard, qui auront entendu le timbre de leur voix, et partagé leur vie, pour certains leur mort, qui savent d'eux tant de choses ; et cependant pas tout, que taisent les photos, que taisent les souvenirs.

Mais au moment de la prise, ils sont ces vivants, réunis à l'ombre de la maison par la chaleur du jour. Les femmes se sont d'abord retrouvées sur la terrasse, venues des chambres, du grand salon ou de la cuisine, parce que la brodeuse du bourg vient d'arriver pour présenter son travail, le trousseau de Pauline commandé par Mme Mathilde. La date du mariage est fixée à la fin du mois d'août, et les bans publiés. Renaud ayant alors fini ses classes, il reviendra pour une permission de quelques jours, avant de rejoindre son unité de combat, le régiment de son arme où il fera son temps de service obligatoire. Depuis son départ, il n'a écrit qu'une fois à ses parents, une vue d'Amiens, où il dit que tout va bien et qu'il en espère de même pour eux. A Pauline, trois lettres cachetées, qu'elle garde sur elle. Et une photo de lui en soldat. Si bizarre, dans son accoutrement militaire, avec son fusil Lebel tenu debout contre son flanc, et la baïonnette cruciforme, la "Rosalie", dans son fourreau au côté, en capote et képi, qu'on le reconnaît à peine. D'autant qu'il pose devant une insolite toile peinte de paysage alpestre, une fantaisie du photographe des armées. Car ce portrait a été réalisé, selon la tradition, en prévision de la fin des classes, quand les conscrits sont présentés au drapeau, devant le colonel à cheval qui leur fait le discours d'adoubement, où il est question d'honneur, de service, de devoir envers la France, par l'onction patriotique achevant l'éducation donnée par la République, de l'école à la caserne. Pauline se moque de tout cela. Elle attend son jour des noces, fiérote de ses seize ans enfin atteints depuis juin, ratiocinant que, puisqu'elle entre dans sa dix-septième année, elle a le droit d'en déclarer un de plus, et Mme Victor la querelle toujours là-dessus, se lamentant que la terre ne pourra bientôt plus la porter et qu'il faut la marier au plus vite ! Mais c'est dit d'un bon cœur, au milieu des mille préparatifs de la fête.

Cette après-midi-là, vers les quatre heures, elles ont donc convergé autour de Mme Mathilde et de la brodeuse, tiré en cercle les fauteuils et les chaises de jardin pour admirer la belle ouvrage. Pauline et sa grand-mère, et Mauranne, Sassette, Millie pendue à la robe de Gabrielle. Sur la photo, il y a aussi Berthe Lewenthal, la jeune épouse du directeur, qui se tient un peu à l'écart, portant comme le saint sacrement son ventre gros, perdu dans sa robe vaste. Très théâtralement, les femmes posent assises, en demi-cercle autour de Mme Mathilde, ses genoux couverts de linge déplié, les taies et les serviettes ornées, les parures de draps, la brodeuse à ses pieds sur une chaise basse, regardant toutes l'objectif, avec cet air pénétré, un peu étonné, des gens qui prennent la pose pour longtemps, alors que le déclenchement les a déjà retranchés du temps. Ensuite, le cercle s'est refermé, pour commenter l'excellence de ce travail, auquel la couturière a mis plus de qualité que demandé, non pour complaire à la patronne, mais par amitié pour Mme Victor. Même Berthe Lewenthal s'est enhardie à tâter le lin et le beau fil. Ensuite, Mauranne a porté sur la table en fer du jardin du sirop d'orgeat, le café de Madame, et une tarte aux abricots ; alors, autour de cette collation, elles ont devisé librement. Du moins il le semble, tant ce qu'elles entendent vient de loin dans leur vie commune, de choses et de gens qu'il suffit de nommer pour tout en savoir entre elles, à mi-mot. Des nouvelles d'un rebouteux qui est passé dans la semaine, parce qu'il ramasse les racines de mélisse dans les fossés, bonnes à cette saison. Il se dit que Charles, invité, serait peut-être venu si ses sœurs ne s'y étaient opposées, elles qui maintenant régissent la maison de Genilly, dressent enfants et chiens, les bonnes, et leur frère, à leur loi domestique, et que s'il se conduit tant en bon garçon avec elles, c'est qu'il fait ailleurs ses quatre volontés d'homme... Il se dit que les Armand se contentent très bien de l'ouvrier agricole qui remplace Renaud, un nécessiteux adressé par la femme du sénateur, qui se tue bravement au travail et rit à la peine. Quant à l'invitée de la photo, elle écoute d'un air poliment absent ces choses qu'elle ignore, les mains posées sur son gros ventre, dont elle consulte les soubresauts.

Le jeune directeur jamais ne soufflant mot de sa vie privée, Mme Mathilde avait commencé de se demander s'il en avait une. Aussi est-ce un événement que la jeune Mme Lewenthal soit là, son existence révélée, et cet enfant prochain. Visiblement, son mari l'a contrainte à l'accompagner, malgré sa grossesse ; une position délicate, dont seule une invitation à la campagne peut s'accommoder. En cet état, les futures mères sont tenues à la décence, et restent chez elles. Elle fait bonne figure de son mieux, intimidée par la compagnie, encombrée de son ventre, quand lui évolue avec aisance parmi cette demeure de ses patrons qui l'accueillent dans leur intimité ; d'un si grand naturel qu'on ne sait s'il est reconnaissant, honoré du privilège, ou considère celui-ci comme un dû. En tout cas, d'une éducation achevée, il s'en sort avec tact, charmant sans déférence, modeste sans excès. Et il affecte vis-à-vis de sa jeune femme un détachement de bon aloi, qu'il soit sincère ou feint. Il fallait qu'elle soit là pour attester leur conjugalité, conforme en tout point. C'est excellent... Un célibataire se dérange ouvertement. Un homme marié prend davantage de soins. Sa régularité de mœurs, au moins son apparence, garantit des désordres. Mme Mathilde est enchantée de son initiative, et de son succès. L'atmosphère détendue du séjour apaise ses alarmes variées, et Henri se montre finalement agréable, assez ingambe pour aller et venir, sans manifester ses douleurs, de très bon accueil pour le directeur des usines Bertin-Galay, qu'elle lui impose. Non seulement, il s'est montré disert, et courtois, mais il a condescendu à montrer quelques-unes de ses collections à celui-ci, sincèrement intéressé et, pour certaines pièces, fort bien informé. Au bras de Gabrielle, qu'il a entraînée d'autorité, Henri a longuement commenté les masques africains, dont Lewenthal fait grand cas, cet art nègre aux naïvetés étonnantes qu'on commence de regarder pour du génie...

Si bien que Mme Mathilde se demande à présent, les voyant de la terrasse converser tous trois au fond du grand salon, si Henri ne fait pas tant de montre envers son hôte que pour charmer Gabrielle ; qu'il promène si vaniteusement à son bras. Vieux renard, songe-t-elle, en sais-tu autant que moi sur ton fils, ou sens-tu à quel rival tu te mesures ? Si tu ne sais ni ne sens, voilà grand déploiement de tes attraits, que je n'ai vu de bien long-temps... Cette scène lui représente, pour la première fois depuis très longtemps, ce temps où Henri de Galay la courtisait, et le souvenir chassé de sa mémoire, si vif à l'instant, l'étonne par sa violence. C'est une émotion entière et vraie, surgie intacte du passé, l'étourdissante saison, l'ivresse des assiduités du jeune aristocrate, à qui elle ne sait plus si elle succombait par penchant ou pour plaire à son père, enorgueilli de sa conquête, et calculant déjà son intérêt. Le contrat était si favorable entre leurs deux fortunes, l'ancienne et la nouvelle, que la chose s'était emportée, la vie avait vite balayé le prélude sentimental. De voir à présent la jeune fille à son bras, dans ce contre-jour lointain du salon qui nimbe leurs silhouettes, il lui semble, par un rétré-cissement du temps, se revoir elle-même, une qu'elle a si peu connue, en qui elle n'a pas cru, ou dont elle a renié les pro-messes, dont Gabrielle lui rapporte l'image confisquée, inquié-tante et ravissante figure dont la puissance tranquille monte de cette demi-obscurité, se révèle progressivement au grand jour, maintenant qu'ils reviennent vers la terrasse. Comme ils attei-gnent le seuil, elle est alors frappée par la rayonnante beauté féminine, dont la seule présence émeut l'espace, auréolée du pouvoir qu'elle exerce comme malgré elle, mystérieuse émana-tion de toute sa personne. Mme Mathilde, remuée par ce spec-tacle qu'elle seule semble voir, interroge sa transformation depuis le jour où elle a reçu, quai de la Gare, la énième candi-date à ce poste, qu'elle trouvait falote et maigriotte, mais que sa détermination et sa dignité avaient séduite, plus que tout son endurance, elle qui était restée une heure à l'attendre, debout, par défi. Est-elle si différente d'aujourd'hui ? Cet inconnu inac-cessible, ce charme impénétrable qu'elle oppose à l'inquisition du regard, ne s'y prêtant que pour mieux s'y soustraire, souriant dans le vague, sa paupière demi baissée, ou bien sa puissance ne vient-elle que de ce qu'Henri la tient à son bras, de ce que Pierre, à l'instant, venant à leur rencontre, se penche vers elle, oh si tendrement ! A peine penché pourtant, un geste esquissé, invisible vraiment, mais si harmonieusement d'accord avec la courbe de son épaule, l'inclinaison de son cou, qu'il dénonce, par ce langage secret, l'intimité sensuelle de leurs corps. Elle en est jalouse, si douloureusement jalouse qu'elle se regimbe en elle-même, redresse sa taille, et détourne son regard.

Alors il y a eu cette autre photo, où l'on voit sur le seuil, dans le cadre noir de la porte-fenêtre que déborde le chèvrefeuille, les trois hommes entourant Gabrielle, et Mme Mathilde se retournant vers l'opérateur. A ses pieds Millie, en chapeau de paille, joue avec ses poupées, et tout au fond, au bord du cadre, Sassette qui vient, s'arrêtant pour ne pas déranger la prise où elle ne doit pas être, où elle est pourtant, en une étrange posture déliée et gracieuse d'ange annonciateur.

Il y en a une autre, prise un peu plus tard, car le soleil tombe, l'ombre de la serre s'allonge sur le gravier de l'allée et l'opérateur, mais qui ? a pris le groupe nombreux de plus loin, sans doute du milieu du jardin. En haut des marches, les messieurs entourent Henri de Galay, son fils, Pierre, son gendre, Edmond Fleurier, venu sans sa femme, qu'indispose la chaleur, dit-il. Il y a aussi son ami d'enfance, Gaston Delhomme, et le cousin Vergeau, et puis deux autres messieurs, inconnus, en vestons et gilets clairs, un jeune garçon en costume marin ; ces dames, et leurs visiteuses, sous leurs chapeaux d'été. Simon Lewenthal, assis sur la dernière marche, tient affectueusement Millie contre lui ; elle passe son bras autour de ses épaules, et de sa petite main pince curieusement son oreille. On lui voit au doigt la petite bague à fleur bleue de son premier Noël, cette bague qui vient de si loin, dont elle ignore tout alors, et ce qu'il en viendra… De cela ils pourront rire, s'émouvoir, bien des années plus tard troublés de ce geste ancien, dont l'innocence ne préfigurait rien, et devenait soudain prémonitoire ; et combien les photos saisissent de nous ce que nous ignorons, en font des signes en notre absence.

Mais la fin du jour n'apportant pas la fraîcheur, ils ont quitté les murs et cherché en promenade un peu d'air du soir, se dispersant sur le chemin vers les Armand. Ils ont passé sous le grand hêtre dressé dru, d'une densité minérale, sa force de titan naturel et sa beauté triomphale d'été, sa tête peuplée d'oiseaux invisibles dont le pépiement assourdissant accompagne leur lente procession. Gabrielle a traversé la prairie où les hautes herbes lui font une mer aux genoux, la houle des coquelicots innombrables balancée par le vent chaud, et les gerbes de sauterelles soulevées par leurs pas. On la voit de loin arrêtée, sa silhouette à l'ombrelle sur la hauteur, collines bleues en sentinelle, et les filles ramenant à brassée des bouquets rouges de fleurs des champs, Pauline levant les bras joyeux au ciel, un mouchoir en étendard. Les photos rappellent-elles aussi les bruits et les odeurs ? Alors c'est de très loin venu un angélus, porté par le vent lourd, et cette odeur des foins coupés, des champs qu'on moissonne partout, la poussière des pollens et des balles d'avoine ou de blé envolés, du sucre et du poivre des luzernes picotant aux narines et poudrant les joues. On voit aussi Meyer et Victor ensemble contre le mur de l'écurie, avec les bêtes, Loyal et Pomme à l'anneau, que monteront tout à l'heure Pierre et Simon, et Tout Roux assis sagement à leurs pieds, déjà dressé à la discipline de Meyer, à côté de sa mère, la vieille chienne... Comment s'appelait-elle, cette chienne, dont les chiots dans la caisse ont été sa première joie au Mesnil ? Camille ne s'en souvient plus. Qui se souviendrait ?...

Mais c'était un tel contentement que cette promenade du soir, l'énorme jaillissement végétal des orées, les hautes futaies du bois ; entre deux arbres, dans l'échancrure du ciel, la montée prodigieuse des nuages à la rencontre du soleil brûlant, cette muraille barbare des nuages d'orage, et pourtant en eux, qui marchaient dans ce crépuscule, une suavité plus grande que tous les sommeils, où entre tout ce que chacun porte en lui sans y penser, que ce soit projets industriels des uns ou spéculations savantes d'un autre, regrets des voyages achevés, ou de ceux qu'on n'a pas encore faits, des endroits où l'on veut revenir, qui ne nous verront plus, projets de mariage et d'enfant échoués par le destin, frénésie de pouvoir, de conquête et d'évasion, le vœu fervent dont on ignore la portée, si la force qu'on a suffira à le vouloir assez longtemps, et même l'insouciance de la petite fille, ignorant passé et avenir, n'ayant que ce présent du bonheur qui la faisait courir au-devant, retraverser le champ de coquelicots pour se jeter follement, au bas du chemin, dans les bras de son père. Cet étrange père qui la serrait trop fort en regardant au loin, et dont l'étreinte ne lui était peut-être pas destinée, Camille se le rappellerait, en voyant ces photos de la prairie du Mesnil.

Pendant ce temps-là, tandis qu'ils s'égaillaient loin de la maison, les journaux étaient restés abandonnés sur les tables du salon désert, et à leurs pages ouvertes on voyait les titres annonçant la tenue du procès de Mme Caillaux en cours d'assises, dont la première des six audiences, ce lundi prochain, 20 juillet, serait consacrée à la formation du jury ; à la lecture de l'acte d'accusation et à l'interrogatoire de la meurtrière. On y présentait longuement la personnalité du président Albanel et des bâtonniers, Labori pour Mme Henrierre Raynouard, épouse Caillaux, assisté de maîtres Lebeau et Pachman ; et Chenu, assisté de maîtres Seligman et Millevoye pour la partie civile. On commentait déjà le second mariage, la calomnie et les attaques du *Figaro*, le collier de l'empereur d'Allemagne, un cadeau de sept cent cinquante mille francs, et la politique, la finance, les affaires douteuses, les lettres intimes... Cela occupait tant de place qu'on parlait à peine du voyage du président Poincaré en Russie, avec Viviani, de la réception en rade de Cronstadt, du beau temps qu'il faisait, après un petit orage. Du bateau de l'amirauté mis à la disposition des journalistes pour suivre l'accueil par la foule, à laquelle répondait le président par de larges coups de chapeau, des magnifiques embarcations pavoisées sur la majesté de la mer, et de l'amiral Grigorovitch le conduisant sur le yatch *Alexandria* où l'attendait le tsar en tunique blanche, avec le grand cordon de la Légion d'honneur, entouré de plusieurs grands-ducs, des ambassadeurs de Russie et de France, MM. Iswolsky et Paléologue... Un entrefilet annonçait la mission, décidée par le ministre de la Guerre, pour savoir où passait l'argent de la défense nationale, les conditions d'utilisation des crédits votés par le Parlement en vue de l'application de la loi des trois ans, et des grands travaux d'armement.... Ce jour-là, on ne disait rien des démarches du comte Berchtold, le ministre austro-hongrois des Affaires étrangères, réclamant à Guillaume II l'appui allemand dans les représailles prévues par Vienne contre les Serbes, ni du message de soutien au très vieux François-Joseph adressé par le Kaiser, avant son départ pour une croisière de trois semaines sur son yatch le *Hohenzollern*, le long des côtes norvégiennes. Trois semaines !... D'ailleurs le gouvernement austro-hongrois et les chancelleries différaient l'envoi de la note, pour ne pas paraître perturber les solennités de Saint-Pétersbourg, la réception de Poincaré par son allié Nicolas II. Non, vraiment, rien de ce côté-là, dans toute l'Europe assoupie par les festivités et la chaleur de l'été. Dans le salon solitaire du Mesnil, les pages des journaux tournaient dans le courant d'air, s'éparpillaient sur le tapis.

Les photos de cette époque ne se souviennent que de ce que frappe la lumière du jour. Dès que la nuit tombe, l'appareil *folding* de Simon Lewenthal est oublié sur le coin du piano, après que Gabrielle a joué quelques valses de Brahms. Personne n'a remarqué que son petit doigt est encore bien raide sur les touches, personne ne s'avise du défaut de sa frappe. D'ailleurs, le salon de musique est déjà désert, ouvert sur le petit jardin où brûle la verveine. La compagnie a dîné de viandes froides et de salades de fruits, on prend le frais de nouveau sur la terrasse, dans la pénombre grandissante. Les grillons grésillent tout près, dans les herbes surchauffées qui feutrent le jardin, gorgé de soleil, et la nuit dévore maintenant les allées, gonfle sous les branches des cèdres, elle rampe jusqu'au bas des marches, à peine éclairées par la lueur des lampes éloignées du salon, sur le gravier scintillant comme du gros sel. La nuit enserre la demeure dont le toit se découpe à peine contre le ciel encore pâle, d'une teinte de soufre virant au vert, très étrange éclairage des orages secs qui succèdent aux grandes chaleurs.

Mais pour l'instant l'air stagne, sans le moindre frémissement et, les invités repartis, les hôtes du Mesnil s'alanguissent de la longue journée. Les femmes de la cuisine approchent, lasses, et défont leur tablier, Mme Victor et Mauranne, leurs filles, sur le banc, un peu à l'écart, pour goûter ce calme du soir qui rassemble. A côté d'Henri, installé dans le plus grand fauteuil d'osier, il y a Gaston Delhomme, venu tout exprès de sa maison de Champagne pour voir son ami d'enfance. Ils n'ont rien à se dire. Ils ont été petits enfants ensemble, il y a très longtemps, vieux à présent, et leurs vies dissemblables, leurs désirs et leurs pensées divergents n'ont en rien altéré cette sorte de lien très mystérieux qui les fait être encore côte à côte, sans avoir besoin de se toucher ni de se parler, sans même se regarder. Gaston a porté du vin de Champagne, qui est dans un seau de glace sur la table, avec les verres vides dont les reflets peuplent l'obscurité. On voit les brûlots rouges des petits cigares s'embraser par intermittence. Mme Mathilde rêvasse, ressassant la grande carte tentante de Choisy, qu'elle a examinée tout à l'heure, et les plans encore sommaires, les gros traits bleus d'architecte de l'usine future dont rêve Simon Lewenthal, qu'il a eu le temps de lui exposer avant le dîner, sur la table de la salle à manger. Et quand il a dit, repliant les grandes feuilles craquantes, à mi-voix : La guerre nous enrichira, madame, elle a délicieusement tressailli. Il faut produire, comme votre père, pour les armées, ce dont elles auront besoin bientôt. Des biscuits de guerre, et des pâtes alimentaires, du chocolat peut-être. Ces mots l'ont doucement secouée, ont bercé en elle la vérité qu'elle sait à présent, que la guerre vient, qu'elle aura lieu. Et qu'alors elle sera à la hauteur des espérances de son père. Millie s'est endormie sur les genoux de Gabrielle, qui sent contre elle le grand poids et la chaleur de son corps enfantin, l'odeur de ses cheveux moites mêlés d'herbes sauvages, celle de fruit acide de sa peau. Et elle sent aussi, animale au creux de ses reins, la chaleur de la main de Pierre, différente chaleur, vivante et souple, émouvante, adorable emprise de sa belle main longue et charnelle, précise, désirante, que la nuit enveloppe, que personne ne voit, ou bien que chacun feint d'ignorer dans cette obscurité.

Ensuite, il n'y a plus eu d'appareil photo, ni de témoin, plus personne. Ils se sont retrouvés seuls dans le bureau, au plein de la nuit, dans la maison endormie, pour accomplir ensemble un sacrifice dont nul ne doit avoir connaissance, dont eux-mêmes savent qu'il est vain, vient trop tard, ne réparera, n'empêchera rien. Il appartient à eux seuls de l'exécuter, et pourtant ils se retrouvent face à face, pâles et désemparés. Il pourrait les rendre ennemis s'ils ne s'aimaient de cet amour. A présent que faire d'autre du cahier rouge, sinon le détruire, ensemble. Le détruire ne sert à rien. Sa traduction, sa copie données à Max Jamais sont déposées dans les archives d'un journal, pour mémoire. Il ne s'agit pas d'effacer sa trace, de nier son existence. Seulement d'anéantir cet objet maléfique, de si grave conséquence qu'on a tué pour l'avoir, qu'il tuera encore. A si grande échelle qu'on ne peut le concevoir. C'est un objet. Posé sur le bureau, mince carnet de carton, rouge fané, dans sa banalité d'objet plus effrayant qu'un organisme vivant. Qu'un bacille ou un virus mortels. La somme toxique des substances et formules alchimiques inspirées du diable, cet abandonné des dieux qui exècre les hommes. C'était aussi bien le talisman pitoyable, dernier acte de la main d'un homme exténué. Que l'un et l'autre ont assez aimé, désiré et redouté, pour n'en approcher qu'en tremblant, comme au bord d'une profanation. C'est le début et la fin d'une histoire qui a emporté leurs vies. Les a tenus longtemps dans l'attente, et l'absence, l'oubli et les tourments de la mauvaise mémoire. La dette sans rachat, le supplice sans réponse d'une concience, assassinée là-bas, au fond de la jungle d'Orient. Par quoi Endre, de sa main blême de fantôme, les pousse, les rapproche dans l'ombre des couloirs, les jette lentement l'un à l'autre, veut leur rencontre. Leur donner l'amour, et le reprendre ! Cette cruauté qui accouple pour mieux séparer. Que veut d'eux ce spectre ? Eux-mêmes que lui ont-ils reconnu de pouvoir pour l'avoir laissé, des enfers où il séjournait, les toucher encore, de son haleine empoisonner leurs étreintes, abîmer leur désir de honte et de peur ?

Pierre et Gabrielle se tiennent silencieux, solidaires et craintifs, l'un au bras de l'autre pour s'accompagner, pour ne pas abdiquer, ne pas renoncer. Pour oser accomplir ce geste impie du sacrifice par lequel il mourra, une deuxième fois. La répulsion en est aussi grande que des idoles hideuses posées à côté, sous la lampe. Ces statuettes birmanes dont la méchanceté épouvantait Jane. Aussi zélées à dispenser les maux qu'à les guérir, dit-on, puisqu'on leur prête ce double, insoluble pouvoir. Quel décret expiatoire ne convoque du même coup pire mal ? Pour le conjurer, on ne sait plus qui sacrifier : des enfants, des vierges, de jeunes hommes, animaux, bœufs ou coqs, et boucs ? Qui tuer, quoi détruire, qui n'emporte en même temps notre chair, notre âme ? Sacrifier soi, donner soi en offrande, plutôt que l'objet, l'idole, le fétiche ? Mais quoi de soi ? La main, l'œil, le bras, la vie ? Le sacrifice est inutile. La souffrance est inutile, aucun sang impur n'abreuve nos sillons, ne venge ni ne rachète le mal en chacun de nous, ne nous purifie, et le cahier rouge brûlait, brûlait.

Il brûle enfin, Pierre l'a décidé, l'a posé sur la pierre de la cheminée. Une feuille allumée, et le feu gagne, lentement, il ronge le carton rougeâtre, ourle une page et sa voisine de cendre grise aux franges écarlates, sans flamme, un brasier sourd et lent qu'il faut aider, en donnant de l'air à la combustion, ce petit travail domestique, un peu laborieux, pour si peu de chose... Le cahier a brûlé. Il en reste un tas de poussière noire, si mince et légère qu'à la disperser elle teinte à peine la pierre, disparaît dans les alvéoles minérales, place nette. Place nette !

— Ne nous perdons plus, Pierre, supplie Gabrielle au cou de son amant, enlacée à lui, et serrant sa taille, son buste, attirant sa nuque. Ne nous quittons jamais, restons ensemble. Faisons de l'amour, faisons du bonheur. Nous n'avons pas de peur, toi et moi. De vivre, et de mourir, nous n'aurons pas peur. D'avancer, de porter, de vouloir. La bonté est invisible, elle est plus forte que les horreurs du monde. Elle est vraie et juste, elle nous oblige. Aime-moi, aimons-nous, oh Pierre, mon amour ! Vois-tu que je suis là ?

— Il fait nuit, et pourtant je te vois complètement. Si j'étais aveugle, je passerais mon temps à te caresser le visage, comme ça... Le corps aussi... Si j'étais sourd, j'apprendrais à lire sur tes lèvres... Comme ça... Mon amour... Même si tout ça doit finir très mal, je suis enchanté de vous connaître, madame. Tu es si belle que te regarder est une souffrance...

— Hier, tu disais que c'était une joie.

— Une joie et une souffrance. Je te veux, veux-tu de moi, sois ma femme. Accompagnons-nous, Gabrielle, allons ensemble au grand jour, viens avec moi, allons chez nous. Cherchons une maison où vivre ensemble, avec Millie, aux yeux de tous. Le veux-tu ? M'attendras-tu ?

Elle n'a pas eu le temps de répondre qu'un éclair inouï a illuminé le bureau, défigurant la pénombre en un théâtre de lapis-lazuli. Si fantastique éclair, d'un bleu silencieux, qui dure plusieurs secondes, tenu à l'extrême tension de son arc surpuissant et, par la fenêtre grande ouverte, on voit le jardin surexposé, dans ce noir et blanc stylisé des photographies, les cèdres aux aiguilles une à une dessinées au scalpel de lumière, les buissons de buis, les rosiers griffus, les fuligineux massifs, l'herbe blanche brûlée, longues fibres mortes et pissenlits d'herbier sec, le gravier étincelant de fausses pierres, au fond le mur d'enceinte et le départ de la route, ce paysage surnaturel irradié aveuglant jusqu'au fond du bureau les grands tableaux, les batailles navales et les portraits des morts, et jusqu'à leur visage d'un reflet livide, eux-mêmes tels les cadavres de cette réalité devenue impensable ! Mais à peine la nuit retombée, dans la seconde suivante, ç'a été la déflagration formidable de la foudre, tombée tout près. Un tel ébranlement qu'un instant la maison a semblé vaciller, soulevée par le séisme, un sursaut tellurique arrachant ses fondations.

Si ses habitants endormis n'ont vu l'éclair, de ce fracas, la maison tout entière a dû être réveillée. Mais à présent la bourrasque qui s'ensuit gronde normalement, abat d'un seul coup sur le jardin l'averse violente d'un simple orage, que promettait le jour surchauffé, les nuages du soir montant vers le soleil exaspéré, un orage naturel d'été qu'amène la saison chaque année, au moment des moissons, et demain on se lamentera de ne pas avoir rentré assez tôt les gerbes, ni couvert les meules... Si, dans la maison, on s'agite, ils ne le savent. Vivien en chemise tire les volets de la chambre d'Henri, au rez-de-chaussée ; dans une autre chambre, Simon Lewenthal, torse nu, ferme à la crémone la fenêtre restée entrouverte, et peut-être Millie se tourne-t-elle dans son sommeil, Sassette sur un coude, alertée, sitôt rendormie, et les chiens sursautant, à l'écurie ; Meyer penché à sa lucarne qui donne sur les poiriers du verger, Mauranne sous les combles... Pierre et Gabrielle n'en ont rien su, pour s'être emportés au fond de la chambre, fermant sur eux la porte, fermant au monde leurs yeux comme font les amants.

Il n'y a pas eu de photo non plus, au matin, du grand hêtre que la fulgurante décharge du ciel a fracassé, coupé en deux, de haut en bas, écartelant au sol l'immense torse du tronc déraciné, ses bras disloqués, déchiquetés et démembrés sur la prairie. Il gît, la jonchée calcinée de son feuillage répandu par les ruisseaux de pluie en coulées de lave épaisse jusqu'au bas du chemin, en sirop de boue, où les mottes de terre font des caillots gluants. Un tel désastre qu'ils viennent le contempler, silencieux, les uns après les autres, médusés au spectacle de l'arbre mort. Qu'il ait été foudroyé, dans cette perfection barbare des colères célestes, facilite-t-il l'acceptation de la cruauté, enlève-t-il le remords que tant de beauté et de noblesse finissent là, dans l'abattement laid du grand corps jeté à la terre ? Bien plus saisissant, encore sanglant de ses flammes, que ce que peignait le soir d'été sur sa toison vivante. Bien plus théâtral et donneur de leçons. Cette hideur des choses souillées, désarticulées et ricanantes, que l'assassin laisse derière lui, le cadavre obscène des illusions, des promesses de paix et de bonheur, ce massacre parfait.

Millie pleure, et Pauline, qui ont tant aimé et joué, dormi et espéré à son flanc. Mais il monte des larmes aux yeux de tous ou presque. Parce que ce n'est pas simplement un arbre foudroyé par l'orage de la nuit. La terre leur manque sous les pieds de désespérer d'un équilibre du monde, et de sa justice. Alors c'est vraiment l'éclatement des choses comme grenades partant en tous sens par-dessus tête, feu d'artifice tiré au canon des familles, fratries, filiations, amours et tendresses et désirs, tous les chants d'oiseaux, et les brassages de vent que l'arbre portait dans sa ramure ; alors il serait, l'arbre explosé, sous cette lumière louche du petit matin, bleuâtre, rosâtre de crachats que les traînées de bruine coloriaient affreusement, le premier guerrier abattu d'une apocalypse invisible.

XLV

Le samedi 1er août, l'air est pur, lavé par une pluie de la veille. La rosée détrempe encore le jardin où Mauranne sarcle les haricots verts. Les branches du verger filtrent le jeune soleil, une résille d'or tombe dans l'herbe fine, sur la jonchée des prunes trop mûres, dont le miel attire les abeilles et les guêpes. Plus bas, sur le chemin, Victor et Meyer ont commencé de débiter la souche du grand hêtre mort. Autour d'eux piaillent les oiseaux, passereaux et mésanges affolés de chercher encore leurs nids dévastés. Ce matin-là, est arrivé un courrier pour Gabrielle, et le timbre italien a fait battre son cœur. Réfugiée dans le petit enclos derrière la maison, sur le seuil du salon de musique, elle décachette l'enveloppe grise au tampon de Gênes. La lettre de Sophie a été postée huit jours plus tôt et porte quelques lignes, qu'elle lit et relit, les bras tremblants.

Gabrielle, mon amie, je ne peux partir sans vous dire que mon cœur séparé reste attaché aux miens, dont vous êtes. Quelle que soit la distance entre nous, pensez parfois à moi, gardez-moi. Je ne cherche pas la paix, mais la vie. Je rejoins celui que j'aime, selon notre volonté et notre engagement, qui nous condamnent à être sans pardon. J'espère de vos nouvelles, un jour,

SOPHIE.

Elle indique une boîte postale à Montevideo, et plus bas un post-scriptum ajoute : *Orphée vous ramène à lui, où que vous soyez.* Tout le matin, Gabrielle a porté cette lettre dans son corsage, riant et pleurant à la fois, d'allégresse, de mélancolie pour la bonté et la cruauté d'aimer, et tout son cœur vole vers Pierre qui vient demain, au bras de qui elle repartira pour chercher avec lui une maison dans Paris, un appartement, selon leur volonté et leur engagement.

A quatre heures de l'après-midi, Mme Victor finit de remplir les pots de confiture de groseilles avec Sassette et Millie, quand monte, de toutes parts dans la campagne, l'appel du tocsin. Les uns et les autres, ils sont sortis, incrédules, sur le seuil de la cuisine, de l'écurie, sur la terrasse, interrogeant le ciel pur d'été que ces ondes traversent comme mouches noires en essaim, le bourdon morne des cloches se répondant d'est en ouest et du nord au sud, dans tous les villages, les bourgs, annonçant on ne sait quel incendie, quelle catastrophe, et Pauline a débouché au portail, courant à perdre haleine en tenant ses jupes à pleins bras, courant depuis le bourg sur la route où elle est tombée plusieurs fois dans les cailloux, déchirée, les genoux en sang, échevelée, époumonée par sa course folle, et de si loin qu'ils la voient arriver, elle crie sans voix, la voix ne sort pas de son gosier en feu : La guerre ! La guerre ! Arrêtée au milieu de l'allée, mi-cassée par la pointe au côté qui la cisaille, elle hurle à voix rauque, aboie à eux : La guerre ! Sa bouche d'enfant grande ouverte sur le cri inaudible, lèvres retroussées sur les dents, les gencives rouges, sur sa face ce masque de vieille, si vieille déjà du malheur à venir. Il y a eu ce terrible quatre heures du soir où ils se sont tenus, les uns et les autres, séparés, debout comme statues de pierre sans se regarder, face à la jeune fille épouvantée. Qu'est-ce que la guerre ? Seuls Meyer et Victor savent, peut-être, ils se taisent. C'était un commencement sans les mots, sans les pensées, sans un sursaut de la raison. La nouvelle des temps qui viennent dans cet affreux soleil d'été.

Dans l'heure, Gabrielle a pris le train de Paris. Victor, qui la conduit au bourg, ne dit rien, ses mains rudes laissent flotter les rênes sur les flancs de Pomme, comme si son geste ne guidait plus rien, ne dirigeait plus nulle part. A la gare, c'est un embouteillage invraisemblable de charrettes et de voitures portant des gens de toute la campagne environnante, d'hommes débraillés en sueur, parcourant la place, débordant les cafés, parmi l'effarement et l'exaltation jetant les cris, les appels : Vive la France ! A Berlin ! Au drapeau ! Un rassemblement patriotique frôlant l'émeute grossit devant la mairie où l'on affiche déjà des listes de noms, où on colle déjà l'avis de mobilisation générale. Elle a fait le voyage debout, au milieu d'une foule qu'elle ne voit pas, tant de faces, de regards, d'odeurs, de voix qu'elle ne sent ni n'entend, dans la promiscuité rude des bras et des corps emmêlés. Elle a été sur le palier de la rue de Turenne sans savoir comment elle a traversé Paris livré aux manifestations spontanées,

hordes hurlantes remontant la chaussée que les voitures immo-
bilisées paralysent, marée humaine se déversant des boulevards,
les feuilles de journaux volant dans l'air brûlant du soir. Rendue
sur le palier, après avoir sonné, ignorant où se trouve Pierre, elle
a attendu un moment, n'osant utiliser la clé qu'il lui a donnée,
parce que c'est un geste terrible que d'entrer en son absence, de
trouver vide l'appartement. La rumeur urbaine monte jusque-là,
sans cesse grossie, un grondement inhumain de piétinement
concassé de tous les bruits des poitrines, des machines, des
murs. Cela suit une semaine d'anesthésie générale, où chaque
jour viennent des nouvelles, sans cesse démenties, d'un conflit
austro-serbe, entre chancelleries les chicanes de procédures et
de notes, d'avertissements, de menaces locales et de soutiens
proclamés, entre Saint-Pétersbourg et Paris solidaires, Vienne et
Belgrade, rumeurs de préparatifs, rodomontades, tout cela noyé,
le jour de la déclaration de guerre à la Serbie, par le procès
d'Henriette Caillaux, son acquittement spectaculaire, la veille de
l'assassinat de Jaurès, au *Croissant*, un des derniers tenants de la
paix avec Joseph Caillaux, éliminé de la scène politique. Hier
est si loin ! Hier est tout à l'heure, et ce matin, dans une accélération effarante, von Moltke et von Falkenhayn déclarent la guerre
au tsar ; ce soir la France mobilise ses soldats, emplit les casernes, les trains, arme les hommes de tous âges…

Gabrielle ne pense rien, ne sent ni sa fatigue, ni sa soif, sa
peur ni son angoisse, vague crispation au creux du ventre, du
plomb derrière les yeux, mains moites. Elle est encore debout
devant Pauline, au bas du perron ; elle entend son cri de bête.
Henri a eu ce geste étrange de se découvrir, d'enlever lentement
son chapeau de paille, comme on s'incline au passage des
morts. Le vent passe sur les buis et les rosiers. Millie, interdite,
suce la confiture de ses doigts. Mauranne se signe. Le soleil
brille. Tout à l'heure. La mobilisation n'est pas la guerre, déclare
Poincaré. On en est aux armes, aux ultimatums… L'armée de
couverture est aux frontières. Les mots traversent son esprit sans
faire aucun bruit, dans ce réduit de l'escalier aux marches cirées,
à la rampe de fer forgé, fraîche à la paume, dans cette solitude
du palier qui ouvre sur la cour pavée, fleurie de capucines à
une fenêtre, où le soleil du soir frappe une vitre, réfracte un
rayon orange, aveuglant. Elle a fini par tourner la clé, par entrer.
Dans la demi-pénombre, c'est une telle paix de reposoir,
qu'elle en a un vertige. Elle a rempli un verre d'eau, aussitôt
échappé de ses doigts, se brisant sans bruit dans l'évier. Elle a

bu sans fin dans ses mains au robinet, inondant sa robe, son corsage, noyant son visage. Elle a mâché sans faim un quignon de pain sec qui traîne dans le placard, dévore une pomme, des carrés de chocolat Meunier. Longtemps elle regarde la vignette de publicité qui représente Le Mont-Saint-Michel. Elle tourne machinalement le moulin à café, dose avec soin la poudre, passe le café, posément, attend que s'écoule bien l'eau bouillante. Elle n'a pas bu le café, qui refroidit sur le coin de la table. Elle est tombée dans le fauteuil de Pierre, et s'est endormie, dans cet appartement où il ne reviendra peut-être plus jamais, un tombeau.

Pierre a monté les étages quatre à quatre, tête nue, pâle et défait, l'a retrouvée là, à la nuit venue. Il l'a cherchée partout. Il n'y a plus aucun autre endroit au monde où elle puisse se tenir, et si elle n'y est pas, c'est à devenir fou. Mais il la trouve enfin, et c'est comme une vigie sans espoir, tombée à ce lourd sommeil des gardes du tombeau, qui oublient de garder et rêvent d'un monde où ils ne sont pas. Il arrive tard. De la rue Dutot, où s'est tenu un conseil des chefs de service de l'Institut. De la Chaussée-d'Antin, où Mme Mathilde, absente, a fait savoir qu'elle reste dîner quai de la Gare, avec Lewenthal et sa direction. De chez sa mère, Pierre a appelé Le Mesnil, et appris qu'elle est déjà partie. Il a couru l'attendre à la gare Saint-Lazare, guettant sa silhouette dans la foule survoltée que déversent les trains bondés de Versailles, de Saint-Germain, d'Argenteuil, mais les horaires sont tous modifiés, les convois retardés. Bousculé, tenaillé d'angoisse de l'avoir manquée, il s'est senti repris par la folie rouge de Venise, quand il l'avait perdue dans la ville, invoquant son visage parmi les mille visages de la marée humaine… Dès que rendu au milieu de la pièce, d'un trait, comme on opère à vif, il dit qu'il était mobilisé. Il l'est dès ce soir, lieutenant médecin aux armées. Demain, il doit se présenter à Dijon, à sa caserne de rattachement. Son départ est suspendu aux mesures qui se prennent, en ce moment. Il s'agit de jours, d'heures peut-être. Sa voix est douce comme d'une colère blanche, il fait très attention à sa voix et ne regarde pas Gabrielle, ne regarde rien.

Elle a crié ou bien non. Il faudrait un grand mal dans la chair, une fatigue à se harasser les membres, à rompre, à se tuer, mais elle reste là, juste un peu fourbue, étourdie, à l'écouter répéter les mots, les phrases, qui courent les rues, sont sur toutes les lèvres : territoire national, patrie en danger, union sacrée. La grève générale : même les dirigeants de la CGT renoncent. L'utopie du peuple debout, jetant les fusils au seuil des casernes ! En Italie, seule patrie pour la révolution, les chefs de groupe, Malatesta,

Borghi, et l'union de tous les socialistes d'Europe en débandade, d'Allemagne, de Russie... L'Internationale lâche tout, l'Europe entière en multitude, déjà jetée aux frontières... Où vas-tu ? Ne pars pas ! Empêche la guerre, refuse de la faire. Aucune voix, sans souffle, cela s'asphyxie sans force, ensommeillé. Grelottant de si grande fatigue au fond du ventre, la gorge, sans une étoile, une lueur, il fait si noir ! Où est la lumière, allons-nous-en. Fuyons, où aller et y a-t-il un monde, viens, dans la lumière orange du soir, quel est ce commencement, sans rémission, quoi donc s'annonce. Il y avait là-bas, cela existe, ce lointain paysage, elle l'a vu, baigné de paix et d'harmonie, où la femme allaite et veille le berger ; l'éclair déchire le ciel. Et l'ange ailé, dans la chambre rouge où dort la sainte, qui entre, portant la palme des sacrifices, du martyre ; son ombre effilée le devance. L'éclair et l'ange ! Cela n'existe pas, dormons ! Tais-toi, dormons : nous serons des vallées, des rivières. Nous serons des pierres, des tombeaux. De quelle plaie saignes-tu, les yeux brûlés, qui est cette laideur, cette peur ? Quelles bêtes, quelles créatures, ces hommes, viscères arrachés en guirlande, les cœurs, les cerveaux. Dans la sanie et la boue, ces agonisants, écartelés. Auquel souhaiter l'obus de pitié qui le tuera, où bien de se survivre, sans mains, sans visage, sans yeux. De quelle espèce es-tu, toi qui aimes tant la mort, te voues à elle, ne sais rien, que d'elle et faut-il être femme pour connaître l'inanité béante de la guerre. Qui commande, qui donne les ordres à ce monde, où est l'ingénieur de ces travaux. Y a-t-il des jardins, des prairies, le pardon du vent dans un arbre ? Je suis folle, réveille-moi. Ne nous réveillons pas, dormons.

Maintenant, Pierre ne dit plus rien, les yeux mangés par son regard au-dedans, abîmé ; s'il dort elle ne sait dans ce silence. La maladie gagne, d'heure en heure, galopante, et la nuit tombe. La multitude, sang aux dents, charniers pleins, les morgues, les cadavres endentés de rires immondes, tandis qu'il répète, mais elle ne comprend pas cette langue étrangère : Je suis avec les hommes de mon temps. Leur temps est le mien, je suis le contemporain de notre histoire. Il n'y a pas de fatalité, il y a la nécessité. Je suis médecin. Je ne m'appartiens pas, quitte-moi, mon amour, pars. Emmène Millie avec toi, quelque part où je ne serai pas. Je viendrai vous chercher, *quand la guerre sera finie*. Il dit : Elle est à nous, garde-la. Je suis son père, elle est notre enfant. Elle dit : Dans la guerre, les enfants n'ont plus de père. Il dit : La guerre ne durera pas. Tu mens. Le temps perdu ne se rattrape plus, les maisons ne se cherchent plus, ne s'habitent plus. La guerre hait les maisons, les murs et les chambres, elle hait les amants, les époux, les enfants, et où veux-tu que j'attende, dans quel endroit du monde serai-je en attente de toi qui ne sais quand tu reviendras, qui mens sur ton retour ? Ne promets rien, ne promets plus. Il n'y a plus de chambres, plus de murs. Tu ne peux plus épouser ni garder, ni engager rien, ne peux plus rien donner.

Il dit : Je le sais, et promets, je m'engage. Je promets un retour, à toi que j'ai trouvée, mon aimée. Est-ce ainsi que les hommes vivent ? N'attends pas. Où iras-tu, où seras-tu ? N'attends pas. L'attente est honteuse et basse, elle humilie. Elle dénature, sa lenteur dégrade en nous le temps humain, elle avilit. Pierre, je te veux. La vie entière, je veux la vie. Avoir avec toi tout de suite ce soir prochain et la nuit, le matin, la tendresse, le désir, l'enfant, je veux avoir la connaissance, ne pleure pas, je veux la bonté et la beauté du jour, je veux ta beauté, ton intelligence, tes mains et tes yeux, je veux donner et recevoir, je veux l'amour, ne pars pas ! Le cahier est brûlé, nous l'avons brûlé, nous avons détruit la guerre à jamais. Elle est morte. Où vas-tu, cette boue est atroce aux chemins détrempés, et partout à la ronde on trouve des tombeaux... Où vas-tu ? Dans ses poings, il pleure comme un enfant, et c'est insupportable qu'il soit un homme, avec cette plainte grave et longue d'animal. Alors elle se précipite sur lui, comme se ruent les bêtes au fond des bois. Pour le battre des poings et mordre, enfoncer sa poitrine, son flanc, s'agrippant à lui sans voix, comme Pauline au bas des marches. Mais ce n'est pas défaite qu'elle tombe, ni suppliante ou vaincue. Au contraire, menaçante, dangereuse. Arc-boutée de fureur, brutale de cette rage qui force les mâles à charger dans l'assaut des ruts et des curées, si violemment qu'il chancelle sous sa poussée, la reçoit à pleins bras, en pleine poitrine.

Cela défigure le désir, cette faim hideuse et matérielle, dévorante, démembrant la pensée, tentaculaire colère déchirant la chair, qui la fend, comme on ouvre les lapins au couteau. Comme tombent leurs viscères, se vident sur les mains sanglantes. Elle a mal à l'aine, mal au ventre, du cri. D'où cela lui vient-il, pareille aux bêtes affamées et maigres, l'échine basse reniflant les traces, mendiant d'être saillies, écorchant leur panse en feu dans la terre, et prêtes à tuer, pour cela ? Cela se déplace sur une étendue considérable de temps, cela vient de loin, a pu longtemps traverser les bois sous les étoiles froides, ce désespoir, cette folie, et s'il ne veut pas d'elle à présent, s'il ne l'immole pas, ne tue pas ce qu'il a fait d'elle, ce qu'elle a fait de lui... Il l'a soulevée, emportée dans la chambre, et sans un mot jetée en travers du lit, déchirant sa robe et dénudant son buste d'un seul arrachement, à genoux sur elle, la nuque hérissée de terreur et la ligotant de ses bras, étouffant ses cris sous sa poitrine, d'une charge des reins la pénètre comme on poignarde, ébranlant si fort ses hanches de ses coups que de chacun ils peuvent mourir ensemble. Il faut en mourir vite, yeux clos, dents serrées de haine, se détruire dans ce déchaînement où ils ne se connaissent plus, s'emportant dans la région outrepassée du mal animal qu'on peut se faire, de la plaie mortelle qu'on peut s'infliger sans merci. Il n'y a pas d'amour à ce ravage, à l'éventration forcenée qu'ils réclament du corps à corps, de l'âme en guerre, victoire atroce de la guerre en eux. Alors ils ne peuvent plus que s'abîmer et périr.

Mais dans ce naufrage, il y a soudain cette grâce que la haine meurt. Que leurs cœurs battent le rappel en dépit de la laideur et de la colère, tuant la peur dans la transe peu à peu muée en sanglots, le sanglotant pardon du spasme d'amour, pareil au cri d'agonie que poussent les nouveau-nés, exténués par la souffrance de naître. Ont-ils assez désespéré d'eux-mêmes, sacrifié ce qui devait l'être, pour se réveiller soudain, inconnus et nouveaux, effrayés d'assujettir la terreur sacrée à la battue des corps, et de s'appartenir encore. S'ils pleurent ensuite, c'est de la nostalgie d'eux-mêmes, de la défaite sans pareille parce qu'elle ne peut le retenir en elle, il fuit. Son sexe glisse, il quitte la blessure palpitante qu'elle est tout entière et lui pleure de se retirer, la reprend et se reprenant se désunissent davantage, comme se séparent proche et lointain, terre et ciel se partagent, les eaux et l'air, quelle ombre dans la lumière... Quoi demeure, dans quel enfer descendre, et où se retrouver ?...

Elle dit : Mon Pierre, je n'ai besoin de personne, j'ai toi. J'ai ma force et ma volonté. J'ai ton orgueil et ta beauté, je ne suis plus seule. Tu n'es plus seul. Nous ne sommes pas des arbres qui restent couchés sur la terre, nos pas sont souverains pour nous conduire où nous voulons. Je suis ta séparée sans consolation, ta blessure, ta plaie sans guérison, je suis ta déracinée. Je garde ton ombre dans mes bras, elle me couvre de chagrin, ma douleur est mortelle au cœur, aux entrailles... O vienne la nuit, sonne l'heure, Pierre, et nous réunisse... Tu ne me connais plus, déjà tu te retires, oh mon amour. Reviens, Pierre, et elle caresse sa peau partout vivante, à la fleur sensible, sa peau si douce au flanc, au creux soyeux du coude, et au revers de sa cuisse longue où le tendon s'enracine, de l'aine au genou, à la charpente de son épaule fragile, la dépression de sa poitrine sous la vague des côtes si délicatement attachées, la cage charnelle de son cœur, boit de ses lèvres à son cœur, la pointe de son sein, le bouton dressé entre ses dents et prend son sexe entre ses seins et baise sa toison, encorbeille ses hanches et l'enveloppe de cette adoration navrée qui doit le couvrir tout entier et jamais il ne sera couvert aussi entièrement d'elle, d'elle couvert et sanctifié, et il doit la couvrir pour toujours, qu'aucune place des baisers ne soit plus jamais nue, l'intelligence et la merveille du corps, cette beauté d'homme nu livré à sa bénédiction.

De ces journées d'août, qui se souvient ? Elles se ressemblent toutes, lentes et précipitées sous l'avalanche quotidienne des nouvelles, les déclarations irréelles, démentis et confirmations. Dès le 3 août, la Belgique envahie, premiers morts sur une route, à Jonchery. De leur nom, qui se souvient ? On lit dans les journaux : escarmouche à Ambermesnil-Renoncourt : quatre uhlans, aperçus à la sortie du village, battent en retraite dans les bois. A Vellescort, un officier allemand réquisitionne des chevaux ; il tourne bride aussitôt face à la résistance farouche d'un instituteur. En Alsace, les paysans prennent hardiment les fourches contre l'ennemi. Hier, des patriotes pillent la fabrique de machines à coudre Koehler, rue de Lorraine ; rue Manin, saccagent les ateliers de M. Kischner, fabricant de machines à travailler le bois. D'autres, rue de Flandre, les magasins Surgès ; l'épicerie Boivin, rue de Clignancourt. Tous les dépôts de lait Maggi mis à sac. Le lendemain, scènes semblables à Aubervilliers, à Pantin. A Vincennes, l'usine du potage Knorr, dévastée, début d'incendie : un homme roué de coups meurt à l'hôpital. Aujourd'hui, en vertu de l'état de siège, le préfet de police interdit tout attroupement sur la voie publique. Les auteurs de pillages, cris ou chants séditieux commis ou proférés dans les lieux public, sont immédiatement déférés en conseil de guerre ; les agents de l'ordre, autorisés à se servir de leurs armes. Aujourd'hui : couvre-feu, à huit heures du soir, dans toutes les grandes villes. L'élite de la Nation donne l'exemple, nous sommes unis contre l'ennemi. La Patrie est Une. Les membres de l'Institut mobilisés sont : MM. Maurice Barrès, engagé volontaire ; Rostand, Chavanne, vice-président de l'Académie des inscriptions et belles-lettres, Lamy, commandant territorial, et Pierre Loti. Jeudi 6 août, dans les bureaux de poste, des affiches indiquent aux familles les consignes pour la correspondance aux armées. Ecrivons à nos soldats ! D'ailleurs, la flotte anglaise défend la mer du Nord et l'entrée de la Manche. Hollandais, Suisses, Canadiens ; aux antipodes, Nouvelle-Zélande et Japon, se lèvent contre l'hégémonie allemande, nous vaincrons ! Désormais, de six heures du soir à six heures du matin, les portes de Paris sont fermées aux automobiles. Des équipes d'infirmières bénévoles, de la société de secours aux blessés, partent vers Chauny, Ternier-la-Fère, le camp de Châlons, Epernay... Hier, sous le tunnel de Passy, un rentier allemand, âgé de quarante-deux ans, se suicide : il n'a pu se résoudre à combattre la France, où il compte de nombreux amis. Les banques seront-elles ouvertes demain ? Et les laiteries, les boulangeries ? Ce matin, conseils de provisions pour une famille de quatre personnes, pendant trois mois : dix litres de lentilles, de haricots secs ; six livres de riz, dix de nouilles, vingt-cinq kilos de pommes de terre, un kilo de gruau d'avoine, de tapioca ; cinq de sucre et de sel, cinq de graisse, douze de fruits secs, deux de café ; douze boîtes de lait concentré ; deux à trois livres de pain par jour, cinquante kilos de charbon de bois, quatre-vingts litres de vin. Lard salé, conserves de poissons à l'huile. Soit, environ : deux cent cinquante-cinq francs pour quatre personnes, pendant trois mois. Soit : 0,70 francs par personne et par jour.

La lutte qui s'ouvre sera la plus grande qu'on ait jamais vue. Elle décidera l'avenir de l'Europe, un monde nouveau de prospérité et de richesse. Aux armes, citoyens ! Formez vos bataillons ! L'Italie déclare sa neutralité, mais huit mille Italiens volontaires s'enrôlent : en raison de l'affluence, une nouvelle permanence ouvre 130 boulevard Richard-Lenoir, en plus de celles de la rue Planchat, et de la rue Victor-Massé. Tous les citoyens, quel que soit leur rang, sans limiter leur sacrifice en ce temps de guerre, assureront la victoire. La victoire ! Vous voyez : la nation se lève ! Les partis ont disparu dans l'immensité de la foule armée. Il n'y a plus que des Français qui veulent faire leur devoir, sauver, avec l'existence de leur pays, la civilisation de l'univers et, à Brest, des agents de police arrêtent les époux Strehlke. Suspects d'espionnage, ils sont écroués au fort de Bouguen. Une centaine d'aviateurs civils se dirigent en phalange spontanée vers la frontière !... Aujourd'hui, en une du *Journal*, Séverine s'adresse aux femmes : "Puisque les hommes de toutes les nations sont assez fous, assez coupables pour s'entrégorger, puisque nos efforts en tous pays ont été impuissants à maintenir le règne de la paix bénie, il nous faut, amies, donner à nos bien-aimés en péril de mort le viatique de la sérénité. La grève des larmes ! Le mensonge merveilleux du visage stoïque et de la main qui ne tremble pas. *J'ai confiance ! Au revoir ! A bientôt !*"

Serons-nous approvisionnés en eau, gaz, électricité, en sel ? Aux gares de Charing Cross et de Victoria, les Français mobilisés quittent Londres. Leurs femmes, leurs sœurs attendent que le train soit parti pour pleurer silencieusement. Inoubliable spectacle !... On dit que les Allemands ont franchi sur plusieurs points la frontière, ils coupent les mains aux enfants, violent, éventrent. Figurez-vous, sur la porte d'une boutique close, cet écriteau : les patrons sont partis : le premier à Toul, le second à Verdun, le troisième est officier à Marmande. Un emballeur de la porte Saint-Denis colle sur sa vitrine : Maison française. Avec un timbre du commissariat : certifié exact. Hier, la brasserie Pschorr, boulevard de Strasbourg, a été mise à sac, les débris de verre jonchent la chaussé. Le tsar déclare : "Que la Russie se levant comme un seul homme repousse l'attaque insolente de l'ennemi avec une foi en la justice de notre œuvre, et avec un humble espoir en la toute-puissante providence..." *Le Petit Parisien* écrit : "C'est une chose touchante, à ces heures matinales, de voir passer ces ouvrières, ces petites-bourgeoises, ces femmes élégantes appuyées au bras des hommes qui partent." C'était bien beau, gare de l'Est, les autos pavoisées, les clameurs de la foule : Vive la Croix-Rouge ! Vive la France ! Oh ! ça ne ressemble guère à ce qu'on voyait en 1870 ! Cent mille Allemands traversent le Luxembourg et se massent le long de la frontière française. Entendez-vous, dans nos campagnes, mugir ces féroces soldats ? Un homme, au bord du trottoir, arrête les passants : mon fils et mon gendre sont partis ; ils laissent huit enfants. Nombre de magasins sont fermés, le personnel est sous les drapeaux. En chantant, en pleurant, en riant, ils partent, Enfants de la Patrie, leur jour de gloire est arrivé... *Au revoir ! A bientôt !* Aux gares d'Orsay, de Montparnasse, des camions réquisitionnés déversent bidons, sacs, équipements. Placardé à l'Hôtel de Ville : veufs et divorcés en charge d'enfants peuvent s'adresser à toute heure du jour et de la nuit au cabinet du préfet, pour y faire savoir qu'après leur départ leurs enfants seront sans soutien : la ville de Paris organise des garderies, jusqu'à leur retour... Il éclate enfin, ce jour tant espéré pendant quarante-quatre années. Les pantalons rouges sont apparus sur la crête des Vosges !... Avant même qu'elle ait jeté sur notre nation sa pluie de sang, la guerre, rien que par ses approches, nous fait sentir ses forces régénératrices. C'est une résurrection !

Entre le 15 et le 18 août, les pâtures sont désertées, la fumée ondule à l'horizon des terres, la Ve armée avance sur Philippeville. Il y a des vergers de cerises qu'on ne ramasse pas, la gomme coule son miel à fils roux aux écorces. Une fraîcheur de